Textbook of Hematology

血液専門医テキスト

改訂第4版

［編集］
日本血液学会

南江堂

◆編　集

日本血液学会

■日本血液学会 教育委員会 委員長

宮﨑　泰司　みやざき　やすし　長崎大学原爆後障害医療研究所血液内科学研究分野

■日本血液学会 専門医認定委員会 委員長

張替　秀郎　はりがえ　ひでお　東北大学大学院医学研究科血液内科学分野

■日本血液学会 専門医テキスト編集委員会（五十音順）

石山　　謙　いしやま　けん　国立国際医療研究センター病院血液内科
江口真理子　えぐち　まりこ　愛媛大学大学院医学系研究科小児科学
坂田麻実子　さかた　まみこ　筑波大学医学医療系血液内科
鈴木　隆浩　すずき　たかひろ　北里大学医学部血液内科学
鈴木　律朗　すずき　りつろう　島根大学医学部血液・腫瘍内科学
照井　君典　てるい　きみのり　弘前大学大学院医学研究科小児科学
照井　康仁　てるい　やすひと　埼玉医科大学病院血液内科
長藤　宏司　ながふじ　こうじ　久留米大学医学部内科学講座血液·腫瘍内科部門
長谷川大輔　はせがわ　だいすけ　聖路加国際病院小児科
波多　智子　はた　ともこ　長崎みなとメディカルセンター臨床検査部
張替　秀郎　はりがえ　ひでお　東北大学大学院医学研究科血液内科学分野
前田　嘉信　まえだ　よしのぶ　岡山大学病院血液・腫瘍・呼吸器・アレルギー内科
松本　剛史　まつもと　たけし　三重大学医学部附属病院輸血・細胞治療部
窓岩　清治　まどいわ　せいじ　東京都済生会中央病院臨床検査医学科
宮﨑　泰司　みやざき　やすし　長崎大学原爆後障害医療研究所血液内科学研究分野
三好　寛明　みよし　ひろあき　久留米大学医学部病理学講座
八木　秀男　やぎ　ひでお　奈良県総合医療センター血液腫瘍内科
山内　高弘　やまうち　たかひろ　福井大学医学部血液・腫瘍内科
山口　素子　やまぐち　もとこ　三重大学大学院医学系研究科先進血液腫瘍学
横山　泰久　よこやま　やすひさ　筑波大学医学医療系血液内科

■日本血液学会 専門医テキスト査読委員会（五十音順）

井上　克枝　いのうえ　かつえ　山梨大学大学院医学工学総合研究部臨床検査医学講座
池添　隆之　いけぞえ　たかゆき　福島県立医科大学血液内科学講座
石川　裕一　いしかわ　ゆういち　名古屋大学大学院医学系研究科 血液・腫瘍内科学
伊豆津宏二　いづつ　こうじ　国立がん研究センター中央病院血液腫瘍科
今井　耕輔　いまい　こうすけ　防衛医科大学校病院小児科
植田　康敬　うえだ　やすたか　大阪大学大学院医学研究科血液・腫瘍内科学
大森　　司　おおもり　つかさ　自治医科大学医学部生化学講座病態生化学部門
緒方　正男　おがた　まさお　大分大学医学部腫瘍・血液内科

小原　　直	おばら　なおし	筑波大学医学医療系血液内科
柏木　浩和	かしわぎ　ひろかず	大阪大学医学部附属病院輸血部
加藤　光次	かとう　こうじ	九州大学病院血液腫瘍心血管内科
加藤　元博	かとう　もとひろ	東京大学医学部小児科
金兼　弘和	かねがね　ひろかず	東京医科歯科大学大学院医歯学総合研究科小児地域成育医療学講座
桐戸　敬太	きりと　けいた	山梨大学医学部血液・腫瘍内科
黒田　純也	くろだ　じゅんや	京都府立医科大学血液内科学
小船　雅義	こぶね　まさよし	札幌医科大学医学部血液内科学
堺田惠美子	さかいだ　えみこ	千葉大学大学院医学研究院 内分泌代謝・血液・老年内科学
笹原　洋二	ささはら　ようじ	東北大学大学院医学研究科小児病態学分野
澤田　明久	さわだ　あきひさ	大阪府立病院機構大阪母子医療センター血液・腫瘍科
下田　和哉	しもだ　かずや	宮崎大学医学部内科学講座血液・糖尿病・内分泌内科学分野
関水　匡大	せきみず　まさひろ	国立病院機構名古屋医療センター小児科
園木　孝志	そのき　たかし	和歌山県立医科大学医学部血液内科学
高折　晃史	たかおり　あきふみ	京都大学大学院医学研究科血液・腫瘍内科学
高見　昭良	たかみ　あきよし	愛知医科大学医学部内科学講座血液内科
田野崎隆二	たのさき　りゅうじ	慶應義塾大学病院輸血・細胞療法センター
通山　　薫	とおやま　かおる	川崎医療福祉大学医療技術学部臨床検査学科
富澤　大輔	とみざわ　だいすけ	国立成育医療研究センター小児がんセンター血液腫瘍科
冨田　章裕	とみた　あきひろ	藤田医科大学医学部血液内科学
中沢　洋三	なかざわ　ようぞう	信州大学医学部小児医学教室
日野　雅之	ひの　まさゆき	大阪公立大学大学院医学研究科血液腫瘍制御学
平林　真介	ひらばやし　しんすけ	北海道大学大学院医学研究院生殖・発達医学分野小児科学
福島　卓也	ふくしま　たくや	琉球大学医学部保健学科血液免疫検査学分野
福原　規子	ふくはら　のりこ	東北大学病院血液内科
細野奈穂子	ほその　なおこ	福井大学医学部附属病院輸血部
前田　高宏	まえだ　たかひろ	九州大学大学院医学研究院プレシジョン医療学
前田　美穂	まえだ　みほ	日本医科大学付属病院小児科
松本　雅則	まつもと　まさのり	奈良県立医科大学血液内科・輸血部
宮川　義隆	みやかわ　よしたか	埼玉医科大学病院血液内科
村松　秀城	むらまつ　ひでき	名古屋大学大学院医学系研究科小児科学
森　　康雄	もり　やすお	九州大学病院血液腫瘍心血管内科
森下英理子	もりした　えりこ	金沢大学医薬保健研究域保健学系病態検査学
山﨑　悦子	やまざき　えつこ	横浜労災病院血液内科
吉田　奈央	よしだ　なお	日本赤十字社愛知医療センター名古屋第一病院小児医療センター血液腫瘍科

■執筆者（執筆順）

國﨑　祐哉	くにさき　ゆうや	九州大学大学院臨床検査医学
鈴木　隆浩	すずき　たかひろ	北里大学医学部血液内科学
南谷　泰仁	なんや　やすひと	東京大学医科学研究所血液腫瘍内科
鈴木　律朗	すずき　りつろう	島根大学医学部血液・腫瘍内科学

山田　真也	やまだ　しんや	金沢大学附属病院血液内科
朝倉　英策	あさくら　ひでさく	金沢大学附属病院血液内科
伊豆津宏二	いづつ　こうじ	国立がん研究センター中央病院血液腫瘍科
竹中　克斗	たけなか　かつと	愛媛大学大学院医学系研究科血液・免疫・感染症内科学
大森　司	おおもり　つかさ	自治医科大学医学部生化学講座病態生化学部門
池添　隆之	いけぞえ　たかゆき	福島県立医科大学血液内科学講座
山本　晃士	やまもと　こうじ	埼玉医科大学医学部総合医療センター輸血部
北中　明	きたなか　あきら	川崎医科大学検査診断学
通山　薫	とおやま　かおる	川崎医療福祉大学医療技術学部臨床検査学科
和田　秀穂	わだ　ひでほ	川崎医科大学血液内科学
窓岩　清治	まどいわ　せいじ	東京都済生会中央病院臨床検査医学科
稲葉　亨	いなば　とおる	京都府立医科大学感染制御・検査医学
松下　弘道	まつした　ひろみち	慶應義塾大学医学部臨床検査医学
松井　啓隆	まつい　ひろたか	国立がん研究センター中央病院臨床検査科
片岡　圭亮	かたおか　けいすけ	慶應義塾大学医学部血液内科
矢野　尊啓	やの　たかひろ	国立病院機構東京医療センター血液内科
瀧澤　淳	たきざわ　じゅん	新潟大学大学院医歯学総合研究科血液・内分泌・代謝内科学分野
小川　孔幸	おがわ　よしゆき	群馬大学大学院医学系研究科血液内科学
山内　高弘	やまうち　たかひろ	福井大学医学部血液・腫瘍内科
加藤　光次	かとう　こうじ	九州大学病院血液腫瘍心血管内科
田口　千藏	たぐち　せんぞう	がん研有明病院放射線治療部
錦織　桃子	にしこり　ももこ	京都大学大学院医学研究科血液・腫瘍内科学
後藤　秀樹	ごとう　ひでき	北海道大学病院検査・輸血部
柏木　浩和	かしわぎ　ひろかず	大阪大学医学部附属病院輸血部
田野崎隆二	たのさき　りゅうじ	慶應義塾大学病院輸血・細胞療法センター
玉井　佳子	たまい　よしこ	弘前大学大学院医学研究科輸血・再生医学講座
松本　雅則	まつもと　まさのり	奈良県立医科大学血液内科・輸血部
藤原実名美	ふじわら　みなみ	東北大学病院輸血・細胞治療部
池田　和彦	いけだ　かずひこ	福島県立医科大学医学部輸血・移植免疫学講座
名和由一郎	なわ　ゆういちろう	愛媛県立中央病院血液内科
永井　功造	ながい　こうぞう	愛媛県立中央病院小児科
杉田　純一	すぎた　じゅんいち	札幌北楡病院血液内科
前田　嘉信	まえだ　よしのぶ	岡山大学病院血液・腫瘍・呼吸器・アレルギー内科
高見　昭良	たかみ　あきよし	愛知医科大学医学部内科学講座血液内科
森　毅彦	もり　たけひこ	東京医科歯科大学大学院医歯学総合研究科血液内科学分野
吉藤　康太	よしふじ　こうた	東京医科歯科大学病院血液内科
森　康雄	もり　やすお	九州大学病院血液腫瘍心血管内科
佐藤　勉	さとう　つとむ	富山大学学術研究部医学系血液内科
照井　君典	てるい　きみのり	弘前大学大学院医学研究科小児科学
菅野　仁	かんの　ひとし	東京女子医科大学医学部輸血・細胞プロセシング科
小船　雅義	こぶね　まさよし	札幌医科大学医学部血液内科学

張替　秀郎　はりがえ　ひでお　東北大学大学院医学研究科血液内科学分野
植田　康敬　うえだ　やすたか　大阪大学大学院医学研究科血液・腫瘍内科学
山﨑　宏人　やまざき　ひろひと　金沢大学附属病院輸血部
吉田　奈央　よしだ　なお　日本赤十字社愛知医療センター名古屋第一病院小児医療センター血液腫瘍科
伊藤　悦朗　いとう　えつろう　弘前大学大学院医学研究科地域医療学
石田　文宏　いしだ　ふみひろ　信州大学医学部保健学科病因・病態検査学
廣川　誠　ひろかわ　まこと　サンセール武蔵野
川端　浩　かわばた　ひろし　国立病院機構京都医療センター血液内科・稀少血液疾患科
波多　智子　はた　ともこ　長崎みなとメディカルセンター臨床検査部
松村　到　まつむら　いたる　近畿大学医学部血液・膠原病内科
下田　和哉　しもだ　かずや　宮崎大学医学部医学科内科学講血液・糖尿病・内分泌内科学分野
宮本　敏浩　みやもと　としひろ　金沢大学医学部血液内科
横山　泰久　やこやま　やすひさ　筑波大学医学医療系血液内科
宮﨑　泰司　みやざき　やすし　長崎大学原爆後障害医療研究所血液内科学研究分野
八田　善弘　はった　よしひろ　日本大学医学部内科学系血液膠原病内科学分野
菊繁　吉謙　きくしげ　よしかね　九州大学病院遺伝子・細胞療法部
棟方　理　むなかた　わたる　国立がん研究センター中央病院血液腫瘍科
宮﨑　香奈　みやざき　かな　三重大学大学院医学系研究科血液・腫瘍内科学
中川　雅夫　なかがわ　まさお　北海道大学大学院医学研究院血液内科学教室
遠西　大輔　えんにし　だいすけ　岡山大学病院ゲノム医療総合推進センター
冨田　章裕　とみた　あきひろ　藤田医科大学医学部血液内科学
末原　泰人　すえはら　やすひと　筑波大学附属病院血液内科
坂田麻実子　さかた　まみこ　筑波大学医学医療系血液内科
山口　素子　やまぐち　もとこ　三重大学大学院医学系研究科先進血液腫瘍学
石塚　賢治　いしつか　けんじ　鹿児島大学大学院血液・膠原病内科学
島田　和之　しまだ　かずゆき　名古屋大学医学部附属病院血液内科
近藤　英生　こんどう　えいせい　川崎医科大学血液内科学
飯田　真介　いいだ　しんすけ　名古屋市立大学医薬学総合研究院血液・腫瘍内科学分野
中世古知昭　なかせこ　ちあき　国際医療福祉大学医学部血液内科学
高橋　直樹　たかはし　なおき　埼玉医科大学国際医療センター造血器腫瘍科
高田　英俊　たかだ　ひでとし　筑波大学医学医療系小児科
髙田　徹　たかた　とおる　福岡大学病院感染制御部/福岡大学医学部腫瘍・血液・感染症内科
新井　文子　あらい　あやこ　聖マリアンナ医科大学血液・腫瘍内科
横山　健次　よこやま　けんじ　東海大学医学部付属八王子病院血液腫瘍内科
宮川　義隆　みやかわ　よしたか　埼玉医科大学病院血液内科
関　義信　せき　よしのぶ　新潟県立がんセンター新潟病院/新潟大学医歯学総合病院血液内科
久保　政之　くぼ　まさゆき　奈良県立医科大学血液内科・輸血部
安本　篤史　やすもと　あつし　北海道大学病院検査・輸血部
家子　正裕　いえこ　まさひろ　札幌保健医療大学保健医療学部看護学科
笹原　洋二　ささはら　ようじ　東北大学大学院医学系研究科小児病態学分野
野上　恵嗣　のがみ　けいじ　奈良県立医科大学小児科

日笠　聡　ひがさ　さとし　兵庫医科大学血液内科
森下英理子　もりした　えりこ　金沢大学医薬保健研究域保健学系病態検査学
村松　秀城　むらまつ　ひでき　名古屋大学大学院医学系研究科小児科学
高橋　義行　たかはし　よしゆき　名古屋大学大学院医学系研究科小児科学
真部　淳　まなべ　あつし　北海道大学大学院医学研究院小児科学教室
盛武　浩　もりたけ　ひろし　宮崎大学医学部小児科
滝田　順子　たきた　じゅんこ　京都大学大学院医学研究科発達小児科学
三井　哲夫　みつい　てつお　山形大学医学部小児科学講座
石村　匡崇　いしむら　まさたか　九州大学医学研究院成長発達医学分野（小児科）
塩田　曜子　しおだ　ようこ　国立成育医療研究センター小児がんセンター血液腫瘍科
坂本　謙一　さかもと　けんいち　滋賀医科大学小児科
髙松　泰　たかまつ　やすし　福岡大学医学部 腫瘍・血液・感染症内科学
長藤　宏司　ながふじ　こうじ　久留米大学医学部内科学講座血液・腫瘍内科学部門
柴田　隆夫　しばた　たかお　村上華林堂病院血液・腫瘍内科
清水　研　しみず　けん　がん研究会有明病院腫瘍精神科
石田也寸志　いしだ　やすし　愛媛県立医療技術大学保健科学部臨床検査学科
藤井　伸治　ふじい　のぶはる　岡山大学病院輸血部
松田　晃　まつだ　あきら　埼玉医科大学国際医療センター造血器腫瘍科
三好　寛明　みよし　ひろあき　久留米大学医学部病理学講座
大島　孝一　おおしま　こういち　久留米大学医学部病理学講座
中島　秀明　なかじま　ひであき　横浜市立大学医学部血液・免疫・感染症内科学
諫田　淳也　かんだ　じゅんや　京都大学大学院医学研究科血液・腫瘍内科学
小杉　眞司　こすぎ　しんじ　京都大学大学院医学研究科医療倫理学・遺伝医療学

■血液専門医試験 過去問―解答と解説　執筆者（五十音順）

石原　卓　いしはら　たかし　奈良県立医科大学小児科
（文章問題 共通／一般問題　4）
今井　千速　いまい　ちはや　富山大学医学部小児科
（文章問題 小児科／一般問題　2）
入山　規良　いりやま　のりよし　日本大学医学部内科学系血液膠原病内科学分野
（文章問題 共通／症例問題　14）
魚嶋　伸彦　うおしま　のぶひこ　京都第二赤十字病院血液内科
（文章問題 内科／一般問題　2）
臼杵　憲祐　うすき　けんすけ　NTT東日本関東病院血液内科
（文章問題 共通／一般問題　1）
大石　晃嗣　おおいし　こうし　三重大学医学部附属病院輸血・細胞治療部
（文章問題 共通／一般問題　6，文章問題 共通／症例問題　16）
小川　一英　おがわ　かずえい　福島県立医科大学保健科学部臨床検査学科
（共通問題 形態・機能　2，小児科 形態・機能　1）
小野　孝明　おの　たかあき　浜松医科大学医学部附属病院輸血・細胞治療部
（文章問題 共通／症例問題　13）
海渡　健　かいと　けん　東京慈恵会医科大学附属病院中央検査部
（文章問題 内科／症例問題　9）
柿木　康孝　かきのき　やすたか　市立旭川病院血液内科
（文章問題 共通／一般問題　3，文章問題 内科／症例問題　7）

加藤　光次　かとう　こうじ　九州大学病院血液腫瘍心血管内科
（文章問題 共通／症例問題　10）

河崎　裕英　かわさき　ひろひで　群馬県立小児医療センター血液・腫瘍科
（文章問題 小児科／一般問題　3）

諫田　淳也　かんだ　じゅんや　京都大学大学院医学研究科血液・腫瘍内科学
（文章問題 共通／一般問題　5）

康　勝好　こう　かつよし　埼玉県立小児医療センター血液腫瘍科
（文章問題 小児科／症例問題　6・7）

児玉　祐一　こだま　ゆういち　鹿児島大学病院小児診療センター小児科
（文章問題 小児科／一般問題　4）

小船　雅義　こぶね　まさよし　札幌医科大学医学部血液内科学
（文章問題 内科／一般問題　1）

佐藤　勉　さとう　つとむ　富山大学学術研究部医学系血液内科
（文章問題 共通／一般問題　7）

柴　徳生　しば　のりお　横浜市立大学医学部小児科
（文章問題 共通／症例問題　15）

柴山　浩彦　しばやま　ひろひこ　国立病院機構大阪医療センター血液内科
（文章問題 内科／症例問題　5）

島田　和之　しまだ　かずゆき　名古屋大学医学部附属病院血液内科
（文章問題 内科／症例問題　6）

関口　康宣　せきぐち　やすのぶ　埼玉県立がんセンター血液内科
（共通問題 形態・機能　4）

仲里　朝周　なかざと　とものり　横浜市立市民病院血液腫瘍内科
（文章問題 共通／症例問題　11）

錦織　桃子　にしこり　ももこ　京都大学大学院医学研究科血液・腫瘍内科学
（文章問題 共通／一般問題　2，文章問題 共通／症例問題　12）

長谷川大一郎　はせがわ　だいいちろう　兵庫県立こども病院血液・腫瘍科
（文章問題 小児科／症例問題　8）

藤島　直仁　ふじしま　なおひと　能代厚生医療センター血液・腎臓内科
（文章問題 共通／症例問題　9）

藤原　亨　ふじわら　とおる　岩手医科大学医学部臨床検査医学講座
（文章問題 内科／症例問題　3・4）

堀　浩樹　ほり　ひろき　三重大学大学院医学系研究科医学医療教育学分野
（文章問題 小児科／一般問題　5）

政氏　伸夫　まさうじ　のぶお　東北大学大学院医工学研究科生体超音波医工学分野
（共通問題 形態・機能　6）

丸山　大　まるやま　だい　がん研究会有明病院血液腫瘍科
（共通問題 形態・機能　5）

三宅　隆明　みやけ　たかあき　島根県立中央病院血液腫瘍科
（文章問題 共通／一般問題　8）

宮村　能子　みやむら　たかこ　大阪大学大学院医学系研究科小児科学
（文章問題 小児科／一般問題　1）

三好　寛明　みよし　ひろあき　久留米大学医学部病理学講座
（共通問題 形態・機能　7）

八木　秀男　やぎ　ひでお　奈良県総合医療センター血液腫瘍内科
（文章問題 内科／症例問題　8・10）

山﨑　悦子　やまざき　えつこ　横浜労災病院血液内科
（共通問題 形態・機能　1・3）

和氣　敦　わけ　あつし　虎の門病院分院血液内科
（文章問題 内科／症例問題　11）

改訂第４版序文

わが国の血液領域を専門とする臨床医が身近に利用できるテキストとして，また，血液専門医を目指す若手医師には研鑽のテキストとして利用されてきた『血液専門医テキスト』は，2011年の初版発刊から12年となる今年，改訂第4版を出版することとなった．2019年に出された改訂第3版から4年を経ているが，血液領域における病因・病態の解明，新規治療薬や治療法開発は大きく進歩した．ゲノムを中心とした分子レベルでの疾患の解析，多くの分子標的薬や細胞療法の開発・導入など，基礎，臨床を含めて血液学は変貌を遂げている．また，この間には世界を揺るがせた新型コロナウイルス感染症(COVID-19)のパンデミックが起こり，社会にパラダイムシフトをもたらした．COVID-19に関連した凝固異常や血液疾患患者での重症化リスクが明らかとなり，血液領域にも関連が深いことが示されるなど，COVID-19について医学的にはさまざまなことが明らかとなってきているが，現在も医療のみならず社会全体にグローバルな影響を与えている．改訂第4版ではこうした新たな知見についても取り入れている．

日本専門医機構による新専門医制度が導入され，新たなカリキュラム制に基づく血液専門医が誕生しているが，新制度下においても血液専門医に対して広く血液学の臨床・基礎知識が求められ，常にアップデートが必要なことに変わりはない．こうした点においても，本書はこれから専門医を目指す先生，そして臨床現場で診療に当たっておられる先生に手に取って参照いただける内容となっている．

本書の原稿執筆を依頼している途中で，造血器腫瘍の世界的な分類としてWHO分類第5版，およびInternational Consensus Classification (ICC)が相次いで発表された．両者はかなり類似しているものの細かな点で相違が見られ，本書の最終的な編集段階ではWHO分類第5版とICCのいずれが世界的に広く利用されるのかなど，それぞれの位置づけが明確ではなかった．そのため，本書の該当する箇所では原則としてWHO分類改訂第4版(2017年)に基づいて執筆いただき，必要に応じてWHO分類第5版，ICCに触れていただいている．読者の皆様にはこの点をご了解いただきたい．

また，これまで巻末に添付していた「血液専門医目標カリキュラム」は日本血液学会のホームページ上でご覧いただけるため(http://www.jshem.or.jp/uploads/files/ketueki-senmoni_kensyuCurriculum20221021.pdf)〔2022年10月21日改訂〕，割愛している．

本テキストの改訂，編集に尽力いただいた，日本血液学会教育委員会と専門医認定委員会の方々，また編集，原稿執筆，査読などを担当いただいた多くの関係者の皆様に深謝申し上げる．本テキストがこれまでと同様に広く血液関連の方々に利用され，この領域の発展に少しでも寄与できることを祈念している．

2023年9月

日本血液学会 教育委員会 委員長 **宮﨑　泰司**

日本血液学会 専門医認定委員会 委員長 **張替　秀郎**

初版序文

2011 年 9 月の時点で 76 学会が日本専門医制評価・認定機構に加盟している．このなかで日本内科学会や日本小児科学会などは，患者診療における基本的な領域を担当する学会である．一方，日本血液学会は，専門的な領域として血液診療の専門医を育成する任務を担っている．血液専門医の有資格者は，現在，約 3,000 人弱いるが，専門医取得後の教育は十分なものとは言えない．日進月歩の現代医学のなかにあって，専門医として必要とされる知識レベルは時代とともに急速に変化する．したがって，専門医のレベル維持・向上のために，学会として専門医のためのテキストを作成することは誠に時宜にかなったことであると思われる．また，本テキストは，血液臨床医にとっての実用書であるとともに，これから血液専門医を目指す医師にとっても指針となりうるよう編集されている．「血液専門医研修カリキュラム」が学会ホームページ上で公開されているが，試験問題についてはこれまで公開されてこなかった．このため，受験者から試験勉強をする際にどの程度の知識が求められるのかわからないという意見を聞くこともあった．血液専門医受験者に「血液専門医研修カリキュラム」に基づいた学習目標を呈示することもまた本テキスト編集の目的である．そのため，本テキストの巻末には過去の代表的な問題を記載して簡単な解説を加えた．さらには，小児科領域の「小児の造血器悪性腫瘍」や，「形態学」で多数の病理像を示すなど，血液専門医に必要な知識を余すところなく盛り込んだ．

本テキスト編集にあたっては，日本血液学会の教育委員会と専門医認定委員会が共同で編集委員会を組織した．また，各執筆者による原稿は編集委員会および査読委員会による査読を受けている．本テキスト編集にご尽力いただいた各委員会，およびお忙しいなかご執筆いただいた諸先生に深甚の謝意を表する．日本血液学会は，血液学関連の臨床医学の健全な発展，知識の普及と併せて，臨床血液学研究の進歩を促し，医療を介し国民の福祉に貢献することを目的としている．本テキストが，血液臨床医のレベル維持・向上にとって有用であるとともに，本テキストを通して今後さらに多くの医師が血液専門医の認定を取得されることを願っている．

2011 年 9 月

日本血液学会 教育委員会 委員長　**赤司 浩一**

日本血液学会 専門医認定委員会 委員長　**澤田 賢一**

目次

第Ⅳ章 臨床検査・画像診断 —— 55

第Ⅴ章 治療法：薬剤，放射線，脾摘術 —— 97

第VI章 輸 血 —— 127

第VII章 造血幹細胞移植 —— 149

第Ⅷ章 赤血球系疾患 ―― 175

第Ⅸ章 白血球系疾患：腫瘍性疾患 ―― 219

第X章 白血球系疾患：非腫瘍性疾患 —— 383

第XI章　血栓・止血疾患 ―――― 407

第XII章　小児の造血器悪性腫瘍 ―― 457

第XIII章　支持療法 ―― 493

第XIV章　臨床腫瘍学 ―― 509

■「血液専門医目標カリキュラム」は日本血液学会のホームページ上でご覧ください.
(http://www.jshem.or.jp/uploads/files/ketuekisenmoni_kensyuCurriculum20221021.pdf)
〔2022 年 10 月 21 日改訂〕

1 造血幹細胞

到達目標

- 造血幹細胞の特性・機能とその制御機構を理解する

1 特性・機能

生体内のすべての血液細胞は，**造血幹細胞**（hematopoietic stem cell：HSC）に由来し，個体一生涯にわたって血液細胞を供給し続けるために，HSCを頂点とする**造血システム**は精緻に制御されている．HSCは**自己複製**（self-renewal）と**多分化能**（multipotentiality）を有し，**対称性分裂**および**非対称性分裂**による自己複製と分化のバランスを取りながら，HSC集団を維持しつつ，すべての血液細胞に分化する（**図1**）．

HSC機能は，1960年代にTill，MuCullochによる脾コロニー形成細胞や，Metcalfによる*in vitro*コロニー形成法，Dexterによるストローマ共培養によるlong-term initiating-cellアッセイで検討されてきた．その後，フローサイトメトリーを用いたHSC純化技術と高度免疫不全マウスでの血液免疫細胞の再構成技術により，HSC研究が大きく飛躍した．この手法を用いて，マウスでは$Cd34^{-/low}Kit^{+}Sca\text{-}1^{+}Lin^{-}$（$Cd34^{-/low}KSL$）の表面形質で純化したHSCで，放射線照射レシピエントマウスの造血再構築が可能であることが証明された．ヒトHSCは$CD34^{+}CD38^{-}$細

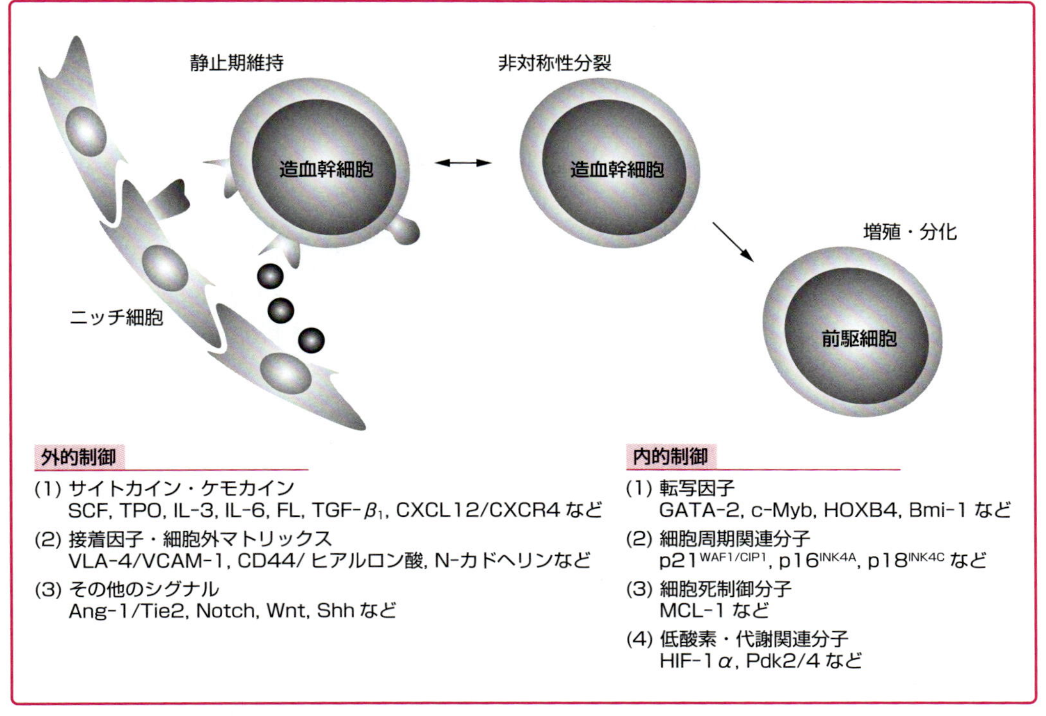

◆図1　骨髄微小環境における造血幹細胞制御
[岩﨑浩己：造血幹細胞．血液専門医テキスト，第2版，日本血液学会（編），南江堂，p1，2015より転載]

胞分画に存在するが，その頻度は全骨髄細胞の 0.01％ときわめて低い．さらに，他の表面マーカーを加えた，$CD34^{+}CD38^{-}CD90^{+}CD45RA^{-}Lin^{-}$分画や$CD34^{+}CD38^{-}CD90^{+}CD45RA^{-}Rho^{lo}CD49f^{hi}Lin^{-}$分画に，HSC がより濃縮される可能性が示されている．

定常状態では，HSC のほとんどは**細胞周期**の静止（G0）期にあり，増殖（S/G2/M）期に入っている細胞は 5％程度と少ない．HSC の多くが G0 期にあることは，HSC 集団の老化と枯渇を防ぐのに重要である．HSC が細胞分裂する際，自己複製と分化（対称性分裂もしくは非対称性分裂）のいずれかを選択するが，これは確率論的なもの（stochastic model）である．HSC の維持には，間葉系幹細胞や血管内皮細胞など多彩な細胞が構成する**骨髄微小環境（造血幹細胞ニッチ）**との直接的またはサイトカイン等を介した相互作用が重要である．しかしながら，**造血幹細胞ニッチ**によって HSC の静止，増殖，分化がどのように制御されているかについては，いまだ明らかになっていない点も多い．

2 発生・局在

発生過程での最初の造血は胚外の卵黄嚢で起こる．ヒトでは妊娠 25 日頃より，卵黄嚢壁内に血島と呼ばれる造血巣が認められる．これを**一次造血**（primitive hematopoiesis）と呼び，この時期には赤血球以外の血液細胞はほとんどみられない．また赤血球は脱核せず，グロビン遺伝子も胎児型が発現する．続いて，**成体型造血（二次造血；definitive hematopoiesis）**の起源となる HSC が卵黄嚢や大動脈臓側中胚葉（paraaortic splanchnopleural mesoderm：P-Sp）領域で発生する．これらの卵黄嚢や P-Sp 領域に出現してくる HSC は，血液細胞への分化能を持つ血管内皮細胞（hemogenic endothelium）より発生する．P-Sp 領域は AGM（aorta-gonad-mesonephros）領域と呼ばれる組織に発達する．HSC は，その後 AGM 領域から胎児肝へ移動し，赤血球系，巨核球系，白血球系の造血が開始される．ヒトでは，胎児肝での造血は妊娠 40 日頃から始まり，妊娠 3～6 ヵ月では肝臓が主要な造血器となる．妊娠後期に HSC は肝臓から骨髄へ移動し，出生以降の造血は骨髄で行われる．HSC は通常骨髄内に局在し末梢血中には存在しないが，化学療法後の造血回復期や G-CSF 投与時に末梢血中に動員される．臍帯血にも高頻度に存在するため，移植ソースとしての利用が拡大している．

3 外的制御

HSC が本来の特性を維持しつつ機能するためには，支持細胞であるストローマ細胞とその周囲の**骨髄微小環境**との相互作用が重要である（**図 1**）．この特殊な微小環境は生物学的適所を意味する言葉を用いて**造血幹細胞ニッチ（niche）**と呼ばれている．造血幹細胞制御機構に関しては，骨芽細胞性ニッチと血管性ニッチという 2 つの概念を基にして多くの研究が行われ，骨，血管以外にもさまざまなニッチ構成細胞が明らかになっており，骨髄に存在する間葉系幹細胞もその 1 つとして注目されている．

HSC の増殖・生存には，SCF，TPO，IL-3，IL-6，FLT3 ligand（FL）などの**サイトカイン**が深く関与する．ニッチ構成細胞によって産生される Angiopoietin-1（Ang-1）は HSC 上の受容体 Tie2 を介して HSC とニッチ細胞との接着を増強し，HSC を細胞周期 G0 期に維持することが知られている．また，IFN-α が HSC を細胞周期に導入する一方で，TGF-β_1 や MIP-1α は HSC の増殖を抑制する．ストローマ細胞上の Notch リガンド，Sonic Hedgehog（Shh）や Wnt などの可溶性蛋白も HSC の自己複製を促進する因子として知られている．HSC の骨髄へのホーミングには，HSC 上の接着分子 α_4-β_1-インテグリン（VLA-4）や，ストローマ細胞が分泌するケモカイン CXCL12 と HSC 上の受容体 CXCR4 が必須である．特に，CXCR4 ケモカイン受容体拮抗薬（一般名：plerixafor）は，HSC の末梢血への動員のために実臨床でも使用されている．

4 内的制御

遺伝子改変技術により造血幹細胞機能にかかわる多くの因子が同定されている．転写因子 *c-Myb* や *Gata-2*，*Runx1* は，HSC の発生・維持に必須の分子である．形態形成にかかわるホメオボックス遺伝子群に属する HOXB4 は，HSC に自己複製能を賦与する．*Bmi-1* はクロマチン構造を修飾し遺伝子発現を制御するポリコーム遺伝子群に属し，HSC の自己複製にかかわる分子である．抗アポトーシス分子である MCL-1 は HSC の生存に必須である．また，HSC は骨髄内の低酸素環境下でその特性と機能を維持するために，独自のエネルギー代謝経路を利用している．HIF-1α や Pyruvate dehydrogenase kinase（Pdk）isoform 2/4 が HSC の老化を阻止するのに重要である．HSC 機能はさらに多くの分子からなる複雑なネットワークにより制御されている．近年，細胞リプログラミング技術の進歩に伴い，遺伝子導入により成人血管内皮細胞やヒト多能性幹細胞から造血幹細胞へ分化させることが可能となっている．これらの形質転換を可能にするコア因子とその関連因子の網羅的解析により，HSC分化制御機構の理解がさらに深まることが期待される．

2 血球産生と分化

到達目標

- 各系統の血球の発生機構を理解する
- 各血球に作用するサイトカインを理解する
- 各系統の血球の発生に必須の転写因子を理解する
- 赤芽球におけるヘモグロビン合成について理解する
- 生体内での鉄の基本的な動態とヘプシジンによる制御機構を理解する

1 血球分化

ヒトの体内にはさまざまな血液細胞が存在するが，これらはすべて造血幹細胞（hematopoietic stem cell：HSC）に由来する．HSCは成人では骨髄内に存在し，自己複製能と多分化能を維持しながら，膨大な数の成熟血球を生み出している．HSCは造血システムでは頂点に位置しているが，分化を開始するとまず自己複製能を失い，その後段階的に分化能を失いながら，系統特異的な前駆細胞を経て成熟血球へと変化する．この分化形態は階層性分化モデル（hierarchy）と呼ばれ，血球分化を理解するための標準モデルとなっている（**図1**）[1]．

分化開始初期の細胞は形態学的特徴に乏しく，形態でその分化系統を判断することは困難である．このため未分化造血細胞の評価法として，メチルセルロース培地を用いたコロニー形成（colony assay）法が開発された．コロニー形成法では，一定期間培養後に分化した血球の種類を評価することで，もとの細胞の形質が判定される．この手法によってリンパ系以外の未熟造血細胞が同定できるようになり，同定された未分化細胞はコロニー形成細胞（colony forming unit：CFU）と名付けられた．CFUは赤芽球系に分化する細胞であれば赤芽球コロニー形成細胞（CFU-E），顆粒球単球系であれば顆粒球・マクロファージコロニー形成細胞（CFU-GM）などと記述される．コロニー形成法の問題点は，培養を行わないと細胞の系統が判定できない「後方視的検査法」であることと，造血幹細胞から分化した直後の非常に未分化な細胞分画はコロニーを形成せず検出できる範囲に限界があることであったが，その後，蛍光標識抗体を用いて細胞表面抗原の発現を検出するフローサイトメトリー法（flowcytometry：FCM）が開発され，表面抗原の発現パターンをコロニー形成能などと比較することにより，表面抗原による系統特異的前駆細胞の同定・単離が可能となった．

現在考えられている分化モデルにおいて，HSCは分化を開始するとまず自己複製能を失い，この段階の細胞は多能性前駆細胞（multipotential progenitor：MPP）と呼ばれる．MPPは次に骨髄系とリンパ系に分かれる．骨髄系に進んだ細胞は骨髄系共通前駆細胞（common myeloid progenitor：CMP）と呼ばれ，顆粒球，単球・マクロファージ，赤芽球，巨核球などすべての骨髄系細胞を産生できるがリンパ球系細胞の産生能は失っている．一方で，リンパ系共通前駆細胞（common lymphoid progenitor：CLP）はB細胞，T細胞，NK細胞などすべてのリンパ系細胞に分化できるが，骨髄系細胞の産生能は失っている．CMPはその後，顆粒球・マクロファージ前駆細胞（granulocyte-macrophage progenitor：GMP）と巨核球・赤芽球前駆細胞（megakaryocyte-erythrocyte progenitor：MEP）に分岐する．そして，これらの前駆細胞は，その後顆粒球，単球・マクロファージ，巨核球・血小板，赤血球へとそれぞれ分化していく．

本分化モデルの他に，造血細胞はその運命が赤血球やB細胞あるいはT細胞に決定する直前まで，マクロファージに分化する能力を保持しているとする「ミエロイド基本モデル」も提唱されているが，現時点ではここに示した分化モデルを用いるのが一般的である．なお，マウスでは顆粒球，マクロファージ，リンパ系への分化能を有するが巨核球，赤芽球への分化能を持たない前駆細胞（lymphoid-primed multipotent progenitor：LMPP）の存在が示されており，これらの細胞はFLT3を高発現していることが知られている．また，CMPやMEPを経由しない巨核球産生経路の存在（後述）も示唆されており，本分化モデルについては，不確定な部分も残されている．

1）顆粒球・単球の分化

顆粒球・単球のもとになるGMPは顆粒球マクロファージコロニー刺激因子（granulocyte-macrophage colony-stimulating factor：GM-CSF）の作用によってCFU-GMとなり，CFU-GMはIL-3やGM-CSFによってさらに顆粒球コロニー形成細胞（CFU-G）とマクロファージコロニー形成細胞（CFU-M）に分化する．CFU-Gは主に顆粒球コロニー刺激因子（G-CSF）の作用を受けて骨髄芽球となり，その後前骨髄球，骨髄球，後骨髄球を経て，杆状核好中球，分葉核好中球へと成熟する．骨髄芽球から先の分化血球は形態学的に同定可能であり，骨髄球まで細胞は分裂能力を有している．

一方，CFU-MはIL-3，GM-CSF，マクロファージコロニー刺激因子（macrophage colony-stimulating factor：M-CSF）の作用によって単芽球となり，前単球を経て成熟単球となる．成熟単球の一部は組織に移動してマクロファージに分化する（マクロファージに相当する細胞は骨では破骨細胞，中枢神経系ではミクログリア，肝臓ではKupffer細胞など別名で呼ばれるものもある）．なお，GMPからは好酸球や好塩基球前駆細胞も産生される．

2）赤芽球・赤血球の分化

MEPからは赤芽球バースト形成細胞（burst-forming unit-erythroid：BFU-E）が産生され，BFU-Eはエリスロポエチン（erythropoietin：EPO）や幹細胞因子（stem cell factor：SCF）などの働きによって赤芽球コロニー形成細胞（CFU-E）となり，さらに前赤芽球へと分化する．前赤芽球は形態学的に判別できる最も未熟な赤芽球であり，その後塩基性赤芽球，多染性赤芽球，正染性赤芽球を経て脱核し，成熟赤血球となる．脱核した赤血球は骨髄から末梢血に出てくるが，脱核直後の赤血球はやや大型であり塩基性色素で染色すると（超生体染色）網状の構造物が染色される．この赤血球を網赤血球と呼ぶ．網赤血球数は骨髄での赤血球造血を反映し，日常臨床で利用されている．網状にみえる構造物はリボゾームやミクロソーム中のRNAとされており，通常1～2日で消失する．なお，赤芽球は多染性赤芽球まで分裂能を持ち，多染性赤芽球の段階からヘモグロビンの合成が本格化する．また，前赤芽球レベルまでEPOへの感受性を持つとされている．

3）巨核球・血小板の分化

巨核球系の細胞はMEPから巨核球コロニー形成細胞（CFU-Meg）を経て産生される．CFU-Megから巨核芽球が産生され，巨核芽球はトロンボポエチン（thrombopoetin：TPO）によって増殖した後，多倍体化（endomitosis）と呼ばれる細胞分裂を伴わないDNA合成を繰り返して成熟巨核球となる．成熟巨核球ではproplateletと呼ばれる細胞質突起が形成され，それがちぎれて断片化することで血小板が産生される．1個の巨核球から約3,000個の血小板が産生される．

なお，巨核球分化においては，表面抗原の解析からCMPからMEPを介さず巨核球に分化する経路やCMPさえ経由せず巨核球に分化する経路の存在も示唆されている．

4）リンパ球の分化

CLPの一部は骨髄から胸腺に移動し，proT細胞となる．proT細胞はその後preT細胞となり，T細胞抗原受容体の再構成が行われて$CD4^+CD8^+$（double positive）細胞になる．Double positiveの段階でT細胞は自己のMHCとともに提示された抗原に反応するものが選択され（これをpositive selectionと呼ぶ），さらに自己抗原に強く反応するものが排除される（negative selectionと呼ばれる）．2つの選択過程を経たT細胞はCD4あるいはCD8のみ陽性（single positive）の成熟T細胞となり，末梢血中に出現する．

一方，骨髄に残ったCLPはB細胞系へ分化する．IL-7などによる刺激を受けて，proB細胞はpreB細胞となるが，proB細胞の段階で免疫グロブリン（*immunoglobulin*：*Ig*）重鎖遺伝子の再構成が，preB細胞の段階で軽鎖遺伝子の再構成が起こり，両者の再構成が完成すると細胞表面にIgM（sIgM）が発現し，未熟B細胞となる．未熟B細胞はその後体細胞変異とIgクラススイッチを起こして免疫グロブリンがIgG, IgAに変化し，末梢リンパ組織で成熟する．成熟したB細胞はさらにIL-6などのサイトカイン刺激によって形質細胞に分化し，骨髄とリンパ節に分布して抗体産生を担う．

NK細胞の分化経路には不明な点が多いが，インターフェロンやIL-2などのサイトカイン刺激が重要とされている．

2 造血因子と細胞内シグナル伝達

造血細胞の増殖，分化を制御する因子は造血因子と呼ばれ，インターロイキン（interleukin：IL），インターフェロン（interferron：IFN），コロニー刺激因子（CSF），EPO，TPO など 40 種類以上のものが知られている．造血因子は分化の適切な段階で作用することが重要であり（**図 1**），分化段階のどこで作用するかによって，初期・中期・後期作動型造血因子に分類される．SCF（c-Kit のリガンド）や FLT3 リガンドは造血幹細胞の増殖にかかわるとされており，初期作動型造血因子の代表的なものである．

中期作動型造血因子としては IL-3 や GM-CSF があり，これらは HSC や前駆細胞以降の分化段階で作用する．後期作動型造血因子は主に系統特異的前駆細胞以降に作用し，特定の細胞系列の分化誘導や生存強化にかかわり，赤芽球系では EPO，顆粒球系では G-CSF，巨核球では TPO が代表的である．

なお，TPO は巨核球の分化増殖に必須であるが，HSC の増殖にかかわるともされており，分化初期・後期の双方に作用する．このため，再生不良性貧血における TPO 受容体作動薬の投与は血小板数の改善だけでなく，HSC への作用も加わり 3 血球系統の改善が認められる．

造血因子は造血細胞の分化に必要なものであるが，そのかかわり方については，系統決定（系統誘導）にかかわるとされる instructive model と系統決定にはかかわらず，すでに分化が運命づけられ特異的な受容

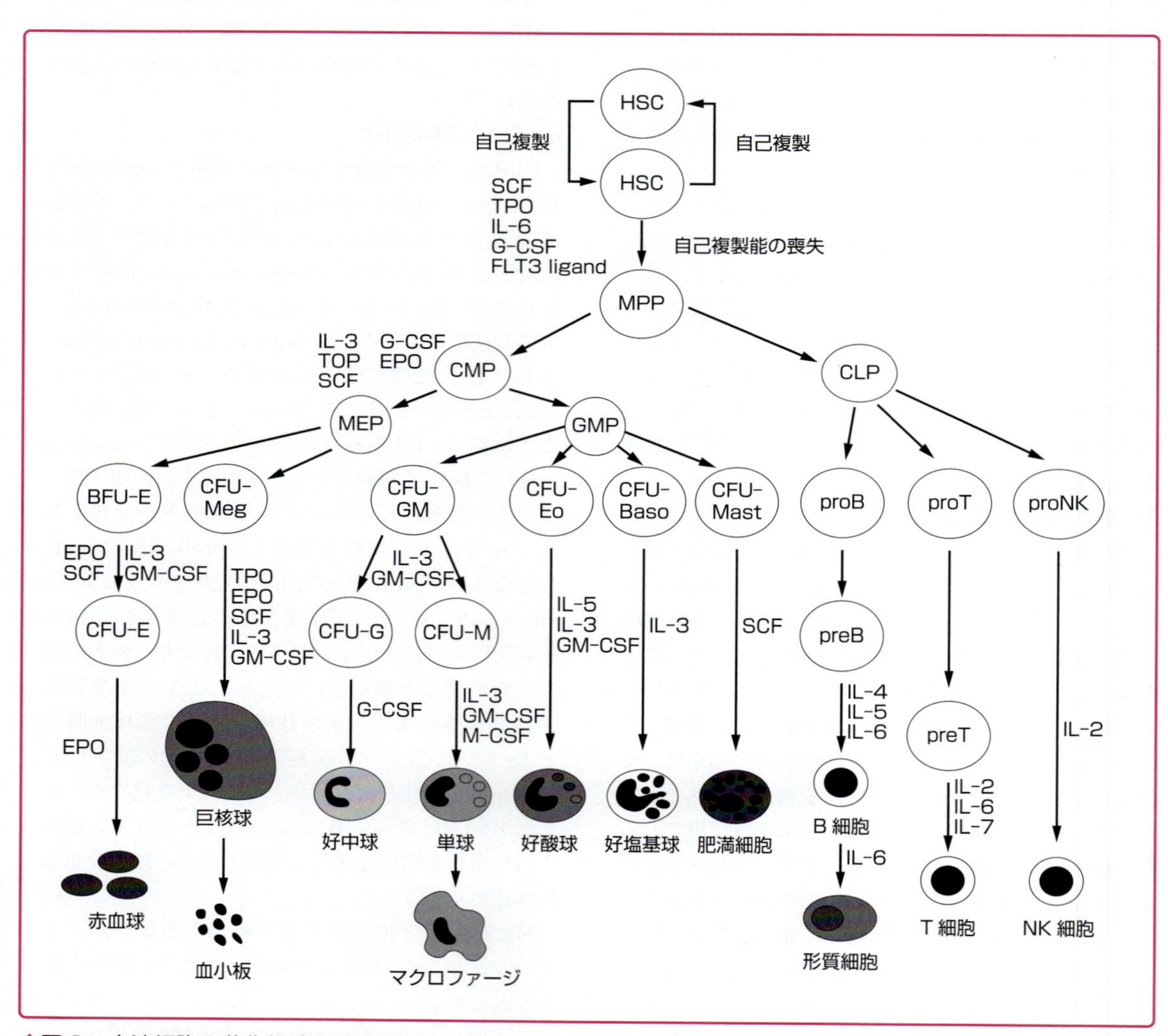

◆**図 1　血液細胞の分化経路と造血因子**
［岩﨑浩己：血球産生と分化．血液専門医テキスト，第 2 版，日本血液学会（編），南江堂，p5，2015 より転載］

体を発現する細胞の生存・増殖を促進する permissive model が議論されている．現時点では permissive model の支持が一般的だが，サイトカイン受容体を異所性に発現させることで系統転換を誘導できるとの知見もあり，不確定な部分も残されている．

造血因子受容体は細胞内にシグナルを伝える重要な役割を持ち，キナーゼ型と非キナーゼ型に大別される（**図 2**）．そしてキナーゼ型受容体はチロシンキナーゼ（TK）型とセリン・スレオニンキナーゼ（ST）型に分けられる．TK 型受容体としては c-Kit や FLT3，M-CSF 受容体など，ST 型受容体としては TGFβ 受容体が知られており，これらの受容体はリガンド結合によって受容体自身が活性化し，細胞内基質がリン酸化されて細胞内に情報が伝達される．一方，非キナーゼ型受容体は受容体自身にキナーゼ活性はなく，リガンドが受容体に結合すると，受容体が二量体を形成し，結合する細胞内キナーゼが活性化することでシグナルが開始される．EPO 受容体，G-CSF 受容体，c-Mpl（TPO 受容体），IL-2 受容体などがこのタイプであり，これらはすべて JAK ファミリー TK の活性化を介している．受容体から発せられたリン酸化シグナルは，その後 Ras/MAPK 経路や PI3 キナーゼ経路，STAT 経路を介して核内に伝わり，標的分子の転写が調整される．

造血因子関連シグナルの異常はさまざまな骨髄性腫瘍の原因になっていることが報告されており，骨髄増殖性腫瘍で認められる *JAK2* 遺伝子変異は EPO や TPO などのサイトカイン受容体シグナルを活性化させることで腫瘍発症に至る．また，急性骨髄性白血病で認められる *FLT3* 遺伝子変異では，受容体である FLT3 キナーゼ自体が恒常的に活性化し，Ras/MAPK 系等の活性化によって腫瘍化にかかわる．一方，増殖抑制因子である IFNγ は STAT1，TGFβ1 は転写因子 SMAD を介して増殖抑制シグナルを伝達する．

3 血球分化の転写制御

転写因子はゲノム上の特定配列を認識してそこに結合し，標的遺伝子の転写を制御する．HSC の発生や維持には *c-Myb* や *Gata-2* が必須であるとされ，ホメオボックス遺伝子産物 HOXB4 やポリコーム遺伝子産物 Bmi-1 は HSC の自己複製に関係することが知られている．HSC から各血球系統に分化する過程では，その系統への分化を決定づけるマスター転写因子が適切なタイミングで発動し，その後各血球特異的な転写因子が連続的に発現していくことが重要である（**図 3**）[2]．顆粒球・単球系への分化では PU.1 の発現が重要であり，その後 C/EBPα が作動すると顆粒球系へ

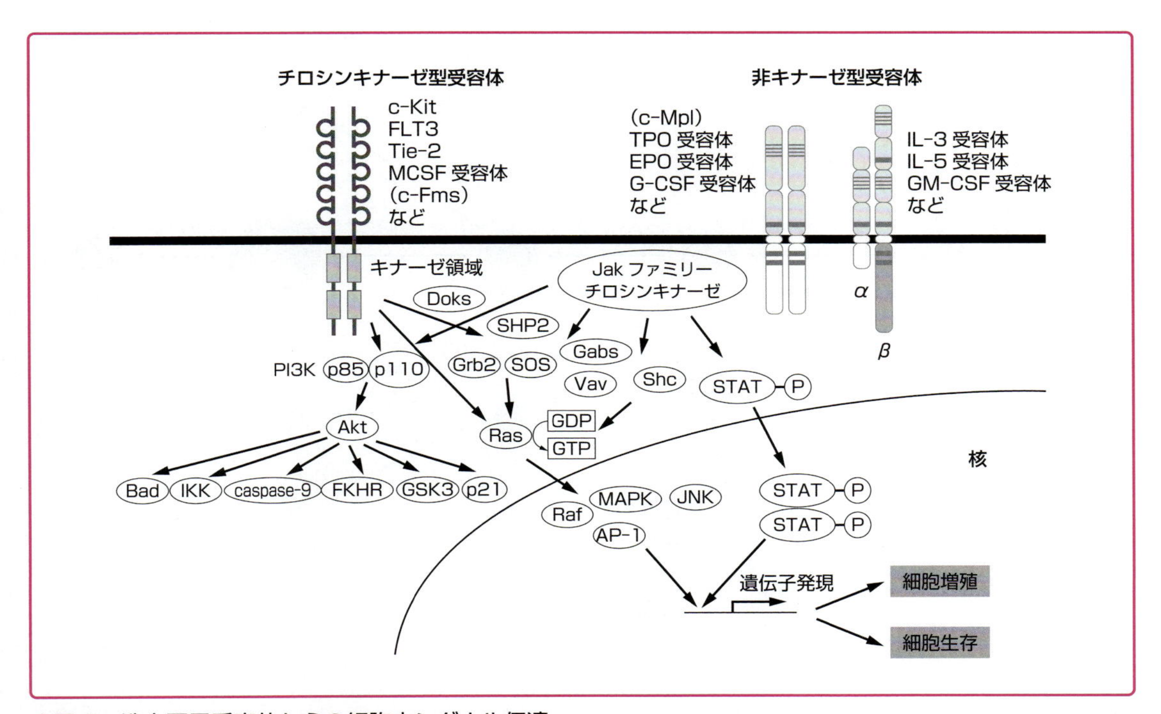

◆**図 2　造血因子受容体からの細胞内シグナル伝達**
［岩﨑浩己：血球産生と分化．血液専門医テキスト，第 2 版，日本血液学会（編），南江堂，p6，2015 より転載］

分化する．また，リンパ球系への運命づけにはIkarosおよびPU.1の発現が重要であり，その先B細胞への分化にはE2A, Pax5, EBFが，T細胞については主に細胞性免疫に関わるTh1細胞にはT-bet，主に液性免疫に関わるTh2へはGata-3，IL-17を産生するTh17にはRORγt，免疫寛容に関わるTreg（制御性T細胞）にはFoxp3の発現が重要であることがわかっている．転写因子は相互に作用しながら系統決定を制御しており，たとえばCMPからMEP，GMPへの分岐ではそれぞれGATA-1とPU.1が必要であるが，これらは互いを抑制し合うことが知られており，どちらか強く発現した方が他を抑制し，系統分化がスムーズに進行する．

4 ヘモグロビン合成と鉄代謝

赤血球は末梢組織への酸素運搬という重要な役割を持ち，酸素はヘモグロビン（hemoglobin：Hb）に結合する．鉄はヘムの重要な構成要素であり，Hb合成に不可欠な元素である．体内総鉄量の60～70％がHbの形で存在し，鉄欠乏あるいは鉄利用の障害は貧血の原因となる．

1）赤芽球におけるヘモグロビン合成

Hbはヘムとグロビンの複合体がさらに四量体を形成したものである（**図4**）．ヘムはプロトポルフィリンの中心部に鉄イオンがはまり込み錯体を形成したものであるが，プロトポルフィリンはglycineとsuccinyl CoAからアミノレブリン酸合成酵素（aminolevulinic acid synthase：ALAS）によって合成されたアミノレブリン酸（aminolevulinic acid：ALA）がもとになって合成される．プロトポルフィリンにferrochelataseによって鉄が組み込まれてヘムが完成する．

一方，グロビンは遺伝子によってコードされた蛋白質であり，1分子のグロビンと1つのヘムが結合して1つのHbサブユニットを形成し，4つのサブユニットが合わさることで1つのHbが形成される．Hbを構成するグロビンはα系2分子と非α系2分子であるのが基本である．グロビンはいくつかの種類に分かれ，発生の各段階において発現する種類が異なる．α系グロビンはαとζが知られており，ζは胚組織の一時期に発現するのみであり，胎児期以降ではαが主体となる．一方，非α系グロビンはβ，γ，δ，εの4種類が存在し，胚組織ではεが，胎児期はγ，成人になるとβが主体（一部δ）になる．そして，成人で最も多く認められる$\alpha_2\beta_2$ HbはHbA，成人でわずかに認められる$\alpha_2\delta_2$ HbはHbA2，胎児期に認められる$\alpha_2\gamma_2$ HbはHbFと呼ばれる．グロビン産生異常症では，生成されるα，βグロビン量が不均衡となるため

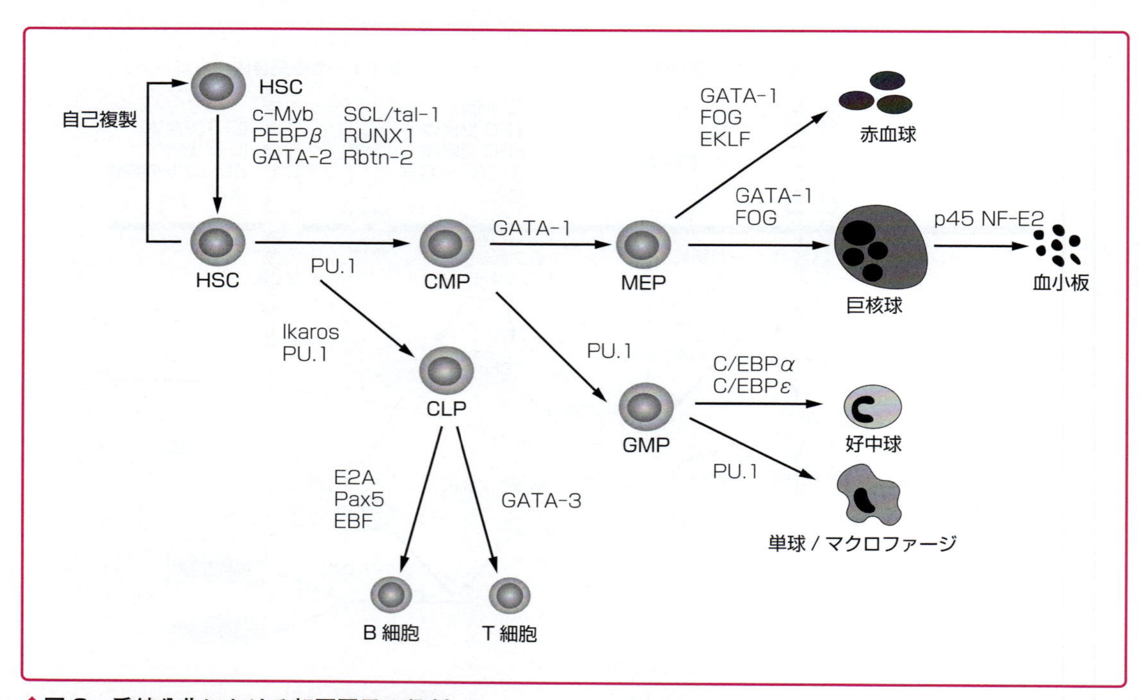

◆**図3 系統分化における転写因子の役割**
［岩﨑浩己：血球産生と分化．血液専門医テキスト，第2版，日本血液学会（編），南江堂，p7，2015より転載］

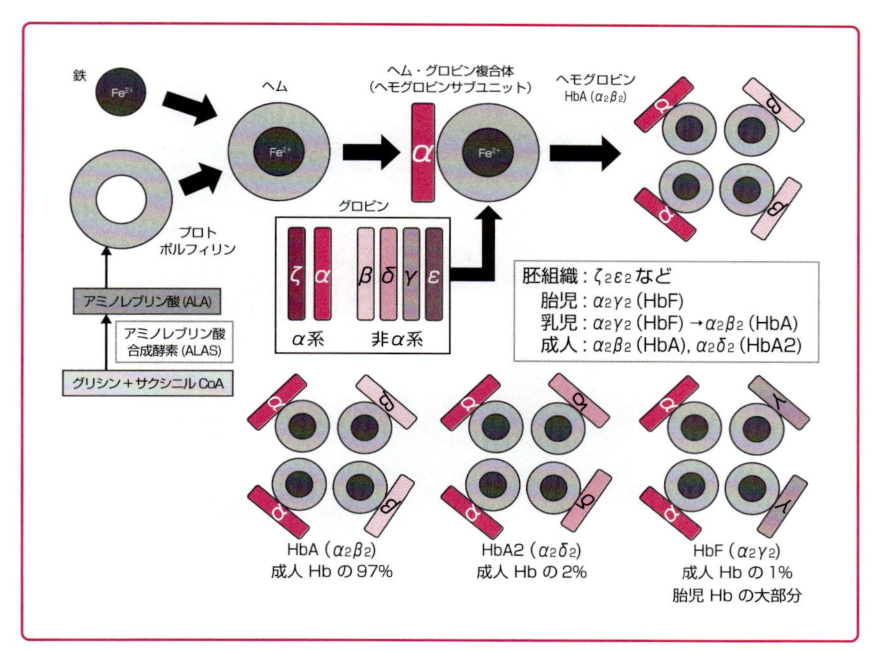

◆**図4　ヘモグロビンの合成**

Hbが不安定となって溶血をきたし，また作られるHbについてもα系と非α系の組合せが変化して，Hb分画の異常を認める［たとえばβサラセミアではβの代わりにδやγが増え，HbA2やHbFの割合が増加する．また，αサラセミアでαの産生が激減すると，β_4(HbH) やγ_4(Hb Bart) が出現する］．

プロトポルフィリンの合成障害（先天性鉄芽球性貧血など）やポルフィリンへの鉄組み込み障害（鉄欠乏やferrochelatase異常など），グロビン合成障害（サラセミアなど）はHb合成障害に直結し，貧血をきたすが，これらのHb合成異常症は小球性貧血を呈するのが特徴である．

2）生体内における鉄動態

鉄は食餌より摂取される．経口摂取された鉄は十二指腸～空腸上部で腸管上皮細胞上にあるヘム運搬分子や二価金属輸送体（divalent metal transporter：DMT）を介して細胞内に取り込まれる．上皮細胞内に入った鉄（すべて二価鉄）は，基底膜側にあるフェロポーチン（ferroportin：FPN）と呼ばれる鉄担体を介して血液中に放出され，ただちに酸化酵素によって三価鉄に変化した後，トランスフェリン（transferrin：Tf）に結合して全身に運搬される．

臨床現場で測定される血清鉄はTfに結合している鉄量を示しており，総鉄結合能（total iron binding capacity：TIBC）は全Tfが結合し得る鉄総量を，不飽和鉄結合能（unsaturated iron binding capacity：UIBC）はTfがこれから結合し得る鉄量を示している．このため，血清鉄＋UIBC ＝ TIBCという計算式が成り立ち，Tf飽和度は血清鉄 /TIBC × 100（%）で計算される．

Tf結合鉄の大部分は骨髄中で赤血球造血に利用される（**図5**）．産生された赤血球は全身を循環し末梢組織への酸素供給を担うが，約120日で寿命を迎えると，主に脾臓内に存在するマクロファージに貪食され破壊される．その際マクロファージ内でヘモグロビンから鉄が取り出され，その鉄は細胞膜上にあるFPNを介して血中に放出され，再びTfと結合して造血に利用される．つまり，鉄は赤血球の産生・破壊を介して再利用を繰り返していることになる．

一方，鉄の排泄について，ヒトは鉄を積極的・能動的に排泄する機構を備えておらず，鉄は主に便・尿・汗中にわずかな量（1日1～2 mg）が排泄されるのみである．これに伴い，食事からの鉄の吸収も量的にはこのわずかな喪失を補う分しか吸収されておらず，生体内鉄代謝は再利用を前提とした半閉鎖的回路を構築していることがわかる[3]．また，その他に鉄貯蔵臓器として，肝細胞が知られており，鉄は細胞内蛋白質であるフェリチン内に貯蔵される（1分子あたり4,500個の鉄を貯蔵できる）．細胞内フェリチンはその一部が血清中に逸脱して血清フェリチンとして検出され，

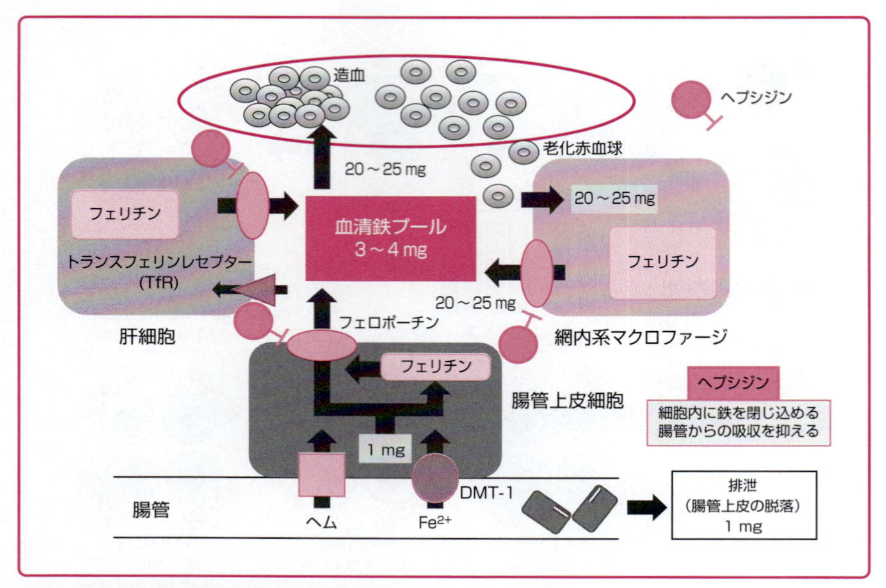

◆図５　生体内における鉄動態とヘプシジンによる制御

体内総鉄貯蔵量を反映するマーカーとして広く用いられている．

3）鉄動態の制御

鉄動態の制御ではヘプシジンと呼ばれるペプチドホルモンが重要である（**図5**）．

ヘプシジンは肝細胞で産生され，FPN の分解を促進することで細胞内から血液中への鉄の流れを阻害する．その結果，血清鉄の低下，鉄吸収の低下（腸管上皮細胞から血液中への鉄流入を阻害），フェリチンの増加が認められる．ヘプシジンは鉄負荷によって産生が増加し，鉄吸収と血清鉄を下げるが，鉄欠乏では逆にヘプシジンの産生は低下し，鉄欠乏を是正する方向に代謝を調節する．

一方，ヘプシジンは炎症性サイトカインである IL-6 によっても産生が亢進する．これは病原体による感染症時にヘプシジン産生が亢進することで血清鉄を低下させ，病原体を鉄欠乏に陥らせるための（病原体も生存に鉄が必要である）生体反応と理解されているが，炎症時のヘプシジンの増加は Tf 結合鉄を減少させることになり，骨髄での鉄利用障害を励起して貧血の原因となる．膠原病や担癌症例など慢性炎症でしばしば認められる貧血は慢性疾患に伴う貧血（anemia of chronic disease：ACD）として知られているが，ACD ではヘプシジンの不適切な過剰分泌によって鉄の利用がうまくいかず鉄欠乏性貧血と同様の小球性貧血をきたす．ACD では鉄貯蔵量を示す血清フェリチンはむしろ増加し，この点が鉄欠乏性貧血との大きな鑑別ポイントになる．さらに近年，サラセミアや骨髄異形成症候群などにおける研究から，赤芽球から分泌される GDF15（growth differentiation factor 15），TWSG-1（twisted gastrulation-1），ERFE（erythroferrone）などのヘプシジン発現を抑制する液性因子が存在することも明らかになってきた．これらの因子は赤芽球造血が亢進した際（無効造血時も含む）に増加し，ヘプシジンを抑制することで骨髄への鉄供給を増やし，赤芽球造血をサポートする役割が想定されており，赤芽球が鉄代謝を積極的に調節していることを示す知見である[4,5]．

■文　献■

1）Passegué E et al: Proc Natl Acad Sci USA **100**: 11842, 2003
2）Orkin SH et al: Cell **132**: 631, 2008
3）Andrews NC: Blood **112**: 219, 2008
4）生田克哉：鉄剤の適正使用による貧血治療指針，第３版，日本鉄バイオサイエンス学会治療指針作成委員会（編），響文社，p5，2015
5）厚生労働省　特発性造血障害に関する調査研究班（研究代表者：三谷絹子）：輸血後鉄過剰症の診療参照ガイド　令和４年度改訂版，2023（http://zoketsushogaihan.umin.jp/file/2022/Post-transfusion_iron_overload.pdf）（最終確認：2023 年 6 月 9 日）

3 骨髄性腫瘍の発症機構

到達目標

- 骨髄性腫瘍の原因となる遺伝子変異のプロファイルとそのメカニズムを理解する

1 白血病幹細胞（leukemic stem cell：LSC）と pre-LSC

造血システムの頂点に存在する造血幹細胞（hematopoietic stem cell：HSC）は，各系統の血球へ分化する「多分化能」を維持しながら自身を再生する「自己複製能」を持つ．HSC は次第に特定の血球系列に特徴的な機能を獲得し，同時に多分化能を喪失した細胞に分化し，正常造血システムの階層性を形成している．骨髄性腫瘍にも同様な階層性が存在していることが明らかとなり，その頂点に存在する細胞を白血病幹細胞（LSC）と呼ぶ．臨床的に LSC は治療抵抗性と再発のメカニズムを説明し，治療標的として研究が進められている．

LSC に関する先駆的な研究は，ヒト急性骨髄性白血病（acute myeloid leukemia：AML）細胞のマウス異種移植モデルにおいて示された．具体的には AML 細胞中の $CD34^{+}CD38^{-}$分画を移植した場合にのみ AML を再構築できること，さらに再構築された AML 細胞を二次マウスに連続移植すると同一の AML が発症することが示された．そのため $CD34^{+}CD38^{-}$分画に LSC が存在すると考えられた．HSC と LSC は同じ $CD34^{+}CD38^{-}$分画に存在するが，TIM3，CD123，CD44，CD47，CLL-1 など LSC に強く発現しているマーカーも発見されている．さらに，骨髄性腫瘍の患者には正常 HSC と同様の「多分化能」と「自己複製能」を維持しつつ，ドライバー遺伝子の変異を有する細胞が存在することが知られており，これを pre-LSC と呼ぶ．この分画は正常造血にも寄与しており，骨髄系以外にリンパ系細胞でも変異が検出される．骨髄系腫瘍を発症していないヒトにも pre-LSC が存在すると考えられており，近年認識された加齢に伴うクローン性造血（age-related clonal hematopoiesis：ARCH）と重なる概念である．pre-LSC にドライバー変異が重なることで骨髄性腫瘍が発症すると想定されている．

2 骨髄性腫瘍と遺伝子変異の関係

本項では，骨髄増殖性腫瘍（myeloproliferative neoplasms：MPN），慢性骨髄性白血病（chronic myeloid leukemia：CML），骨髄異形成症候群（myelodysplastic syndromes：MDS），骨髄異形成症候群/骨髄増殖性腫瘍（MDS/MPN），AML，および ARCH について述べる．疾患の特徴と遺伝子変異の関係を概念的に表現したものに“two-hit theory”がある．これは骨髄性腫瘍に生じる遺伝子変異のうち，増殖力を亢進するものをクラスⅠ遺伝子変異，細胞分化を阻害するものをクラスⅡ遺伝子変異とした場合，細胞増殖が病態の主体をなす MPN はクラスⅠ遺伝子変異を獲得し，細胞分化異常が病態の主体をなす MDS はクラスⅡ遺伝子変異を獲得することで発症する．さらに AML は両方の病態を併せ持っており，クラスⅠ遺伝子変異とクラスⅡ遺伝子変異の両者を獲得することで発症するという考えである．MPN はクラスⅡ遺伝子変異を獲得することで，MDS はクラスⅠ遺伝子変異を獲得することで AML に進展する．シンプルであるが骨髄系腫瘍の相互関係を把握するには理解しやすい考え方である．

しかし次世代シークエンサの登場によって網羅的な遺伝子変異のプロファイルが解明され，主要な骨髄系腫瘍の変異プロファイルが詳細に明らかにされた．**図1**に，主な骨髄系腫瘍にみられた遺伝子異常の頻度をまとめる[1-5]．ARCH や骨髄性腫瘍の間には進展や相互移行がみられ，遺伝子変異もこれらの病態に共通して検出されるものが多くみられる一方，各疾患において特徴的な遺伝子変異のプロファイルも存在する．たとえば二次性白血病（secondary AML：sAML）はス

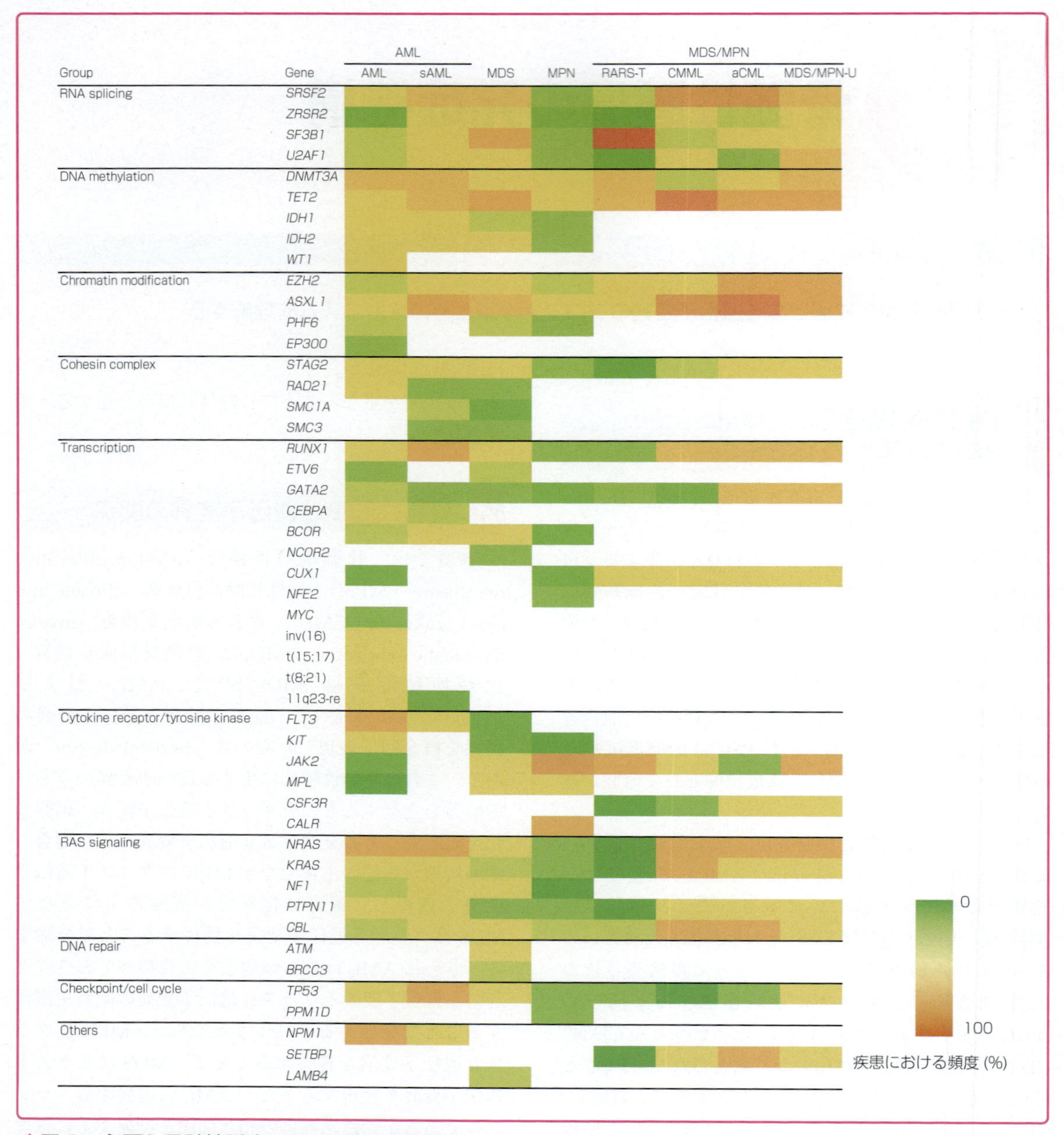

◆図 1　主要な骨髄性腫瘍における変異プロファイル

MDS/MPN は，サブタイプごとのプロファイルが大きく異なるため，サブタイプごとに示した．白色は情報が無いことを示す．各疾患における変異頻度の最大値が 2%以上の異常のみを示した．各疾患の情報の出典は以下の通りである．
[AML：文献 1 より引用，sAML（secondary AML）：文献 2 より引用，MDS：文献 3 より引用，MPN：文献 4 より引用，MDS/MPN：文献 5 より引用]

プライシング因子の変異頻度は AML と比較して高く MDS の頻度に近いが，*FLT3* や *NPM1* の変異頻度は AML のそれに近い．MDS/MPN において CMML，aCML，MDS/MPN-U は *SRSF2*，*TET2*，*RUNX1*，RAS パスウェイシグナルの変異頻度が高いが，MDS/MPN with RS-T は *JAK2* と *SF3B1* の変異頻度が高く他の MDS/MPN とは異なるプロファイルを持つことなどがわかる．ARCH にみられる異常は，*DNMT3A* が圧倒的に多く，*ASXL1*，*TET2* の 3 つが多い点は各報告で一致している[6-8]．これらの変異が単独では疾患としての表現型を示さないことを示している．

さらにこれらの異常の出現確率は独立ではなく，共存・排他関係を有するものがある．変異の共存関係は多くの例があり，*STAG2* と *RUNX1*[9]，*SRSF2* と *IDH2*[10] など複数の変異が腫瘍発生に協調的に作用するメカニズムが明らかにされている．一方，排他性を示す場合は，異なる遺伝子の変異が同一の経路の異常に収束する場合（機能収束）か，異なる遺伝子の変異が併存する場合細胞の生存にとって不利である場合（合成致死）が考えられる．*IDH1/2* と *TET2* の変異が排他的な理由は機能収束が，スプライシング因子の異常が排他的な理由は合成致死が想定されている．

3 骨髄性腫瘍にみられる主な遺伝子異常

1）スプライシング複合体（SF3B1, SRSF2, U2AF1, ZRSR2, LUC7 L2, SF1, PRPF8）

RNA スプライシングは，DNA から転写された後に遺伝情報を含まないイントロン部分を切り取り，エクソンをつなげることで mRNA を生成する分子生物学的過程である．この過程を司るスプライシング因子のうち，*SF3B1*，*SRSF2*，*U2AF1*，*ZRSR2* などは骨髄系腫瘍全体にわたり高頻度に変異がみられる．*SF3B1* の変異は異形成の 1 つである環状鉄芽球の存在と密接に関連しており，MDS に単独で生じる場合は予後良好因子である．その形態的，臨床的特徴から *SF3B1* 変異陽性 MDS という 1 つの疾患単位をなすと考えられる[11]．*SF3B1* 変異はスプライシングにおいて 3′ 側の acceptor site に異常を生じ，その結果ヘム代謝にかかわる *ABCB7* 遺伝子などの機能が損なわれることで環状鉄芽球が生じると考えられている．*SRSF2* や *U2AF1* の変異は mRNA に含まれるべきエクソンが含まれないという異常（exon skipping）を生じ，*ZRSR2* は本来除去されるべきイントロンが除去されいない（retention of intron）という異常を生じる．

2）DNA メチル化修飾に関わる酵素（TET2, DNMT3A, IDH1, IDH2, WT1）

DNA メチル化は CpG ジヌクレオチドのシトシン基をメチル化し，メチル化シトシン（5mC）とする反応である．DNA 塩基配列の変化を伴わない後天的な遺伝子制御を担当し，いわゆるエピジェネティクス因子を構成する．*DNMT3A* はこの DNA メチル化を行う遺伝子である．*DNMT3A* の変異はおおまかに，R882 というホットスポット部位の変異と，その他の部位の蛋白短縮型変異に分けられる．どちらも造血幹細胞の自己複製能を亢進するがその程度は後者の方が強い．R882 変異単独では白血病を発症しないため他のドライバー変異の併存が必要であると考えられ，実際に *DNMT3A* 変異症例には *ASXL1* や *FLT3* 変異などの合併が多くみられる．また *DNMT3A* は ARCH において最も高頻度にみられる．

TET2 蛋白はメチル化シトシン（5mC）のメチル基に酸素を供与することによってヒドロキシメチル化シトシン（5hmC）に変換し，脱メチル化を司る．*TET2* 変異は多くは蛋白短縮型変異であり，1 つの変異にヘテロ接合性の消失（loss of heterozygosity：LOH）を伴うなどの機序で両アレルの異常がみられることが多い．*TET2* の機能喪失マウスは炎症刺激などの外的要因によってクローン拡大することが動物モデルで示されている．*DNMT3A* 同様，ARCH に高頻度にみられ，pre-LSC を構成する変異である．

IDH1，IDH2 はそれぞれ細胞質，ミトコンドリアに存在して，クエン酸回路のイソクエン酸を α-ケトグルタル酸（α-KG）へ変換する機能を持つ．*IDH1/2* の変異体は α-KG から 2-ヒドロキシグルタル酸（2-HG）を生成し，これは *TET2* の反応を阻害し，その結果 DNA の脱メチル化が抑制される（**図 2**）．上述の機能収束によって，*IDH1/2* と *TET2* の変異は排他的となる．

3）クロマチン修飾因子（ASXL1, EZH2, BCOR, BCORL1, KDM6A, ATRX, EP300）

クロマチン修飾因子はクロマチン結合ヒストン修飾に関与する．ポリコーム群（polycomb repressive complex：PRC1/2）は *HOX* 遺伝子群などの分化関連遺伝子の発現抑制に関与する．*EZH2* は *SUZ12*，*EED* などとともに PRC2 を構成する因子であり，ヒストン 3 の 27 番目のリジンのトリメチル化（H3K27me3）を介して転写を負に制御している．Enhancer of zeste homolog 2（EZH2）はポリコーム抑制複合体（PRC2）の 1 つで，ヒストン蛋白 H3 の 27 番目のリジンをメチル化することによって遺伝子転写活性の抑制に関与していると考えられている．7q-の 2 つの共通欠失領域（7q32-36）に存在しており，この部位は片親性ダイソミー（uniparental disomy：UPD）の集積部位としても知られる．変異はヒストンのメチル化に重要な SET ドメインに多く存在しており，ヒストンのメチル化能を失うことで腫瘍化に関与しているものと考えられている．

BCOR，BCORL1 は PRC1 の構成要素であり，変異は MDS の 5％にみられる．*ASXL1* は PRC2 複合体をリクルートして安定化させるのに必要と考えられており，その変異は H3K27me3 の減少をもたらす．

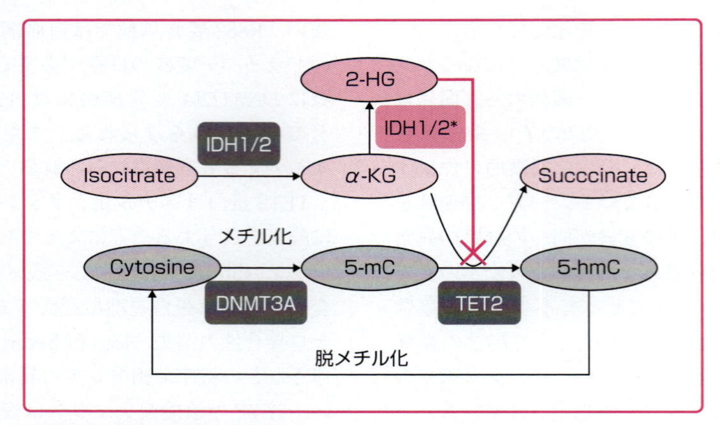

◆**図2　DNAメチル化**
DNAのシトシン残基のメチル化に関与する遺伝子と基質のまとめ．シトシン（cytosine）はDNMT3Aによってメチル化シトシン（5-mC）となり，TET2によってヒドロキシメチル化シトシン（5-hmC）に変換され脱メチル化される．TET2によるヒドロキシメチル化反応にはα-KGを要求するが，α-KGはIDH1/IDH2によってイソクエン酸（isocitrate）から生成される．IDHの変異体（図ではIDH1/2*と表記）はα-KGから2-HGを生成し，これはTET2の反応を阻害する．

*ASXL1*の変異はMDSの約20％にみられ，脱メチル化剤の有効性が乏しく，独立した予後不良因子である．

4）コヒーシン複合体（STAG2, CTCF, SMC3, SMC1A, RAD21）

コヒーシン複合体はループ状の構造体を形成し，姉妹染色体をつなぎ止める働きをしているほか，ゲノムを機能単位ごとに分けてその根元を物理的に括ることで機能構造体としてまとめている．このような機能構造体の単位としてtopology associating domain（TAD）があり，ゲノムを500 K～1 Mbほどの大きさの単位に区分している．転写調節作用は原則TADの単位の中で作用することが知られており，TADの構成は組織分化や発生段階によって変化することで各段階に適した転写調節を実現している．さらにTADの中にも低次の機能的構造単位があり，これもコヒーシン複合体がDNAループを括ることで構成されている．この構造単位はエンハンサーの作用をループ内のプロモータに及ぼすことで細かな転写調節を行い，血球の分化，機能を実現している．コヒーシン構成遺伝子の変異はこの機能が喪失することで発症に関与すると考えられており，機能収束によってその変異は相互排他的となる．

5）転写因子［RUNX1, ETV6, PHF6, NCOR2, CEBPA, GATA2, CUX1, NFE2, MYC, inv(16), t(15;17), t(8;21), 11q23-re］

正常造血に関与する転写因子群をコードする遺伝子の変異は，骨髄性腫瘍に頻出する．このうち，*RUNX1*，*ETV6*，*GATA2*，*CEBPA*は生殖細胞系列の遺伝子変異もみられる．

*RUNX1*の変異はDNA結合部位のruntドメインの単塩基置換かその他の部位の蛋白短縮変異が多く，前者の場合は対側アレルの野生型*RUNX1*機能を抑制するdominant negative機能を持つことが知られており，後者の場合はハプロ不全型（haploinsufficiency）となる．*RUNX1*変異は骨髄系腫瘍全般において，予後不良因子である．

*CEBPA*の変異はAMLにおいて両アレル変異の場合に予後良好因子となる．両アレル変異は典型的にはN末端側の蛋白短縮型変異とC末端側のフレームシフトを伴わない欠失・挿入型変異からなる．N末端側の蛋白短縮型変異の結果，その下流のATGを新たな転写開始点として活性のない*CEBPA*が生じる．C末端側の変異はDBDドメインやLZDドメインの活性を喪失しDNAへの結合能やダイマー形成能を失う．両方の変異が同時に生じると，*CEBPA*の活性が完全に失われると考えられる．

t(8;21)で生成される*RUNX1::RUNX1T1*キメラ遺伝子は，*RUNX1*の分化機構を障害し，また

RUNX1T1 がヒストン脱アセチル化酵素を含む転写抑制複合体と結合して転写抑制作用を発揮することでAML-M2を発症する代表的なクラスⅡ遺伝子異常である．*RUNX1::RUNX1T1* キメラ遺伝子は単独ではAMLを発症せず，*KIT*・*RAS* 遺伝子変異などのクラスⅠ遺伝子変異が併存することが必要である．

inv(16) もしくはt(16;16) の結果生成される *CBFB::MYH11* キメラ遺伝子は転写抑制複合体と結合するだけではなく，核外で *RUNX1* と結合して核内移行を阻害し，*RUNX1* の機能を低下させることにより転写抑制作用を示す．t(8;21) 陽性AMLと併せて，CBF白血病と呼称され，これも *RAS*・*KIT* 変異を併せて認めることが多い．

6）RASパスウェイ（KRAS, NRAS, CBL, NF1, PTPN11）

これらの変異は，MAP/MAPKの活性化を通じて細胞増殖に関与する．ユビキチンリガーゼであるCBL以外は変異によってキナーゼ活性が恒常的に活性化する．RASパスウェイの変異は疾患の発症時ではなく，MDSからsAMLへの進展など芽球が増加する過程において獲得されることが多く，サブクローンを構成する変異としてみられる．また，その過程において異なるRASパスウェイ変異を持つサブクローンが多発することも多い．クローンは治療によく反応して縮小するが，骨髄系腫瘍全般的に予後不良因子である．

7）サイトカイン受容体，チロシンキナーゼ（FLT3, KIT, JAK2, MPL, CALR, CSF3R）

FLT3は受容体チロシンキナーゼであり，その変異（ITDもしくはTKD）はAMLで最も高頻度にみられる．いずれもチロシンキナーゼの恒常的活性化をもたらす．*KIT* はD816V変異が多く，肥満細胞症やAMLにみられる．CBF白血病にみられた場合予後不良因子となる．MPNの多くの症例に *JAK2*（V617F，またはexon12変異），*MPL*（W515 L），*CALR* のいずれの変異がみられる．PVやMFにおいて *JAK2* 変異はLOHを伴うことが多い．MDS/MPNのうちRS-Tを伴う亜型は *JAK2* と *SF3B1* の変異を併存する．*CSF3R* のT618I変異は慢性好中球性白血病（CNL）のほかatypical CMLにもみられる．

8）DNA障害チェックポイントおよびDNA修復因子（TP53, PPM1D, ATM, BRCC3, DCLRE1C, FANCL）

TP53の重要な機能の1つは，細胞ストレスに応答してアポトーシスや細胞周期停止に関連した遺伝子を活性化させることである．*TP53* の変異は高リスクMDS，特に治療関連骨髄性腫瘍に特徴的に多くみられるが，それは *TP53* 変異クローンが治療によって選択されるためと考えられている．*TP53* 変異は，1つの変異にLOHを伴う場合，および2つの変異がみられる場合をmulti-hit変異として，1つの変異のみを認める場合（1-hit変異）と区別する．前者は-5や-7/del (7q) を伴う複雑核型を示すことが多く，他のドライバー遺伝子の併存が少なく，予後はきわめて不良である．一方，1-hit変異の場合の予後は，MDSにおいては *TP53* 変異のない症例と変わらない．*PPM1D* 遺伝子産物は *TP53* の機能を抑制するが，蛋白短縮型変異や増幅の結果，その機能が亢進する．*PPM1D* は *TP53* とともに治療関連骨髄性腫瘍に多くみられる他，ARCHにもよくみられる．

9）*NPM1* 変異群

NPM1 変異群はAMLの27％を占める大きなサブグループであり，*DNMT3A* や *FLT3*-ITDとの共存が多い．AMLにおいて予後良好因子である．

4 エピゲノム異常

エピジェネティクスは，「DNAの配列の変化を伴わずに遺伝子の発現を制御するメカニズム」と定義される．ヒトのゲノムを構成する2万数千個の遺伝子は，組織や分化段階に応じて特異的な発現のパターンを示す．遺伝子発現を制御する主な因子は転写因子であり，これが標的遺伝子のプロモータに結合して転写を促進するが，それに加えて，ゲノム自体も転写されやすい状態もしくは転写されにくい状態を環境として作り出し，転写制御の一端を担う．具体的には，DNAそのものやヒストン蛋白を修飾し目印をつける．こうしたエピジェネティクス修飾の総体をエピゲノムと呼び，主にDNAメチル化とヒストン修飾に分けられる．DNAのメチル化は *DNMT3A*，*IDH1/2*，*TET2* の項目で述べたため，ヒストン修飾について述べる．

1）ヒストン修飾とその異常

ヒストンはクロマチン構造の構成蛋白で，H1，H2A，H2B，H3，H4が存在する．クロマチンはDNAをコンパクトにたたみ込む役割を果たしているが，転写が盛んな領域ではopen chromatinと呼ばれる緩くたたみ込まれた構造をとる．ヒストン修飾はその「緩さ」を制御する．ヒストン蛋白はN末端にテールと呼ばれる構造を持ち，その部位のリジン残基を中心に，メチル化，アセチル化などの修飾を受ける．たとえばH3K27のトリメチル化［ヒストンH3蛋白のテールの27番目のリジン残基（K）に3つのメチル基が付加した状態］は，発現を負に制御する．ヒストンのメチル化修飾の影響は修飾部位に特異的であり，トリメチル化がH3K4に生じた場合は逆に発現を正に制御する．H3K27はアセチル化を受けることもあり，その場合の遺伝子発現は正に制御される．これらのヒストン修飾を司る因子として，ポリコーム群（PcG）複合体が知られている．PcG複合体としてpolycomb repressive complex（PRC）1，PRC2があり，これらは転写を負に制御する．まずPRC2の構成要素であるEZH1/EZH2はH3K27のトリメチル化を通じて転写を抑制し，これを認識したPRC1がH2AK119のユビキチン化を行うことで強固な抑制状態を生成する．逆に，転写活性状態をもたらす因子としてヒストンアセチル化酵素（HAT）が知られている．HAT活性はCREB結合蛋白（CBP），p300，PCAFなど多くの蛋白にみられ，コアクチベータとして転写因子と結合し，転写因子の標的遺伝子周囲の環境整備（H3K14やH3K9のアセチル化修飾）を行い転写を正に制御する．脱アセチル化酵素（HDAC）は，転写コリプレッサーとともに転写抑制複合体を構成し，H3K14やH3K9のアセチル化を解除することで転写を負に制御する．MLL遺伝子群はMLLを中心としたMLL複合体を形成する．MLL遺伝子は5種類知られており，いずれもC末端のSETドメインを介してH3K4のメチル化を行い，転写を正に制御する．MLL遺伝子群の1つである*MLL1*（*KMT2A*）は50以上の遺伝子と融合遺伝子を生じるが，それらはC末端のSETドメインを失うことでH3K4のメチル化活性を喪失する．*AF9*などの転座パートナーによっては，DOT1 Lをリクルートすることで H3K79のメチル化能を新たに獲得して腫瘍化に関与する．DOT1 Lは治療標的として阻害剤の開発が進んでいる．

5 生殖細胞系列多型による骨髄性腫瘍の発症素因

従来Fanconi貧血やテロメア異常症など，骨髄不全と先天性異常などを併せ持ちAMLやMDSの発症が高頻度にみられる遺伝性の症候群の概念が知られていた．一方，骨髄性腫瘍の多くは孤発例と考えられてきたが，近年骨髄性腫瘍の発症にかかわる生殖細胞系列多型の存在が認識されるようになった．これらの疾患の発症形式はさまざまであり，*CEBPA*や*DDX41*のように骨髄系腫瘍が初発症状となることもあれば，*RUNX1*，*ANKRD26*，*ETV6*のように家族性に血小板の量・機能異常がみられることもある．さらに*GATA2*の生殖細胞系列多型は多臓器にわたるさまざまな異常を伴う．そのほか*TP53*遺伝子の先天性異常はLi Fraumeni症候群として知られ，さまざまな腫瘍を発症する．RASパスウエイの先天性異常はまとめてRASopathyと呼ばれ，神経線維腫症I型やNoonan症候群の原因である．RAS/MAPK経路の恒常的な活性化をきたす．*DDX41*や*RUNX1*の発症素因を持つ場合，患者は対側の正常アレルに後天的な異常を獲得して両アレルの異常をきたすことが多い．発症素因を持つ場合の骨髄性腫瘍の発症は一般に若年であるが，*DDX41*をもつ症例は高齢発症である．

文　献

1）Papaemmanuil E et al: N Engl J Med **374**:2209, 2016
2）Lindsley RC et al: Blood **125**:1367, 2015
3）Haferlach T et al: Leukemia **28**:241, 2014
4）Grinfeld J et al: N Engl J Med **379**:1416, 2018
5）Palomo L et al: Blood **136**:1851, 2020
6）Jaiswal S et al: N Engl J Med **371**:2488, 2014
7）Xie M et al: Nat Med **20**:1472, 2014
8）Genovese G et al: N Engl J Med **371**:2477, 2014
9）Ochi Y et al: Cancer Discov **10**:836, 2020
10）Yoshimi A et al: Nature **574**:273, 2019
11）Malcovati L et al: Blood **136**:157, 2020

4 リンパ系腫瘍の発症機構

到達目標

- リンパ系腫瘍の発症原因を理解する
- 遺伝子異常による腫瘍化機構と病型の関係について知識を深める

1 リンパ系腫瘍の発症と遺伝子

遺伝子異常がリンパ系腫瘍の発症原因であることは，今日ではコンセンサスの得られた事実である[1]．かつて悪性腫瘍の発症の3大要因は，宿主・環境・外来微生物といわれたが，これらはいずれも遺伝子異常に帰されることが明らかとなっている．宿主因子も環境因子も，腫瘍細胞の遺伝子異常をきたたすことで腫瘍化を引き起こす．ウイルスなどの外来微生物は，微生物の遺伝子自体が直接腫瘍化に関与する．

2 遺伝子異常と腫瘍化のメカニズム

悪性腫瘍の遺伝子異常は，点突然変異，遺伝子増幅/欠失，遺伝子転座の3つに大別される（**表1**）．かつては，固型腫瘍では前2者の点突然変異，遺伝子増幅/欠失が重要で，造血器腫瘍では遺伝子転座が主要因と考えられていた[2]．Bリンパ系腫瘍に特徴的な染色体・遺伝子変異を**表2**，**表3**に，Tリンパ系腫瘍に特徴的な染色体・遺伝子変異を**表4**，**表5**に示す．しかしながら後年の分子生物学的知見から，その差はなくなりつつある．肺がんなどの固形腫瘍でも，リンパ腫と同じ*ALK*遺伝子の転座が腫瘍化の原因であることが同定され，種類や数が徐々に増えている．一方，造血器腫瘍でも網羅的遺伝子解析から，点突然変異が腫瘍化に重要な役割を果たすことが示され，**表6**に示すような病型特異性を持つものが明らかになっている．

遺伝子転座は，巨視的には染色体転座として同定が可能であり，臨床的な意義はほぼ同等である．染色体転座から責任遺伝子が同定された当初には，造血器腫瘍ではしばしば単一の染色体異常を示すことから，転座遺伝子が腫瘍化の必要十分条件であると考えられていた．しかしながら，後年のモデルマウスなどの実験により，これら単一の遺伝子異常のみでは腫瘍化をきたさない場合が多いことが判明している．今日では造血器腫瘍でも，多段階の過程を経て腫瘍化に至ると考えられている．さらに，腫瘍化の後で起きる遺伝子異常のセカンドヒットが異なるクローンが複数存在することが明らかになり，腫瘍細胞の「クローン多様性」は，今日では周知の事実となっている．

◆表1　悪性腫瘍における遺伝子異常

遺伝子異常	古典的な特徴	近年明らかになったこと
遺伝子転座	造血器腫瘍（リンパ腫，白血病）および骨軟部腫瘍で主に認められる	肺がんや大腸がんなど固形腫瘍の一部でも，遺伝子転座が認められる
点突然変異	固型腫瘍で主に認められる	造血器腫瘍では，病型特異的な点突然変異が存在する
遺伝子増幅/欠失	固型腫瘍でも造血器腫瘍でも認められる	iAMP21を有するB-ALL/LBLでは，*RUNX1*遺伝子増幅を認める Hodgkinリンパ腫では特徴的に，*PD-L1*遺伝子増幅を認める

◆表２　Ｂリンパ芽球性白血病 / リンパ腫（ALL/LBL）における主な染色体異常と遺伝子異常

病　型	染色体異常	遺伝子異常	異常のタイプ
BCR::ABL1 融合を有する B-ALL/LBL	t(9;22)(q34;q11)	*BCR::ABL1*	キメラ遺伝子
ETV6::RUNX1 融合を有する B-ALL/LBL	t(12;21)(p13;q22)	*ETV6::RUNX1*	キメラ遺伝子
TCF3::PBX1 融合を有する B-ALL/LBL	t(1;19)(q23;p13)	*TCF3::PBX1*	キメラ遺伝子
TCF3::HLF 融合を有する B-ALL/LBL	t(17;19)(q22;p13)	*TCF3::HLF*	キメラ遺伝子
IGH::IL3 融合を有する B-ALL/LBL	t(5;14)(q31;q32)	*IL3*	脱制御
BCR::ABL1-like な特徴を有する B-ALL/LBL	del(5)(q32q34)	*EBF1::PDGFRB*	キメラ遺伝子
	del(5)(q14q32)	*SSBP2::PDGFRB*	キメラ遺伝子
	r(9)(q34)	*NUP214::ABL1*	キメラ遺伝子
	t(1;9)(p34;q34)	*SFPQ::ABL1*	キメラ遺伝子
	del(9)(p13q24) t(9;9)(p13;p24) inv(9)(p13p24)	*PAX5::JAK2*	キメラ遺伝子
	t(5;9)(q14.1;p24.1)	*SSBP2::JAK2*	キメラ遺伝子
	t(9;12)(p24;p13)	*ETV6::JAK2*	キメラ遺伝子
	t(9;14)(p24;q13)	*STRN3::JAK2*	キメラ遺伝子
	del(5)(q14q32)	*SSBP2::CSF1R*	キメラ遺伝子
	micro deletion of X(p22.3) micro deletion of Y(p11.3)	*P2RY8::CRLF2*	キメラ遺伝子
	t(X;14)(p22;q32) t(Y;14)(p11;q32)	*CRLF2*	脱制御
ETV6::RUNX1-like な特徴を有する B-ALL/LBL	t(7;12)(p12;p13)	*ETV6::IKZF1*	キメラ遺伝子
	t(12;16)(p13;p13)	*ETV6::CREBBP*	キメラ遺伝子
	t(2;12)(p16;p13)	*ETV6::MSH6*	キメラ遺伝子
	t(1;12)(q42;p13)	*ETV6::NID1*	キメラ遺伝子
	t(12;12)(p13;q13)	*ETV6::PMEL*	キメラ遺伝子
	micro deletion of 12(p13)	*ETV6::BCL2L14*	キメラ遺伝子
	micro deletion of 12(p13)	*ETV6::BORCS5*	キメラ遺伝子
KMT2A 転座を有する B-ALL/LBL	t(4;11)(q21;q23)	*KMT2A::AFF1*	キメラ遺伝子
	t(9;11)(p22;q23)	*KMT2A::MLLT3*	キメラ遺伝子
	t(11;19)(q23;p13.3)	*KMT2A::MLLT1*	キメラ遺伝子
	t(10;11)(p12;q23)	*KMT2A::MLLT10*	キメラ遺伝子
	t(6;11)(q27;q23)	*KMT2A::AFDN*	キメラ遺伝子
	t(1;11)(p32;q23)	*KMT2A::EPS15*	キメラ遺伝子
	t(2;11)(q11;q23)	*KMT2A::AFF3*	キメラ遺伝子
その他の転座を有する B-ALL/LBL	t(9;12)(p13;p13) dic(9;12)(p13;p13)	*PAX5::ETV6*	キメラ遺伝子
	t(7;9)(q11;p13)	*PAX5::ELN*	キメラ遺伝子
	t(9;15)(p13;q24)	*PAX5::PML*	キメラ遺伝子
	t(3;9)(p14;q22)	*PAX5::FOXP1*	キメラ遺伝子
	t(9;18)(p13;q11)	*PAX5::ZNF521*	キメラ遺伝子
	t(6;14)(p22;q32)	*ID4*	脱制御
	t(4;14)(q35;q32)	*DUX4*	脱制御
	t(8;14)(q24;q32)	*MYC*	脱制御
	t(14;19)(q32;p13)	*EPOR*	脱制御
	t(14;19)(q32;p13)	*CEBPA/CEBPD*	脱制御
	t(12;17)(p13;q12)	*TAF15::ZNF384*	キメラ遺伝子
	t(12;19)(p13;p13)	*E2A::ZNF384*	キメラ遺伝子
	t(12;22)(p13;q13)	*EP300::ZNF384*	キメラ遺伝子
	inv(1)(q21q22)	*MEF2D::BCL9*	キメラ遺伝子
	t(1;19)(q22;q13)	*MEF2D::HNRNPUL1*	キメラ遺伝子
	t(1;5)(q22;q32)	*MEF2D::CSF1R*	キメラ遺伝子
	t(4;15)(q21;q14)	*AFF1::MUTM1*	キメラ遺伝子
	t(7;15)(p12;q14)	*IKZF1::NUTM1*	キメラ遺伝子
	t(14;15)(q11;q14)	*ACIN1::NUTM1*	キメラ遺伝子

◆表3　B 細胞リンパ腫における主な染色体異常と遺伝子異常

病　型	染色体異常	遺伝子異常	異常のタイプ
Burkitt リンパ腫	t(8;14)(q24;q32)*	*MYC* *	脱制御
	t(2;8)(p12;q24)	*MYC*	脱制御
	t(8;22)(q24;q11)	*MYC*	脱制御
マントル細胞リンパ腫	t(11;14)(q13;q32)	*CCND1*	脱制御
	t(2;11)(p12;q13)	*CCND1*	脱制御
	t(11;22)(q13;q11)	*CCND1*	脱制御
	t(12;14)(p13;q32)	*CCND2*	脱制御
	t(2;12)(p12;p13)	*CCND2*	脱制御
	t(12;22)(p13;q11)	*CCND2*	脱制御
	t(6;14)(q21;q32)*	*CCND3* *	脱制御
	t(2;14)(p24;q32)	*MYCN*	脱制御
濾胞性リンパ腫	t(14;18)(q21;q32)*	*BCL2* *	脱制御
	t(2;18)(p12;q21)	*BCL2*	脱制御
	t(18;22)(q21;q11)	*BCL2*	脱制御
	t(1;22)(q21;q11)	*BCL9*	脱制御
	t(6;14)(p25.3;q32)	*IRF4*	脱制御
びまん性大細胞型 B 細胞リンパ腫	t(3;14)(q27;q32) #	*BCL6* #	脱制御
	t(2;3)(p12;q27)	*BCL6*	脱制御
	t(3;22)(q27;q11)	*BCL6*	脱制御
	t(6;14)(p25.3;q32)	*IRF4*	脱制御
	t(10;14)(q24;q32)	*NFKB2*	脱制御
	t(11;14)(q23;q32)	*RCK(DDX6)*	脱制御
	t(12;14)(q24;q32)	*BCL7A*	脱制御
	t(15;14)(q11;q32)	*BCL8*	脱制御
	t(14;19)(q32;q12)	*CCNE*	脱制御
	t(1;14)(p21;q32)	*MUC1/EMA*	脱制御
	t(3;18)(p21;q21)	*MALT1::MAP4*	キメラ遺伝子
MALT リンパ腫	t(11;18)(q21;q21)	*API2::MALT1*	キメラ遺伝子
	t(1;14)(p22;q32)	*BCL10*	脱制御
	t(1;2)(p22; p12)	*BCL10*	脱制御
	t(14;18)(q21;q32)	*MALT1*	脱制御
	t(3;14)(p14.1;q32)	*FOXP1*	脱制御
	t(X;14)(p11;q32)	*GPR34*	脱制御
B 細胞性慢性リンパ性白血病	t(14;19)(q21;q13)	*BCL3*	脱制御
	t(2;14)(p13;q32)	*BCL11A*	脱制御
	t(12;14)(p13;q32)	*CCND2*	脱制御
リンパ形質細胞リンパ腫	t(9;14)(p13;q32)	*PAX5*	脱制御
脾辺縁帯 B 細胞リンパ腫	t(7;14)(q21;q32)	*CDK6*	脱制御
	t(2;7)(p12;q21)	*CDK6*	脱制御
	t(7;22)(q21;q11)	*CDK6*	脱制御
辺縁帯 B 細胞リンパ腫	t(6;14)(q21;q32)*	*CCND3* *	脱制御
Hodgkin リンパ腫	t(4;9)(q21;p24)	*SEC31A::JAK2*	キメラ遺伝子
	t(15;16)(p21;p13)	*CIITA::BX648577*	CIITA の機能損失
	t(9;16)(p24;p13)	*CIITA::CD274*	CIITA の機能損失
	del(16)(p13)	*CIITA::SNX29*	CIITA の機能損失
	t(9;16)(q34;p13)	*CIITA (truncated)*	CIITA の機能損失
	del(16)(p13)	*CIITA (truncated)*	CIITA の機能損失

*他の病型（DLBCL など）でも認める．
#濾胞性リンパ腫でも，時に認める（Grade 3 および transform 時）．

◆表４　Ｔリンパ芽球性白血病／リンパ腫における主な染色体異常と遺伝子異常

転座パターン	染色体異常	遺伝子異常	異常のタイプ
T 細胞受容体 α/δ との転座	t(11;14)(p15;q11)	*LMO1*	脱制御
	t(11;14)(p13;q11)	*LMO2*	脱制御
	t(10;14)(q24;q11)	*TLX1*	脱制御
	t(5;14)(q35;q11)	*TLX3*	脱制御
	t(1;14)(p32;q11)	*TAL1/LCK*	脱制御
	t(1;14)(p32;q11)	*LCK*	脱制御
	t(7;14)(q34;q11)	*HOXA7*	脱制御
	t(8;14)(q24;q11)	*MYC*	脱制御
	t(9;14)(q34;q11)	*NOTCH1*	脱制御
	t(12;14)(p13;q11)	*CCND2*	脱制御
	t(14;21)(q11.2;q22)	*OLIG2*	脱制御
T 細胞受容体 β との転座	t(1;7)(p32;q34)	*TAL1/LCK*	脱制御
	t(1;7)(p34;q34)	*LCK*	脱制御
	t(7;9)(q34;q34.3)	*NOTCH1*	脱制御
	t(7;9)(q34;q32)	*TAL2*	脱制御
	t(7;10)(q34;q24)	*TLX1*	脱制御
	t(5;7)(q35;q34)	*TLX3*	脱制御
	t(7;10)(q34;p12)	*BMI1*	脱制御
	inv(7)(p15q34) t(7;7)(p15;q34)	*HOXA10/HOXA11*	脱制御 脱制御
	t(7;11)(q34;p15)	*LMO1*	脱制御
	t(7;11)(q34;p13)	*LMO2*	脱制御
	t(7;12)(q34;p13)	*CCND2*	脱制御
	t(7;19)(q34;p13)	*LYL1*	脱制御
	t(X;7)(q22;q34)	*IRS4*	脱制御
T 細胞受容体 γ との転座	t(7;11)(p14;p15)	*LMO1*	脱制御
	t(7;11)(p14;p13)	*LMO2*	脱制御
	t(7;10)(p14;q24)	*TLX1*	脱制御
	t(5;7)(q35;p14)	*TLX3*	脱制御
	t(1;7)(p32;p14)	*TAL1/LCK*	脱制御
	t(1;7)(p32;p14)	*LCK*	脱制御
	t(7;7)(p14;q34)	*HOXA7*	脱制御
NUP98 との転座	t(3;11)(q29;p15)	*NUP98::IQCG*	キメラ遺伝子
	t(4;11)(q21;p15)	*NUP98::RAP1GDS1*	キメラ遺伝子
	t(10;11)(q25;p15)	*NUP98::ADD3*	キメラ遺伝子
	t(11;18)(p15;q12)	*NUP98::SETBP1*	キメラ遺伝子
ABL1 との転座	t(9;14)(q34;q32)	*EML1::ABL1*	キメラ遺伝子
	r(9)(q34)	*NUP214::ABL1*	キメラ遺伝子
RUNX1 との転座	t(2;21)(q11;q22)	*RUNX1::AFF3*	キメラ遺伝子
	t(4;21)(q28;q22)	*RUNX1::FGA7*	キメラ遺伝子
その他の転座	t(10;11)(p13;q14-21)	*PICALM::MLLT10*	キメラ遺伝子
	t(1;3)(p34;p21)	*TAL1*	脱制御
	t(2;8)(q34;q24)	*MYC*	脱制御
	t(5;14)(q35;q32)	*TLX3*	脱制御
	t(5;14)(q35;q32)	*NKX2-5*	脱制御
	t(5;7)(q35;q21)	*TLX3*	脱制御
	t(2;5)(p21;q35)	*TLX3*	脱制御
	t(5;10)(q35;q21)	*TLX3*	脱制御

◆表5　T細胞リンパ腫における主な染色体異常と遺伝子異常

病　型	染色体異常	遺伝子異常	異常のタイプ
未分化大細胞型リンパ腫	t(2;5)(p23;q35) t(1;2)(q25;p23) inv(2)(p23q35) t(2;3)(p23;q21) t(2;17)(p23;q23) t(2;19)(p23;p13.1)	*NPM1::ALK* *TPM3::ALK* *ATIC::ALK* *TFG::ALK* *CLTC::ALK* *TPM4::ALK*	キメラ遺伝子 キメラ遺伝子 キメラ遺伝子 キメラ遺伝子 キメラ遺伝子 キメラ遺伝子
T細胞性前リンパ球性白血病	inv(14)(q11q32) t(X;14)(q28;q11)	*TCL1* *MTCP1*	脱制御 脱制御
末梢性T細胞リンパ腫非特異型	t(5;9)(q33;q22) t(4;16)(q26;p13) t(6;14)(p25.3;q11.2)	*LYK::SYK* *IL2::TNFRSF17* *IRF4*	キメラ遺伝子 キメラ遺伝子 脱制御
皮膚T細胞リンパ腫	t(7;10)(q34;q24)	*NFKB2*	脱制御
未分化大細胞型リンパ腫	t(6;7)(p25.3;q32.3)	*MIR29A*	脱制御
消化管T細胞リンパ増殖症	t(9;17)(p24;q21)	*STAT3::JAK2*	キメラ遺伝子
種々のT細胞リンパ腫	dup(2)(q33.2q33.2) dup(2)(q33.2q33.2)	*CTLA4::CD28* *ICOS::CD28*	キメラ遺伝子 キメラ遺伝子

◆表6　リンパ腫における病型特異的遺伝子点突然変異

病　型	遺伝子	染色体局在	アミノ酸変異	頻　度
有毛細胞白血病	*BRAF*	7q34	V600E	～100%
リンパ形質細胞リンパ腫／マクログロブリン血症	*MYD88*	3p22	L265P	80～95%
T細胞性顆粒リンパ球白血病	*STAT3*	17q21.3	Y640F	30～40%
血管免疫芽球性T細胞リンパ腫	*RHOA*	3p21	G17V	50～60%
Burkitt リンパ腫	*ID3*	1p36.1	(HLH domain)	40～70%
有毛細胞白血病	*MAP2K1*	15q22	K57E/N/T, C121S	30～50%
リンパ形質細胞リンパ腫／マクログロブリン血症	*CXCR4*	2q22	Various	30%

3 リンパ系腫瘍における遺伝子転座

1）転写制御異常型

リンパ系腫瘍における遺伝子転座は，大別すると2つの型に分けられる（図1）．1つは転座によって遺伝子のコーディング部分が影響を受けない「転写制御異常型」である．このタイプでは転座の下流に位置する遺伝子から，正常と変わらないmRNAができ，正常と変わらない蛋白が産生されるが，その発現は別の遺伝子の制御下に置かれる．B細胞では免疫グロブリン（*Ig*）遺伝子は常に非常に強く発現しており，ゆえにB細胞性腫瘍では*Ig*遺伝子との転座が代表的であ

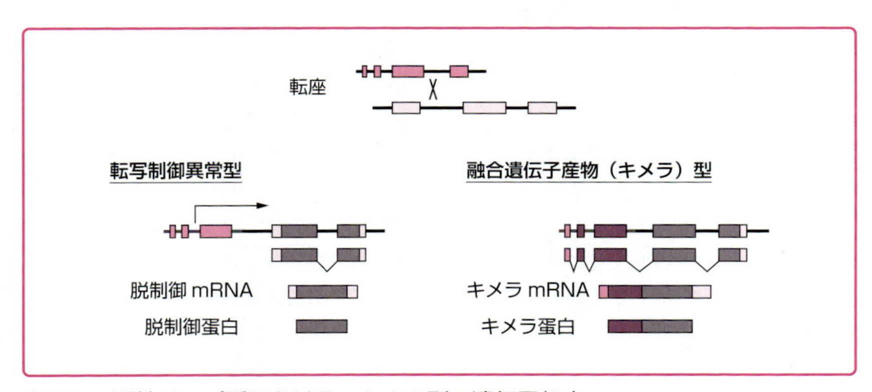

◆図1　悪性リンパ腫における，2つの型の遺伝子転座

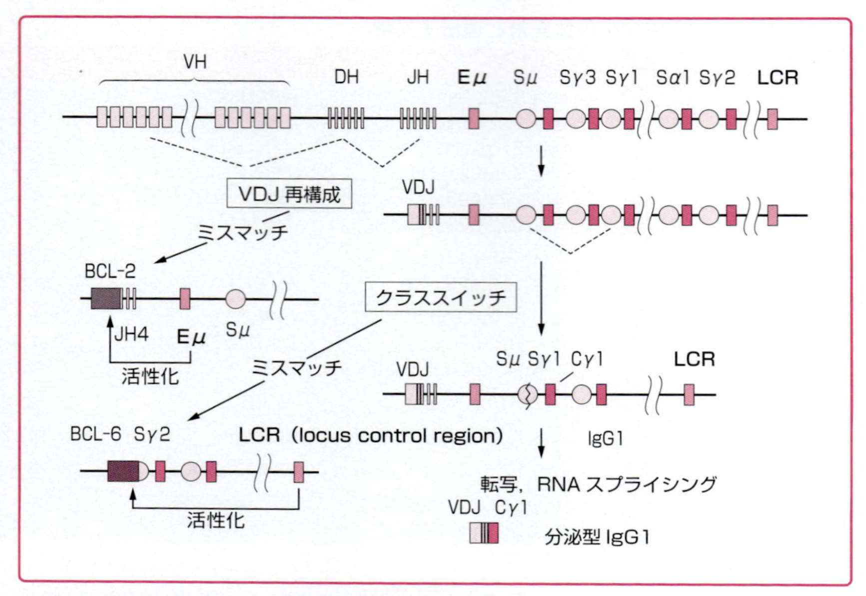

◆**図 2　免疫グロブリン重鎖遺伝子の再構成と転座**

る．これによって活性化される遺伝子は，*MYC*，*BCL2*，*CCND1*，*BCL6* などがあり[2]，染色体 14q32 に位置する免疫グロブリン重鎖（immunoglobulin heavy chain：*IgH*）もしくは，2p12 に位置する κ と 22q11 に位置する λ の2つの免疫グロブリン軽鎖（immunoglobulin light chain：*IgL*）のプロモーター / エンハンサーによって活性化される．正常の IgH 鎖は 38 ～ 46 個以上ある機能的な V 領域，23 個ある D 領域，6 個ある J 領域のそれぞれ 1 つが選択された VDJ 再構成を起こすが（**図 2**），そのミスマッチで転座が起きるのが VDJ 型転座である．また，定常領域は各サブクラスのものがタンデムに並んでおり，その中から 1 つが選択される「クラススイッチ」が濾胞で起きるが（**図 2**），その時のミスマッチで他の遺伝子と転座するのがクラススイッチ型転座である．**表 3** に実際に免疫グロブリン遺伝子と転座する遺伝子の一覧とその病型を示す．

一方，T 細胞性腫瘍では，同様に T 細胞受容体によって他の遺伝子が活性化される転写制御異常が T 前駆細胞性リンパ芽球性リンパ腫 / 白血病では数多く報告されている（**表 4**）．*TCRα/δlocus*，*TCRβ* 遺伝子，*TCRγ* 遺伝子などによるものが主体である．一方，こうした異常は，成熟 T 細胞リンパ腫では多くない（**表 5**）．

2）融合遺伝子産物（キメラ）型

遺伝子転座のもう 1 つの型は，転座がそれぞれの遺伝子のコーディング部分の中で起きる「融合遺伝子産物（キメラ）型」である．このタイプでは，転座によって正常には存在しないキメラ mRNA ができ，正常には存在しないキメラ蛋白が生成される[2]．正常には存在しない蛋白が新たな機能を持つことにより腫瘍化をきたたすと考えられている．異常蛋白が正常蛋白と結合して二量体を形成して機能を抑制してしまう，ドミナントネガティブ型の腫瘍化機構などが知られている．これとは別に，キメラの前半部分の機能的意義が乏しく，転写制御異常型と同様にキメラの後半部分の機能ドメインの発現が別の遺伝子の制御下に置かれることが腫瘍化に重要である場合もある．キメラ型の転座は急性白血病では非常に多くが報告されており，B リンパ芽球性白血病 / リンパ腫での特徴を**表 2** に示す．しかしながら，リンパ腫では少ない．B 細胞リンパ腫では MALT リンパ腫の *API2::MALT1* とその亜型が代表で（**表 3**），T 細胞では未分化大細胞型リンパ腫の *NPM1::ALK* とその亜型の variant *ALK* 転座，非特異型 T 細胞リンパ腫の *LYK::SYK* が知られている（**表 5**）．近年 T 細胞リンパ腫で明らかになったキメラ異常としては，B7 免疫チェックポイント分子にかかわる *CTLA4::CD28*，*ICOS::CD28* キメラ遺伝子で，これは 2q33.2 領域の internal tandem duplication によって生成される．

全ゲノム検索時代になって Hodgkin リンパ腫でも遺伝子転座が同定され，*SEC31A::JAK2* キメラおよび

CIITA 遺伝子転座がこれにあたる（**表 3**）[3]．*CIITA* 遺伝子転座は全体で Hodgkin リンパ腫の 15％程度に認める．転座相手は一定でなくアミノ酸配列がずれる out of frame になる例もあることから，CIITA 蛋白の機能消失が腫瘍化に関与していると考えられる．腫瘍細胞の MHC class II の発現低下により T 細胞による免疫監視から逃れる可能性があり，後述の *PD-L1* 遺伝子増幅と共通するメカニズムか考えられる．縦隔原発大細胞型 B 細胞リンパ腫やグレイゾーンリンパ腫にも同じ転座を認める．

4 点突然変異

リンパ腫でみられる遺伝子の点突然変異はこれまで，*TP53*，*MYC*，*FAS*，*KIT* などの遺伝子が報告されてきた．これらは生物学的に重要な遺伝子であるものの病型特異性はなく，リンパ腫の複数病型や固型腫瘍にも共通して認められる．したがって，リンパ腫の最初の腫瘍化に関与するというよりは，腫瘍進展や growth advantage に関与すると考えられる．その後，リンパ腫では *TNFAIP3*（*A20*）遺伝子や *CARD11*，*TRAF2* 遺伝子といった NF-κB 経路の遺伝子の突然変異が報告されたが，これらも病型特異性は高くない．病型特異的な点突然変異としては，有毛細胞白血病における *BRAF* 遺伝子の V600E 変異が明らかとなった[4]．この変異はメラノーマや一部の固形腫瘍でも認められるが，造血器腫瘍では診断特異度が高い．リンパ形質細胞リンパ腫における *MYD88* 遺伝子 L265P 変異も，頻度・特異度ともに高いが，中枢神経原発など一部の節外性びまん性大細胞型リンパ腫でも高頻度に認められる．その他の特異度の高い遺伝子変異を**表 6** に示す．

5 遺伝子欠失・増幅

遺伝子の一部もしくは全部が欠損する遺伝子欠失は，前述の *TP53* 遺伝子や *INK4A*（*p16*），*INK4B*（*p15*）で古くから知られていた．機能喪失型の異常である点は点突然変異と共通するメカニズムであり，臨床的にもこれらは複数病型や固型腫瘍にも共通して認められる．

遺伝子増幅が腫瘍化に関与する例は，古典的には *MYC* 遺伝子などの growth advantage に寄与する遺伝子で認められている．これに対し，近年明らかになったのは，Hodgkin リンパ腫における 9p24.1 領域の増幅に基づく *PD-L1*/*PD-L2* 遺伝子の増幅である[5]．これにより Hodgkin 細胞は PD-L1/PD-L2 といった免疫チェックポイント蛋白を発現して，T 細胞からの免疫監視から逃れて腫瘍化を起こすとされてきた．当初は，これを阻害するチェックポイント阻害抗体が免疫療法として Hodgkin リンパ腫で高い効果を挙げるとされてきた[6]．しかしながら最近，抗 PD-1 抗体治療後の Hodgkin リンパ腫を生検すると，抗腫瘍効果を期待される T リンパ球の浸潤前にリンパ腫細胞が減少することが指摘された[7]．*PD-L1*/*PD-L2* 遺伝子の増幅が Hodgkin リンパ腫の発症要因であることに違いはないが，その本態は T 細胞からの免疫逃避ではなく，直接の増殖刺激だと考えられるようになってきている．抗 PD-1/PD-L1 抗体は，そのシグナルをブロックすることで効果を発揮すると考えられる．

6 ウイルス遺伝子

リンパ系腫瘍のいくつかの病型では，ウイルスの関与が指摘されている．成人 T 細胞白血病 / リンパ腫はわが国に特徴的な腫瘍であるが，HTLV-1（human T-cell leukemia virus type Ⅰ）が原因とされている．HTLV-1 はレトロウイルスであり，両端に存在する LTR（long terminal repeat）という配列により，ヒトの遺伝子中に自らの全遺伝子配列を挿入する．この遺伝子挿入はどこにでも起き，特に頻度の高い部位はない．

Epstein-Barr ウイルス（EBV）は，NK 細胞リンパ腫，Hodgkin リンパ腫，免疫不全関連リンパ腫，いくつかの T 細胞性リンパ腫の腫瘍細胞内に存在し，腫瘍化への関与が指摘されている．EBV は HTLV-1 と異なり，通常は細胞質内に episome といわれる環状状態で存在する．細胞内で増殖した後，他の細胞に感染する際には，宿主細胞を溶解してウイルスが細胞外に出て（lytic phase），再感染を起こす．このような現象は腫瘍細胞ではめったに起らず，また terminal repeat と呼ばれる繰り返し配列の長さが変わるため，感染細胞のクローン性をサザンブロッティングで同定することが可能である．

以上，リンパ系腫瘍の発症機構について概説した．実際の腫瘍ではこれらが複数重なって腫瘍化にいたっていると考えられる．病型特異性が認められる遺伝子については，診断において利用価値がある．腫瘍化に必要なステップに関与する遺伝子は，治療標的として有用な可能性があり，今後の応用が期待される．

■文　献■

1）Lossos IS: J Clin Oncol **23**: 6351, 2005
2）Rabbitts TH: Nature **372**: 143, 1994
3）Steidl C et al: Nature **471**: 377, 2011
4）Tiacci E et al: N Engl J Med **364**: 2305, 2011
5）Green MR et al: Blood **116**: 3268, 2010
6）Roemer MG et al: J Clin Oncol **34**: 2690, 2016
7）Reinke S et al: Blood **136**: 2851, 2020

1 止血・抗血栓機序

到達目標

- 止血および抗血栓機序を理解する

1 止血と血栓

正常な血液は，血管内では凝固せずに循環し，血管外では凝固して止血する．この生理現象が時に破綻する場合がある．すなわち，血管内であるにもかかわらず凝固し血栓症を生じたり，血管外に出ても凝固せず異常出血をきたすことがある（**図 1**）．歴史的に，血栓止血領域においては出血性病態が注目されてきた．出血という症状は目立ちやすいことに起因するからかも知れない．たとえば，血友病，von Willebrand 病，血小板無力症などの出血性病態である．しかし，現代に生きるわれわれにおいては，血栓症の発症頻度がきわめて高く，その克服は出血性疾患の克服とともに，人類に課せられた大きなテーマの 1 つである[1~3]．

止血は重要な生理機序であり，この機序がないと瞬時も生存できない．一方，血栓症は病的状態であり，脳梗塞，心筋梗塞，肺血栓塞栓症に代表されるように，最悪の場合は死にいたる病態である．しかし，興味深いことに，止血という生理機序と血栓症という病態には同じ役者が登場する．すなわち，血管を反応の場として「血小板」と「凝固因子」が協力して止血し，同じく血小板と凝固因子が協力して血栓症も発症させてしまう．つまり，血小板と凝固因子は，生体にとってよいことも悪いこともしているといえる．血小板と凝固因子は適度に働けば善玉，過度に働けば悪玉といえるだろう[1~3]．

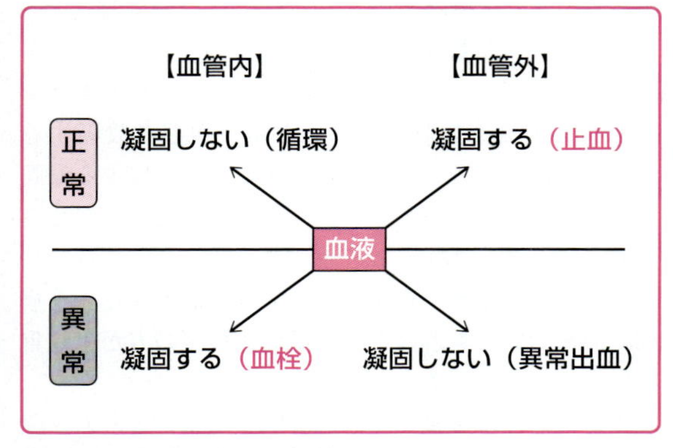

◆**図 1**　血液の生理と病態

血栓止血関連検査（凝血学的検査）を理解し駆使できるようになることは，上記のような出血性疾患や血栓性疾患の診断，病態把握，診療において重要である．

2 止血機序

止血機序は，血小板が主役となる一次止血と，凝固因子が主役となる二次止血とに分類される．

1）一次止血（図 2）

血管が破綻すると血管外のコラーゲンが露出してそれに対して血小板が集まってくる．この現象を**血小板粘着**という．さらに多くの血小板が集合する．これを**血小板凝集**という．血小板粘着時に血小板とコラーゲンの間を埋める，いわば糊ともいえる成分が von Willebrand 因子（VWF），血小板凝集時の糊にあたる成分が**フィブリノゲン**である．

なお，血小板粘着において血小板が VWF と結合する際には血小板膜糖蛋白である GP Ⅰb/Ⅸ（glycoprotein Ⅰb/Ⅸ）が関与している．GP Ⅰb/Ⅸが欠損している先天性出血性素因が Bernard-Soulier 症候群である．また，血小板凝集の際に血小板のフィブリノゲン結合に関与している血小板膜糖蛋白が GPⅡb/Ⅲa（glycoprotein Ⅱb/Ⅲa）である．GPⅡb/Ⅲa が欠損している先天性出血性素因に血小板無力症（Glanzmann 病）がある．

2）二次止血（図 3）

血小板を反応の場として多くの凝固因子が集まり，最終的にはトロンビンが産生される．トロンビンが

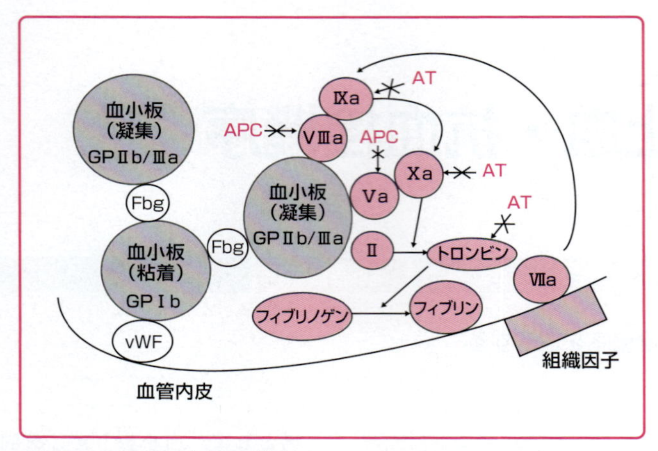

◆図２　止血と血栓の機序
GPⅠb：glycoprotein Ⅰb（血小板膜糖蛋白Ⅰb），GPⅡb/Ⅲa：glycoprotein Ⅱb/Ⅲa（血小板膜糖蛋白Ⅱb/Ⅲa），Ⅶa：活性型第Ⅶ因子，Ⅸa：活性型第Ⅸ因子（図では，ⅦaによるⅨ→Ⅸaへのステップは省略），Ⅷa：活性型第Ⅷ因子，Xa：活性型第X因子（図では，ⅨaによるX→Xaへのステップは省略），Va：活性型第V因子，Ⅱ：プロトロンビン
AT：アンチトロンビン．トロンビン，Xaなどの活性型凝固因子を抑制する．
APC：活性化プロテインC．Va，Ⅷaを抑制する．

フィブリノゲンをフィブリンに転換すると凝固が完結し止血に至る．形成されたフィブリンを強固にする（フィブリン分子を架橋化する）のが第ⅩⅢ因子である．

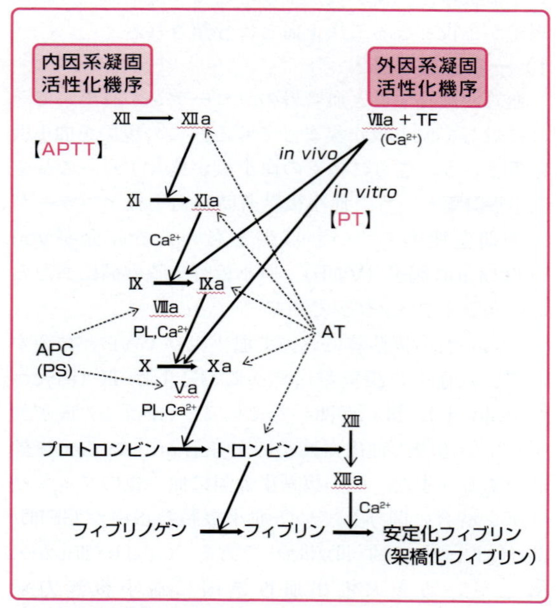

◆図３　血液凝固カスケード（*in vivo* と *in vitro*）
APTT：活性化部分トロンボプラスチン時間，PT：プロトロンビン時間，PL：リン脂質，APC：活性化プロテインC，PS：プロテインS，AT：アンチトロンビン，TF：組織因子，*in vivo*：生体内，*in vitro*：試験管内

二次止血には２つの経路が存在する．

１つ目は，組織因子（tissue factor：TF）による凝固であり，これを**外因系凝固活性化機序**という．凝固第Ⅶ・X・V・Ⅱ・Ⅰ因子が関与している．TF・Ⅶa複合体は，TFが微量にしか存在しない生体内（*in vivo*）では第Ⅸ因子を活性化するのに対して，プロトロンビン時間測定時のようにTFが大量に存在する試験管レベル（*in vitro*）では第X因子を活性化する．TF産生細胞は複数知られているが，その代表は血管内皮細胞と単球／マクロファージである．これらはlipopolysaccharide（LPS）やサイトカインの刺激でTFを過剰発現する．

２つ目は，異物（陰性荷電）による凝固であり，**内因系凝固活性化機序**という．これには凝固第ⅩⅡ・ⅩⅠ・Ⅸ・Ⅷ・X・V因子・Ⅱ因子（プロトロンビン）・Ⅰ因子（フィブリノゲン）が関与している．たとえば，採血をして血液を試験管に入れると血液は凝固するが，これは試験管という異物に接することによる凝固である．これら２つのカスケードを簡略化して記したものが（**図４**）である．

止血という生理的現象においても，血栓症という病的現象においても外因系凝固活性化機序の方がより重要な働きをしている．

生体における２種類の血液凝固を臨床検査室の試験管レベルで再現しようとした検査が，**プロトロンビン**

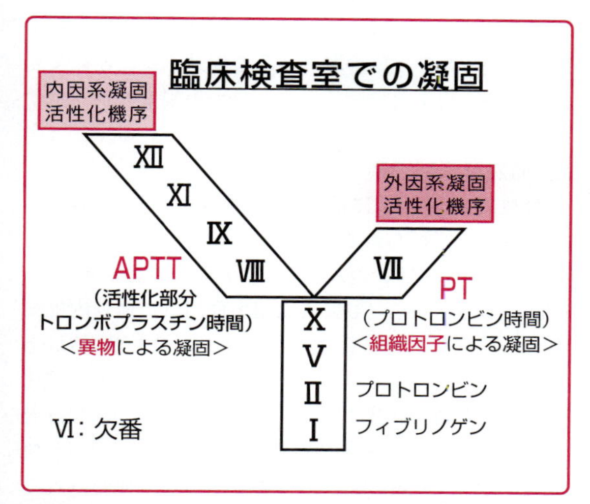

◆図4　簡略型の血液凝固カスケード（*in vitro*）

時間（prothrombin time：PT）と活性化部分トロンボプラスチン時間（activated partial thromboplastin time：APTT）である．PT は外因系凝固活性化機序を，APTT は内因系凝固活性化機序を反映する．2 種類の血液凝固を臨床検査室レベルで再現したこれらの検査は，まさに凝固の基本検査といえる．

なお，第VI因子は欠番である．**第XIII因子**は，トロンビンによってフィブリノゲンから転換したフィブリンの分子間を架橋化する（強固なフィブリン塊を形成する）のに必要であるが，PT，APTT では反映されない．

3 線溶機序

形成された血栓を溶解する働きが，線溶（fibrinolysis）（**図5**）である．具体的には，血管内皮から**組織プラスミノゲンアクチベータ（tissue plasminogen activator：t-PA）**が産生され，肝臓で産生されて血中に放出された**プラスミノゲン**を**プラスミン**に転換する．プラスミンは，血栓（フィブリン）を分解して FDP（D-ダイマー）にする．つまり，FDP（D-ダイマー）の血中濃度が高いというのは，血栓が形成された後に溶解したことを意味する．たとえば，DIC や深部静脈血栓症 / 肺血栓塞栓症では，血栓が形成されてその一部が溶解されるため，FDP（D-ダイマー）は上昇する．なお，t-PA やプラスミノゲンは血栓（フィブリン）親和性が高いために，血栓の存在する部位では効率よく線溶が進行する．

4 抗血栓機序

血栓形成を抑制する機序は，血管内皮細胞による抗血栓作用（**図5**）や，血液凝固制御系が知られている．

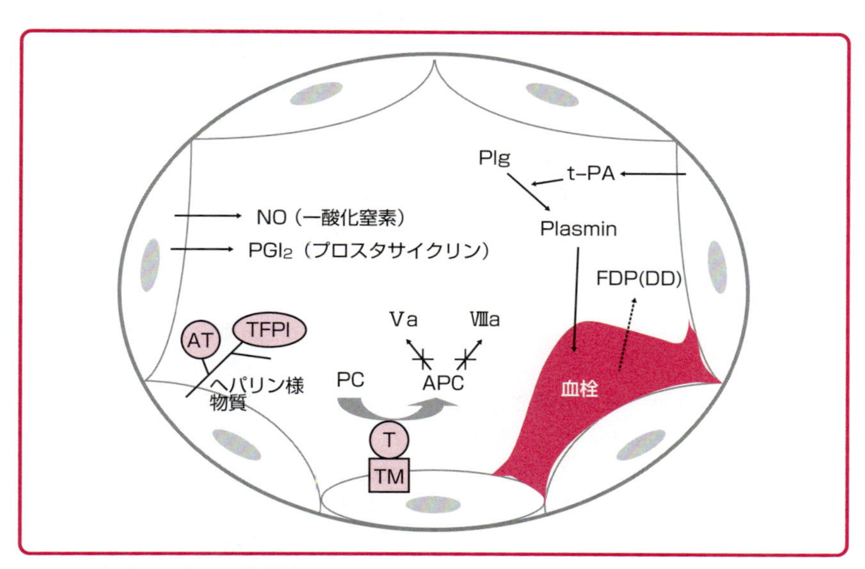

◆図5　血管内皮の抗血栓作用

TM：トロンボモジュリン，T：トロンビン，PC：プロテイン C，APC：活性化プロテイン C，Va：活性型第V因子，VIIIa：活性型第VIII因子，AT：アンチトロンビン，TFPI：組織因子経路インヒビター，t-PA：組織プラスミノゲンアクチベータ，Plg：プラスミノゲン，FDP：fibrin/fibrinogen degradation products，DD：D-dimer

1）血管内皮細胞による抗血栓作用

血管内皮にはトロンボモジュリン（thrombomodulin：TM），ヘパリン様物質（ヘパラン硫酸），t-PA，PGI_2（プロスタグランジンI_2：別名 プロスタサイクリン），一酸化窒素（nitric oxide：NO）などの抗血栓性物質が存在する．これらのほとんどは薬物としても治療応用されている．

a）トロンボモジュリン

トロンボモジュリン（TM）は，2段構えで凝固を阻止している．

1つ目は，トロンビンを捕捉することで抗凝固活性を発揮する．TMに捕捉されたトロンビンは，向凝固活性（フィブリノゲンをフィブリンに転換する作用，血小板活性化作用など）が失われる．

2つ目は，**トロンビン-TM複合体**が凝固阻止因子であるプロテインC（protein C：PC）を活性化して，**活性化PC（activated protein C：APC）**に転換する機序である．APCは，Ⅴaや Ⅷaを不活化する［この際の補酵素が**プロテインS（PS）**］．

TMは全身臓器に広く分布するが，脳にはほとんど分布していない．脳は人間の体内で最も血栓症の多い臓器であるが，これはTMの分布が乏しいためと考察されている．TMの測定は凝固関連検査としても重要である．血管内皮が障害を受けるとTMは容易に循環血中に遊離する．このため，血中TM濃度の高値は血管内皮障害を反映している．

b）ヘパリン様物質

血管内皮に存在するヘパリン様物質は，アンチトロンビン（antithrombin：AT）や，組織因子経路インヒビター（tissue factor pathway inhibitor：TFPI）が結合しており抗血栓的に作用している．ATは肝臓で，TFPIは血管内皮で産生されて血中に放出された後に，血管内皮のヘパリン様物質に結合する．

c）t-PA

t-PAはプラスミノゲンをプラスミンに分解する．詳細は3「線溶機序」を参照．

d）PGI_2，NO

PGI_2は血管内皮から産生される．血小板機能抑制作用および血管拡張作用（血流増加作用）により抗血栓的に作用する．血管拡張作用を期待して，PGI_2の誘導体は閉塞性動脈硬化症の治療薬に頻用されている．

NOも，PGI_2と同様に血小板機能抑制作用と血管拡張作用を有している．NOはグアニル酸シクラーゼに作用し，GTP → cGMPの転換を亢進させてcGMPの量を増加させる．cGMPは平滑筋弛緩作用のあるプロテインキナーゼG（PKG）を活性化したり，筋小胞体へのカルシウムの取り込みを促進することにより血管拡張作用を発揮する．また血小板凝集抑制作用や血管平滑筋細胞の増殖抑制作用も有している．

2）血液凝固制御系

血液凝固制御系に関与した蛋白質として，AT，PC，PSが挙げられる．

ATはトロンビンのみならず，FⅩa，FⅫa，FⅪa，FⅨaも阻害する．ATによる阻害作用は，血管内皮細胞上のヘパリン様物質に結合することで1,000倍以上に飛躍的に増強する．そのため，生体にとっては循環血中よりも血管内皮上のATのほうがより大きな意義を有している．血液凝固検査として測定されている血漿AT活性は意義の大きい検査であるが，血管内皮に結合しているAT量を評価する簡便な方法があればなお望ましい．

PSはAPCの補酵素として作用している．APCはFⅧaやFⅤaを分解，不活化する．なお，PCの活性化はトロンビン-トロンボモジュリン複合体が担っており，トロンビン単独に比べて約1000～2000倍効率よく活性化する．

その他，ヘパリンコファクターⅡ（heparin cofactor Ⅱ：HCⅡ）はトロンビンを選択的に阻害する．またTFPIはⅦa-組織因子複合体やⅩaを阻害することで，血液凝固（二次止血）を制御する．

5 抗線溶機序

プラスミノゲンアクチベーターインヒビター1（plasminogen activator inhibitor-1：PAI-1）はt-PAと1対1で結合することにより線溶系を制御している．

α_2プラスミンインヒビター（α_2 plasmin inhibitor：α_2PI，またはα_2 antiplasmin：α_2AP）は，プラスミンがフィブリンに結合するのを阻害する．また，フィブリン血栓内のフィブリンに結合することで，フィブリン血栓をプラスミンの溶解から保護する．つまり，α_2PIはプラスミンのインヒビターとして，フィブリン溶解（血栓溶解）を抑制している．

トロンビン活性化線溶阻害因子（thrombin activatable fibrinolysis inhibitor：TAFI）はトロンビン-TM複合体により活性化され，フィブリンのC末端リジンを選択的に除去することにより，フィブリンへのt-PAやプラスミノゲンの結合能を低下させる．そのため，プラスミンによるフィブリン分解効率が低下し，血栓溶解反応が抑制される．

抗線溶機序が適切に機能しないと，止血に必要な血栓が溶解されるため，一度止血が得られた後に再度出血を生じる「**後出血**」を認める．一方で，抗線溶機序が過剰に機能すると，適切な血栓の溶解がなされず，血栓症を生じやすくなる．加齢や肥満は血栓症のリスク因子であるが，これは加齢とともにPAI-1が上昇したり，脂肪組織でPAI-1が高発現するのも一因と考えられている．

6 ビタミンK依存性凝固／凝固阻止因子

これまで登場した凝固因子／凝固阻止因子の一部はビタミンKが存在しないと産生が抑制される（**表1**）．このことは検査の解釈や病態の把握の点からもきわめて重要である．

ビタミンK依存性凝固因子は，半減期の短い順番に，第Ⅶ・Ⅸ・Ⅹ・Ⅱ因子である（半減期はそれぞれ，1.5～5時間，20～24時間，1～2日，2.8～4.4日）．特に，第Ⅶ因子の半減期が短いことは臨床的に重要である．ビタミンK拮抗薬であるwarfarinを投与した際のモニタリングをAPTTではなくPTで行っているのは，半減期の短い第Ⅶ因子を反映しているPTが敏感に変動するためである．出血性素因であるビタミンK欠乏症のスクリーニング検査をPTで行うのも同様の理由である．PTのみならずAPTTも明らかに延長している場合にはビタミンK欠乏症は重症と考えてよい．軽症のビタミンK欠乏症ではPTのみ延長することが多い．

凝固阻止因子であるプロテインC，プロテインSもビタミンK依存性凝固因子である（半減期はそれぞれ，6～8時間，2～3日）．先天性プロテインC欠損症（ヘテロ接合体）の患者に対してwarfarinを投与すると，4つのビタミンK依存性凝固因子が十分に低下して抗凝固活性を発揮する前に，半減期の短いプロテインCが急激に低下し，かえって凝固活性化状態になることが知られている．この際，皮膚の微小循環レベルで微小血栓が多発してwarfarin induced skin necrosisの病態をきたす．

◆表1　ビタミンK依存性凝固／凝固阻止因子とその特徴

凝固／凝固阻止因子	半減期	活性型因子の役割	欠乏時の検査所見
第VII因子	1.5～5時間	生体内でXI因子を，試験管内でX因子を活性化	PTの延長（PT-INRの上昇）
第IX因子	20～24時間	第X因子を活性化	APTTの延長
第X因子	1～2日	プロトロンビンを活性化	PT,APTTの延長
第II因子	2.8～4.4日	フィブリノゲンを活性化	PT,APTTの延長
プロテインC	6～8時間	VIIIa，Vaの抑制	プロテインC活性低下
プロテインS	2～3日	活性化プロテインCの補酵素	プロテインS活性低下

◆表2　血栓症の分類

1. 動脈血栓症
   - 血流が速い環境下の血栓症
   - 血小板活性化が主病態
   - 血小板血栓
   - 病理：白色血栓（血小板が白い）．血小板含有量の多い血栓
   - 脳梗塞（心房細動を除く），心筋梗塞，末梢動脈血栓症など
   - 抗血小板薬が有効
2. 静脈血栓症
   - 血流が遅い環境下の血栓症
   - 凝固活性化が主病態
   - 凝固血栓
   - 病理：赤色血栓（赤血球が赤い）．血流が遅い環境下で赤血球を巻き込んだフィブリン含有量の多い血栓
   - 深部静脈血栓症，肺血栓塞栓症，心房細動に起因する脳梗塞（心原性脳塞栓）など
   - 抗凝固薬が有効

◆表3　抗血栓療法と代表的な薬物

1. **抗血小板療法**
   - aspirin
   - ticlopidine，clopidogrel，prasugrel，ticagrelor
   - cilostazol，beraprost sodium，sarpogrelate，など*1
2. **抗凝固療法**
   - warfarin
   - 経口抗トロンビン薬：dabigatran
   - 経口抗Xa薬：rivaroxaban，edoxaban，apixaban
   - ヘパリン類*2，argatroban*2，トロンボモジュリン*2，活性化プロテインC*2，など
3. **線溶療法**
   - t-PA*2
   - ウロキナーゼ*2

*1：cilostazol，beraprost sodium，sarpogrelateには抗血小板作用のみならず，血管拡張作用を合わせ持つ
*2：注射製剤（他は経口薬）

7 血栓症の分類と抗血栓療法

血栓症を分類（**表2**）することは，病態だけでなく治療法（**表3**）を考える上でも重要である．

血栓症発症を阻止する治療のことを抗血栓療法という．血栓症を発症すると，治療を行っても不可逆的な機能障害が残存し，最悪の場合は致命症となるため，血栓症を発症させない抗血栓療法はきわめて重要である．「抗血栓療法」のうち，血小板を抑制する治療を「抗血小板療法」，凝固を抑制する治療を「抗凝固療法」という．形成された血栓を溶解する治療が，「線溶療法（血栓溶解療法）」である．

動脈血栓症では，血流が速い環境下で活性化された血小板が血栓形成に関与するため，抗血小板療法が有効である．一方，静脈血栓症では，血流が遅い環境下で凝固が活性化されるため，血栓形成には凝固因子の関与が大きい．治療には抗凝固療法が有効である[4]．

心房細動は脳塞栓の重要な危険因子である．脳動脈を血栓が閉塞するが，血栓形成部位は心臓内である．心房細動があると心臓が規則正しく収縮しないため，心内に血液滞留を生じる．そのため，血栓の性格は，血流が遅い環境下の静脈血栓（凝固血栓）と類似している．有効な治療法は抗血小板療法ではなく抗凝固療法（warfarin または直接経口抗凝固薬）である[5]．

■文　献■

1）朝倉英策：臨床に直結する血栓止血学 改訂2版，中外医学社，2018
2）朝倉英策：しみじみわかる血栓止血 Vol.1 DIC・血液凝固検査編，中外医学社，2014
3）朝倉英策：しみじみわかる血栓止血 Vol.2 血栓症・抗血栓療法編，中外医学社，2015
4）Tritschler T et al: JAMA **320**:1583, 2018
5）Chan NC et al: Blood **33**：2269, 2019

1 リンパ節腫大，扁桃腫大，肝脾腫の鑑別

到達目標

- リンパ節腫大の鑑別診断を挙げることができ，リンパ節生検の適応が決められる
- 扁桃腫大・肝腫大・脾腫大の鑑別診断が挙げられる

1 リンパ節腫大

1）リンパ節の機能

リンパ節は，リンパ球（B 細胞，T 細胞，NK 細胞）と組織球（マクロファージ，樹状細胞など）により構成される，微生物をはじめとする異物に対する免疫反応の場である．免疫反応が起こると，反応性のリンパ球増殖のためリンパ節腫大が生じる．リンパ節には，体表から触知可能な頸部，腋窩，鼠径部などの表在リンパ節と，縦隔，腹部傍大動脈，腸間膜，腸骨領域などの深部リンパ節とがあり，各臓器・組織からのリンパ液はまず決まった所属リンパ節に流れ込む．

2）定　義

リンパ節腫大の公式な定義はないが，大きさが 1 ～ 2 cm 以上の場合に異常とみなされることが多い．ただし，リンパ節が正常範囲を超えて大きいということが，ただちに生検を含む対処を必要とする病変であることを意味するわけではない．1 ～ 1.5 cm 程度のリンパ節でも扁平なものは病的でないことが多く，逆にこれ以下の大きさのリンパ節がリンパ腫の病変である可能性もある．よって，大きさによる画一の基準を設けるよりも，それぞれの部位や臨床状況に応じて柔軟に対応する必要がある．たとえば，小児では頸部にリンパ節が触知できるのが正常で，しばしば 1 cm 以上に及ぶ．むしろリンパ節が触知できない場合は異常として捉え，原発性免疫不全症の鑑別を要することがある．また，下肢の小外傷などに対する反応として，成人でも鼠径領域では 1 cm 以上のリンパ節を触知することが少なくない．

3）原　因

リンパ節腫大はリンパ節の主な細胞成分であるリンパ球，組織球の反応性あるいは腫瘍性増殖や，がん細胞など本来のリンパ節の成分とは異なる細胞の浸潤，細胞外成分の蓄積によって起きる[1]．リンパ節腫大をきたす疾患の内訳を**表 1** に示す．

4）患者に対するアプローチ

a）診　察

表在リンパ節腫大を主訴とする患者では，まず問診によりリンパ節腫大の経過（発症時期，増大速度，自然縮小の有無），腫大部位の疼痛や全身症状（発熱，体重減少，夜間盗汗，全身倦怠感など）の有無を把握する．悪性腫瘍や自己免疫性疾患の既往，服薬歴の情報も重要である．薬剤と関連したリンパ節腫大としては，抗痙攣薬の phenytoin によるリンパ節炎や，関節リウマチに対する methotrexate（MTX）などの免疫抑制薬に関連した Epstein–Barr ウイルス（EBV）関連リンパ増殖性疾患が有名である．

次いで身体的診察では，腫大リンパ節の性状（大きさ，数，硬さ，周囲組織への固定の有無，圧痛や波動の有無）と，他部位のリンパ節腫大や肝脾腫の有無を把握する．局所リンパ節腫大の場合には，その上流部位に炎症または腫瘍を示唆する所見がないか，あるいは二次性の浮腫がないかを確認する．たとえば，頸部リンパ節腫大の患者では咽頭・歯科領域を含む頭頸部領域の診察，腋窩リンパ節腫大の患者では同側の上肢および乳腺の診察が重要である．一方，連続しない 3 領域以上のリンパ節が腫大している場合には，全身性リンパ節腫大と考える．リンパ節の性状も鑑別診断に重要な情報となる．急性の圧痛を伴うリンパ節腫大は感染症や**菊池－藤本病**によるものの可能性が高く，硬く周囲組織に固定したリンパ節腫大は固形がんの転移を示唆する．

b）一般検査

リンパ節生検の適応を考える場合には，血算，白血

◆表 1　リンパ節腫大をきたす疾患

■感染症 細菌（例：化膿性細菌感染症，猫ひっかき病，梅毒，野兎病） 抗酸菌（例：結核，Hansen 病） 真菌（例：ヒストプラズマ症，コクシジオイデス症） クラミジア（例：鼠径リンパ肉芽腫症） 寄生虫（例：トキソプラズマ症，トリパノソーマ，フィラリア） ウイルス（例：EBV，CMV，風疹，肝炎，HIV）
■免疫系の良性疾患［例：関節リウマチ，全身性エリテマトーデス，血清病，phenytoin などに対する薬剤過敏反応，Castleman 病，Rosai-Dorfman 病（sinus histiocytosis with massive lymphadenopathy），Langerhans 細胞組織球症，亜急性壊死性リンパ節炎（菊池-藤本病），川崎病，木村病］
■免疫系の悪性疾患（例：慢性・急性リンパ性白血病，非 Hodgkin リンパ腫，Hodgkin リンパ腫，アミロイドーシスを伴った多発性骨髄腫，悪性組織球症）
■その他の悪性腫瘍（例：がんのリンパ節転移）
■蓄積性疾患（例：Gaucher 病，Niemann-Pick 病）
■内分泌疾患（例：甲状腺機能亢進症，副腎不全，甲状腺炎）
■その他（例：サルコイドーシス，アミロイドーシス，皮膚病性リンパ節炎）

頻度の高いものを下線で示した．
［Armitage JO: Approach to the patient with lymphadenopathy and splenomegaly. Cecil Medicine, 23rd ed, Goldman L et al（eds), Saunders Elsevier, 2007 を参考に著者作成］

球分画，血清 LD，肝機能（AST，ALT，ALP，γ-GTP），CRP などの血液検査を確認する．その他の検査（自己抗体，ウイルス抗体，腫瘍マーカーなど）は，考えうる病態に応じて選択する．たとえば，若年者でリンパ節腫大，咽頭痛，発熱などの特徴的な臨床症状を呈し，異型リンパ球増加，肝機能異常を伴う場合には，**伝染性単核症**を疑って EBV 抗体（VCA IgM，VCA IgG，EA IgG，EBNA），サイトメガロウイルス（CMV）抗体（IgG，IgM）やヒト免疫不全ウイルス（human immunodeficiency virus：HIV）抗体などを確認する．

リンパ節腫大の原因が明らかで，対処が不要な場合には画像検査は行われないが，必要に応じて超音波，CT 検査を行う．画像検査では，触診よりも正確に腫大リンパ節の大きさを評価することができ，触診不能な部位のリンパ節腫大，肝脾腫，その他の病変の有無が評価できる．リンパ節腫大の精査として CT 検査を行う場合，脈管との判別を容易にするため，禁忌事項がない限り造影 CT を行うのが一般的である．また体幹部 CT では胸部もしくは腹部に限定せず，頸部から骨盤部まで体幹部全体を撮影範囲とすれば，病変が網羅的に把握できる．

c）リンパ節生検の適応

リンパ節生検は他の手段でリンパ節腫大の原因が明らかでない場合や，臨床的に悪性リンパ腫が強く疑われる場合に行う．これはリンパ節腫大の鑑別診断を進めるうえで鍵となる検査であるが，その適応の決定は慎重に行う必要がある．その理由として，軽度のリンパ節腫大などでは，リンパ節生検を行っても非特異的な所見しか得られない場合が多いことが挙げられる．また，リンパ節生検には侵襲とリスクを伴うことにも留意する必要がある．表在リンパ節生検でも，出血，感染症，リンパ嚢腫や，部位によっては神経損傷などのリスクがある．このため，リンパ節腫大をきたしうる明らかな基礎疾患がある場合には，まずはこれによるリンパ節腫大と考えて経過を追う．たとえば，他部位の生検で，もしくは臨床的にサルコイドーシスと診断された患者で縦隔・肺門リンパ節腫大がみられた場合には，まずはサルコイドーシスによるリンパ節腫大とみなして経過観察をすることが多い．また，伝染性単核症の患者ではリンパ節腫大についてもその一所見として生検を行わないのが原則である．伝染性単核症の臨床診断が病理医に伝わらなかった場合，誤ってリンパ腫という病理診断にいたってしまうこともあるので注意を要する．同様に，重症のアトピー性皮膚炎の患者で表在リンパ節腫大がみられた場合には，皮膚病性リンパ節炎をまず考える．ただし，リンパ節腫大をきたす基礎疾患がある場合でも，非典型的な経過を示した場合にはリンパ節生検を考慮すべきである．たとえば，関節リウマチの患者では軽度のリンパ節腫大を伴うことが少なくないが，進行性のリンパ節腫大をきたした場合にはリンパ腫や MTX 関連リンパ増殖性疾患を鑑別するため，リンパ節生検を行う必要がある．

明らかな原因がなく 2 ～ 3 cm 以上の無痛性のリン

パ節腫大が認められた場合には，リンパ腫やがんの転移を含む悪性腫瘍が鑑別診断の上位に挙がるので，リンパ節生検の適応があると考えてよい．特に，リンパ節の増大が数日の経過でみられる場合や，全身症状や血算異常，LDが著しく高値などの検査値異常を伴う場合には，なるべく早期にリンパ節生検を行ったほうがよい．ただし，周囲に固着した硬いリンパ節腫大が頸部に認められた場合には，頭頸部がんの転移がまず考えられ，これが左鎖骨上窩（Virchow）リンパ節であれば胃がんなどの消化器がんの転移が示唆される．それぞれ耳鼻咽喉科医の診察や吸引細胞診を，侵襲性の高いリンパ節生検よりも先に行ったほうがよい．

これよりも小さいリンパ節腫大については，前述と同様の問診，診察，一般検査を行ったうえで，2～8週後に経過観察を行うことが望ましい．リンパ節腫大が持続したり，増大傾向を示したりする場合や，画像検査でより大きいリンパ節腫大が深部に認められた場合には，リンパ節生検の適応を考える．なお，1～1.5 cm程度のリンパ節腫大で経過観察でよいと判断される場合でも，患者の不安が強い場合には生検を考慮してもよい．

健康診断や他疾患の経過観察の画像検査で胸部・腹部のリンパ節腫大が偶然認められた場合にも，上記と同様のアプローチをとる．腸間膜や傍大動脈領域のみに2～3 cmを超える大きさのリンパ節腫大が認められた場合は，リンパ腫が鑑別診断の上位に挙がる．上部または下部消化管内視鏡などをスクリーニングとして行うことが多いが，ほかにアプローチが容易な部位に病変がなければ，腹腔鏡下や開腹による，もしくはCTまたは超音波ガイド下のリンパ節生検の適応を考慮すべきである．

2 扁桃腫大

扁桃は，左右両側にある口蓋扁桃，舌根にある舌扁桃，咽頭円蓋にある咽頭扁桃からなるリンパ組織である．これらは中咽頭に環状に位置するのであわせて**Waldeyer輪**と呼ばれる．扁桃には，口腔粘膜上皮の凹みである陰窩が無数に存在し，上皮下には胚中心を持つリンパ小節が多数並んでいる．

扁桃腫大の最も多い原因が咽頭炎で，主にウイルス性と細菌性とがあるが，頻度としてはウイルス性が多い．急性上気道炎に関連するアデノウイルス，ライノウイルス，インフルエンザウイルス，RSウイルスなどが原因となることが多いが，**伝染性単核症**を起こすEBV，CMV，HIVなどによっても起こる．細菌のなかでは，A群β溶血性連鎖球菌による咽頭炎・扁桃腫大の頻度が高い．A群β溶血性連鎖球菌による咽頭炎は，抗菌薬治療により数日以内に軽快するが，未治療の場合は局所において扁桃周囲膿瘍に進展したり，全身的合併症としてリウマチ熱や糸球体腎炎を引き起こしたりすることがある．このため抗菌薬の適応を検討するため，臨床所見や抗原検査によりウイルス性の咽頭炎との鑑別が行われる．

このような急性感染症による口蓋扁桃の腫大は，多くの場合，左右対称性である．小児では特に原因がない慢性的な扁桃肥大（軟性肥大）がしばしば左右対称にみられ，成人でも扁桃炎を繰り返した後に扁桃肥大（硬性肥大）がみられることがある．

左右非対称の扁桃腫大は悪性腫瘍の可能性を示唆するため，耳鼻咽喉科医に生検の適応を相談する．扁桃に生じる悪性腫瘍には，リンパ腫（びまん性大細胞型B細胞リンパ腫が多い），扁桃がん（口腔扁平上皮がん），転移性扁桃腫瘍などがある．

3 肝脾腫

脾臓は最大のリンパ組織で，抗体を産生するとともに，抗体が結合した細菌および血球を除去する免疫装置としての役割を持つ．その他に寿命を経過した赤血球を処理する役目など，独自の役割も担っている．正常の脾臓の大きさについての明確な基準はないが，小児や痩せた人以外で脾臓を触知する場合，**脾腫**があると考えてよい．CT（頭尾方向），超音波（長径）で13 cm以上の場合に，脾腫が示唆される．

脾腫はさまざまな原因（**表2**）によって起き，全身性リンパ節腫大をきたす疾患と重複する点が多い．最も多い原因は肝硬変，門脈圧亢進症であるが，溶血性貧血に合併した脾機能亢進症，亜急性感染性心内膜炎などの持続性全身感染症，関節リウマチに合併したFelty症候群などが脾腫の原因として特徴的にみられる．なお，季肋下8 cm以上に及ぶ巨大な脾腫や肝脾腫を認めた場合には，造血器腫瘍や血球貪食症候群が鑑別診断の中心となる．リンパ系腫瘍のうち，血管内大細胞型B細胞リンパ腫，脾辺縁帯リンパ腫，有毛細胞白血病，慢性リンパ性白血病 / 小リンパ球性リンパ腫，肝脾T細胞リンパ腫などでは，しばしば脾臓が病変の主座となる．骨髄系腫瘍では，慢性骨髄性白血病や慢性骨髄単球性白血病，真性赤血球増加症，骨髄線維症を含む骨髄増殖性腫瘍などで肝脾腫をきたしやすい．骨髄線維症に伴う肝脾腫では，肝脾が髄外造血の場となっている．

◆表2　脾腫をきたす疾患

■感染症 細菌（例：感染性心内膜炎，ブルセラ症，梅毒，チフス，化膿性膿瘍） 抗酸菌（例：結核） 真菌（例：ヒストプラズマ症，トキソプラズマ症） 寄生虫（例：マラリア） リケッチア ウイルス（例：EBV，CMV，HIV，肝炎）
■免疫系の良性疾患（例：Felty症候群を合併した関節リウマチ，全身性エリテマトーデス，phenytoinなどに対する薬剤過敏反応，Langerhans細胞組織球症，血清病）
■免疫系の悪性疾患（例：骨髄増殖性腫瘍，急性・慢性骨髄性白血病，急性・慢性リンパ性白血病，非Hodgkinリンパ腫，Hodgkinリンパ腫，原発性マクログロブリン血症，有毛細胞白血病，悪性組織球症）
■その他の悪性腫瘍（例：悪性黒色腫，肉腫）
■うっ血性脾腫（例：肝疾患または脾静脈・門脈血栓症による門脈圧亢進症）
■血液疾患（例：自己免疫性溶血性貧血，遺伝性球状赤血球症，サラセミア，髄外造血）
■蓄積性疾患（例：Gaucher病）
■内分泌疾患（例：甲状腺機能亢進症）
■その他（例：サルコイドーシス，アミロイドーシスなど）

[Armitage JO: Approach to the patient with lymphadenopathy and splenomegaly. Cecil Medicine, 23rd ed, Goldman L et al (eds), Saunders Elsevier, 2007を参考に著者作成]

巨大脾腫の場合や原因不明の脾腫・肝脾腫が1ヵ月以上持続する場合には，鑑別診断のために脾摘を考慮する必要がある．しかし，脾摘はリスクを伴うため，脾臓のほかに病変部位があればそこからの生検が優先される．また，肝腫大や肝機能検査異常を伴う場合には肝生検を，血球異常を伴う場合には骨髄穿刺・生検をまず行うことが考慮される．

■文　献■

1）Bazemore AW et al: Am Fam Physician **66**: 2103, 2002

2 貧血の鑑別

到達目標

- さまざまな貧血の病態について説明できる
- 日常診療で遭遇する貧血の原因を適切な検査計画に基づいて鑑別できる

1 貧血の定義

貧血とは末梢血中の赤血球成分が不足した状態を指し，①赤血球数，②ヘモグロビン（Hb）濃度，③ヘマトクリット（Ht）という3つの指標の低下によって判定される．これらの数値は連動して増減することが多いが，ときに乖離が生じるため，実際の診療現場ではHb濃度を第一の指標として判断するのが一般的である．正常参考値は年齢，性別，人種などによって異なり，貧血の診断基準値は国や作成団体によって微妙に異なるが，WHO基準では成人男性で13.0 g/dL，女性では12.0 g/dL以下とされ，この基準が広く用いられている（**表1**）．

2 貧血の分類

貧血はHb低下を示す症候名であり，必ず原因疾患が存在する．血液細胞自体の異常によって起こる貧血を原発性貧血（primary anemia），それ以外の原因で発生するものを二次性貧血，続発性貧血（secondary anemia）と呼ぶことがある．赤血球は骨髄における赤芽球分化により産生されるが，赤血球への分化は造血細胞自体の要因および成熟に必要な造血環境［エリスロポエチン（erythropoietin：EPO）や造血ミネラル・ビタミンなど］によって制御されるため，これらの異常は貧血の原因となる．また，赤血球の破壊，喪失も貧血の大きな原因である．したがって，貧血の原因は，①赤血球産生の低下，②赤血球破壊の亢進（溶血），③赤血球の喪失（出血）に分けて考えると理解しやすい（**表2**）．

◆表1　Hb濃度による貧血の基準（WHO）

Hb（g/dL）	対象者
11.0以下	6ヵ月以上5歳未満
11.5以下	5歳以上12歳未満
12.0以下	12歳以上15歳未満
12.0以下	15歳以上の女性（妊婦を除く）
11.0以下	妊婦
13.0以下	15歳以上の男性

1）赤血球産生の低下

産生低下をきたす病態は，①造血細胞自体の異常，②造血環境・免疫の異常，③造血に必要な各種因子の異常，④その他の4種に大別される．

a）造血細胞自体の異常

白血病や骨髄異形成症候群（myelodysplastic syndromes：MDS）などの腫瘍性分化障害疾患，サラセミアや遺伝性鉄芽球性貧血などの遺伝性Hb合成障害による貧血が代表的である．白血病やMDSでは異常クローン増加のために正常造血が抑制され，さらに異常クローン自体が分化障害を呈するため貧血を発症する．サラセミアではグロビン合成障害によりHbを構成するグロビンα鎖，β鎖の生合成不均衡を生じることから無効造血をきたし，貧血が認められる．サラセミアでは赤血球数は通常正常～増加しており，赤血球数とHbに乖離がみられるのが特徴である．一般にHb合成障害による貧血では小球性を呈する［ただし，鉄芽球性貧血では正球性と小球性赤血球の混在（二相性）が認められる］．

b）造血環境・免疫の異常

固形がんの骨髄浸潤や多発性骨髄腫では骨髄微小環境が傷害されて造血能が低下し，貧血をきたすと考えられている．がんの骨髄浸潤では，末梢血に赤芽球や未熟な白血球が出現することがある（白赤芽球症：leukoerythroblastosis）．また，自己免疫による未分化造血細胞の傷害も貧血の原因になり，標的が造血幹

◆表２　貧血の病態による分類

1．赤血球産生の低下
1）造血細胞自体の異常
白血病（異常細胞による分化異常・正常細胞の抑制）
骨髄異形成症候群（異常細胞による分化異常・正常細胞の抑制）
サラセミア（ヘモグロビン合成の異常）
遺伝性鉄芽球性貧血（ヘモグロビン合成の異常）
2）造血環境・免疫の異常
再生不良性貧血（自己免疫による造血幹細胞の傷害）
赤芽球癆（自己免疫による赤芽球の傷害）
自己免疫性疾患に合併する血球減少（自己免疫による造血細胞の傷害）
多発性骨髄腫（骨髄占拠，骨髄微小環境の異常）
固形がんの骨髄浸潤（骨髄占拠，骨髄微小環境の異常）
3）造血に必要な各種因子の不足
鉄欠乏性貧血（鉄）
慢性疾患に伴う貧血（鉄利用障害）
ビタミン B_{12} 欠乏性貧血（悪性貧血・胃切除後貧血，摂取不良）
葉酸欠乏性貧血（葉酸）
亜鉛欠乏性貧血（亜鉛）
銅欠乏性貧血（銅）
腎性貧血（エリスロポエチン）
無トランスフェリン血症（鉄利用障害）
4）その他
甲状腺機能異常症
肝障害
アルコール多飲
低栄養

2．赤血球破壊の亢進（溶血）
1）赤血球自体の異常
遺伝性球状赤血球症（膜異常による破壊）
鎌状赤血球症（ヘモグロビン異常による溶血）
サラセミア（ヘモグロビン異常による溶血）
赤血球酵素異常症（G6PD 欠損症，PK 異常症）
発作性夜間ヘモグロビン尿症（GPI アンカー蛋白欠損による補体感受性亢進で溶血）
2）自己免疫・薬剤
温式自己免疫性溶血性貧血（温式 IgG 自己抗体）
寒冷凝集素症（冷式 IgM 自己抗体）
発作性寒冷ヘモグロビン尿症（冷式 IgG 自己抗体）
新生児溶血性貧血（胎盤を通過した母体由来の抗赤血球抗体）
薬剤性溶血性貧血（薬剤の直接作用あるいは自己免疫機序を介した溶血）
3）機械的刺激
大血管の異常
人工弁，心臓弁膜症（狭窄弁），大動脈狭窄症，大動脈瘤，人工血管など
微小血管の異常
血栓性血小板減少性紫斑病
溶血性尿毒症症候群
血管炎症候群
体外からの外力
行軍ヘモグロビン尿症
4）脾腫（門脈圧亢進症，Gaucher 病など）

3．赤血球の喪失（出血）
外傷
消化管出血
性器出血
肉眼的血尿
瀉血

細胞であれば再生不良性貧血，赤芽球であれば赤芽球癆を発症する．

c）造血に必要な各種因子の異常

赤芽球の分化にはさまざまなミネラル・ビタミン，

サイトカインが必要である．

鉄はヘム合成に必須のミネラルであり，不足すると鉄欠乏性貧血をきたす．絶対量の不足のほか，慢性炎症など鉄の利用障害でも同様の貧血をきたし，慢性疾患に伴う貧血（anemia of chronic disease：ACD）と呼ばれる．ACD ではフェリチン低下が認められない（むしろ増加することも多い）のが鉄欠乏性貧血との鑑別ポイントである．なお，鉄欠乏性貧血の場合，消化管出血や性器出血など鉄欠乏の原因精査を行っておく必要がある．

亜鉛は生体内のさまざまな酵素活性に必要な金属であり，その欠乏は赤芽球分化を傷害し，貧血の原因となる．銅もセルロプラスミンを介して鉄代謝に関与しており，銅欠乏は Fe^{3+} を低下させることによってトランスフェリン結合鉄を減少させ，鉄欠乏と同様の貧血をきたすと考えられている．亜鉛と銅は吸収が競合するため，亜鉛製剤の長期投与患者では銅欠乏の発症にも注意する必要がある．

ビタミン B_{12} や葉酸は核酸合成に必要な因子（補酵素）であり，その欠乏は DNA 合成障害を介して赤芽球の増殖・分化を抑制し，貧血の原因となる．これらの欠乏では，細胞核の成熟が細胞質の成熟より遅れるため，核が大型で未成熟のまま残り，特徴的な巨赤芽球性変化（megaloblastic change）を呈する．分化途中の細胞死も亢進するため LD の増加，ハプトグロビン低値など無効造血所見を認めることが多い．また，DNA 合成障害は赤芽球だけでなく全血球に影響するため，貧血だけでなく汎血球減少をきたすこともまれではない．ビタミン B_{12} は胃の壁細胞から分泌される内因子と結合して腸管から吸収されるため，ビタミン B_{12} の欠乏原因としては，食事摂取の低下（高齢者に多い），胃切除による内因子欠乏，胃壁細胞からの内因子分泌低下（抗内因子，抗壁抗体による自己免疫機序や萎縮性胃炎）などが挙げられる．抗内因子抗壁抗体に伴う巨赤芽球性貧血（megaloblastic anemia）は悪性貧血（pernicious anemia）と呼ばれ，萎縮性胃炎を母体とした胃がんの発生に注意する必要がある．

赤血球造血に必要なサイトカインとしては，EPO が重要である．EPO は腎臓において産生されるが，慢性腎疾患によって赤血球減少に対する EPO 産生反応が減弱すると，骨髄における赤芽球産生が十分に行われず，腎性貧血となる．腎性貧血の場合，本来増加すべき EPO が十分に増加しないことが発症に関係しており，多くの症例で血中 EPO 値は正常範囲内～軽度増加にとどまる．

d）その他

甲状腺機能異常症やアルコール多飲，低栄養によっても造血が障害され，貧血を認めることがある．アルコール多飲の場合は，葉酸欠乏が同時に認められる場合もある．

2）赤血球破壊の亢進（溶血）

何らかの原因によって，赤血球が正常の寿命に達する前に破壊されることを溶血（hemolysis）と呼ぶ．溶血をきたす病態は，①赤血球自体の異常，②自己免疫や薬剤による破壊，③機械的刺激による破壊，④脾腫の 4 種に大別される．

a）赤血球自体の異常

赤血球膜の異常，Hb の異常，代謝酵素異常症による溶血に大別される．

赤血球膜は細胞骨格関連蛋白に裏打ちされた脂質二重層からなるが，これらの構成要素に異常が生じると，細胞膜が本来の形態を維持できなくなり，溶血にいたる．膜異常症としては，遺伝性球状赤血球症（hereditary spherocytosis：HS）とその関連疾患が代表的である．HS では裏打ち蛋白の異常により赤血球の球状化，変形能の低下が進行し，その結果，脾臓通過時に網内系細胞に捕食され溶血をきたす．HS では赤血球は小型・球状となるため単位体積あたりの赤血球数が増加し，計算上平均赤血球ヘモグロビン濃度（mean corpuscular hemoglobin concentration：MCHC）が高値となるため，「高色素性」貧血を呈するのが特徴である．

また，発作性夜間ヘモグロビン尿症（paroxysmal nocturnal hemoglobinuria：PNH）では，造血幹細胞において後天的に *PIG-A* 遺伝子変異が発生し，補体防御因子である CD55 や CD59 などの GPI アンカー蛋白の細胞表面上の発現が欠損するために血管内溶血をきたす．

鎌状赤血球症ではグロビン遺伝子の先天的変異により HbS（β 鎖の 6 番目のアミノ酸がグルタミン酸からバリンに置換）が生成される．HbS は酸素分圧低下時にゲル化し，赤血球は鎌状に変化して血管外溶血を引き起こす．サラセミアでも同様に Hb 変性による溶血が認められる．

酵素異常症としては，グルコース-6-リン酸脱水素酵素（glucose-6-phosphate dehydrogenase：G6PD）欠損症が代表的である．ヘキソース一リン酸経路にかかわる G6PD 異常により NADPH が不足し，赤血球膜の酸化耐性が低下する．これにより感染症や薬剤などによるストレスで赤血球膜の酸化が進行し，急激に血管内溶血をきたす．変性 Hb による Heinz 小体が特徴である．その他，ピルビン酸キナーゼ（PK）異常症では，ATP 産生の低下により赤血球膜が維持できなくなり溶血をきたす．

b）自己免疫や薬剤による溶血

自己免疫性溶血性貧血（autoimmune hemolytic anemia：AIHA）では，成熟赤血球に対する自己抗体による溶血が認められる．37℃付近で自己抗体が最大活性を持つ温式自己免疫性溶血性貧血（単に AIHA と呼ばれることが多い），4℃など寒冷域で活性を持つ寒冷凝集素症（cold agglutinin disease：CAD），発作性寒冷ヘモグロビン尿症（paroxysmal cold hemoglobinuria：PCH）に分類される．AIHA では温式 IgG 抗体，CAD では冷式 IgM 抗体，PCH では冷式 IgG 抗体（Donath-Landsteiner 抗体）が認められる．いずれの疾患でも直接 Coombs 試験は陽性であり，温式 AIHA では抗 IgG 直接 Coombs 試験が陽性，CAD では抗 C3d 直接 Coombs 試験および寒冷凝集素が陽性となる．その他，免疫学的機序が関係するものとして，不適合輸血によるものや新生児溶血性貧血が知られている．

薬剤による溶血性貧血は免疫機序を介したものと，薬剤による赤血球の直接障害によるものに分けられる．前者の例としては抗結核薬，ペニシリン・セフェム系薬剤，methyldopa などが挙げられ，直接 Coombs 試験は陽性となる．後者では，phenacetin や鉛中毒が代表的である．

c）機械的刺激による溶血

物理的・機械的刺激によって血管内で赤血球が破壊される病態であり，赤血球破砕症候群ともいわれる．三日月型，ヘルメット型などの破砕赤血球が認められるのが特徴である．心臓弁膜症や人工弁，人工血管など大血管の異常に伴うものと，血栓性血小板減少性紫斑病，溶血性尿毒症症候群など微小血管内溶血によるものがある．その他，体外からの外力に起因する行軍ヘモグロビン尿症でも赤血球破壊が認められる．

d）脾　腫

脾臓は血球の処理にかかわる臓器であり，老化した赤血球や変形能異常，形態異常をきたした赤血球は脾臓内マクロファージに貪食され破壊される．脾腫が存在すると血球は脾臓通過に時間を要するため破壊されやすくなり，貧血をきたす（血小板も減少することが多い）．この状態は脾機能亢進症と呼ばれ，門脈圧亢進症（肝硬変など）や Gaucher 病などで認められる．

3）赤血球の喪失（出血）

出血は貧血の重要な原因である．消化管出血や性器出血の頻度が高い．ごくまれに自己瀉血による貧血も経験される．長期間にわたる慢性出血は最終的に鉄欠乏性貧血をきたす．

3 貧血の診断

1）自覚症状と問診

貧血では，Hb 低下に伴う組織の低酸素症状（易疲労感，めまい，頭痛など）と低酸素を代償する生体反応による症状（動悸，頻脈など）が自覚症状として認められる．

貧血患者の問診では，このような自覚症状に注目し，発症時期，症状の進行速度などについて確認する．貧血が慢性に経過している場合は，Hb が相当低下しても症状を自覚しにくいことがある．その場合は，階段昇降時の息切れなど日常生活に基づいた症状を問診するとよい．その他，鑑別に重要な付随情報として，最近の発熱や出血症状の有無，消化器症状として下血や黒色便の有無，手術歴や薬剤服用歴，女性では婦人科的出血や子宮筋腫の有無などを聴取する．また，過去の健康診断などの検査データがある場合は，それを持参してもらうと貧血の経過が客観的に把握できる．

なお，貧血は医学的には Hb の低下を指すが，一般の人々には「立ちくらみ」と認識されていることも多い．このため，貧血の既往を尋ねるときは，医療機関や検診の血液検査で指摘されたものかどうか医師から問いかけて確認する必要がある．

2）身体所見

Hb 低下に共通した他覚所見としては眼瞼結膜の蒼白が代表的であるが，軽度～中等度の貧血の場合判別が難しいこともある．また，症例によっては心拡大，心雑音，静脈コマ音，浮腫など循環器系への負担を示す所見が認められる．その他，鉄欠乏性貧血では匙状爪や舌炎，ビタミン B_{12} 欠乏性貧血では舌炎，舌乳頭の萎縮，年齢不相応の白髪など，各々の基礎疾患に特徴的な所見が認められる．

3）検査所見

原則として Hb 値の低下で診断する．貧血症例の場合，通常は Hb，Ht，赤血球数すべてが低下するが，疾患によってはこれらが乖離することがある．たとえばサラセミアでは赤血球数は減少ではなく増加することも多く，MCV（fL）/ 赤血球数（百万 /μL）≦ 13 は標的赤血球と合わせてサラセミアを疑う 1 つの指標とされている（Mentzer index，thalassemia index）．その他，鉄欠乏性貧血ではフェリチン値の低下，溶血性貧血では LD・間接ビリルビンの増加とハプトグロビンの低下など各疾患に特徴的な検査所見が認められる.

4 貧血の鑑別

貧血は**表2**で示す数多くの疾患で認められるが，その鑑別には，**平均赤血球容積（mean corpuscular volume：MCV）**と**網赤血球**の増減に注目するのが有用である．診断フローチャートの一例を**図1**に示す.

1）白血球，血小板異常の有無

赤血球だけでなく他血球にも異常が認められる場合は，何らかの造血器疾患である可能性が高い．白血球像（目視）を確認し，芽球や異常血球の有無を検索する必要がある．末梢血に異常血球が出現している場合は，白血病やMDSなどの可能性を考慮し，早期に骨髄検査を行って診断を確定する.

2）MCVの評価

MCVの評価で，ある程度原因疾患を絞り込むことができる.

a）MCV低値（小球性貧血）

鉄欠乏性貧血をはじめとするHb合成障害が疑われ，まず鉄関連マーカー（血清鉄，不飽和鉄結合能，フェリチン）を確認する．血清フェリチンが低値の場合は，鉄欠乏性貧血と診断される．フェリチン値の低下が認められず血清鉄が低下している場合には，炎症や腫瘍など慢性疾患に伴う貧血（ACD）が考えられる．それ以外の場合では，サラセミアを鑑別する．遺伝性鉄芽球性貧血も鑑別疾患として挙げられるが，わが国ではまれである.

b）MCV高値（大球性貧血）

ビタミンB_{12}や葉酸値を確認し，低値であればそれぞれの欠乏症と診断される．ビタミンB_{12}欠乏の場合，MCVは120以上の高値になることが多く，汎血

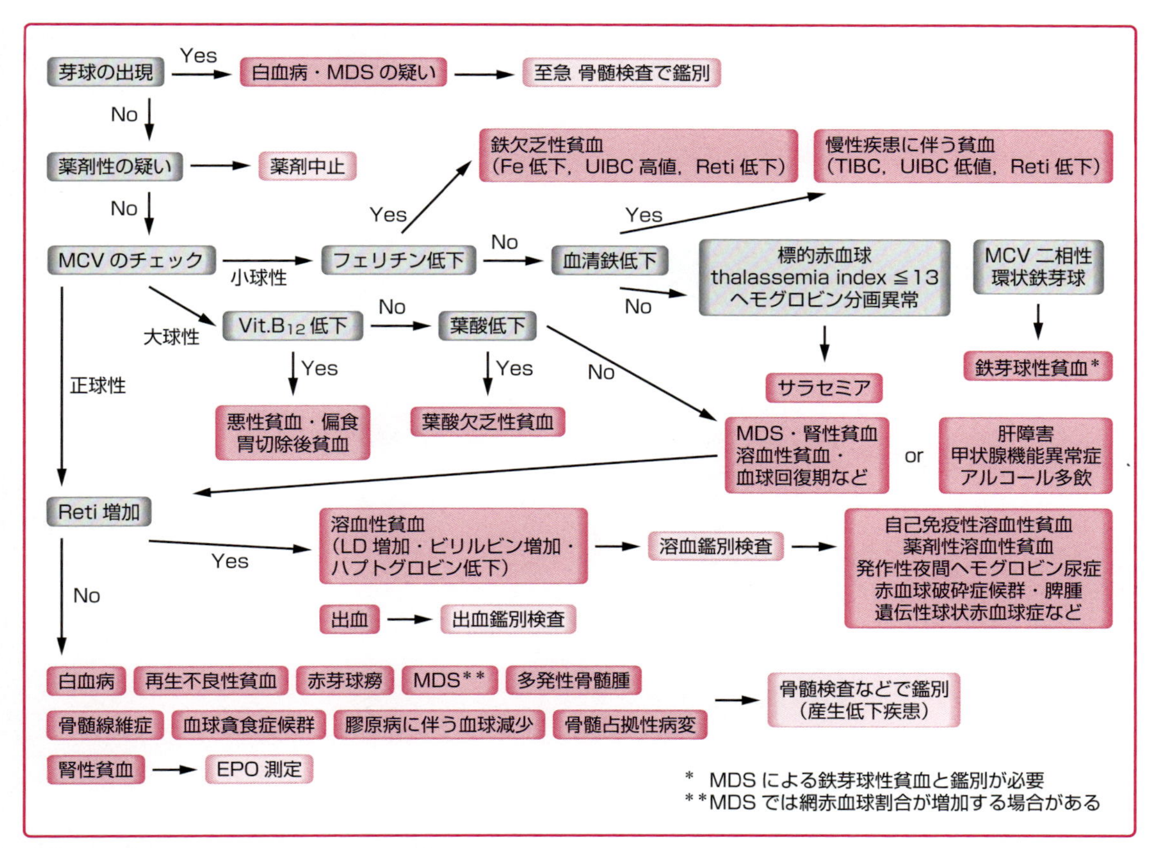

◆**図1 貧血診断フローチャートの一例**
貧血を鑑別する際は，平均赤血球容積（MCV）と網赤血球数を手がかりに診断を進めるとわかりやすい．図に挙げた手順はその一例である.
Reti: 網赤血球, TIBC: 総鉄結合能, UIBC: 不飽和鉄結合能

球減少を認めることも多い．ビタミン欠乏がみられない場合，MDS，溶血性貧血，再生不良性貧血，腎性貧血などが考えられる．これらの疾患は典型例では正球性貧血をきたすとされているが，MCV 110 fL 程度の軽度大球性を示すことも多いため，ビタミン B_{12} や葉酸欠乏のない大球性貧血では正球性貧血と同様の鑑別を行っておく必要がある．その他，慢性肝障害や甲状腺機能低下，アルコール多飲による貧血も大球性貧血をきたすため，必要に応じて病歴聴取と特異的検査を追加する．

c）MCV 正常範囲内（正球性貧血）

正球性貧血の場合は，再生不良性貧血，赤芽球癆，多発性骨髄腫，腎性貧血などさまざまな疾患が鑑別に挙げられる．この場合，網赤血球数による評価が必要である．

3）網赤血球数の評価

網赤血球数は骨髄における赤芽球造血を反映する．網赤血球数は通常百分率（%）あるいは千分率（‰）で報告されるが，本来は 1 μL あたりの絶対数で判断されるべきものである．しかし，絶対数は赤血球数に網赤血球割合を乗じて計算されるためばらつきが大きく，正常基準値は明確には規定されていない．およその数値としては，網赤血球割合の基準値は 0.5 ～ 2.0% 程度，絶対数は約 5 万～ 10 万程度が参考値と想定されるが，実際には割合と絶対数双方を考慮し，Hb 値との関係で増減を判断する必要がある．

貧血にもかかわらず網赤血球数が増加している場合は，骨髄の赤芽球造血は保たれていることを意味しており，溶血あるいは出血に伴う代償性造血亢進が疑われる．一方，貧血があるにもかかわらず網赤血球増加が認められない場合は，骨髄での産生低下や無効造血が考えられる．

網赤血球の減少が認められず造血亢進が疑われる場合，出血の鑑別では便潜血検査など出血源の精査，溶血の鑑別では LD や間接ビリルビン，ハプトグロビン測定，Coombs 試験などを行う．一方，産生低下が疑われる場合は，腎性貧血が疑われる場合を除いて，多くの症例で骨髄検査が必要である．なお，MDS では網赤血球割合の増加がしばしば認められ，無効造血を反映して LD 高値，ハプトグロビン低値になることがあるため，溶血性貧血との鑑別には注意を要する．

3 多血症の鑑別

到達目標

- 多血症の定義・分類と診断へのアプローチを理解する

1 多血症の定義

多血症は末梢血中検査において，赤血球数，ヘモグロビン（Hb）濃度，あるいはヘマトクリット（Ht）値が上昇した状態と定義される．わが国では，一般に男性では赤血球数≧600万/μL，Hb≧18.0 g/dL，Ht≧55%のいずれかを示す場合，女性では赤血球数≧550万/μL，Hb≧16.0 g/dL，Ht≧50%のいずれかを示す場合と考えられている[1]．一方，WHO分類改訂第4版（2017年）における**真性赤血球増加症（polycythemia vera：PV）**の診断基準では，男性ではHb＞16.5 g/dL，女性ではHb＞16.0 g/dL，もしくは男性でHt＞49%，女性ではHt＞48%と定められている．ただし，これはあくまでもPVと診断するための基準であることに注意する．

2 多血症の分類

多血症は，循環赤血球量が実際に増加している絶対的赤血球増加症と，循環赤血球量の増加はないものの脱水などにより循環血漿量が低下したために，見かけ上の赤血球増加を示す相対的赤血球増加症に大別される（**表1**）．

1）相対的赤血球増加症

相対的赤血球増加症には，下痢や発汗，経口摂取不良，利尿薬の使用などの急激な体液量の減少（脱水）によるものと，中年男性に比較的多くみられる，いわゆるストレス多血症がある．後者は喫煙などの生活習慣との関連が大きく，しばしば肥満や高血圧や脂質異常症，高尿酸血症などを伴う．また，2型糖尿病治療薬であるSGLT2阻害薬は，尿糖排泄作用という新しい作用機序の薬剤で，多彩な作用があり，その中の1つであるHt増加は広く知られており，相対的赤血球増加症をきたした報告もみられている．

2）絶対的赤血球増加症

絶対的赤血球増加症は，①造血幹細胞の異常により自律的な赤血球造血が亢進する一次性赤血球増加症と，②エリスロポエチン（erythropoietin：EPO）の産生増加に起因する二次性赤血球増加症とに大別される．前者の代表は，後述する*JAK2*遺伝子変異により発症するPVである．なお，ごくまれに先天的なEPO受容体の遺伝子異常により多血症をきたすことがある．EPOの産生増加に伴う多血症は先天的なものとして，EPO産生調節を行う分子の遺伝子変異に起因するものと，Hbの異常により組織での酸素利用障害に起因するものがある．前者としては，EPOの産生を制御する転写因子で，低酸素応答転写因子（hypoxia inducible factor：HIF）の活性化を制御する種々の分子の遺伝子異常が知られている[2]．一方，後天的な

◆表1　赤血球増多をきたす疾患・病態

1. 相対的赤血球増加症
   1）体液量の減少によるもの
   2）ストレス多血症
2. 絶対的赤血球増加症
   1）一次性赤血球増加症：造血幹細胞の異常
      a）先天性
         EPO受容体異常
      b）後天性
         真性赤血球増加症（*JAK2* V617F変異，*JAK2* exon12変異）
   2）二次性赤血球増加症：EPO産生亢進
      a）先天性
         EPO産生調節系分子の異常，Hb異常など
      b）後天性
         - 全身的な低酸素によるもの
           慢性呼吸器疾患，右左シャント，高地居住，一酸化炭素，睡眠時無呼吸
         - 局所的低酸素によるもの
           腎動脈狭窄症，水腎症，腎移植後
         - 腫瘍によるEPO産生
           脳血管腫，髄膜腫，副甲状腺腫瘍，肝細胞がん，腎細胞がん，褐色細胞腫
         - 薬剤性

EPO 産生増加を招く病態としては，①呼吸器疾患や心不全などの全身性の低酸素状態，②腎動脈硬化症などの腎における局所的低酸素状態，③ EPO 産生腫瘍，そして，④薬剤使用などの状態において認められる．

3 多血症診断へのアプローチ

1）問　診

多血症では，顔面紅潮，頭痛，めまいなどの症状がみられる．PV では瘙痒感や血栓症を伴うことがある．しかし，無症状で健康診断が多血症診断の契機となる例も多い．問診では，喫煙歴や薬剤使用歴，さらに生活習慣についてまず確認する．20 本 / 日以上の喫煙者では，特に Ht が高値となるため喫煙本数の聴取も重要である．利尿薬や糖尿病治療薬などの薬剤服用歴の確認も重要である．既往歴では，心疾患や呼吸器疾患の有無を聞く．なお，前述のようにまれではあるが，先天的な遺伝子異常に起因する多血症も存在する．このため，家族歴や発症時期についても聴取する必要がある．

2）身体所見

呼吸器・循環器系の異常の有無を調べる．特に，動脈血酸素飽和度の確認は簡便であり必ず行う．腹部の診察では脾腫の有無に注意する．脾腫は PV 症例でも約 30％にみられるにすぎないとされるが[1]，脾腫がみられた場合には PV を疑う所見として重要である．

3）検査所見

多血症の鑑別診断を進めるにあたっては，まず，**血中 EPO 濃度測定と *JAK2* 遺伝子変異解析**を行うことが推奨されている（**図 1**）[3]．*JAK2* 遺伝子変異解析で陽性であれば，PV の診断に至る．*JAK2* 変異が陰性であれば，血清 EPO 濃度により，それぞれの診断に至る．

a）血中 EPO 濃度測定

PV などの造血幹細胞が EPO に依存せずに自律性増殖をきたす疾患では，EPO 濃度は低値もしくは基準下限程度となることが多い．これに対して，二次性赤血球増加症では EPO 濃度が基準上限程度から上昇を示すことが多い．ただし，PV 症例の約 20％では EPO 濃度は正常範囲との報告もあり，EPO が低下していないことをもって PV を否定することはできない[4]．EPO 濃度が上昇していた場合には，腎細胞がんなどの EPO 産生腫瘍の可能性を疑い，CT や超音波などによる検索を進める．また，EPO 濃度が高値であり，加えて家族歴の存在や病歴などにより先天的

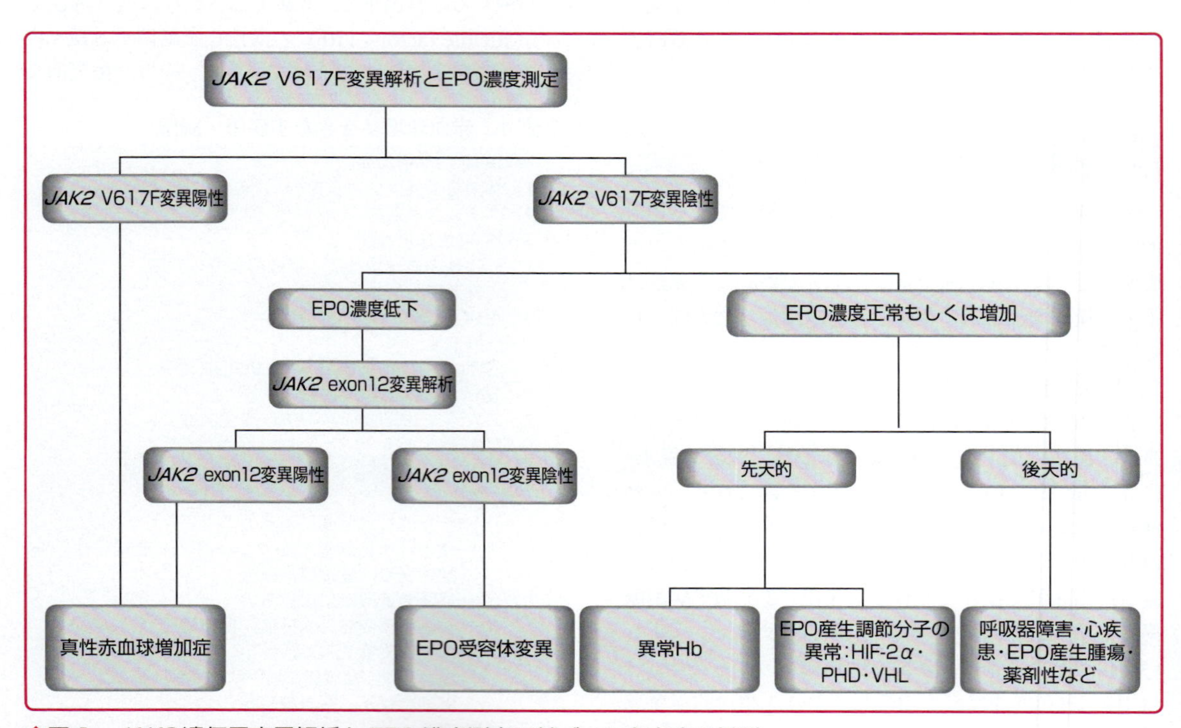

◆**図 1　*JAK2* 遺伝子変異解析と EPO 濃度測定に基づいた多血症の鑑別**

要因の関与が疑われる場合には，EPO 産生系分子の遺伝子変異や異常 Hb 症の可能性を考える．

b）*JAK2* 遺伝子変異解析

PV を引き起こす責任遺伝子変異として，2005 年に *JAK2* V617F 変異が同定された．PV では 90 ～ 95％の症例でこの V617F 変異を認める．これに，*JAK2* exon 12 変異やごくまれな *JAK2* 遺伝子変異を加えると，PV のほぼ 100％において何らかの *JAK2* 遺伝子変異が確認される．これを受けて，WHO 分類改訂第 4 版（2017 年）における PV の診断基準では，*JAK2* 遺伝子変異（V617F 変異もしくは exon 12 変異）の存在は大項目の 1 つとして採用されている．ただし，*JAK2* V617F 変異は本態性血小板血症や原発性骨髄線維症においても約 50％の症例で出現するために，*JAK2* V617F 変異の確認のみを根拠として PV と診断することはできないことに注意する．

c）循環赤血球量測定

前述の *JAK2* 遺伝子変異の同定がなされたこと，検査手法が煩雑であることや放射性同位元素を用いることなどの理由により，Hb や Ht で代用されることが多くなっている．

d）内因性赤芽球系コロニー形成

骨髄細胞を用いてコロニーアッセイを行った場合，通常であれば EPO を添加しなければ赤芽球系コロニーは形成されないが，PV では EPO 非依存性増殖能を獲得しているために，**赤芽球系コロニー**が形成される．このため，PV の診断根拠の 1 つとして用いられてきた．しかし，一部の施設でしか施行できず，また標準化がなされていないことから，WHO 分類改訂第 4 版（2017 年）からは，PV の診断基準からは除外された．

e）骨髄病理

WHO 分類改訂第 4 版（2017 年）では，PV 診断のための大基準の 1 つとして位置づけられた．3 系統の増殖を伴う過形成が特徴的な所見である．

■文　献■

1）壇　和夫：日内会誌 **95**: 2000, 2006
2）Bento C et al: Hum Mutat **35**: 15, 2014
3）Patnaik MM et al: Leukemia **23**: 834, 2009
4）Silver RT et al: Blood **122**: 1881, 2013

4 白血球増加症・減少症の鑑別

到達目標

- 白血球増加症・減少症に対して系統的な鑑別を行うことができる

1 白血球増加症

1）定　義

白血球増加症の定まった基準はないが，およそ白血球数（WBC）11,000～12,000/μL以上の場合を白血球増加症とすることが多い．特に幼若な分画の出現を伴い5万/μL以上に増加した場合を類白血病反応と呼ぶ．

2）検査上の異常

自動血算計では，血小板凝集を白血球とカウントして異常高値となることがあり，その際には血小板測定値は逆に低下していることが多い．末梢血スメアを目視することで鑑別できる．その場合は，抗凝固（採取後の十分な転倒混和）が適切であったか，**EDTA凝集素症**がないかをチェックする必要がある．同様に，**寒冷凝集素症**で生じる寒冷凝集素の塊が白血球や血小板とカウントされ，異常高値を示すこともある．この場合も目視を行い鑑別する．検体を冷やさないなどの適切な対処が必要である．

3）好中球増加症

a）先天性の原因

遺伝性好中球増加症は常染色体顕性の遺伝性疾患で，WBCが2万/μL以上に増加する．脾腫と血小板機能不全による出血傾向を示すが，白血球の機能異常はなく良性の経過をとる．*CSF3R*遺伝子の活性型変異（T617N，T618Iなど）がみられる．

Down症候群の児は，新生児期に白血病に類似した一過性の白血球増加を認める（約10%）ほか，ストレスに対する白血球増加の程度も強い．

LAD（leukocyte adhesion deficiency）は原発性免疫不全症に分類される疾患であり，白血球接着不全症に伴う白血球増多，易感染性を呈する．常染色体潜性のまれな遺伝性疾患である．欠損する分子によって，LAD-ⅠからLAD-Ⅲの3つのタイプに分類される．LAD-Ⅰは*ITGB2*遺伝子の変異によるβ_2-インテグリンの欠損が原因とされる．フローサイトメトリーによるCD11，CD18の欠損により診断される．LAD-ⅡはGDP-fucose transporter（*FUCT1*）の変異が原因で，セレクチンリガンドのフコシル化炭水化物欠損による接着障害である．LAD-Ⅲは*KINDLIN3*（*FERMT3*）遺伝子変異によるβ-インテグリンの活性化障害である．白血球の遊走能，接着能，貪食能に異常をきたし，易感染性をきたす．白血球数は増加する．

慢性特発性好中球増加症は1～4万/μL程度の白血球増加を認めるほかには，（骨髄所見を含めて）異常はなく，経過も良好である．

b）後天性の原因

①喫煙：**喫煙**は軽度の白血球増加の原因として最も頻度の高いものである．1日2箱の喫煙でWBCが25%増加する．喫煙に関連する炎症が原因という説もあるが，明確な機序は知られていない．

②感染症，慢性炎症：多くの**細菌感染症**で左方移動を伴う白血球増加症をきたす．骨髄や辺縁プールからの流出が増加するためとされている．特にブドウ球菌，肺炎球菌，*Clostridium*の感染症の際には高度の白血球増加症をきたすことが多い．好中球に**中毒顆粒**や**Döhle小体**や細胞質の空胞を認めることがあるが，感染症に対する特異度は低い．ただし，一部のウイルスやチフス菌などの細菌の感染症の際には，白血球数が減少するほか，重篤な感染症の際には顆粒球の消費が亢進して顆粒球減少症となる．膠原病や川崎病，慢性肝炎，気管支拡張症などの慢性炎症の際には白血球増加がみられ，病勢を反映していることが多い．炎症性サイトカインの産生増加が原因とされる．

③ストレス：身体的な**ストレス**がかかると，辺縁プールに存在する好中球が循環プールに移動し，軽度の好中球増加をきたす．運動後，手術後，急性心筋梗

塞後，てんかん発作後などがこれに該当する．

④薬剤：薬剤性の原因として，糖質コルチコイドは軽度の白血球増加の原因となる．好中球の接着性が低下し骨髄プールから放出されるためと考えられている．血管作動薬などのβアゴニスト，リチウムも好中球増加をきたす．リチウムは内因性のCSFの産生を促進する作用がある．

⑤白赤芽球症：末梢血所見に幼若な顆粒球や有核赤血球がみられることを**白赤芽球症**（leukoerythroblastosis）と呼び，**白血病**，**骨髄線維症**，その他の**骨髄増殖性腫瘍**などの血液疾患や他のがん腫の骨髄浸潤，真菌や結核による骨髄内の肉芽腫形成を疑う所見である．骨髄穿刺を行い原因の探索を行う．

⑥固形腫瘍：**固形腫瘍**に伴い中等度の白血球増加をきたすことがある．予後不良の指標となる．骨髄浸潤を伴う場合には，その頻度が高くなる．**肺大細胞がん**では特に高度の増加をきたしやすい．

⑦その他：Sweet病，熱痙攣，脾機能低下もしくは脾摘後でも，白血球増加をきたす．

4）好酸球の増加

a）定　義

好酸球数600/μL以上を指す．

b）原　因

①アレルギー疾患：**アレルギー性鼻炎**，**気管支喘息**では，鼻汁や痰の好酸球も増加する．**アトピー性皮膚炎**，**血管性浮腫**，**薬剤アレルギー**などでもみられる．その他，**好酸球肺浸潤（PIE）症候群**，**好酸球性肉芽腫症**，**多発血管炎性肉芽腫症**（Wegener肉芽腫症），**サルコイドーシス**，**木村病**などでもみられる．

②感染症：**寄生虫感染症**，特に蠕虫によくみられ，原虫ではまれである．旅行歴や便の虫卵検査を行い，原因病原体の検索を行う．真菌感染症では，**アレルギー性気管支肺アスペルギルス症**や**コクシジオイデス症**で好酸球が増加する．その他，結核，HIV・HTLV-1・HTLV-2などの**レトロウイルス感染症**でもみられる．

③造血器腫瘍：**急性骨髄性白血病**（特にM4Eo），**骨髄異形成症候群**，**骨髄増殖性腫瘍**などにみられる．WHO分類改訂第4版（2017年）では，Myeloid/lymphoid neoplasms with eosinophilia and rearrangement of *PDGFRA*, *PDGFRB*, or *FGFR1*, or with *PCM1-JAK2*という独立した疾患群が設定されている．*PDGFRA*または*PDGFRB*が関与する症例はimatinibが有効であるため，この異常の検出は重要である．**Hodgkinリンパ腫**ではReed-Sternberg（RS）細胞がIL-5を産生するため，15%程度の症例で好酸球が増加する．**非Hodgkinリンパ腫**でも5%程度の症例で好酸球増加症を伴う．

④その他：**副腎不全**，**甲状腺機能亢進症**，**アテローム塞栓症**や，**好酸球性胃腸炎**，**アレルギー性胃腸炎**，**潰瘍性大腸炎**，**膵炎**などの消化器疾患でみられる．**肺未分化大細胞がん**などの造血器腫瘍以外の悪性腫瘍でみられることもある．

5）好塩基球の増加

好塩基球数200/μL以上を指す．**慢性骨髄性白血病**でみられることが多い．**甲状腺機能低下症**や**過敏症反応**に伴ってみられることもある．

6）リンパ球の増加

成人ではリンパ球数4,000/μL以上を指す．リンパ球は**ウイルス感染**［サイトメガロウイルス（CMV），肝炎］で増加するが，**伝染性単核症**の際には1万/μL以上の高度のリンパ球増加を示す．腫瘍性疾患としては，**急性リンパ性白血病**，**慢性リンパ性白血病**，**成人T細胞白血病/リンパ腫**，**Hodgkinリンパ腫**でもみられる．その他，**Basedow病**，**副腎不全**，**Crohn病**，**潰瘍性大腸炎**でもみられる．

7）単球の増加

急性細菌性感染症，**結核感染**，**梅毒**の際にみられる．**潰瘍性大腸炎**や**サルコイドーシス**でもみられる．造血器腫瘍では**急性骨髄性白血病のM4，M5**や，**骨髄異形成症候群**，**慢性骨髄単球性白血病**，**若年性骨髄単球性白血病**などでもみられる．

2　白血球減少症

1）好中球減少症

好中球減少をきたす血液疾患としては，**骨髄異形成症候群**，**白血病**，**再生不良性貧血**，**発作性夜間ヘモグロビン尿症**などがある．

2）リンパ球減少症

先天性疾患としては**重症複合免疫不全症**（severe combined immunodeficiency：SCID）や**Wiskott-Aldrich症候群**にみられる．後天性の原因として**栄養失調**が最も頻度が高く，わが国でも大酒家にみられることがある．感染症としては$CD4^+$T細胞の破壊を伴う**後天性免疫不全症候群**（AIDS）が最も代表的な疾患であるが，**肝炎**，**結核**，その他の**ウイルス感染**でもみられる．その他，自己免疫疾患や**再生不良性貧血**，医原性（糖質コルチコイドの投与，放射線，抗腫瘍薬の投与）の原因を鑑別する必要がある．

5 血小板増加症・減少症の鑑別

到達目標

- 血小板増加症・減少症の病態を理解し，各疾患の鑑別ができる

1 血小板増加症

1）病　態

血小板増加の病態は，①生理的，②反応性，③腫瘍性の産生亢進に分けられる．**表1**に血小板増加をきたす疾患をまとめた．日常診療で遭遇する血小板増加は反応性が多い．100万/μL以上の著しい血小板増加で腫瘍性の原因を第一に考える．

a）生理的増加

運動や妊娠時に血小板数が上昇する．

b）反応性の増加

感染症や非感染性の炎症性疾患，がんなどでしばしば血小板増加が認められる．炎症反応時の血小板増加にはIL-1α，IL-6，TNFαなどのサイトカインの増加が関与していると考えられている．また，血小板減少症からの回復期（化学療法後など）では一時的に血小板増加を認める．また，鉄欠乏性貧血時に軽度の血小板増加を合併することをしばしば経験する．この明確な機序は明らかでないが，鉄欠乏性貧血の改善とともに血小板数が回復する．

c）腫瘍性の増加

造血器における腫瘍性の血小板数の増加は，造血幹細胞のクローナルな増殖を伴う疾患による．特に骨髄増殖性腫瘍（myeloproliferative neoplasms：MPN）である本態性血小板血症（essential thrombocythemia：ET），真性多血症（polycythemia vera：PV），原発性骨髄線維症（primary myelofibrosis：PMF），慢性骨髄性白血病（chronic myeloid leukemia：CML）では，しばしば血小板増多を伴う．ETにおいては血小板増加は必発であるが，他のMPNに関しては，その増加の程度は症例によって異なる．また一部の骨髄異形成症候群（myelodysplastic syndromes：MDS）に血小板増加を伴うことがある．

2）診断アプローチ

a）病　歴

既往歴，薬剤内服歴を聴取し，炎症性疾患やがん，血液疾患の有無，可能であれば，健康診断の結果などから過去の血小板数の情報を得る．

b）診　察

発熱，貧血の有無を確認し，がん，感染症，炎症性疾患，鉄欠乏性貧血の可能性を考慮する．MPNではしばしば認められる肝脾腫も忘れずに評価する．リンパ節の腫大はウイルス感染症やがんの存在を疑わせる．

c）臨床検査

血算，末梢血塗抹標本にて他の血球異常の評価を行う．血小板増加に加えて，白血球や赤血球の増加を伴うか，貧血があるかどうかに注意を払う．貧血がある場合には平均赤血球容積（mean corpuscular volume：MCV）にも留意し，鉄欠乏性貧血の可能性を見逃さない．また，C反応性蛋白質（C-reactive protein：CRP），血清フェリチンを測定し，炎症性疾患の有無を評価する．上記の結果から，反応性の血小板増加を除外し，腫瘍性の血小板増多が疑われた場合は末梢血RT-PCRによる*JAK2* V617F，*CALR*，*MPL*，*BCR::ABL1*の疾患遺伝子検索を行い，その上で骨髄検査（骨髄穿刺・骨髄生検）による細胞形態，組織所見，染色体分析を行う．腫瘍性血小板増加の鑑別診断を行う．特にETと早期PMFの鑑別には骨髄生検の初見が重要で，巨核球の形態や分布状態が鑑別の鍵となる．

2 血小板減少症

1）病　態

血小板減少は先天性と後天性に分けられ，その病態は，①産生障害，②抗体による血小板破壊，③血栓による消費性低下，④大量輸血・輸液による希釈，⑤分

◆表 1　血小板増加症の主な原因

A. 生理的血小板増加
　運動，妊娠
B. 一次性血小板増加症（腫瘍性）
　1. 骨髄増殖性腫瘍（MPN）
　　慢性骨髄性白血病，真性赤血球増加症（真性多血症），本態性血小板血症
　　原発性骨髄線維症
　2. 骨髄異形成症候群（MDS）
　　5q－症候群
　3. 骨髄異形成症候群／骨髄増殖性腫瘍（MDS/MPN）
　　環状鉄芽球と血小板増加を伴った骨髄異形成症候群/骨髄増殖性腫瘍（MDS/MPN-RS-T）
　4. 急性骨髄性白血病
　　3q21q26 症候群
C. 二次性血小板増加症（反応性）
　1. リバウンド効果
　　骨髄抑制薬使用後，特発性血小板減少性紫斑病治療後
　　エタノールによる血小板減少後
　2. 非腫瘍性血液疾患
　　急激な血液の回復期（急性血液喪失後，種々の溶血性貧血）
　　鉄欠乏性貧血，ビタミン B_{12} 欠乏症に対する治療後
　3. 腫瘍性疾患
　　各種がん腫症，転移性がん，Hodgkin リンパ腫
　4. 急性・慢性炎症性疾患
　　リウマチ性疾患，血管炎（結節性多発性動脈炎など），炎症性腸疾患（潰瘍性大腸炎など），
　　セリアック病，POEMS 症候群，慢性感染症，結核症，骨髄炎
　5. 無脾症
　　脾摘，脾形成不全，脾萎縮，脾血栓静脈症
　6. 組織損傷
　　熱傷，心筋梗塞，重症外傷，急性膵炎，術後期間（特に脾臓摘出後），冠状動脈バイパス術
　7. 慢性腎疾患
　　腎不全，ネフローゼ症候群
　8. 薬剤に対する反応
　　vincristine，エピネフリン，IL-1β，IL-6，TPO，オールトランスレチノイン酸
　9. その他
　　Cushing 病

[小松則夫：血小板増加症・減少症の鑑別．血液専門医テキスト，第 3 版，日本血液学会（編），南江堂，p45，2019 より転載]

布異常，に分類される．**表 2** に血小板減少をきたしうる疾患をまとめた．

a）産生障害

血小板は骨髄で産生されるために骨髄異常で血小板数が低下する．その場合は，他の血球異常を伴うことが多い．特発性血小板減少性紫斑病（免疫性血小板減少症）（idiopathic thrombocytopenic purpura，immune thrombocytopenia：ITP）では，血小板抗原に対する抗体が巨核球に作用し，骨髄中の血小板産生を抑制する．

b）抗体による血小板破壊

寿命を終えた血小板は脾臓，肝臓などの網内系によって排除される．ITP や自己免疫性疾患の病態で血小板抗原に対する抗体が生じると，抗体が結合した血小板が網内系マクロファージで貪食され，血小板寿命が短縮する．

c）血栓による消費性低下

播種性血管内凝固（disseminated intravascular coagulation：DIC），ヘパリン起因性血小板減少症（heparin-induced thrombocytopenia：HIT），血栓性血小板減少性紫斑病（thrombotic thrombocytopenic purpura：TTP），溶血性尿毒症症候群（hemolytic uremic syndrome：HUS）などでは全身に微小血栓を形成し血小板数が低下する．

d）大量輸血・輸液による希釈

大量輸血による希釈により血小板数が低下する．

e）分布異常

脾臓には末梢血の 1/3 の血小板がプールされるため，肝硬変などで脾腫があると相対的に血小板が低下する．ただし，脾腫を伴う重度の血小板減少は造血器腫瘍も疑う必要がある．

◆表 2　血小板減少症の主な原因

A. 先天性血小板減少症
　先天性無巨核球性血小板減少症，橈骨欠損に伴う血小板減少症（TAR），May-Hegglin 症候群
　Bernard-Soulier 症候群，Wiskott-Aldrich 症候群
B. 後天性血小板減少症
1. 血小板産生低下
- 巨核球の低形成
　再生不良性貧血，骨髄浸潤（がん，白血病，悪性リンパ腫，骨髄異形成症候群など），放射線，抗がん薬などによる骨髄抑制
- 無効造血
　巨赤芽球性貧血（ビタミン B_{12} または葉酸欠乏症），発作性夜間ヘモグロビン尿症（PNH），骨髄異形成症候群
2. 血小板破壊・消費の亢進
- 免疫性機序
　特発性血小板減少性紫斑病（ITP），同種免疫性血小板減少症，新生児同種免疫性血小板減少症（NAIT），輸血後紫斑病，二次性血小板減少症［全身性エリテマトーデス（SLE），リンパ増殖性疾患など］，薬剤性免疫性血小板減少症（quinidine，heparin など）
- 非免疫性機序
　播種性血管内凝固（DIC），血栓性血小板減少性紫斑病（TTP），溶血性尿毒症症候群（HUS）
3. 血小板分布異常または希釈
　脾機能亢進症（肝硬変，Banti 症候群など），大量の保存血輸血
4. その他
　EDTA 依存性偽性血小板減少症

［小松則夫：血小板増加症・減少症の鑑別．血液専門医テキスト，第 3 版，日本血液学会（編），南江堂，p46，2019 より転載］

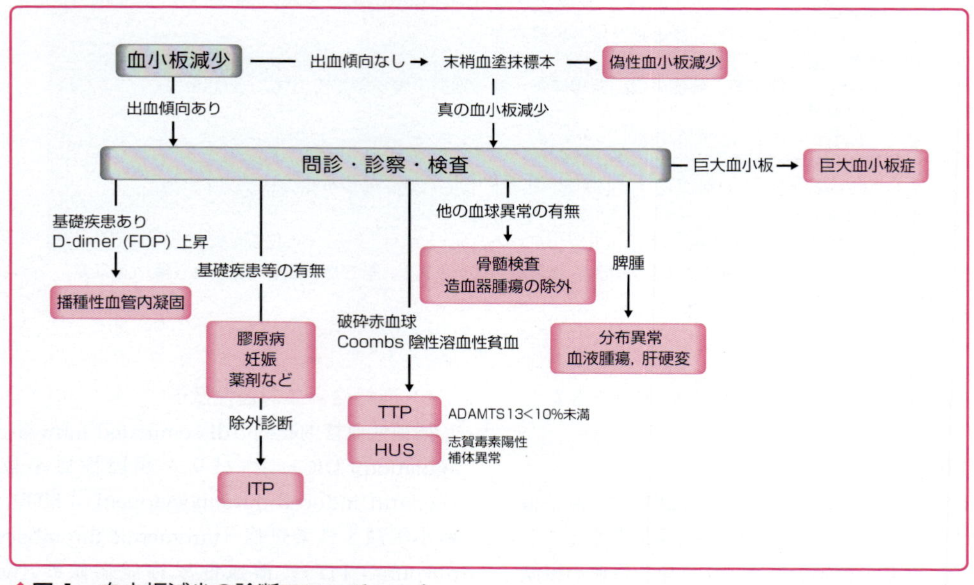

◆図 1　血小板減少の診断フローチャート
（文献 1 を参考に著者作成）

2）診断アプローチ

血小板数が 10 万 /μL 未満，特に出血傾向や血小板数が 2 万 /μL 以下であれば，緊急に精査する．血小板数が正常であっても過去の値よりも 50%以上低下しているような場合も早めに評価する．**図 1** に診断アプローチを示す．

a）病　歴

最近開始した薬剤（サプリメント，漢方などを含む），妊娠，ウイルス感染，血液疾患の有無について聴取する．家族歴，出血傾向の出現時期の聴取は，疾患が先天性かどうかの判断にも役立つ．また，基礎疾患の有無は DIC の診断には必須である．まれではあるが先天性の血小板減少症も存在する．

b）身体所見

出血の部位，状況を把握するとともに，基礎疾患やウイルス感染に伴う皮疹，リンパ節腫脹や肝脾腫，発熱，体重減少などの所見を見逃さないことが重要である．血小板数が1～2万/μL以下のときは，点状出血や粘膜の出血が生じやすくなる．点状出血は毛細血管からの血液漏出であり，結合組織がしっかりしている大きな血管では認めない．点状出血は，平坦，赤紫で辺縁がはっきりとした小さな皮膚初見で，複数が同時に存在する．特に下腿や前腕，前胸部に認めることが多い．口腔内の出血はWet purpuraと呼ばれ，脳出血や消化管出血など重度の出血をきたす危険性が高い重要な所見である．

c）臨床検査

①血算：血小板減少を1回のみで判断せず，初めて異常を認めた際には再検する．採血手技で血液が凝固した場合は血小板数が低下する．貧血と血小板減少の合併は，長期にわたる出血傾向（消化管出血など），Evans症候群，巨赤芽球性貧血，造血器腫瘍を疑う．白血球数の増加を合併すれば，ウイルス感染や慢性炎症，造血器腫瘍の存在が疑われる．汎血球減少を認めたら，再生不良性貧血，MDS，発作性夜間ヘモグロビン尿症（paroxysmal nocturnal hemoglobinuria：PNH）も除外が必要である．血算測定時にRNAを含む幼若な血小板を幼若血小板比率（immature platelet fraction：IPF）として測定できる場合があり，血小板産生の間接的な検査として臨床応用されている．

②末梢血塗抹標本：末梢血塗抹標本の観察は血小板減少症の鑑別にきわめて重要である．出血症状を伴わない血小板減少は末梢血塗抹標本で偽性血小板減少を除外する．偽性血小板減少は血算の試験管に含まれるEDTAが原因で血小板同士が試験管内で接着する現象で実際の血小板数減少はない．末梢血塗抹標本の引き終わりに血小板の凝集塊を認める．末梢血偽性血小板減少では，採血後すぐに抗凝固剤を使用せず検査を行う，もしくは凝固検査用の試験管を用いることで正確な血小板数を求められる．次に，末梢血塗抹標本では巨大血小板の有無に注目する．May-Hegglin異常症等の巨大血小板を呈する先天性疾患では末梢血塗抹標本の視野の多くの血小板が巨大化していることが特徴である．芽球が存在すれば，白血病やMDSなどの造血器腫瘍の除外のために骨髄検査が必須である．破砕赤血球の存在は，TTP，HUSを疑わせる．好中球の過分葉は巨赤芽球性貧血，白血球増加と好中球の左方移動を伴えば感染症を考慮する．

③ウイルス検査：血小板減少はHIVやHCV感染に伴うこともあり，原因不明の血小板減少ではウイルス感染を除外する．急性のウイルス感染症であるサイトメガロウイルス，風疹なども注意する．

④他の検査：TTPやHUS，Evans症候群溶血では溶血に伴う間接ビリルビンの上昇，網状赤血球の増加，LD増加，ハプトグロビン低値を示す．これらの溶血に血小板減少を合併する疾患鑑別にはCoombs試験やADAMTS13測定を行う．TTPとは異なり，Envas症候群ではCoombs試験が陽性である．TTPではADAMTS13が10％未満となる．HUSはTTPと比較して腎障害が顕著であることが多い．FDP，D-dimer，フィブリノゲンやPTの値，基礎疾患の有無から，DICを診断する．巨赤芽球性貧血が疑われれば，ビタミンB_{12}，および葉酸の測定を行う．HITにはHIT抗体の測定が行われるが，感度は高いが特異度は低く，陰性のときの除外診断として用いる．血小板減少時の検査としてPA-IgGが保険収載されているが，ITPに特異的な検査ではなく，他の血小板減少でも増加するために，ITP診断には用いることができない．さまざまな検査を行い，他の疾患を除外できたときにITPと判断する．

⑤骨髄検査：骨髄の血小板産生能を評価するうえで重要な検査であるが，侵襲性のためにすべての症例に行う必要性はない．他の検査で診断が困難な症例，他の血球異常を伴うなど，造血器腫瘍が疑われる場合に考慮する．欧米のガイドラインでは若年のITP診断にも必須ではないとされているが，高齢者でITPが疑われる場合には骨髄穿刺によりMDSなどの疾患を除外する必要がある．

■文　献■

1）大森　司：内科 **126**: 753, 2020
2）Neunert C et al: American Society of Hematology 2019 guidelines for immune thrombocytopenia. Blood Adv. **3**: 3829, 2019
3）柏木浩和ほか：成人特発性血小板減少性紫斑病治療の参照ガイド　2019改訂版. 臨血 **60**: 877, 2019
4）松本雅則ほか：血栓性血小板減少性紫斑病（TTP）診療ガイド　2023. 臨血 **64**: 445, 2023

6 出血傾向の鑑別

到達目標

- 出血傾向の特徴と機序を理解し，基本病態を鑑別することができる

1 出血傾向

無刺激あるいは軽微な刺激で出血し止血困難となる病態をさす．血小板減少や血小板機能障害，あるいは血液凝固因子による止血機構の破綻や血管の異常が原因となる[1]．これらの異常には先天性と後天性のものがある．

2 鑑別診断の進め方

1）問　診

発症年齢や家族歴の聴取により先天性か後天性かの鑑別が可能である．また，出血状況によりある程度の鑑別が可能となる．たとえば過多月経や鼻出血からはvon Willebrand病（VWD）を，そして高齢者に突然起きる貧血を伴う深部出血からは後天性血友病を疑う．薬剤性の出血傾向の除外のため内服薬の聴取は欠かせない．高齢者は投薬内容を理解していないことも多いため必ず「お薬手帳」を確認すべきである．

2）身体所見

点状出血や鼻出血などの粘膜出血は血小板減少やその機能障害，VWDや血管壁の異常でみられることが多い．一方，関節内出血や筋肉内出血などの深部出血は凝固因子の欠乏に起因することが多い．

3）スクリーニング検査

全血球計算，プロトロンビン時間（PT），活性化部分トロンボプラスチン時間（APTT），フィブリノゲン・フィブリン分解産物（FDP）やD-dimerなどのフィブリン分解産物を測定する．

3 血小板減少からの診断アプローチ

Ⅲ-5「血小板増加症・減少症の鑑別」を参照．

4 凝固時間からの診断アプローチ

1）APTTのみが延長（図1）

血友病とVWDの2つで先天性出血性疾患の約90％を占める．VW因子（VWF）抗原量やリストセチンコファクター活性に加え，血小板凝集能検査やVWFマルチマー解析（保険未収載）を行い，その病型を決定する[2]．血友病，VWDともに先天性と後天性とがある．後天性血友病は凝固因子に対する自己抗体により発症するが後天性VWDの原因は多岐にわたる．大動脈弁狭窄症や機械的補助循環装置の装着下で，非生理的な高ずり応力により高分子量領域のVWFが欠損するとⅡA型の後天性VWDを発症する．抗リン脂質抗体症候群（APS）は血栓性疾患であり，出血傾向をきたすことはまずない．

2）PTのみの延長

FⅦ欠乏症を疑いその活性を測定する．先天性FⅦ欠乏症はまれな先天性出血性疾患（rare bleeding disorders：RBD）のなかで最も多く26％を占める．きわめてまれであるが，FⅦに対する自己抗体が産生され，FⅦ活性が低下する後天性FⅦ欠乏症も存在する．先天性と後天性の鑑別には，被験者血漿と正常血漿をさまざまな割合で混合しPTを測定する交差混合試験が役立つ．先天性欠乏症では少量正常血漿が混入するだけでPTが補正されるが，後天性欠乏症では補正のために大量の正常血漿を要する．

3）APTTとPTの延長（図2）

先天性フィブリノゲン欠乏症は血友病とVWD以外のRBDの18％を占める．凝固因子のほとんどは肝臓で作られるため，肝硬変では両者が延長する．また，DICも重症化すると凝固時間が延長する．

ビタミンの補充なく長期間の中心静脈栄養管理やセフェム系抗菌薬の投与を受けている患者ではビタミンK依存性凝固因子であるFⅡ，FⅦ，FⅨ，FⅩが低下

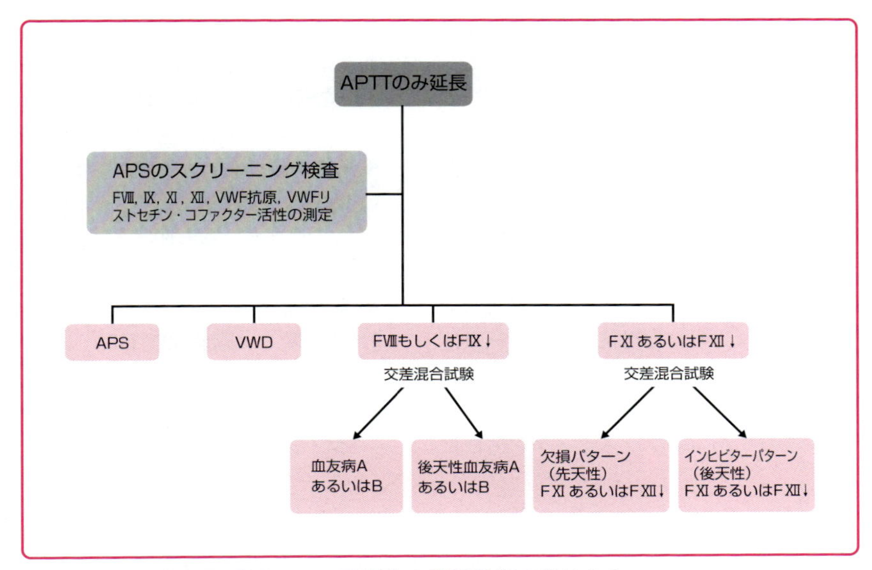

◆**図1　APTTのみ延長している場合の鑑別診断の進めかた**
APTT：activated partial thromboplastin time，APS：antiphospholipid syndrome，VWD：von Willebrand disease

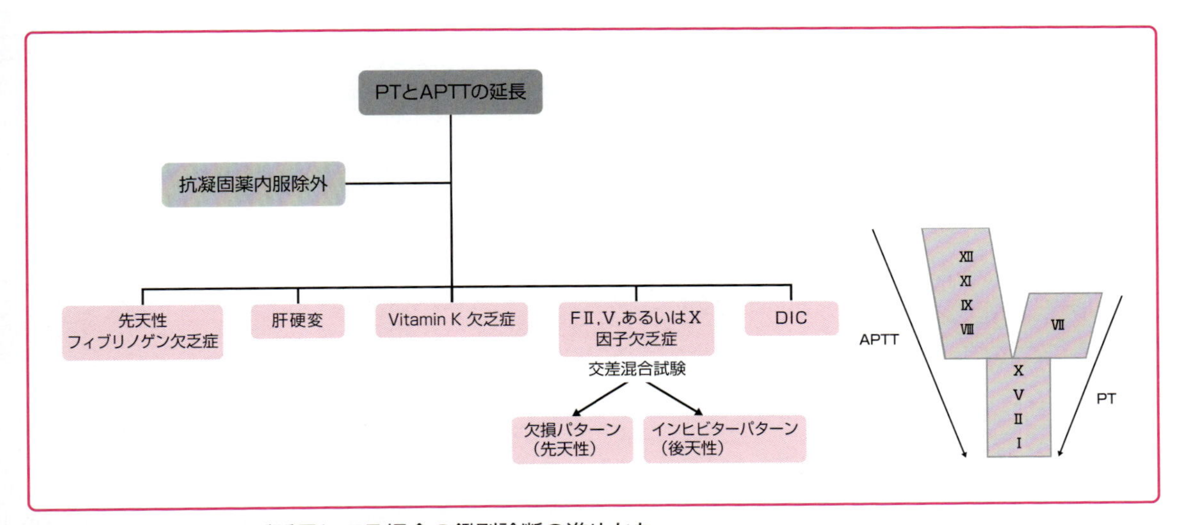

◆**図2　PTとAPTTが延長してる場合の鑑別診断の進めかた**
APTT：ctivated partial thromboplastin time，PT：prothrombin time，DIC：disseminated intravascular coagulation

し，凝固時間が延長する．ビタミンK欠乏ではPIVKA-Ⅱが上昇する．

これらが否定されれば，凝固カスケードの共通系に含まれるプロトロンビン，FV，FXの活性を測定する．活性の低下が認められればAPTTを測定する交差混合試験を行い欠損症パターン（先天性欠乏症）かインヒビターパターン（後天性欠乏）かを確認する．自己免疫性FV因子欠乏症は後天性血友病に次いで頻度の高い自己免疫性凝固因子欠乏症である．

5　血小板数と凝固時間が正常の場合

1）血小板機能異常症

①先天性：血小板凝集能検査を行い鑑別を進める．血小板無力症は常染色体潜性遺伝形式をとり血小板膜上のGPⅡb/Ⅲaを欠き，リストセチン凝集を除く，アデノシン二リン酸，コラーゲン，エピネフリンなどで惹起される血小板凝集がすべて欠如する．

②後天性：抗血小板薬や非ステロイド性消炎鎮痛薬な

どの薬剤性のものが多い．多発性骨髄腫ではM蛋白が血小板膜蛋白に結合しその機能を阻害することがある．

2）FⅩⅢ欠乏症

FⅩⅢはトロンビンで活性化された後，フィブリンをクロスリンクして強固なフィブリン血栓を形成する．FⅩⅢはフィブロネクチンも基質とするため，出血傾向以外に創傷治癒遅延を契機に診断されることもある．いったん止血が完成した後，再び出血する後出血を特徴とする．先天性欠乏症以外に自己抗体による後天性のものがある．

3）線溶抑制因子の欠損・欠乏症

頻度はきわめてまれであるがプラスミノゲン活性化抑制因子1（PAI-1）や α2plasmin inhibitor（α_2PI）の欠乏症がある．FⅩⅢ欠乏症同様，後出血を認める．

4）血管病変による出血傾向

反復する鼻出血，皮膚粘膜の末梢血管拡張，内臓病変（動静脈奇形），常染色体顕性遺伝を4徴候とするOsler病，IgA血管炎（Henoch- Schönlein紫斑病），単純性紫斑病，老人性紫斑病などがある．

■文　献■

1）池添隆之：臨血 **62**：1195，2021
2）von Willebrand病の診療ガイドライン作成委員会（委員長：日笠聡）：von Willebrand病の診療ガイドライン2021年版．日血栓止血会誌 **32**：413，2021

7 血栓傾向の鑑別

到達目標

- 血栓傾向の意義と臨床的特徴を理解し，原因となる疾患（病態）を鑑別することができる

1 病因・病態・疫学

何らかの誘因により血栓症を起こしやすくなっている状態を，血栓傾向あるいは血栓準備状態という．一般には止血機能の過剰の際［すなわち止血を促進する物質（血小板，血液凝固因子，血栓溶解阻害因子）がこれを阻害する物質（血小板凝集抑制物質，血液凝固抑制因子，線溶因子）に対して優勢となった場合］にみられる．具体的には血小板や血液凝固因子の作用亢進と，逆に血小板凝集抑制物質，血液凝固抑制因子，線溶因子など血栓を抑制すべき因子の低下が原因となる．実臨床において特定の患者の「血栓傾向」を問題とするきっかけは，①血栓症の明確なリスク（例：悪性腫瘍，外科手術，長期臥床）を有する，②臨床検査所見から偶然に発見される（例：抗リン脂質抗体が陽性），③原因不明の血栓症の発症（例：**先天性血栓性素因**）などがある．

血栓傾向は通常，先天性の要因と後天性の要因に分けて考える（**表1**）．動脈血栓症と静脈血栓症では血栓形成の機序が異なるため，その病態生理や原因に違いがみられる．動脈血栓症は血小板血栓が主体であり，その形成には血小板の活性化が重要である．動脈血栓症は多くの場合後天性で，主に動脈硬化病変を基礎に発症することが多く，喫煙，高血圧，脂質異常症，糖尿病，高ホモシステイン血症などは明らかな危険因子である．血栓傾向とは広義にはこれらの危険因子を有する場合も含むが，一般的にはこれら以外の基礎疾患を有することが多い．動脈血栓症をきたしやすい基礎疾患には真性赤血球増加症（真性多血症），本態性血小板血症，血栓性血小板減少性紫斑病，過粘稠度症候群（マクログロブリン血症）などがあり，また全身性エリテマトーデス（SLE）に合併しやすい**抗リン脂質抗体症候群**では特に血栓症のリスクが高い．これらの発症機序については，血小板活性化，内皮細胞障害による血小板凝集抑制物質の低下，血小板凝集促進物質の存在などが想定されている．一方，静脈血栓症はフィブリン血栓が主体であり，血液凝固因子の活性化，凝固阻害物質の作用低下ならびに血栓溶解機能の低下が関係していることが多い．静脈血栓症の原因としては先天性血栓性素因のほか，肥満，ロングフライト，悪性腫瘍（Trousseau 症候群）などがある．

先天性血栓性素因は生理的抗凝固因子（アンチトロンビン：トロンビンと第Xa 因子を不活化，プロテイ

◆表1　血栓傾向の分類

1. 先天性
   - アンチトロンビン欠乏症・異常症
   - プロテインC 欠乏症・異常症
   - プロテインS 欠乏症・異常症
   - プラスミノゲン欠乏症・異常症
   - フィブリノゲン異常症（まれ）
   - ホモシステイン尿症（まれ）
   - プラスミノゲンアクチベーター放出障害（まれ）
   - ヘパリンコファクターⅡ欠乏症（まれ）
   - α_2プラスミンインヒビター過剰症（まれ）
2. 後天性
   - 血液疾患
     - 本態性血小板血症
     - 真性赤血球増加症
     - 発作性夜間ヘモグロビン尿症
     - 過粘稠度症候群
   - 自己免疫疾患
     - 抗リン脂質抗体症候群
     - heparin 起因性血小板減少症・血栓症
     - 血栓性血小板減少性紫斑病
     - 潰瘍性大腸炎
   - 内分泌疾患
     - Cushing 症候群
     - 糖尿病
     - エストロゲン増加（妊娠，経口避妊薬）
   - 高ホモシステイン血症（先天性の要因あり）
   - 播種性血管内凝固
   - ネフローゼ症候群
   - 悪性腫瘍
   - 人工弁
   - 薬剤

ンC：第Ⅴa，第Ⅷa 因子を不活化，プロテインS：プロテインCの補酵素など）の欠乏によることが多く，その他に線溶異常（プラスミノゲン異常症など）やフィブリノゲン異常症がある．臨床的には 20 ～ 40 歳代以降に深部静脈血栓症として発症することが多いが，なかには肺血栓塞栓症や脳梗塞を起こす症例もある．ただし，一般的にヘテロ接合体者（遺伝子異常によって当該因子が 50％程度に低下）では，欠乏症（異常症）単独で血栓症を発症することは多くなく，静脈うっ滞や長期臥床，妊娠，手術などの後天的要因が加わった際に発症しやすいとされている．

先天性血栓性素因の疫学の詳細はそれぞれの疾患の各論に委ねるが（Ⅺ章「血栓・止血疾患」参照），**アンチトロンビン欠乏症**は人口 2,000 ～ 5,000 人に 1 人の頻度で認められ，常染色体顕性（優性）遺伝形式をとる．通常，患者はヘテロ接合体者（ホモ接合体者は致死的）であり，アンチトロンビンの血中濃度は正常の 50％程度を示す（type Ⅰ）．一方，分子異常症（type Ⅱ）ではアンチトロンビン抗原量は正常で，活性が低下する．**プロテイン C 欠乏症**は常染色体顕性遺伝で，その頻度についてはヘテロ接合体者で 200 ～ 16,000 人に 1 人と報告により差がみられる．血中のプロテインCは正常の 30 ～ 65％程度を示す．ホモ接合体者は非常にまれであるが，新生児期に多発性微小血栓による電撃性紫斑病という劇症の症状を呈することがある．**プロテイン S 欠乏症**も常染色体顕性遺伝形式をとり，発生頻度はプロテインC欠乏症より高く，100 人に 1 人程度である．プロテインSは通常約 60％が C4b-binding protein（C4BP）と複合体を形成しているが，欠乏症では一般に遊離型のプロテインSが著減している．プラスミノゲン異常症はわが国で頻度が高いとされているが，他の先天性血栓性素因と同様，一生涯，血栓症を発症しない例も多くみられる．フィブリノゲン異常症は，フィブリノゲンの分子異常のためフィブリン分解が障害される結果，血栓傾向をきたすとされており，先天性のほか，肝障害，薬物などによる後天性のものがみられる．

2 症候・身体所見

前述のごとく，「血栓傾向」とは患者の状態を広く示す言葉であり，特定の疾患名ではない．したがって，症候や身体所見は基礎疾患によってまちまちである．血栓傾向のうち，特に先天性血栓性素因（**表 1**）については共通してみられる特徴がある．これらは先天性の疾患でありながら，発病は通常成人してから深部静脈血栓症や肺血栓塞栓症で発症する．先天的な危険因子を有しながらも，外傷や手術，長期臥床，特に女性では妊娠や出産，あるいは経口避妊薬の内服など，後天的なリスクを合併した際に発症することが多い．多くは反復性で，家族内発生，通常では認められない部位（例：脳静脈洞血栓，腸間膜静脈血栓など）の血栓症などをみたら，積極的に先天性血栓性素因を疑う．下肢深部静脈血栓症のうち，これら先天性異常が同定されるのは 3 割程度で，多くの深部静脈血栓症，肺血栓塞栓症は原因不明である．

3 診断・検査

問診，既往歴，家族歴などにより先天性・後天性の大まかな目安をつけ，それぞれの疾患（状態）を検索すべく検査を行う．血栓傾向は必ずしも症候や臨床検査で捉えられるとは限らない．また，原因がみつからない症例が多いことは銘記すべきである．

先天性の血栓傾向の診断は，主な抗凝固因子・線溶系因子の測定による．活性の測定をスクリーニングとして用いると，分子異常症の見落としが少ない．一般にヘテロ接合体者では正常の 50％程度となるが，プロテインC欠乏症ではビタミンK摂取や肝機能の影響を受け，診断が難しい場合もある．他のビタミンK依存性凝固因子（第Ⅶ因子など）を同時に測定すると，その比率が参考になることが多い．Warfarin 服用中はプロテインCやプロテインSの活性が低下するので，評価には注意を要する．

後天的な血栓傾向の診断はそれぞれの疾患に特有の臨床所見，検査所見に基づく（詳細はⅪ章「血栓・止血疾患」参照）．たとえば，抗リン脂質抗体症候群を疑えばループスアンチコアグラントや抗カルジオリピン抗体を測定する．薬剤性血栓傾向をきたす頻度の高い薬剤としては，エストロゲンとプロゲステロンのホルモン合剤が挙げられる．Heparin 使用時には heparin 起因性血小板減少症（HIT）に注意する．

4 治療と予後

治療と予後については各論に譲る（Ⅺ章「血栓・止血疾患」参照）．

1 骨髄穿刺 / 骨髄生検

到達目標

- 骨髄病理組織の概括を理解できる
- 骨髄穿刺および骨髄生検を安全かつ確実に施行できる
- 骨髄像の評価・診断ができる

1 骨髄検査の目的

全身の骨中に分布している骨髄は，そのすべてを集めたとすると成人の場合1～2Lにもなり，ほぼ肝臓に匹敵する巨大な造血組織である．ゆえに，骨髄に異変が起こると造血の恒常性が破綻する．骨髄検査の目的・適応を**表1**に示すが，日常的に骨髄検査を考慮する状況は，末梢血球数に原因不詳の異常がみられるとき，末梢血中に異常な細胞が出現したときの骨髄診断目的，造血機能の評価，悪性腫瘍の進展度の把握などである．

2 骨髄穿刺検査の方法

事前に患者への説明と同意は必ず実施し，起こりうる合併症の説明と対処法についても合わせて説明・同意を行っておく．患者にあらかじめ骨髄内血液を吸引する際に独特の苦痛を生じることも適切に説明しておく必要がある．

胸骨から採取する際には，まれではあるが穿刺針が骨を貫通して大動脈損傷・心タンポナーデを引き起こした事例があることから，**手技に不慣れな間は手技に習熟した上級医とともに施行するべきである**．上記に留意すれば骨髄検査は外来でも十分可能な検査である．

実際の穿刺部位としては胸骨や腸骨が選択されることが多い．内科領域では胸骨のほうが高齢になっても造血巣が保持されやすいことから，従来第一選択とされることが多かったが，最近では医療事故のリスク回避や患者の希望から，腸骨が選択される傾向にある．日本血液学会からは，「成人に対する骨髄穿刺の穿刺部位に関する注意」なる声明が出され，**腸骨の選択が推奨されている**[1]．

本検査の禁忌は，凝固因子異常が想定される場合（急性白血病症例などで診断の迅速性が優先される場合はその限りでない），穿刺予定部位近辺に炎症が存在する場合である．血小板減少症例では，検査後の止血確認に留意すれば検査自体は施行可能である．

実際の手技を述べる．①穿刺部皮膚を消毒した後，皮下から骨膜表面に十分な局所麻酔を行う．②骨髄穿刺針の先端を骨髄腔内まで押し進め，骨髄内の血液0.3～0.4 mL程度を，**末梢血による希釈を避けるため瞬時に吸引採取**する．③採取した骨髄血を時計皿に出した後，手早く有核細胞数・巨核球数カウント用に一部採取し，次いでスライドグラスに塗抹標本を必要枚数分（通常10枚くらい）作成する．骨髄血は凝固しやすいことから俊敏な作業が要求されるので，ベッドサイドで臨床検査技師に協力を求めることが望ましい．やむを得ない場合はEDTAなどの抗凝固薬と混合して凝固を防止する．④フローサイトメトリーや染色体検査・遺伝子検査が必要な場合は，続けて少量のheparinを吸引した新しいシリンジに付け替えて，3～5 mL程度骨髄血を吸引する（PCR検査に用いる場

◆表1　骨髄検査の目的・適応

1. **末梢血に異常がみられる場合**
   - 末梢血球数の異常がある場合
     - 骨髄造血能の評価
     - 造血器腫瘍の診断（病型分類も含めて）
   - 末梢血中に異常細胞が出現した場合
     - 造血器腫瘍，他の悪性腫瘍の骨髄転移の有無
   - 骨髄感染症の診断（粟粒結核など）
2. **末梢血に異常がみられない場合**
   - 悪性リンパ腫の病期評価
   - 骨髄感染症の診断（粟粒結核など）
   - 先天性代謝異常疾患の診断

合は，heparin が PCR を阻害することから抗凝固薬としては EDTA のほうが望ましい）．⑤凝固した残検体を濾紙に載せ，余剰の血液を吸収させて得た骨髄クロットを生検標本と同様に固定し，病理組織検査にまわす．⑥穿刺針を抜き，穿刺部をガーゼで圧迫して止血する．止血が確認できたらガーゼや絆創膏などで被覆する．

塗抹標本の作製法は，カバーグラスを斜めにあてがって骨髄血を一方向に塗抹展開するウェッジ法と，2 枚のスライドグラスに骨髄血を挟み込む押しつぶし法に大別される．わが国では前者の方法が一般的で，個々の細胞の微細な観察ができるが，細胞集団を無理やり引き伸ばすことになるので，組織構築は原型をとどめなくなる．なお，塗抹の引き終わり近辺に残った骨髄塊（particle）をみれば細胞密度を推定できるが，曖昧なことも少なくない．一方，押しつぶし法はウェッジ法よりも組織構築がある程度保存される利点があるが，個々の細胞の形態はわかりにくくなる．

3 骨髄生検の必要性

骨髄生検は骨髄穿刺と同様の手法で，骨髄穿刺より大型の専用針を用いて穿刺部（主に腸骨）の骨片と骨髄組織をそのまま削取することから侵襲がやや大きいが，骨髄穿刺で検体が採取できない場合［dry tap（吸引不能）という］には必須である．Dry tap の原因として，①手技上の問題：穿刺針が骨髄腔に達していない場合と，逆に穿刺針が骨を貫通した場合，②骨髄線維化をきたしている場合が考えられる．過形成のときに dry tap になることがあるが，それは多少なりとも線維化を伴うことが多いためであって，単に過形成のみで dry tap になるわけではない．

骨髄生検の利点を**表 2** に挙げたが，最大の利点は，**造血システムとしての骨髄を観察できる点**であり，骨髄穿刺と生検は補完的な情報をもたらす．そのため dry tap のときだけでなく，造血能の評価や悪性腫瘍浸潤の有無の確認にも骨髄生検の併用が望ましく，International Council for Standardization in Hematology（ICSH）ガイドラインでは，骨髄穿刺と生検の両方をルーチンに行うことが推奨されている[2]．

◆表 2　骨髄生検の利点

1. 細胞密度，特に造血組織の構築や巨核球の分布状況を正確に把握できる
   - 巨核球の異形成は生検像のほうがわかりやすい
2. 造血組織背景の状況がわかる
   - dry tap の際の線維化の有無と程度，膠様変性などの評価
3. 異常な細胞集簇の検出
   - 悪性リンパ腫を含めた腫瘍細胞の骨髄転移・浸潤状況の把握
   - 治療後の測定可能残存病変の検出
   - 肉芽腫形成疾患の組織診断（結核，サルコイドーシスなど）
4. 後日追加染色が可能である（免疫組織染色など）

わが国で骨髄生検がいまひとつ普及しないことと，良好なサンプルがなかなか採取されないことは無関係ではない．良好なサンプルを採取するポイントは，内針を刺したままで完全に骨皮質を貫通させ，外套の先端が骨髄腔内に達してから内針を抜去して外套を進めることにある．生検針の先端が骨皮質を貫通しない段階で内針を抜き取ってしまうと，外套の先端に骨片を噛んだまま骨髄腔中を進めることになり，深く挿し込んだ割には，短くしかも挫滅した検体しか採取されないことになる．この点に留意し，積極的に骨髄生検を試みていただきたい．

4 骨髄所見の評価

正常な骨髄所見を**表 3** に示す[3]．異常所見の要点と主な該当疾患を述べる．

1）有核細胞数（NCC）の増加・減少

有核細胞数（nucleated cell count：NCC）は数値で表され，その基準値は 10 万～25 万 /μL（正形成）であり，これ以下を低形成，これ以上を過形成としている．ただし，誤差の出やすい検査であるため，必ずしも信頼できないことが少なくない．この点は巨核球数カウントも同様であり，塗抹標本か，できれば骨髄クロット，理想的には適切な生検標本で細胞密度を判定して総合的に評価することが望ましい．骨髄低形成では再生不良性貧血に代表される造血障害，骨髄過形成では白血病や骨髄増殖性腫瘍などを考慮する．なお，全身骨髄の造血能や骨髄浸潤（特に悪性リンパ腫）の評価が必要な場合には，全身骨髄 MRI が有用である．

2）幼若細胞の異常増加

芽球の比率に応じて，急性白血病，骨髄異形成症候群（myelodysplastic syndromes：MDS），その他の造血器腫瘍と診断される．ただし，一過性・反応性の増加もあるのでワンポイントでの判定には注意する．

芽球比率を算出するための分母として全有核骨髄細胞（all nucleated marrow cells：ANC）という用語がある．FAB 分類ではリンパ系細胞などを除いた残り（骨髄系細胞）を分母として扱うとの記載があったが，WHO 分類第 4 版（2008 年）[4] およびそれを踏

◆表3　正常な骨髄所見

有核細胞数（万/μL）			10～25
骨髄巨核球数（/μL）			50～150
白血球系	骨髄芽球（判別不能の芽球を含む）		0.4～2.0%
	好中球	前骨髄球	2～4%
		骨髄球	8～15%
		後骨髄球	7～22%
		桿状核球	9～15%
		分葉核球	6～12%
	好酸球		1～5%
	好塩基球		0～0.4%
	単球		0～2%
	核分裂像		まれ
赤芽球系	前赤芽球		0.2～1.3%
	好塩基性赤芽球		0.5～2.4%
	多染性赤芽球		13～29%
	正染性赤芽球		0.4～3%
	核分裂像		0～0.5%
リンパ球			10～18%
形質細胞			0.4～2.0%
巨核球			まれだが＋
細網細胞			0.2～2.0%
M/E 比			2～3

日野，小宮，Wintrobe など諸家の報告および文献3を参考にしたが，数値には相当な幅がある．

襲する改訂第4版（2017年）[5] によると，ANC はリンパ系細胞などを含む大部分の有核細胞分画（芽球，前骨髄球，骨髄球，後骨髄球，好中球桿状核球，好中球分葉核球，好酸球，好塩基球，前単球，単球，リンパ球，形質細胞，赤芽球，肥満細胞）となっている．この見解は ICSH のガイドライン [2] による BM nucleated differential cell count（NDC）にほぼ合致することから，芽球比率は ANC または NDC を分母とする方式になる．なお，WHO 分類については第5版の概要 [6] がすでに公表されているが，その詳細は明らかでないため，本項の記載は改訂第4版（2017年）までに準拠している．

3）特定の細胞の減少

無顆粒球症や赤芽球癆のときには，該当する血球系列のみが激減する．再生不良性貧血の初期の場合には巨核球が他の血球に先んじて減少する傾向がある．

4）血球形態異常

巨赤芽球性貧血，MDS が代表的な疾患であるが，抗腫瘍薬など薬剤の影響や感染症の際にも形態異常が出現する場合がある．

5）異常細胞の存在

悪性リンパ腫，多発性骨髄腫，がん細胞，血球貪食症候群，先天代謝異常症に伴う異常なマクロファージ系細胞など，多彩かつ特徴的な異常細胞が出現しうる．

6）感染微生物の検出

結核，骨髄炎などの場合．

7）骨髄線維化

比較的早期の段階から dry tap になることが多く，骨髄生検を行って判定する必要がある．

■文　献■

1）日本血液学会：成人に対する骨髄穿刺の穿刺部位に関する注意．（http://www.jshem.or.jp/uploads/files/former/20150821.pdf）（最終確認：2023年8月23日）
2）Lee SH et al: Int J Lab Hematol **30**: 349, 2008
3）金井正光ほか：臨床検査法提要，第35版，金原出版，p273，2020
4）Swerdlow SH et al（eds）：WHO Classification of Tumours of Haematopoietic and Lymphoid Tissues, 4th ed, IARC Press, p19, 2008
5）Swerdlow SH et al（eds）：WHO Classification of Tumours of Haematopoietic and Lymphoid Tissues, 4th ed, Revised ed, IARC Press, p17, 2017
6）Khoury JD et al: Leukemia **36**: 1703, 2022

2 細胞化学的検査

到達目標

- 細胞化学染色の意義と個々の患者についての適応を判断できる
- 染色結果を適切に判定して診断に活用できる

1 細胞化学的検査総論

May-Grünwald-Giemsa 染色や Wright-Giemsa 染色などの普通染色に加えて，細胞内の酵素，多糖類，脂質，金属などを化学反応を利用して染色する細胞化学的検査（cytochemistry；単に特殊染色ともいう）が，疾患や病型診断にしばしば重要となる．染色の技術的部分は割愛するが，特に酵素活性をみる場合は**新鮮塗抹標本が原則**で，項目にもよるが作成後数日以上経過した標本の染色性は信頼できない．一方，新鮮な標本でも artifact や技術的問題のため適正に染まらない場合があり，同日処理された他の患者の標本や健常者の試料などで確認することが望ましい．また，経時的に脱色することがあるので，染色標本は遅滞なく封入しておくべきである．なお，当然ながら発色基質や染色キットの違いによって色合いは異なる．

2 細胞化学的検査各論

1）ミエロペルオキシダーゼ（MPO）染色

ペルオキシダーゼは種々の組織中に存在するが，ミエロペルオキシダーゼ（myeloperoxidase：MPO）は血液細胞のうち骨髄球系・単球系細胞にのみ発現する．ただし，幼若細胞や単球の陽性率は低い．好酸球は強陽性で，また好塩基球は本来陽性であるが標本作成後脱色されやすい．リンパ系細胞は陰性のため急性骨髄性白血病（acute myeloid leukemia：AML）と急性リンパ性白血病（acute lymphoblastic leukemia：ALL）との鑑別に重要であり，芽球の MPO 陽性率が 3％以上であれば AML，それ未満であれば ALL と判断する（**図 1 A**）．アズール顆粒部分は強陽性であり，Auer 小体があれば明瞭に染色される．ただし，AML のなかでも M0，M7 と M5a の一部では MPO が陰性になるので注意を要する．特異抗体を用いたフローサイトメトリー法はより高感度で，M0 でも陽性所見を示す．M7 の診断には血小板ペルオキシダーゼ（platelet peroxidase：PPO）を電子顕微鏡にて証明する方法がある．なお，ズダンブラック B 染色は脂質の証明に用いられるが，血液細胞ではペルオ

A

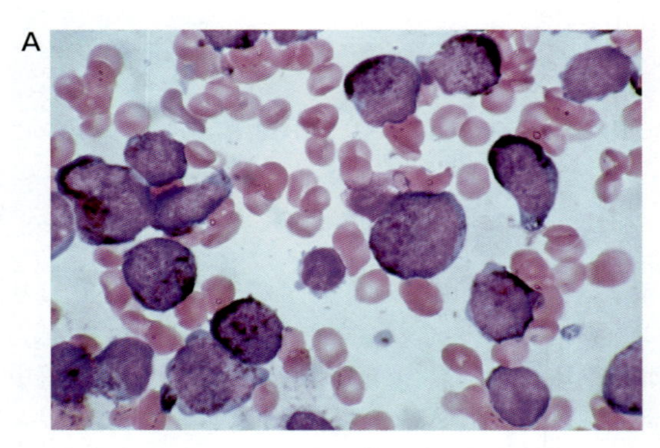

B

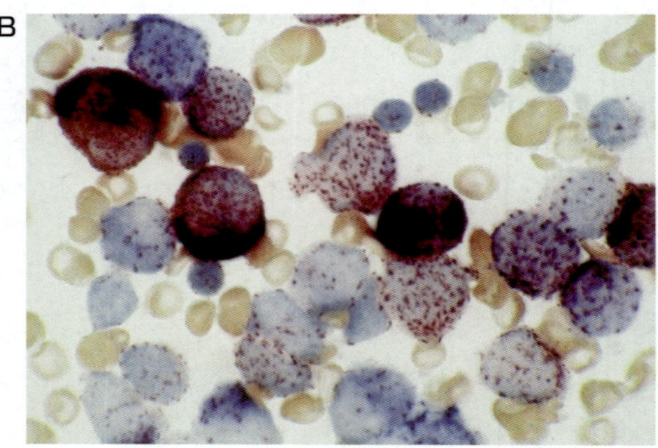

◆**図 1 同一 AML（M4）症例の MPO 染色および Es 二重染色所見**

A：MPO 染色．大部分の白血病細胞が陽性であるが，陽性度合はさまざまである．**B**：Es 二重染色．細胞質が淡青～青色に染まっているのが CAE 陽性，一方，茶色斑点状は NBE 陽性を示す．二重陽性の細胞も一部みえる．

キシダーゼ陽性顆粒が染色されることから，MPO染色とほぼ同様の意義がある．

先天性MPO欠損症は通常臨床症状に乏しく，臨床検査で偶然みつかることがある．後天的な疾患としては，AML（特にM2）や骨髄異形成症候群（myelodysplastic syndromes：MDS）など骨髄系腫瘍における異常クローン由来の好中球がMPO陰性を示すことがある．

2）エステラーゼ（esterase：Es）染色

Naphthol AS-D chloroacetate Es（CAE）と α-naphthyl butyrate Es（NBE，α-NB）の2種が一般的で，前者は**特異的Es**と呼ばれ主に顆粒球系細胞で陽性となり，後者は**非特異的Es**と呼ばれ主に単球系細胞で陽性となる．しばしば二重染色が施される．単球のNBEは概して強陽性で，しかも**フッ化ナトリウムで阻害される**が，これらの特徴は白血病細胞の起源が骨髄球系か単球系かの鑑別に重要であり，AMLの**M4，M5の病型診断に必須の**染色である（**図1B**）．ときに，形態学的に単球系であってもNBE陰性の症例があり，その場合は表面マーカーなど他の所見に鑑みて病型判定するが，判断に難渋することがある．巨核球はNBE弱陽性に染まる．

3）鉄染色

ベルリン青（プルシアン青）法によって，血球内や組織中に存在する非ヘモグロビン鉄（Fe^{3+}）を濃青色顆粒として検出する．鉄顆粒のある赤血球を含鉄赤血球（siderocyte），かかる赤芽球を鉄芽球または担鉄赤芽球（sideroblast）という．これらは異常ではないが，通常鉄顆粒はフェリチン集塊として少数存在するにすぎない．ヘム合成障害をきたすと余剰の鉄顆粒が核近傍のミトコンドリア内に蓄積して，鉄染色によって鉄顆粒が核周囲に分布した**環状鉄芽球（ring sideroblast）**として認識される（**図2**）．環状鉄芽球はヘム合成酵素異常による先天性鉄芽球性貧血，鉛中毒や抗結核薬など薬物の影響に加えて，MDSの一病型である環状鉄芽球を伴うMDS（MDS with ring sideroblasts：MDS-RS）の特徴的所見でもある（Ⅸ-6「骨髄異形成症候群」参照）．従来の定義は「5個以上の鉄顆粒が核周囲の1/3以上にわたって配列する」とされており，WHO分類改訂第4版（2017年）でもこの定義が踏襲されている．一方，“核周囲の1/3以上”にこだわらず，より狭い範囲であっても「5個以上の鉄顆粒が核近傍に分布する場合も環状鉄芽球とみなす」との意見もある．核から離れた位置にある陽性顆粒はリソソーム内の鉄であって，異常ではないのでカウントしない．なお，本染色は網内系の貯蔵鉄も染め出すことから，鉄欠乏や鉄過剰状態を推察できる．

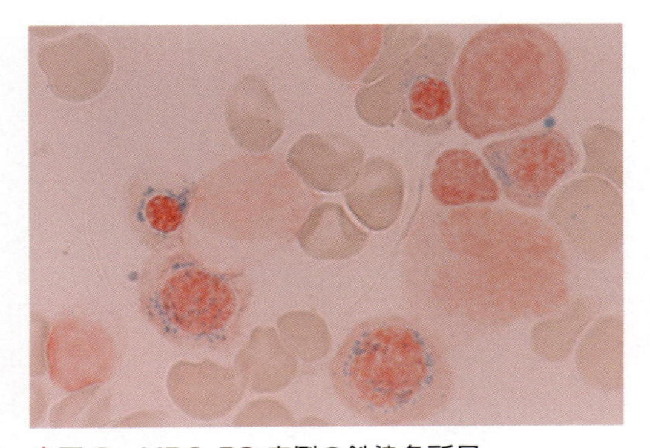

◆**図2　MDS-RS症例の鉄染色所見**
粗大な鉄顆粒が核の1/3以上を取り囲むように分布する環状鉄芽球が観察できる．

4）好中球アルカリホスファターゼ（NAP）染色

好中球アルカリホスファターゼ（neutrophil alkaline phosphatase：NAP）は成熟好中球に発現する酵素で，**GPIアンカー蛋白**の1つである．重度炎症など内因性のG-CSF増加時やG-CSF製剤の投与によって発現誘導される．標本染色後，好中球100個あたりの陽性顆粒を持つ好中球の比率（NAP陽性率）を求めるか，または陽性顆粒の数・分布状況を0，Ⅰ～Ⅴ型の6段階に分類し（**図3**），それぞれに0～5点を配点して集計した数値［NAPスコア，最高値500（朝長法）］を算出するが，後者が一般的である．本検査ではとりわけ採血後速やかに塗抹標本を作成・固定して染色する必要がある．NAPスコアの基準値は施設ごとに設定すべきであるが，おおむね170～300である．NAPスコアが異常値を呈する疾患・病態を**表1**に示す．慢性骨髄性白血病（chronic myeloid leukemia：CML）の慢性期は低値であるが，**急性転化時にしばしば上昇**し，成熟好中球数と逆相関の傾向がある．発作性夜間ヘモグロビン尿症（paroxysmal nocturnal hemoglobinuria：PNH）におけるNAP低値は*PIG-A*遺伝子の後天的異常によるGPIアンカー蛋白欠損の結果である．

◆**表1　NAPスコアが異常値を示す疾患・病態**

低　値	CML（慢性期），PNH
しばしば低値	MDS，AML（特にM2）
しばしば高値	真性赤血球増加症，原発性骨髄線維症，再生不良性貧血
高　値	類白血病反応（重症感染症，G-CSF産生腫瘍など），G-CSF投与時

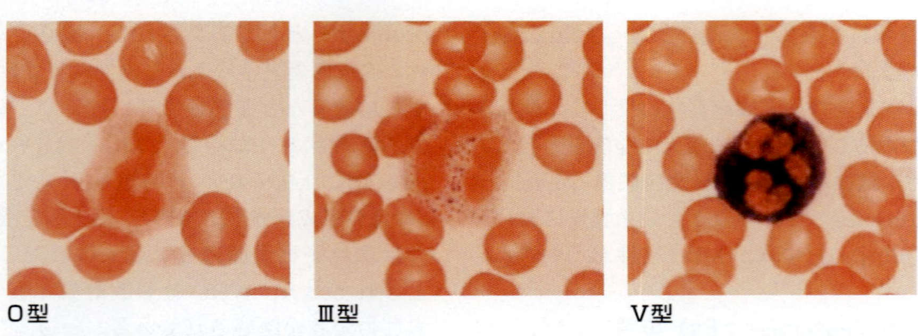

◆図３　NAP 陽性顆粒の分布
0，Ⅰ～Ⅴ型までの６段階のうちで，まったく陰性の０型，中等度に染まるⅢ型，最も濃く染まるⅤ型を例示した．

5）periodic acid-Schiff（PAS）染色

グリコーゲンやムコ多糖類を検出する染色で，成熟好中球，巨核球は強陽性，リンパ球では多くの場合顆粒状・塊状に染まる．臨床的意義があるのは，**赤白血病**や，ときに MDS において異常赤芽球が陽性に出る場合である．また，ALL のリンパ芽球では，粗大顆粒状，帯状を呈することがある．

6）酸ホスファターゼ染色

血液細胞のリソソーム中に含まれている酵素であるが，臨床的意義があるのは有毛細胞白血病（hairy cell leukemia）の場合で，**酒石酸抵抗性酸ホスファターゼ**（tartrate-resistant acid phosphatase：TRAP）を持つという特徴がある．これは酸ホスファターゼのうちで染色時に酒石酸抵抗性を示す特殊なアイソザイムで，破骨細胞も染色される．ただし，わが国でよくみられる有毛細胞白血病亜型では TRAP 陰性のことが多い．

■文　献■

1）金井正光ほか：臨床血液検査．臨床検査法提要，第 35 版，金原出版，p285，2020
2）奈良信雄ほか：最新臨床検査学講座 血液検査学，第 2 版，医歯薬出版，p122，2021

3 溶血に関する検査

到達目標

- 溶血に関する検査の種類・原理・手技を理解し，結果を評価できる

1 溶血と溶血性貧血

溶血とは，赤血球内あるいは赤血球外の原因により赤血球が生理的寿命の約 120 日より早く破壊されることを示す．この溶血亢進状態に対して，代償性の造血亢進状態が伴っているのが通例であるが，骨髄の赤芽球造血亢進による代償能力を超える（非代償性溶血）と貧血に陥り，**溶血性貧血**と呼ばれる．

2 溶血所見

血管内での溶血に伴い，赤血球から LD（アイソザイム 1 型と 2 型）や AST やヘモグロビンが血中へ放出される．一方，主に脾臓のマクロファージで赤血球が貪食される血管外溶血でも，ヘモグロビンの一部は血中に放出される．遊離ヘモグロビンはハプトグロビンと結合して主に肝臓で代謝され，ハプトグロビンは消耗性に減少する．ハプトグロビンで処理しきれない遊離ヘモグロビンは直接尿中へ排泄され，ヘモグロビン尿やヘモジデリン尿となる．鉄やグロビンペプチドは再利用される．ヘムは代謝されて間接ビリルビンになり，肝臓で直接ビリルビンへ代謝され，さらにウロビリンやウロビリノーゲンとなり便や尿へ排泄される．ビリルビンの一部は組織へ沈着して黄疸を呈する．溶血によるビリルビンの過剰供給に伴い胆汁中非抱合型ビリルビンが増加するため，色素胆石である黒色石形成が促進される．骨髄内の代償性赤芽球造血亢進により末梢血網赤血球は増加する．一般に血管外溶血が主体であれば間接ビリルビン上昇が顕著で，LD 上昇は軽度となる傾向があり，脾腫を伴うことが多い．一方血管内溶血が主体であれば血清 LD 上昇が顕著となる傾向がある．

なお，骨髄異形成症候群（myelodysplastic syndromes：MDS），鉄芽球性貧血，巨赤芽球性貧血などにみられる異常赤芽球の骨髄内破壊（無効造血）は溶血所見と貧血を呈するが，溶血を主因としないため溶血性疾患には含まれない．

3 溶血性疾患の識別検査[1]

わが国では後天性溶血性貧血の自己免疫性溶血性貧血（autoimmune hemolytic anemia：AIHA），発作性夜間ヘモグロビン尿症（paroxysmal nocturnal hemoglobinuria：PNH），そして先天性溶血性貧血の遺伝性球状赤血球症（hereditary spherocytosis：HS）の発生頻度が高い[2]．

1）赤血球の形態観察（末梢血塗抹標本，May-Giemsa 染色）

球状赤血球や**楕円赤血球**は HS や遺伝性楕円赤血球症（hereditary elliptocytosis：HE），**標的赤血球**はサラセミアや異常ヘモグロビン症，**涙滴赤血球**はサラセミア，**鎌状赤血球**はヘモグロビン S 症，**断片化赤血球**は赤血球破砕症候群（XI-4「血栓性微小血管症 / 赤血球破砕症候群」参照），**ウニ状赤血球（有棘赤血球）**は先天性ピルビン酸キナーゼ（PK）異常症，**好塩基性斑点赤血球**はピリミジン-5′-ヌクレオチダーゼ（P5N）欠損症を鑑別する必要がある．

2）赤血球浸透圧抵抗試験

赤血球浸透圧抵抗試験では，病的赤血球をさまざまな程度の低張緩衝液中に入れて，赤血球外からの水分の流入による溶血の誘発を試みる．HS 赤血球は水分取り込みに余裕がなく，正常赤血球に比べ高張の緩衝液で溶血する（浸透圧抵抗減弱あるいは浸透圧脆弱性亢進）．サラセミアや鉄欠乏性貧血などの小球性赤血球は逆に水分取り込みに余裕があり，低張緩衝液に耐えて溶血しにくい（浸透圧抵抗増強あるいは浸透圧脆弱性低下）．HS の診断では，新鮮血液では正常パターンであり，24 時間孵置血にてはじめて証明できる症

例も少なくない．

3）赤血球 eosin-5´-maleimide（EMA）結合能検査

EMA は赤血球膜蛋白バンド 3 の細胞外ドメインに結合する蛍光色素であり，被検赤血球の EMA 結合能をフローサイトメトリーによって定量的に評価できる．HS に特徴的な赤血球表面積の減少を定量化できるため，スクリーニング検査として有用である．

4）酵素の活性測定と遺伝子解析

酵素異常による溶血を鑑別するために，酵素活性［グルコース-6-リン酸脱水素酵素（G6PD），PK，P5N など］を測定する．遺伝子解析により確定診断する．

5）ヘモグロビン分析

a）易変性ヘモグロビン検出

異常ヘモグロビン症ではグロビンのアミノ酸組成の異常のため化学的性状が変化し，加熱（熱安定性試験）やイソプロパノール（イソプロパノール試験）に対する感受性が亢進して，赤血球内で沈殿凝集した Heinz 小体を形成し，溶血を招く．また，電気泳動でも病的ヘモグロビンを検出できる．

b）グロビン鎖の量的不均衡の検出

サラセミアでは，グロビンの α 鎖と非 α（例：β）鎖の発現量の不均衡により四量体ヘモグロビン形成に与れないグロビン分子は，不安定で変性，凝集，沈殿しやすく，溶血や循環障害を招く．

6）自己抗体の検出 [3)]

a）Coombs 試験（抗グロブリン試験）

Coombs 試験は，AIHA の診断に必須である．直接 Coombs 試験では赤血球結合 IgG 抗体と補体成分（C3d），間接 Coombs 試験では血中遊離抗体を，赤血球凝集法で検出する．AIHA 全体の約 5% に Coombs 試験感度以下の赤血球結合 IgG 量で溶血が認められることがあり，Coombs 陰性 AIHA と呼ばれる．赤血球解離液による間接 Coombs 試験やフローサイトメトリー法による赤血球結合 IgG 定量が診断に有用である．

b）寒冷凝集素

大半は IgM 型抗体であり，血液型抗原の I や i と反応する．4℃で赤血球結合活性が高く，補体を活性化し，C3b を介する肝臓での血管外溶血や血管内溶血を引き起こす．多くの場合，特発性寒冷凝集素症（cold agglutinin disease：CAD）では単クローン性 IgM-κ 抗 I 抗体を示し，続発性 CAD のうちリンパ腫に伴うものは単クローン性 IgM 抗 i 抗体，マイコプラズマや EBV 感染に伴うものは多クローン性 IgM 抗 I/i 抗体を示す．

c）Donath-Landsteiner 抗体（D-L 抗体：二相性溶血素）

D-L 抗体は，発作性寒冷ヘモグロビン尿症（paroxysmal cold hemoglobinuria：PCH）で検出され，血液型 P 抗原と反応する IgG である．補体活性化能が高く，寒冷条件で赤血球と結合して補体を結合し，体温域で抗体は離れるが補体活性化による血管内溶血をきたす．主に小児にみられ，ウイルス先行感染が多い．

7）発作性夜間ヘモグロビン尿症（PNH）赤血球の検出

a）Ham 試験（酸性化血清溶血試験）

Ham 試験は，血清を酸添加で酸性化（pH6.5 ～ 7.0）して補体第二経路を活性化し，補体感受性が病的に亢進した赤血球を溶血させる．溶血率が 5 ～ 10％以上を陽性とする．Hereditary erythroblastic multinuclearity associated with a positive acidified serum test（HEMPAS）や先天性 CD59 単独欠損症などは Ham 試験陽性を示す．

b）砂糖水試験（ショ糖溶血試験）

砂糖水を血清に加えて等浸透圧かつ低電解質（低イオン強度）状態を作り，赤血球への補体結合活性化を促し，補体感受性赤血球を溶血させる．Ham 試験よりも特異性の面で劣っており，スクリーニング検査としての役割を担っている．

c）フローサイトメトリー

PNH 血球では，補体制御因子 CD55（DAF）や CD59 などの GPI（glycosylphosphatidylinositol）アンカー膜蛋白が欠損するため，両分子に対する蛍光色素抗体で赤血球や顆粒球を標識し発現を評価する．前述の Ham 試験，砂糖水試験に比べ，異常血球の割合，欠損分子や欠損程度を評価できるため，PNH 診断精度が上がり，早期診断に有用である．一般に血球の寿命を反映して顆粒球，赤血球，リンパ球の順に欠損細胞の割合が高い．

8）赤血球破砕症候群（RFS）の鑑別検査

Ⅺ-3「播種性血管内凝固」，Ⅺ-4「血栓性微小血管症 / 赤血球破砕症候群」を参照．

9）その他

異型輸血や血液型不適合妊娠を疑う場合に，緊急に双方の血液型を確認する．一方，感染症は免疫賦活により溶血を亢進させ，潜在的溶血を顕性化する．特に，ヒトパルボウイルス B19 感染は赤芽球系前駆細胞を直接障害し，溶血に伴う代償性赤芽球造血を抑制することで貧血が急激に進行し溶血患者の容態が重篤（骨髄無形成クリーゼ）となるため，適切な診断や治療が必要になる.

■文　献■

1）菅野　仁：溶血検査. 最新ガイドライン準拠　血液疾患診断・治療指針, 金倉　譲（編）, 中山書店, p73-77, 2015
2）和田秀穂：日内会誌 **107**: 487, 2018
3）厚生労働省 特発性造血障害に関する調査研究班（研究代表者：三谷絹子）：自己免疫性溶血性貧血診療の参照ガイド 令和4年度改訂版, 2023

4 血小板・凝固線溶に関する検査

到達目標

- 血小板・凝固線溶（止血機能）に関する検査を理解し，その結果を正しく解釈することにより適切な診断と治療に結びつけることができる

1 血小板凝集能検査

血小板はアデノシン二リン酸（ADP），コラーゲンなどの刺激により活性化されると血小板凝集塊を形成する．血小板凝集能検査は多血小板血漿に血小板惹起物質を添加し，光透過度を経時的にモニタリングする測定法が一般的である．血小板凝集能には日内変動や個体差がみられるため，基準値の設定は困難である．評価指標として最大凝集率や凝集の立ち上がり，最大凝集までの時間をみる方法などが用いられる．

健常者では ADP 2 ～ 10 μM，コラーゲン 2 ～ 10 μg/mL，およびリストセチン 1.2 ～ 1.5 mg/mL の各存在下で解離を伴わない二次凝集が惹起される．前述の刺激物質の濃度以上（ただし，リストセチンは 1.5 mg/mL で評価）で刺激しても，凝集解離，二次凝集の欠如，最大凝集率が 50% 以下となる場合は，血小板凝集能の低下を疑う．一方，ADP 0.5 μM，コラーゲン 0.5 μg/mL で最大凝集率 50% 以上の明らかな二次凝集を認め，解離しない場合や無刺激で血小板凝集がみられる場合には，凝集能の亢進が疑われる．

2 凝固検査

1）プロトロンビン時間

プロトロンビン時間（prothrombin time：PT）は外因系凝固因子の活性を総合的に評価する機能検査である．PT-INR（international normalized ratio）値は PT 比に International Sensitivity Index（ISI）を乗じたもの［$\text{PT-INR} = (\text{PT比})^{\text{ISI}}$］である．PT-INR の基準範囲は 1.00 ± 0.20 である．

PT の延長は肝障害による凝固因子の産生障害，経口摂取の低下あるいは下痢や抗菌薬使用によるビタミン K 欠乏，warfarin 製剤の服用や循環抗凝血素による凝固因子の阻害，播種性血管内凝固（DIC）による消費性低下など後天性要因による頻度が高い．

2）活性化部分トロンボプラスチン時間

活性化部分トロンボプラスチン時間（activated partial thromboplastin time：APTT）は内因系凝固因子活性を総合的に評価する機能検査である．採血時の組織液混入や点滴ルートなどからのヘパリン製剤などの混入に注意する．測定結果が測定試薬や装置の違いにより変動するため，各施設で基準範囲を設定することが望ましい．

APTT が延長する凝固因子欠乏症のうち第Ⅺ因子（FⅪ）欠乏症では出血傾向は軽度であり，第Ⅻ因子（FⅫ），プレカリクレイン，および高分子キニノゲン欠乏では出血傾向が臨床的に問題となることはない．von Willebrand 因子（VWF）が異常をきたす VW 病（VWD）では出血時間の延長とともに APTT が延長する．肝障害による凝固因子の産生低下や重度のビタミン K 欠乏，DIC による凝固因子の消費や循環抗凝血素の存在，ヘパリン製剤などの抗凝固薬の投与により，後天性に APTT が延長する．また，直接阻害型経口抗凝固薬（DOAC）は血中濃度に応じて PT，APTT に影響を及ぼす．

3）PT，APTT 混和補正試験

混和補正試験（交差混合試験とも呼ばれる）は被検血漿と健常血漿との混合血漿を作製し，混和直後と 37℃で 2 時間孵置後に PT ないしは APTT を測定することで，被検血漿の異常値が健常血漿の添加により補正されるか否かをみる検査である．凝固時間の延長を認める検体に対して，凝固因子欠乏と凝固因子インヒビターおよびループスアンチコアグラント（LA）の鑑別に有用である．なお，動静脈血栓症あるいは習慣性流産などの患者で非欠乏型の APTT 延長を呈し LA 因子が陽性の場合には，抗リン脂質抗体症候群を疑

う.

4) フィブリノゲン

フィブリノゲンの測定には被検血漿にトロンビンを添加することにより生じるクロットの生成時間を測定する機能検査（トロンビン時間法）と，特異抗体を用いる抗原量の測定法（免疫法）がある．フィブリノゲンは先天性欠乏症や重症肝障害では産生低下により，DIC などでは消費亢進により低下する．一方で急性相反応因子としての性質を持ち，さまざまな炎症病態で増加する．

5) 第Ⅷ因子と第Ⅸ因子

第Ⅷ因子（FⅧ）と第Ⅸ因子（FⅨ）は凝固反応の過程で活性化され複合体（Xase）を形成し，第Ⅹ因子（FⅩ）の活性化を促進する．FⅧは血友病 A，FⅨは血友病 B で欠乏する因子である．それぞれの活性は被検血漿に測定する凝固因子の欠乏血漿を加えて凝固時間を測定する方法（凝固一段法）と，Xase により活性化される FⅩ量を特異的基質を用いて測定する方法（合成基質法）が用いられる．凝固一段法は測定試薬の違いが測定結果に影響を与える可能性があり，重症度の診断や半減期延長型凝固因子製剤を投与する際には注意が必要である．

6) その他の凝固因子

患者血漿に当該因子の欠乏血漿を添加することで，プロトロンビン（FⅡ），第Ⅴ因子，第Ⅶ因子，FⅩは PT として，第Ⅺ因子（FⅪ），第Ⅻ因子（FⅫ）は APTT として測定される．

第ⅩⅢ因子（FⅩⅢ）はフィブリンなどに架橋結合を施す凝固因子であり，機能的なフィブリン血栓の形成に不可欠である．FⅩⅢ欠乏症は止血後に再出血をきたす「後出血」症状などを呈するが，PT や APTT の凝固スクリーニング検査で異常を示さない．FⅩⅢの活性と抗原量を測定し，診断する．

3 VWF 検査

VWF は血小板膜蛋白（GPⅠb/Ⅸ/Ⅴ）やコラーゲンと結合し，血小板の粘着や凝集にかかわる．VWF は FⅧと複合体を形成し，循環血液中で FⅧの過剰な分解を保護する作用をもつ．VWF の低下は血小板機能障害と凝固異常をきたす．VWF 抗原量（VWF:Ag）は特異抗体により定量され，VWF 活性はリストセチンが正常血小板を凝集する反応のコファクター活性（VWF:RCo）として測定される．VWF マルチマー解析は，さまざまなサイズの VWF 重合体を標識抗 VWF 抗体により検出する検査である．VWF:Ag と VWF:RCo が乖離する場合には，VWF マルチマー解析が病型診断に必要である．

4 凝固阻止因子

アンチトロンビン（AT）はトロンビンや FⅩa（a は活性型を示す），FⅨa，FⅪa などの活性型凝固因子と複合体を形成し，それらの活性を中和する．この AT による阻害作用はヘパラン硫酸などにより著しく増強される．AT 活性はヘパリン存在下で測定され FⅩa 阻害作用を測定する合成基質法と，トロンビン阻害作用をみる凝固時間法がある．凝固時間法はヘパリンコファクターⅡの影響を受けるため，20 ～ 30% 程度高値となる．AT 抗原量は特異抗体を用いて免疫学的に測定される．

凝固反応により生じたトロンビンはトロンボモジュリン（TM）と結合することによりプロテイン C（PC）を効率的に活性化する．活性化 PC（APC）はプロテイン S（PS）を補酵素として FⅧa と FⅤa を分解，不活化することにより凝固反応を制御する．PC 活性は被検血漿中に蛇毒プロタックを加えて PC を活性化させ，生じた APC に特異的な合成基質を用いて測定される．PC 抗原量は免疫学的に測定される．PS 活性の測定法には，補酵素作用を APTT の凝固時間として測定する方法とトロンビン基質を用いて測定する方法がある．PS はその約 60 % が C4b 結合蛋白質（C4BP）と結合した不活性型で，約 40%が補酵素活性をもつ遊離型として存在する．両者いずれにも反応する抗体を用いて総 PS として測定するものと，遊離型 PS に特異的な抗体を用いて測定する方法がある．

これらの因子の先天性欠乏症は静脈血栓塞栓症（先天性 PC 欠乏は新生児電撃性紫斑病）の危険因子である．肝障害などでは産生低下により，DIC では消費亢進により低下する．PC，PS はビタミン K 依存性に活性が付与されるため，経口摂取の低下や抗菌薬，warfarin 製剤の投与などで低下する．DOAC の内服患者では，本来の AT 活性より高値を示す（偽高値）ことがある．

5 線溶因子関連

線溶反応は血管内で組織型プラスミノゲンアクチベータ（tPA）がプラスミノゲンをプラスミンへ活性化する反応と生じたプラスミンがフィブリンを分解する反応からなる．tPA はプラスミノゲンアクチベータインヒビター-1（PAI-1）により活性が中和され，プ

ラスミンは α_2 プラスミンインヒビター（α_2PI）により不活化される．

プラスミノゲンは被検血漿にストレプトキナーゼを添加することで生じる複合体が合成基質を分解する活性として測定する方法と免疫学的に抗原量を測定する方法がある．先天性プラスミノゲン欠乏のうち欠損症では創傷治癒不全がみられるが，分子異常症では血栓症との関連は乏しい．肝での産生能の低下や DIC などで消費亢進により後天性に低下する．

PAI-1 は tPA 中和活性をもつ活性型 PAI-1，活性の消失した潜在型 PAI-1，および tPA との複合体のすべてを含めて免疫学的に測定される．PAI-1 は敗血症などさまざまな炎症病態で増加し，血栓症の危険因子と捉えられている．先天性 PAI-1 欠乏症の診断には，特殊な測定系や遺伝子解析などが必要となる．

α_2PI は被検血漿にプラスミンを添加し，α_2PI 量に応じて残存するプラスミン活性を測定することにより求められる．先天性 α_2PI 欠乏症は後出血をきたすまれな疾患で，凝固スクリーニング検査では異常を示さない．肝疾患では産生の低下により，DIC などでは消費亢進により低下する．

6 凝固・線溶系分子マーカー

トロンビン-アンチトロンビン複合体（thrombin-antithrombin complex：TAT）はトロンビンが AT により 1：1 で中和されて生じるもので，免疫学的に測定される．TAT は凝固反応の活性化を鋭敏に捉える検査である．DIC では基礎疾患を問わず増加し，静脈血栓塞栓症，動脈血栓塞栓症の急性期でも高値となる．TAT は採血に手間取ると試験管内で凝固反応が活性化されて偽高値となることがあり注意する．

プラスミン-α_2PI 複合体（plasmin-α_2 plasmin inhibitor complex：PIC）はプラスミンが α_2PI と 1:1 で複合体を形成したものであり，免疫学的に定量される．PIC は線溶系の活性化を反映する分子マーカーである．多くの血栓性疾患では TAT と PIC が連動する．一方，急性前骨髄性白血病（APL）などでは PIC の増加が顕著であるが，敗血症などでは PIC の増加が乏しい．TAT と PIC を同一検体で測定することは凝固・線溶病態の詳細な把握につながる．

D-ダイマーは FⅩⅢa により架橋されたフィブリンがプラスミンなどにより分解されて生じるさまざまな分子サイズの集合体である．フィブリン・フィブリノゲン分解産物（fibrin and fibrinogen degradation products：FDP）は，一般的には D-ダイマーとフィブリノゲン分解産物を含む集合体と捉えられる．D-ダイマーは凝固系活性化に引き続き線溶系が活性化されたことを示し，静脈血栓塞栓症などさまざまな血栓性疾患で増加する．血栓性疾患の多くにおいて D-ダイマーと FDP は相関するが，APL や血栓溶解療法などではフィブリノゲンの分解が生じることにより，D-ダイマーに比して FDP が高値となる「D-ダイマーと FDP の乖離現象」がみられる．D-ダイマーや FDP はいずれも免疫学的に測定される．用いられる抗体の反応性の違いや患者ごとに分解産物の集合体の組成が異なることなどから，測定系や患者間で単純な比較ができない．

7 血栓性血小板減少性紫斑病関連検査

ADAMTS13 は血管内皮細胞より分泌された超巨大 VWF マルチマー（unusually large VWF multimer：UL-VWF）を至適なサイズに切断する酵素である．ADAMTS13 活性は VWF に対する ADAMTS13 の部位特異的な切断反応を利用した ELISA 法を用いて測定される．抗 ADAMTS13 抗体価は同じ測定系を用いて Bethesda 法に準拠した阻害活性として測定される．血栓性血小板減少性紫斑病（thrombotic thrombocytopenic purpura：TTP）は *ADAMTS13* 遺伝子異常や自己抗体により ADAMTS13 活性が 10% 未満に著減する病態であり，血小板結合能の高い UL-VWF が循環血液中に蓄積し，微小血管で生じる高ずり応力下で血小板血栓が形成される．

文 献

1）金井正光ほか：血栓・止血関連検査．臨床検査法提要，第 35 版，金原出版，p369，2020
2）日本検査血液学会（編）：血栓・止血関連検査．スタンダード検査血液学 第 4 版，医歯薬出版，p170，2021
3）一瀬白帝ほか：線溶検査．新・血栓止血血管学 検査と診療，p25，2015

5 表面形質検査（免疫表現型解析）

到達目標

- フローサイトメトリー（FCM）による表面形質検査の測定原理を理解する
- 血液疾患診療における表面形質検査の目的・意義を理解し，適切に活用できる

1 表面形質検査の目的

血液細胞の表面には種々の抗原が存在し，その発現様式は細胞の系列や分化段階で異なる．**表面形質検査**により，①検体中の各種細胞の比率や腫瘍細胞の同定，②腫瘍細胞の系列や病型の判断，③血球の病的変化や活性化の検出，等が可能である．保険適用検査としては，**造血器腫瘍細胞抗原検査**，T細胞サブセット検査，B細胞表面免疫グロブリン，発作性夜間ヘモグロビン尿症（paroxysmal nocturnal hemoglobinuria：PNH）の診断のための赤血球・好中球表面抗原検査がある．造血器腫瘍細胞抗原検査は抗体医薬やCAR-Tを用いる際にCD19（blinatumomab, tisagenlecleucel），CD20（rituximab，ibritumomab tiuxetan，ofatumumab），CD22（inotuzumab ozogamicin），CD30（brentuximab vedotin），CD33（gemutuzumab ozogamicin），CD38（daratumumab, isatuximab），CCR4（mogamulizumab）等の標的抗原の確認にも利用される．

2 フローサイトメトリー（FCM）による表面形質検査

1）フローサイトメーター

フローサイトメーターは，細い流路を流れる細胞等の粒子にレーザー光を照射し，放射される散乱光や蛍光を細胞単位で測定する装置である．レーザー光の進入方向とほぼ同方向に放射される前方散乱光（forward scatter：FSC）は細胞の大きさを反映し，直角方向に放射される側方散乱光（side scatter：SSC）は細胞の内部構造を反映する．細胞表面形質検査では蛍光標識モノクローナル抗体（monoclonal antibody：MoAb）と対象細胞を反応させて，FSC，SSC，蛍光のパラメーターを組み合わせて指定（gating）した細胞集団の表面抗原を解析する．近年では3色以上のレーザーと10色以上の蛍光色素で標識したMoAbを組み合わせて，多数の抗原を同時に計測可能な機種も普及している．

2）MoAbとCD分類

MoAbは国際ワークショップでclusterとして整理分類され，統一的CD（cluster of differentiation）番号が付記されているが，CD番号は対応する抗原についても用いられる．MoAbを標識する蛍光色素にはfluorescein isothiocyanate（FITC）やphycoerythrin（PE）が繁用される．

3）解析の概略（図1）

検体にMoAbを反応させ，個々の細胞のFSC，SSC，各検出波長の蛍光強度をフローサイトメーターで測定する．FSC-SSCあるいはSSC-CD45など2つのパラメーターを個々の細胞について二次元表示し，細胞をドットとして描出したスキャッタグラム上で，リンパ球，芽球など解析対象細胞をgatingし，各抗原の陽性率を求める．末梢血リンパ球はFSC-SSCスキャッタグラムで容易にgatingできる．一方，赤芽球や幼若芽球はリンパ球と類似の分布パターンを示すため，白血病芽球を対象とする場合や赤芽球を解析対象から除外したい場合は，SSC-CD45スキャッタグラムを用いる．これは，CD45は白血球共通抗原であり赤芽球には発現しないこと，幼若芽球はリンパ球に比べCD45の発現が低いことを利用したgating法である．形質細胞はCD38強陽性であることを利用してgatingできる．

表面抗原の解析結果は，2種類の抗原発現強度を二次元サイトグラムで表示することが多い．FITC標識抗A抗体とPE標識抗B抗体を用いた二重染色（two-color）分析では，A^+B^+，A^+B^-，A^-B^+，A^-B^-の4

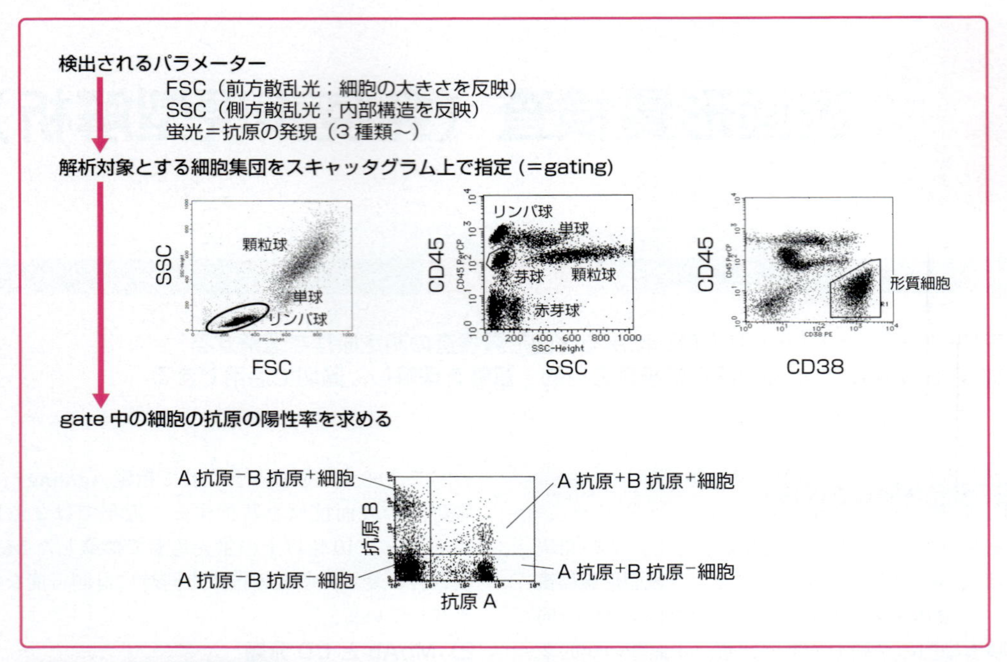

◆図 1　FCM 解析の概略
［米山彰子：表面形質検査．血液専門医テキスト，第 3 版，日本血液学会（編），南江堂，p62，2019 より転載］

分画に分けられる．

なお，解析細胞に膜透過処理を行って抗体を細胞内に到達させることで，細胞質内抗原の解析も可能である．

4）検体提出時の注意

末梢血や骨髄液は 18 ～ 22℃で保存し，原則的に 24 時間以内に測定する．胸水，腹水等の体腔液は 10% 牛胎児血清加培養液等に細胞を再浮遊して 4℃で保存し，24 時間以内に測定する．リンパ節等の固形検体は培養液中で細切・濾過後に細胞浮遊液を作製する．

5）解析結果をみる際のポイント

解析対象の細胞集団が適切に gating されているかを形態学的所見と合わせて確認する．特に腫瘍細胞の比率が低い検体では，CD45 gating 等を用いて確実に腫瘍細胞を捉えるようにする．必要時には保存済み解析データ（リストモード）を異なる gate で再解析することも可能である．

解析結果は抗原ごとの陽性細胞率で表示される場合が多いが，抗原発現強度にも留意する．

3　造血器腫瘍の表面形質検査

1）造血器腫瘍細胞の表面抗原

造血器腫瘍は発生母地となった細胞の形質をある程度保持しているので，正常造血細胞の表面抗原の発現を参考に細胞系列を判断する．一方，造血器腫瘍細胞では CD7 と CD34，CD20 と CD33 等の骨髄系とリンパ系の抗原が同時発現する場合があり，このような奇異性発現の検索は異常細胞の同定に役立つ（図 2）．なお，表面抗原のみで細胞系列の決定が困難な場合，細胞質内（cytoplasmic：Cy）CD3，CD79a，myeloperoxidase（MPO），terminaldeoxynucleotidyltransferase（TdT）等の解析も追加する．形質細胞に対しては Cy κ/λ が検索される．

2）造血器腫瘍の典型的形質

a）急性白血病

表 1 に急性白血病の典型的な表面形質を示す．急性骨髄性白血病（acute myeloid leukemia：AML）では CD13，CD33 に加えて CD34 や HLA-DR が陽性の場合が多いが，M3 では CD34，HLA-DR 陰性であることが特徴的である．AML では T 細胞抗原の CD7，B 細胞抗原の CD19 等もしばしば奇異性に陽性となる．単球系性質を示す M4 や M5 では CD14，純粋赤白血病（M6b）では CD36，CD71（transferrin 受容体），CD235a（glycophorin A），急性巨核芽球性白血病（M7）では CD41，CD42，CD61 が陽性になる場合が多い．M0 は光学顕微鏡的 MPO 陰性だが，CD13，CD33 等の顆粒球系抗原が陽性であり，FCM

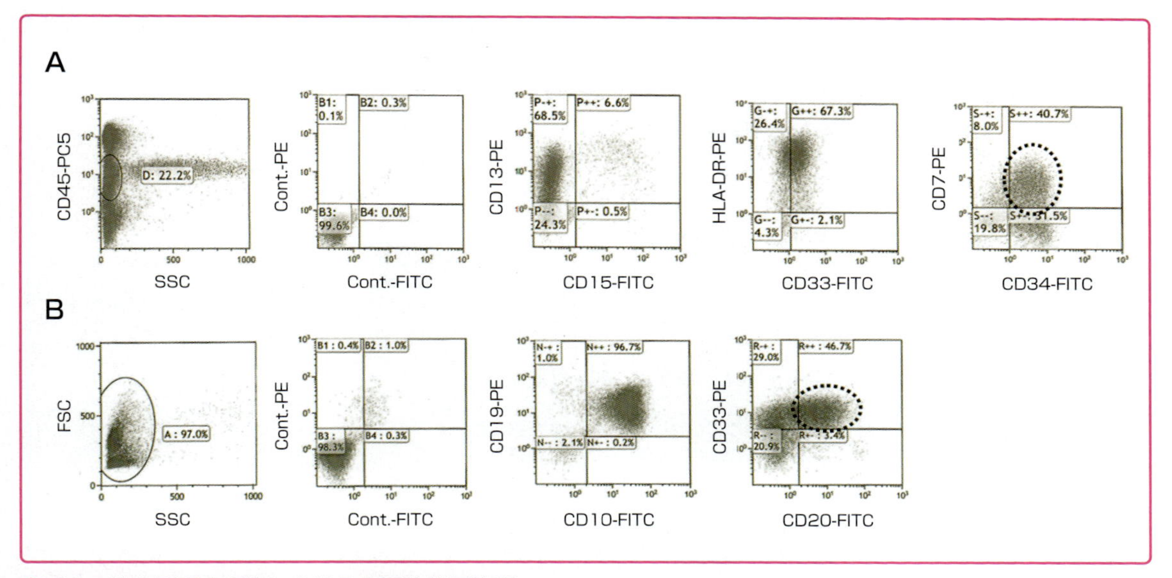

◆**図 2　造血器腫瘍細胞における奇異性抗原発現**

A：急性骨髄性白血病

上記にて寛解導入療法後の骨髄細胞 FCM では CD45 gating（SSC − CD45 スキャッタグラム）で CD45 弱陽性細胞を 22.2% 認めていた．これらの細胞は CD13，CD33，CD34，HLA-DR 陽性であり，さらに CD7 も奇異性に陽性を示した．

B：急性 B リンパ芽球性白血病

芽球出現を伴う WBC 増加の精査目的で実施した末梢血 FCM では，96.7% の細胞が CD10 かつ ,CD19 陽性，約 50% が CD20 陽性であることから上記と診断した．さらに解析し得た細胞の 75.7% は CD33 を奇異性に発現していた．

◆**表 1　急性白血病　主な病型と典型的な表現形質パターン**

疾　患	表面抗原
ALL	
B lymphoblastic leukemia	$CD10^{+}$，$CD13^{-/+}$，$CD19^{+}$，$CD20^{+/-}$，$CD22^{+/-}$，$CD33^{-/+}$，$CyCD79a^{+}$，$HLA\text{-}DR^{+}$，TdT^{+}
T lymphoblastic leukemia	$CyCD3^{+}$，$CD7^{+}$，TdT^{+}， CD2，CD4，CD5，CD8 は種々の頻度で陽性
AML	
M0	$CD13^{+/-}$，$CD14^{-}$，$CD33^{+/-}$，$CD34^{+/-}$，$CD38^{+/-}$，$HLA\text{-}DR^{+/-}$，$MPO^{+/-}$，$TdT^{-/+}$， $CD7^{-}/dim^{+}$，$CD2^{-}/dim^{+}$，$CD19^{-}/dim^{+}$
M1	$CD3^{-}$，$CD7^{-/+}$，$CD10^{-/+}$，$CD13^{+}$，$CD14^{-}$，$CD19^{-/+}$，$CD20^{-}$，$CD33^{+}$，$CD34^{+/-}$， $CD41^{-}$，$CD56^{-/+}$，$HLA\text{-}DR^{+/-}$
M2	$CD7^{-/+}$，$CD10^{-/+}$，$CD13^{+}$，$CD19^{-/+}$，$CD33^{+}$，$CD34^{+/-}$，$HLA\text{-}DR^{+/-}$， t(8;21) 陽性例は $CD34^{+}$，CD56 はしばしば$^{+}$
M3	$CD2^{-/+}$，$CD13^{+/-}$，$CD33^{+}$，$CD34^{-}$，$HLA\text{-}DR^{-}$
M4	$CD2^{-/+}$，$CD4^{-/+}$，$CD11c^{+}$，$CD13^{+/-}$，$CD14^{+/-}$，$CD33^{+/-}$，$CD34^{+/-}$，$CD36^{+}$，$CD64^{+}$
M5	$CD4^{-/+}$，$CD11c^{+}$，$CD13^{+/-}$，$CD14^{+/-}$，$CD33^{+/-}$，$CD34^{-/+}$，$CD36^{+}$，$CD64^{+}$
M6	$CD13^{+/-}$，$CD33^{+/-}$，$CD34^{+/-}$，$CD36^{+}$，$CD71^{+}$，$CD235a^{+}$，$HLA\text{-}DR^{+/-}$
M7	$CD13^{+/-}$，$CD33^{+/-}$，$CD34^{-/+}$，$CD36^{+}$，$CD41^{+/-}$，$CD42^{+/-}$，$CD61^{+/-}$，$HLA\text{-}DR^{-/+}$

で Cy MPO 抗原を検出可能な場合がある．顆粒球系とリンパ球系の抗原を併せ持つ白血病も知られており，混合表現型急性白血病（mixed phenotype acute leukemia：MPAL）と分類される．MPAL 判定のための各 lineage の条件を**表 2** に示す．

b）成熟 B 細胞腫瘍

成熟 B 細胞腫瘍の診断には，**表 3** に示す典型的な形質が参考になる．細胞表面 κ/λ の偏り（light chain restriction；軽鎖制限）は腫瘍性を示唆する所見として重視される．

c）成熟 T および NK 細胞腫瘍

主な成熟 T および NK 細胞腫瘍の表面形質を表 4 に示す．腫瘍性を示唆する所見として，成熟 T 細胞での CD3，CD5，CD7 等の欠失や低発現が知られている．

◆表 2　MPAL の判定に用いる各 lineage の条件

1. myeloid lineage
   MPO（FCM，免疫組織化学，細胞化学）陽性か，単球系への分化（NSE，CD11c，CD14，CD64，lysozyme のうち少なくとも 2 つ）
2. T lineage
   CyCD3(CD3ε に対する抗体を用いた FCM）陽性か，表面 CD3 陽性
3. B lineage
   CD19 強陽性，かつ CD10，CyCD22，CyCD79a の 1 つ以上が強陽性
   CD19 弱陽性，かつ CD10，CyCD22，CyCD79a の 2 つ以上が強陽性

◆表 3　成熟 B 細胞腫瘍　主な病型と典型的な表現形質パターン

	CD5	CD10	CD20	CD23	CyCD79a	SIg	その他
慢性リンパ性白血病 / 小リンパ球性リンパ腫	＋	−	＋（weak）	＋	＋	＋	
B 細胞前リンパ球性白血病	1/3 で＋	−	＋	−	＋	＋	
リンパ形質細胞性リンパ腫	−	−	＋	−	＋	＋	CD38
脾辺縁体 B 細胞リンパ腫	−	−	＋	−	＋	＋	
有毛細胞白血病	−	−	＋	−	＋	＋	CD11c, CD25, CD103
形質細胞腫瘍	−	一部で＋	−	−	＋	−	CD38, CD56, CD138
MALT リンパ腫	−	−	＋	−	＋	＋	
濾胞性リンパ腫	−	＋	＋	＋/−	＋	＋	
マントル細胞リンパ腫	＋	−	＋	−/±	＋	＋	
びまん性大細胞型 B 細胞リンパ腫	− （10% に＋）	− （25 ～ 50% に＋）	＋	−/＋	＋	variable	
Burkitt リンパ腫/白血病	−	＋	＋	−	＋	＋	

◆表 4　成熟 T および NK 細胞腫瘍　主な病型と典型的な表現形質パターン

疾　患	表面抗原
T 細胞前リンパ球性白血病	$CD2^+$，$CD3^+$，$CD7^+$；$CD4^+CD8^-$>$CD4^+CD8^+$>$CD4^-CD8^+$
T 細胞大顆粒リンパ球性白血病	$CD3^+$，TCR$\alpha\beta^+$が通常；$CD4^-$，$CD8^+$が多い．CD11b，CD56，CD57 がしばしば陽性
急速進行性 NK 細胞白血病	$CD2^+$，$CD3^-$，CD3ε^+，$CD56^+$，$CD57^-$
成人 T 細胞白血病/リンパ腫	$CD2^+$，$CD3^+$，$CD5^+$，$CD7^-$，$CD25^+$；$CD4^+$，$CD8^-$，CCR4
菌状息肉症	$CD2^+$，$CD3^+$，$CD5^+$，$CD4^+$，$CD8^-$；$CD7^-$
Sézary 症候群	$CD2^+$，$CD3^+$，$CD5^+$，$CD4^+$，$CD8^-$，$CD7^{\pm}$
節外性 NK/T 細胞リンパ腫，鼻型	$CD2^+$，$CD3^-$，CD3ε^+，$CD56^+$，$CD57^-$
腸管症関連 T 細胞リンパ腫	$CD3^+$，$CD5^-$，$CD7^+$，$CD8^{-/+}$，$CD4^-$，$CD103^+$
肝脾 T 細胞リンパ腫	$CD3^+$，$CD5^-$，TCR$\alpha\beta^-$，TCR$\gamma\delta^+$，$CD56^{\pm}$，$CD4^-$，$CD8^-$
血管免疫芽球性 T 細胞リンパ腫	$CD2^+$，$CD3^+$，$CD4^+$，$CD5^+$，$CD10^+$，$CD279^+$，
末梢性 T 細胞リンパ腫，非特定型	CD4 ＞ CD8，CD5 や CD7 はしばしば陰性
未分化大細胞リンパ腫	$CD30^+$，$CD25^+$；$CD4^+$が多い．CD3，CD7 はしばしば陰性

3) 診断時以外の表面形質検査の応用

FCMは治療後の測定可能残存病変(measurable residual disease : MRD)の検出にも有用である.多発性骨髄腫の場合,近年普及してきたマルチカラーFCMで8〜10種類の抗原を同時解析することで,10^{-4}〜10^{-5}レベルのMRDを検出可能である.

4 リンパ球サブセット検査

健常者末梢血ではT細胞($CD3^+$)が58〜84%,B細胞($CD19^+$または$CD20^+$)が5〜24%を占める.T細胞は$CD3^+CD4^+$のhelper/inducer Tと$CD3^+CD8^+$のsuppressor/cytotoxic Tに大別され,各々25〜56%,17〜44%である.その他,$HLA\text{-}DR^+$活性化T細胞や$CD16^+$,$CD56^+$ NK細胞も解析可能である.

5 その他

1) PNH型血球解析

PNHではGPIアンカー型補体制御分子(CD55, CD59)の発現が欠損〜低下したPNH型赤血球を証明することが診断上重要だが,PNH型顆粒球の測定にはCD55やCD59よりも高感度のFluorescent-labeled inactive toxin aerolysin (FLAER)が用いられる.

再生不良性貧血やMDSでは,0.01%レベルで解析可能な高感度FCMによりPNH型血球を認める場合がある.

2) 造血幹細胞定量

造血幹細胞移植(末梢血,臍帯血)ではCD34を指標に移植に必要な造血幹細胞の絶対数を求める.

■文　献■

1) 米山彰子:細胞表面抗原.スタンダードフローサイトメトリー,第2版,日本サイトメトリー技術者認定協議会(編),医歯薬出版,p65-89,2017
2) 米山彰子:フローサイトメトリーを応用した造血器腫瘍の解析.血液細胞アトラス,第6版,通山薫ほか(編),文光堂,p63-70,2018
3) 小池由佳子:フローサイトメトリーによる細胞表面マーカー検査.臨床検査法提要,第35版,金井正光(監),金原出版,p312-325,2020

6 染色体検査

到達目標

- 染色体検査・FISH 検査の原理，基本事項，結果の解釈を理解する

1 染色体検査（G 分染法）

1）染色体解析の歴史

染色体解析は，1956 年，Tjio と Levan によってヒトの染色体数が 46 であることが確定されたことに始まる[1]．1960 年代に染色体分染法が開発され，すべての染色体の同定が可能となった．造血器腫瘍における染色体解析は，1960 年 Nowell らによって発表された慢性骨髄性白血病に認められた小さな染色体（Philadelphia 染色体）が最初とされる[2]．その後，Rowley は Philadelphia 染色体が t(9;22) に由来することを明らかにするとともに，1973 年に t(8;21)，1977 年に t(15;17) を同定し，造血器腫瘍における分子医学の礎を築いた[3]．

2）検体処理および解析方法

対象となる検体は，末梢血，骨髄血，穿刺液（胸水，腹水など），リンパ節細胞浮遊液などである．腫瘍細胞における染色体異常を検出する場合は，細胞数が 1 ～ 2 × 10^6/mL になるように培養液へ添加し，短期（一晩）培養する．培養終了 40 分～ 2 時間前に**コルヒチン（コルセミド）**を添加し，紡錘糸形成を阻害して分裂周期を中期で停止させる．先天的異常を検索する場合は，*in vitro* でリンパ球の増殖を刺激する**フィトヘマグルチニン（PHA）**を添加した培養液 10 mL に末梢血 0.5 ～ 1 mL（あるいはそれに相当する白血球層）を加え，培養時間は 72 時間とする．

回収した細胞は，0.075 M KCl 溶液による低張処理で細胞を膨化させた後にカルノア液（メタノール：酢酸 = 3：1）で固定する．細胞浮遊液をスライドガラスに滴下・乾燥させて標本を作製し，染色を行う．一般的に**G 分染法**（Giemsa 液を使用）が用いられることが多い．G 分染法では，染色前にエージング処理（室温～ 37℃で数日，50 ～ 60℃で 1 晩，あるいは 65℃ 2 時間）と，それに引き続いてトリプシン処理を行ってから，Giemsa 液で染色する．

撮像した中期分裂像（核板）を配列し直し，核型（かくがた）（karyotype，karyogram）を得る．少なくとも 20 細胞について観察を行い，染色体数を数える[4]．

3）染色体の構造と特徴

染色体の基本的構造は，セントロメアを中心として**短腕**（petite：p）と**長腕**（queue：q）が存在する．短腕および長腕の先端部はテロメアと呼ばれる．セントロメアとテロメアは高度反復配列で構成される（**図 1**）．

G 分染法では，染色前のトリプシン処理により染色体を構成する蛋白質が消化され，進展したクロマチン DNA に Giemsa 色素が結合する．染色体の部位によってトリプシン消化の程度が異なるため，染色性の違い

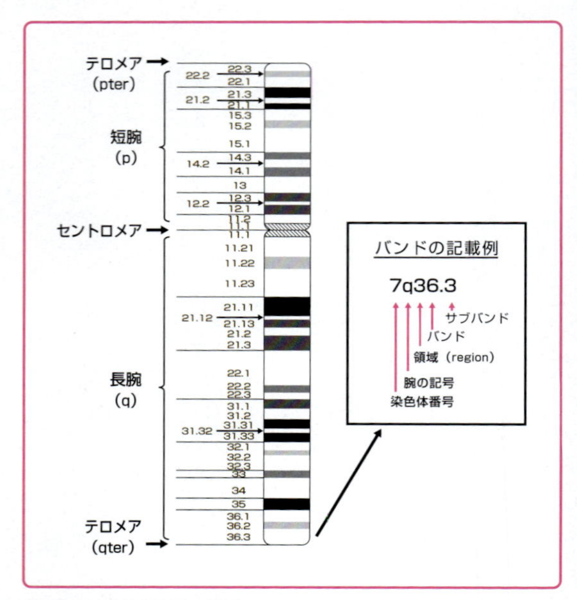

◆**図 1　染色体の構造**
7 番染色体を例として提示する

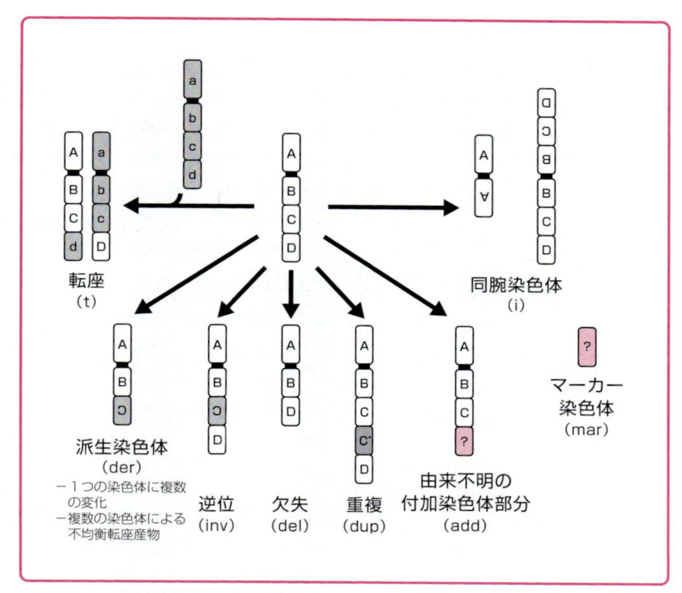

◆図2　さまざまな染色体異常

で全体としてバーコード様を呈する．染色の濃い部分がGバンド，淡い部分がR(reverse) バンドである．Gバンドが AT-rich である一方，Rバンドは GC-rich であり，遺伝子発現の制御領域とされる CpG island を多く含む可能性がある．また，Rバンド領域は DNase I 高感受性で，腫瘍特異的な染色体転座の切断点と染色体脆弱部位（chromosomal fragile site）の多数を有する．バンドの識別については，分裂前中期染色体が得られればハプロイド（1倍体）あたり約800バンドであるが，腫瘍細胞の染色体は凝縮した分裂後期のものであることが多く，300バンドレベルまで低下する．

4）核型解析における所見記載

検出される染色体異常は，大きく数的異常と構造異常の2つに分類される．前者には倍数性［46染色体を2倍体としたときの，3倍体（69染色体）など］と異数性（モノソミー，トリソミーなど個々の染色体の数的異常）が，後者には転座，逆位，欠失，挿入，重複などがそれぞれ含まれる（**図2**）．

核型解析の所見記載は，**核型記載法の国際規約ISCN（An International System for Human Cytogenetic Nomenclature）**に基づいて行われる[5]．最初に染色体数，次に性染色体の情報，最後にもし染色体異常が存在している場合にはそれを記載する．各項

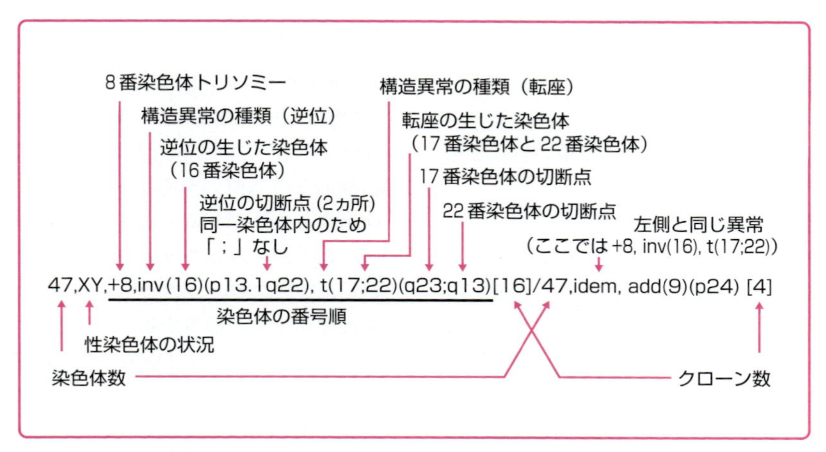

◆図3　核型の記載法

◆表 1　染色体核型記載における主な略語

略語 / 記号	もととなる用語	説　明
add	additional material of unknown origin	由来不明の過剰または付加染色体部分
cp	composite karyotype	混成核型（検体内で少しずつ核型に違いがある場合，cp としてまとめて表記できる場合がある）
del	deletion	欠失（染色体の一部の欠損）
der	derivative chromosome	派生染色体（1 つの染色体の複数の変化，または不均衡転座でできた染色体で，セントロメアを有するもの）
dmin	double minute	二重微小染色体．セントロメアやテロメアは持たない
dup	duplication	重複（染色体の一部の繰り返し）
i	isochromosome	同腕染色体（2 つ長腕のみあるいは短碗のみがセントロメアに結合しているもの）
idem	idem	ラテン語で「同じ」の意．基本核型と同一部分
ins	insertion	挿入
inv	inversion	逆位
mar	marker chromosome	どの染色体群にも属さない異常染色体
mos	mosaic	モザイク（異なる種類の形質を有する細胞の混在）
r	ring chromosome	環状染色体
rec	recombinant chromosome	組換え染色体
s	satelite	サテライト
t	translocation	転座
−	loss	消失
+	gain	増加

目の間はカンマで仕切る．染色体異常については，まず性染色体異常を X，Y の順に，次に常染色体を染色体番号順に，各染色体の中では数的異常（トリソミーやモノソミーなどの異数性を示した染色体の前に + あるいは - を付けて表示する．すでに記載してある性染色体を除く）を先に，構造異常を後に記載する．構造異常については，複数ある場合にはアルファベット順に，異常の種類，染色体番号，切断点の順に記載する．複数の切断・再構成の切断点は “；” で仕切るが，同一の染色体内の場合は “；” を記載しない．複数種類の核型が存在する場合は “/” で区切り，正常核型は最後に記載する（**図 3**）[6]．

造血器腫瘍における染色体解析でよく用いられる略語を**表 1** に示す [6]．

5）染色体検査結果の評価

細胞遺伝学的には，構造異常およびトリソミーなどの染色体数の増加では 2 細胞以上，モノソミーなどの染色体数の減少では 3 細胞以上，同一異常が認められる場合にクローン性があると定義される．以前に施行された解析でクローン性が認められた場合には，1 〜 2 細胞でもクローンとして扱う [6]．骨髄腫細胞など人工的な培養環境で増殖しにくい細胞では，その核型が結果に反映されにくいことに留意する必要がある．このような場合，検体を培養せずそのまま間期核 FISH 法などで解析しクローン性を評価することが望ましい．

なお，個々の腫瘍における特徴的な染色体異常やその意義については，それぞれの疾患の項目を参照されたい．

2　FISH 法

1）測定原理

FISH（fluorescence in situ hybridization）法は，スライドガラス上の細胞核に存在する標的遺伝子を，相補的な塩基配列を有する**蛍光標識プローブ**を用いて検出する方法である．標本は，採取した末梢血や骨髄血などの液状検体を低張処理で膨化させ，カルノア固定した後にスライドグラスに滴下して作製する．病理組織標本や塗沫標本を用いることも可能である．標本を加熱して検体中の DNA を一本鎖化（熱変性）したところにプローブをハイブリダイズさせる．プローブが発する蛍光シグナルは蛍光顕微鏡を用いて観察する [7]．

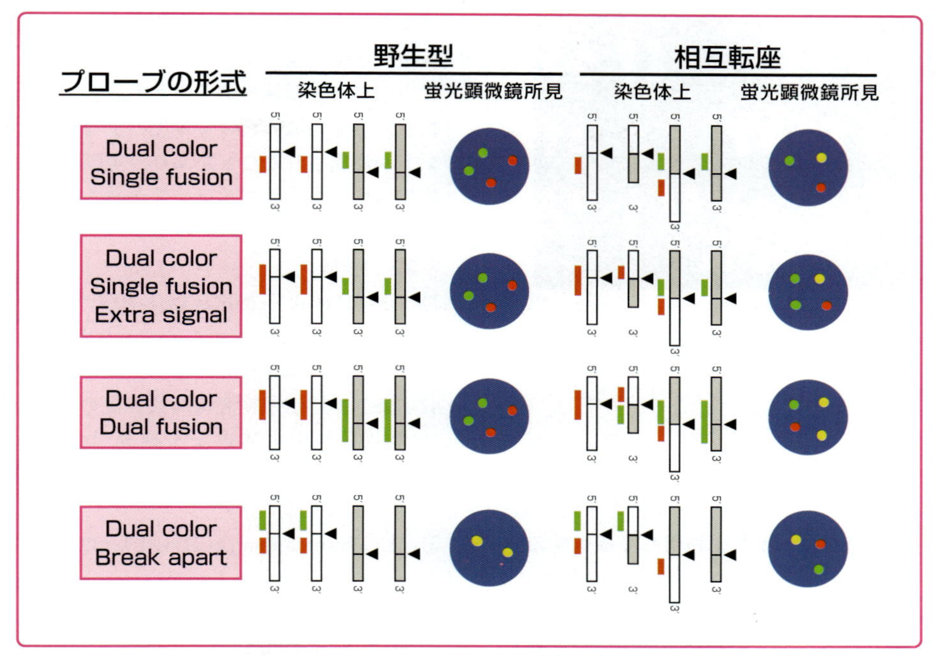

◆図4　遺伝子再構成同定のためのさまざまなFISHプローブ
▲：切断点．

2）プローブ

FISHに使用されるプローブDNAのサイズは，最低で100～700 bp，大きいもので1～2 Mbである．認識配列に応じて，①セントロメアプローブ，②テロメアプローブ，③染色体全域プローブ，④領域特異的プローブ，に分類される．

①のセントロメアプローブ（centromere enumeration probe：CEP）は，アルフォイド（α-サテライト）配列と呼ばれる171塩基対を基本単位とする反復配列を検出するプローブである．アルフォイド配列が染色体ごとに特異的な高度反復配列を形成することから，各染色体の異数性の解析に用いられる．

②のテロメアプローブは，哺乳類のテロメアでTTAGGG配列が2,000回以上繰り返す領域を検出するプローブで，テロメア長の計測と構造異常の同定に用いられる．また，これが全染色体に共通していることから，染色体数の検出にも利用される．

③の領域特異的プローブ（locus specific identifier：LSI）は，特定の遺伝子を含む領域の塩基配列を特異的に認識するプローブである．先天性疾患における微細な欠失や造血器腫瘍の病型特異的な遺伝子再構成の検出に用いられる．このうち異常融合遺伝子の同定では，再構成に関与する2つの遺伝子を認識するプローブをそれぞれ赤と緑の蛍光色素で標識し，遺伝子再構成によって2つのプローブが100～200 kbの距離で近接する場合に黄色い融合シグナルとして検出されることを利用している．ただしこの方法では遺伝子再構成がなくても物理的に2つのプローブが近接するだけで黄色くみえるため（偽陽性），切断点をまたいだプローブを設定しextra signalやdual fusionを確認することで精度を上げるように工夫することがある．また，融合遺伝子のパートナー遺伝子が多岐にわたる場合には，共通する遺伝子の5′側と3′側に1つずつプローブを設定し，それぞれ赤と緑の蛍光色素で標識する．この際，遺伝子再構成がなければ黄色い融合シグナルが検出されるが，遺伝子再構成が生じると2つのプローブの距離が遠くなるため，赤と緑の蛍光に分かれ検出される（break apart）（図4）．

④の染色体全域プローブ（whole chromosome painting：WCP）は，フローサイトメーターで分離した各染色体を鋳型にしてDOP-PCR（degenerate oligonucleotide-primed PCR）によって作製したプローブで，プローブ作製時にヌクレオチドを標識する5種類の蛍光色素をうまく組み合わせることで，22種類の常染色体とX，Y染色体の計24種類のヒト染色体を塗り分けることが可能である．Multicolor FISH（M-FISH）やスペクトル核型分析（spectral karyotyping：SKY）法に用いられる．

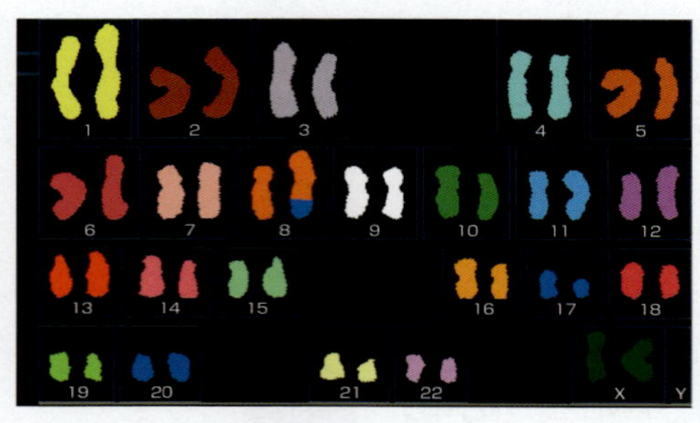

◆図５　SKY 法
t(8;17) を有する急性白血病症例の疑似カラー像．
［谷脇雅史：染色体検査．血液専門医テキスト，第３版，日本血液学会（編），南江堂，p68，2019 より転載］

3）SKY 法

染色体全域プローブを用いた FISH 法のうち，M-FISH が蛍光顕微鏡のフィルタを利用して透過する蛍光色素を割り出しその組み合わせから染色体を同定・表示するのに対し，SKY 法では一度に検出した蛍光スペクトルの形状に基づいて染色体を同定し，変換した人工的な色で表示する[7]．

SKY 法では，複雑核型や同じサイズのバンド間に生じた転座の解析に威力を発揮する．検出感度は染色体バンド１個程度の変化であり，800 バンドの中期染色体で 3 Mb，500 バンドで 5 Mb である．一方，同一染色体内では同じ蛍光を発するため，腕内の欠失，重複，逆位を検出することが困難であり，セントロメアやテロメア領域の構造異常も評価できない．また，転座の境界領域における蛍光の重なりにより架空のバンドが形成されることがあり，実際には生じていない染色体挿入を誤診する可能性がある（**図 5**）．

■文　献■

1）Tjio J H et al: Hereditas **42**: 1, 1956
2）Nowell PC et al: J Natl Cancer Inst **25**: 85, 1960
3）Druker BJ: Nature **505**: 484, 2014
4）「染色体遺伝子検査の品質保証のための指針」第 3 版［日本染色体遺伝子検査学会ホームページ］（https://www.jacga.jp/post/1099）（最終確認：2023 年 3 月 10 日）
5）McGowan-Jordan J et al（eds）: ISCN 2020: An international system for human cytogenomic nomenclature 2020. Reprint of: Cytogenetic and genome research 2020, Karger, 2020
6）「染色体異常を見つけたら」［日本人類遺伝学会ホームページ］（http://www.cytogen.jp/index/index.html）（最終確認：2023 年 3 月 10 日）
7）谷脇雅史ほか（編著）：造血器腫瘍アトラス，改訂第 5 版，日本医事新報社，2016

7 分子生物学的検査：サザンブロット・ハイブリダイゼーション法，点突然変異，PCR 法

到達目標

- 血液疾患の診断や治療効果判定に用いられる分子生物学的検査の種類と概略を理解し，適切な検査を選択できる能力を獲得する
- 特に，サザンブロット・ハイブリダイゼーション法によるクローン性の有無の解釈や，PCR 法を基盤とする各種解析手法の測定原理と解釈法について理解する

1 検査の種類と利用法

分子生物学的検査（遺伝子関連検査）は，細胞の**クローン性**（単一の細胞に由来する腫瘍性疾患であるか，もしくは反応性に増殖した非腫瘍性疾患であるか）の判別や，疾患特異的な染色体構造変化（転座・欠失・増幅・逆位など），および**遺伝子バリアント（変異）**の検出のために広く用いられている．分子生物学的検査は，特定の遺伝子または領域に相補的な核酸配列をプローブとして，標的となる DNA や RNA とのハイブリダイゼーションを行う核酸プローブ法と，標的核酸を PCR 反応によって増幅させたうえで，その量や塩基配列を解析する核酸増幅法に大きく分類される．

検出対象とする領域の塩基配列が既知であるか未知のものであるか，また検出対象が DNA であるか RNA であるか，などの要因によって適切な解析法が異なることを踏まえ，それぞれの検査の特性を理解し正しく選択することが重要である．

2 検査対象となる病因・疾患

造血器腫瘍では，悪性リンパ腫や急性・慢性白血病において，病型特異的な融合遺伝子や遺伝子変異，染色体の構造変化が検出される場合が多く，病型診断の根拠となる．また，*BCR::ABL1* 融合遺伝子に代表されるように，これらの一部は直接的に分子標的治療薬の標的となる場合もあることから，分子生物学的検査が重要な位置づけを占める．非腫瘍性疾患においても，遺伝的な要因による一部の貧血疾患や出血性疾患・血栓性疾患などにおいて，遺伝子変異解析やサザンブロット解析が実施される．現在診療目的で行われている造血器腫瘍の遺伝子関連検査と検査方法を，**表 1** に掲載する．

3 検査法

1）核酸プローブ法

a）サザンブロット・ハイブリダイゼーション法

①検査目的：**サザンブロット・ハイブリダイゼーション法**は，特異的なプローブが利用できるゲノム DNA 断片の内部または周辺の制限酵素認識部位をマップ化することにより，遺伝子がゲノム内でどのように構成されているかを知るために用いられる．造血器疾患の診断においては，サザンブロット・ハイブリダイゼーション法は，大きなサイズまたは未知の欠失および再構成，および特定のキメラ遺伝子の形成を検出する目的で用いられる．

②**測定法**：サザンブロット・ハイブリダイゼーション解析では，まず，抽出したゲノム DNA を制限酵素（特定の配列を認識し切断する酵素）で切断した後，アガロースゲル電気泳動を行いサイズ分画する．アガロースゲルをアルカリ溶液に漬け DNA を変性（単鎖 DNA に分離）させた後に，ゲルからナイロンまたはニトロセルロース膜に転写し固相化する．固層化された DNA 断片は，特異的な塩基配列を持ち，（アイソトープ，ビオチン，ジゴキシゲニンなどで）標識された核酸プローブとハイブリダイゼーションする．プローブ配列と相補的な DNA 領域は，標識物質用の検出系（放射線，化学発光など）にて可視化し，そのサイズや本数から検出標的 DNA の位置を特定する（**図 1**）．

◆表 1　造血器腫瘍において行われる遺伝子関連検査と検査方法

受託解析可能な検査	検査方法	関連する染色体転座	疾患
FLT3-ITD 遺伝子変異解析	PCR 法		急性骨髄性白血病
FLT3 遺伝子変異解析 ITD/TKD	PCR- キャピラリー電気泳動法		急性骨髄性白血病（gilteritinib, quizartinib の投与判断）
WT1 mRNA 定量	RT-PCR（リアルタイム PCR 法）		急性骨髄性白血病，骨髄異形成症候群
NPM1 遺伝子変異解析	リアルタイム PCR 法		急性骨髄性白血病
KIT 遺伝子シークエンス解析	ダイレクトシークエンス法		
CBFB::MYH11 mRNA 定量	RT-PCR（リアルタイム PCR 法）	t(16;16)(p13.1;q22)	
CBFB::MYH11 mRNA 定性	RT-PCR 法		
RUNX1::RUNX1T1 mRNA 定量	RT-PCR（リアルタイム PCR 法）	t(8;21)(q22;q22.1)	
RUNX1::RUNX1T1 mRNA 定性	RT-PCR 法		
DEK::NUP214 mRNA 定量	RT-PCR（リアルタイム PCR 法）	t(6;9)(p23;q34.1)	急性骨髄性白血病，骨髄異形成症候群
DEK::NUP214 mRNA 定性	RT-PCR 法		
NUP98::HOXA9 mRNA 定量	RT-PCR（リアルタイム PCR 法）	t(7;11)(p15;p15)	急性骨髄性白血病，骨髄異形成症候群，急性リンパ性白血病など
KMT2A::AFF1 mRNA 定量	RT-PCR（リアルタイム PCR 法）	t(4;11)(q21.3;q23.3)	急性骨髄性白血病，急性リンパ性白血病，リンパ芽球性リンパ腫
KMT2A::AFF1 mRNA 定性	RT-PCR 法		
KMT2A::AFDN mRNA 定量	RT-PCR（リアルタイム PCR 法）	t(6;11)(p23;q23.3)	
KMT2A::AFDN mRNA 定性	RT-PCR 法		
KMT2A::MLLT1 mRNA 定量	RT-PCR（リアルタイム PCR 法）	t(11;19)(q23.3;p13.1)	
KMT2A::MLLT1 mRNA 定性	RT-PCR 法		
KMT2A::MLLT3 mRNA 定量	RT-PCR（リアルタイム PCR 法）	t(9;11)(p21.3;q23.3)	
KMT2A::MLLT3 mRNA 定性	RT-PCR 法		
PML::-RARA mRNA 定量	RT-PCR（リアルタイム PCR 法）	t(15;17)(q24.1;q21.2)	急性前骨髄球性白血病
PML::-RARA mRNA 定性	RT-PCR 法		
JAK2 V617F 遺伝子変異解析	アレル特異的リアルタイム PCR 法		骨髄増殖性腫瘍
MPN 遺伝子変異解析（*JAK2, MPL, CALR*）	PCR 法		
STIL::TAL1 mRNA 定量	RT-PCR（リアルタイム PCR 法）	del(1p33)	急性リンパ性白血病
TCF3::PBX1 mRNA 定量	RT-PCR（リアルタイム PCR 法）	t(1;19)(q23;p13.3)	急性リンパ性白血病，リンパ芽球性リンパ腫
TCF3::PBX1 mRNA 定性	RT-PCR 法		
ETV6::RUNX1 mRNA 定量	RT-PCR（リアルタイム PCR 法）	t(12;21)(p13.2;q22.1)	
ETV6::RUNX1 mRNA 定性	RT-PCR 法		
RUNX1::MECOM mRNA 定量	RT-PCR（リアルタイム PCR 法）	t(3;21)(q26.2;q22.1)	慢性骨髄性白血病（急性転化時），骨髄異形成症候群
RUNX1::MECOM mRNA 定性	RT-PCR 法		
Major *BCR::ABL1* mRNA 定量	RT-PCR（リアルタイム PCR 法）	t(9;22)(q34;q11.2)	慢性骨髄性白血病，急性リンパ性白血病など
Major *BCR::ABL1* mRNA（IS）	RT-PCR（リアルタイム PCR 法）		
Major *BCR::ABL1* mRNA 定性	RT-PCR 法		
Minor *BCR::ABL1* mRNA 定量	RT-PCR（リアルタイム PCR 法）		
Minor *BCR::ABL1* mRNA 定性	RT-PCR 法		
Major *BCR::ABL1* mRNA 変異解析	ダイレクトシークエンス法		慢性骨髄性白血病，急性リンパ性白血病など（imatinib 抵抗性の判定）
Minor *BCR::ABL1* mRNA 変異解析	ダイレクトシークエンス法		
Micro *BCR::ABL1* mRNA 定性	RT-PCR 法		慢性骨髄性白血病
EZH2 遺伝子変異解析	リアルタイム PCR 法		濾胞性リンパ腫（tazemestat の投与判断）
RHOA G17V 遺伝子変異解析	PNA-LNA PCR Clamp 法		血管免疫芽球性 T 細胞リンパ腫
MYD88 遺伝子変異解析	ダイレクトシークエンス法		びまん性大細胞型リンパ腫
CD79B 遺伝子変異解析	ダイレクトシークエンス法		びまん性大細胞型リンパ腫

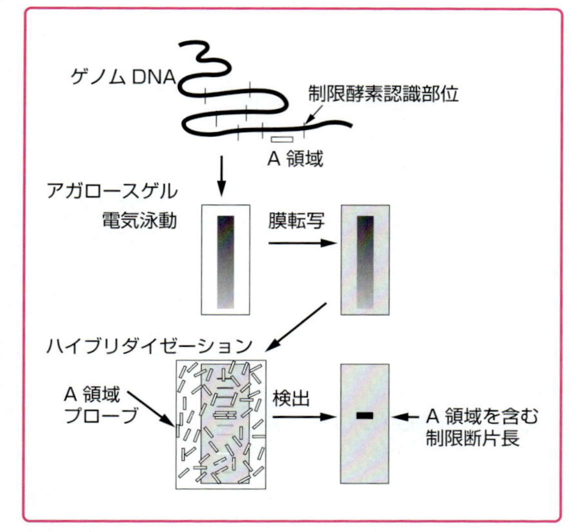

◆**図 1　サザンブロット・ハイブリダイゼーション法の測定原理**
［宮地勇人：分子生物学的検査：サザンブロット・ハイブリダイゼーション法，点突然変異．血液専門医テキスト，第 3 版，日本血液学会（編），南江堂，p74，2019 より転載］

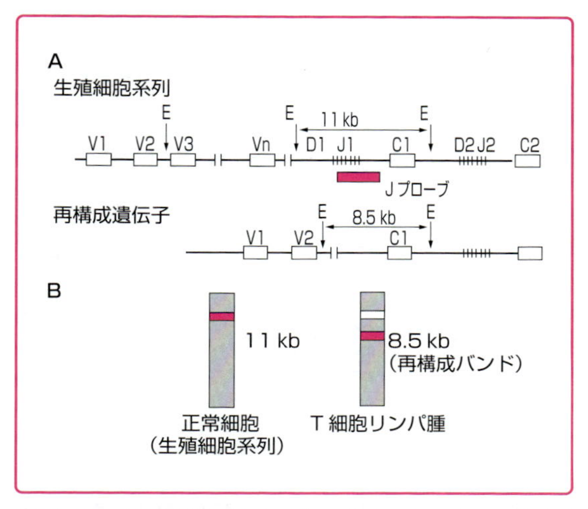

◆**図 2　*TCR* 遺伝子のサザンブロット・ハイブリダイゼーション解析**
A：*TCR* 遺伝子，B：サザンブロット
制限酵素で切断したゲノム DNA に対し，領域特異的なプローブでハイブリダイゼーションする．*TCRβ* 遺伝子領域が再構成を受けると制限酵素認識配列（E）間の距離が短縮するため，サザンブロット・ハイブリダイゼーションにおいて，生殖細胞系列とは異なる位置に再構成バンドが検出される．
［宮地勇人：分子生物学的検査：サザンブロット・ハイブリダイゼーション法，点突然変異．血液専門医テキスト，第 3 版，日本血液学会（編），南江堂，p74，2019 より転載］

ここでは，T 細胞受容体 β（*TCRβ*）遺伝子のサザンブロット・ハイブリダイゼーション解析の例を**図 2** に示す．*TCRβ* 遺伝子は，可変部位をコードする variable（V），diversity（D），joining（J）領域，および，定常部位をコードする constant（C）領域から構成される．遺伝子組換えが行われる前の生殖細胞系列では，V 領域 138 個，D 領域 2 個，J 領域 13 個，C 領域 2 個がそれぞれ存在している．この段階の細胞に対し，EcoRI という制限酵素でゲノム DNA を消化すると，**図 2A** 上段の“E”の部位でゲノム DNA が切断される．ここで J プローブとゲノム DNA をハイブリダイズすると，**図 2B** 左側のように，約 11 Kb の DNA 断片がバンドとして検出されることになる．一方で，*TCRβ* 遺伝子の再構成（組換え）が起こると，ゲノム DNA から *TCR* の構成に用いられない部分が除去され，**図 2A** 下段のように EcoRI サイト間の距離が短縮する．腫瘍性疾患の場合には，腫瘍細胞が同一の遺伝子再構成パターンをとるため，生殖細胞系列とは異なる位置にバンドが検出される（**図 2B** 右側）．

b）FISH 法

Fluorescence *in situ* hybridization（FISH）法は，蛍光標識した核酸プローブを *in situ*（細胞内で内在的に存在する部位）で染色体とハイブリダイズすることにより，異なる 2 つの遺伝子の近接性や遺伝子コピー数を解析する検査手法である．染色体転座により形成される融合遺伝子や，染色体欠失・増幅の検出に用いられる．FISH 法に関する詳細は，前項を参照のこと．

2）核酸増幅法

a）PCR 法，RT-PCR 法

核酸増幅法の 1 つであるポリメラーゼ連鎖反応（polymerase chain reaction：PCR）法，または reverse transcription（RT）-PCR 法は，それぞれ検出対象とする DNA または RNA 塩基配列を特異的に高度に増幅する目的で行われる．PCR 法は，少量の検体から，高感度かつ迅速に核酸を増幅することが可能で，測定の自動化や各種の体液・組織検体，保存検体からの検出が可能であるなど，核酸検査法として多くの利点があり，造血器腫瘍の病型診断に広く利用されている [1,2]．

PCR 法では，標的遺伝子領域の両端に相補的な DNA 小断片（プライマー）を反応開始点として，DNA ポリメラーゼで標的遺伝子の相補鎖（complementary DNA：cDNA）を合成する操作を反復し，たとえば 30 回の反復反応で 10 ～ 100 万倍以上のコピーを合成する．RT-PCR 法では，mRNA から逆転写にて合成した cDNA を増幅することで，目的領域

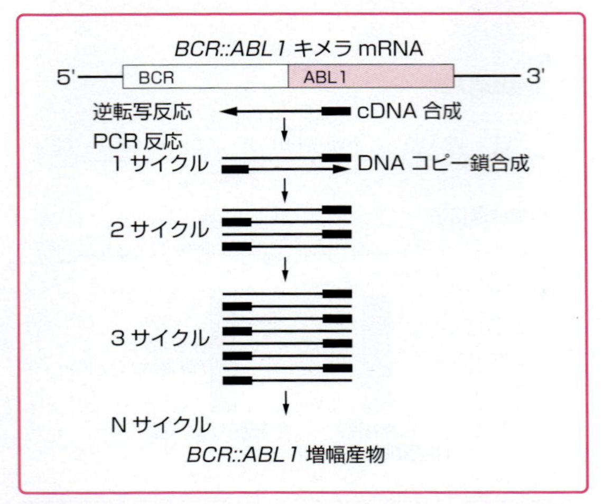

◆**図3　RT-PCR 法による *BCR::ABL1* キメラ mRNA の検出**

RT-PCR 法では，*BCR::ABL1* キメラ mRNA から逆転写にて合成した cDNA を増幅する．*BCR::ABL1* 領域の両端に相補的な DNA 小断片（プライマー）を反応開始点として，DNA ポリメラーゼで標的遺伝子の相補鎖（cDNA）を合成する操作を反復し，コピーを高度増幅する．

［宮地勇人：分子生物学的検査：PCR 法．血液専門医テキスト，第３版，日本血液学会（編），南江堂，p82，2019 より転載］

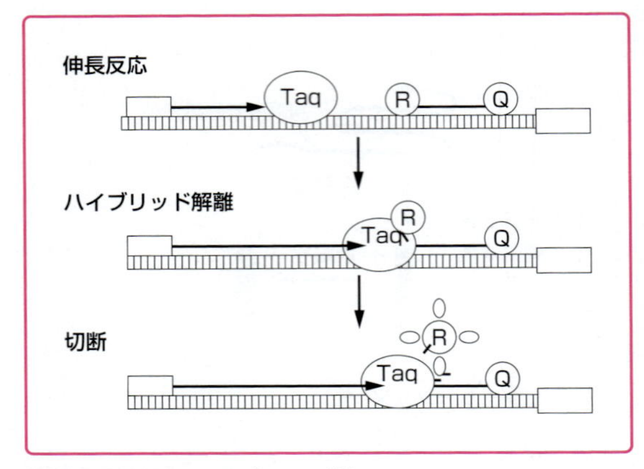

◆**図4　TaqMan プローブ法**

TaqMan プローブは，鋳型 DNA 配列に特異的にハイブリッド形成するよう設計されたオリゴヌクレオチドプローブで，5' 末端にレポータ蛍光色素（R），3' 末端にクエンチャー蛍光色素（Q）が標識されている．ハイブリッド形成したプローブ上の両色素は互いが近接しているため，蛍光共鳴エネルギー移動（FRET）により蛍光発色は抑制されている．コピー鎖伸長反応時に Taq DNA ポリメラーゼによるエクソヌクレアーゼ活性によりプローブが遊離する際，両色素の間隔が離れてレポータ色素の蛍光が発生する．この蛍光量は増幅コピー数に比例しており，蛍光強度の変化から PCR 増幅中に合成コピー数をリアルタイムに測定できる．ボックス（□）はプライマーを示す．

［宮地勇人：分子生物学的検査：PCR 法．血液専門医テキスト，第３版，日本血液学会（編），南江堂，p83，2019 より転載］

の mRNA の存在を検出する（**図3**）．

PCR 法は，目的とする領域の増幅を行う解析手法であるが，単純な PCR 法は，その結果自体が定量性を有するものではないことに留意すべきである．測定可能残存病変（measurable residual disease：MRD）を定量的に検出する場合には，一般に，以下に述べるリアルタイム PCR 法（またはフローサイトメトリー法）が用いられる[1)]．

b）リアルタイム PCR 法

リアルタイム PCR 法は，合成コピー数を増幅中に経時的に測定し，特定のコピー数に達するサイクル数を指標に，標的核酸の初期量を推定する検査手法である．

PCR 増幅中の合成コピー数を検出する測定原理には，大きく分けて，二本鎖 DNA に結合しているときのみ蛍光を発するインターカレーター（SYBR グリーンなど）を用いたインターカレーション PCR 法（カイネティック PCR 法ともいう）と，配列特異的なオリゴヌクレオチドプローブとのハイブリッド形成により蛍光を発するよう設計したプローブ法とがある．後者では主に，**TaqMan プローブ法**（5′ エクソヌクレアーゼ法）が利用されている（**図4**）．

TaqMan プローブ法での増幅中の合成コピー数の測定では，Taq ポリメラーゼの 5′ エクソヌクレアーゼ活性がコピー鎖伸長の際に鋳型 DNA にハイブリッド形成したオリゴヌクレオチドプローブ（TaqMan プローブ）を切断するときに遊離するプローブの断片を，蛍光量として測定する．具体的には，プローブが遊離する際に生じる，蛍光共鳴エネルギー移動（fluorescence resonance energy transfer：FRET）による蛍光シグナルの変化を検出する（**図4**）．

また，リアルタイム PCR 法では，二本鎖 DNA コピー鎖が一本鎖に解離する温度の違いを知るメルティングカーブ（融解曲線）や TaqMan プローブ法を利用し，遺伝子多型や変異を検出することができる．

たとえば，骨髄増殖性腫瘍で *JAK2* V617F 変異を検出する場合には，**図5**のように，変異型および野生型にそれぞれ結合するプライマーを用いて，変異型特異的 PCR 反応と野生型特異的 PCR 反応を並行して行う．変異型特異的プライマーは，V617F 変異を有するアレルにのみ結合し増幅するが，3′ 末端の配列が一致しないため野生型アレルを増幅しない．逆に野生型特異的プライマーは，野生型アレルにのみ結合して増幅し，V617F アレルは増幅しない．それぞれの反応から得られた正常型・変異型のコピー数から，検体中の V617F 変異割合を計算することが可能となる．

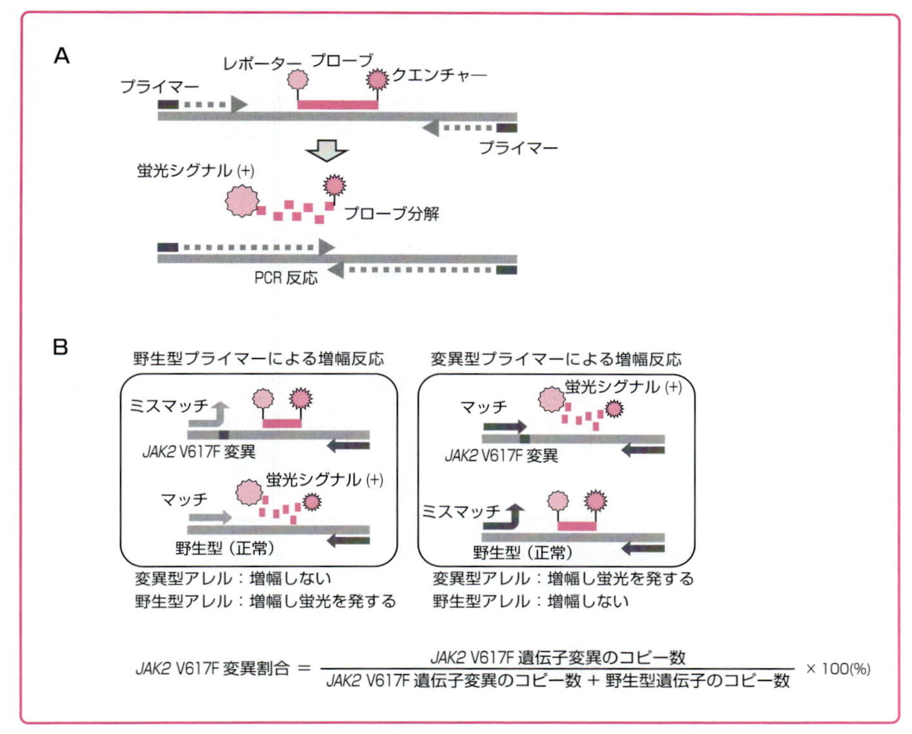

◆図 5　アレル特異的リアルタイム PCR 法による *JAK2* V617F 変異の検出

A：検出したい遺伝子領域にプライマーとプローブを設計し，PCR による増幅反応を行う．Strand displacement 活性を持つ DNA ポリメラーゼによる PCR 反応では，伸長した DNA 鎖がプローブ部分に到達すると，結合しているプローブをはがしながら伸長反応が進む．この際，プローブが分解され，クエンチャーによるレポーターのシグナル抑制が解除されるため，蛍光シグナルが検出されるようになる．

B：*JAK2* 野生型および V617F 変異型に特異的に結合するプライマーを用いて，A の PCR 反応を行う．それぞれのプライマーは野生型ないし変異型のみを増幅する．それぞれの反応から計算された野生型と変異型のコピー数の比から，変異型の存在比率を計算することができる．

なお現在，慢性骨髄性白血病（CML）では，チロシンキナーゼ阻害剤（TKI）による治療効果のモニタリングには，European LeukemiaNet（ELN）の基準が採用されている[2]．この基準において，分子遺伝学的奏功レベルの判定にはリアルタイム PCR が用いられるが，この際には，*BCR::ABL1* mRNA/*ABL1* mRNA 比による国際標準値（International Scale：IS）を％で報告することが定められている．これにより，TKI による治療効果判定における，施設間の結果の共通化が図られている．受託検査においては，*BCR::ABL1* mRNA（IS 法）と明記される．

c）シークエンス解析

遺伝子変異の検索や確認にはシークエンス解析が行われる．一般的にシークエンス解析では，**サンガーシークエンス法**が用いられる．これは，DNA ポリメラーゼによる DNA 合成反応におけるジデオキシヌクレオチド（ddATP，ddCTP，ddGTP，ddTTP）の競合阻害を利用するものである（**図 6**）．ジデオキシヌクレオチドは，デオキシヌクレオチド（dATP，dCTP，dGTP，dTTP）の 3′ の位置のアルコール基が水素に置換されており，DNA 合成反応における競合阻害基質となる．鋳型 DNA に結合した単一のプライマーを起点として，DNA ポリメラーゼによる相補鎖 DNA 合成時において，一定の比率で蛍光標識された 4 種類のジデオキシヌクレオチドを加えると，ジデオキシヌクレオチドが取り込まれた場合には，そこで DNA 鎖の伸長反応が停止する．このシークエンス反応を，サーマルサイクラーによる温度サイクルにて繰り返す．シークエンス反応産物は，キャピラリー電気泳動などによって，伸長反応が停止した際の DNA 断片長の順に泳動され，異なる蛍光色素で標識された，DNA 3′ 末端の 4 種類のジデオキシヌクレオチドの取

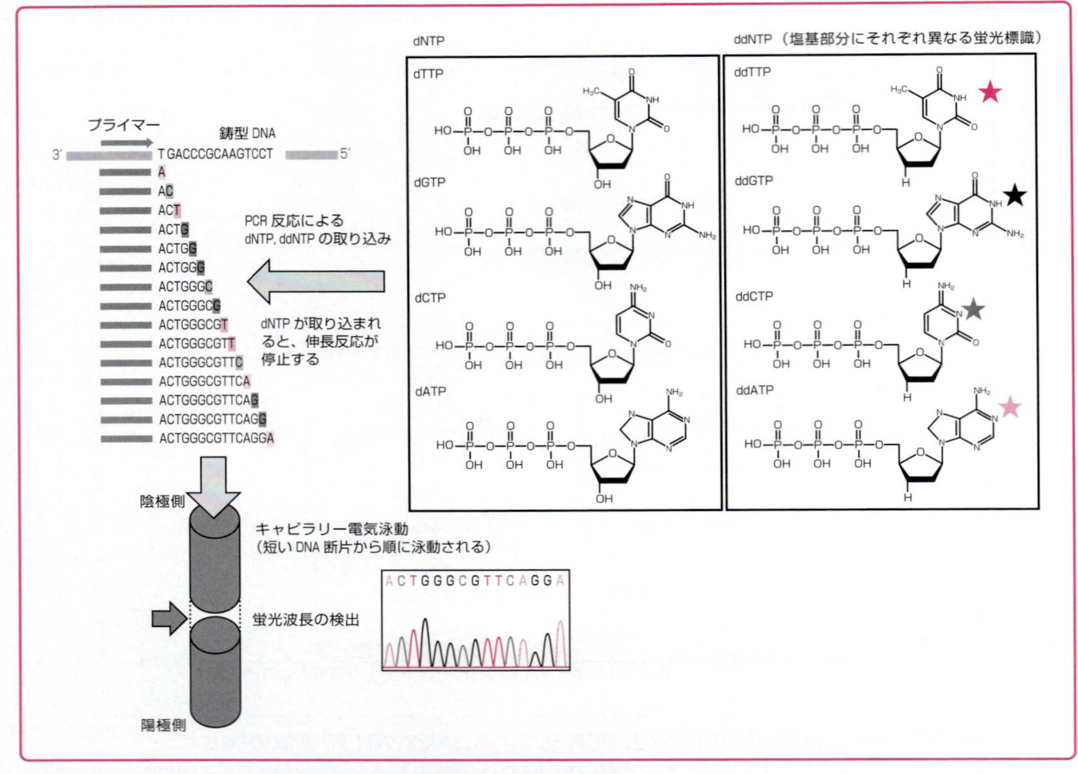

◆図 6　サンガーシークエンス法による塩基配列情報の取得
塩基配列を知りたい領域に対し，片側のみのプライマーで伸長反応を行う．この際，反応液中に dNTP（dTTP, dGTP, dCTP, dATP）に加え，一定の比率で蛍光標識された ddNTP（ddTTP, ddGTP, ddCTP, ddATP）を加えておくと，確率論的に ddNTP が増幅核酸に取り込まれる．ddNTP が増幅核酸に取り込まれた際には，そこで伸長反応が停止するとともに，核酸の 3′ 末端が取り込まれた ddNTP に応じて蛍光標識される．これをキャピラリー電気泳動装置に流し，DNA 断片長の短いものから順に蛍光シグナルを読み取っていけば，鋳型 DNA の塩基配列を知ることができる．

り込まれた順番を検出することにより，塩基配列を知ることができる（ダイターミネーター法）．**表 1** に記載のダイレクトシークエンス法は，本手法により行われる．

現在では，次世代シーケンサーを用いた，より大量の塩基配列情報を得ることができるシークエンス法も実用化されており（次項参照），目的に応じて使い分けられる．

■文　献■

1）Heuser M et al: Blood **138**: 2753, 2021
2）Hochhaus A et al: Leukemia **34**: 966, 2020
3）Arber D A et al: Blood **127**: 2391, 2016

ADVANCED

■遺伝子関連検査の分類■

臨床検査領域では，遺伝子関連検査は次の 3 種類に分類される（**図 A**）．すなわち，①病原体核酸検査，②体細胞遺伝子検査，③遺伝学的検査である．①の病原体核酸検査は，血液や体液などの検体中に存在する微生物やウイルスの検出や分類のために行われるもので，現在広く行われている SARS-CoV-2 の PCR 検査などが，これに該当する．②の体細胞遺伝子検査は，細胞が腫瘍化する際に新たに獲得する遺伝子変異を検出するための検査であり，悪性腫瘍の病型分類や治療標的を検討する際に実施される．本項の**表 1** に掲載した遺伝子変異解析は，いずれも，基本的に体細胞遺伝子検査に該当する．③の遺伝学的検査は，生殖細胞系列の遺伝子変異を検出する検査である．疾患の発症リスクに直接関係するような生殖細胞系列の遺伝子変異が検出された場合，患者本人の治療方針の決定に重要な情報となるだけでなく，同時に，同じ遺伝子変異が患者の血縁者にも存在する可能性が生じることになる．腫瘍細胞を用いて遺伝子変異解析を行う場合には，体細胞遺伝子変異と生殖細胞系列の遺伝子変異との厳密な区別が困難であるため，必要に応じて，非腫瘍組織（造血器腫瘍の場合には口腔粘膜や皮膚生検組織などが想定される）を用いた確認検査の実施を検討する．既知の遺伝性疾患はもちろんのこと，最近では造血器腫瘍の一部に遺伝的要因が存在することが明らかとなっていることから[3]，生殖細胞系列の遺伝子変異が検出される可能性のある遺伝子変異解析を行うにあたっては，適切な遺伝カウンセリング体制を整えるなどの配慮を要する（XVI-3「遺伝カウンセリング」参照）．

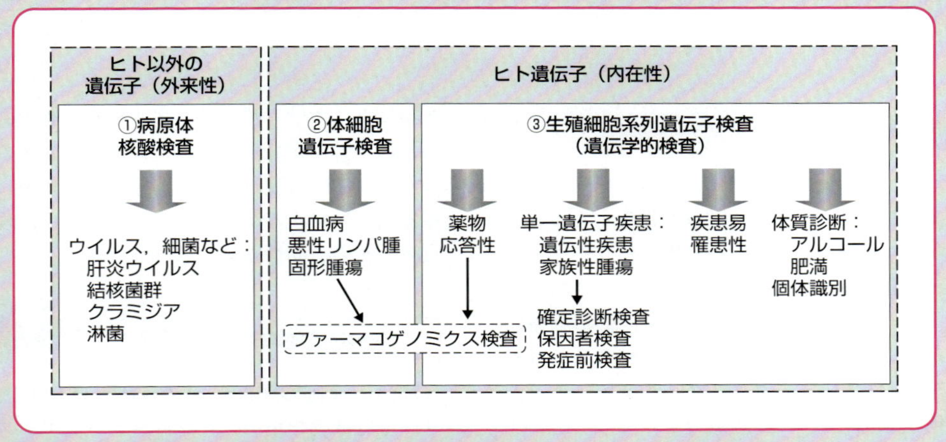

◆**図 A　遺伝子関連検査（ヒト由来材料）**

8 分子生物学的検査：クリニカルシークエンス

到達目標

- 次世代シークエンス手法の概要を学び，遺伝子異常の種類と機能的意義について理解する
- 造血器腫瘍における遺伝子パネル検査の一般的な考え方を学び，それらの臨床的な意義について理解する
- 造血器腫瘍における遺伝子パネル検査に伴う二次的所見について学び，その対応方法について理解する

1 血液領域におけるゲノム医療

ゲノム医療とは，個人の「ゲノム情報」をもとにして，患者の体質や病状に適した医療を提供することを指す．そのゲノム情報を得るための次世代シークエンサーを用いた検査法をクリニカルシークエンス検査と呼ぶ．このゲノム検査のあり方について，固形腫瘍に関しては，日本臨床腫瘍学会・日本癌治療学会・日本癌学会合同で『次世代シークエンサー等を用いた遺伝子パネル検査に基づくがん診療ガイダンス（第1.0版）』が2017年10月に公表されている（最新は第2.1版，2020年5月公表）．造血器腫瘍に関しては，固形腫瘍とゲノム検査に対する考え方が異なるとの立場から，2018年5月に日本血液学会から『**造血器腫瘍ゲノム検査ガイドライン**』が公表されている（http://www.jshem.or.jp/genomgl/）（最新は2021年度一部改訂版）．本ガイドラインでは，現時点でのエビデンスに基づいて，造血器腫瘍の臨床における有用性の高い遺伝子異常が選別され，遺伝子パネル検査を用いたクリニカルシークエンスの基盤となる情報が提供されるだけでなく，その臨床的有用性についても詳細にまとめられている．さらに，2021年度一部改訂版からは，各疾患における臨床的有用性や検査結果の迅速返却（Fast-track 対象遺伝子異常）に関して議論されている．特に，造血器腫瘍に対する遺伝子パネル検査は，「診断」，「治療法選択」，「予後予測」の各観点において有用であり，それぞれの目的のために活用されるべきであることに留意する必要がある．また，2022年8月には「造血器腫瘍における遺伝子パネル検査の提供体制構築およびガイドライン作成」班より，「造血器腫瘍における遺伝子パネル検査体制のあり方とその使用指針」が発表され，造血器腫瘍臨床の特殊性やわが国における現行の造血器腫瘍臨床体系に鑑み，造血器腫瘍に対するゲノム医療実現に向けた現状の問題点や今後の方向性が提唱されている．

2 検査の種類と利用法

従来，造血器腫瘍のゲノム解析は，主にキャピラリー電気泳動を用いたサンガーシークエンス法により行われていた．その場合，対象となる遺伝子は，エクソンごとに増幅してからシークエンスを実施する必要があり，大変時間と労力がかかる作業であった．また，コピー数異常は fluorescence *in situ* hybridization（FISH）法などのプローブを用いた方法で検出可能であり，構造異常はG分染法などの染色体検査で同定することができた．しかし，そのスループットや解像度には問題があり，網羅的かつ詳細にゲノム異常を解析することは困難であった．しかし，2000年代に出現した次世代シークエンシング（next-generation sequencing：NGS）解析により，ゲノム解析は劇的な変化を遂げている[1,2]．このNGS解析では，ランダムに切断された数千万のDNA断片の塩基配列を同時並行的に決定することができる．たとえば，Illumina社のHiSeqシリーズでは，フローセルと呼ばれるスライドグラス上でDNA断片の増幅を行い，形成された断片の相補鎖を合成しながら配列を決定するSBS（Sequence-by-Synthesis）法によって，塩基配列を決定している．この結果，1回のランで数十億塩基のシークエンスを決定することが可能となり，さら

にRNAプローブを利用してゲノム上の特定の領域のみキャプチャーして濃縮する方法（たとえば，エクソーム解析の場合，遺伝子をコードするエクソン領域を濃縮する）を組み合わせることにより，より効率的にシークエンスを実施することができるようになっている．以下に主な次世代シークエンス手法を挙げる[3]．

1）全ゲノムシークエンス（whole-genome sequencing：WGS）

次世代シークエンサーを用いて，すべてのゲノム領域を解読する，最も包括的な検査手法である．検出可能な異常には，1塩基変異（single-nucleotide variant：SNV）だけでなく，挿入・欠失（insertion or deletion：INDEL），コピー数変化（copy-number variation：CNV；減少，増幅，ヘテロ接合性の消失などを含む），大規模な構造異常（structural variation：SV；転座，逆位，欠失，重複などを含む），外来性ゲノム（EBVやHTLV-1ゲノム等）などが含まれる．特に，非コード領域の遺伝子異常や構造異常の検出に有効である．従来，シークエンス費用および取得データ量の問題から，シークエンス深度が十分でない（30～50×程度）場合が多く，体細胞異常の検出には十分ではなかったが，最近はより高い深度（80～100×程度）での解析が増加している．今後の臨床導入に向けて，シークエンス費用や解析に要する時間の改善，取得データ量の最適化，得られたデータの解釈の検討などの課題が残されている．

2）全エクソームシークエンス（whole-exome sequencing：WES）

次世代シークエンサーを用いて，ほぼすべての遺伝子のエクソン領域（蛋白をコードするゲノム領域）を解読する方法である．がんのドライバーとなる可能性の高い遺伝子のエクソン領域を集中的に解読することにより，WGSと比較して解析時間と費用の効率化を実現した検査法である．エクソン領域に存在する遺伝子異常（SNV，INDELなど）を検出可能であるが，非コード領域の遺伝子異常や構造異常の検出は困難である．通常，100×程度のシークエンス深度を得ることが可能であるが，腫瘍割合が低い場合やサブクローナルな異常の検出率は十分ではない．

3）標的シークエンス（targeted-capture sequencing）

一般的にクリニカルシークエンスで用いられている「がん遺伝子パネル検査」と呼ばれる遺伝子異常の検出法である．相補的な核酸プローブを用いたハイブリダイゼーションやPCR（polymerase chain reaction）によるアンプリコンの増幅によって，解析の対象となるゲノム領域を選択的に濃縮し，次世代シークエンサーを用いて解析する．解析対象となる遺伝子やゲノム領域が決まっている場合（がん遺伝子パネル検査など）には，シークエンス費用や必要データ量，解析に要する時間などの観点から，最も現実的なシークエンス手法である．一般的に，300～500×以上のシークエンス深度を得ることが可能であるため，腫瘍細胞のクローン解析や測定可能残存病変の解析にも応用可能である．また，RNAから逆転写された相補鎖DNAを用いた標的RNAシークエンスも可能であり，融合遺伝子の同定に有用である．

4）RNAシークエンス

次世代シークエンサーを用いて，RNAから逆転写された相補鎖DNAを解読することにより，転写産物全体を評価する方法である．遺伝子の発現定量やスプライシング異常の検出，融合遺伝子の同定などに有用である．遺伝子異常の検出も可能であるが，ナンセンス変異やフレームシフト変異などの転写産物が分解される異常の検出感度は低い．

3 遺伝子異常の種類と機能的意義

遺伝子異常には，機能獲得を引き起こす異常および機能喪失・低下を引き起こす異常があるが，現状の知識では機能が不明な異常（variant of unknown significance：VUS）も多い．

1）機能獲得型異常

遺伝子異常によって，その遺伝子産物（蛋白など）が高発現する場合，本来の蛋白にない新たな機能を獲得する場合，および野生型の遺伝子産物の機能を阻害する場合（ドミナントネガティブ）などである．機能獲得型異常を起こす遺伝子異常の種類としては，活性化変異，コピー数の増加，融合遺伝子の形成，遺伝子の再構成などが含まれる．

a）活性化変異

本来の遺伝子機能や活性の増強を引き起こす遺伝子異常である．これらには，本来遺伝子産物に備わる機能を増強する変異［例：*FLT3*遺伝子内重複（internal tandem duplication：ITD）や*KRAS*変異］や，遺伝子産物に新たな機能を付与する変異（例：*IDH1/2*変異），野生型の遺伝子産物の機能を阻害する変異（例：*TP53*変異），薬剤耐性を付与する変異（例：*ABL1*変異）などが含まれる．頻繁に，特定のアミノ酸部位への変異の集積（ホットスポットの形成）が認められる．

b）コピー数増幅

通常，1 体細胞あたり常染色体のゲノム DNA は 2 コピーあるが，その数が増えることにより，遺伝子機能を増強する異常である．これらには，悪性リンパ腫で認められる 8q24：*MYC* 増幅や 9p24：*CD274*（*PD-L1*）増幅などが含まれる．WGS や WES などの次世代シークエンス技術を用いることで高解像度のコピー数解析をゲノム全体で行うことが可能である．また，標的シークエンスにおいても，コピー数検出のための専用プローブを追加することで実施可能である．

c）融合遺伝子

染色体の転座，逆位，欠失，増幅などのゲノムの大きな構造変化により複数の遺伝子が結合し，新たな融合蛋白が形成される異常である．これらには，急性リンパ性白血病（acute lymphoblastic leukemia: ALL）や慢性骨髄性白血病（chronic myeloid leukemia: CML）で認められる *BCR::ABL1* 融合遺伝子や急性骨髄性白血病（acute myeloid leukemia: AML）で認められる *RUNX1::RUNX1T1* や *PML::RARA* 融合遺伝子などが含まれる．従来用いられている染色体検査や FISH，RT-qPCR（reverse transcription quantitative PCR）と比較して，WGS や RNA シークエンスなどの次世代シークエンス技術により，高感度かつ網羅的に評価することが可能である．

d）再構成

染色体の転座，逆位，欠失，増幅などのゲノムの大きな構造変化により複数の遺伝子が結合されるが，融合遺伝子が形成されない場合である．このような場合でも，プロモーターやエンハンサー，非翻訳領域などの発現調節領域が置き換わることにより，標的遺伝子の過剰発現などが引き起こされる．これらには，悪性リンパ腫で認められる *IGH* 関連転座や AML や骨髄異形成症候群で認められる *MECOM*（*EVI1*）関連転座などが含まれる．WGS などで検出可能であるが，多くは RNA レベルの構造変化を伴わない場合が多いため，RNA シークエンスでの検出は困難である．

2）機能喪失型異常

遺伝子がコードする蛋白の機能が喪失もしくは低下を引き起こす異常である．これらには，不活化変異，コピー数の減少，遺伝子の構造を破壊する構造異常などが含まれる．不活化変異は，一定の割合でナンセンス変異やフレームシフト変異，スプライス部位変異が含まれ，それらが遺伝子全体にわたって分布することが特徴である．

4　造血器腫瘍における遺伝子解析パネルの臨床的意義

1）治療標的としての遺伝子異常

現在でも，造血器腫瘍を含む多くのがんに対する治療は，発生母地と病理組織に基づく分類に沿って実施されているが，治療反応性は患者ごとに大きく異なる．近年，個々の患者が持つゲノム異常が治療標的になりうること，さらにゲノム異常の種類・程度により治療反応性を予測できることを示す実験的および臨床的なエビデンスが蓄積しつつある[1,2]．重要なことは，このようなゲノム異常が特定の治療が有効な患者を同定するための分子マーカーとして使用できる可能性があることである．この最たる例は，CML の *BCR::ABL1* 融合遺伝子を有する CML に対するチロシンキナーゼ阻害薬の使用である．それ以外にも，*FLT3* 変異陽性 AML に対する FLT3 阻害薬や *IDH2* 変異陽性 AML に対する IDH2 阻害薬などが有効であることが報告されており，すでにわが国や米国で承認が得られている[3]．また，遺伝子異常を標的とする分子標的治療の場合，関連する経路における二次的なゲノム異常により治療抵抗性が獲得されることも報告されている．この代表的な例としては，チロシンキナーゼ阻害薬治療中に獲得される T315I などの *ABL1* 遺伝子の変異が挙げられる．今後，次世代シークエンス解析により，このような二次的なゲノム異常の解明も進み，それに伴う治療抵抗性を克服するための次世代の分子標的治療薬の開発が行われることが予想される[3]．

2）診断・予後予測マーカーとしての遺伝子異常

各造血器腫瘍の大規模シークエンスの結果，新たな治療標的となりうる遺伝子異常の発見と治療への応用と同時に，遺伝子異常による分子分類とそれに基づく診断・予後予測への応用が進みつつある[4]．2017 年に改訂された WHO 分類改訂第 4 版では，200 ～ 300 個の遺伝子異常が記載されている[5]．特に，急性骨髄性白血病では，反復して起こる遺伝子異常（*RUNX1::RUNX1T1*，*CBFB::MYH11* などの融合遺伝子や *NPM1*，*CEBPA* などの変異）を認める場合には，異なる病型として分類されている．さらに，骨髄増殖性腫瘍，好酸球増多を伴う骨髄性 / リンパ性腫瘍，生殖細胞系列の遺伝子異常を持つ骨髄性腫瘍，ALL，高悪性度 B 細胞腫瘍などの一部では，特定の遺伝子異常により病型が規定されている（**表 1**）．これらの事実は，造血器腫瘍の診断には遺伝子異常を含めた総合診断が必須となりつつあることを示している．また，有毛細胞白血病における *BRAF* および *MAP2K1* 変

◆表1　造血器腫瘍における診断に有用な遺伝子異常

急性骨髄性白血病	*RUNX1::RUNX1T1*, *CBFB::MYH11*, *PML::RARA*, *KMT2A::MLLT3*, *DEK::NUP214*, *RBM15::MKL1*, *BCR::ABL1* 融合遺伝子, *GATA3*, *MECOM* 再構成, *NPM1*, *RUNX1*, *CEBPA* 変異
慢性骨髄性白血病	*BCR::ABL1* 融合遺伝子
骨髄増殖性腫瘍	*JAK2*, *CALR*, *MPL* 変異
慢性好中球性白血病	*CSF3R* 変異（T618R など）
肥満細胞症	*KIT* 変異（D816V）
好酸球増多を伴う骨髄性 / リンパ性腫瘍	*PDGFRA*, *PDGFRB*, *FGFR1* 再構成 *PCM1::JAK2* 融合遺伝子
若年性骨髄単球性白血病	*PTPN11*, *KRAS*, *NRAS*, *NF1*, *CBL* 変異
環状鉄芽球と血小板増多を伴う骨髄異形成 / 骨髄増殖性腫瘍	*SF3B1* 変異
遺伝的素因を有する骨髄性腫瘍	*CEBPA*, *DDX41*, *RUNX1*, *ANKRD26*, *ETV6*, *GATA2* 変異など
急性リンパ性白血病	*BCR::ABL1*, *ETV6::RUNX1*, *TCF3::PBX1* 融合遺伝子, *KMT2A* 関連 , *IGH::IL3* 再構成
高悪性度 B 細胞リンパ腫	*MYC*, *BCL2*, *BCL6* 再構成
未分化大細胞リンパ腫	*ALK* 関連融合遺伝子など

異，リンパ形質細胞性リンパ腫における *MYD88* 変異（L265P）などのように，病型を規定する異常ではないが，病型診断に有用な異常が同定されている[5]．また，このような遺伝子異常は予後予測にも有用であることが報告されている．たとえば，AML において，*FLT3* 変異を伴わない *NPM1* 変異や *CEBPA* 両アレル変異は予後良好因子であるのに対して，*FLT3* 変異は予後不良因子である．また，悪性リンパ腫においても，高悪性度 B 細胞リンパ腫における *MYC/BCL2/BCL6* 転座が存在する場合は高悪性度 B 細胞リンパ腫と診断され，予後不良であることが知られている．今後，臨床においても遺伝子異常を含めた予後分類および，それに基づいた治療選択が行われることが予想される．

5 遺伝子解析における二次的所見

遺伝子解析パネル検査では，検査の主たる目的である「一次的所見」以外に，解析対象遺伝子の中で本来の目的ではない「二次的所見」が見出される場合がある．従来,「偶発的所見」と呼ばれることもあったが,「ゲノム医療におけるコミュニケーションプロセスに関するガイドライン」において,「二次的所見」という呼称が推奨されている．造血器腫瘍における遺伝子解析パネル検査では，主に生殖細胞系列に病的と確定できるバリアントが対象となる．病的と確定できるバリアントとは，日本医学会による「医療における遺伝学的検査・診断に関するガイドライン」による「分析的妥当性」「臨床的妥当性」が確立した検査の対象遺伝子変異であり，具体的には，①機能喪失型バリアントと，② ClinVar などの公的データベース等において，病的（pathogenic）と登録されているバリアントが含まれる．ただし，公的データベース等に登録された情報であっても，偽陽性の場合があるので，臨床情報などを含めて総合的に検討する必要がある．また，腫瘍組織のみを用いて検査する場合，変異の種類や発症年齢，アリル頻度などの情報から生殖細胞系列の遺伝子変異であるか総合的に判断することが重要であり，最終的には確認検査が必要となる．

二次的所見（特に生殖細胞系列の遺伝子変異）については，遺伝子解析パネル検査前に適切な説明をする必要がある．さらに，臨床的に確立した治療法・予防法が存在し，患者本人・血縁者の健康管理に有益な所見で，精度高く病因として確実性の高いバリアント（*BRCA1/2*，*TP53*，*NF1*，*PTEN*，*RB1* など）が見出された場合は，患者への開示を検討するべきである．開示対象の遺伝子は，The American College of Medical Genetics and Genomics（ACMG）で指定されている遺伝子や，AMED 小杉班から発表された「がん遺伝子パネル検査二次的所見患者開示推奨度別リスト」が参考となる．また，血液疾患においては，遺伝的素因を有する骨髄性腫瘍の原因である，*CEBPA*，

DDX41，*RUNX1*，*ANKRD26*，*ETV6*，*GATA2* や遺伝性骨髄不全症候群に関連する遺伝子（**表 1**）も対象として検討する必要がある．開示は，患者の希望を慎重に確認した上で，臨床遺伝専門医や認定遺伝カウンセラー等による十分な遺伝カウンセリングが提供できる体制の下，プライバシーが確保された場所で行う必要がある．さらに，二次的所見が得られた患者やその血縁者に対しては，定期的なサーベイランスや心理支援，血縁者間での情報共有の補助など継続的な支援を行うことが重要である．

■文　献■

1）McDermott U: Drug Discov Today **20**: 1470, 2015
2）Koboldt DC et al: Cell **155**: 27, 2013
3）Kuo FC et al: Blood **130**: 433, 2017
4）Taylor J et al: Blood **130**: 410, 2017
5）Swerdlow S et al（eds）: WHO Classification of Tumours of Haematopoietic and Lymphoid Tissues, 4th ed, Revised ed, IARC Press, 2017

9 リンパ節生検時の検査

到達目標

- リンパ節生検検体に対して行われる検査の目的・方法・意義を理解する

1 リンパ節生検の前に

リンパ節生検は，腫大リンパ節が悪性リンパ腫を含む悪性腫瘍によるか，反応性の腫大かを鑑別するために行われる．リンパ節生検は，腫大リンパ節が複数あれば最大のものを選び，また非特異的腫大がしばしばみられる鼠径部よりも頸部，腋窩を選んで行う．頭頸部では，耳鼻科で上皮性悪性腫瘍を否定するために穿刺細胞診がまず行われることが多いが，悪性リンパ腫の正確な診断・分類にはリンパ節全体の組織構築がきわめて重要であり，可能な限り切除生検を行うべきである．また到達が容易でない腹腔内リンパ節の場合に，超音波やCTガイド下に針生検を行わざるを得ないこともあるが，リンパ腫の病型によっては腹腔鏡下に十分量の組織を採取しないと，正確な病型診断が得られない可能性があることを念頭に置いておくべきである．

2 病理組織検査（ホルマリン固定）

病理組織検査は，現在でもリンパ節に発生する病態を診断する上で，最も重要である．血液専門医として重要なのは，生検検体提出と同時に，正確な臨床所見・経過を記載し病理医に提供することである．採取された検体に十分な大きさがあれば，すべてただちにホルマリン固定するのではなく，**図1**に示すように，剪刀で数個の片に切断し種々の検査に供する必要がある．最も重要な病理組織検査向けに検体の中央部をまず選択する．フローサイトメトリーや染色体検査では未固定の新鮮な細胞が必要である．組織の固定により抗原性が著しく低下する分子があり，近年遺伝子検査やクリニカルシークエンシングのために良質なDNA，RNAが求められ，一部を凍結保存しておくことも重要である．疑う疾患により，割面をスライドグラスに捺印し，細胞診断に供することも考える．採取された検体の大きさに応じ，優先すべき項目を念頭に置いて検査を実施する．

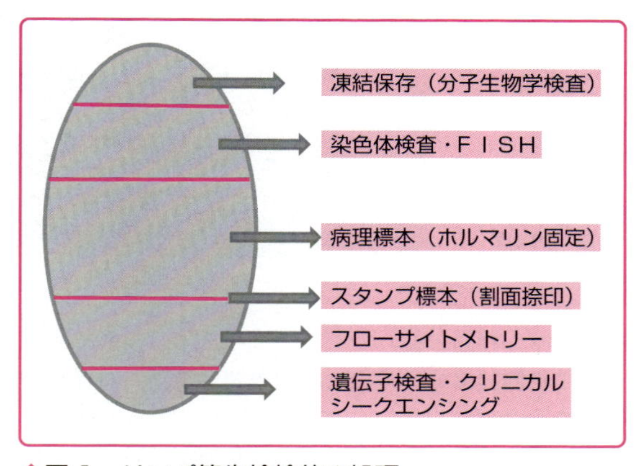

◆図1 リンパ節生検検体の処理

3 免疫学的細胞表面形質の検索（表1）

採取されたリンパ節の免疫学的表面形質の検索のため，フローサイトメトリー（flow cytometry：FCM）と免疫組織化学（immunohistochemistry：IHC）が行われる．主に①検体中の腫瘍性細胞集団（クローン）の同定，②悪性リンパ腫における亜型診断が目的となる．FCMは未固定の細胞浮遊液で，IHCは通常ホルマリン固定パラフィン包埋切片で検査するため，作業手順は大きく異なるが，診断・分類に用いる基本的な抗原の多くは共通である．FCMでは，正常と異なるパターンの細胞集団を同定し，その集団をゲーティングして解析し，結果が判明するのが早いのが利点である．IHCでは，まずHE染色標本の観察を基本とし，腫瘍細胞と判断した細胞の免疫染色所見で判断する．成熟B細胞腫瘍では，多くの場合発現する免疫

◆表１　リンパ節生検検体に行われる検査

検　査		検査項目	必要性	対象検体
病理組織検査	HE 染色標本	病理医による鏡検	全例	生組織，ホルマリン固定パラフィン包埋組織
	免疫組織化学	CD20，CD3，BCL-2，CD30，CyclinD1，κ/λ など	全例	
	In situ hybridization	EBER-1	必要時	
免疫学的表面形質検査	フローサイトメトリー（FCM）	CD3，CD4，CD8，CD10，CD19，CD20，CD30，κ/λ など	全例	生組織（細胞液）
染色体検査	染色体分析	G-band 法	全例	生組織（細胞液）
	蛍光 *in situ* hybridization（FISH）	*BCL-2/IgH*，*BCL-1/IgH*，*MYC-IgH* など	必要時	生組織，カルノア固定標本，ホルマリン固定パラフィン包埋標本
分子生物学的検査	サザンブロット解析	*IgH* JH 再構成，*TCR* Cβ 再構成など	必要時	生組織，凍結保存組織
	PCR	*IgH* 再構成，*TCRβ*，γ 再構成	必要時	生組織，凍結保存組織，ホルマリン固定パラフィン包埋標本
	クリニカルシークエンシング（保険償還不可）	次世代シークエンサーによるマルチプレックス遺伝子検査	必要時	
細菌学的検査	抗酸菌検査	結核菌培養・PCR	必要時	生組織（滲出液）

グロブリン軽鎖の偏りでクローナリティが判断できるが，T細胞腫瘍では多様な細胞浸潤に加え，同様な分子がないため，CD3，CD7のような正常のT細胞に表出される分子の発現を欠くことが腫瘍細胞の診断につながる．なお，同一の抗原を認識する抗体であっても，抗体により対応する抗原上のエピトープが異なるため，FCMとIHCで発現パターンに差が見られることがあり注意を要する．

一部の悪性リンパ腫の病態にEBウイルス（EBV）の関与が知られ，診断にはEB viral early RNA-1（EBER-1）をプローブに用いた*in situ* hybridization（ISH）が非常に重要な位置を占めている．EBVの関与が疑われる例では病理医への情報提供が肝要となる．

4　染色体検査（G-band 法，FISH 法）（表 1）

染色体検査には分染法G-bandと蛍光*in situ* hybridization（FISH）法がある．G-band法では細胞を短期間培養し分裂像を得るため，検体処理を無菌的に行う必要がある．分裂像が得られない場合，FISH法は用いるプローブの存在する染色体の情報しか得られないが，分裂像が得られない細胞でも検出可能な点が大きな利点となる．B細胞性リンパ系悪性腫瘍では染色体14q32に位置する免疫グロブリン重鎖遺伝子IgHを含む病型特異的な染色体転座の頻度が高く，疑われる病型に特異的な遺伝子（*BCL-2*，*MYC*，*Cyclin-D1*など）とのdouble color FISH検査（転座切断点近傍の2つの遺伝子プローブを蛍光標識して用いる）を行う．

5　遺伝子解析（表 1）

サザンブロット，PCR，クリニカルシークエンシングが含まれる．細胞から高分子DNAを抽出し特定の制限酵素で切断したDNA断片を電気泳動で分離し，DNAプローブとハイブリダイズさせてクローンが形成するバンドを同定するのがサザンブロットである．クローナリティの診断には*IgH*遺伝子やT細胞受容体β遺伝子（*TCRβ*）がプローブとして用いられる．確実な診断には細胞全体の5%以上が腫瘍細胞であることが必要とされる．HTLV-1によるリンパ系腫瘍は，プロウイルス由来の配列をプローブとしてサザンブロットを行うことにより診断できる．

腫瘍細胞の割合が少ない検体，微小検体からクローナリティをPCR法で検出しようとする場合，レパトワが少ない*TCRγδ*遺伝子が，病変が腫瘍性でなくとも検査上陽性判定となることがあるので注意を要する．

日本血液学会では造血器腫瘍ゲノム検査ガイドラインを策定し，造血器腫瘍の予後や治療反応性予測に役立てているが，次世代シークエンサーによるマルチプレックス遺伝子解析を行うクリニカルシークエンシングが近い将来臨床にも導入される可能性が高く，検体保存にも影響を与えると予想される．

6 細菌培養検査（表 1）

感染性リンパ節炎が疑われる場合には，検体を無菌的に処理し，結核菌培養や結核菌 PCR を提出するべきである．

10 リンパ腫の病期診断・治療効果判定［FDG-PET（PET-CT）を含む］

到達目標

- リンパ腫の病期診断と治療効果判定の考え方が理解できる
- リンパ腫診療における FDG-PET（PET-CT）検査の役割が理解できる

1 リンパ腫の病期診断に必要な検査法

リンパ腫の診療上，病変の存在する部位をできる限り正確に把握することは，治療方針決定や予後予測のため重要である．さらに，治療後に病変を十分制御できているか判定する上でも治療前の病変部位把握は必要である．病歴と身体診察は基本であるが，長らく用いられてきた Ann Arbor 分類では B 症状（発熱，盗汗，体重減少）を確認する必要があり，触診により表在リンパ節腫脹や肝脾腫は把握可能である．皮膚病変や皮下腫瘤は computed tomography（CT）など画像検査で確認できない可能性があり十分な視診も忘れてはならない．末梢血中のリンパ腫細胞を確認するために採血により，血算と目視による血液像の確認を行う．リンパ腫浸潤による臓器障害を確認するため，肝機能や腎機能など生化学検査も必要となる．

画像検査の中で現在の病期診断（Lugano 分類：後述）に際して，リンパ腫病変を描出する感度の高さから PET-CT 検査が推奨される（後述）．PET-CT は治療効果判定にも有用なため，比較のためにも治療開始前に撮影しておくことが好ましい．従来と同様に全身（頸胸腹骨盤部）CT 検査が行われることもあるが，この場合，眼窩や鼻腔・副鼻腔に，節外性 NK/T 細胞リンパ腫・鼻型（extranodal NK/T-cell lymphoma, nasal type）やびまん性大細胞型 B 細胞リンパ腫（diffuse large B-cell lymphoma：DLBCL）などを発症する可能性があるため，これら頭側の部位を含めて撮影を依頼することが好ましい．CT は単純撮影より像影撮影の感度がよいため，腎障害や造影剤アレルギーなど禁忌がない限り像影で行う．頭痛など中枢神経系（central nerve system：CNS）症状を伴う場合や，病型［バーキットリンパ腫（Burkitt lymphoma：BL），リンパ芽球性リンパ腫（lymphoblastic lymphoma：LBL）など］や病変部位（副腎，精巣，乳腺などの DLBCL など）から CNS 浸潤の可能性が考えられる場合，頭部 MRI 検査を行う．PET 検査では脳に FDG の生理的集積が認められるため CNS 病変の確認が難しいことが多く MRI が有用である．腰椎穿刺による脳脊髄液の細胞診により，CNS 病変が確認されることがある．

消化器症状が認められる場合や，濾胞性リンパ腫（follicular lymphoma：FL）やマントル細胞リンパ腫（mantle cell lymphoma：MCL）など病型から消化管病変が存在する可能性が高い場合，消化管内視鏡検査を行う．高齢者や定期検診を受けていない場合，胃癌など他疾患を合併している可能性もあるため，上部内視鏡検査は行った方がよい．下部内視鏡検査は便潜血検査で代用する場合もあるが，可能なら行うことが望ましい．近年ではダブルバルーンを用いた小腸内視鏡検査も行われ，診断に有用なこともある．

骨髄生検は Ann Arbor 分類を用いる場合，骨髄浸潤確認のために必須の検査であったが，Lugano 分類が導入されると，Hodgkin リンパ腫（Hodgkin lymphoma：HL）で必須の検査ではなくなった（後述）．ただし，原因不明の血球数減少・増多を伴う場合，骨髄異形成症候群や骨髄増殖性腫瘍が合併している可能性も否定できないので，骨髄穿刺・生検により他の造血器疾患の合併を除外しておくことは必要である．

2 リンパ腫診療における FDG-PET の役割

^{18}F-fluorodeoxyglucose positron emission tomography（FDG-PET）は，ブドウ糖の類似体である ^{18}F-FDG 投与後の体内分布を画像化する核医学検

◆表1　節性リンパ腫の病期分類（Lugano 分類）

	節性病変	リンパ節外（E）病変の取り扱い
限局期（limited）		
Ⅰ	1リンパ節領域に限局する病変	リンパ節病変を伴わない単独の節外病変
Ⅱ	横隔膜の同側にとどまる2リンパ節領域以上の病変	リンパ節性病変が連続する節外臓器に限局的に進展したⅠ期またはⅡ期
進行期（advanced）		
Ⅲ	横隔膜の両側にわたる複数のリンパ節領域，あるいは，横隔膜の頭側のリンパ節領域病変と脾病変	該当なし
Ⅳ	節外組織への非連続性進展	該当なし

（文献2を参考に著者作成）

査で，代表的な機能的画像検査である[1]．現在はFDG-PETとCTのそれぞれの画像を同一の装置で同時に撮影し融合画像を用いて診断を行うPET-CTが広く用いられている．悪性リンパ腫の病変では一般的に正常組織に比べて糖代謝が亢進していることを反映してFDG集積が認められる．特にDLBCL，HL，FL，MCLではほぼすべての病変にFDG集積が認められる（FDG-avid）．小リンパ球性リンパ腫（small lymphocytic lymphoma：SLL），粘膜関連リンパ組織（mucosa associated lymphoid tissue：MALT）リンパ腫では患者により，または病変によりFDG集積を認めないことがある．Standardized uptake value（SUV）は，各領域に集積した放射線濃度と体重あたりの放射線投与量との比を表した半定量的な値であるが，一般的にアグレッシブリンパ腫はインドレントリンパ腫に比べてFDG集積が高いことを反映してSUVが高い傾向がある．悪性リンパ腫の診療のさまざまな場面でPET-CTが有用であることがわかっており，特に病期診断と治療効果判定については日常診療に広く用いられているが，治療効果判定は悪性腫瘍の中でリンパ腫のみが保険適応となっている．また，治療開始早期のPET-CTによる予後予測と層別化治療は臨床研究における重要なテーマとなっている．一方，寛解が得られた後の経過観察においては偽陽性が多いことからPET-CTの有用性は低いとされている．

◆表2　PETの5ポイントスケール（5-PS，Deauville 規準）

	集積の程度
1	集積なし
2	縦隔以下の集積
3	縦隔より強いが肝臓以下の集積
4	肝臓よりもやや強い集積
5	肝臓よりも著しく強い集積，新規病変の出現
X	リンパ腫による可能性が低い新規集積

（文献3を参考に著者作成）

3 リンパ腫の病期診断

リンパ腫の病期分類として長らくAnn Arbor分類が用いられてきた．病変の広がりを身体所見，血液検査，CT，骨髄生検などをもとにⅠ～Ⅳ期に分類し，さらに全身症状（発熱，体重減少，夜間盗汗）がない場合（A），ある場合（B）に分類される．2014年に発表されたリンパ腫の新しい病期分類［Lugano分類］では[2]，PET-CTの普及を踏まえて，病期診断に用いる画像検査としてFDG-avidの節性リンパ腫の病型ではPET-CTが全面的に取り入られた．Ann Arbor分類は，治療前の病変分布を記載する規準として今後も継続的に使われることになるが，治療方針決定のための病期は，限局期（従来のⅠ，Ⅱ期に相当）と進行期（Ⅲ，Ⅳ期に相当）のいずれかに分類し，A，Bの表記は必須でないとされている（**表1**）．

なお，FDG-avidでない病型では従来どおりCTによる病期診断を行う．これまで病期診断の際に骨髄生検が必須とされてきたが，HLの骨髄浸潤はPET-CTにより高感度に検出できるとして，新しい病期分類ではPET-CTが行われた際には骨髄生検は必要ないとされた．またDLBCLでもPET-CTで骨髄浸潤が示唆される際には骨髄生検が不要とされた．

ただし，DLBCLの一部の患者にみられる小型リンパ腫細胞からなる骨髄浸潤はPET-CTでは検出されにくいので，治療方針決定に必要な場合には骨髄生検が必要とされている．その他の病型では従来どおりに

◆表３　リンパ腫治療効果判定 Lugano 規準（抜粋）

	PET-CT による奏効規準	CT による奏効規準
	代謝的完全奏効（complete metabolic response：CMR）	放射線学的完全奏効（complete radiologic response）（以下のすべてを満たす）
節性・節外性病変	節性・節外性病変が score 1，2，または 3（5-PS）．残存腫瘤の有無は問わない	**標的リンパ節 / 節性腫瘤の長径 1.5 cm 以下にに縮小** 節外病変なし
非測定病変	該当せず	なし
臓器腫大	該当せず	正常に縮小
新規病変	なし	なし
骨　髄	骨髄に FDG 集積病変なし	形態上正常. 不確定の場合免疫組織化学で浸潤なし
	代謝的部分奏効（partial metabolic response：PMR）	部分奏効（以下のすべてを満たす）
節性・節外性病変	治療前より FDG 集積が低下するが score 4，5 にとどまる 径は問わないが，残存腫瘤を有する 治療途中では治療反応性を意味するが，治療終了時には腫瘍残存を意味する	**測定可能な節性・節外性病変（最大 6 病変）の SPD が 50％以上縮小**
非測定病変	該当せず	なし / 正常，縮小，増大なし
臓器腫大	該当せず	脾臓は正常を超える場合，長さが 50％よりも縮小
新規病変	なし	なし
骨　髄	正常より強い集積が残存するが，治療前より低下した状態（化学療法に伴う反応性のびまん性集積は許容する）．節性病変が奏効している一方で限局性病変が持続している場合，MRI または生検による確認か，間隔をあけての再検を検討する	該当せず
	代謝的非奏効（no metabolic response）	安定（stable disease：SD）
標的病変	FDG 集積の程度が score 4 か5 のままで治療前と不変	SPD の縮小が 50％未満にとどまるが，PD の規準を満たさない
非測定病変	該当せず	PD の規準を満たす増大がない
臓器腫大	該当せず	PD の規準を満たす増大がない
新規病変	なし	なし
骨　髄	治療前から変化なし	該当せず
	代謝的進行（progressive metabolic disease）	進行（以下の少なくとも 1 つを満たす）
個々の標的病変	score 4, 5 で FDG 集積が治療前より上昇 かつ/または リンパ腫として矛盾しない新規 FDG 集積病変の出現	・PPD の増大 1）長径が 1.5 cm を超え，かつ， 2）PPD 最小値から 50％以上の増大，かつ， 3）長径または短径の最小値から，2 cm 以下の病変では 0.5 cm 増大，2 cm を超える病変では 1 cm 増大 ・脾腫がある場合，正常長径からの増大の程度が 50％を超えて増加（例：15 cm の脾腫が > 16 cm に増大） ・脾腫がない場合，2 cm 以上の増大
非測定病変	なし	新規病変もしくは既存の非測定病変の明らかな進行
新規病変	リンパ腫として矛盾しない新規 FDG 集積病変の出現 他の原因を鑑別すること（感染症，炎症など）．不明な場合は生検や，間隔をあけて再検を検討	いったん縮小した病変の再増大 径 1.5 cm を超える新規節性病変 1.0 cm 未満の明らかな節外性リンパ腫病変の場合，径 1.0 cm を超える新規病変 病変の大きさにかかわらずリンパ腫によることが明らかな病変の出現
骨　髄	新規に出現または再発した FDG 陽性病変	新規出現または再発した骨髄浸潤

（文献 2 を参考に著者作成）

片側からの骨髄生検（免疫組織化学，フローサイトメトリーを含む）を行うことが推奨されている．

このように，病期診断にPET-CTが全面的に取り入れられるようになったが，FDG高集積の病変が必ずしもリンパ腫の病変とは限らない．炎症や重複がんを反映している可能性もある．このためPET-CTの結果により治療方針を変える可能性がある際にはリンパ腫以外の原因も念頭におき，必要に応じて生検の追加を行うことが望ましい．

4 リンパ腫の治療効果判定

リンパ腫の治療終了時に行う効果判定は，長い間CTによる腫瘍径の縮小が主な判断基準であったが，現在はPET-CTを併用することが一般的になっている．1999年に発表された国際ワークショップ規準では，腫瘍径が正常大（長径1.5 cm以下，治療前の長径が1.1～1.5 cmの場合には1.0 cm以下）に縮小した場合に完全奏効と定義されていた．しかし，リンパ腫の治療終了時に長径1.5 cm以上の残存腫瘤がみられても，追加治療なしに長期にわたって再燃を認めないことがしばしばある．すなわち，治療終了時の残存腫瘤のviabilityやその後の再燃の有無の予測は必ずしも腫瘍径の縮小の程度のみでは判断できない．一方，DLBCLやHLでは治療後に腫瘤が残存した場合でもPETでFDG集積が消失していれば，少なくとも短期間で再燃することがまれであるという知見が蓄積されてきた．2014年に発表された**Lugano分類**では，DLBCLやHLだけでなく，FL，MCLなどのFDG-avidな病型では治療効果判定にPET-CTを用いることや，FDG集積の程度を視覚的な判断による5ポイントスケール（5-PS：Deauville規準）で評価することが推奨されている（**表2**）[3]．Lugano分類（**表3**）では肝臓よりも強い集積がないこと（5-PS：1～3）が代謝的完全奏効（CMR），すなわちPET陰性の定義とされた．ただし，CMRの定義は臨床的場面により変動させることが可能で，PET-CTの結果により治療強度を緩和するような臨床試験ではDeauville規準スコア3を陽性と定義することもできるとされた．

なお，Lungano分類にあわせて発表されたリンパ腫の画像検査のコンセンサス報告では，撮影時期，撮影方法や陽性の定義などが規定されている．治療効果判定のPET-CTは，化学療法後は治療終了から最低3週間あけて，できれば6～8週間あけて行うべきで，放射線療法後は3ヵ月あけて行うべきとされている．治療による病変径の縮小の程度は，大きさが測定可能な代表的な節性病変・非節性病変の二方向積和［sum of the product of the perpendicular diameters：SPD．各病変の長径と直交する径の積（二方向積，product of the perpendicular diameters：PPDを累計した値）］によって表現される．Lugano分類のCTによる奏効規準では，長径＞1.5 cmの節性病変，長径＞1.0 cmの節外性病変を測定可能病変とし，代表的な病変を最大6まで選定し，SPDが治療前と比較して50％以上縮小した場合に部分奏効（PR）と判断される．一方，各病変のPPDが最低値から50％以上増大した場合と，長径または短径が1.0 cm以上（もともと2 cmを超える大きさの病変）または0.5 cm以上（もともと2 cm以下の病変）増大した場合に治療中の進行（PD）と定義される．

DLBCLやHLでは，治療終了時に腫瘤残存が認められた場合，治療不十分と判断され，放射線療法を追加したり，サルベージ化学療法に移行したりするなどの追加治療が行われることが多かったが，PETを用いた治療効果判定によりCTで腫瘤残存があってもCMRと判断され，不必要な追加治療を回避可能になった．ただしDLBCLの患者では，治療終了時のPETが陰性であっても，CTで大きな病変が残存している場合には早期再燃のリスクが高いという報告もある．

一方，効果判定時のPETの陽性的中率は高くないため，PET陽性病変の残存だけを根拠として治療方針を変更することには注意を要する．生検や，1～3ヵ月後にCTによる経過観察を行って病変径の増大があるのを確認してから追加治療を行うことも勧められる．また，従来病変のなかった部位にFDG集積がみられた場合には胸腺過形成，褐色脂肪への集積，感染，重複がんなど他の原因を十分検討することが望ましい．

文　献

1）Seam P et al: Blood **110**: 3507, 2007
2）Cheson BD et al: J Clin Oncol **32**: 3059, 2014
3）Barrington SF et al: J Clin Oncol **32**: 3048, 2014

1 抗血栓薬（抗凝固薬，抗血小板薬，線溶薬）

到達目標

- 抗凝固薬，抗血小板薬，線溶薬の作用機序と特性を理解する
- 各疾患に対して治療薬の特性に応じた使用法を選択できる

1 抗凝固薬

抗凝固療法として用いられている薬剤には，静注薬としてはheparin，heparinoid誘導体，合成プロテアーゼ阻害薬，血液濃縮製剤，生物学的製剤がある．経口薬としてはwarfarin以外にも，直接経口抗凝固薬［direct oral anticoagulants：DOAC；抗トロンビン薬，活性化凝固第X因子阻害薬（抗FXa薬）］が選択肢となりうる（**表1**）．DOACはモニタリングが不要な抗凝固薬とされているが[1]，逆にいえば臨床検査で治療効果や出血リスクがモニタリングできない点が問題である．

1）heparin，heparinoid[2]

Heparin，heparinoidは，アンチトロンビン（AT）の作用を介してトロンビンやFXaなどと結合して酵素活性を阻害することで抗凝固作用を発揮する（**図1**）．Heparin類が効果を発揮するにはATが十分に存在している必要がある．Heparinはグルクロン酸・イズロン酸とグルコサミンとの二糖体繰り返し構造を持つグリコサミノグリカンである．古くから用いられている未分画heparinは分子量3,000～10,000と幅広く，通常ブタ小腸粘膜から抽出されている．未分画heparinの血中半減期は，静脈注射時には40分と短い．低分子量heparinは未分画heparinから得られた分子量約5,000の均一な低分子量領域のナトリウム塩である．半減期は皮下注射時に4～5時間と未分画heparinより長く，よりFXaへの阻害効果が強い．FXaへの選択性が高くなることで治療域でのAPTT延長はほとんど認められないため，通常の検査によるモニタリングは困難である．Danaparoidはheparin同様にブタ小腸粘膜より抽出された抗凝固薬でヘパラン硫酸，デルマタン硫酸，コンドロイチン硫酸の混合物からなる低分子量heparinoidである．低分子量heparinよりもさらにFXaへの選択的な阻害効果が強く，半減期は17.4～27.8時間と，低分子量heparinよりもさらに長い．Heparin類はさまざまな血栓性疾患の治療に適応となっているが，低分子量heparinは製剤により適応疾患がそれぞれ異なる（**表1**）．抗凝固薬，抗血小板薬は一般に出血傾向が顕著な場合には禁忌となる．Heparinに特異的な副作用として最も注意しなければならないのはheparin起因性血小板減少症（heparin-induced thrombocytopenia：HIT）である．通常，heparin投与後5～10日程度で血小板減少を認め，動静脈に血栓症を併発することがある．HIT症例に対しては，heparinの投与を速やかに中止し，argatrobanなどの他の抗凝固薬の投与を行う．

2）fondaparinux[3]

ペンタサッカロイドであるfondaparinuxは完全な化学合成物質であり，ATに選択的かつ特異的に結合することでATを介した間接的なFXaの阻害効果を示す（**図1**）．トロンビンへの阻害効果はほとんどない．皮下投与における半減期は14～17時間である．わが国では主に外科手術後の深部静脈血栓症の予防として用いられる．腎障害のある患者では血中濃度が上昇し，出血リスクが増大する恐れがある．また，出血合併症が少ないと考えられているが，術後の鎮痛薬として非ステロイド抗炎症薬（NSAIDs）を用いる際には，抗血小板作用により出血リスクが増加する恐れもあるため，併用時には十分注意する必要がある．

3）合成プロテアーゼ阻害薬

a）gabexate mesilate

Gabexate mesilate（FOY）は分子量約417の非ペプチド系化合物で，エステル基がトロンビンをはじめとしたさまざまなセリンプロテアーゼの活性中心に結合し，その酵素活性を阻害する．血液中のエステラーゼにより速やかに分解され，半減期は1分程度と

◆表 1　主な抗凝固薬の適応と特徴

一般名		商品名	適　応	半減期	特徴，副作用
未分画 heparin	heparin sodium heparin calcium	ヘパリン Na ヘパリン Ca	DIC，血液体外循環時，血栓塞栓症	半減期 40 分 （皮下注射では延長）	主に AT を介してトロンビン，FXa の活性阻害．HIT の発症に注意
低分子量 heparin	dalteparin	フラグミン	DIC，血液体外循環時	1.5 時間 （静脈注射時）	heparin よりも FXa 活性の抑制が強く，半減期が長い．製剤により適応と投与方法が異なることに注意が必要．AT を介した作用を示す．腎障害時には半減期延長
	enoxaparin	クレキサン	手術時の静脈血栓塞栓症の発症抑制	4 ～ 5 時間 （皮下注射時）	
heparinoid	danaparoid	オルガラン	DIC	17 ～ 28 時間 （静脈注射時）	AT を介して FXa 活性を阻害．腎障害時には半減期延長
合成ペンタサッカロイド	fondaparinux	アリクストラ	手術時の静脈血栓塞栓症の発症抑制	14 ～ 17 時間 （皮下注射時）	AT を介して FXa を特異的に阻害．腎障害時には半減期延長
抗トロンビン薬	argatroban	スロンノン ノバスタン	脳梗塞急性期，動脈閉塞症，血液体外循環時，HIT	30 分	AT を必要とせず，直接トロンビン活性を阻害．HIT の血栓症に適応あり
合成プロテアーゼ阻害薬	gabexate mesilate	エフオーワイ	DIC，急性膵炎	1 分	血中のエステラーゼで速やかに代謝．血管炎に注意．中心静脈より投与
	nafamostat mesilate	フサン	DIC，血液体外循環時	20 ～ 30 分	高カリウム血症，低ナトリウム血症に注意
その他	アンチトロンビン	ノンスロン ノイアート アコアラン*	DIC，AT 欠損症に伴う血栓症	半減期 $t_{1/2}(\beta)$ 約 60 ～ 70 時間	血漿分画製剤 （*アコアランは遺伝子組換え）
	トロンボモジュリンアルファ	リコモジュリン	DIC	$t_{1/2}(\alpha)$ 約 4 時間， $t_{1/2}(\beta)$ 約 20 時間	腎機能障害時には減量が必要
warfarin	warfarin	ワルファリン K	動静脈血栓塞栓症	40 時間	ビタミンKエポキシドレダクターゼとキノンレダクターゼの酵素活性を阻害し，活性を有するビタミンK依存凝固因子産生を抑制
経口抗トロンビン薬	dabigatran	プラザキサ	非弁膜症性心房細動に対する塞栓予防	10 時間	腎障害時は減量必要・生体利用率は低い
経口抗 FXa 薬	rivaroxaban	イグザレルト	非弁膜症性心房細動に対する塞栓予防 静脈血栓塞栓症の治療および再発抑制	6 ～ 8 時間	腎障害時は減量必要
	apixaban	エリキュース	非弁膜症性心房細動に対する塞栓予防 静脈血栓塞栓症の治療および再発抑制	6 ～ 8 時間	高齢者・低体重・腎障害時は減量必要
	edoxaban	リクシアナ	下肢整形外科手術患者の静脈血栓症の予防，非弁膜症性心房細動に対する塞栓予防，静脈血栓塞栓症の治療および再発抑制	5 時間	腎障害時は減量必要

DIC：播種性血管内凝固，HIT：heparin 起因性血小板減少症，AT：アンチトロンビン，FXa：活性型血液凝固第X因子
[直江知樹（編）：血液疾患最新の治療 2011-2013，南江堂，p93，2010 を参考に著者作成]

短い．単球の NF-κB の活性化などの白血球活性化や内皮細胞の接着分子発現を制御すると報告されている．そのため，感染症に伴う播種性血管内凝固（disseminated intravascular coagulation：DIC）がよい適応になると考えられている．適応疾患は DIC と急性膵炎である．末梢静脈では血管炎を引き起こす恐れがあるため，高濃度の薬剤を投与する際には中心静脈から投与を行う．APTT などによるモニタリングは血中半減期が短く不可能である．

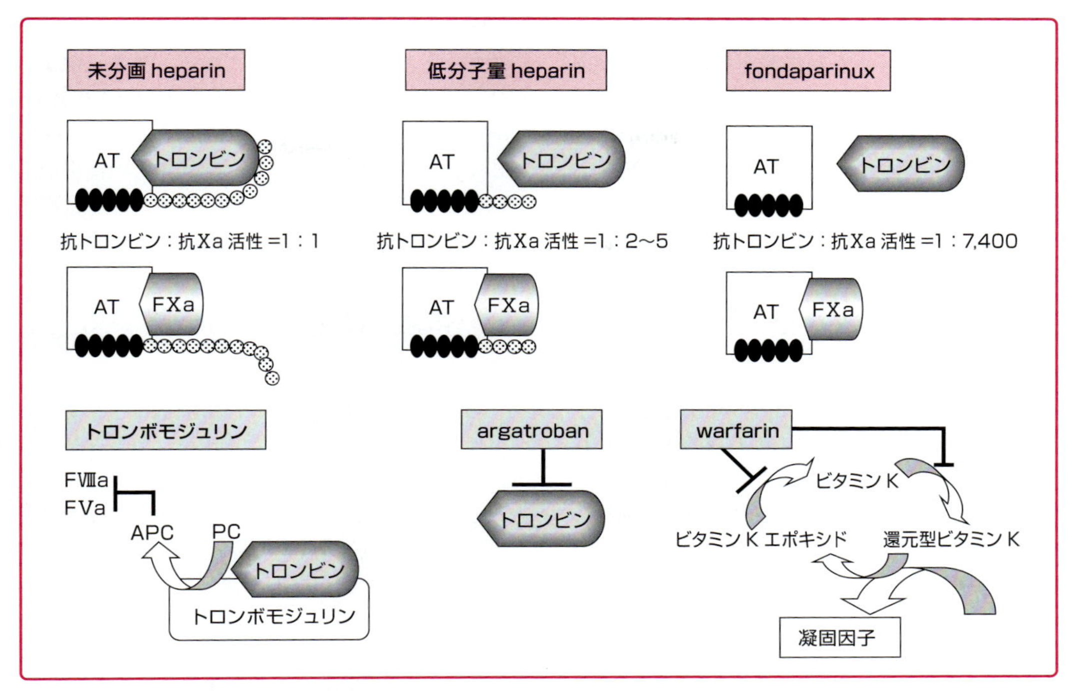

◆**図 1　主な抗凝固薬の作用部位**
未分画 heparin は AT によるトロンビン，FXa の阻害反応を促進する．低分子量 heparin や fondaparinux はトロンビンとの結合が弱く，結果として AT を介した FXa の阻害活性が主体となる．トロンボモジュリンはトロンビンと結合してその酵素活性を中和すると同時に，PC を活性型とし，FⅧa，FVa を分解する．Argatroban は AT を介さず直接トロンビンの酵素活性を阻害する．Warfarin はビタミン K サイクルを阻害することでビタミン K 依存性の凝固因子産生を低下させる．
FVa：活性型血液凝固第Ⅴ因子，FⅧa：活性型血液凝固第Ⅷ因子，PC：プロテイン C，APC：活性型プロテイン C

b）nafamostat mesilate

Nafamostat mesilate（FUT）は，FOY 同様に非選択的にさまざまなセリンプロテアーゼを阻害する．主に肝臓のエステラーゼで分解を受け，半減期は約 20 分である．FUT は FOY よりも多くの酵素において抑制効果を示すのが特徴である．特に FⅦについての阻害活性が高いため，FOY よりも少量で抗凝固作用を有すると考えられている．また，プラスミンに対する抑制作用がトロンビンの阻害活性よりも強く，補体系の抑制効果もある．急性前骨髄球性白血病（acute promyelocytic leukemia：APL）に伴う DIC のように線溶活性が強い DIC には，理論上 FOY よりも優れた効果を示す．DIC と膵炎，また透析などの血液体外循環時の回路閉塞予防に使用可能である．重大な副作用として，抗アルドステロン作用による高カリウム血症や低ナトリウム血症を引き起こすことがあるため，注意が必要である．

c）argatroban

Argatroban は，わが国で開発された AT の存在を必要としない抗トロンビン薬である（**図 1**）．分子量約 530 のアルギニン骨格を有する化合物であり，トロンビンの酵素活性部位の近傍に立体的に結合することでトロンビンによるフィブリン生成，血小板凝集，血管収縮のいずれの作用も抑制する．半減期は 30 分と短く，主に肝臓で代謝される．脳血栓症急性期，慢性動脈閉塞症の治療に用いられるだけでなく，2021 年時点で HIT に対して唯一保険適用がある薬剤である．

4）warfarin

Warfarin は，経口投与で用いられる抗凝固薬である．肝臓でビタミン K の代謝サイクルを阻害し，ビタミン K 依存性凝固因子の生合成を抑制することで抗凝固作用を示す（**図 1**）．Warfarin の血中半減期は 40 時間程度である．Warfarin は血漿蛋白結合率が高く，90 ～ 99％は薬理的には不活性なアルブミンとの結合型であり，低アルブミン血症時には注意を要する．多くの薬剤相互作用が知られており，日常生活面でも納豆に代表されるビタミン K を多く含有する食物の制限が必要である．Warfarin の必要量は個体間で大きな差があり，体格やビタミン K 摂取量，併用薬剤，チトクローム P450（CYP）2C9，vitamin K epoxide reductase complex（VKORC）の遺伝子多型などが影響する．さまざまな動静脈血栓症に適応がある．Warfarin 内服のコントロールは，プロトロンビン時間国際標準化比（prothrombin time-international normalized ratio：PT-INR）でモニタリングし，国際的には 2.0 ～ 3.0 が治療域とされるが，日本人においては適用症や年齢に応じて，1.6 ～ 2.6 程度のコントロールを目標とする場合も多い．Warfarin による大出血の発生頻度は年間 1 ～ 3％前後である．

5）直接経口抗凝固薬（DOAC）

経口抗トロンビン薬として dabigatran，抗 FXa 薬として rivaroxaban，apixaban，edoxaban が上市されている．非弁膜症性心房細動や静脈血栓塞栓症の予防・治療に対して適応がある（dabigatran は心房細動のみ）．いずれも warfarin と同等以上の血栓予防・治療効果が認められ，出血合併症（特に脳出血）が少ない．血中の安全域が広くモニタリングが不要とされるが，腎機能障害や高齢者においては出血合併症に注意が必要である．近年，がん関連血栓症（cancer-associated thrombosis：CAT）とその治療が注目されており，CAT に対する DOAC のエビデンスも構築されてきている．DOAC 発売当時は出血時の対処法が懸念されていたが，2016 年に dabigatran の特異的中和薬として，idarucizumab が，また 2022 年 5 月より，抗 FXa 薬の中和薬として andexanet alfa が保険収載された．

6）その他

a）アンチトロンビン

AT は，heparin 存在下の血漿中トロンビン阻害活性の大部分を占める．通常は肝臓で合成され，半減期は約 3 日である．トロンビンと 1：1 で結合し，その活性を中和する．Heparin 非存在下での AT の中和効果は緩徐だが，heparin が存在するとトロンビン中和反応が劇的に促進される．また，血管内皮へパラン硫酸と相互作用することで，内皮細胞の保護・抗炎症作用を有することが報告されている．欧米における敗血症を対象とした AT の大量投与の臨床試験において，heparin 非投与群において臨床予後の改善が示されている（わが国での適用量と違うことに注意が必要）．AT 欠損症に伴う血栓症，また AT 低下を伴う DIC に適応がある．以前は血漿分画製剤のみであったが，2015 年に遺伝子組換え製剤も上市された．

b）トロンボモジュリンアルファ

トロンボモジュリンアルファは，血管内皮細胞に出現するトロンボモジュリンの遺伝子組換え可溶性製剤である．トロンビンと結合し，トロンビンの活性を抑制すると同時にプロテイン C を活性化させ，プロテイン S とともに，活性化した FV，FⅧ を分解する（図 1）．国内第 Ⅲ 相試験の結果では，DIC の離脱率が heparin より高く，出血合併症が少ない[4]．DIC に対して保険適用があるが，heparin 類との併用により出血合併症が増加することが報告されており，両者の併用に際しては十分な注意が必要である．

2 抗血小板薬[5]

1）aspirin

Aspirin は，最もエビデンスが蓄積されている抗血小板薬である．血小板シクロオキシゲナーゼ-1（COX-1）の 529 番目のセリンを不可逆的にアセチル化することで，その酵素活性を阻害し，血小板リン脂質のアラキドン酸からのトロンボキサン A_2 の産生を抑制する．Aspirin は炎症などで誘導される COX-2 への阻害効果は弱い．Aspirin は内服により速やかに吸収され，血中濃度のピークには 30 分ほどで達し，腸肝循環中で血小板 COX-1 を阻害する．

2）チエノピリジン系抗血小板薬

チエノピリジン系抗血小板薬（ticlopidine，clopidogrel，prasugrel）は，プロドラッグであり，それ自体が抗血小板作用を持たないが，肝臓で CYP により酸化された代謝産物が血小板 ADP 受容体の 1 つである $P2Y_{12}$ にジスルフィド結合することで，不可逆的に受容体の作用を抑制する．そのため aspirin 同様にその効果が血小板寿命まで持続する．内服した clopidogrel は，そのほとんど（85％）が腸管のエステラーゼで不活性体となり，残りの 15％が肝臓での CYP の代謝を 2 回受けることで活性代謝産物となるため，*CYP2C19* 遺伝子多型により薬効が左右される．Prasugrel は 2014 年に日本で使用可能となった新規チエノピリジン系薬剤である．CYP の代謝の影響が少ないため，clopidogrel より効果が早く発現してより強力な血小板抑制作用を発揮し，さらに *CYP2C19* 遺伝子多型の影響を受けにくい．シクロペンチルトリアゾロピリミジン群に分類される新規化合物である ticagrelor は，チエノピリジン系と異なり $P2Y_{12}$ の阻害作用が可逆的であるため，投与終了後に速やかに作用が消失する特徴がある．また肝臓での代謝活性化を必要としないため投与後早期に薬効が得られる．

3）cilostazol

Cilostazol はわが国で開発されたホスホジエステラーゼ（PDE）3A の選択的阻害薬であり，血小板 PDE を阻害し細胞内 cAMP を上昇させることで血小板機能を抑制させる．PDE3 受容体は血小板だけでなく内皮細胞や平滑筋細胞にも存在するため，血管拡張作用も併せ持つ．

3 線溶薬

現在，線溶薬として使用されている薬剤には**プラスミノゲンアクチベーター（PA）**がある．PA には，フィブリン親和性の低い urokinase や streptokinase とフィブリン親和性の高い組織型 PA（t-PA）がある．Urokinase は静脈内投与にも保険適用があるが，フィブリン親和性が低く，血栓溶解には血栓近傍でのカテーテルなどによる投与が必要である．t-PA は血栓に親和性が高く，血栓上で特異的にプラスミノゲンをプラスミンに変換し血栓溶解をきたす．t-PA 製剤である alteplase は半減期が 4 ～ 8 分と短いが，monteplase，pamiteplase は半減期が長くなる改変型 t-PA である．それぞれ適応疾患が異なるため，実際の臨床使用には注意が必要である．

■文　献■

1）Garcia D et al: Blood **115**: 15, 2010
2）Hirsh J et al: Chest **119**（Suppl 1）: 64S, 2001
3）Weitz JI et al: J Thromb Haemost **3**: 1843, 2005
4）Saito H et al: J Thromb Haemost **5**: 31, 2007
5）Born G et al: Br J Pharmacol **147**（Suppl 1）: s241, 2006

2 抗がん薬の作用機序と副作用

到達目標

- 各種抗がん薬の作用機序と副作用を理解する

1 抗腫瘍薬の分類

アルキル化薬，白金製剤，代謝拮抗薬，自然界由来物質，その他（酵素薬など）に分類される（**表 1**）．いずれも腫瘍細胞の増殖を抑制する．

◆表 1　抗腫瘍薬の分類

1．アルキル化薬
- a. nitrogen mustard
  - cyclophosphamide（CPA）
  - ifosfamide（IFO）
  - melphalan（L-PAM）
- b. triazene - hydrazine
  - procarbazine（PCZ）
  - dacarbazine（DTIC）
- c. ニトロソウレア類
  - ranimustine（MCNU）
  - nimustine（ACNU）
- d. alkyl sulfonate
  - busulfan（BUS）
- e. bendamustine

2．白金製剤
- cisplatin（CDDP）
- carboplatin（CBDCA）

3．代謝拮抗薬
- a. 葉酸代謝拮抗薬
  - methotrexate（MTX）
- b. ピリミジン拮抗薬
  - cytarabine（Ara-C）
  - enocitabine（BHAC）
  - cytarabine ocfosphate（SPAC）
  - gemcitabine（GEM）
  - azacitidine（AZA）
- c. プリン拮抗薬
  - 6-mercaptopurine（6-MP）
  - fludarabine（F-ara-AMP）
  - cladribine（2-CdA）
  - pentostatin（DCF）
  - nelarabine（ara-G）
  - clofarabine（Cl-F-ara-A）
- d. hydroxycarbamide（hydroxyurea：HU）

4．自然界由来物質
- a. ビンカアルカロイド
  - vincristine（VCR）
  - vinblastine（VLB）
  - vindesine（VDS）
- b. トポイソメラーゼ I 阻害薬
  - irinotecan（CPT-11）
- c. トポイソメラーゼ II 阻害薬
  - etoposide（VP-16）
  - daunorubicin（DNR）
  - doxorubicin（DXR）
  - idarubicin（IDR）
  - pirarubicin（THP）
  - aclarubicin（ACR）
  - mitoxantrone（MIT）
- d. 糖ペプチド系
  - bleomycin（BLM）

5．その他の薬剤
- L-asparaginase（L-asp）
- interferon（IFN）
- prednisolone（PSL）
- dexamethasone（DEX）

2 アルキル化薬

アルキル化薬は最も早くからがん治療に用いられた薬剤で，第一次世界大戦でマスタードガスが化学兵器として使用されたことに端を発する．その強力な肺，粘膜障害作用に加えリンパ球阻害効果が認められたことから，悪性リンパ腫を中心に抗がん薬としての研究が始まった．現在においてもアルキル化薬は多くの領域のがん化学療法で中心的薬剤である．**表1**に示す薬剤が使用される．

1）作用機序

アルキル化薬はいずれも主としてDNA，特にグアニン塩基のN^7やO^6，アデニン塩基のN^3などをアルキル化することにより抗腫瘍効果を発揮する．その効果は細胞周期に依存しない．Cyclophosphamide（CPA），melphalan（L-PAM），carmustine（BCNU）などは反応基を2ヵ所有するbifunctional agentで，DNA鎖内，鎖間に架橋cross-linkを形成することでDNA複製を阻害する．Dacarbazine（DTIC）はnon-classic alkylating agentに分類されるmonofunctional agentで，付加物を1ヵ所のみ形成する．この場合メチル化されたグアニンは，メチル化グアニン-チミン対を形成する．このミスマッチによりmismatch repairが惹起されチミンの除去を試み不成功に繰り返されることでDNA鎖切断が生じる．アルキル化薬への耐性化は，細胞内への薬物転入量低下，細胞内でのグルタチオンなどによる薬物不活化亢進，O^6-アルキルグアニンメチル基転移酵素や各種DNA除去修復などの修復能亢進，mismatch repair欠損などにより生じる[1]．L-PAM，busulfan（BUS）は造血幹細胞移植の前処置として大量投与される．アルキル化薬の抗腫瘍効果が用量依存性に増強されること，主要な毒性が骨髄抑制であり，髄外毒性が軽度で用量規定因子になりにくいことによる．

2）cyclophosphamide（CPA）

CPAはプロドラッグで肝チトクロムP450酸化酵素（主にCYP2B6）により活性型4-hydroxycyclophosphamideに代謝される．腫瘍細胞内に転入されるとさらにphosphoramide mustardおよびacroleinに分解され，前者がアルキル化能を有し，後者は出血性膀胱炎の原因物質とされる．本薬の作用は細胞周期に依存しない．

主な副作用は骨髄抑制で，その他に脱毛，肺線維症，イレウスがある．大量投与時は心筋障害，肝類洞閉塞症候群が起こる．本薬とifosfamideに特徴的な毒性として出血性膀胱炎がある．十分な補液により尿量を確保し，チオール系薬剤のmesnaを投与することで予防する．晩発性副作用として性腺機能障害や二次性白血病の問題がある．

3）melphalan（L-PAM）

Nitrogen mustardにphenylalanineを結合させた構造を有する．経口投与のバイオアベイラビリティーは30％で，高蛋白の食事摂取により本薬の吸収が抑制されるため朝（空腹時）に投与する．またH_2受容体拮抗薬との併用で吸収が低下する．

主な副作用は骨髄抑制，悪心・嘔吐，肝障害である．まれに間質性肺炎や肺線維症を起こす．

4）dacarbazine（DTIC）

本薬は肝ミクロソームにおいて3-methyl-（triazen-1-yl）imidazole-4-carboxamide（MTIC）に変換されたのち，5-amino-imidazole-4-carboxamide（AIC）と活性体でアルキル化能を有するmethyldiazoniumイオンになる．肝臓での代謝を必要としない誘導体がtemozolomideである．

投与時の血管痛を予防するため，点滴経路全般を遮光して投与する．悪心・嘔吐リスクの高リスク群であり，その他の副作用として静脈炎，骨髄抑制，脱毛，肝障害がある．

5）busulfan（BUS）

リンパ系細胞よりも骨髄系細胞に強い殺細胞効果を有する．

主な副作用として，骨髄抑制，脱毛，肺線維症，肝類洞閉塞症候群，催奇形作用がある．髄液移行性が高く，抗痙攣薬が予防投与されていない場合は10％以上の患者で痙攣が起こる．組織障害性を有するため中心静脈より投与する．

6）bendamustine（butanoic acid monohydrochloride）

1971年より旧東ドイツで造血器悪性腫瘍および乳がんなどの固形腫瘍に対して用いられてきた薬剤である．本薬はアルキル化薬のnitrogen mustard化学構造と代謝拮抗薬であるプリンアナログ様化学構造を併せ持つ化合物を目標にデザインされ合成された．アルキル化作用によるDNA損傷，p53依存性および非依存性に腫瘍細胞のアポトーシスを誘導する，分裂期チェックポイントの抑制を介して分裂期崩壊を誘導する，などの作用機序が考えられているが，詳細はいまだ十分解明されていない．既存のアルキル化薬のようにDNA修復機構の影響を受けないため交差耐性が少ない．

主な副作用は，悪心・嘔吐などの消化器症状と骨髄抑制である．リンパ球減少に伴う日和見感染に注意する．また，血管外漏出により投与部位に紅斑，腫脹，疼痛，壊死を起こすことがある．

3 白金製剤

アルキル化薬に類似する bifunctional agent である．Cisplatin（CDDP），carboplatin（CBDCA） が代表的である．CDDP は 2 価の白金のシス位に，キャリアリガンドとしてアンモニア分子が，また脱離基として塩素原子が結合した白金錯体で，CBDCA では塩素がカルボキシルエステルに置換された構造を持つ．CDDP では細胞内で塩素原子が水分子に置換され荷電状態となることで活性化される．主として DNA のグアニン基またはアデニン基の N^7 に結合し，DNA 一本鎖内あるいは二本鎖間に架橋を形成し DNA 合成が阻害される．二本鎖間に生じる inter-strand cross-link が抗腫瘍効果に強く相関する．細胞周期非特異的である．CBDCA ではそのクリアランスが糸球体濾過量に相関することから，Calvert の計算式により腎機能をもとに投与量を決定する．すなわち CBDCA（mg）= AUC ×［糸球体濾過量（mL/分）+25］となる（AUC：5～7 mg/mL ×分）．

CDDP の副作用として腎障害，悪心・嘔吐，末梢神経障害，聴器障害がある．腎障害は十分な補液を行うことで予防できる．神経毒性は用量依存性で，1,000 mg/m² 以上の投与で全例に出現する．聴器障害は 1 日投与量 80 mg，総投与量 300 mg/m² 以上で発現する．骨髄抑制は軽微である．第二世代の CBDCA は CDDP とほぼ同等の抗腫瘍活性を有しながらも腎毒性や催吐作用が弱い薬剤として開発された．用量規定因子は骨髄抑制で，腎障害や聴器毒性は CDDP に比べ軽減されている．

4 代謝拮抗薬

1）methotrexate（MTX）

葉酸アナログで，DNA 合成，RNA 合成に不可欠な還元型活性葉酸の合成を阻害する葉酸代謝拮抗薬である．

a）作用機序

本薬はジヒドロ葉酸還元酵素（dihydrofolate reductase：DHFR）の活性中心を阻害することによりジヒドロ葉酸（FH_2）からテトラヒドロ葉酸（FH_4）への反応を阻止する（FH_4 はチミジル酸やプリン合成のためのメチル基供与体となる）（**図 1**）．グルタミン酸が重合し MTX ポリグルタメート体を形成すると細胞内に蓄積し阻害効果を増強する．本薬の効果は S 期特異的である．耐性化の機序として，薬物の細胞内への転入量の低下，DHFR の薬物に対する親和性の低下や酵素活性の上昇，ポリグルタメート体形成の低下がある．元来 MTX は中枢神経系への移行は良好でない．血中濃度と髄液中濃度はおよそ 30 対 1 とされる．しかしながら，MTX は後述の leucovorin rescue を併用した大量投与が可能である．大量投与時には殺細胞効果を発揮する薬物濃度（1 μM 以上）が髄液中に到達される．

b）副作用

主な副作用は，MTX やその代謝物の結晶が尿細管に沈着することによる腎障害である．MTX 大量投与時には補液により十分な尿量を確保しつつ，炭酸水素ナトリウムや acetazolamide の投与により尿 pH を 7.0 より高く保つ．Furosemide は尿を酸性化するため，また，非ステロイド系抗炎症薬，ST 合剤は腎毒性を強めるため使用を避ける．粘膜障害や骨髄抑制を軽減するため，活性型葉酸アナログである leucovorin（calcium folinate）を救援投与する（leucovorin rescue）．MTX はがん化学療法において治療薬物モニタリング（therapeutic drug monitoring：TDM）が保険適用となっている唯一の薬剤である．MTX の血中濃度の危険限界は 24 時間値で 10 μmol/L，48 時間値で 1 μmol/L，72 時間値で 0.1 μmol/L 以上である．本薬投与開始から 48 時間後の血中 MTX 濃度が 0.5 μmol/L 以上であれば 0.05 μmol/L 以下になるまで leucovorin 投与を継続する[2]．胸水・腹水がある場合は，MTX が体液中へ移行し排泄が遅延するため MTX 大量療法は施行しない．

2）cytarabine（Ara-C）

デオキシシチジンアナログで，急性骨髄性白血病治療の key drug である．

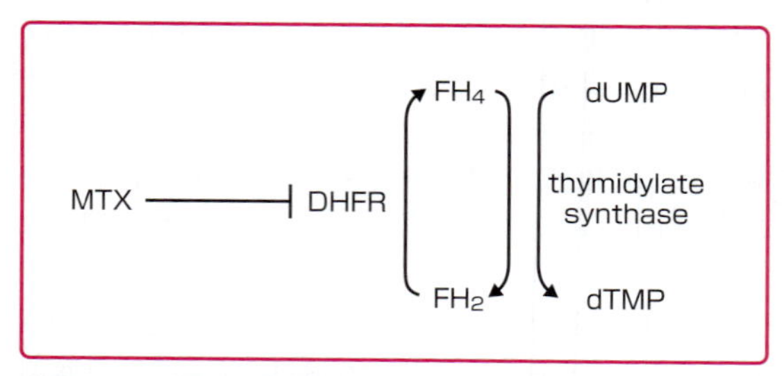

◆図 1　MTX の作用機序
dUMP：デオキシウリジン一リン酸，dTMP：デオキシチミジン一リン酸

a）作用機序

作用機序は投与量，方法によらず共通である．投与後 Ara-C の大部分は肝，腎，血中でデアミナーゼにより脱アミノ化を受け uracil arabinoside に不活化されるが，一部が白血病細胞内へ，細胞膜表面のヌクレオシド共通のトランスポーター（hENT1 など）を介して転入される．Ara-C は，細胞内で律速酵素であるデオキシシチジンキナーゼなどにより Ara-C 三リン酸（Ara-CTP）へと活性化される．Ara-CTP は DNA ポリメラーゼの弱い基質として DNA 内へ転入され，DNA 鎖伸長を阻害し抗白血病効果を発揮する．DNA 内転入 Ara-C は抗腫瘍効果の要であり，細胞内 Ara-CTP はその surrogate marker となる（**図 2**）．本薬の効果は細胞周期 S 期特異的である．耐性獲得機序のほとんどは Ara-C の活性化過程に関与する．すなわち，細胞膜トランスポーター減少による薬物転入低下，デオキシシチジンキナーゼ活性低下による Ara-CTP へのリン酸化阻害，ヌクレオチダーゼの活性亢進による Ara-C リン酸化化合物の分解促進が挙げられる．臨床的に細胞内 Ara-CTP の薬物動態が治療効果に相関することが示されている[3,4]．

b）抗腫瘍効果

Ara-C の抗腫瘍効果は，同用量であれば持続投与のほうが短時間点滴よりも強い．これは，本薬が体内で急速に脱アミノ化反応を受け不活化されること，本薬の作用が細胞周期依存性であり薬物と腫瘍細胞との持続的な接触が効果的であることによる．そのため本薬は急性骨髄性白血病の寛解導入療法においては通常 24 時間持続点滴で投与される．

Ara-C 大量療法は Ara-C 耐性の克服を理論的背景としている．すなわち，耐性機序として，細胞膜トランスポーター減少による Ara-C 転入低下に対して高い血中薬物濃度を到達させることで濃度勾配により細胞内に薬物を押し込む．さらに，細胞内でのデオキシシチジンキナーゼ低下に対しても高濃度の Ara-C を負荷することで Ara-CTP 生成を増加させる．

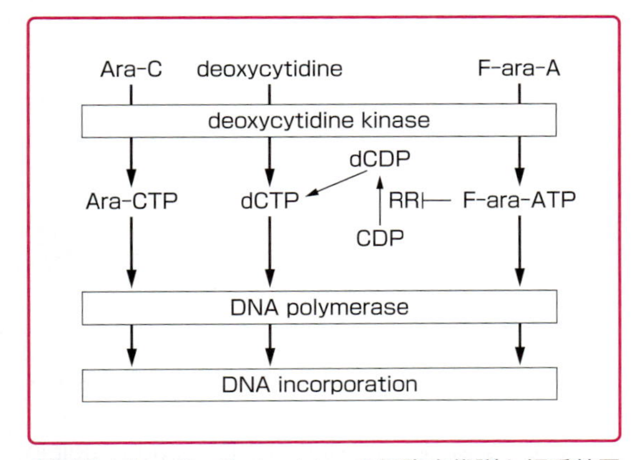

◆**図 2　Ara-C，fludarabine の細胞内代謝と相乗効果**
F-ara-A：fludarabine nucleoside，F-ara-ATP：fludarabine 三リン酸，RR：リボヌクレオチド還元酵素

c）副作用

Ara-C 大量投与により，発熱，筋肉痛，皮疹，中枢神経症状，出血性結膜炎，角膜炎，肺障害，肝障害などの cytarabine 症候群が起こる．治療には副腎皮質ステロイド投与が有効である．眼症状の予防のため副腎皮質ステロイドの点眼を併用する．その他の副作用として骨髄抑制，消化器症状，粘膜障害，間質性肺炎がある．

3）gemcitabine（GEM，dFdC）

dFdC は Ara-C 類似のピリミジンヌクレオシドアナログである．dFdC 三リン酸（dFdCTP）として DNA 内に転入され，DNA 鎖伸長を阻害し抗腫瘍効果を発揮する．

主な副作用は骨髄抑制であり，点滴時間が長くなると増強される．また間質性肺炎など肺毒性が生じることがある．

4）fludarabine（F-ara-AMP）

アデノシンアナログである．細胞内でリン酸化され DNA 内に転入され DNA 合成を阻害する（**図 2**）．慢性リンパ性白血病や低悪性度リンパ腫など indolent B cell malignancy に用いられる．急性白血病に対しては単独では十分な効果を有さないが，再発性・難治性白血病の救援療法である FLAG 療法において Ara-C，顆粒球コロニー刺激因子と併用され，Ara-C の効果増強薬としての役割を演じる[5]．さらに，アルキル化薬と併用することで，アルキル化薬による DNA 損傷修復を阻害することにより抗腫瘍効果を増強する．

遷延性のリンパ球減少（特に CD4 陽性リンパ球減少）をきたすため，カンジダなどの真菌，サイトメガロウイルスなどのウイルス，*Pneumocystis jirovecii* などによる日和見感染が起こりうる．

5）nelarabine

本薬は血中で活性体 ara-G に脱メチル化され，細胞内でリン酸化された後 DNA 内に転入され DNA 合成を阻害する．T 細胞急性リンパ性白血病，T 細胞リンパ芽球性リンパ腫に適応を有する．

主な副作用として傾眠，錯乱状態，末梢性ニューロパチー，錯感覚，痙攣といった神経毒性がある．これら神経毒性は本薬の用量規定因子であり，CTCAE で grade 2 以上の症状を認めた場合はただちに投与を中止する．

6）azacitidine

脱メチル化薬として，骨髄異形成症候群に対するkey drugとなり頻用されている[6]．さらに本薬は2021年急性骨髄性白血病に適用を取得した．急性骨髄性白血病に対してはベネトクラクスと併用する．本薬は細胞DNA内に取り込まれazacytosine-guanineペアを形成する．DNA methyltransferaseはこのazacytosineと結合しメチル化を試みるが，azacytosineでは5位がNで置換されているため酵素がDNAから離れることができなくなり失活する．このためDNAが複製されるたびにメチル化ができず減少していく．通常本薬の高用量で殺細胞効果が，低用量でメチル化阻害効果が発揮されると考えられる．

主な副作用は骨髄抑制で用量規定因子となる．腎尿細管性アシドーシスなど腎障害が起こりうるため，定期的に血清重炭酸塩や腎機能を観察する．その他肝機能障害，便秘など消化器症状が起こる．

7）6-mercaptopurine（6-MP）

ヒポキサンチンアナログである．細胞内でリン酸化されDNA内に転入されDNA合成を阻害する．本薬の効果はS期特異的である．6-MPはキサンチンオキシダーゼにより6-thiouric acidに不活化される．

主な副作用として骨髄抑制が起こる．キサンチンオキシダーゼの阻害薬であるallopurinolを併用する際は，本薬の薬理作用が増強されるため投与量を1/3～1/4に減量する．近年，6-MPをはじめとしたチオプリンへの治療感受性を規定する因子として*Nudix hydrolase 15*（*NUDT15*）遺伝子多型が報告された．*NUDT15*はチオプリンの活性代謝物のthioguanosine三リン酸（TGTP）を脱リン酸化する酵素である．その遺伝子多型によりNUDT15活性が低下するとTGTP濃度が上昇し，抗腫瘍効果が増強するとともに重篤な副作用をきたす．その他の6-MP感受性の規定因子として，欧米人では遺伝子多型によるthiopurine *S*-methyltransferase活性の低下が知られているが，アジア人での頻度は低い．一方，NUDT15はアジア人の約20％でその活性が低下し，約2％では欠損すると報告されており，アジア人に特徴的である[7]．NUDT15遺伝子多型解析は急性リンパ性白血病などチオプリン製剤投与対象となる患者に対して，その投与の可否，投与量等を判断することを目的として，当該薬剤の投与を開始するまでの間に1回を限度として保険適用を有する．

5 自然界由来物質

1）vincristine（VCR）

微小管作用薬（ビンカアルカロイド）の代表的薬剤である．類似薬にvinblastine（VLB），vindesine（VDS）があり，作用機序は共通であるが毒性はやや異なる．細胞内で微小管の主要構成蛋白であるチューブリンにモル比1：1で結合し微小管の重合形成を阻害し，細胞分裂を分裂中期で停止させる．耐性化はチューブリンの遺伝子変異による結合親和性の低下，またP-glycoproteinなどの多剤耐性汲み出しポンプによる薬物の排出による．

VCRの副作用として骨髄抑制は軽度であるが，重篤な末梢神経障害がみられる．この神経毒性は蓄積性で総投与量や治療期間に相関し，用量規定因子である．神経障害は両側性で末梢の感覚障害やしびれから発症し，進行すると運動神経や自律神経も侵される．麻痺性イレウスを起こすと，時に致死的となる．まれに抗利尿ホルモン分泌不全症候群（SIADH）をきたすことがある．一方，VLB，VDSでは神経毒性は軽いが，骨髄抑制が生じる．

2）irinotecan（CPT-11）

トポイソメラーゼⅠ阻害薬である．プロドラッグで，肝などにおいてcarboxyl esteraseにより活性体SN-38へ代謝される．主たる毒性は骨髄抑制と下痢である．後者は本薬に特徴的で，しばしば重篤である．

SN-38は肝代謝酵素UDP-グルクロン酸転移酵素（UGT）によりグルクロン酸抱合を受け胆汁中に排泄される．このUGTに存在する2つの遺伝子多型（*UGT1A1*6*，*UGT1A1*28*）はワイルドタイプと比較して抱合能が低下し重篤な副作用（特に好中球減少）が起こる．そのため本薬投与に際しては遺伝子多型を解析する．

3）etoposide（VP-16）

トポイソメラーゼⅡ阻害薬である．P-glycoproteinなどの多剤耐性汲み出しポンプにより細胞外へ排泄される．

副作用として，急速な静脈内投与により一過性の血圧低下や不整脈が報告されている．その他，骨髄抑制，肝障害，消化器症状，脱毛がある．

4）抗腫瘍性抗生物質

造血器腫瘍を含む多くのがん化学療法においてkey drugである．最も基本的な薬剤はアントラサイクリン系であるdoxorubicin（DXR），daunorubicin（DNR）で，いずれも1970年代から使用されている．抗腫瘍性抗生物質の効果は強力であるが，反復使用による耐性の獲得や，蓄積性心毒性が問題となることからいくつかの誘導体が開発された．Idarubicin（IDR）は，DNRの4位のmethoxy基が脱落した，構造上きわめてDNRに類似した薬物で強力な抗白血病効果を有する．Pirarubicin（THP）はわが国で開発されたDXR誘導体で心毒性が軽減されている．また，aclarubicin（ACR）は既存の抗腫瘍性抗生物質と交差耐性が少ないとされる．アントラキノン系抗生物質であるmitoxantrone（MIT）はアントラサイクリン系と同様の作用機序を有し，交差耐性が少なく，心毒性もやや軽度である．

a）作用機序

DNRは低濃度でDNA二本鎖にintercalateしDNAの構造を変化させる．また，高濃度ではトポイソメラーゼⅡを阻害しDNA二本鎖を切断する．その他，細胞膜を障害する，活性酸素を産生しミトコンドリアを障害するといった作用機序がある．本薬の耐性化には多剤耐性汲み出しポンプによる薬物の排出，トポイソメラーゼⅡ活性の低下などが関与する．

b）副作用

抗腫瘍性抗生物質に特徴的な副作用として蓄積性の心毒性がある．心毒性は用量規定因子であり，DXRは500 mg/m^2，DNRは25 mg/kg，IDRは120 mg/m^2がおおよその総投与量の目安とされる．高血圧や心疾患の既往があると心毒性が発症しやすいため，適宜心臓超音波検査による左室駆出率の測定を行う．その他，骨髄抑制，粘膜障害，脱毛，血管外漏出による皮膚潰瘍形成が起こる．粘膜障害はDXRのほうがDNRより重篤である．dexrazoxaneは抗悪性腫瘍薬の血管外漏出治療薬で，適応は「アントラサイクリン系抗悪性腫瘍薬の血管外漏出」であり，血管外漏出後6時間以内に可能な限り速やかに投与する．

5）bleomycin（BLM）

細胞内で鉄イオンと結合した二価鉄BLM錯体の形でDNAと結合し，活性酸素を生成することでDNA鎖の一本鎖および二本鎖切断を生じる．

本薬の副作用として蓄積毒性である肺線維症があり，総投与量は300 mg（力価）以下とする．その他，皮膚症状や発熱が起こる．

6 その他の薬剤

1）L-asparaginase（L-ASP）

a）作用機序

アスパラギンは必須アミノ酸ではなく，多くの正常細胞ではアスパラギン合成が可能である．しかし，一部のリンパ系腫瘍細胞ではその合成酵素asparagine synthetaseが低下または欠損しているため，蛋白合成にアスパラギンが必須である．本薬は血中アスパラギンをアスパラギン酸とアンモニアに分解することでその濃度を低下させ欠乏状態にする．また，間接的に血中グルタミン濃度も低下させる．これらにより腫瘍細胞の蛋白合成を阻害する．アスパラギン合成酵素の誘導により耐性化を生じる．

b）副作用

ショックが現れることがあるため，本薬投与前には皮内反応試験を実施することが望ましい．その他，凝固異常，急性膵炎，肝障害，糖尿病，骨髄抑制，悪心・嘔吐，発熱，高アンモニア血症，脳症がある．

■文　献■

1）Chaney SG et al: J Natl Cancer Inst **88**: 1346, 1996
2）Messmann RA et al: Antifolates. Cancer Chemotherapy & Biotherapy, Chabner BA et al（eds）, Lippincott Williams & Wilkins, p139-184, 1996
3）Plunkett W: Cancer Res **47**: 3005, 1987
4）上田孝典ほか：Cytarabineと類似化合物，プリン拮抗薬．抗がん薬の臨床薬理，相羽惠介（編），南山堂，p252-275, 2012
5）Estey E et al: J Clin Oncol **12**: 671, 1994
6）Fenaux P et al: Lancet Oncol **10**: 223, 2009
7）Moriyama T et al: Nat Genet **48**: 363, 2016

3 分子標的治療薬の作用機序と副作用

到達目標

- 造血器疾患における分子標的治療薬の作用機序と副作用を理解する

1 血液疾患領域の分子標的治療薬

腫瘍の発症や進展，疾患形成に関与する分子機構が明らかにされ，それらの分子を標的とする分子標的治療の臨床開発は目覚ましい．従来の抗がん薬治療と比較し，優れた選択性・安全性と高い奏効率が示され，治療法のパラダイムシフトが生じている．現在臨床で使用，開発が進んでいる分子標的治療薬は，化学的特性から抗体医薬と低分子医薬に大別される（**図 1**）．さらに，細胞医薬など，新しいモダリティの開発が今後進んでいくことが期待されている．

2 抗体医薬

モノクローナル抗体（monoclonal antibody：mab）作製技術の向上により，マウスモノクローナル抗体

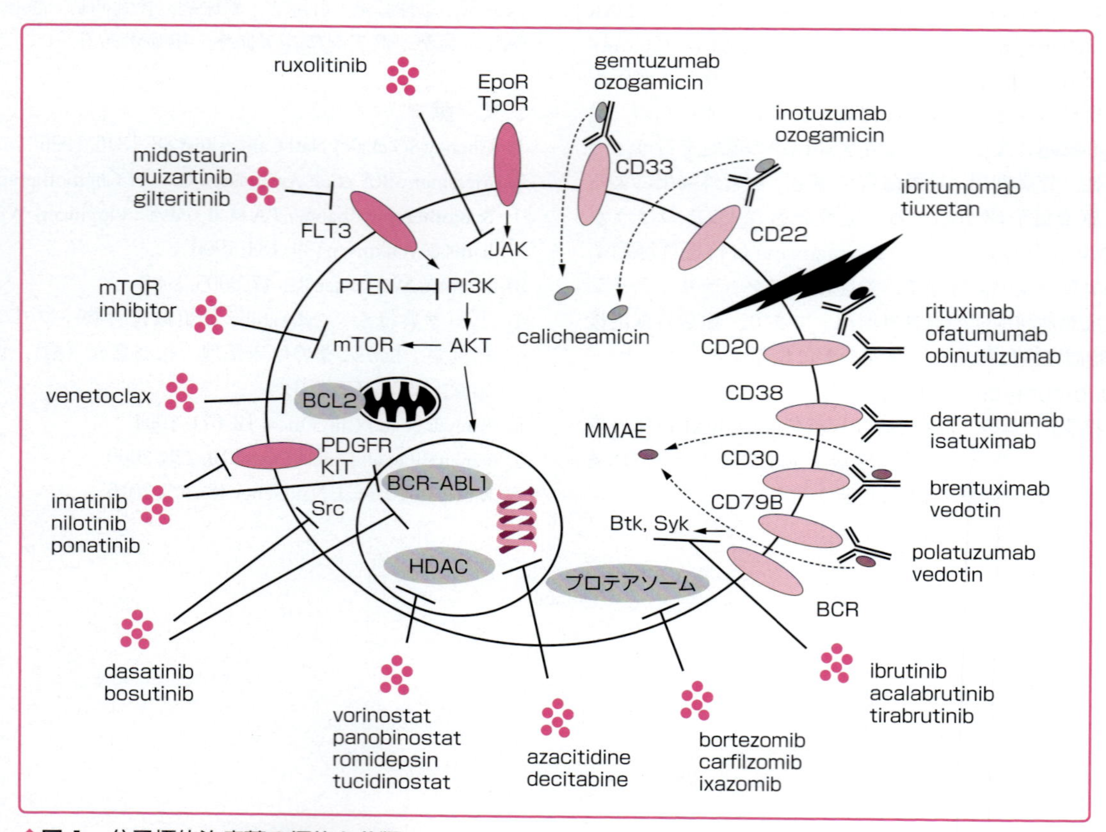

◆図 1　分子標的治療薬の標的と分類

(momab) から，rituximab のような，定常領域がヒト抗体由来で，可変領域のみがマウス由来のキメラ抗体 (-ximab) が開発された．さらに，可変領域の相補性決定領域のみがマウス由来のヒト化抗体 (-zumab) や，すべてヒト由来の完全ヒト型抗体 (-mumab) の臨床導入も進んでいる．

これらのモノクローナル抗体は，①非抱合型，②抗体薬物複合体型，③放射性物質標識抗体型に分類される．非抱合型の作用機序として，抗体が細胞表面抗原に結合し，補体依存性細胞傷害作用 (complement-dependent cytotoxicity：CDC) と抗体依存細胞介在性細胞傷害作用 (antibody-dependent cellular cytotoxicity：ADCC) を誘導する機序がある．抗体薬物複合体型は，標的細胞表面の抗原に結合すると，抗原抗体複合体が細胞内に取り込まれ，殺細胞効果を発揮する．さらに，小型抗体 single-chain fragment variables (scFv) を用いた，CD19 を標的とする bispecific 抗体やキメラ抗原受容体 T 細胞 (CAR-T) の開発も進んでいる．Hodgkin リンパ腫で高い効果を認める免疫チェックポイント阻害薬も含め，詳細はⅤ-5「腫瘍免疫療法」とⅤ-6「細胞療法」に譲る．

抗体医薬に共通する副作用として，インフュージョンリアクションに対する注意が必要で，一般的に抗ヒスタミン薬や鎮痛薬の前投与を行う．症状として，投与開始後 30 分から 2 時間より，発熱，寒気，悪心，頭痛，瘙痒，発疹などが現れる．また，アナフィラキシー様症状も併発することもあり，特に初回投与時にはバイタルサインの慎重な観察が必要である．

1) 抗 CD20 抗体：rituximab，ofatumumab，obinutuzumab

B 細胞分化抗原のなかで，CD19 や CD22 は抗体と結合すると細胞内に取り込まれるのに対し，CD20 は特異抗体が反応しても抗原変調は生じず，細胞内にも取り込まれない．したがって，CD20 は非抱合型抗体や放射性物質標識抗体の標的分子とされ，CD19 や CD22 は抗体薬物複合体型抗体に選択されている．

Rituximab は，ヒト IgG1κ の定常部位と IgG1 型マウス抗 CD20 抗体の可変領域がキメラ化された非抱合型抗体である．定常部位がヒト由来であるため，ヒト補体系を介した CDC や免疫担当細胞を介した ADCC が期待できる．R-CHOP 療法に代表されるように rituximab は B 細胞性腫瘍に対する標準治療薬である[1]．また，特発性血小板減少性紫斑病に rituximab の有効性が示されている．

抗 CD20 抗体は，シグナル伝達分子が集積する脂質ラフトへ CD20 を移行させる能力の違いで，CDC 活性中心のⅠ型抗体 (ofatumumab) と，ADCC 活性や細胞傷害が中心のⅡ型抗体 (obinutuzumab) に分類される．また，マウスとのキメラ型の第一世代 (rituximab) から，ヒト化型や完全ヒト型の第二世代 (ofatumumab)，そして，脱フコース化など定常部を改変して治療効果を高めた第三世代 (obinutuzumab) にまで臨床開発は進んだ[2]．

B 細胞除去による血清免疫グロブリン低下や感染症に注意が必要で，遅発性に好中球減少が出現する場合もあり，治療後も注意深い観察が必要である．B 型肝炎ウイルス再活性化に対する十分な対策を講じておく必要がある．

2) 放射性同位元素標識抗 CD20 抗体：ibritumomab tiuxetan

マウス抗 CD20 抗体 (IDEC-2B8) に yttrium-90 (^{90}Y) を抱合した ibritumomab tiuxetan が実用化されている．放射性同位元素から放射される β 線が主たる抗腫瘍効果を有するので，抗体に結合した B 細胞性腫瘍細胞に加え，隣接する他の腫瘍細胞にも効果を有する．^{90}Y-ibritumomab tiuxetan は治療用の β 線のみ発するために体内分布の判定ができないため，先に診断用の γ 線を放射する ^{111}In-ibritumomab tiuxetan によるシンチグラフィを行う必要がある．骨髄や網内系への異常集積がないことを確認のうえで ^{90}Y-ibritumomab tiuxetan の投与を行う (注：ibritumomab tiuxetan は，2021 年以降，供給停止が続いているため，2023 年 4 月現在，薬剤使用ができない)．

副作用として，遅延性に骨髄抑制が起こり，約 2 ヵ月後に最低値となる．紅皮症，皮膚粘膜眼症候群 (Stevens-Johnson 症候群)，中毒性表皮壊死症 (toxic epidermal necrolysis：TEN) などの重篤な皮膚粘膜反応が発現することがある．

3) 抗 CD22 抗体：inotuzumab ozogamicin

CD22 は B 細胞の表面抗原で，B 細胞性腫瘍にも広く発現している．CD22 は，抗体と結合すると細胞内へ取り込まれる．急性リンパ性白血病 (acute lymphoblastic leukemia：ALL) に有効な inotuzumab ozogamicin はヒト化抗 CD22 抗体に calicheamicin が抱合された抗体薬物複合体である．Calicheamicin は doxorubicin の約 1,000 倍の殺細胞効果を有し，inotuzumab が CD22 と結合して calicheamicin が細胞内に取り込まれた後に，活性ラジカル体となり DNA の特異的塩基対を切断して殺細胞効果を発揮する．

投与サイクル数の増加に応じて造血幹細胞移植後の肝類洞閉塞症候群 (sinusoidal obstruction syndrome：SOS) のリスクが高まるため，移植予定時は，できる限り2サイクル終了までに投与を中止することが推奨される．

4）抗CD30抗体：brentuximab vedotin

CD30は，TNF受容体スーパーファミリーに属するI型膜貫通型糖蛋白である．CD30の発現は，活性化したBおよびT，NK細胞に認められる．一方，CD30はHodgkinリンパ腫（Hodgkin lymphoma：HL）や未分化大細胞型リンパ腫（anaplastic large cell lymphoma：ALCL）などで高頻度に発現しており，腫瘍細胞におけるNF-κB経路の恒常的活性化による抗アポトーシス作用にかかわっている．CD30は抗体と結合すると細胞内へ取り込まれる．抗CD30 IgG1型キメラ抗体に抗チュブリン薬のmonomethyl auristatin E（MMAE）を結合させた抗体薬物複合体brentuximab vedotin（BV）が再発・難治HLやALCLに対して80～90％の高い奏効率を示した．

末梢神経障害が比較的高い頻度で認められる．また，BVとbleomycinの併用は，肺毒性が高率に出現することから禁忌である．

5）抗CD33抗体：gemtuzumab ozogamicin

CD33抗原は，急性骨髄性白血病（acute myeloid leukemia：AML）の90％以上に発現，造血幹細胞の発現は弱陽性ないし陰性であることから，AMLの標的抗原となりうる．Gemtuzumab ozogamicinはヒト化IgG4抗CD33モノクローナル抗体とcalicheamicinとの抗体薬物複合体で，CD33との結合で細胞内に取り込まれ，calicheamicinが遊離し細胞傷害活性を発揮する．

造血幹細胞移植前後の使用で，SOSの発現リスクが高まることに留意が必要である．

6）抗CD38抗体：daratumumab, isatuximab

CD38は，活性化したTおよびB，NK細胞，単球，形質細胞など，造血系細胞に広く発現している．B細胞系では，B細胞の発生初期に発現，その後の分化段階でいったん消失，形質細胞において再び発現する．抗CD38抗体daratumumab，isatuximabはヒトIgG1モノクローナル抗体で，CD38抗原に結合することにより，CDC活性，ADCC活性，抗体依存性細胞貪食（antibody-dependent cellular phagocytosis：ADCP）活性を介し，多発性骨髄腫（multiple myeloma：MM）に対して高い効果を示す．

副作用として，好中球減少やリンパ球減少が現れることがあり，感染症に対する注意が必要である．また，daratumumabやisatuximabが赤血球上に発現しているCD38と結合し，間接Coombs試験結果が偽陽性となることに留意が必要である．

7）抗CD52抗体：alemtuzumab

CD52の機能は不明であるが，glycosylphosphatidylinositol（GPI）アンカー型蛋白として正常TおよびB細胞に高発現，また，単球や樹状細胞，NK細胞，好酸球などにも広範囲の細胞に発現している．ヒト化抗CD52抗体alemtuzumabが結合することで，主にCDC活性を介し，強力なリンパ球抑制作用が発揮される．慢性リンパ性白血病（chronic lymphocytic leukemia：CLL）などで治療効果を認める．

8）抗CD79B抗体：polatuzumab vedotin

ヒト化CD79Bモノクローナル抗体（IgG1）とMMAEをリンカーで結合させた抗体薬物複合体である．CD79Bは，形質細胞を除くすべての成熟B細胞に発現，B細胞性腫瘍にも発現していることから，B細胞性腫瘍を中心にその臨床開発が進み，特にびまん性大細胞型B細胞リンパ腫に対する有効性が示されている．

血球減少，感染症および末梢神経障害が主な副作用である．

9）抗SLAMF7抗体：elotuzumab

SLAMF7（signaling lymphocytic activation molecule family member 7）は，活性化受容体の1つで，NK細胞およびその他の血液免疫細胞サブセットに発現する．また，骨髄腫細胞の90％以上に発現している．一方，SLAMF7は固形組織や造血幹細胞には発現しない．抗SLAMF7抗体elotuzumabはヒト化IgG1モノクローナル抗体で，Fc受容体を介したNK細胞との相互作用によりADCC活性を誘導，MMに対して有効とされる．また，NK細胞に発現するSLAMF7にelotuzumabが結合してNK細胞が活性化されることから，二重の作用で抗骨髄腫効果を発揮すると考えられている．

10）抗CCR4抗体：mogamulizumab

CCR4は$CD4^{+}CD25^{+}$制御性T細胞やTh2細胞に発現するケモカイン受容体で，成人T細胞性白血病/リンパ腫（adult T-cell leukemia/lymphoma：ATL）など末梢性T細胞リンパ腫（peripheral T-cell lymphoma：PTCL）細胞にも発現している．Mogamulizumabは，Fc領域のフコースを除去したヒト化抗CCR4抗体で，高いADCC活性を介し，ATLやPTCLに優れた奏効率が報告された[3]．

Stevens-Johnson症候群や中毒性表皮壊死症（toxic epidermal necrolysis：TEN）など重篤な副作用が報告されており，発症早期から副腎皮質ステロイドの使用やmogamulizumabの休薬・中止など適切な処置を行う．また，同種移植前2～3ヵ月以内のmogamulizumab使用で，重症急性GVHDの発症頻度が増えるため，注意が必要である．

11）抗補体C5抗体：eculizumab, ravulizumab

Eculizumabはヒト化抗体で，発作性夜間ヘモグロビン尿症，非典型溶血性尿毒症症候群に対して使用される．補体C5を特異的に阻害，終末補体複合体の生成を抑制することで，溶血を阻害する．C3bを介するオプソニン効果は保たれるため，重篤な免疫抑制は通常問題にならない．しかし，莢膜を持つ髄膜炎菌に対する終末補体複合体による免疫機能が低下するため，投与前の髄膜炎菌ワクチン接種が推奨される．Eculizumabは2週間隔の投与が必要だが，リサイクル技術を用いた長時間作用型ravulizumabは8週間隔の投与にて治療が可能である．

12）抗補体C1s抗体：sutimlimab

寒冷凝集素症は，補体の古典経路の活性化によって引き起こされる溶血を特徴とする自己免疫性溶血性貧血である．慢性溶血の主な原因がC3bを介する肝臓での血管外溶血であることから，C3bより古典経路で上流のC1複合体セリンプロテアーゼ（C1s）補体阻害が有効で，抗C1sヒト化モノクローナル抗体sutimlimabは，寒冷凝集素症の溶血による貧血を速やかに改善する．

13）抗RANKL抗体：denosumab

ヒト型抗体のdenosumabは，破骨細胞の活性化に関与するNF-κB活性化受容体リガンド（receptor activator for NF-κB ligand：RANKL）と結合し，破骨細胞の分化や活性化を阻害する．MMの骨病変や固形腫瘍の骨転移に関連した病的骨折などの骨関連事象（skeletal related event：SRE）の発現を抑制，zoledronic acidに比べ，初回SREの出現までの期間を有意に延長させた．Denosumab治療中は，低カルシウム血症に加え，顎骨壊死に十分な注意が必要である．

14）Bispecific抗体：emicizumab

凝固開始相で生じるトロンビンにより補因子機能を有したFⅧaは，リン脂質膜上でFⅨa（酵素）とFX（基質）が最も反応しやすい位置関係を維持する．この結果生じたFXaは，その補因子であるFVaとともにプロトロンビンをトロンビンへと変換し（トロンビンバースト），フィブリノゲンを凝固反応の最終産物であるフィブリンに変換する．血友病Aおよびインヒビター存在症例では，FⅧが欠損または機能低下しているため，トロンビンバーストが不完全となる．そのため，フィブリンによる血栓形成が不十分となり，重大な出血傾向を呈する．IgG型ヒト化bispecific抗体emicizumabは，抗体の一方の部分がFⅨaに，他方部分がFXに結合することで，FⅨaがFXを活性化するリン脂質膜上の酵素反応において両因子を架橋する[4)]．FⅧの補因子機能を代替することで，emicizumabは，その下流の血液凝固反応を促進する．先天性血友病Aに加えて，後天性血友病Aの出血に対しても有効である．

3 低分子医薬：キナーゼ阻害薬

細胞内シグナル伝達において，チロシン，セリン，スレオニンのリン酸化は，正常細胞の機能維持に重要な働きをしている．チロシンキナーゼはFlt3・Kitなどの受容体型チロシンキナーゼと，Jak・Src・Btkなどの非受容体型（細胞質）チロシンキナーゼに大別される．受容体型チロシンキナーゼはリガンド結合によって二量体となり，自己リン酸化を介して，結合した細胞内のアダプター分子が増殖シグナルを伝達する．非受容体型チロシンキナーゼは標的蛋白をリン酸化，その下流分子群が活性化され，シグナル伝達が開始される．セリン・スレオニンキナーゼは，MAPK経路やPI3K/Akt/mTOR（mammation target to rapamycin）経路など，細胞周期関連の多岐にわたるシグナル伝達に重要な働きをしている．造血細胞の分化・増殖には多数のシグナル伝達分子が関与するが，それらをコードする遺伝子に変異を生じると造血細胞は正常の分化・増殖制御から逸脱し，造血器腫瘍を発症する．

さまざまなシグナル伝達を標的とする低分子医薬の開発が進んでいるが，特にキナーゼ阻害薬がその大半を占める．キナーゼ阻害薬では，薬剤ごとの特徴的な副作用に加え，併用薬剤との薬物代謝酵素に関連する相互作用には注意が必要で，適切な副作用のモニタリングを行う．

1）BCR-ABL阻害薬

慢性骨髄性白血病（chronic myeloid leukemia：CML）は，*BCR::ABL1*遺伝子から翻訳される蛋白がABLチロシンキナーゼ活性を示すことで発症原因となる．Imatinibは ATP結合部位にATPと競合的に結合しBCR-ABL1の活性化を阻害する．Imatinibは PDGF受容体（PDGFR）＞KIT＞ABLの順でその抑制効果が強いため，KITチロシンキナーゼ活性が高い消化管間質腫瘍や*FIP1 L1::PDGFR*陽性好酸球性白血病にも治療効果を有する．第二世代のnilotinibやdasatinibも，BCR-ABL1の活性化を阻害し，imatinibよりも高い有効性が示されている．Nilotinibは imatinibと同様PDGFRやKITを，dasatinibはSrc

ファミリーを阻害する．BCR-ABL1およびSrc阻害活性の特異性が高く，副作用が少ないとされるbosutinibや，治療抵抗性T315I変異に有効なponatinibも臨床導入された．さらに，従来のチロシンキナーゼ阻害とは異なる新規の作用機序（STAMP阻害：ABLミリストイルポケットを標的）を有するasciminibも臨床導入された．詳細はIX-3「慢性骨髄性白血病」に譲る．

下記に挙げる副作用の違いも，治療選択において参考にする必要がある．共通する副作用として，消化器症状（下痢・悪心・嘔吐）や倦怠感，骨髄抑制，肝障害，心電図でのQT間隔延長がみられる．治療中は避妊するように指導し，妊婦または妊娠の可能性がある女性には投与しない．また，これら薬剤（特に第二世代および第三世代）の長期治療中に重篤な心血管イベント（虚血性心疾患，肺高血圧，末梢動脈閉塞症，脳梗塞）の合併を認めることがあり，適切な副作用のモニタリングが必要である．

a）imatinib

発疹，浮腫，筋肉痛や筋痙攣などが起こる．

b）dasatinib

腹痛，出血，発熱，頭痛に加え，長期的な副作用として胸水貯留が起こる．症候性の胸水の場合はdasatinibを休薬，利尿薬や副腎皮質ステロイドを投与する．

c）nilotinib

発疹，瘙痒，頭痛，リパーゼ上昇，高血糖がみられる．

d）bosutinib

下痢が治療開始早期より発現，止瀉薬や整腸薬で多くはコントロール可能であるが，重篤な場合は休薬・減量が必要となる．

e）ponatinib

消化器症状，発熱，筋肉痛，肝障害，リパーゼ上昇，骨髄抑制など他薬剤と共通な副作用に加え，末梢動脈閉塞症や脳血管障害に注意が必要である．

2）FLT3（FMS-like tyrosine kinase 3）阻害薬

FLT3は，造血幹細胞・前駆細胞に発現，造血細胞の分化増殖に必要なシグナル伝達に関与しており，白血病細胞にも広く発現している．FLT3は細胞外ドメインでリガンドと結合すると二量体を形成，PI3K/AKT系，RAS/MAPK系を活性化して細胞増殖，抗アポトーシスにかかわるシグナルを伝達する．*FLT3*遺伝子突然変異として，膜貫通領域の一部に重複配列を認める*FLT3*-ITD（internal tandem duplication）とキナーゼドメインに活性型変異を認める*FLT3*-TKD（tyrosine kinase domain）があり，恒常的にFLT3シグナルが活性化されている．Midostaurinは，FLT3以外にKIT，VEGFR，PDGFR，SYKなど幅広いキナーゼ阻害活性を有する第一世代FLT3阻害薬である．より高い選択性と阻害活性を持つ第二世代のgilteritinibとquizartinibが，再発または難治性の*FLT3*-ITD変異陽性AMLに対し，使用可能であるが，gilteritinibがITDとTKD，quizartinibがITDのみの阻害活性に違いがあることへの注意が必要である．

3）JAK阻害薬

Jak/Stat経路はサイトカインシグナル伝達に重要な役割を担う．Jak2は血球分化にかかわる重要な造血因子Epo，G-CSF，IL-3，Tpoにより活性化され，赤血球および血小板造血に必須である．JAK2キナーゼの活性型変異V617Fは，真性赤血球増加症（真性多血症）（polycythemia vera：PV）の90％以上，本態性血小板血症（essential thrombocythemia：ET）や原発性骨髄線維症（primary myelofibrosis：PMF）の約半数に認められる．この変異によるJAK2シグナルの増強は，赤血球系および巨核球系の無秩序な分化増殖を促進，PVやETの発症に主要な役割を果たす．JAK阻害薬ruxolitinibは，腫瘍クローンの排除効果は少ないものの，脾腫や全身倦怠感などの臨床症状の改善が示されている[5]．Ruxolitinibは多彩なサイトカインシグナルを抑制する作用があり，治療抵抗性急性および慢性GVHDに対する有効性が示されている．

副作用は貧血と血小板減少で，高頻度に出現する．細胞性免疫も低下するため，帯状疱疹，結核，B型肝炎ウイルスの再活性化に注意が必要である．

4）B細胞受容体シグナル阻害薬

B細胞受容体（BCR）は，膜結合型免疫グロブリン分子と会合したCD79A/CD79Bヘテロ二量体から構成される．正常B細胞において，特定の抗原と免疫グロブリン分子が結合すると，CD79A/CD79Bは細胞内にシグナルを伝達，その下流のチロシンキナーゼのSYKやBTKなどの分子が活性化される．さらに，PI3K/AKT経路，MAP経路，NF-κB経路などへシグナル伝達され，生存，アポトーシス，細胞分裂，B細胞分化などのさまざまな機能を発揮する．成熟B細胞腫瘍では，NF-κB経路の異常活性化やBCRシグナル経路を構成する分子の遺伝子変異が数多く報告され，それらを標的とするBCRシグナル阻害薬の臨床開発が進んでいる．その代表であるBTK阻害薬ibrutinibは，CLLやマントル細胞リンパ腫（mantle cell lymphoma：MCL）患者で高い有効性を認め，治療体系を変えた[6]．さらに，ibrutinibは治療抵抗性慢性

GVHDに対する有効性も示されている．最も多い副作用は下痢で，off-target作用による出血や心房細動にも注意が必要である．より選択性の高いacalabrutinib，中枢神経系原発リンパ腫や原発性マクログロブリン血症に有効なtirabrutinibなども臨床導入された．

5）PI3K阻害薬

セリン・スレオニンキナーゼは，MAPK経路，PI3K/AKT/mTOR経路やサイクリン依存キナーゼなどの細胞周期関連のシグナル伝達において重要な働きをしている．PI3K/AKT/mTOR経路は，細胞の生存や増殖を制御する重要なシグナル伝達である．B細胞腫瘍において，PI3Kの変異が報告され，ドライバー的な役割が示唆されている．PI3Kの触媒サブユニットであるp110には4つのアイソフォームが存在，p110αとβがさまざまな組織に普遍的に発現しているのに対して，p110γとδは主にリンパ球に発現している．PI3K阻害薬は，p110δ選択的PI3K阻害薬idelalisibに加え，copanlisib（p110α，δを阻害）やduvelisib（p110γ，δを阻害）を中心に開発が進んできた．阻害するサブユニットにより，有効性や副作用に違いがみられ，idelalisibでは腸炎や肝障害などの免疫関連有害事象と日和見感染が問題になるのに対して，αサブユニットを阻害するcopanlisibは高血圧や高血糖を高い頻度で認める．

6）ALK阻害薬

ALK陽性未分化大細胞リンパ腫では，ALK融合遺伝子により作られたALK蛋白質の恒常的チロシンキナーゼ活性化が起こり，異常な細胞増殖がもたらされている．ALK阻害薬alectinibは，このALK蛋白質のチロシンキナーゼ活性を阻害することで効果を発揮する．

4 低分子医薬：キナーゼ以外の標的阻害薬

1）プロテアソーム阻害薬

ユビキチン-プロテアソーム系は，細胞内のさまざまな蛋白分解の主要経路の1つであり，遺伝子の転写，細胞周期の制御，アポトーシス，シグナル伝達など重要な役割に関与する．プロテアソームが調節する転写因子NF-κBは，腫瘍細胞の増殖やアポトーシスに重要な役割を果たしている．NF-κBはその阻害蛋白であるIκBと結合して細胞質内に不活性型として存在しているが，IκBがプロテアソームで分解されるとNF-κBが活性化されて核内に移動し，腫瘍細胞を増殖させる．骨髄腫細胞には恒常的NF-κB活性化とbcl-2高発現が認められる．MM治療の中心をなすプロテアソーム阻害薬bortezomibはIκBの分解抑制によりNF-κBの活性を阻害することで，アポトーシスを誘導する．頻度の高い副作用は末梢神経障害で，静注と比較して皮下注射ではその頻度が低くなる．下痢や便秘，一過性の血小板減少も比較的多く認める．間質性肺炎など肺障害にも十分な注意が必要である．帯状疱疹ウイルスの再活性化のリスクが高く，aciclovirの予防的投与が推奨される．腎機能により排泄は影響されず，腎障害があっても投与可能である．

Bortezomibが20Sプロテアソームのβ5サブユニットを可逆的に阻害するのに対し，新規プロテアソーム阻害薬carfilzomibは，β5サブユニット特異的かつその作用は非可逆的できわめて強力な阻害効果を持つ．副作用の末梢神経障害は少ないものの，心不全の発症には十分な注意が必要である．Ixazomibはbortezomibとほぼ同様の作用機序であるが，プロテアソーム解離時間が短く，体内吸収後は血中から組織内に速やかに移行してその活性を発揮する．Ixazomibは，倦怠感，悪心，下痢，血小板減少の副作用がある一方，末梢神経障害や心不全の頻度は低く，内服薬であるという利点がある．

2）ヒストン脱アセチル化酵素（HDAC）阻害薬

DNAはヒストン蛋白に巻きつき，染色体を形成して核内に収納されている．ヒストンのアセチル化や脱アセチル化により遺伝子発現が調節されている．ヒストンが低アセチル化状態であるとクロマチン構造が凝集して転写が抑制され，一方，ヒストンがアセチル化されるとクロマチンが開き転写が活性化される．種々のがん腫で，ヒストンアセチル基転移酵素（HAT）遺伝子異常やHDAC発現変化の関与が報告されている．HDAC阻害薬は，ヒストンのアセチル化の増加によりクロマチン構造を緩ませ，がん抑制遺伝子などの転写を促進する結果，アポトーシス，細胞周期停止，細胞分化を誘導することで抗腫瘍効果を発揮する．Class Ⅰ（HDAC1，2，3）とclass Ⅱ（HDAC6）を阻害するvorinostatは皮膚T細胞リンパ腫（cutaneous T-cell lymphoma：CTCL）に，汎HDAC阻害薬panobinostatはMMに有効性が示されている．Class Ⅰ（HDAC1,2）とclass Ⅱ（HDAC4,6）を阻害するromidepsinおよびclass Ⅰ（HDAC1,2,3）とclass Ⅱ（HDAC10）を阻害するtucidinostatは，PTCLとATLで効果を認める．

3）DNAメチル化阻害薬

DNAプロモーター領域のCpGアイランドがメチル化されれば，転写因子が結合できずに遺伝子発現が低下する．白血病や骨髄異形成症候群（myelodysplastic syndromes：MDS）では，がん抑制遺伝子や細胞回転制御因子など腫瘍発症を抑制する遺伝子のメチル化を介した不活化が疾患発症に関与している．脱メチル化により遺伝子発現を誘導するエピジェネティック治療薬として，DNAメチルトランスフェラーゼ阻害薬decitabineとazacitidine（Aza）が開発された．これらの薬剤はdeoxycytidine誘導体であり，高用量で使用すればcytosine arabinosideと同様に殺細胞効果を有するが，低用量長時間作用させるとCpGアイランドの脱メチル化作用，分化誘導効果を発揮する．Azaは MDSおよびAML治療で使用され，血液学的改善効果が示されている．脱メチル化酵素TET2の機能を阻害するIDH1/IDH2の変異がAMLで報告されており，IDH阻害薬の開発も行われている．一方，悪性リンパ腫の一部ではメチル化に重要な役割を果たすEZH2の機能獲得型変異を認め，濾胞性リンパ腫（follicular lymphoma：FL）に対してEZH2阻害薬tazemetostatが承認されている．また，EZH1/2阻害薬valemetostatがATLに対して承認された．

4）BCL-2阻害薬

BCL-2（B-cell lymphoma-2）　は，BAX，BAK，BCL-XL，MCL-1などとBCL-2ファミリーを形成し，アポトーシスの制御を行っている．CLLなどのB細胞性腫瘍では，BCL-2の過剰発現を認め，腫瘍細胞のアポトーシスが抑制されている．BCL-2阻害薬venetoclaxは，CLLやMCLできわめて高い効果を単剤で認めている．さらに，さまざまな造血器腫瘍（AML，MDS，ALL，MM）におけるBCL-2の重要性が報告され，AMLにおけるvenetoclaxとazacitidineなど，他薬剤との併用療法の開発が進んでいる．

5 その他の分子標的治療薬

1）免疫調節薬（IMiDs）

IMiDsの直接の結合蛋白であるcereblonは，CUL4，RBX1，DDB1と複合体を形成し，E3 ubiquitin ligaseとして細胞蛋白のユビキチン依存性分解に働く．IMiDsは，cereblonに結合することで，細胞蛋白の分解を制御する．IMiDsの薬理作用は，免疫調整作用（T細胞やNK細胞の活性化の増強，Th1サイトカイン産生促進，制御性T細胞の産生抑制），抗炎症作用や直接的な抗腫瘍作用などと多彩である．Thalidomideやpomalidomideが MMに使用され，lenalidomideはMMと5q-MDSに加え，FLやATLに対しても有効性が示されている．詳細はⅨ-24「多発性骨髄腫」に譲る．

IMiDsは催奇形性があるため，妊婦または妊娠の可能性がある女性には投与しない．Thalidomideを処方する際は，医師，薬剤師，患者と家族ならびに製薬会社が「サリドマイド製剤安全管理手順」を適正に遵守する．同様に，lenalidomideやpomalidomideを処方する際は，「適正管理手順（RevMate）」を遵守する．Thalidomideでは感覚性ニューロパチーが起こるが，lenalidomideやpomalidomideではその頻度は少ない．IMiDs服用時には深部静脈血栓症の発症のリスクがあるため，予防的に抗凝固療法や抗血小板療法を行う．Lenalidomideで問題となる副作用は骨髄抑制（好中球減少，血小板減少）で，定期的に血液検査を行う．また，lenalidomideは腎排泄性薬剤のため，腎機能障害時は減量が必要である．

2）急性前骨髄球性白血病（APL）のPML/RARαを標的とする治療薬

All-trans retinoic acid（ATRA）や三酸化ヒ素（As_2O_3）は，分子標的治療の先駆けである．副作用として分化症候群が特徴であるが，詳細はⅨ-8「急性前骨髄球性白血病」に譲る．急性前骨髄球性白血病（acute promyelocytic leukemia：APL）に対して，化学療法を用いないATRAとAs_2O_3併用のみで得られる高い生存割合は，分子標的治療薬時代の新しい幕開けを感じさせる[7]．

文　献

1）Coiffier B et al: N Engl J Med **346**: 235, 2002
2）Marcus R et al: N Engl J Med **377**: 1331, 2017
3）Ishida T et al: J Clin Oncol **30**: 837, 2012
4）Oldenburg J et al: N Engl J Med **377**: 809, 2017
5）Harrison C et al: N Engl J Med **366**: 787, 2012
6）Byrd JC et al: N Engl J Med **369**: 32, 2013
7）Lo-Coco F et al: N Engl J Med **369**: 111, 2013

4 放射線療法の適応と有害事象

到達目標

- 放射線療法の適応となる病態を理解する
- 放射線療法の有害事象について理解する

1 放射線療法の適応

放射線療法は，造血器腫瘍の治療においてさまざまな役割を果たし，根治的にも緩和的にも用いられる．

1）悪性リンパ腫

a）Hodgkin リンパ腫

放射線療法は根治を目的として，放射線単独療法または化学療法と組み合わせて地固め療法として用いられる[1]．治癒が困難な場合には緩和的治療として用いられる．限局期結節性リンパ球優位型 Hodgkin リンパ腫に対しては放射線療法単独の適応がある．限局期古典的 Hodgkin リンパ腫に対しては薬物療法後に地固め放射線療法として用いられる．進行期古典的 Hodgkin リンパ腫における標準治療は化学療法であるが，化学療法後に腫瘍が残存した場合は放射線療法の適応となる場合がある．再燃または治療抵抗性の Hodgkin リンパ腫に対する治療は，主に大量化学療法と造血幹細胞移植であるが，それらの適応の有無にかかわらず，局所制御が有用と考えられる場合に放射線療法の適応がある．救援療法の一役として限局性病変に適応となるほか，播種性再発の場合にも，5 cm 以上の bulky 病変が存在したり，造血幹細胞移植後に遷延する病変を認めたり，椎体浸潤などによる脊髄圧迫や，神経，上大静脈や気道の圧迫，リンパ浮腫，水腎症などの原因として病変を認める場合にも適応となる．

b）非 Hodgkin リンパ腫

限局期アグレッシブリンパ腫に対する根治目的で，放射線療法単独または薬物療法と組み合わせた放射線療法の適応がある[1]．また根治が困難な場合にも局所制御や症状緩和を目的として適応がある．高齢や合併症などで薬物療法が困難な症例でも初回治療として根治的放射線療法が可能な場合がある．治療抵抗性または再発リンパ腫に対しても救援療法と組み合わせた放射線療法の適応がある．

進行期のアグレッシブリンパ腫においては，bulky 病変または節外病変に対して薬物療法と組み合わせて放射線療法が行われる場合がある．また薬物療法後に限局する残存病変を認めた場合にも適応となりうる．限局期節外性 NK/T 細胞リンパ腫，鼻型に対しては同時化学放射線療法の適応がある．精巣原発悪性リンパ腫の化学療法後に，健常側の精巣に対して再発予防を目的とした放射線療法の適応がある．

限局期インドレントリンパ腫に対しては根治的放射線療法の適応がある．Grade1 または 2 の限局期濾胞性リンパ腫に対して放射線療法単独が推奨されている．Grade3A も一般にインドレントリンパ腫として扱われるが，インドレントリンパ腫に準じた治療を行うかアグレッシブリンパ腫に準じるかはいまだ議論の余地がある．Grade3B の場合はアグレッシブリンパ腫として扱われ，びまん性大細胞型 B 細胞リンパ腫に準じた治療方針が選択される．限局期節性辺縁帯リンパ腫に対してはインドレントリンパ腫に準じた放射線療法の適応がある．*H.pylori* 除菌抵抗性または *H. pylori* 陰性の限局期胃 MALT リンパ腫に対して根治的放射線療法の適応がある．眼窩や結膜，唾液腺，甲状腺，直腸などの胃以外の節外性辺縁帯リンパ腫（MALT リンパ腫）に対しても根治的放射線療法の適応がある．限局期マントル細胞リンパ腫に対する初回治療に，放射線療法単独または放射線療法と薬物療法の併用が推奨されている．

進行期のインドレントリンパ腫に対しては薬物療法が主体となるが，局所制御や症状緩和を目的として放射線療法の適応がある．

皮膚原発の悪性リンパ腫に対する，放射線療法単独または薬物療法と組み合わせた放射線療法は，根治的にも緩和的にも有用である[2]．また全身の表在性皮膚病変に対して全身皮膚電子線照射は有効な治療選択肢である．

2）多発性骨髄腫

多発性骨髄腫の骨病変による疼痛の緩和や，髄外腫瘤形成による脊髄圧迫などの諸症状に対する緩和を目的とした放射線療法の適応がある[3]．

3）孤立性形質細胞腫

骨または軟部組織の孤立性形質細胞腫に対して，根治的放射線療法の適応がある[3]．

4）白血病

同種造血幹細胞移植前処置を目的とした全身照射の適応がある[4]．また，白血病の髄外腫瘤形成や皮膚病変に対して，局所制御および症状緩和を目的とした放射線療法の適応がある[5]．

2 放射線療法の有害事象

放射線療法の有害事象は，放射線治療期間中から放射線治療終了後しばらくの間の比較的早期に生じる**急性期有害事象**と，それ以降に生じる**晩期有害事象**とに分けられる．急性期有害事象は通常一過性であり，発生した有害事象に対症療法を行うことで，治療の完遂を目指す．放射線宿酔，骨髄抑制はどの部位に照射する場合にも程度の差はあれ生じるリスクがある．晩期有害事象は通常難治性かつ不可逆性である．そのため放射線治療計画の段階において可能な限り正常組織の被曝線量の低減を図り，晩期有害事象の発生リスクを抑える．また発生した場合は可能な限り生活の質を落とさないための対症療法を行う．

頭部への照射では，急性期は脱毛など，晩期は認知機能低下などのリスクがある（**図1**）．頭頸部領域では，急性期は粘膜炎や脱毛など，晩期は唾液腺機能低下，甲状腺機能低下などのリスクがある（**図2，3，4**）．胸部では，急性期は食道炎など，晩期は心血管障害，肺機能障害などのリスクがある（**図5**）．腹部および骨盤部では，急性期は腹痛，下痢などの消化器

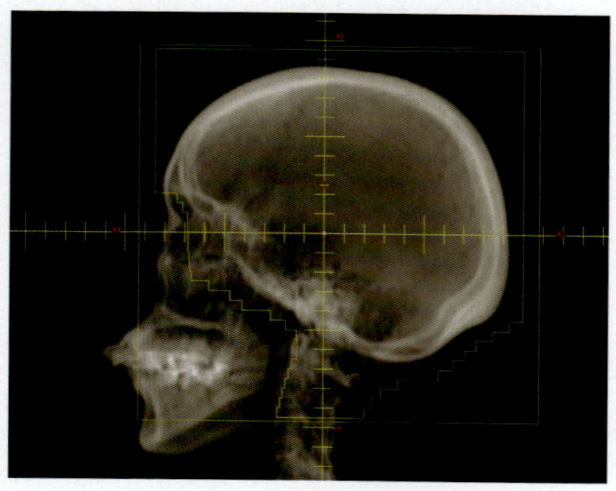

◆図1　びまん性大細胞型B細胞リンパ腫の中枢神経浸潤に対する薬物療法後，地固め全脳照射の例

急性期有害事象として脱毛や皮膚炎などがある．晩期有害事象として認知機能低下に注意が必要である．

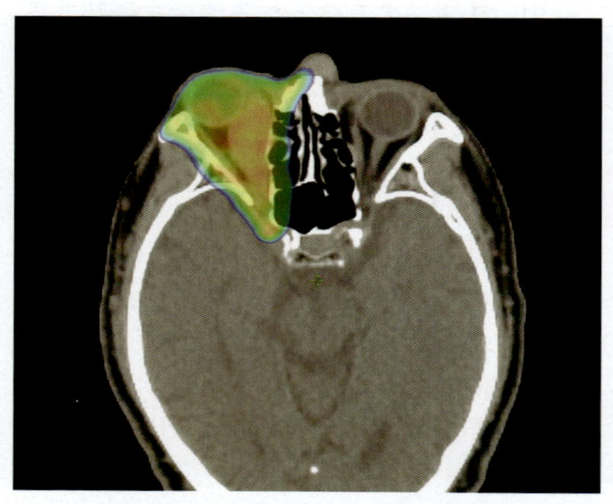

◆図2　右眼窩MALTリンパ腫IE期に対する根治的放射線療法の例

急性期有害事象として眼周囲の脱毛や皮膚炎，角結膜炎などがある．水晶体が照射野に含まれる場合，晩期有害事象として白内障のリスクがある．水晶体は放射線感受性が比較的高いため低線量でも白内障が生じうる．また涙腺に対する影響としてドライアイがある．網膜の障害が生じる場合もある．

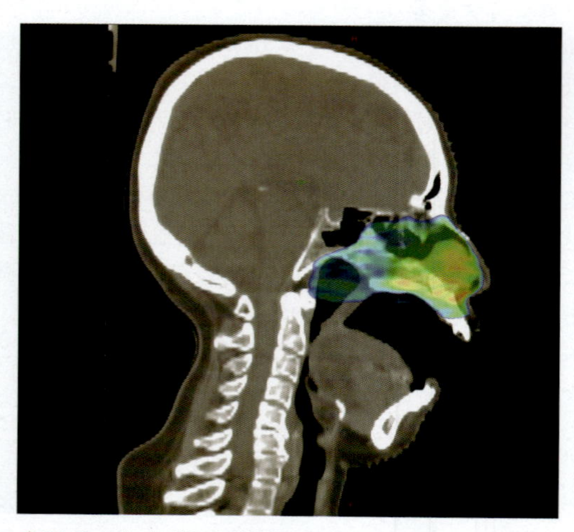

◆図3　左鼻腔原発節外性NK/T細胞リンパ腫，鼻型IE期に対する根治的化学放射線療法の例

急性期有害事象として鼻炎，咽頭炎，口内炎などがある．晩期有害事象として慢性鼻炎などがある．

障害など，晩期は妊孕性の障害などのリスクがある（図6，7，8）．またどの部位を照射する場合も二次がんを生じるリスクがある．特に若年者では長期の経過観察と定期的な検査を行い，二次がんが生じた場合にも早期に発見することで，その後の治療につなげることが重要である．

■文　献■

1）Wirth A et al: Int J Radiat Oncol Biol Phys **107**: 909, 2020
2）Spect L et al: Int J Radiat Oncol Biol Phys **92**: 32, 2015

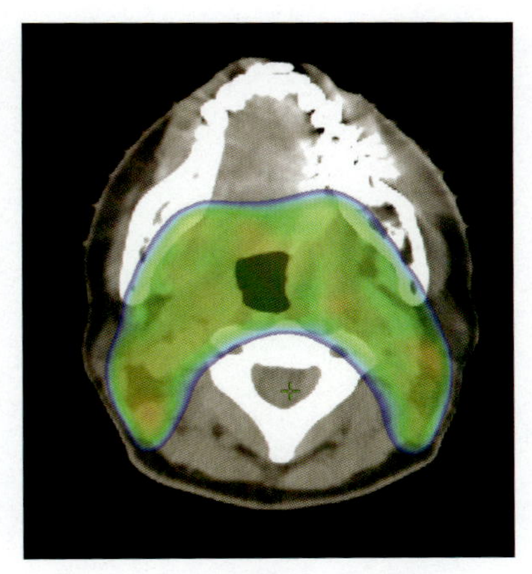

◆**図4　両側口蓋扁桃の濾胞性リンパ腫Ⅱ期に対する根治的放射線療法の例**
急性期有害事象として咽頭炎，口内炎などがある．晩期有害事象として味覚障害，唾液腺機能低下による口腔乾燥などがある．

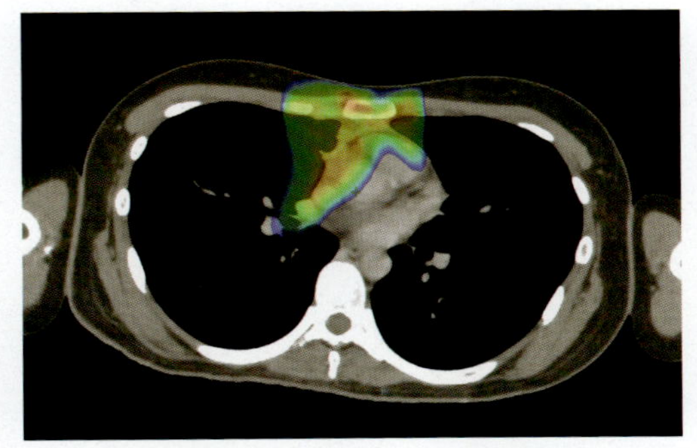

◆**図5　原発性縦隔大細胞型B細胞リンパ腫Ⅱ期に対する薬物療法後，地固め放射線療法の例**
急性期有害事象として食道炎などがある．晩期有害事象として心機能障害，肺線維症などがある．放射線肺臓炎は急性期から晩期にかけて生じうるが，放射線治療期間中に発生することはまれで，通常は治療終了後半年程度の間に生じうる．

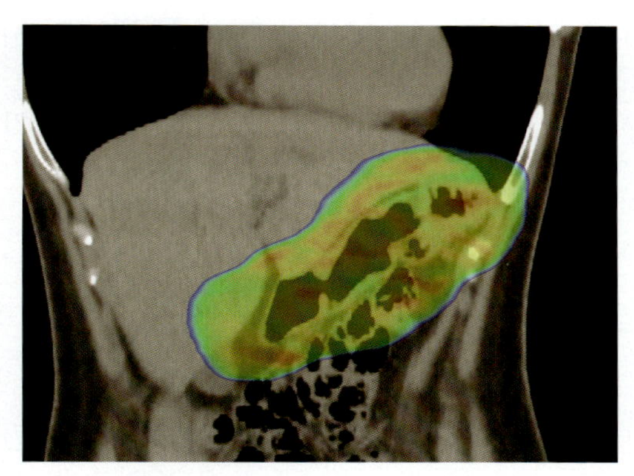

◆**図6　胃MALTリンパ腫ⅠE期に対する根治的放射線療法の例**
急性期有害事象として放射線宿酔，胃炎などがある．晩期有害事象として肝機能障害，腎機能障害などがある．

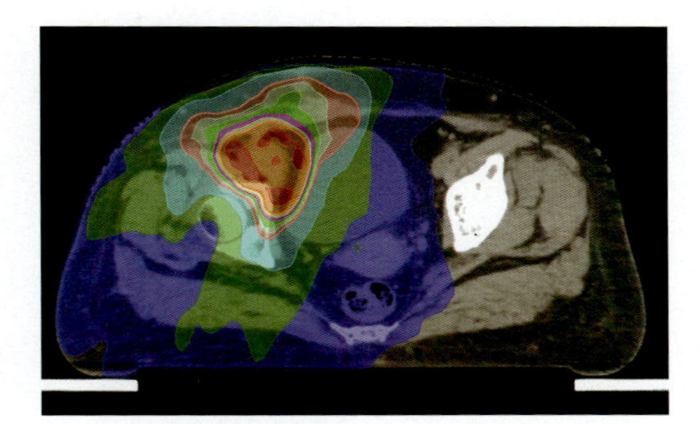

◆**図7　右鼠径～腸骨領域びまん性大細胞型B細胞リンパ腫の治療抵抗性病変に対する薬物療法後の追加照射**
急性期有害事象として皮膚炎，骨髄抑制などがある．晩期有害事象は不妊などがある．卵巣はきわめて放射線感受性が高く，低線量であっても卵巣機能が廃絶するため，妊孕性のある女性に対して骨盤部への照射が必要な場合は十分なインフォームドコンセントが必要である．

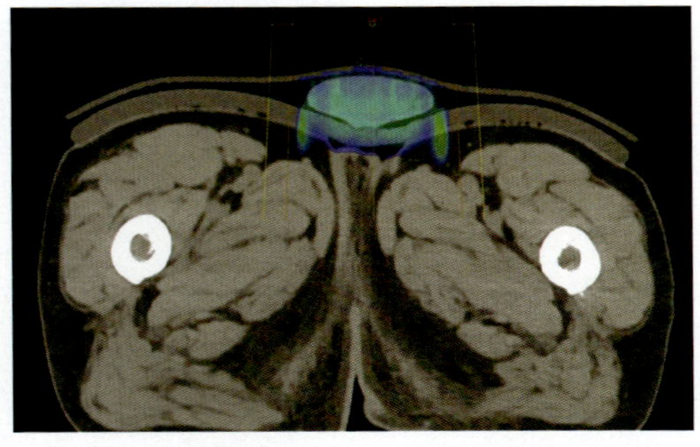

◆**図8　右精巣原発びまん性大細胞型B細胞リンパ腫に対する薬物療法後，対側精巣への予防照射**
急性期有害事象は皮膚炎などがある．晩期有害事象は不妊などがある．精巣はきわめて放射線感受性が高く，低線量でも不妊となるため，妊孕性のある男性に対して精巣やその近傍への照射が必要な場合は十分なインフォームドコンセントが必要である．

3）Tsang RW et al: Int J Radiat Oncol Biol Phys **101**: 794, 2018
4）Wong JYC et al: Int J Radiat Oncol Biol Phys **101**: 521, 2018
5）Bakst RL et al: Int J Radiat Oncol Biol Phys **102**: 314, 2018

5 腫瘍免疫療法

到達目標

- 造血器腫瘍における腫瘍免疫の活性化を目的とした治療薬の特徴を理解する

1 腫瘍免疫療法

悪性腫瘍に対する薬物療法は長年，直接腫瘍細胞を標的とする殺細胞性抗がん薬や抗体製剤が中心的役割を担ってきた．腫瘍細胞に対する免疫反応を高めるという治療戦略は，こうした抗がん薬とは異なる治療効果を発揮することが期待され，昔からさまざまな方法が試みられてきた．しかし，腫瘍特異的な免疫反応の誘導には腫瘍の抗原性や患者のHLAなど個体ごとの要因が大きく関与するために，技術的には可能であっても，普遍的に適用できる治療とはなりづらかった．

近年，腫瘍細胞の免疫逃避機構や腫瘍組織内の微小環境がより詳しく理解されるようになり，T細胞受容体（T-cell receptor：TCR）を介した主シグナルの増強を図る以外にも，共抑制分子（CTLA-4，PD-1）のシグナルを阻害したり，腫瘍細胞とT細胞の距離を近づけて免疫反応を生じやすくするなど，より普遍的な手段によっても抗腫瘍免疫を高めることができることが見出され，造血器腫瘍においても臨床応用が進みつつある．こうした近年の腫瘍免疫療法の発展には，抗体作製技術の進歩が大きく貢献している．

2 PD-1 阻害薬

T細胞は抗原提示細胞によって提示された抗原ペプチドをTCRにより認識することで免疫反応を生じるが，その反応強度はさまざまな副シグナルによって調節される．そのうちCTLA-4とPD-1は，T細胞反応を減弱させる細胞間シグナルを担う代表的な共抑制分子である（**図1**）．CTLA-4を介したシグナルは主にリンパ組織におけるT細胞の初期の抗原感作（プライミング期），PD-1を介したシグナルは主に病巣におけるT細胞免疫（エフェクター期）を抑制する作用を持つ．これらのT細胞反応の修飾は自己抗原に対する反応性低下や，慢性ウイルス感染症における過剰な免疫反応の抑制などの生理的な免疫調節にかかわ

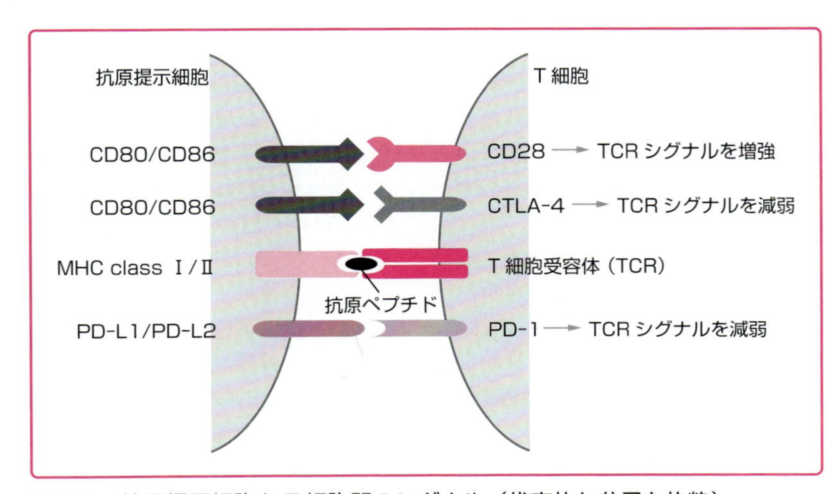

◆**図1** 抗原提示細胞とT細胞間のシグナル（代表的な分子を抜粋）

る一方，さまざまな悪性腫瘍の免疫逃避機構にもかかわっている．

これらの抑制性シグナルを遮断することにより抗腫瘍免疫を高めることを目的とした抗体製剤が開発され，**免疫チェックポイント阻害薬**としてさまざまな悪性腫瘍の治療に用いられるようになっている．血液内科領域では現在，PD-1シグナルを阻害する抗体であるnivolumabとpembrolizumabが再発または難治性の古典的Hodgkinリンパ腫に対し承認されている．これらの**PD-1阻害薬**が従来の腫瘍細胞を標的とした抗体医薬と異なる点は，結合する細胞（PD-1陽性T細胞）自体が攻撃対象ではないことから，抗体依存性細胞傷害（antibody-dependent cellular cytotoxicity：ADCC）や補体依存性細胞傷害（complement-dependent cytotoxicity：CDC）作用を持つIgG1型ではなく，シグナルの阻害のみをもたらすIgG4型の抗体製剤である点である．いずれのPD-1阻害薬も再発・難治性のHodgkinリンパ腫に対し高い有効性を持ち，自家移植やbrentuximab vedotinを含む濃厚な治療歴を有する症例においても治療効果は大きく変わらず，全奏効割合はおおむね7割前後と評価されている[1,2]．

Hodgkinリンパ腫では，腫瘍の本体であるHodgkin/Reed-Sternberg（H/RS）細胞やマクロファージにPD-L1，周囲を取り巻くT細胞にPD-1が高発現しており，PD-1阻害薬はこれらの細胞間に介在するPD-1シグナルの均衡を破綻させることによって治療効果を発揮するとされている．H/RS細胞ではPD-L1の遺伝子座位である9p24.1のコピー数増加が高頻度に生じており，遺伝子の数的増加に加え，隣接する*JAK2*がさらにPD-L1の転写亢進をもたらすことが示されている．他の悪性腫瘍に比較しHodgkinリンパ腫で本薬剤の治療効果が圧倒的に高い理由は，H/RS細胞がPD-L1を介して生存シグナルを受けており，PD-1阻害薬がその遮断を生じるためであるとする研究も報告されており[3]，Hodgkinリンパ腫においては固有の作用機序が存在する可能性も示唆されている．

PD-1阻害薬で頻度の高い副作用は疲労感，上気道炎，発熱，AST・ALT上昇，下痢，咳，白血球減少，血小板減少，貧血などで，いずれも2～3割の頻度で認められるが，ほとんどがgrade 1～2であると報告されている．一方，独特の薬理作用に基づく**免疫関連有害事象**（immune-related Adverse Events：irAE）が知られ，特に注意を要するものとして，間質性肺疾患，大腸炎・重度の下痢，特発性血小板減少性紫斑病，腎障害，脳炎，静脈血栓塞栓症，重症筋無力症・心筋炎・筋炎・横紋筋融解症，1型糖尿病，肝機能障害・肝炎，神経障害，副腎障害，重度の皮膚障害などが挙げられる．これらのirAEは治療開始後2～3ヵ月以内に生じる傾向があるが，数ヵ月経過後あるいは薬剤終了後にも生じる場合がある．重症化した場合は致命的にもなりうるため，これらが疑われる際は速やかに関連の科に相談し，ステロイドや免疫抑制薬などの治療を検討する．

また，再発・難治性Hodgkinリンパ腫では同種移植も治療の選択肢となることから，同種移植症例に対しPD-1阻害薬を適用する場合には**移植片対宿主病**（graft-versus-host disease：GVHD）のリスクに配慮する必要がある．同種移植前にPD-1阻害薬を使用した症例では移植後早期より非感染性発熱症候群や重症急性GVHDの頻度が上昇するため，そうした免疫学的合併症を低減するために，抗PD-1抗体の最終投与から移植まで6週間以上あけることや骨髄を幹細胞ソースとすること，強度減弱前処置や移植後cyclophosphamideによるGVHD予防を適用することが推奨されている．一方，同種移植後にPD-1阻害薬を投与する場合は，PD-1阻害薬を低用量で開始することが勧められる．移植後半年以内でGVHDのリスクが高く，GVHDが生じる場合は1～2回の投与で発症する傾向があり，特に早期の慎重な観察が必要となる．GVHDを発症した場合には難治性となることが多いため，methylprednisolone 2 mg/kg/日で治療開始し，不応の場合は速やかに二次治療を行うことが推奨されている[4]．

3 二重特異性抗体

二重特異性抗体として最も早く開発され実臨床に登場したblinatumomabは，CD19とCD3に対する単鎖の抗体可変領域が免疫原性を持たないリンカーで結合された構造を持つ製剤であり（**図2**），再発難治性のB細胞性急性リンパ性白血病（acute lymphoblastic leukemia：ALL）に対し有効性が示され[5]承認されている．CD19はB細胞腫瘍で高頻度に発現する汎B細胞抗原であり，blinatumomabは腫瘍細胞のCD19および細胞傷害性T細胞に発現するCD3に結合することにより両者の距離を近づけ，腫瘍細胞に対するT細胞の免疫反応を生じやすくする．Blinatumomabに対する親和性はB細胞のほうがT細胞よりも約100倍強いために，腫瘍B細胞に特異性の高いT細胞反応を惹起することができ，本薬剤によりB細胞腫瘍

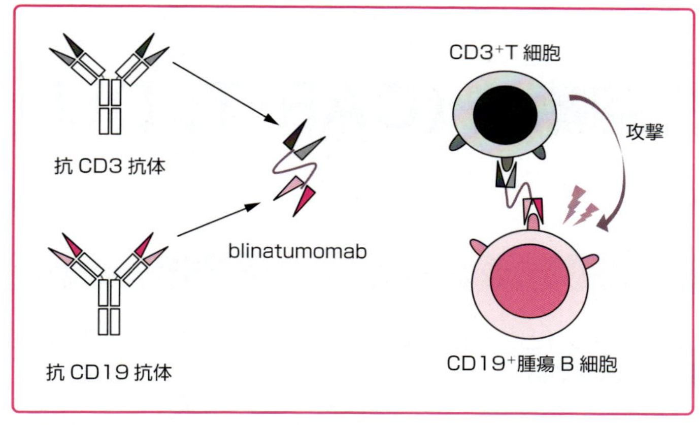

◆図 2 Blinatumomab の構造

依存性に T 細胞の増殖や炎症性サイトカインの産生が得られることが示されている．構造の特性上半減期が約 2 時間と短く，28 日間の連続持続静脈注射が行われる．複数の blinatumomab の臨床試験において，再発難治性 ALL における完全寛解（CR）導入割合は 3 ～ 4 割と評価され，同種移植に進めた症例では無再発生存が延長する傾向が示されている．

また現在，mosunetuzumab や epcoritamab など B 細胞腫瘍の CD20 を標的としたさまざまな二重特異性抗体の開発が進められている．これらの新たな二重特異性抗体の特徴は，2 つの Fab 領域と 1 つの Fc 領域という生理的な抗体の形をとりながら，2 つの Fab 領域がそれぞれ B 細胞および T 細胞を認識するという構造となっている．そのため，blinatumomab よりも半減期が長く，間歇的な静脈注射もしくは皮下注射による投与が可能となっている．

これらの二重特異性抗体では，一般的な血液毒性に加え，共通する特徴的な有害事象として**サイトカイン放出症候群**（cytokine release syndrome：CRS）と**免疫エフェクター細胞関連神経毒性症候群**（immune effector cell-associated neurotoxicity syndrome：ICANS）が認められる．特に腫瘍量の多い症例では注意が必要であり，これらの免疫学的副作用が生じた場合は薬剤の中止・中断，用量調節や，抗 IL-6 受容体抗体やステロイド等の対応が必要となる．

■文　献■

1）Younes A et al: Lancet Oncol **17**: 1283, 2016
2）Chen R et al: J Clin Oncol **25**: 2125, 2017
3）Reinke S et al: Blood **136**:2851, 2020
4）Herbaux C et al: Blood **132** : 9, 2018
5）Kantarjian H et al: N Engl J Med **376**: 836, 2017

6 細胞療法（CAR-T, DLI, MSC）

到達目標

- CAR-T 細胞療法の位置づけと，治療後に生じうる有害事象について理解する
- DLI，MSC の特徴を理解する

1 CAR-T 細胞療法

キメラ抗原受容体（chimeric antigen receptor：CAR）は，腫瘍細胞に発現している標的抗原に結合可能な免疫グロブリン重鎖と軽鎖の一本鎖可変領域を細胞外ドメインとし，抗原刺激を伝える共刺激分子ならびにCD3 ζを細胞内にもつ人工的な蛋白である．CAR-T 細胞療法とは，患者から採取した T 細胞にCARを遺伝子導入することでCAR-T 細胞を作成し，患者体内へ戻すことでHLA 非拘束的に，直接的もしくは周囲の免疫細胞を介して間接的に抗腫瘍効果を発揮することに期待した治療法である（**図 1**）．

これまでにさまざまなCARの開発が行われているが，現在，臨床試験や実臨床に応用されているCARの多くは，共刺激分子として4-1BB もしくはCD28を利用した第 2 世代のCARである．現在，CD19 標的とした tisagenlecleucel（Tisa-cel），axicabtagene ciloleucel（Axi-cel），lisocabtagene maraleucel（Liso-cel），ならびにB-cell maturation antigen（BCMA）を標的とした idecabtagene vicleucel（Ide-cel）が，保険診療で使用可能となっている．

1）CAR-T 細胞療法の位置づけ

保険診療で使用可能なCAR-T 細胞の種類と適応ならびに留意事項等は，厚生労働省が作成した「最適使用推進ガイドライン」（https://www.pmda.go.jp/review-services/drug-reviews/review-information/ctp/0011.html）ならびに各製薬企業が作成した「適正使用ガイド」に示されている．なお，これらの内容

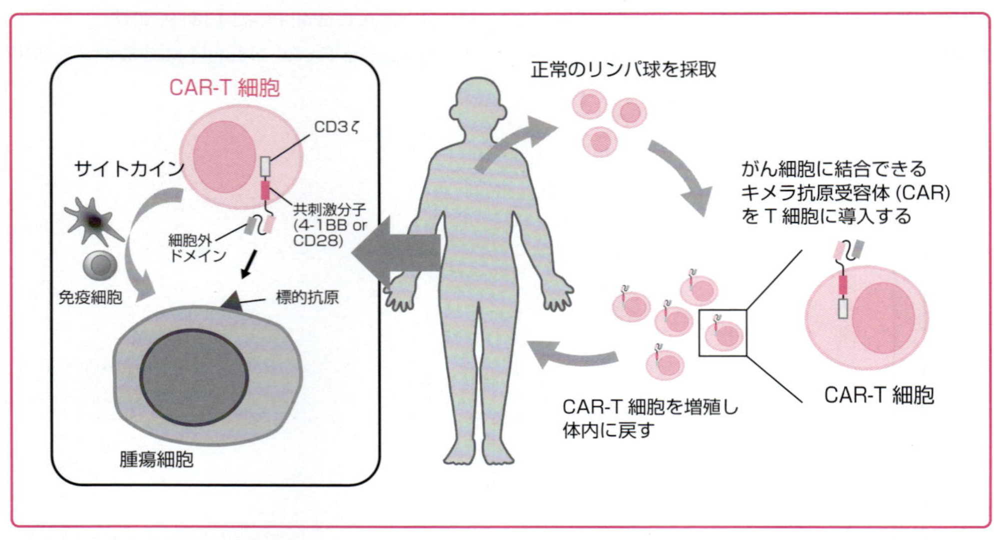

◆**図 1　CAR-T 細胞療法**
（後藤秀樹：臨血 63：580，2022 を参考に著者作成）

は最新の科学的知見に基づき適宜改正されるため，詳細については最新版を参照されたい．

a) 悪性リンパ腫

DLBCL/形質転換濾胞性リンパ腫 (transformed follicular lymphoma：tFL) に対して使用可能なTisa-cel，Axi-cel，Liso-celの位置づけはいずれも3rdライン以降での適応となっている．これら3製剤の主な違いとして，Tisa-celとAxi-celにおいては，同種移植後の使用は認められていないが，Liso-celにおいては治療選択肢となり得る．また，原発性縦隔大細胞型B細胞リンパ腫 (PMBCL) に対してAxi-celとLiso-celは治療選択肢となり得るが，Tisa-celには使用が認められていない．さらには，Axi-celはFLに対する保険適用はないが，Liso-celではFL Grade 3bに，Tisa-celにおいてはGrade 1-3aのFLに対する保険適用が承認されている．このように，悪性リンパ腫においてはいくつかのCAR-T細胞製剤が使用可能となっているが，各製剤の適応には異なる箇所があることに注意が必要である．

再発・難治性のDLBCLに対する二次治療として，標準治療群 (救援化学療法後に自家移植を行う群) とCAR-T細胞療法群のランダム化比較試験が行われた．ZUMA-7試験 (Axi-cel) ならびにTRANSFORM試験 (Liso-cel) において，主要評価項目である無イベント生存期間が標準治療群よりも良好な結果が得られた．この結果をもとに米国では2022年4月にAxi-celの2ndラインでの適応が承認されている．わが国においてもLiso-celの二次治療における利用への適応拡大申請が行われており，将来的に適用が広がることが期待されている．

b) B-ALL

化学療法のみ行われてきた症例はリンパ腫同様に3rdライン以降での位置づけとなっているが，初回治療として同種移植が行われるも再発した症例では2ndラインでの使用が可能となっている．Tisa-celのみ保険で承認が得られているが，適用年齢は26歳未満の症例に限られている．

c) MM

免疫調節薬，プロテアソーム阻害薬および抗CD38モノクローナル抗体製剤を含む3つ以上の前治療歴を有する症例が対象となる．現在承認が得られているIde-celのほか，ciltacabtagene autoleucelも日常診療で使用可能となる予定である．

2) CAR-T細胞療法の実際

CAR-T細胞療法の適応であると判断されたら，まず初めに患者自身からリンパ球の採取を行う．採取したリンパ球でCAR-T細胞が作成されている間，疾患コントロールが必要な場合にはブリッジング治療が行われる．CAR-T輸注前の腫瘍量が少ないほど輸注後の予後が良好であることが知られている．

a) 治療成績

CAR-T細胞輸注後の治療成績はCAR-T細胞の種類や疾患により異なるが，再発・難治性のDLBCL/tFLにおける1年無病生存率は25～45%であり，化学療法で疾患コントロールが困難な症例の一部で長期的に疾患コントロールが得られている[1,2]．再発・難治性のB-ALLではまだ観察期間が短いとはいえ，1年無イベント生存率は50%を超えていた[1]．また，再発・難治性のMMに対するCAR-T細胞療法における長期的なデータはないため今後の長期フォローアップデータが待たれるところであるが，Ide-celの多施設共同第II相試験では，輸注細胞数が多いほど体内でのCAR-T細胞の増殖も良好で，高い奏効が得られる傾向にあった．これら成績は従来の治療に難渋する症例での検討であったにもかかわらず良好な治療成績であったといえる．

b) 主な有害事象

CAR-T細胞療法特有の有害事象として，短期的に生じる有害事象と中長期的に出現する有害事象について知っておく必要がある．

①サイトカイン放出症候群 (cytokine release syndrome：CRS)：輸注されたCAR-T細胞が腫瘍細胞に反応し，周囲の微小環境を巻き込むことでIL-6，IL-10，IFN-γなどのさまざまなサイトカインが放出され，その結果として生じる発熱・低酸素・血圧低下などの一連の有害事象をまとめてCRSと呼び，輸注後1～14日に発症することが多い．製剤により異なるが，Tisa-celの場合，悪性リンパ腫では45～60%程度，B-ALLでは55～77%程度でCRSが生じる[1]．CRSの評価法は種々あるが，ASTCT consensus gradingを用いた治療アルゴリズムが一般的であり，適宜Tocilizumabやステロイドによる治療を行っていく[3]．

②免疫エフェクター細胞関連神経毒性 (immune effector cell-associated neurotoxicity syndrome：ICANS)：ICANSの臨床症状は，頭痛，めまい，計算障害，運動機能障害などの症状をはじめ，脳症 (傾眠，精神状態の変化，認知障害など) や痙攣，せん妄症状などさまざまである．CRSの発症時期とほぼ同じ時期もしくはやや遅れて出現することが知られているが，発症頻度はCRSよりも低い．一般的にはCRS発症後にICANSを併発してくるこ

とが多いが，CRS 発症なく ICANS 単独で発症する場合もある．神経症状が悪化してくる場合には，髄液検査，脳 MRI 検査や脳波検査を行う．Tocilizumab の効果は限定的であることが知られていることから，ICANS を認めた際には dexamethasone 等のステロイド投与を検討する．

③**遷延性血球減少**：CAR-T 細胞輸注後 1 ヵ月を超えて遷延する血球減少を指すが，その機序の詳細は明らかとなっていない．遷延性血球減少は約 70～80％程度の症例に認められることが知られており，完全に回復するまでに数ヵ月～1 年程度かかる症例もいる．適宜，輸血や G-CSF 投与での対応が求められる．

④**低ガンマグロブリン血症**：腫瘍細胞と同一ターゲット蛋白を発現している正常細胞にも CAR-T 細胞が攻撃する反応を ON-Target/OFF-tumor 反応と呼ぶ．CD19 を標的とする CAR-T 細胞は CD19 陽性の正常 B 細胞を，BCMA を標的とする CAR-T 細胞は正常の形質細胞も標的としてしまう．この ON-Target/OFF-tumor 反応の結果として低ガンマグロブリン血症を発症することがある．症例により程度は異なるが，輸注後中長期的に認められることがある．CAR-T 細胞輸注後はじめの 3 ヵ月間は IgG 400 mg/dL を目安として補充することが推奨されているが，患者の状態に応じて補充間隔の延長や中止を検討する．

2 ドナーリンパ球輸注（DLI）

ドナーリンパ球輸注（donor lymphocyte infusion：DLI）とは，同種造血幹細胞移植（同種移植）後の再発に対して，ドナーのリンパ球を投与することにより graft-versus-leukemia（GVL）効果を誘導し，再び病勢をコントロールすることを目的とした細胞治療である．DLI の有効性は，対象とする疾患によって異なることが知られており，慢性骨髄性白血病においては有効率が高いとされるが，急性白血病の再発に対する DLI の治療効果は限定的なことが多い．EBMT の報告では，移植から再発までの期間が 6 ヵ月以上，患者年齢が低い，DLI 施行時に完全寛解が得られていることが予後良好因子であった．予後改善に対する試みとして，骨髄異形性症候群や腫瘍量の少ない AML の移植後再発に対する azacitidine と DLI の併用が有効であったとする報告もある[4]．また，EB ウイルス関連移植後リンパ増殖性疾患（EBV-PTLD）に対して DLI が有効であったとする報告もある．一般的には，rituximab 不応の EBV-PTLD に対して DLI の実施を検討する．

3 間葉系幹細胞（MSC）

間葉系幹細胞（mesenchymal stem cell：MSC）とは，骨髄・脂肪組織・臍帯血・胎盤などに存在している中胚葉由来の体性幹細胞の 1 つである．サイトカイン等のさまざまな調整因子を放出することで，樹状細胞や単球，T 細胞，NK 細胞，好中球などに対して抑制性に働く．この働きを利用して，同種移植後の GVHD の治療に応用されている．MSC 自体は患者との HLA を適合させる必要がないため，すでにストックされている他者由来の MSC を購入し投与することができる．わが国における先行試験の結果，ステロイド抵抗性 grade Ⅲ 以上の急性 GVHD に対して MSC 投与開始 4 週時点での奏効率は 60％，24 週までに 28 日間以上持続する CR は 48％と良好な結果が得られた[5]．この結果をもとに，わが国における二次治療としての GVHD 治療薬として承認された．肝臓や消化管の急性 GVHD に対してより有効であるとする報告を散見するが，試験によって臓器別の有効性は一定していない．

■文　献■

1）Pasquini MC et al: Blood advances **4**: 5414, 2020
2）Nastoupil LJ et al: J Clin Oncol **38**: 3119, 2020
3）Yakoub-Agha I et al: Hematologica **105**: 297, 2020
4）Schroeder T et al: Biol Blood Marrow Transplant **21**: 653, 2015
5）Muroi K et al: Int J Hematol **103**: 243, 2016

7 脾　摘

到達目標

- 脾摘の適応疾患，および脾摘に伴う合併症を理解する

1 脾臓の機能

脾臓は左側腹部横隔膜下に位置する平均 135 g（100 ～ 250 g）の臓器である．脾臓の主たる機能は，老化赤血球や細菌などの異物の除去などの濾過機能，抗原提示や自己抗体産生などの免疫機能，貯血（主に血小板）である．また胎生期には造血を行っており，成人においても敗血症や骨髄線維症などの病態において造血を認めることがある．**赤脾髄**領域は脾臓の 3/4 を占め，脾動脈より分岐を繰り返してきた毛細血管と類洞からなっており，類洞において老廃物の濾過や古くなった赤血球の貪食，赤血球内の封入体の除去などが行われている．**白脾髄**は脾臓の 1/4 を占め，赤脾髄とは直接の交通をもたない状態で存在しており，リンパ節と同様に末梢リンパ組織としてリンパ濾胞を形成し，抗体を産生している．脾臓の本体とは別に**副脾**が存在する人が 10 ～ 30%存在する．

2 脾摘の適応となる血液疾患（表 1）

◆表 1　脾摘の適応となる主な血液疾患

1. 先天性溶血性貧血
   a. 赤血球膜異常症（遺伝性球状赤血球症，遺伝性楕円赤血球症など）
   b. 赤血球酵素異常症（ピルビン酸キナーゼ異常症など）
   c. 重症型サラセミア
2. 自己免疫性溶血性貧血（AIHA）
3. 特発性血小板減少性紫斑病（免疫性血小板減少症）（ITP）
4. Felty 症候群
5. 脾悪性腫瘍
   a. 脾辺縁帯リンパ腫（SMZL）
   b. 上記以外の悪性リンパ腫
4. 骨髄増殖性腫瘍

脾摘の適応となる血液疾患に関しては，以下のようなものが挙げられる．

1）先天性溶血性貧血

a）赤血球膜異常症

遺伝性球状赤血球症（hereditary spherocytosis：HS）は常染色体顕性（優性）遺伝形式を示し，赤血球膜蛋白（α・βスペクトリン，アンキリン，バンド 3，プロテイン 4.2 など）の分子異常により赤血球が球状となり，変形能が低下し脾臓で破壊・貪食される．重症貧血例に対して脾摘が行われるが，感染症のリスクを減らすため 5 ～ 6 歳以降に行うことが望ましい．**遺伝性楕円赤血球症**（hereditary elliptocytosis：HE）は HS と同様に赤血球膜蛋白の異常により赤血球が卵円形または楕円形となる．溶血は HS に比べ軽度であり，約 90% は無症状であるが，重症例では脾摘が行われる．

b）赤血球酵素異常症

ピルビン酸キナーゼ（pyruvate kinase：PK）**異常症**は常染色体潜性（劣性）遺伝形式を示す．酵素異常による先天性溶血性貧血のなかでは，グルコース-6-リン酸脱水素酵素（G6PD）異常症に次いで多い．PK 異常により赤血球内 ATP が減少し，変形した赤血球は脾臓で破壊される．重症例では脾摘の適応となる．

c）重症型サラセミア

日本人にはまれであるが，輸血依存性の**重症型βサラセミア**において脾摘が考慮される．

2）自己免疫性溶血性貧血（AIHA）

自己免疫性溶血性貧血（autoimmune hemolytic anemia：AIHA）は赤血球に対する自己抗体（主として IgG）により感作された赤血球が，主に脾臓の赤脾髄にて貪食され破壊される自己免疫疾患である．また白脾髄のリンパ組織において自己抗体が産生されている．治療の第一選択は副腎皮質ステロイドであるが，ステロイド抵抗性あるいは無効症例に対し，脾摘

が適応となる．有効率は60～75％である．一方，寒冷凝集素症（cold agglutinin disease：CAD）では自己抗体はIgM型であり，脾摘は無効である．

3）特発性血小板減少性紫斑病（ITP）

特発性血小板減少性紫斑病（免疫性血小板減少症）（idiopathic thrombocytopenic purpura, immune thrombocytopenia：ITP）では，主に脾臓において血小板に対する自己抗体の産生および感作された血小板の貪食・破壊が行われる．ファーストライン治療は副腎皮質ステロイドであり，脾摘はセカンドライン治療として考慮される．しかしトロンボポエチン受容体作動薬やrituximabが使用されるようになり，脾摘を行う例は減少している．自然寛解例が存在するため，脾摘はITP診断後12ヵ月以降に施行することが望ましい．有効率60～70％程度である．

4）Felty症候群

関節リウマチの合併症として脾腫，好中球減少症を呈する．自己抗体に感作された好中球は脾臓で貪食される．抗リウマチ薬（disease modifying anti rheumatic drugs：DMARDs）や生物学的製剤，G-CSFなどが無効で，著しい好中球減少症により感染を繰り返す場合に脾摘が適応となる場合がある．

5）脾悪性腫瘍

リンパ腫は，脾腫や脾内腫瘤を形成する腫瘍のなかで最も頻度の高い疾患である．そのなかでも**脾辺縁帯リンパ腫（splenic marginal zone lymphoma：SMZL）**はリンパ腫細胞が白脾髄を置換するか白脾髄の辺縁帯に一致して増殖する脾原発の低悪性度B細胞リンパ腫として知られる．脾腫による症状や汎血球減少を認める場合は診断を兼ねて脾摘が行われる．

6）骨髄増殖性腫瘍

骨髄線維症などにおいて，巨大脾腫による疼痛，血球減少，重度の門脈圧亢進を認める場合に脾摘が行われることがある．

3 脾摘の術式

脾摘の術式としては開腹式脾摘術と内視鏡下脾摘術があるが，通常内視鏡下脾摘術が選択される．どちらの術式を用いるにせよ，副脾の有無を慎重に検索すべきである．

4 脾摘の合併症

術中・術後早期の出血や近接する膵臓への損傷（膵炎，膵仮性嚢胞など）などに加え，特徴的な合併症としては以下のものが知られている．

1）脾摘後の血小板増加症

脾摘後の血液変化として，赤血球では，標的細胞，赤血球大小不同，Howell-Jolly小体などが出現する．白血球や血小板数が術後数時間より増加する．血小板数のピークは正常の3～4倍程度のことが多いが，血小板数が150万/μLを超える場合は血栓症の発症を予防するためにaspirinの投与を考慮する．通常，血小板増加症は一過性であり，2週～数ヵ月後には正常範囲に戻る．

2）血栓症

門脈血栓症は比較的早期の重篤な合併症であり，致命的になりうるため注意を要する．危険因子としてはより太い脾静脈径，造血器腫瘍に起因する脾腫，血小板増加などが挙げられている．また，脾摘により動脈・静脈血栓症および肺高血圧症の頻度が生涯にわたり増加することが報告されている．

3）脾摘後感染症

脾摘後に重症感染症を発症することがあり，**脾摘後劇症感染症（overwhelming postsplenectomy infection：OPSI）**と呼ばれている．脾摘により，肺炎球菌に代表される多糖体の莢膜を持った細菌（ほかにインフルエンザ桿菌，髄膜炎菌など）の感染リスクが増大する．感染すると重篤な敗血症を発症し，播種性血管内凝固（disseminated intravascular coagulation：DIC）などを合併し高い致死率を示す．OPSIは脾摘後2～3年以内に発症しやすいが，そのリスクは生涯続く．また特に5歳以下の幼児では発症リスクが高い．

予防法としては，脾摘の2週間以上前および脾摘後5年ごとの肺炎球菌ワクチンの接種が推奨されており，保険適用となっている．保険適用はないが，インフルエンザ桿菌，髄膜炎菌ワクチン接種も考慮する．さらに，脾摘患者に対して易感染性の状態にあることを教育することも重要である．

■文　献■

1）Greer JP et al（eds）: Wintrobe's Clinical Hematology, 14th ed, Wolters Kluwer, 2019
2）臼杵憲祐ほか：脾と血液疾患．三輪血液病学，第3版，浅野茂隆ほか（監），文光堂，p1358-1371, 2006

1 血液型，交差適合試験，不規則抗体，HLA抗体

到達目標

- 血液型と輸血に関連する基本的な検査法を理解する

1 血液型

ヒトの**赤血球抗原**（血液型）にはABO血液型をはじめ多くの種類があるが，臨床的に意義があるものは限られる．

1）ABO血液型

ABO血液型は1900年にLandsteinerにより発見され，輸血において最も重要である．A，O，B，AB型の4つに大別され，日本人の頻度はおおよそA：O：B：AB＝4：3：2：1で，血液製剤バッグのラベルの色は，それぞれ黄，青，白，桃色で統一されている．

輸血の際にはABO血液型を一致させる必要があり，患者の赤血球上のABO抗原を抗体を用いて検査する表検査と，患者の血清中のABO抗体の有無をA型（A_1）およびB型血球を用いて検査する裏検査がある．現在多くの施設で，自動血液型判定装置を用いたカラム法で実施されているが，緊急時のために用手法を習得しておく必要がある．抗A，抗B抗体以外の赤血球に対する抗体を不規則抗体と呼ぶ．

ABO抗原は糖鎖で，前駆体であるH抗原は，Bombay型以外のすべての赤血球に発現し，造血前駆細胞，巨核球や他の組織にも発現している．このH抗原にA型およびB型の糖転移酵素がそれぞれ作用して，各々の抗原物質が生成される．この際の糖転移酵素の遺伝子は，9番染色体（9q34）上に存在する．H抗原の発現を担うH遺伝子は，組織特異的な転写因子により厳格に制御されている．このH遺伝子が欠損するとABO抗原は発現されずBombay型として知られる．Bombay型では抗H抗体を有する可能性があり，これはBombay型以外のヒト赤血球を溶血させる可能性があるため，輸血の適合血の確保が問題となる．

ABO血液型の表現型は，A，B，Oの3つの対立遺伝子の組合せででき，A型はA/AとA/O，B型はB/BとB/O，O型はO/O，AB型はA/Bの遺伝子型と考えられている．Landsteinerの法則に合わない血液型があり，これにはA_2，A_3，B_3，cisABなどの亜型（variant）が多い．これらの赤血球抗原は抗A，抗B抗体との反応が弱陽性～陰性となることがある．

ABO血液型の表・裏が不一致となることは，このほかにもいくつかの場合がある．ABO不一致のドナーから同種造血幹細胞移植を行うと，患者のABO型はドナー型に変わる．Minor mismatch（不適合ABO抗体が患者に移入する組合せ）で，たとえば患者A型とドナーO型の移植では，移植後に患者赤血球はO型に変わるが，一般に，患者型ABO抗原に対する抗体（この場合は抗A抗体）は検出されず，表はO型，裏はA型となる．

また，生後1年未満の児や臍帯血では，ABO抗原発現が弱く抗ABO抗体ができにくいため，血液型判定を誤ることがある．また，A型のヒト赤血球が抗B抗体と弱く反応する後天性B（acquired B）も知られている．別に，試薬の汚染や検体取り違いの場合，検査時の血球と血清の最適比のずれが生じた場合，汎血球凝集（poly-agglutination）を起こした場合，自己免疫疾患などで直接抗グロブリン試験（DAT）陽性の場合，白血病や悪性腫瘍により抗原が減弱した場合，卵巣嚢腫などにより血中に型物質が異常に増加した場合，免疫不全患者の場合などでも，ABO血液型の判定が難しくなるので十分な注意が必要である．

2）Rh血液型

Rh血液型はABOに次いで重要な血液型で，命名はアカゲザル（rhesus monkey）に由来する．Rh遺伝子は1番染色体上（1p34.3-p36.13）に存在し，いずれも10個のエクソンで構成されるRHD，RHCEの2つの遺伝子からなる．これにコードされる416個のアミノ酸からなるRh抗原には，遺伝子の変異などにより50種類以上のエピトープが知られている．一

般的に，Rh 陽性，Rh 陰性は D（ラージ・ディー）抗原の有無を意味しており，さらに抗原量が中間的な weak D 型に分けられる．臨床的に重要なのは C 座と E 座も含めて C，c，D，E，e の 5 抗原で，C と c 遺伝子，E と e 遺伝子が互いに対立遺伝子の関係にある．D 遺伝子のホモ個体とヘテロ個体が存在し，ヘテロ個体の両親からは D 陰性の子どもが生まれる可能性がある．Rh 抗原のなかでは D 抗原が最も抗原性が高い．通常の Rh 血液型検査では抗 D 抗体による検査のみが行われる．わが国では D 陰性は 0.5％であるが，白人では 15 ～ 17％，黒人では 3 ～ 5％とされる．D 陰性のほとんどは D 遺伝子の欠失による．一方，RhD 陽性患者に対しては，RhD 陰性血を用いることは問題ない．

Rh 型の不規則抗体として，臨床的に最も問題になるのは抗 D 抗体産生であり，Rh 陰性患者は D 抗原に感作されないように努める必要がある．

Rh 反応性の低い weak D 型，さらに D 陰性と判定され抗 D 抗体を用いた吸着解離試験のみで抗原性を認める Del 型，D 抗原の多くのエピトープのうちいくつかが欠損した partial D 型では，輸血を受ける場合には抗体産生の危険を回避するため Rh 陰性血を輸血し，供血者となる場合には Rh 陽性として扱う．

輸血以外に臨床的に問題になるのは，母子間での Rh 不一致である．Rh 陰性の妊婦は，児が Rh 陽性の場合，妊娠後期や出産時に児の赤血球が母体の血液循環に混入して感作されることがある．これを防ぐために定期的に不適合妊娠の検査（不規則抗体の検出）を行う必要がある．このように母体に混入する血液量は一般にきわめて少量であり，特に ABO 血液型が異なる場合にはその頻度は低いが，妊娠歴が増えるに従って頻度は高くなる．Rh 陽性の児を分娩後，72 時間以内に RhIG を母親に投与することで，抗 D 抗体の産生を予防することができる．母体で抗 D 抗体産生が起こると，母体の IgG 抗体が胎盤を通過することによる新生児溶血性疾患（hemolytic disease of the newborn：HDN）が起こりうるので，このためにも母親の定期的検査は重要である．

2 交差適合試験

交差適合試験（cross matching）は，ABO・Rh 血液型の再確認，およびまれな抗体の検出を目的に，輸血の必要のある患者と供血者血液の適合性をみる最終段階の検査である．具体的には，患者血清と供血者血球の反応（主試験）と供血者血清と患者血球の反応（副試験）を組み合わせて行うが，日本赤十字社から供給される血液製剤は，現在，不規則抗体の有無が検査されていることから，副試験を一般的には省略してよい．患者と供血者の ABO 血液型を一致させ，患者が Rh 陰性の場合は患者と ABO 同型の Rh 陰性血液を用いて行い，患者が輸血副作用を起こす抗体を有している場合はその抗体と反応しない血液を用いて行う．主試験では，臨床的意義のある抗体を検出できる間接抗グロブリン試験（Coombs 試験）を含む適正な方法で行う（**表 1**）.

具体的な検査法としては，まず，間接抗グロブリン試験は赤血球膜表面に結合しているものの凝集していない状態の抗体や補体を，他種の抗ヒト免疫グロブリン抗体（抗グロブリン血清，Coombs 血清）を二次抗体として用いて，IgG の Fc 部分と抗グロブリン分子が反応して架橋することによる赤血球凝集の惹起により検出するものである．一方，生理食塩液法では ABO 血液型が再確認でき，自然抗体（IgM）の有無

◆**表 1　アルブミン法と間接抗グロブリン法の例**

1. あらかじめ患者血球と供血者血球の 2 ～ 4％生理食塩液浮遊液を調製する
2. 試験管 2 本（本試験用と自己対照用）を用意し，患者名や検体番号を記入する
3. 両試験管に患者血清を 2 ～ 3 滴入れる
4. 本試験用にあらかじめ用意した供血者血球浮遊液を 1 滴加え，対照試験管には患者の自己血球浮遊液を 1 滴加える
5. 上記各試験管にウシアルブミンを加え，37℃ 15 分以上加温し，3,400 rpm，15 秒遠心
6. 凝集または溶血の有無を判定する．本試験用試験管のみに凝集または溶血が認められた場合は不適合．自己対照のみに凝集が認められた場合には自己抗体が疑われる
7. 各試験管に生理食塩液を加え，3 回以上洗浄する（Coombs 用自動遠心機を用いると自動的に洗浄できる）
8. 最終洗浄の生理食塩液を完全に捨て，抗グロブリン血清 1 ～ 2 滴を加え，よく混和する
9. 3,400 rpm，15 秒遠心し，静かに振って凝集の有無を判定する
10. 凝集または溶血の有無を判定する．本試験用試験管のみに凝集が認められた場合は不適合．自己対照のみに凝集が認められた場合には自己抗体が疑われる

交差適合試験用患者血液は採取後 3 日以内のものが望ましいとされている．

がわかる．ブロメリン法はいわゆる酵素法の1つで，ブロメリンなど特定の酵素が赤血球膜上の糖蛋白に作用して血球相互間の距離を縮め，IgG 型抗体でも赤血球を架橋して凝集像として観察できるようにする．アルブミン法では，アルブミンを適量添加することにより誘電率を高めて，赤血球間の距離を縮めて抗体が赤血球に結合しやすい状態にする．

なお，患者血清中の不規則抗体がないことを輸血直前に確認済の場合には，ABO 型および Rh 血液型が一致していれば交差適合試験を行わずに出庫する Type & Screen（T&S）法も日常臨床でよく行われる．

3 不規則抗体

抗 A，抗 B 抗体以外の赤血球に対する抗体を**不規則抗体**と呼ぶ．ただし，輸血副作用には 37℃で活性を有する抗体以外はあまり臨床的意義がない．このため，事前に 37℃で活性のある抗体の有無をスクリーニング検査し，陽性の場合にはその特異性を調べておくことにより，輸血の際の適合血を確保できる．間接抗グロブリン試験は臨床的意義のある不規則抗体を検出するうえで最も信頼できる方法であり，スクリーニングにはこの方法を含める必要がある．補助的に，酵素法，アルブミン法，生理食塩液法も用いられる．

具体的には，抗体スクリーニング用 O 型赤血球（市販品など）と被検血清を反応させるものである．これにより不規則抗体が検出された場合には，抗体の同定試験を行う．同定にはいくつかの血液型抗原を組み合わせたパネル血球を用いる．

ABO・Rh 血液型が一致した交差適合血を輸血後，数日～数ヵ月経過してから溶血が出現することがあり，これを遅発性溶血性反応という．輸血後数日～数週間で発熱と貧血が徐々に顕性化するのが典型的な初発症状である．血管外溶血が主体で，ヘモグロビン尿が出現することはあっても腎不全や播種性血管内凝固（disseminated intravascular coagulation：DIC）など重症にはならないことが一般的で，不顕性に終わることもある．この病態は，輸血により，患者が保有しない ABO・Rh 以外の同種赤血球抗原に感作されることによって起こる．初回輸血後このような不規則抗体が産生されることがあり，その抗原性や抗原量により抗体産生量が異なり，ある時間経過してから溶血反応が出現する．もう1つの機序として，一度ある抗原で感作され抗体産生が起こったものの，その後抗体価が減弱して輸血前の交差適合試験では検出感度未満になっていた抗原を含む血液製剤が輸血されると，遅発性溶血反応が出現することがある．遅発性溶血反応をきたす抗原として Kidd 抗原型が多いが，Duffy 型，Kell 型，MNS 型でも散見される．直接 Coombs 試験により，赤血球膜表面に何らかの抗体が結合していることを確認することにより診断がつくことがある．陽性の場合には抗体解離試験により抗体の種類を同定する．

なお，難治性多発性骨髄腫に用いられる抗 CD38 抗体（daratumumab, isatuximab）は，抗グロブリン試験で汎反応性の赤血球凝集をきたすことがあり注意を要する．

4 HLA 抗体

ヒト白血球抗原（human leukocyte antigen：HLA）は，ヒトにおける主要組織適合性遺伝子複合体（major histocompatibility complex）において6番染色体短腕（6p21.3）の遺伝子によりコードされる糖蛋白である．輸血においては，HLA に対する抗体が，血小板輸血不応や発熱性非溶血性輸血反応（febrile non-hemolytic transfusion reaction：FNHTR），輸血関連急性肺障害（transfusion-related acute lung injury：TRALI）に深く関与していることが判明している．また，患者・ドナー間である程度の HLA 不一致でも移植が成立する臍帯血移植やハプロ移植において，不一致であるドナーの HLA 抗原に対する患者血清中の抗体が生着不全に関与することが報告されている．HLA は輸血後移植片対宿主病（graft-versus-host disease：GVHD）にも関与しているが，白血球除去フィルター，血液製剤への放射線照射を行うことにより，ほぼ完全に予防できる．

■文　献■

1）認定輸血検査技師制度協議会カリキュラム委員会（編）：スタンダード輸血検査テキスト，第3版，医歯薬出版，2017
2）American Association of Blood Banks（AABB）: Technical Manual, 20th ed, 2020
3）日本輸血・細胞治療学会：赤血球型検査（赤血球系検査）ガイドライン，改訂第3版，2020

2 血液製剤と血漿分画製剤

到達目標

- 輸血用血液製剤ならびに血漿分画製剤の種類と使用目的を理解する

1 輸血用血液製剤の種類[1)]

献血された血液を原料にして，医薬品として厚生労働大臣より製造販売承認を得て日本赤十字社が製造している輸血用血液製剤は「特定生物由来製品」[2)]であり，厚生労働省は，「輸血療法の実施に関する指針」[3)]および「血液製剤の使用指針」[4)]を作成し，輸血療法の適正化推進を求めている．

輸血用血液製剤は，白血球の大部分を除去されて製造され（leukocytes reduced：LR），1）血液成分製剤（赤血球製剤，血漿製剤，血小板製剤）と 2）全血製剤，に分類される．成分輸血が大原則で，全血製剤はほとんど使用されない．赤血球製剤，血小板製剤，全血製剤は 15 Gy 以上 50 Gy 以下の放射線が照射された製剤（製剤の前に Ir-）と未照射の製剤が販売されている．放射線照射は輸血後移植片対宿主病（PT-GVHD）予防のために施行しており，未照射血は，使用する医療機関での照射が必須である．

一般臨床で使用する輸血用製剤の大部分は，照射赤血球液-LR（Ir-RBC-LR），新鮮凍結血漿-LR（FFP-LR），照射濃厚血小板-LR（Ir-PC-LR）である．基本的事項を**表 1** に示す．

1）血液成分製剤

a）赤血球製剤

①赤血球液-LR（RBC-LR）：全血献血 400 mL から製造された全血液（WB-LR-2：後述）を遠心分離し，上清の大部分の血漿を分離した赤血球層に，赤血球保存用添加液（MAP 液）を約 92 mL 混和したものが RBC-LR-2（約 280 mL）で，平均 53 ～ 56 g のヘモグロビンを含有する．

赤血球成分を補充し，組織や臓器へ十分な酸素を供給する目的で使用される．病態に応じた使用指

◆表 1　代表的な輸血用血液製剤

	Ir-RBC-LR	FFP-LR	Ir-PC-LR
使用目的	組織・臓器への十分な酸素供給	凝固因子補充による止血促進	止血（治療）/ 出血防止（予防）
照射（Ir）	あり	なし	あり
白血球除去（LR）	あり	あり	あり
貯法	2 ～ 6℃	−20℃以下	20 ～ 24℃ 水平振とう
有効期間	採血後 28 日間	採血後 1 年間	採血後 4 日間
使用期限	開封後 6 時間以内	30 ～ 37℃で融解後ただちに （＊すぐに使用できない場合は，2 ～ 6℃に保管して 24 時間以内に使用）	開封後 6 時間以内
適合試験	ABO 血液型， RhD 血液型 不規則抗体検査 交差適合試験	ABO 血液型（＊ ABO 同型を選択すれば交差適合試験省略可）	
備考	凍結厳禁（溶血する） 使用時に加温不要	採血後 6 ヵ月間は貯留保管される	冷蔵禁：寿命短縮のため 振とう：バッグ内 pH 低下を防止するため

針・適応が推奨されており，最新の「血液製剤の使用指針」を参照されたい．貯法は2～6℃で，有効期間は採血後28日間である．

②洗浄赤血球液-LR（WRC-LR）：RBC-LR-2を生理食塩液で洗浄後，同液を約90 mL加えたものがWRC-LR-2である．

RBC-LRの輸血で非溶血性免疫性副作用（血圧低下，発熱，蕁麻疹など）を繰り返す患者や，血漿成分の補充を避けたい場合に使用される．貯法は2～6℃で，有効期間は製造後48時間と短いので受注後の製造となる．

③解凍赤血球液-LR（FTRC-LR）：RBC-LR-2に，凍害保護液を加えて凍結保存したものを解凍後，凍害保護液を洗浄・除去した赤血球層にMAP液を約92 mL混和したものがFTRC-LR-2である．

ABO血液型やRh血液型以外の赤血球抗原でまれな血液型（発現頻度1%未満）の患者の輸血に対応できるように，本製剤はあらかじめ凍結保存されている．凍結保存の期間は10年間であるが，製造（解凍）後の有効期間は4日間と短い．製造後は2～6℃で保管される．

④合成血液-LR（BET-LR）：O型RBC-LR-2に，白血球の大部分を除去したAB型ヒト血漿（FFP-LR）を約120 mL加えたものがBET-LR-2である．

ABO血液型不適合による新生児溶血性疾患の交換輸血に使用する．貯法は2～6℃で，有効期間は製造後48時間と短いので受注後の製造となる．

b）血漿製剤：新鮮凍結血漿-LR（FFP-LR）

血液保存液を混合したヒト血液から白血球の大部分を除去し分離した新鮮な血漿を凍結したもので，内容量が約120 mL（FFP-LR120），240 mL（FFP-LR240），480 mL（FFP-LR480）の3規格の製剤がある．FFP-LR120とFFP-LR240は全血献血から（血液保存液はCPD液），FFP-LR480は成分献血から（血液保存液はACD液）製造される．

主に濃縮製剤がない単一の凝固因子欠乏や，複合的な凝固因子欠乏の補充により止血の促進効果を得るため（治療的投与）に使用する．また大量出血時には，輸液やRBC-LR輸血による希釈性凝固障害が惹起されるため，速やかにFFPを補充することが推奨されている．単なる循環血漿量減少の改善や補充，蛋白質源としての栄養補給，創傷治癒の促進，終末期患者への投与，予防的投与などは不適正使用とされる．

凝固因子活性を維持するために，採血後速やかに製造されたFFP-LRは-20℃以下で保管される．凍結によりPT-GVHDの原因となるリンパ球は死滅するため，放射線照射は不要である．有効期間は採血後1年間である．使用時は，30～37℃で融解し，ただちに使用する．ただちに使用できない場合は，2～6℃で保存し，融解後24時間以内に輸血する．

c）血小板製剤

①濃厚血小板-LR（PC-LR）：血漿に浮遊した血小板で，成分献血により白血球の大部分を除去して採取したものである．1単位は血小板数が約2.0×10^{10}個とし，製剤ごとに血小板数が表示単位数以上であることを確認して製造されている（例：10単位製剤は2.0×10^{11}個以上の血小板を含有する）．

血小板数の減少または機能の異常により重篤な出血ないし出血が予測される病態に対して使用され，血小板成分を補充することにより止血を図る（治療的投与），または出血を防止すること（予防的投与）を目的とする．

2022年7月現在，20～24℃・水平振とう条件で保管し，有効期間は採血後4日間である．諸外国の例を参考にしつつ，低温（冷蔵）環境下での保管や有効期間の延長が模索中である．

②濃厚血小板HLA-LR（PC-HLA-LR）：血漿に浮遊した血小板で，患者とHLA-class Ⅰ型が適合する献血者から採取したもので，白血球の大部分を除去してある．HLA抗体を保有し，血小板輸血不応状態に陥った患者に有効である．

③洗浄血小板-LR（WPC-LR）：PC-LRを血小板保存液（ACD-A液および重炭酸リンゲル液を約1：20で混和したもの）で洗浄し血漿の大部分を除去した後，同液に浮遊させたものである．

PC-LR輸血で重症アレルギーを生じた既往のある患者や，非溶血性副作用を繰り返す患者に使用される．有効期間は，製造後48時間（採血後4日を越えない）で，医療機関からの発注により受注製造されるため，納品までに時間を要する．

2）全血製剤：人全血液-LR（WB-LR）

ヒト血液400 mLあたり56 mLの血液保存液（CPD液）を混合し，白血球除去フィルターにより白血球の大部分を除去したものがWB-LR-2である．全血液を優先して使用すべき病態はない．

2 輸血用血液製剤の安全対策

輸血用血液製剤の安全性確保のために，①全血製剤，赤血球製剤ならびに血小板製剤への放射線照射，②献血時の初流血除去，③保存前白血球除去，④HBV，HCV，HEV，HIVに対する個別核酸増幅検査等が行われている．適正に輸血用血液製剤を使用したにもかかわらず，不幸にも輸血感染症や重篤な副作用が生じた場合，独立行政法人医薬品医療機器総合機構法（平成14年法律第192号）に基づく公的制度の「医薬品副作用被害救済制度」と「生物由来製品感染等被害救済制度」両方の救済制度の対象となっている．

3 血漿分画製剤の種類（表2：一部遺伝子組換え製剤を含む）

血漿分画製剤は，原料血漿（採血基準や感染症検査等で適とされた供血者血漿）を集めてプール血漿としたものを，エタノールや酸を添加して物理化学的条件を少しずつ変化させ，段階的に目的とする蛋白を分離・精製する低温エタノール分画法（Cohn分画法）により製造される．抽出された蛋白質（血漿分画製剤）は，有機溶媒と界面活性剤を用いたSD処理，加熱処理，ナノフィルトレーションによりウイルス除去・不活化工程が行われるため，ウイルス感染リスクは，輸血用血液製剤に比して極めて低い．

代表的な血漿分画製剤を**表2**に示すが，個別の製剤の形状，貯法，有効期間，効能・効果の詳細については各製剤の添付文書を参照して適正に使用する．

1）アルブミン製剤

アルブミンの使用目的は，血漿膠質浸透圧を維持することにより，循環血漿量を確保することにある．日本輸血・細胞治療学会から公表されている「科学的根拠に基づいたアルブミン製剤の使用ガイドライン」(2018年改訂）を参照し，適正使用に努める（Ⅵ-3「輸血の適応」を参照）．

a）等張アルブミン製剤

等張アルブミン製剤には，アルブミン含量は4.4％の加熱人血漿蛋白（アルブミン純度が総蛋白の80％以上）と，アルブミン含量は5％の人血清アルブミン（アルブミン純度が総蛋白の96％以上）が存在する．

循環血漿量減少性ショックや大量出血を伴う手術の際に頻用されるが，循環血液量の50％未満の出血の場合には細胞外液補充液の投与が第一選択となり，原則としてアルブミン製剤の投与は必要としない．循環血液量の50％以上の多量出血時や血清アルブミン濃度が3.0 g/dL未満の場合には，等張アルブミン製剤の併用を考慮する．

b）高張アルブミン製剤

アルブミン含量は20％と25％の人血清アルブミンがある．非代償性肝硬変に伴う難治性腹水の治療のなかで，①利尿薬による腹水消失を促進して，腹水の再発を抑制するとともに患者の生命予後も改善する場合，②大量（4L以上）の腹水の腹水穿刺による循環不全予防時，③特発性細菌性腹膜炎合併時の循環不全予防時，④肝腎症候群時の強心薬との併用による腎機能改善等に関しては，使用を強く推奨している．

2）フィブリノゲン製剤

a）乾燥人フィブリノゲン

フィブリノゲンは，フィブリンの前駆物質であり，安定した二次止血血栓を形成するために必須である．150 mg/dL未満になると止血困難に陥る．長い間先天性低フィブリノゲン血症患者の重篤な出血の防止にしか適応がなかった．2021年に産科危機的出血による後天性低フィブリノゲン血症に対する使用が承認された．

b）組織接着剤

人血漿由来のフィブリノゲンにトロンビン等の成分を配合して製造されている．液状製剤とシート状製剤があり，いずれの製剤も身体の適用部位に接触すると，フィブリノゲンがトロンビンの作用でフィブリン塊・膜を生成させることによって創傷部を接着する原理を利用している．使用にあたっては，分野によって保険適用が異なるため注意する．

3）凝固因子製剤・血友病治療製剤

a）血液凝固第Ⅷ因子製剤

第Ⅷ因子欠乏症（血友病A）の患者に用いる．人血漿由来製剤と遺伝子組換え製剤がある．

b）血液凝固第Ⅸ因子製剤

第Ⅸ因子欠乏症（血友病B）の患者に用いる．人血漿由来製剤と遺伝子組換え製剤がある．

c）バイパス止血製剤

インヒビター保有血友病患者の出血傾向の抑制に用いる．高価な医薬品であり，各製剤の使用にあたっては用法・用量に注意し，十分な経験を有する医師のもとでの使用が望ましい．

①乾燥人血液凝固因子抗体迂回活性複合体
②遺伝子組換え活性型血液凝固第Ⅶ因子
③第Ⅹ因子加活性化第Ⅶ因子製剤

d）血液凝固第XIII因子製剤

先天性第XIII因子欠乏による出血傾向や，第XIII因子低下に伴う縫合不全および瘻孔の改善に用いる．また，IgA血管炎（アレルギー性紫斑病）における腹部症状や関節症状の改善目的に使用される場合もある．

4）プロトロンビン複合体

ビタミンK拮抗薬（warfarin）投与中の患者の緊急的な出血傾向抑制に用いる．

◆表２　代表的な血漿分画製剤（遺伝子組換え製剤を含む）

種　類	製品の種類		主な用法	主な効能・効果
アルブミン	人血清アルブミン	等張アルブミン	点滴	血漿膠質浸透圧維持による循環血漿量の確保
		高張アルブミン	点滴・静注	肝硬変の一部
	加熱人血漿蛋白	等張アルブミン	点滴	血漿膠質浸透圧維持による循環血漿量の確保
フィブリノゲン	乾燥人フィブリノゲン		静注	先天性低フィブリノゲン血症による出血傾向の抑制
				産科的危機的出血による後天性低フィブリノゲン血症
	組織接着剤	フィブリノゲン加第XIII因子	噴霧・重層	組織の接着・閉鎖促進
		フィブリノゲン配合剤	貼付	
血液凝固第Ⅷ因子（遺伝子組換え型含む）	多種類あり		静注・点滴	血友病A患者の第Ⅷ因子の補充・出血傾向の抑制
血液凝固第Ⅸ因子（複合型，遺伝子組換え型含む）	多種類あり		静注・点滴	血友病B患者の第Ⅸ因子の補充・出血傾向の抑制 ＊複合体は血液凝固第IX因子欠乏症の出血傾向抑制
バイパス止血製剤	乾燥人血液凝固因子抗体迂回活性複合体		静注	インヒビター保有血友病患者の出血傾向の抑制
	遺伝子組換え活性型血液凝固第Ⅶ因子			
	第Ⅹ因子加活性化第Ⅶ因子製剤			
血液凝固第XIII因子			静注	先天性第XIII因子欠乏による出血傾向の抑制
プロトロンビン複合体				ビタミンK拮抗薬投与中の患者の緊急時出血傾向抑制
トロンビン			噴霧・経口	通常の結紮で止血困難な毛細血管や実質臓器からの出血の抑制等
グロブリン	人免疫グロブリン	多種類あり	皮下注・筋注・静注・点滴	無／低ガンマグロブリン血症 重症感染症 免疫性血小板減少症，川崎病，多発性筋炎・皮膚筋炎，天疱瘡等 慢性炎症性脱髄性多発根神経炎，重症筋無力症，Guillain-Barré症候群等 抗ドナー抗体陽性腎移植における術前脱感作
	特殊免疫グロブリン	抗HBs人免疫グロブリン	筋注・静注	B型肝炎の発症予防
		抗D（Rho）人免疫グロブリン	筋注	RhD陰性の産婦における分娩後の抗D産生防止
		抗破傷風人免疫グロブリン	筋注・静注	破傷風の発症予防・発症後の症状改善
	アレルギー性疾患治療薬	ヒスタミン加人免疫グロブリン	皮下注	気管支喘息の発作予防，アレルギー性疾患の治療
アンチトロンビン			静注・点滴	先天性アンチトロンビン欠乏に基づく血栓形成傾向の抑制 アンチトロンビン低下を伴う播種性血管内凝固
活性化プロテインC			点滴	先天性プロテインC欠乏症に起因する深部乗客血栓症等の治療
人ハプトグロビン			点滴	不適合輸血や熱傷などの溶血反応に伴うヘモグロビン血症等の治療
HAE急性発作治療薬	人C1-インアクチベーター		静注・点滴	遺伝性血管神経性浮腫の急性発作の治療
von Willebrand因子製剤（遺伝子組換え）			静注	von Willebrand病患者の出血傾向の抑制

5）トロンビン製剤

臨床で使用されているものは，ウシ由来トロンビンである．通常の結紮で止血困難な毛細血管部の出血や実質臓器からの出血に対して散布する．上部消化管出血の際に経内視鏡的散布や経口投与で頻用される．血管内投与は禁忌で，十分に注意して取り扱う．

6）免疫グロブリン製剤

a）ヒト免疫グロブリン製剤

国内の免疫グロブリン製剤の需要は，自己免疫疾患や難治性神経疾患への効能追加等に伴い増加している．低または無ガンマグロブリン血症，重症感染症，特発性血小板減少性紫斑病，川崎病の急性期，多発性筋炎・皮膚筋炎，天疱瘡，難治性神経疾患等の治療に用いる．

複数の製剤が販売されているが，製剤ごとに用法・用量ならびに適応疾患が異なるので使用する際には各製剤の添付文書を確認する．

b）特殊免疫グロブリン製剤

針刺し事故などによるHBVの感染防止（抗HBs人免疫グロブリン），RhDの不適合妊娠による溶血防止（抗D人免疫グロブリン），破傷風の感染防止・治療（抗破傷風人免疫グロブリン）など，特定の抗体価が高い原料血漿を用いて製造された製剤である．特殊免疫グロブリン製剤は，抗HBs人免疫グロブリン製剤を除き，海外から血漿を輸入して製造されている．

c）アレルギー性疾患治療薬

非特異的減感作療法として用いられる．国内献血由来の人血漿中の免疫グロブリンにヒスタミンを添加された皮下投与製剤である．

7）その他

表2を参照のこと．

①アンチトロンビン製剤
②活性化プロテインC製剤
③ハプトグロビン製剤
④C1-インアクチベーター製剤
⑤von Willebrand因子製剤

■文　献■

1）日本赤十字社：輸血用血液製剤一覧表（令和2年4月1日現在）（https://www.bs.jrc.or.jp/hkd/hokkaido/special/files/bloodproducts20200401.pdf）（最終確認：2023年3月13日）
2）厚生労働大臣が指定する生物由来製品及び特定生物由来製品（平成15年5月20日厚生労働省告示第209号）（https://www.mhlw.go.jp/shingi/2003/01/s0110-4c.html）（最終確認：2023年3月13日）
3）厚生労働省医薬・生活衛生局血液対策課：輸血療法の実施に関する指針（平成17年9月，令和2年3月一部改正），2020
4）厚生労働省・生活衛生局：血液製剤の使用指針（平成31年3月一部改正），2019

ADVANCED

■献血に頼らない赤血球製剤・血小板製剤の供給■

ヒトiPS細胞から赤血球や血小板を大量に作製する技術が確立している．京都大学iPS細胞研究所をはじめとするグループにより，平成31年から再生不良性貧血の患者に対する自己iPS細胞由来血小板投与の臨床研究が進められている．20～180 mLを3回にわたって投与し，1年間経過を観察した結果，拒絶反応や大きな副作用の発現を認めず，安全性が確認されたと報告した（2022年10月）．

将来，日本赤十字社が提供する同種血と同等レベルの安全性や有効性が確認され，大量安定産生の技術が確立されれば，献血に頼らない赤血球製剤・血小板製剤の供給が可能になるかもしれない．

3 輸血の適応

到達目標

- 輸血療法の特徴を理解する
- 輸血に使用される血液製剤の種類と適応疾患を説明できる

1 輸血療法の考え方

輸血療法は，血液成分が不足した場合や機能不全の場合に臨床上問題となる症状を認めるときに，その成分を補充する補充療法である．人体の一部から作られた血液製剤を使用するため特別な配慮がなされるべきであり，輸血の適応の決定には一般の薬剤とはまったく異なった考え方が必要である．『輸血療法の実施に関する指針』[1]（以下，実施指針）では，輸血療法の適応の決定について，「輸血療法の主な目的は，血液中の赤血球などの細胞成分や凝固因子などの蛋白質成分が量的に減少又は機能的に低下したときに，その成分を補充することにより臨床症状の改善を図ることにある」「輸血療法には一定のリスクを伴うことから，リスクを上回る効果が期待されるかどうかを十分に考慮し，適応を決める」と記載されている．すなわち，検査所見だけでなく臨床症状を参考にすること，できるだけ輸血をしない方法を選択することを考慮する必要がある．

しかし，輸血療法は主として経験によって発展してきた治療法であり，どのような基準で輸血をすればよいのかの適応の決定については，明確な基準を示すことは困難な部分がある．このような状況の中で，専門家の意見として2005年に作成された旧『血液製剤の使用指針』[1]（以下，使用指針）は，輸血の基準を明確に示したものであり，臨床現場で広く参考にされてきた．ただし，近年ガイドラインは科学的根拠に基づいて作成することが期待されているため，使用指針も2017年に12年ぶりに改定され，科学的根拠に基づいた使用指針が作成された[2]．

輸血の適応となる基準としてトリガー値が用いられるが，検査値が基準値（トリガー値）未満に低下した際に輸血を行うことをトリガー値輸血という．また，トリガー値に関してはあくまで目安であって，患者の症状や状態によって指針より高めに設定することも許容されることを認識しておくことが必要である．

2 輸血療法の種類

他人から提供された血液を輸血する同種血輸血のほかに，自分の血液を輸血する自己血輸血という選択もある．実施指針では，輸血療法を要する外科手術などでは自己血輸血を積極的に導入することが推奨されている．

血液製剤は，全血製剤，血液成分製剤，血漿分画製剤に分類される．血液成分すべてが含まれる全血製剤を輸血する全血輸血と，患者に不足した血液成分を輸血する成分輸血が存在する．不要な成分による副作用や合併症を防ぎ，輸血量を減らすことによる循環器系への負担を軽減し，1人の献血者から複数の患者に血液製剤を効率的に提供できることから，成分輸血が基本となっている．そのため，全血製剤を使用することは現在では非常に限られるので，血液成分製剤は血液製剤と呼ばれている．

3 輸血療法の適応

日本国内で輸血療法を保険診療内で行う際の適応決定には，厚生労働省作成の使用指針に従うことが必要である．使用指針に示されている科学的根拠は，日本輸血・細胞治療学会が作成した「科学的根拠に基づいた使用ガイドライン」から引用されたものが多いため，参照した文献などの詳細な情報が必要な場合は学会ホームページ（http://yuketsu.jstmct.or.jp/guidelines/）（最終確認：2023年8月21日）でガイドラインを確認してほしい．現状では適応となっていないが，有効であるエビデンスが報告されている使用方法などが存在することもある．学会のガイドラインは，保険適用となっていない使用方法を含めて科学的根拠が記載されている．

使用指針，学会ガイドラインで使用されている推奨とエビデンスの強さは，『Minds 診療ガイドライン作成の手引き 2014』の基準に従っている．

・推奨の強さ：「1」強く推奨する，「2」推奨する
・エビデンスの強さ：「A（強）」効果の推定値に強く確信がある，「B（中）」効果の推定値に中程度の確信がある，「C（弱）」効果の推定値に対する確信は限定的である，「D（とても弱い）」効果の推定値がほとんど確信できない

なお，推奨の強さおよびエビデンスの強さが示されていない記述については，エビデンスがないか，あるいはあっても著しく欠乏しているものであり，その記述は専門家としての意見にとどまるものである．本項では使用指針に示された推奨とエビデンスの強さを記載する．

4 血液製剤の適応

1）赤血球製剤

赤血球液（RBC）は，急性や慢性の出血に対する治療，貧血の急速な補正を必要とする病態に使用される．使用指針では，RBC の使用に関して，慢性貧血，急性出血，周術期，敗血症に分けて記載されている．表 1 に RBC の代表的な適応のトリガー値を記載した．他の製剤と比べて RBC では質の高いランダム化比較試験が比較的多く，高い推奨度が付与されているものがある．海外のランダム化比較試験では，非制限輸血と制限輸血のグループに分けて比較することが多く，赤血球輸血のトリガー値がヘモグロビン（Hb）9 ～ 10 g/dL である場合を非制限輸血，Hb 7 ～ 8 g/dL である場合を制限輸血と呼んでいる．**表 1** に示すように非制限輸血が推奨されるのは，周術期に関係するもののみである．

血液専門医として重要な疾患として，造血不全（再生不良性貧血，骨髄異形成症候群など）による慢性貧血ではトリガー値を Hb 6 ～ 7 g/dL とされている．この場合，頻回の赤血球輸血による鉄過剰症が問題となることから，鉄キレート剤の使用を考慮する．また，鉄欠乏性貧血やビタミン B_{12} 欠乏症などでは，高度の貧血があっても生命の維持に支障をきたす可能性がある場合を除いて，原則として赤血球輸血は行わないことが推奨されている（2C）．さらに，自己免疫性溶血性貧血では，しばしば高度の貧血となるが生命の維持に支障をきたす恐れがある場合は赤血球輸血を実施することが推奨されている（2C）．ただし，使用する RBC の選択が難しいが，その際の輸血検査については日本輸血・細胞治療学会作成の『赤血球型検査（赤血球系検査）ガイドライン』が参考になる．血液疾患患者では，敗血症が合併する場合があるが，輸血量が少ないほうが死亡率が低い，もしくは同等であることが報告されているためトリガー値 Hb 7 g/dL と明確に示されている（1A）．なお，発熱反応，アナフィラキシー反応などの非溶血性副作用を繰り返し認める場合には，洗浄赤血球液の使用を考慮する．

2）血小板製剤

血小板濃厚液は，血小板数の減少または機能の異常によって出血している場合（治療的投与），もしくは出血が予測される場合（予防的投与）に投与される．多くが予防的に投与されるためその適応に関しての判断が難しいが，血小板数と出血症状や血小板輸血において，**表 2** に示すような関連が認められる．ただし，出血は血小板数のみに依存するものでなく，凝固，線

◆表 1　赤血球製剤の使用基準

トリガー値（Hb）	適　応	推奨度とエビデンスの強さ
6 ～ 7 g/dL	造血不全（再生不良性貧血，骨髄異形成症候群など）	
7 g/dL	敗血症	1 A
	急性期上部消化管出血	
7 ～ 8 g/dL	周術期貧血	
	造血器腫瘍に対する化学療法，造血幹細胞移植治療	2 C
	固形がん化学療法	
8 ～ 10 g/dL	心疾患既往の周術期貧血（特に虚血性心疾患）	2 C
9 ～ 10 g/dL	人工心肺使用手術	1 B

（文献 3 を参考に著者作成）

◆表２　血小板数と出血症状および血小板製剤使用の目安

血小板数	出血症状	血小板輸血
５万/μL 以上	血小板減少による重篤な出血を認めることはない	原則不要
２〜５万/μL	ときに出血傾向を認めることがある	止血困難な場合には必要
１〜２万/μL	ときに重篤な出血をみることがある	血小板輸血が必要となる場合がある
１万/μL 未満	しばしば重篤な出血をみることがある	必要 ただし，出血傾向がなく慢性で血小板数が安定している場合には，極力避ける

◆表３　血小板製剤の使用基準

トリガー値	病　態		
	内科的予防投与	手術・処置に伴う投与	治療的投与
10 万/μL 以上		頭蓋内手術 臨床的に血小板機能異常が強く疑われ，出血が持続する場合	外傷性頭蓋内出血［2D］
5〜10 万/μL		複雑な心臓大血管手術で止血困難な出血	
５万/μL 以上		待機的手術［2D］ 腰椎穿刺［2D］	活動性出血（網膜・中枢神経系・肺・消化管など）［2D］ DIC（出血症状あり）
２〜５万/μL	APL	中心静脈カテーテル挿入［2D］	
１万/μL 未満	急性白血病で安定した状態（APL を除く）［2C］ 固形腫瘍（化学療法）［2C］ 造血幹細胞移植［2C］	抜歯	
0.5 万/μL 未満	再生不良性貧血・骨髄異形成症候群［2D］		

APL：急性前骨髄球性白血病
（文献３を参考に著者作成）

溶系の検査を確認する必要もある．また，血管損傷でその処置をしない状態での血小板輸血は意味がない．

使用指針に記載されているさまざまな病態における血小板の使用について**表３**に示す．血小板輸血の適応に関して科学的根拠は弱いため推奨度１の病態は存在せず，また血小板数のみで適応を決めるわけではないことを再度認識してほしい．血液専門医が頻回に行う検査である骨髄穿刺は，血小板減少が高度であっても止血が容易なので血小板輸血を予防的に行う必要はないことが示されている．播種性血管内凝固（disseminated intravascular coagulation：DIC）は，病態によって血小板輸血を考える必要があるが，出血傾向が強く現れる DIC（線溶亢進型）では，血小板数が５万 /μL がトリガーとされている．一方，血栓による臓器障害が強く現れる DIC（線溶抑制型）では血小板輸血の決定は慎重に行うべきとされている．それ以外にも血小板輸血が基本的に推奨されない疾患として，特発性血小板減少性紫斑病（idiopathic thrombocytopenic purpula：ITP）（2C），血栓性血小板減少性紫斑病（thrombotic thrombocytopenic purpura：TTP）（2C），heparin 起因性血小板減少症（heparin-induced thrombocytopenia：HIT）（2C）が記載されている．

血小板輸血のほとんどが予防的投与であるので，血小板数の増加をきちんと評価することが重要である．その際に有用な指標として補正血小板増加数（CCI）が知られている．

CCI（/μL）＝輸血血小板増加数（/μL）× 体表面積（m^2）/ 輸血血小板総数（$\times 10^{11}$）

（血小板 10 単位に含まれる血小板数は２〜３ $\times 10^{11}$ 個）

血小板輸血 10 分後から１時間後の CCI は 7,500/μL 以上，翌朝または 24 時間後は 4,500/μL 以上となれば，血小板輸血が有効であったと判定できる．輸血直後の CCI が低下している場合は抗 HLA 抗体の有無を調べる（2C）．抗 HLA 抗体陽性の場合は，HLA 適合血小板を輸血するが，その際にもCCIを計算して，血小板輸血の効果を評価することが強く推奨されている（1C）．血小板輸血が連日必要となる場合には，血小板の効果が悪いことが予想され，CCIを評価することが重要である．血小板輸血によって病状を悪化させる可能性があるTTP，HITなどの病態があることを認識し，漫然と継続的に血小板輸血を行うべきではない．

血小板濃厚液は蕁麻疹などの副作用が多い製剤である．それを防止するための洗浄血小板液の適応として，使用指針には以下の3つの基準が示されている．①アナフィラキシーショックなどの重篤な副作用が一度でも観察される，②薬剤の前投与でも予防できない蕁麻疹，発熱，呼吸困難，血圧低下などの副作用が2回以上観察された場合，③ABO血液型が不一致の輸血のなかで，ABO不適合輸血の場合，製剤の抗体価が128倍以上の場合，低年齢の小児の場合．

3）血漿製剤

新鮮凍結血漿（fresh frozen plasma：FFP）は，血漿因子の欠乏による病態の改善を目的に使用する．多くは凝固因子の補充を目的に使用されるが，原則は症状があるときに治療目的で使用する．凝固因子には血漿分画製剤やリコンビナント製剤など代替医薬品があるため，FFPの適応の大部分は複合的な凝固因子の補充に限られる．FFPの適用に関する指標として，その病態によって異なるが，広く用いられているのがプロトロンビン時間（PT），活性化部分トロンボプラスチン時間（APTT），フィブリノゲン値であり，そのトリガー値を**表4**に示す．また，FFPの適応に関するエビデンスは低く，強く使用が推奨されているのはTTPのみである．

FFPの適応として，使用指針では凝固因子の補充と血漿因子の補充に分けて記載されている（**表4**）．凝固因子の補充で複合型凝固障害として，まず肝障害への適応であるが，弱い推奨であるうえに出血傾向がある場合での推奨であることに注意する（2C）．また，肝障害における手術患者における予防的投与は推奨されていない（2B）．次に，L-asparaginaseは急性リンパ性白血病などに使用される抗腫瘍薬である．この薬剤は肝臓での蛋白合成を抑制するので，フィブリノゲンなどの凝固因子やアンチトロンビンなどの抗凝固因子の産生低下をきたす．出血，血栓のどちらの可能性もあるが臨床的にしばしば問題となるのは血栓症である．凝固異常の程度が強い場合には，FFPによってこれらの因子を補充する．最後に，DICでもFFPが使用されるが，基礎疾患の治療とheparin，アンチトロンビン製剤などの抗凝固療法を前提として実施する．また，warfarin効果の緊急補正について，FFPは推奨されず，ビタミンK製剤の投与が一般的であるが，緊急の補正が必要な場合は濃縮プロトロンビン複合体製剤の使用が推奨される．

一方，血漿因子の補充としてTTPと溶血性尿毒症症候群（hemolytic uremic syndrome：HUS）の2つの疾患が使用指針で記載されている（詳細はⅪ-4「血栓性微小血管症／赤血球破砕症候群」参照）．TTPはFFPの使用が強く推奨される疾患である（1B）．血漿因子であるADAMTS13の活性が低下することによりTTPが発生し，現状ではFFPが唯一のADAMTS13

◆表4　新鮮凍結血漿の適応

トリガー値	適　応	推奨度とエビデンスの強さ
①PT（INR 2.0以上，または30%以下） ②APTT（基準の上限の2倍以上，または25%以下） ③フィブリノゲン（150 mg/dL以下）	1．凝固因子の補充	
	1）複合型凝固障害	
	①出血傾向のある肝障害	2C
	②L-asparaginase投与関連	
	③DIC	
	④大量輸血時	2C
	2）濃縮製剤のない凝固因子欠乏症（血液凝固第Ⅴ，第Ⅺ因子欠乏症）	
	3）warfarin効果の急性補正	
	2．血漿因子の補充	
	1）TTP	1B
	2）溶血性尿毒症症候群（HUS）	

（文献3を参考に著者作成）

◆表5　アルブミン製剤の適応

トリガー値	推奨度	病態	
		高張アルブミン製剤	等張アルブミン製剤
血清アルブミン値： 急性 3.0 g/dL 慢性 2.5 g/dL	強く推奨	肝硬変に伴う難治性腹水の管理 ①利尿薬との併用［1B］ ②大量の腹水排液［1A］ ③特発性細菌性腹膜炎［1A］ ④肝腎症候群［1A］	凝固因子補充を要しない治療的血漿交換 （Guillain-Barré 症候群，重症筋無力症など）［1A］ 他の血漿増量薬の使用が困難な病態［1B］
	通常は使用しない	難治性の浮腫・肺水腫を伴うネフローゼ症候群［2D］ 低蛋白血症に起因する肺水腫 or 著明な浮腫［2B］	出血性ショック（第一選択は細胞外液補充液） 敗血症（第一選択は細胞外液補充液［1B］） 人工心肺を使用する心臓手術［2D］ 循環動態が不安定な体外循環 重症熱傷［2B］ 循環血漿量の著明な減少（急性膵炎など）［2D］ 妊娠高血圧症候群［2D］ クモ膜下出血後の血管攣縮［2C］
	不適切な使用	蛋白資源としての栄養補給［2C］ 炎症性腸疾患 周術期の循環動態の安定した低アルブミン血症［2C］ 単なる血清アルブミン濃度の維持 終末期患者への投与	
	禁忌	脳虚血・頭部外傷［1A］	

（文献3を参考に著者作成）

を補充する方法である．後天性 TTP は ADAMTS13 に対する自己抗体によって発症することから，FFP を置換液とした血漿交換が有効である理由として，ADAMTS13 の補充，自己抗体の除去などが想定される．一方，HUS では志賀毒素産生大腸菌によるものがほとんどであるので，FFP の適応は明らかでないが，一部に補体制御因子の異常による HUS が知られている（aHUS）．補体制御因子が FFP に含まれるため，血漿療法（FFP 輸注，FFP による血漿交換）が有効であるとの報告がある．

◆表6　免疫グロブリン製剤の主な適応疾患

適応疾患
1. 低ならびに無ガンマグロブリン血症
2. 重症感染症における抗生物質との併用
3. ITP
4. 川崎病の急性期
5. 多発性筋炎・皮膚筋炎における筋力低下の改善
6. 慢性炎症性脱髄性多発根神経炎
7. 全身性重症筋無力症
8. 天疱瘡
9. 水疱性類天疱瘡
10. Guillain-Barré 症候群
11. Churg-Strauss 症候群，アレルギー性肉芽腫性血管炎
12. Stevens-Johnson 症候群および中毒性表皮壊死症
など

5 血漿分画製剤の適応

1）アルブミン製剤

アルブミン製剤は，血漿膠質浸透圧を維持することにより循環血漿量を確保する目的で使用される．トリガー値として，旧使用指針には，急性の場合 3.0 g/dL，慢性の場合 2.5 g/dL という目標血清アルブミン値が記載され適正使用に貢献したが，これにはまったく科学的根拠がない．新指針でも上記のトリガーを踏襲することが記載されているが，エビデンスは乏しいと指摘している．一方，学会のガイドラインでは「アルブミン投与に明確なトリガーはなく，疾患や患者の状態を勘案して使用を決定する」と記載されている．

アルブミン製剤の適応を**表5**に示すが，高張製剤（25%，20% 製剤）と等張製剤（5%製剤）に分けて考える必要がある．アルブミンを現在臨床現場で使用している多くの病態は，エビデンスがないことがわかる．アルブミン製剤でエビデンスのある適応は，①肝硬変に伴う難治性腹水の管理，②凝固因子の補充を必要としない治療的血漿交換療法（Guillain-Barré 症候群，急性重症筋無力症など），③他の血漿増量薬が適応とならない病態，の3つのみであるので，経験的な使用ではなくエビデンスに基づいた適応の判断が求められている．

2）アルブミン製剤以外の血漿分画製剤

アルブミン製剤以外の血漿分画製剤の適応は，使用指針には記載されていない．アルブミン製剤以外で血

◆表7 小児輸血の適応

血液製剤の種類	トリガー値	病 態	推奨度とエビデンスの強さ
赤血球製剤	Hb 12 g/dL	生後24時間未満の新生児 集中治療を受けている新生児	
	Hb 11 g/dL	慢性的な酸素依存症の児	
	Hb 7 g/dL	全身状態が安定している児	
血小板製剤	PLT 5～10万/μL	DIC 大手術	2C
	PLT 5万/μL	生後1週間以内の極低出生体重児 出血症状を認める児 侵襲的処置の予防的投与	
	PLT 3万/μL	新生児同種免疫性血小板減少症（NAIT）	
	PLT 2～3万/μL	全身状態安定して出血症状なし	
FFP	PT and/or APTT 著明な延長	ビタミンK投与後で出血症状を認めるか侵襲的処置を行う場合	
	設定なし	循環血液量の50%以上のRBC輸血 先天性血栓性血小板減少性紫斑病（Upshaw-Schulman症候群）	

（文献3を参考に著者作成）

液専門医として重要な製剤は免疫グロブリン製剤である．感染症と自己免疫疾患に使用されるが，主な適応を**表6**に示した．自己免疫疾患を中心に適応疾患が徐々に増えている．その他の血漿分画製剤として，フィブリノゲン製剤，アンチトロンビン製剤，ハプトグロビン製剤などがあるが，適応疾患がはっきりしているので悩むことは少ないと思われる．

6 新生児・小児に対する輸血療法

小児，特に新生児に対して，成人の基準で血液製剤を使用することは，小児特有の生理機能があるため問題がある．そのため，出生後4ヵ月までの新生児・小児に対する学会ガイドラインが作成され，使用指針にも1年遅れで含められた[3]．ただし，小児に対する輸血療法のエビデンスは少なく（**表7**），専門家の間でも十分なコンセンサスが得られている状況ではないので，個々の症例に応じた配慮が必要である．なお，母体のサイトメガロウイルス（CMV）抗体が不明の場合（特に陰性の場合）は，輸血用血液製剤は可能であればCMV抗体陰性の血液製剤を投与する（2C）．

小児に対する適応に関して**表7**に示す．赤血球製剤の3つの適応が示されているが，採血後2週間未満の比較的新しい赤血球液の使用を推奨している．血小板製剤，FFPに関しても具体的な適応病態が示してあり，エビデンスが少ないなかでも小児科医にとって参考になると思われる．

■文 献■

1) 厚生労働省医薬食品局血液対策課：血液療法の実施に関する指針・血液製剤の使用指針（平成17年9月），2005
2) 厚生労働省医薬・生活衛生局：血液製剤の使用指針（平成29年3月），2017
3) 厚生労働省医薬・生活衛生局：血液製剤の使用指針（平成31年3月），2019

4 輸血の合併症

到達目標

- 輸血の合併症の分類，病態を理解する
- 輸血の合併症発生時の対応が適切にできる

1 輸血副反応の臨床的分類

輸血は，年間のべ500万名弱の献血者の善意により支えられている，現代医療に欠かせない重要な医療資源であるが，検査法が進歩した現代でも原材料に由来する感染のリスクはゼロではない．また発現するHLAや種々の赤血球抗原は献血者により異なり，それらに対する反応性も受血者により異なることから，輸血に際しては何らかの副反応を示す可能性を常に念頭に置く必要がある．輸血に伴う有害反応（輸血副反応）の分類を**表1**に示す．

2 急性輸血副反応

1）急性溶血性副反応

輸血後24時間以内に発症した溶血性副反応を急性溶血性副反応という．ABO血液型不適合輸血では，輸血された不適合赤血球が患者の赤血球抗体と補体により血管内で急速に破壊される．活性化した補体はサイトカインなどの産生および播種性血管内凝固（disseminated intravascular coagulation：DIC）を起こし，血圧低下，腎不全をもたらす．症状としては，悪寒発熱，気分不快，胸背部痛，穿刺部から近位の血管痛などを呈し，検査値としては，Hb値の低下，LDの上昇，ハプトグロビン低下，赤褐色尿，直接Coombs試験陽性，交差適合試験陽性によって確認される．発見時はただちに輸血を中止し，留置針は残して新しい輸血セットに交換し，急速補液を開始しながら，バイタルサインの持続モニタリング，尿道カテーテルを挿入し時間尿の測定を行う．補液に反応せず血圧低下がみられた場合はドパミンを開始する．溶血に対してはハプトグロビンの投与，乏尿に対しては利尿薬を投与し反応がなければ血液透析に関して腎臓専門医や集中治療医にコンサルトする．DICに対しては，ヘパリンや合成蛋白分解酵素阻害薬による抗凝固療法，必要に応じ濃厚血小板，新鮮凍結血漿，アンチトロンビン製剤の投与を行う．血液疾患ではABO不適合造血幹細胞移植症例等で輸血過誤のリスクがあり，注意が必要である．

◆表1　輸血副反応の分類

輸血副反応の分類
1. **急性輸血副反応**
a. 急性溶血性副反応
b. 輸血関連急性肺障害
c. 輸血関連循環過負荷
d. アレルギー反応
e. 非溶血性発熱反応
f. 輸血による細菌感染症
2. **遅発性輸血副反応**
a. 遅発性溶血性副反応
b. 輸血後GVHD
c. 輸血後鉄過剰症
d. 輸血後感染症

2）輸血関連急性肺障害（TRALI）

輸血関連急性肺障害（transfusion-related acute lung injury：TRALI）は，輸血中または輸血後6時間以内に急性発症する低酸素血症で，基本的な病態は非心原性の肺水腫である．画像上，両肺野の浸潤影を認め，左房圧上昇がないか，あっても低酸素血症の主因ではないと判断される．TRALI Consensus Conference（2004年）の診断基準が長く使用されてきたが，2019年にTRALIの再定義と新たな診断基準[1]が公表され，「possible TRALI」の用語は削除され，TRALIはTRALI typeIとTRALI typeII（輸血前からARDS危険因子が存在していたが，輸血12時間前からの呼吸状態は安定）に分類された．また，主に輸血後6時間を超えて発症した肺水腫等は，輸血関連呼吸困難（transfusion-associated dyspnea：TAD）というカテゴリーとなった．

TRALIの主な機序は，患者体内の炎症状態をベースに，輸血により抗白血球抗体（抗HLA抗体，抗顆粒球抗体）と白血球の抗原抗体反応が起こり，補体が活性化され，好中球が肺の毛細血管に障害を与え肺水腫が惹起されると推測されている[2]．輸血用血液に抗白血球抗体が検出されることが多いが，患者血中に検出される場合もある．他の要因として，血液製剤内の活性化脂質，サイトカイン等の関与が報告されている．原因製剤は，新鮮凍結血漿（fresh frozen plasma：FFP），濃厚血小板が多い．盲点は，顆粒球輸血や，HLA不適合の同種造血幹細胞移植である．事前にレシピエントの抗白血球抗体（抗HLA抗体，抗顆粒球抗体）の検査を行うことも考慮される．

妊娠中の母体は胎児の父親由来の白血球抗原に感作されうるため，経産婦の血漿中には抗白血球抗体を認めることがある．経産婦由来のFFPの輸血がTRALIの原因となりうるため，TRALIの予防対策として国内ではFFP-LR-2は男性ドナー由来となっている．2020年の赤十字血液センターへの自発報告はTRALI5例，possible TRALI3例で，この5年ほどは横ばいである．

TRALIが疑われた際は，急速に呼吸不全が進行し，人工呼吸器管理を要する場合があるため，集中治療部門での管理を検討する．TRALIは，呼吸管理が適切になされれば，多くの場合予後は良好であるが，輸血以外のARDSの危険因子である肺炎や敗血症が併存する場合はTRALIよりも予後不良な可能性がある．TRALIは基本的にARDSに準じて治療を行う．国内3学会合同で策定された『ARDS診療ガイドライン2021』では，ARDSの診断，1回換気量の制限，人工呼吸器関連肺炎予防バンドル，低用量ステロイド（methylprednisolone 1～2 mg/kg/日）の使用などが推奨されている．

3）輸血関連循環過負荷（TACO）

輸血関連循環過負荷（transfusion-associated circulatory overload：TACO）は，輸血に伴って引き起こされる心原性肺水腫であり，基本的に輸血後6時間以内に呼吸困難，起座呼吸等を呈する．TACOの診断基準としては，①急性または悪化する呼吸窮迫，または/および②急性または悪化する肺水腫，を必須とし，③心血管系の変化（血圧上昇，頻脈等），④体液過剰の証拠（水分バランスの超過等），⑤BNP（NT-proBNP）の上昇を含む3項目以上に当てはまることで診断される．TACOとTRALIの鑑別は重要であるが，容易ではないことが多く，TRALIとTACOが両方関与している，あるいは区別ができない症例に関しては，「TRALI/TACO」という定義が設けられた．TACOの治療は，輸血中であれば輸血の中止，およびうっ血性心不全の治療を行う．

4）輸血関連呼吸困難（TAD）

国際輸血学会の診断基準では，transfusion-associated dyspnea（TAD）は輸血後24時間以内に発症する呼吸困難であり，TRALI，TACO，アレルギー反応のいずれの診断基準にも合致しないとされている．

5）アレルギー反応

ほとんどの症例では原因不明である．欧米で多いIgA欠損症（1：700）は日本人ではまれであるが，日本人では1：4,400の割合でhaptoglobin欠損症を認め，アナフィラキシー反応に関与する可能性がある．軽症アレルギー反応は皮膚粘膜症状のみを呈するが，重症アレルギー反応は呼吸器・心血管系，消化器系の症状を伴い，通常輸血中に発症する．アナフィラキシーの診断には，マスト細胞由来の血中トリプターゼの測定が推奨され，輸血前，副作用発生早期の検体で測定する．重篤なアレルギー性副作用発生時には輸血前検体を用いて患者の血漿蛋白抗体の欠損の有無を赤十字血液センターに依頼できる．

アレルギー性副作用歴がない患者に対しては，輸血前に抗ヒスタミン薬を投与することを推奨しない．頻回のアレルギー性副作用歴がある患者に対しては，輸血前に抗ヒスタミン薬を投与してもよい[3]．輸血中の中等症のアレルギー反応に対するステロイド使用は推奨される．輸血中に患者がアナフィラキシーショックを発症した場合は迅速なadrenalineの筋肉注射が推奨される[3]．予防薬を用いても赤血球輸血，血小板輸血によりアレルギー反応を繰り返す場合，あるいはアナフィラキシーなど重篤なアレルギー反応がみられた場合は，予防として洗浄赤血球，洗浄血小板の使用が推奨される．

6）輸血による細菌感染症

献血採血時の細菌混入低減のため2007年から初流血除去が行われており，血小板製剤では細菌培養陽性率が0.17%から0.05%に減少しているが，以降の細菌感染特定例はすべて血小板製剤に起因し，年に0～4例発生している．医療機関においてできる対策としては，投与前に製剤の外観確認を行い，凝集塊や色調変化の有無，スワーリングの消失など異状があれば使用しない．輸血中に悪寒発熱・血圧低下などが認められた場合は，輸血を中断し，細菌感染症の可能性も念頭に起き，患者の状態，製剤の外観などを改めて確認し，血液培養検体採取後，抗菌薬の使用も検討する．輸血による細菌感染を疑った場合は，輸血ラインごと製剤バッグを冷所保存し血液センターに引き渡して検査を依頼するか，院内で無菌的に製剤から検体を採取しGram染色，細菌培養，エンドトキシン測定を行うことも検討する．患者血液と製剤から同一の菌株が検出された場合，特定例となる．

3 遅発性輸血副反応

1）遅発性溶血性副反応

輸血後24時間以降に発症する溶血反応を，**遅発性溶血性副反応**という．輸血や妊娠による感作ですでに不規則抗体を有し，かつ検査の感度未満に低下している患者への赤血球輸血により二次免疫応答が刺激され，輸血後3～14日程度で不規則抗体の急激な上昇が起こり，溶血を起こすものである．主に血管外溶血を示すが，血管内溶血の報告もある．症状は，発熱，黄疸，血色素尿など，検査ではHb値低下，ビリルビンやLDの上昇，直接抗グロブリン試験陽性を呈する．緊急輸血に際して，不規則抗体陽性患者に抗原陽性血を輸血した場合にも同様の溶血を認める．遅発性溶血性副反応発症後には不規則抗体が同定されるため，以後の輸血は抗原陰性血を選択する．不規則抗体の力価は継時的に低下し，いずれは検出されなくなるため，他の医療機関においても不規則抗体の情報が認知されるよう，不規則抗体カードを患者に渡す動きも広がりつつある．

2）輸血後GVHD

輸血された血液に含まれる供血者のリンパ球が排除されずに生着・増殖し，受血者の皮膚，肝臓，骨髄，消化管などの体組織を攻撃，傷害することによって生じる重篤な輸血合併症である．供血者と患者のHLA haplotypeの組合せがhomo to heteroの場合にリスクが高い．輸血の1～2週間後に発熱・紅斑が出現，続いて肝障害・下痢・下血などが，最終的には骨髄無形成・汎血球減少症を呈してほぼ全例が致死的な経過をたどる．FFPを除くすべての輸血用血液にリスクがあるため照射の対象となり，製剤に15 Gy以上照射することでリンパ球を死滅させ，輸血後GVHDを予防できる．日本赤十字社で放射線照射を開始した平成11年以降，輸血後GVHD確定例の報告はない．

3）輸血後鉄過剰症

再生不良性貧血や骨髄異形成症候群，赤芽球癆などに対し，支持療法として長期間赤血球輸血が行われる場合に輸血後鉄過剰症による臓器障害（心不全，肝硬変，糖尿病）が問題となり，厚生労働省「特発性造血障害に関する調査研究班（平成20年度）」による『輸血後鉄過剰症の診療ガイド』が策定されている[4]．血清フェリチン値500 ng/mLまたは赤血球輸血量20単位以上を鉄過剰症と定義し，原疾患の予後1年以上が期待される症例に対して，血清フェリチン値1,000 ng/mLまたは赤血球輸血量40単位以上で鉄過剰症の治療開始を検討する．血清フェリチン値は貯蔵鉄のマーカーとなるが，炎症に伴いみかけ上高値を呈するため注意する．内服治療開始後も評価のため定期的なフェリチン値，肝機能，HbA1c等の測定が必要である．経口鉄キレート剤deferasiroxの連日内服が主に行われているが，アレルギー等で使用できない場合は，注射用製剤deferoxamineが選択肢となる．輸血後鉄過剰症は臓器不全を生じ，原疾患の予後とは関係なく死亡リスクを上昇させるため，患者の理解を得て除鉄療法を継続することが重要である．

4）輸血後感染症

2014年8月より献血者個別にHBV，HCV，HIVの核酸増幅検査（nucleic acid test：NAT）が行われるようになり，輸血によるHBV感染症例数は2011年まで約10例/年，2012年以降4例/年だったが，2021年までのHBV感染は0～2件/年と減少し，HCV感染，HIV感染はみられていない．HBV，HCV，HIVの理論的残存リスクはそれぞれ，74万献血に1件，2,300万献血に1件，8,400万献血に1件と算出されており，推定年間輸血後感染数については，HBVは160万本の輸血に1件，HCVとHIVは理論的残存リスクが小さいため推定困難となった[5]．これらをふまえ，輸血後感染症検査は，医師が必要と判断した場合のみ検査を行う．

近年，人畜共通感染症であるE型肝炎ウイルス（HEV）の感染が国内でも広がり，輸血後感染件数の増加，臓器移植や血液疾患など易感染性を有する患者では遷延例もみられ，世界的にも輸血によるE型肝炎の問題が注目されるようになり，対策として献血者の個別NAT導入が2020年8月になされた．輸血後に原因不明の肝障害を認めた場合は，輸血後E型肝炎も念頭に置き，外注検査でHEV-IgAを提出することも検討する．

輸血後B型肝炎・C型肝炎・E型肝炎・HIV感染については，厚生労働省により『血液製剤等に係る遡及調査ガイドライン』が作成されている．HBVに関しては化学療法や免疫抑制療法後に既感染ウイルスの再活性化が起こることがあり，輸血感染症との鑑別のために，輸血前患者検体保管の重要性が指摘されている．

白血球除去製剤の導入以降，サイトメガロウイルス（CMV）の輸血による伝播は防止できているが，造血幹細胞移植時に患者とドナーの両者が CMV 抗体陰性血の場合には，CMV 抗体陰性の赤血球液，濃厚血小板を赤十字血液センターに依頼することが可能である．また血液疾患においてパルボウイルス B19 感染は aplastic crisis などが問題となるが，献血者へのスクリーニング検査により，輸血による感染は稀である．

輸血で伝播しうる他の新興・再興感染症としては，デング熱，ジカ熱，ウエスト・ナイル熱，重症熱性血小板減少症候群（SFTS），マラリア，バベシア，シャーガス病，変異型 Creutzfeldt-Jacob 病（vCJD）等が挙げられるが，確実な本人確認，問診の充実，流行地域から帰国した場合一定期間の献血差し控え等の対策が講じられている．

適正な輸血において発生した輸血後感染症は，本人または家族が医師の診断書等を添付し，生物由来製品感染等被害救済制度の申請を行うが，死亡，後遺障害，入院の延長などが給付の対象となっており，医薬品医療機器総合機構（PMDA）のホームページでご確認いただきたい．

4 ヘモビジランス

ヘモビジランス（血液安全監視）は，献血の採血から輸血を受ける患者の追跡調査までの全過程を監視し，分析評価し，被害の拡大を防ぐことが目的である．わが国では，1993 年に日本赤十字社が輸血副作用・感染症情報の収集を開始しており，医療機関は血液製剤が原因と疑われる有害反応が発生した場合，各県の赤十字血液センターに自発的に報告を行っている．重篤な例については厚生労働省へ直接報告を行う．日本赤十字社がもつデータと医療施設のもつデータを血液バッグの製造番号を介して連結することで，血液製剤の製造から使用までの blood transfusion chain を追跡できるトレーサビリティの確保されたシステム（J-HeST）を用いて，大規模に情報を収集し活用しようとする取り組みも開始されている．

文　献

1）Vlaar APJ et al: Transfusion **59**: 2465, 2019
2）Semple JW et al: Blood **133**: 1840, 2019
3）岡崎仁ほか：科学的根拠に基づいた輸血有害事象対応ガイドライン．日本輸血細胞治療学会誌 **65**：1，2019
4）厚生労働省 特発性造血障害に関する調査研究班（研究代表者　三谷絹子）：輸血後鉄過剰症の診療参照ガイド　令和 4 年度改訂版，2023（http://zoketsushogaihan.umin.jp/file/2022/Post-transfusion_iron_overload.pdf）（最終確認：2023 年 6 月 19 日）
5）日本赤十字社：輸血情報 1804-159（https://www.jrc.or.jp/mr/news/pdf/yuketsuj_1804-159c.pdf）（最終確認：2023 年 3 月 13 日）

5 交換輸血，アフェレーシス

到達目標

- 交換輸血，アフェレーシスの適応と方法を理解し，実施できる

1 交換輸血

交換輸血（exchange transfusion）は，全血液成分を同種血赤血球・血漿を用いて交換する治療手技である．

1）適　応

交換輸血により改善が期待される疾患・病態は，新生児黄疸におけるビリルビン，感作赤血球や抗体の除去，重症感染症における有害物質の除去，尿素サイクル酵素欠損症や劇症肝炎などに伴う高アンモニア血症の改善，播種性血管内凝固（DIC）により不足する凝固因子の補充などである．

交換輸血は，血液型不適合妊娠が原因で生じた，新生児溶血性疾患による重症の**新生児高ビリルビン血症**に対して最も実施され[1]，①非抱合ビリルビン除去，②感作赤血球・抗体除去，③非感作赤血球補充，④その他の溶血毒性副産物の除去を目的とする．近年，母体への抗Dヒト免疫グロブリン投与や光線療法の実施により，交換輸血が行われる頻度は減少している．

2）実施時期

新生児高ビリルビン血症に対する交換輸血の適切な実施時期は，児の在胎週数，出生時体重，貧血の程度，臨床症状，高ビリルビン血症の原因による．一般的には，①早発黄疸（生後24時間以内に出現する顕性黄疸；総ビリルビン5～7 mg/dL以上），②血清ビリルビンの急速な上昇（5 mg/dL/日），③高ビリルビン血症（成熟児15 mg/dL以上，未熟児12 mg/dL以上），④直接ビリルビン上昇（2 mg/dL以上），⑤遷延性黄疸，などが光線療法により改善しない場合に行う．

3）方　法

臍静脈を用いる**one-site法**と末梢動静脈を用いる**two-site法**がある．循環に対する侵襲の少なさ，交換率の高さから，後者が主流である．

交換輸血に使用する血液製剤の血液型を，適応疾患別に**表1**に示した．放射線照射済みの新鮮全血製剤が理想とされるが，ほぼ入手できない．日本赤十字社の照射合成血液-LRはABO血液型不適合による新生児溶血性疾患に保険適用があるが，迅速な入手に難がある．緊急時は照射赤血球液-LR（Ir-RBC-LR）と照射新鮮凍結血漿-LR（Ir-FFP-LR）を用いて疑似全血製剤を作成する．放射線照射後長時間保存された製剤は，バッグ内のカリウム濃度が上昇するため，輸注時にカリウム除去フィルターを使用する．交換血液量は循環血液量の2倍［通常児体重（kg）× 85 mL/kg × 2］である．交換は，循環動態と体温変動に注意しながら80～100 mL/kg/時で実施する．2倍量交換の終了時には赤血球は約85％が交換されるが，組織にも分布しているビリルビンの交換率は50％程度にとどまり，終了後再び増加する．

4）合併症

①血管系合併症として，空気塞栓・血栓塞栓症，大腸の出血性梗塞，壊死性腸炎，②心臓系合併症では，不整脈，輸血関連循環過負荷，心停止，③代謝系合併症の高ナトリウム血症，高カリウム血症，クエン酸による低カルシウム血症，アシドーシスおよびクエン酸代謝後のアルカローシス，低血糖，④血小板減少，⑤その他，感染症，マンニトール・アデニン中毒，低体温が報告されている．

◆表1　交換輸血に使用する血液製剤の血液型

適応疾患	血液型
特発性重症黄疸	ABO同型 Rh同型
Rh不適合	ABO同型 Rh（－）
ABO不適合	O型赤血球＋AB型血漿 （準備できないときはO型血液）
DIC，敗血症	ABO同型 Rh同型

◆表2　アフェレーシスの種類

工程（和名）	工程（英名）	分類	目的
白血球アフェレーシス（ドナー）	Leukocytapheresis	ドナー	造血幹細胞／リンパ球／顆粒球／免疫細胞採取
白血球アフェレーシス（治療）		治療	著明に増加した白血病細胞の除去（白血病）
血小板アフェレーシス（ドナー）	Platelet apheresis	ドナー	血小板成分採取
血小板アフェレーシス（治療）		治療	著明に増加した血小板の除去（血小板増加症）
赤血球アフェレーシス	Erythrocytapheresis	ドナー	赤血球成分採取
赤血球交換	RBC exchange	治療	異常赤血球除去，正常赤血球輸血
プラズマフェレシス	Plasmapheresis	治療	異常血漿成分除去
LDL アフェレシス	LDL apheresis	治療	LDL コレステロールに特化した血漿成分除去
血漿交換	Plasma exchange	治療	異常血漿成分を除去し，正常血漿成分と置換

（文献2より引用）

2 治療的アフェレーシス

分離を意味するギリシア語に由来するアフェレーシス（apheresis）は，血液中から体外循環により血漿成分，細胞成分を分離する方法で，治療的アフェレーシス（therapeutic apheresis）とドナーアフェレーシス（donor apheresis）に分けられる（**表2**）[2]．ここでは治療的アフェレーシスの血漿成分の除去（plasmapheresis），血球成分の除去（cytapheresis），吸着式血球成分除去療法について述べる．全血から目的の成分を分離する技術として，遠心分離と膜分離（濾過）がある．

1）血漿交換（plasma exchange，plasmapheresis）

血漿交換には，①血中の病因物質を体外循環により除去する方法，②血漿成分をアルブミンや FFP で置換する単純血漿交換（plasma exchange：PE），③吸着カラム，選択的カラムを用い，原則的には血漿置換液の補充を行わない plasmapheresis がある．除去する物質として，アンモニアや薬剤などの病因分子，異常グロブリンなどの蛋白，自己抗体，高分子 von Willebrand 因子（VWF）マルチマーなどの高分子複合体などがある．血漿交換の置換液に FFP を用いると，凝固因子を含む正常血漿成分の補充が同時に可能である．逆に，血漿成分の補充が不要な場合は，置換液としてアルブミンを用いた方が，アレルギー反応などの副反応が少ないという利点があり，推奨される[3]．たとえば，自己免疫性疾患（Guillain-Barré 症候群，慢性炎症性脱髄性多発神経炎，重症筋無力症など）が該当する．

血漿交換・血漿吸着の保険適用となっている疾患（**表3**）も，エビデンスはさまざまである．血液疾患では，多発性骨髄腫（multiple myeloma：MM）の過粘度症状改善を目的とした実施が適応である．しかし，多くの MM 症例は血液が過粘度となっても無症候であり，腎機能障害に対する血漿交換の効果も一過性である．一方，**血栓性血小板減少性紫斑病**（thrombotic thrombocytopenic purpura：TTP）の治療において血漿交換は重要である．TTP に対する血漿交

◆表3　血漿交換・血漿吸着の保険適用となっている疾患

- Guillain-Barré 症候群
- 天疱瘡，類天疱瘡
- 重症筋無力症
- 多発性硬化症
- 慢性炎症性脱髄性多発神経炎
- 悪性関節リウマチ
- 全身性エリテマトーデス
- 川崎病
- 巣状糸球体硬化症
- 多発性骨髄腫
- マクログロブリン血症
- 血栓性血小板減少性紫斑病
- 家族性高コレステロール血症
- 閉塞性動脈硬化症
- 劇症肝炎
- 薬物中毒
- 術後肝不全
- 急性肝不全
- 溶血性尿毒症症候群
- 重症血液型不適合妊娠
- ABO 不適合間，もしくは抗リンパ球抗体陽性者間の同種腎移植
- インヒビターを有する血友病
- 中毒性表皮壊死症
- Stevens-Johnson 症候群
- 抗糸球体基底膜抗体（抗 GMB 抗体）型急速進行性糸球体腎炎
- 抗白血球細胞質抗体（ANCA）型急速進行性糸球体腎炎

それぞれの疾患についての適用は保険算定基準を参照されたい．

換の効果は，異常な高分子 VWF マルチマーの除去，VWF cleaving metalloprotease（ADAMTS13）に対する自己抗体の除去，置換する正常血漿によりADAMTS13 が補充されることなどによる．

a）単純血漿交換（PE）

単純血漿交換（plasma exchange：PE）は，体外循環のなかで血液を血漿分離膜により血球成分と血漿成分に分離した後に，すべての血漿成分を FFP，またはアルブミンで置換する方法である．循環血液量と同量循環させて PE を行った場合，理論的には循環血液中にのみ分布する病因物質は 36％まで除去される．病因物質の分布容積が循環血液量の 2 倍であれば，60.6％までしか除去されない．Body mass index とヘマトクリット値が正常の患者では，通常循環血漿量（40 ～ 60 mL/kg）の 1 ～ 1.5 倍の交換が実施される．TTP の治療に PE を用いる場合，FFP 50 ～ 75 mg/kg を置換液として血小板数が正常化した 2 日後まで連日施行する．

b）選択的血漿交換療法（SePE）

選択的血漿交換療法（selective plasma exchange：SePE）は血液を血漿分離膜により血球成分と血漿成分に分離する．さらにより膜口径の小さな血漿分離膜として，その小孔径をフィブリノゲン（分子量約 340 kDa）と IgG（分子量約 150 kDa）の間に設定する．これによって，フィブリノゲンなど大型の分子を保持しながら，IgG などの小型の分子を除去することができる．

c）二重膜濾過血漿交換法（DFPP）

二重膜濾過血漿交換法（double filtration plasmapheresis：DFPP）は，血液を血漿分離膜（一次濾過膜）により血球成分と血漿成分に分離した後に，より膜口径の小さな血漿成分分離器（二次濾過膜）を用いて血漿成分から病因物質を分離・除去し，除去した血漿と同量の置換液により交換する方法である．

d）血漿吸着（plasma absorption）

血漿分離後に，血漿を特定の**吸着カラム**（免疫吸着カラム，LDL コレステロール吸着カラム，β_2 ミクログロブリン吸着カラムなど）に通して，選択的に病因物質を除去する治療法であり，基本的には置換液を必要としない．

2）血球増加に対するアフェレーシス（cytapheresis）

Cytapheresis の目的は，白血病細胞，過剰な血小板，異常ヘモグロビン症の赤血球の除去である．

白血病では，急性骨髄性白血病で白血球数 10 万 /μL 以上の高度白血球増加例で，白血病細胞うっ滞による症状（頭痛，精神症状，視野障害，呼吸困難など）がみられる症例がときに適応となる．この臨床症状を呈する白血球数はさまざまであり，一定しない．急性リンパ性白血病は，細胞数が増多しても cytapheresis の適応となる臨床症状を呈することは少ない．

3）潰瘍性大腸炎，Crohn 病に対する吸着式血球成分除去療法

炎症性腸疾患において，食餌性抗原や微生物感染などの環境因子により活性化された顆粒球が病態に関与していることに着目し，これを除去することにより治療効果を得ようとわが国で開発された治療法である．体外循環に血球除去カラム（顆粒球吸着ビーズ，白血球吸着フィルター）を設置し，1 回 1 時間で 2 ～ 3 L の処理を行う．厚生労働省難病研究班による『潰瘍性大腸炎診療ガイドライン』では，prednisolone（PSL）30 ～ 40 mg/ 日以上を必要とする比較的活動性の高い症例に対して，PSL 単独投与よりも除去療法併用のほうが治療効果は高いとされている．保険の適用される実施回数は一連の治療として 10 回までである．Crohn 病では栄養療法および既存の薬物療法が無効または適用できない，中等症ないし重症の活動期の症例に対して，寛解導入を目的に実施される．

■文　献■

1）大戸　斉：新生児の輸血．輸血学，改訂第 4 版，前田平生ほか（編），中外医学社，p918-925, 2018
2）池田和彦：血液成分採取．輸血学，改訂第 4 版，前田平生ほか（編），中外医学社，p988-1000, 2018
3）安村　敏ほか：科学的根拠に基づいたアルブミン製剤の使用ガイドライン（第 2 版）．日本輸血細胞治療学会誌 64：700, 2018

1 同種造血幹細胞移植：適応疾患

到達目標

- 同種造血幹細胞移植の適応疾患，適応決定へのアプローチを理解する

1 移植適応決定へのプロセス

同種造血幹細胞移植（allogeneic hematopoietic stem cell transplantation：alloHSCT）は，難治性の造血器疾患に対して，患者血液をドナー血液に置換することにより，正常造血能，免疫能の回復をもたらす治療であり，造血器腫瘍に対してはドナー由来免疫細胞によって再発を予防する細胞免疫療法となる．しかしながら，移植関連死亡が10～30%程度認められ，慢性移植片対宿主病（graft versus host disease：GVHD）をはじめとする晩期合併症にて生活の質（quality of life：QOL）が低下する可能性があるリスクの高い治療法である．近年では移植医療の均てん化，ドナーコーディネートの質の向上，新規薬剤による移植前後の治療，前処置や支持療法の向上，急性GVHD，慢性GVHDの治療薬の開発，長期フォローアップ外来の普及などにより，その成績は確実に向上している．一方でキメラ抗原受容体発現T細胞（CAR-T）療法という新たな免疫細胞治療法や近々導入される遺伝子パネル検査による層別化治療等，allo-HCT以外の選択肢も増えていくことも予想されており，移植対象患者の高齢化，ハプロ移植の急速な普及に伴う代替ドナー選択肢の拡大などの最近の移植医療の動向とともに，移植の適応をますます難しいものとしている．移植決定へのステップとして，疾患，病期については欧米[1～3]やわが国のガイドライン[4,5]を参考にして，患者年齢，HCT-CI（Hematopoietic Cell Transplantation-Comorbidity Index）などで個々のリスクを考慮し，自施設での経験，成績を加味した上で，造血細胞移植コーディネーター（HCTC）を含む多職種の移植チームで移植適応を話し合い，患者の価値観も重視したshared decision making（医療者と患者の共同意思決定）を行う必要がある．

2 成人の適応疾患

海外から報告されているガイドライン[1,2,3]，2020年に改訂された『造血器腫瘍診療ガイドライン2023年版』[4]，改訂された日本造血・免疫細胞療法学会による疾患別ガイドライン[5]の移植適応を参考に紹介する．

1）急性骨髄性白血病（acute myeloid leukemia：AML），急性前骨髄球性白血病（acute promyelocytic leukemia：APL）

初発時に遺伝子の検査を行い，2022年に改訂された欧州白血病ネットワーク（ELN）の新しいリスク分類を用いてリスク評価を行う（**表1**）．予後不良群に対しては速やかな移植が勧められ，中間群では血縁者間もしくはHLA一致非血縁ドナーがいる場合は勧められる．また，治療経過中，測定可能残存病変（measurable sesidual disease：MRD）のモニタリングを行い，残存する場合や再度上昇する場合などは移植が勧められる．t(8;21)(q22;q22)，inv(16)(p13.1q22)/t(16;16)(p13.1;q22)のCore binding factor（CBF）-AMLの染色体異常を有する予後良好群の患者では，第一寛解期でのallo-HCTの有用性は示されていない．しかしながら，わが国においてはt(8;21)(q22;q22)のKIT D816変異陽性例の予後は不良であり，移植を検討すべきである．*FLT3*-ITD遺伝子変異陽性患者は予後不良であり，移植が勧められる．また，寛解導入療法不能例，早期再発，化学療法抵抗例はドナーの種類，患者年齢，performance status（PS），comorbidity，染色体異常などを考慮したうえでallo-HCTを検討する．再発性のAPLでは，再寛解導入療法後の治療として，骨髄細胞のMRDが陰性で，かつ再発まで1年以上なら自家移植の適応であるが，1年以内の再発でMRD陽性の症例にはallo-HCTが勧められる．

◆表1　初診時，遺伝子検査によるELNリスク分類2022

リスク分類	遺伝子異常
予後良好	• t(8;21)(q22;q22.1)/*RUNX1::RUNX1T1* • inv(16)(p13.1q22) or t(16;16)(p13.1;q22)/*CBFB::MYH11* • Mutated *NPM1* without *FLT3*-ITD • bZIP in-frame mutated CEBPA
中間	• Mutated NPM1b,d with *FLT3*-ITD • Wild-type NPM1 with *FLT3*-ITD • t(9;11)(p21.3;q23.3)/*MLLT3::KMT2A* • Cytogenetic and/or molecular abnormalities not classified as favorable or adverse
予後不良	• t(6;9)(p23;q34.1)/*DEK::NUP214* • t(v;11q23.3) /*KMT2A*-rearranged • t(9;22)(q34.1;q11.2)/*BCR::ABL1* • t(8;16)(p11;p13)/*KAT6A::CREBBP* • inv(3)(q21.3q26.2) or t(3;3)(q21.3;q26.2)/*GATA2, MECOM(EVI1)* • t(3q26.2;v)/*MECOM(EVI1)*-rearranged • −5 or del(5q); −7; −17/abn(17p) • Complex karyotype, monosomal karyotype • Mutated *ASXL1, BCOR, EZH2, RUNX1, SF3B1, SRSF2, STAG2, U2AF1, or ZRSR2* • Mutated *TP53*

2）急性リンパ性白血病（acute lymphoblastic leukemia：ALL）

NCCNのガイドラインにおいて，予後不良染色体異常［Hypodiploidy（<44 chromosomes），*KMT2A* rearranged（t[4;11] or others），(v;14q23)/IgH; t(9;22)(q34;q11.2)，complex karyotype（5 or more chromosomal abnormalities），Ph-like ALL，intrachromosomal amplification of chromosome 21（iAMP21），t(17;19):*TCF3::HLF* fusion，Alterations of *IKZF1*］を持つ症例，地固め療法後にMRDが陽性の症例で移植が推奨されている．第二寛解期では全例が適応となる．Ph陽性ALLについては，チロシンキナーゼ阻害薬（TKI）併用の化学療法や二重特異性抗体で成績が著しく改善されているが，現時点では適切なドナーが存在する場合，第一寛解期でのallo-HCTの実施が推奨される．

3）慢性骨髄性白血病（chronic myeloid leukemia：CML）

慢性期（chronic phase：CP）では，第2，3ラインのTKI治療に耐性の場合に適応となる．移行期（accelerated phase：AP）/急性転化期（blastic phase：BP）にも適応がある．

4）骨髄増殖性腫瘍（myeloproliferative neoplasms：MPN），慢性骨髄単球性白血病（chronic myelomonocytic leukemia：CMML）

真性多血症，本態性血小板血症は原則勧められない．原発性骨髄線維症に対しては根治をもたらす可能性があるが，進行は緩徐であり，高リスク群を抽出する必要性がある．予後予測モデルとして国際予後スコアリングシステム（IPSS），Dynamic IPSS（D-IPSS），D-IPSS plusが用いられ，Int-2，Highリスク症例が適応となる．わが国の日本造血・免疫細胞療法学会のガイドラインではInt-1であっても，65歳未満の患者では輸血依存性の貧血，末梢血の芽球が2%以上の症例や+8，−7/7q−，i（17q），−5/5q，12p−，inv（3）や11q23などの予後不良染色体異常ある症例では移植を検討すべきと述べられている．最近では*ASXL1*，*EZH2*，*SRSF2*，*IDH1/2*も予後不良因子とされており，移植を検討する．CMMLはCMML-specific予後予測スコアリングシステムを用い，Int-2，Highリスク症例に勧められる．

5）骨髄異形成症候群（myelodysplastic syndromes：MDS）

IPSS，IPSS-R（Revised-IPSS），WPSS（The WHO classification-based Prognostic Scoring System）を用い，予後判定を行い，IPSS Int-2以上，WPSS Highの高リスク症例に勧められる．治療関連MDSでは白血病への進展リスクが高く，予後不良であるので，速やかにallo-HCTを行うことが勧められる．IPSS Low，WPSS Very lowの低リスク症例ではそのままでも長期生存が望まれるので，allo-HCTの適応は慎重にすべきであり，Int-2以上まで進行を待つのが妥当であるが，輸血依存，骨髄線維化症例，骨髄不全にて感染症を繰り返す症例などは検討する．また，*TP53*，*EZH2*，*ETV6*，*RUNX1*，*ASXL1*の変異を認める症例は予後不良とも報告されており，移植を検討する．

6）濾胞性リンパ腫（follicular lymphoma：FL）

治療の選択肢は増えており，若年者で，再発を繰り返す患者，奏効期間の短い患者での治療選択肢の1つとして allo-HCT は検討されるが，今後は 3rd line の治療では CAR-T 療法が検討されていくと考えられる．

7）マントル細胞リンパ腫（mantle cell lymphoma：MCL）

自家移植後再発例，イブルチニブ治療後の再発難治例が適応となる．芽球性バリアントや *TP53* 遺伝子異常を有する患者では検討する．

8）びまん性大細胞型 B 細胞リンパ腫（diffuse large B-cell lymphoma：DLBCL）

再発・再燃 DLBCL に対しては，自家造血幹細胞移植併用大量化学療法の適応が考慮される．一部の症例では CAR-T 療法が考慮される．自家移植後の再発例は allo-HCT が検討されるが，化学療法の感受性がないと成績は不良であり，その場合は勧められない．今後はCAR-T療法が主体となってくることが予想される．

9）末梢性 T 細胞リンパ腫（peripheral T-cell lymphoma：PTCL）

再発・治療抵抗性 PTCL の患者に対して，自家移植が一定の役割を持つ可能性があるが，自家移植にても予後が厳しいと予測される治療抵抗性 PTCL の患者に対しては allo-HCT が検討される．

10）成人 T 細胞白血病 / リンパ腫（adult T-cell leukemia/lymphoma：ATL）

Modified ATL -PI によるリスク分類にて intermediate および high risk の症例は生存中央値が1年以内と予想され，初回治療に反応がみられた症例において，allo-HCT は長期生存が期待できる治療法として推奨される．

11）節外性NK/T細胞リンパ腫，鼻型（extranodal NK/T-cell lymphoma：ENKL）

初発鼻咽頭限局期 ENKL に対しては，同時化学放射線療法で高い奏効が得られるので，第一寛解期では移植は推奨されない．初発進行期 ENKL 全例および初回再発 / 治療抵抗性 ENKL で，寛解導入療法 / 救援療法によって完全寛解（CR）に到達した場合は，年齢や全身状態などの問題がなければ，自家または allo-HCT が推奨される．非寛解の場合でも，患者の全身状態が良ければ allo-HCT の検討をする．

12）Hodgkin リンパ腫（Hodgkin lymphoma：HL）

Allo-HCT は自家移植後再発が適応となる．救援療法でブレンツキシマブ　ベトチン，抗 PD-1 抗体を使用し，allo-HCT を行う．移植前の抗 PD-1 抗体の使用は禁忌までにはなっていないが，GVHD 予防法は注意する必要がある．

13）多発性骨髄腫（multiple myeloma：MM）

一般的には推奨されず，臨床研究として実施するのが望ましい．

14）再生不良性貧血（aplastic anemia：AA）

2018 年に改訂されたわが国の重症度分類のうち stage 2b 以上の重症度を示す患者が対象となる．40 歳未満で HLA 適合同胞を持つ場合，40 歳以上では免疫抑制療法が無効な場合には，HLA 適合同胞が得られれば骨髄を用いた allo-HCT が勧められる．40 歳未満で HLA 一致同胞が存在せず，免疫抑制療法無効で，非血縁に HLA 適合ドナーが得られれば骨髄移植が勧められる．stage 5 の中で好中球数が 0 であり，顆粒球コロニー刺激因子（G-CSF）の投与に反応しない劇症型と呼ばれる最重症例については速やかに HLA 適合同胞からの移植が勧められる．同胞ドナーがいない場合，骨髄バンクドナーは間に合わないので臍帯血，HLA 不適合ドナーも選択肢となる．

3 高齢者の適応疾患

わが国では少子高齢化によって allo-HCT の対象年齢も高齢化してきている．日本造血細胞移植データーセンター（JDCHCT）の報告によるとわが国における AML/MDS の allo-HCT 施行例は 65 ～ 69 歳が最多年齢層となっており，また，2020 年の 70 歳以上の移植数は 230 例と報告されている．移植適応については，若年者と同じと考えてもよいが，服薬数，6 分間歩行，認知力，日常生活関連動作（IADL）等を含めた**高齢者血液患者評価**（the geriatric assessment in hematology：GAH）を用い，移植適応を慎重に判断する必要がある．完治を目指すだけでなく，移植後の QOL も重視するとともに，支援する家族や周囲の状況も確認しておく必要がある．

4 小児の適応疾患

小児血液悪性疾患では化学療法単独による良好な治療成績に反映して，移植適応は予後不良な分子遺伝学的異常や MRD で評価した治療反応不良群に限られ，同一疾患でも成人とは異なる．小児特有の移植適応疾患として先天性免疫不全症，先天代謝異常症，遺伝性骨髄不全症候群があり多岐にわたり病型に応じた個別の判断が必要になる．小児は成長途上にあることから移植関連の晩期合併症に配慮した上で，移植治療の適応を考えなければならない．

1）急性骨髄性白血病（AML）

細胞遺伝学的高リスクである-7，5q-，inv(3)(q21q26.2)/t(3;3)(q21q26.2)，*FLT3*-ITD（CBF-AML例は除く），*BCR::ABL1*（Major/Minor），*KMT2A::AFF1*（MLL-AF4），*KMT2A::AFDN*（MLL-AF6），*KMT2A::MLLT10*（MLL-AF10），*DEK::NUP214*（CAN），*NUP98::HOXA9*，*NUP98::NSD1*，*NUP98::KDM5A*（JARID1A），*CBFA2T3::GLIS2* など陽性例は，第一寛解期でallo-HCTの適応とされる．寛解遅延例，再発例も移植適応である．

2）急性リンパ性白血病（ALL）

寛解遅延例，t(17;19)(q22;p13)/*TCF3::HLF*，染色体数43本以下のhypodiploidは第一寛解期でallo-HCTの適応とされる．*KMT2A*遺伝子再構成陽性の乳児ALLは，診断時月齢6ヵ月未満でステロイド反応性不良，初発時白血球数30万/uL以上の高リスク群において第一寛解期でのallo-HCTが推奨される．第二寛解期では全例が移植適応となるが，治療終了後6ヵ月以降の髄外単独再発例は移植適応とならない．Ph染色体陽性ALLはTKI併用化学療法の効果が不良な場合に，第一寛解期でのallo-HCTが適応になる．

3）慢性骨髄性白血病（CML）

T315I変異あり，初発時急性転化期，反応不良の移行期，TKI投与中の病期進行，2種類のTKIに抵抗性もしくは不耐容の慢性期例がallo-HCTの適応とされる．

4）骨髄異形成症候群（MDS）

輸血依存例や染色体異常が出現する例はallo-HCTの適応である．若年性骨髄単球性白血病（JMML），治療関連MDSもallo-HCTの適応である．

5）非Hodgkinリンパ腫（non-Hodgkin lymphoma：NHL）

治療抵抗例や第二寛解期でallo-HCTが考慮される．

6）Hodgkinリンパ腫（HL）

治療抵抗例や第二寛解期で自家移植が推奨される．自家移植後再発例はallo-HCTの適応となる．

7）再生不良性貧血

HLA適合血縁ドナーが得られた重症例は移植の絶対的適応である．免疫抑制療法が効果なければ，HLA適合非血縁者間移植を考慮する．

中等症は免疫抑制療法が無効で輸血依存の場合，HLA適合血縁ドナー移植を考慮する．重症に移行した場合は，重症例に準じた適応となる．

8）血球貪食性リンパ組織球症（hemophagocytic lymphohistiocytosis：HLH）

家族性血球貪食性リンパ組織球症はallo-HCTの適応である．

9）遺伝性骨髄不全症候群

代表的な疾患にFanconi貧血，Diamond-Blackfan貧血，先天性無巨核芽球性血小板減少症，重症先天性好中球減少症などが挙げられ，輸血依存や重症感染を繰り返す重症例にallo-HCTの適応となる．Fanconi貧血や重症先天性好中球減少症はMDS/AMLを発症するリスクが高く，進展が認められたら早期のallo-HCTを考慮する．

10）先天性免疫不全症

感染を繰り返す重症例では早期に移植を考慮すべきである．特にX連鎖重症複合免疫不全症（X-SCID）および*ADA*欠損症や*JAK3*欠損症は1年以内にさまざまな感染症に罹患し死亡することが多いため緊急allo-HCTの適応である．Wiskott-Aldrich症候群は移植時期に留意すべきで，5歳以上での移植では合併症により成功率が低くなる．重症感染症を反復する慢性肉芽腫症や難治性炎症性腸疾患は，HLA適合ドナーが得られた場合に移植適応となる．

■文　献■

1) Kanate AS et al : Indication for hematopoietic cell transplantation and immune effector cell therapy : Guidelines from the American Society for Transplantation and Cellular Therapy. Biol Blood Marrow Transplant **26**: 1247, 2020
2) Duarte RF et al : Indications for haematopoietic stem cell transplantation for haematological diseases, solid tumours and immune disorders; current practice in Europe, 2019. Bone Marrow Transplant **54**: 1525, 2019
3) Döhner H et al : Diagnosis and management of acute myelogenous leukemia in adults: 2022 recommendations form an international expert panel, on behalf of the European LeukemiaNet. Blood, Online ahead of print. 2022
4) 日本血液学会（編）：造血器腫瘍診療ガイドライン2023年版，金原出版，2023（http://www.jshem.or.jp/gui-hemali/table.html）（最終確認：2023年3月14日）
5) 日本造血・免疫細胞療法学会：日本造血・免疫細胞療法学会ホームページ．ガイドライン一覧（https://www.jshct.com/modules/guideline/index.php?content_id=1）（最終確認：2023年3月14日）

2 同種造血幹細胞移植：HLA 適合とドナーソース

到達目標

- HLA 適合度およびドナーソースが移植成績に与える影響を理解し，適切なドナー選択ができる

1 ドナー・幹細胞源別の移植の種類

ドナーの種類には**血縁ドナー**と**非血縁ドナー**があり，幹細胞源としては骨髄，末梢血幹細胞，臍帯血がある．わが国の同種造血幹細胞移植数は年々増加してきており，2020 年には年間約 3,900 件の同種造血幹細胞移植が実施された（**図 1**）[1]．血縁者間移植では**HLA 半合致移植**（ハプロ移植）が急速に増加しており，2020 年には 600 件を超え，HLA 適合移植の件数をはじめて上回った（**図 2**）[1]．非血縁者間移植では 2011 年と 2020 年を比較すると，**骨髄移植**が 1,204 → 841 件，**末梢血幹細胞移植**が 5 → 250 件，**臍帯血移植**が 1,096 → 1,497 件であり，末梢血幹細胞移植と臍帯血移植が増加している．

ドナーと患者間の HLA 適合度によって，HLA 適合移植および HLA 不適合移植とに分類される．HLA の適合・不適合は，血清学的に区別できる HLA 抗原レベルでの違いと，より詳細な遺伝子（HLA アレル）のレベルでの違いがある．1 つの HLA 抗原には，1 つから数種類の HLA 座を含み，抗原型を上 2 桁，アレルを下 2 桁で表す．わが国では HLA-A, -B, -C, -DR の HLA8 座の DNA タイピングが行われることが多

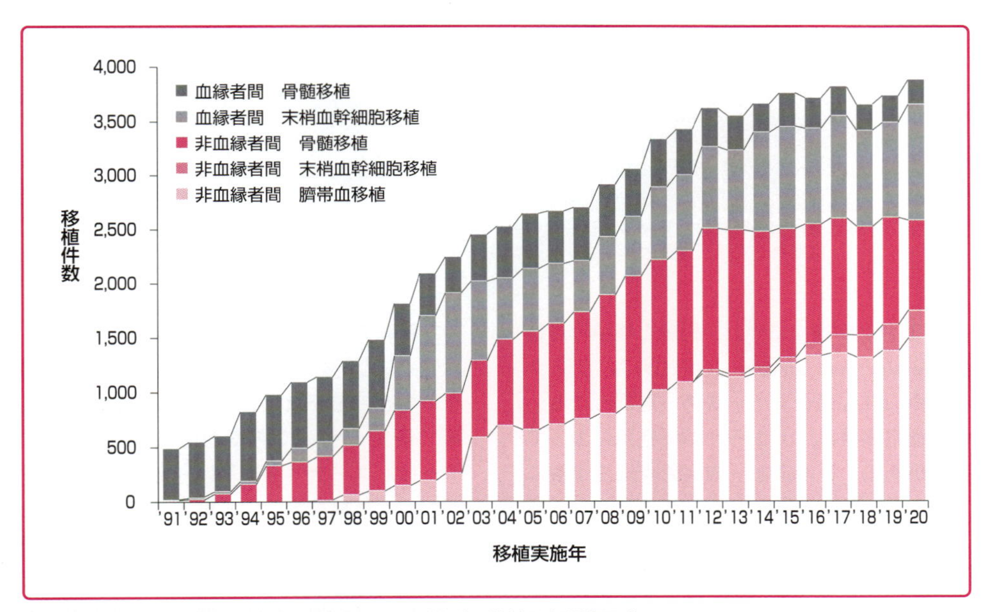

◆**図 1　同種造血幹細胞移植件数の年次推移（幹細胞種類別）**
わが国において非血縁者間骨髄移植の登録が開始された 1993 年以降，また第一例目の臍帯血移植が行われた 1997 年以降，非血縁者間の移植の普及により移植を受ける患者の総数は増加しており，特に臍帯血移植の増加は著しい．また，非血縁者間末梢血幹細胞移植が 2010 年から導入され，徐々に件数を伸ばしている．
（日本造血細胞移植データセンター / 日本造血・免疫細胞療法学会：日本における造血細胞移植．2021 年度 全国調査報告書より引用）

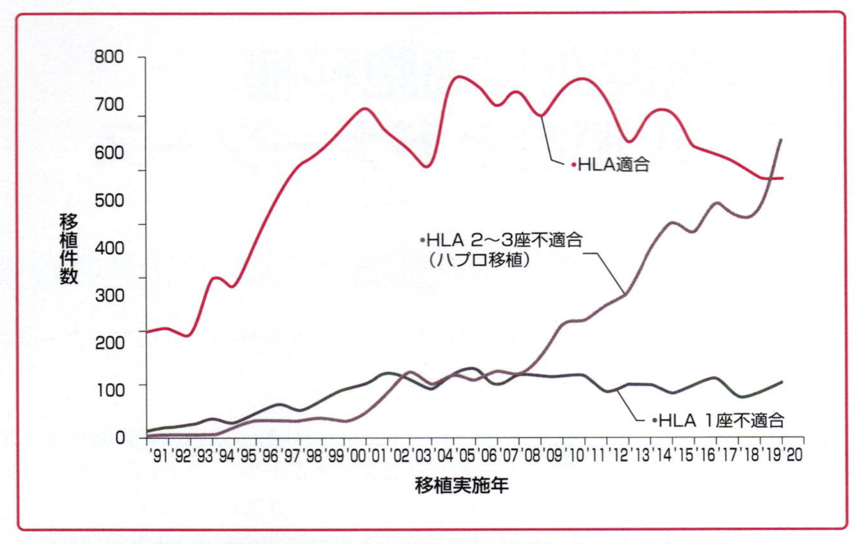

◆図 2　血縁者間同種造血幹細胞移植件数の年次推移（HLA 適合度別）

血縁者間移植において，HLA 適合移植が最も多いが，GVHD 予防法の開発に伴い，2010 年以降ハプロ移植の件数は著しく増加しており，近年では HLA 適合移植件数の年間登録件数に及びつつある．

※集計対象は，移植細胞種類が骨髄，末梢血幹細胞，または骨髄＋末梢血幹細胞の移植例である．

※ HLA の不適合数は，GVH 方向の不適合数をカウントしている．

（日本造血細胞移植データセンター / 日本造血・免疫細胞療法学会：日本における造血細胞移植．2021 年度 全国調査報告書より引用）

◆表 1　同種造血幹細胞移植におけるドナーの優先順位

最優先ドナー	HLA 適合血縁者
第二優先ドナー	HLA 遺伝子型適合非血縁者
第三優先ドナー	HLA 1抗原不適合血縁者 HLA 1アレル不適合非血縁者 HLA 1抗原不適合非血縁者
第四優先ドナー	非血縁者臍帯血 HLA 2抗原以上不適合非血縁者

注：非血縁者間臍帯血移植や HLA 2抗原以上不適合血縁者間移植の経験の多い施設ではこれらを第三優先としてよい．

く，HLA の不適合度が増すにつれ，拒絶と移植片対宿主病（graft-versus-host disease：GVHD）のリスクが増加するため，HLA 適合ドナーが第一選択となる．

同種造血幹細胞移植は，ドナーや幹細胞源によってそれぞれ特徴がある．日本造血・細胞免疫療法学会による血縁者間 HLA 不適合移植ガイドラインでは，最優先ドナーは HLA 適合血縁者，第二優先ドナーは HLA 遺伝子型適合非血縁者，第三優先ドナーは HLA 1抗原不適合血縁者，HLA 1アレル不適合非血縁者，HLA 1抗原不適合非血縁者，第四優先ドナーは非血縁者臍帯血，HLA 2抗原以上不適合血縁者とされる（**表 1**）[2]．非血縁者間臍帯血移植や HLA 2抗原以上不適合血縁者間移植は，第四優先ドナーとされているものの，経験の多い施設では第三優先としてよいとされており，HLA 適合血縁者，HLA 適合非血縁者が得られない場合の第三選択として広く実施されている．また第二優先ドナーである HLA 遺伝子型適合非血縁ドナーは，コーディネートに一定の時間を要すため，非寛解期で移植を実施する場合など病状によっては待てないことがあり，迅速に実施可能な臍帯血移植や血縁者間 HLA 不適合移植が選択されることも多い．幹細胞源別では，骨髄移植は血縁，非血縁ともに減少傾向ではあるが，再生不良性貧血など非悪性疾患に対しての第一選択として用いられている．末梢血幹細胞移植は GVHD のリスクが高いことが問題であるが，近年は**抗胸腺細胞グロブリン**（ATG）の使用により GVHD

リスクを抑えることが試みられている．臍帯血移植は，生着不全リスクが高いことが問題であるが，近年は前処置の工夫や適切な臍帯血の選択により，生着率は改善してきている．

2 血縁者間 HLA 適合移植

同種造血幹細胞移植における第一優先は HLA 適合血縁者間移植である[2]．従来は HLA class Ⅰ（HLA-, -B）および class Ⅱ（HLA-DR）の 6 座を抗原レベルで確認し HLA 適合と判断することが多かったが，近年は血縁ドナー候補であっても HLA class Ⅰ（HLA-, -B, -C）および class Ⅱ（HLA-DR）をアレルレベルで確認し，HLA 8/8 アレル適合ドナーを HLA 適合と判断することが一般的である．

血縁者間 HLA 適合移植における骨髄移植と末梢血幹細胞移植との比較では，生着は末梢血幹細胞移植で早期に得られる利点があるが，Ⅲ-Ⅳ度の急性 GVHD および慢性 GVHD は末梢血幹細胞移植で多いことが欠点である．全生存率には差がないが，移植後の QOL を加味した指標である，無 GVHD 無再発生存率（GVHD-free relapse-free survival rate：GRFS）では，末梢血幹細胞移植で不良であった．近年，末梢血幹細胞移植において少量の ATG を投与することで慢性 GVHD の低下と GRFS の改善が報告されている．わが国における多施設共同第Ⅱ相臨床試験（JSCT-ATG15 試験）に登録された患者 70 例（血縁 49 例，非血縁 21 例）と，日本国内のデータベースから年齢，性別，疾患，カルシニューリン阻害薬を選択してマッチさせた ATG 非投与患者 210 人を比較した検討では，主要評価項目である移植後 2 年での広範型の慢性 GVHD の累積発生率は，ATG 群で非 ATG 群より有意に低かった[3]．

血縁ドナーの適格性については，原則 18 ～ 60 歳であることが条件である．ドナー適格性は，日本骨髄バンクのドナー適格性判定基準，日本造血細胞移植学会のガイドライン，ドナー障害保険への加入適格基準などを参照し判定される．ドナーは，患者，家族の期待など精神的圧力にさらされやすく，第三者による心理的サポートが必要となるため，中立的な立場で関わる**造血細胞移植コーディネーター**（hematopoietic cell transplant coordinator：HCTC）の役割が重要である．骨髄移植ドナーには全身麻酔および骨髄穿刺に伴うリスクが，末梢血幹細胞移植ドナーには G-CSF 投与とアフェレーシス，ときに採取のための中心静脈カテーテル挿入のリスクがある．

3 血縁者間 HLA1 抗原不適合移植

両親・子どもの HLA を HLA-A, -B, -DR の 6 抗原で検索した場合，GVH 方向 1 抗原不適合ドナーがみつかる確率はわが国では 13％程度とされ比較的高頻度に認められるが，わが国での後方視的検討では，GVH 方向 HLA1 抗原不適合血縁者間移植では HLA アレル適合非血縁者間骨髄移植よりも全生存率が不良であるという結果から，骨髄バンクでの調整を待てる場合には，原則として非血縁者間 HLA 適合移植を選択すべきであるとされ，第三優先ドナーの位置づけである[2]．HLA1 抗原不適合血縁者間移植群で全生存率が不良となる理由の 1 つとして GVHD 発症リスクが挙げられるが，ATG を用いることで HLA1 抗原不適合血縁者間移植の成績が向上する可能性が示されている．日本造血・免疫細胞療法学会の主導研究として実施された「GVHD 予防法に抗ヒト胸腺細胞免疫グロブリンを用いた graft-versus-host 方向 HLA 一抗原不適合血縁者からの造血幹細胞移植療法の多施設共同第Ⅱ相試験（C-SHOT1302 試験）」では，Ⅱ～Ⅳ度およびⅢ～Ⅳ度の急性 GVHD の発生率は 45％および 18％，中等度から重度の慢性 GVHD の 3 年累積発生率は 13％と 3％であり，ATG を用いることで GVHD リスクが減らせる可能性が示唆された[4]．

4 血縁者間 HLA 半合致移植

HLA 半合致ドナーは親子で 100％，同胞で 50％の確率で得られ，場合によっては従兄弟，甥，姪などもドナーとなりうることから，ほぼすべての患者にドナーが得られ，速やかな移植が実施できる点が利点であるが，GVHD リスクが高く，非再発死亡も高いことからこれまでは一部の施設で行われるのみであった．近年，**移植後 cyclophosphamide**（posttransplant cyclophosphamide：PTCY）を用いた GVHD 予防法の開発により優れた GVHD 抑制効果から高い安全性が示され，世界中で急速に普及している．わが国でも多施設共同第Ⅱ相試験が実施され，わが国における PTCY を用いた HLA 半合致移植の安全性と有効性が確認されている[5]．以前は臨床試験としてのみ実施可能であったが，2019 年 9 月 27 日に社会保険診療報酬支払基金の審査情報提供事例に掲示され，血縁者間 HLA 半合致移植において PTCY を保険診療として使用可能となった．PTCY を用いた方法の他，ATG とステロイドを用いる方法，alemtuzumab を用いる方法も行われている[2]．

米国ではPTCYを用いたHLA半合致移植（PTCYハプロ）と複数臍帯血移植を比較した第Ⅲ相ランダム化比較試験（BMT CTN 1101試験）が実施された[6]．この試験では，寛解期の急性白血病または化学療法に感受性のある悪性リンパ腫の患者を，PTCYハプロまたは複数臍帯血移植に無作為に割りつけた．主要評価項目である2年の無増悪生存率は，PTCYハプロと複数臍帯血移植で有意差は認められなかったが，副次評価項目では，非再発死亡がPTCYハプロで有意に少なかったため，全生存率はPTCYハプロが有意に優れているという結果であった．このBMT CTN 1101試験でのPTCYハプロでは，わが国で多く用いられている末梢血幹細胞移植ではなく，骨髄移植で行われており，臍帯血移植ではわが国では使用できない複数臍帯血が用いられているという違いがあり，今後はわが国での後方視的検討などによりPTCYハプロと臍帯血移植の比較がなされていくことが期待される．

5 非血縁者間HLA適合移植

非血縁者HLA適合移植は，血縁者間HLA適合ドナーが得られない場合の第二優先に位置づけられる[2]．骨髄移植と末梢血幹細胞移植については，わが国の骨髄移植推進財団では2010年より非血縁者間末梢血幹細胞移植を実施可能とした．わが国では非血縁者間骨髄移植が長く実施されており安定した移植成績が得られていることから，初期には末梢血幹細胞移植の実施件数は少なかったが，2011年と2020年を比較すると，骨髄移植が1,204→841件，末梢血幹細胞移植が5→250件であり，近年は末梢血幹細胞移植が増加傾向である[1]．非血縁者間末梢血幹細胞では，骨髄移植と比較しGVHDの増加が懸念されるため，GVHD予防として少量ATGを用いるなどの対応も試みられている．

6 非血縁者間HLA1アレル/1抗原不適合移植

HLA不適合の場合にはGVHDリスクが高くなるため，通常は1アレル／1抗原不適合までが許容される．HLA-A, -B, -C, -DRのどのミスマッチを許容すべきかについて，かつてはHLA class Ⅰの不適合で重症GVHDリスクが高いとされていたが，近年の解析ではHLA-A, -B, -C, -DRで差は認められていない．非血縁者間HLA適合移植と比較すると，GVHD発症が多く，非再発死亡が高いことから，全生存率は不良であることが報告されており，GVHD予防を強化する必要がある．日本造血・細胞療法学会が主導する臨床試験として「造血器腫瘍患者を対象にしたHLA 1座不適合非血縁者間骨髄移植における従来型GVHD予防法と抗ヒト胸腺細胞免疫グロブリン併用GVHD予防法の無作為割付比較試験（UMIN000028008）」が実施中であり，ATGの使用によりGVHDリスクを抑え，移植成績が向上することに期待が持たれる．

7 非血縁者間臍帯血移植

海外ではPTCYハプロの増加に伴い臍帯血移植は減少傾向であるが，わが国では2011年に1096件，2020年には1497件と増加傾向にある．世界全体の臍帯血移植の年間実施件数の約1/2，累積実施件数の1/3以上がわが国での実施であり，わが国の臍帯血移植は世界をリードしている．2022年7月には日本造血・細胞免疫療法学会より国内初となる臍帯血移植ガイドラインが発行された[7]．臍帯血はすでに凍結保存されている細胞を使用するため，ドナーコーディネートの時間を要さず緊急の移植にも対応できること，ドナーへの負担を考慮する必要がない点が利点である．他の移植細胞源に比べ，生着不全のリスクが高いことが問題であるが，近年は適切な臍帯血の選択，移植前処置の工夫，抗HLA抗体の確認などにより生着率は改善している．臍帯血の選択については総有核細胞数 $\geq 2 \times 10^7$/kgの中から$CD34^+$細胞数が多いものを選択するのが望ましいとされ，HLA適合度については，わが国ではHLA-A, -B, -DRの6抗原について2抗原不一致まで許容される．

■文　献■

1) 日本造血細胞移植データセンター/日本造血・免疫細胞療法学会：日本における造血細胞移植．2021年度 全国調査報告書
2) 日本造血・細胞免疫療法学会：造血細胞移植ガイドライン HLA不適合血縁者間移植，2018
3) Shiratori S et al: Transplant Cell Ther **27**: 995 2021
4) Kanda J et al: Cell Transplant **29**: 963689720976567, 2020
5) Sugita J et al: Bone Marrow Transplant. **54**: 432, 2019
6) Fuchs EJ et al: Blood **137**: 420, 2021
7) 日本造血・細胞免疫療法学会：造血細胞移植ガイドライン 臍帯血移植，2020

3 同種造血幹細胞移植：移植前処置

到達目標

- 同種造血幹細胞移植の前処置には，抗腫瘍効果と生着を促すための免疫抑制効果の２つの役割があることを理解する
- 骨髄非破壊的前処置の概念および，前処置の強度の違い（骨髄破壊的，非破壊的）を，骨髄抑制強度と免疫抑制強度の観点から理解する

1 前処置の歴史（骨髄破壊的前処置，myeloablative conditioning：MAC）

1970 年代にヒトの主要組織適合抗原（HLA）が同定されてから，Thomas らによって白血病に対して骨髄移植（bone marrow transplantation：BMT）が本格的に行われるようになった．彼らは当初，全身放射線照射（TBI）単独の前処置で移植を行っていたが再発率が高かったため，大量 cyclophosphamide（CPA）（60 mg/kg × 2 日間）を TBI に追加したところ，白血病の再発率が劇的に改善した．その後 TBI を実施する設備のない施設が中心となって，TBI を含まない前処置の開発も進められた．経口 busulfan（BUS）16 mg/kg と CPA 50 mg/kg × 4 日間の前処置では，成績自体は CPA/TBI と同等であったものの副作用が大きく，CPA を 60 mg/kg × 2 日間に減量した前処置で，副作用は軽減し，同等の有効性が得られた．基本的に寛解期の急性白血病では，移植前処置は CPA/TBI が選択されるが（**図 1**），非寛解期の急性白血病では，患者の全身状態がよければ前処置による抗腫瘍効果の増強のため，CPA/TBI に大量 cytarabine（Ara-C）（2 g/m^2 × 4 日間）や BUS（1 mg/kg × 8 日間），etoposide を追加することがある．TBI の設備のない施設や TBI を含む前処置での移植後に再発した症例などでは，BUS/CPA が選択される（**図 2**）．

2 骨髄破壊的前処置（MAC）の実際

1）全身放射線照射（TBI）

照射線量が多いほうが白血病の再発率は下がるものの，治療関連死（TRM）が増えるため全生存率の改善にはつながらない[1]．一般的には，総線量 12 Gy の 4 ないし 6 分割照射が行われている．照射の際には間質性肺炎の予防のため，肺の遮蔽を行う．急性の副作用として悪心・嘔吐があるので，照射直前に制吐薬の予防投与を行う．晩期の副作用としては不妊や二次発がんなどが挙げられる．

2）cyclophosphamide（CPA）

生理食塩液または 5% ブドウ糖液 500 mL に溶解して，2 ～ 3 時間かけて投与する．副作用として，出血性膀胱炎，心毒性，悪心・嘔吐などがある．心毒性については，移植前に心臓超音波にて心機能の評価をす

Day	-7	-6	-5	-4	-3	-2	-1	0
CPA（60 mg/kg×2）	↓	↓						
TBI（3 Gy×4）				↓	↓	↓	↓	

◆図 1　CPA/TBI の一例

Day	-7	-6	-5	-4	-3	-2	-1	0
BUS iv（3.2 mg/kg×4）	↓	↓	↓	↓				
CPA（60 mg/kg×2）					↓	↓		

◆図 2　BUS/CPA の一例
BUS は従来の経口投与（po）から静脈内投与（iv）に変更された．

る必要がある．また，投与中は心電図モニターをつける．

CPAの代謝産物であるacroleinが膀胱粘膜を傷害するため，出血性膀胱炎が起きる．出血性膀胱炎の予防のために，大量CPA投与中は十分な輸液（3L以上）で利尿をかけ，mesnaをCPA1日量の40％相当量を1回量として1日3回投与する．出血性膀胱炎には膀胱灌流を行うこともある．大量CPA投与中は体重測定を行い，適宜利尿薬を投与することで，volume overにならないように注意する．

3）busulfan（BUS）

BUSは髄液への移行性がよいため，予防処置なしでは10％以上の頻度で痙攣が起こる．このため痙攣予防にBUS投与前日から投与終了48時間までlevetiracetamなどの抗痙攣薬を投与する．妊孕性に関しては，CPA/TBIよりもBUS/CPAのほうがさらに毒性が強い．従来BUSは経口薬であったため吸収の個人差が大きく，そのため血中濃度が安定しなかった．それが副作用の一因となっていたが，BUSの静注用製剤（BUS iv）が開発され，肝類洞閉塞症候群（sinusoidal obstruction syndrome：SOS）などの副作用が減少している．BUS ivは成人では1回0.8 mg/kgを2時間かけて点滴静注し，6時間毎に1日4回投与，または1回3.2 mg/kgを3時間かけて1日1回点滴静注する．

4）大量cytarabine（Ara-C）

生理食塩液または5％ブドウ糖液500 mLに混合して，12時間ごとに3時間かけて投与する．脳脊髄液中への移行は血液中の50％前後であるので，特に中枢神経系への浸潤のある症例では効果が期待できる．しかし，中枢神経系毒性もある．大量投与を行う場合は，重度の角膜障害が起きる可能性があるため，ステロイド点眼薬を4～6時間ごとに投与する．

3 前処置意義の変遷（骨髄破壊的前処置から骨髄非破壊的前処置へ）

従来は強力な前処置によって腫瘍のtotal cell killを狙い，同時に破壊された自己の骨髄に代わって他人からの造血幹細胞を補充するというのが，同種造血幹細胞移植の原理であった．理論上は前処置をもっと強めれば，さらに腫瘍に対する治療効果が上がるかもしれない．しかし前処置強化の試みは治療関連毒性を前面に出すこととなり，期待された効果は得られず，先に述べたCPA/TBIやBUS/CPAに落ち着いた．これと同じ頃，同種移植における免疫学的な効果が注目され始めた．すなわち，①一卵性双生児からの移植（syngeneic）では再発が多い，②T細胞除去を行うと再発が増える，③移植片対宿主病（graft-versus-host disease：GVHD）発症例と非発症例では，発症例のほうが再発は少ない[2]，あるいは，④移植後の再発に対してドナーのリンパ球だけを輸注（donor lymphocyte infusion：DLI）しても，腫瘍を抑えられることがある[3]，といったことである．ここにいたって同種移植は化学療法の延長から，同種免疫反応を利用した強力な免疫療法であるというパラダイムシフトが起こった．そうなると，今度は前処置をできるだけ軽減してドナー由来細胞の生着を目指し，抗腫瘍効果はもっぱらドナー細胞の免疫学的効果［graft-versus-leukemia（GVL）効果］に期待するという逆の方向に研究が進んだ．これが**骨髄非破壊的移植**である[4]．骨髄非破壊的移植のレジメンは施設の数だけあるといわれるぐらい多種類のものが報告され，骨髄抑制強度と免疫抑制強度から分類されている（**図3**）．また，拒絶されたときの宿主造血の立ち上がりから，“nonmyeloablative（NMA）”，“reduced-intensity conditioning（RIC）”という名称が正式には用いられる．各々の定義としては，MACは，血球減少が永続的に続き，幹細胞移植が必ず必要となるものであり，狭義の骨髄非破壊的前処置（NMA）は血球減少期間が短く，移植しなくても自己の血球回復があるもの，強度減弱前処置（RIC）はMACにもNMAにもあてはまらない，その中間的位置づけのものである．血球減少期間はさまざまであり，移植をしなければいずれは血

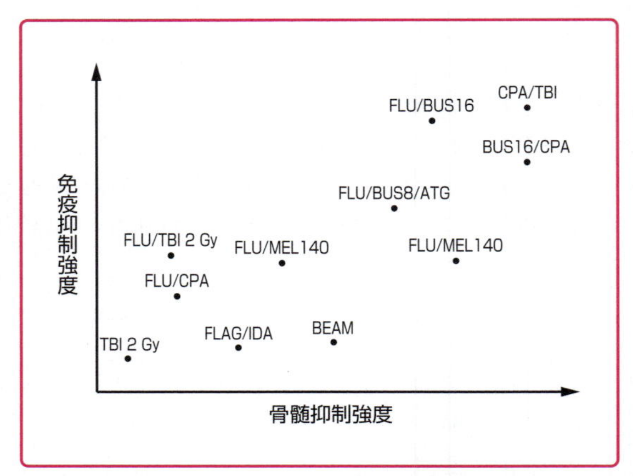

◆図3　ミニ移植から骨髄破壊的前処置への一連の位置づけ

［池亀和博：同種造血幹細胞移植：移植前処置．血液専門医テキスト，第2版，日本血液学会（編），南江堂，p142，2015より転載］

球の自己回復が期待されるが，現実的には幹細胞移植を必要とするもの，となっている[5]．

4 骨髄非破壊的移植の実際

1）fludarabine（FLU）

プリンアナログであるFLUは，細胞毒性は少ない一方，免疫抑制効果が高い薬剤であり，骨髄非破壊的移植ではFLUを中心としてレジメンが組まれることが多い．

2）キメリズム

MACによる移植ではドナー幹細胞がいったん生着すれば宿主の血液細胞は根絶されるのが一般的であるが，NMAによる移植においてはドナーと宿主の造血幹細胞が共存状態になることがある（**混合キメラ**）．混合キメラになっているということは，ドナーの免疫能が弱いためにドナー細胞が宿主の造血幹細胞を駆逐しきれていない，逆に宿主の残存免疫能がドナーの細胞を拒絶しようとしていることを意味し，その後の拒絶や再発に関して重要な情報となる．キメラの状態（キメリズム）は，性染色体やshort tandem repeat（STR），variable number of tandem repeat（VNTR）の定量的PCRを用いて解析される．

5 強度減弱前処置（RIC）レジメン

1）FLU/BU2(FB2)，FLU/BU4(FB4)

RICレジメンは多数あるが，代表的レジメンとして，免疫抑制効果の強いFLUと，特に骨髄系腫瘍に殺腫瘍効果の期待されるBUSを2日間（経口BUSでは4 mg/kg/日，BUSの静注用製剤であれば3.2 mg/kg/日）投与する方法がある．安全に実施可能であるが，BUSを4日間投与するFLU/BU4でも高齢者や合併症のある患者に実施可能であり，FB2に代わってよく用いられる[6]．定義上はBUSを4日間投与するFB4はMACに分類されるが，MACとRICに境界線を引くのではなく，レジメンは連続した治療強度のスペクトラムとして捉えられている．

2）FLU/Mel

Melphalan（Mel）は粘膜毒性が強いが骨髄系およびリンパ系腫瘍に有効で，移植前処置に用いられる．FLUとMel 40～70 mg/m^{2}を，2日間投与する．140 mg/m^{2}まではRICで，140 mg/m^{2}を超えるものをMACと定義されている．

■文　献■

1）Clif RA et al: Blood **77**: 1660, 1991
2）Sullivan KM et al: N Engl J Med **320**: 828, 1989
3）Kolb HJ et al: Blood **76**: 2462, 1990
4）Slavin S et al: Blood **91**: 756, 1998
5）Bacigalupo A et al: Biol Blood Marrow Transplant **15**: 1628, 2009
6）de Lima M et al: Blood **104**: 857, 2004

4 同種造血幹細胞移植：GVHD，GVL 効果

到達目標

- GVHD の分類・症候・診断・予防薬を理解し，適切な予防・治療を行うことができる
- GVL 効果を利用した移植後再発治療を理解する

1 病因・病態・疫学

1）移植片対宿主病（GVHD）

移植片対宿主病（graft-versus-host disease：GVHD）は，造血幹細胞移植時に輸注されるドナーリンパ球が患者（ホスト）の組織・臓器を攻撃する免疫反応である．同種移植患者の 10 ～ 30％は GVHD 関連合併症で死亡することから，GVHD の予防と治療は同種移植成績の向上に重要である．

急性・慢性 GVHD は，主に臨床症状と徴候（症候）により分類される．移植または**ドナーリンパ球輸注**（donor lymphocyte infusion：DLI）から 100 日を過ぎてから起こる新規の急性 GVHD は，遅発型急性 GVHD と呼ばれる[1-4]（**表 1**）．急性・慢性 GVHD の症状が同時に起こると慢性 GVHD に分類される．

急性 GVHD の発症機序は，①前処置によるホスト抗原提示細胞活性化，②ホスト抗原提示細胞によるドナー T 細胞活性化，③炎症性サイトカイン・細胞傷害性 T 細胞・マクロファージによる組織傷害の 3 段階モデルが提唱されている[5]．慢性 GVHD は，自己抗体がよく検出されることから，膠原病に類似した免疫学的機序も推測されている．

2）GVL（graft-versus-leukemia）効果

GVL（リンパ腫 / 骨髄腫は graft-versus-lymphoma/myeloma）効果は，ドナーのリンパ球がホストのがん細胞を攻撃する免疫反応である．血液がんに対する同種移植は，主に GVL 効果を期待して行われる．ドナーリンパ球が GVL 効果を有する証拠には，①同系移植より同種移植後の白血病再発率が低いこと，② T 細胞除去同種移植は再発率が高まること，③同種移植後の慢性骨髄性白血病（CML）再発が移植ドナーからの DLI のみで治ることなどがある．GVL 効果の標的は主に，腫瘍抗原，同種抗原（特にマイナー組織適合抗原），HLA（HLA 不一致移植の場合）である．ただし，同定されている GVL 標的抗原は少ない．

2 症候・身体所見・診断・検査

1）急性 GVHD

急性 GVHD は，発熱や皮疹，黄疸，下痢などの症候（臨床診断）や生検で診断する[1,6]．治療方針決定のため，ステージ分類（**表 2**），重症度分類（**表 3**）を行う．消化管 GVHD の診断は，上部消化管より下部消化管の方が感度が高い．通常サイトメガロウイルス腸炎の除外が問題となる（肉眼・病理・免疫組織化学染色所見などにより鑑別）．わが国は上部消化管急性 GVHD が比較的多い．

◆表 1　GVHD の分類

分類	亜分類	発症時期＊1	急性 GVHD 症状	慢性 GVHD 症状
急性 GVHD	古典的	100 日以内	あり	なし
	持続型，再燃型，遅発型	100 日以降	あり	なし
慢性 GVHD	古典的	規定なし	なし	あり
	重複型	規定なし	あり	あり＊2

＊1 移植あるいはドナーリンパ球輸注からの日数．
＊2 診断歴を含む（改善していてもよい）．

2）慢性 GVHD

慢性 GVHD の診断は,「改訂 NIH2014 診断基準」[3,4] を用いて行う（**表 4, 5**）. 生検未実施でも肺慢性 GVHD 診断は可能である. 慢性 GVHD 臓器スコア（**表 5**）を指標に, 軽症, 中等症, 重症に分類する（**表 6**）. 実際の臓器スコア判定は, ガイドライン [1] に従って行う. 慢性 GVHD は, 先行する急性 GVHD との関連から, progressive 型（活動性急性 GVHD から移行した慢性 GVHD）, quiescent 型（急性 GVHD が軽快したのち発症した慢性 GVHD）, *de novo* 型（急性 GVHD が先行せず発症した慢性 GVHD）の 3 型に分類される. progressive 型の予後が最も悪い.

3 予防・治療・予後

1）GVHD 予防

GVHD の標準予防法は, カルシニューリン阻害薬（CI）＋ methotrexate（MTX）である [1]. CI の 2 剤, ciclosporin（CsA）と tacrolimus（TAC）の GVHD 予防効果に本質的差異は少ない. CI の毒性には, 腎毒性, 高カリウム血症, 低マグネシウム血症, 高血糖, 高血圧などがある. 多毛, 歯肉腫脹は CsA に多く, 振戦は TAC に多い. transplantation-associated microangiopathy（TAM）, posterior reversible encephalopathy syndrome といった重篤な毒性が疑われれば, CI の減量・中止が考慮される [1]. 短期 MTX の原法は 4 回法だが, わが国では海外より GVHD が少ないため, day 11 を省略する 3 回法が多い. ただし, 末梢血幹細胞移植の場合, 3 回法は生存率を悪化させる可能性が示唆されている. MTX の 1 回投与量を減じる変法は HLA 一致同胞間移植を中心によく行われている.

抗胸腺細胞グロブリン（ATG）は GVHD 抑制効果が高い. ATG の血中半減期は 2 週間程度だが, T 細

◆表 2　急性 GVHD 臓器障害のステージ分類

Stage*1	皮膚	肝	消化管
	皮疹（%）*2	総ビリルビン（mg/dL）	下痢*3
1	<25	2.0 ～ 3.0	成人 500 ～ 1000 mL 小児 280 ～ 555 mL/m^2（10 ～ 19.9 mL/kg） または持続する嘔気*4
2	25 ～ 50	3.1 ～ 6.0	成人 1001 ～ 1500 mL 小児 556 ～ 833 mL/m^2（20 ～ 30 mL/kg）
3	>50	6.1 ～ 15.0	成人 >1500 mL 小児＞ 833 mL/m^2（＞ 30 mL/kg）
4	全身紅皮症, 水疱形成	>15.0	高度の腹痛*5

*1：ビリルビン上昇, 下痢, 皮疹を引き起こす他の疾患が合併すると考えられる場合は stage を 1 つ落とす. 合併症が複数存在する場合や急性 GVHD の関与が低いと考えられる場合, stage を 2 ～ 3 落としてもよい.
*2：熱傷における「9 の法則」（成人）,「5 の法則」（乳幼児）を適応.
*3：3 日間の平均下痢量.
*4：胃・十二指腸の組織学的証明が必要.
*5：消化管 GVHD の stage 4 は, 3 日間平均下痢量成人＞ 1500 mL, 小児＞ 833 mL/m^2 でかつ, 腹痛または出血（visible blood）を伴う場合を指す. 腸閉塞の有無は問わない.

◆表 3　急性 GVHD の重症度分類

Grade（重症度）	皮膚 stage*2	肝 stage*2	消化管 stage*2
0	0	0	0
I	1 ～ 2	0	0
II	3	1	1
III	–*3	2 ～ 3	2 ～ 4
IV*1	4	4	–*3

*1：ECOG performance status（PS）が 4 か, Karnofsky PS（KPS）<30% の場合, 臓器障害が stage 4 に達しなくとも grade IV とする. ただし, 急性 GVHD 以外の要因で PS が低下している場合はそれを差し引いて判断する必要がある.
*2：各臓器障害の stage のうち, 1 つでも満たしていればその grade を適用する.
*3：「–」は障害の程度が何であれ grade には関与しない.

◆表 4　慢性 GVHD の症状と徴候（症候）（改訂 NIH2014 診断基準）

臓器	症候			
	Diagnostic（診断的）：単独で診断できる	Distinctive（特徴的）：生検などで支持されれば診断できる	その他：矛盾しない所見	急性・慢性 GVHD に共通
皮膚	多形皮膚萎縮，扁平苔癬様変化，硬化性変化，斑状強皮症様変化，硬化性苔癬	色素脱失，丘疹鱗屑性病変	発汗異常，魚鱗癬，毛孔性角化症，色素減少，色素沈着	紅斑，斑状丘疹状皮疹，掻痒症
爪		萎縮，縦割れ，分裂，脆性変形，爪甲離床症，翼状片，爪喪失（通常対称性，大半を喪失）		
頭皮，体毛		化学療法に関係しない新規の脱毛（瘢痕性，非瘢痕性），鱗屑，丘疹様角化病変，体毛の喪失	毛量減少（内分泌疾患などない），若白髪	
口腔	扁平苔癬様変化	口腔乾燥症，粘液嚢胞，粘膜萎縮，潰瘍形成，偽膜形成		歯肉炎，粘膜炎，紅斑，疼痛
眼球		新規眼球乾燥症 or ざらつき or 疼痛，瘢痕性結膜炎，眼科医が診断した乾燥性角結膜炎（Keratoconjunctivitis sicca: KCS），融合性の点状角膜障害	羞明，眼窩周囲色素沈着，眼瞼炎（眼瞼の浮腫性紅斑）	
生殖器	扁平苔癬様変化，硬化性苔癬様変化，膣瘢痕化 or 陰核・陰唇の癒着（女性），陰茎包皮か尿管・尿管口の瘢痕化か狭窄（男性）	びらん，潰瘍，亀裂		
消化管	食道ウェブ（板状突起），上部から中部食道の狭窄		膵外分泌不全	食欲不振，吐気，嘔吐，下痢，体重減少，成長障害（乳幼児）
肝				総ビリルビン・ALP の上昇（基準値上限 2 倍以上），ALT 上昇（同）
肺	閉塞性細気管支炎（bronchiolitis obliterans）の生検診断，閉塞性細気管支炎症候群（bronchiolitis obliterans syndrome: BOS）の臨床診断*	（呼気）CT 上のエアトラッピングと気管支拡張像	特発性器質化肺炎（cryptogenic organizing pneumonia: COP），拘束性肺疾患（参考）	
筋，関節	筋膜炎，関節拘縮	筋炎か多発筋炎	関節浮腫，筋痙攣，関節痛か関節炎	
血液・免疫			血小板減少，好酸球増多，リンパ球減少，低・高ガンマグロブリン血症，自己抗体（AIHA，ITP），Raynaud 現象	
その他			心嚢水・胸水，腹水，末梢神経障害，ネフローゼ，重症筋無力症，心伝導障害 or 心筋症	

*BOS の臨床診断＝（1）＋（2）＋（3）＋（4）or（2）＋（3）＋（4）＋（5）or（2）＋（3）＋（4）＋（6）：（1）慢性 GVHD 診断確定，（2）FEV1/FVC <0.7，小児や高齢者は %FEV1 の 90% 信頼域下限を下回る，（3）気管支拡張薬を使用せず %FEV1 <75% かつ 2 年以内に 10 ポイント以上低下，（4）気道感染がない，（5）呼気 CT 上のエアトラッピング or 小気道の肥厚 or 気管支拡張像，（6）呼吸機能検査上のエアトラッピング＝%RV（予想残気量）>120% or RV/TLC（残気量 / 総肺活量）が 90% 信頼区間を上回る
（文献 3，4 より引用）

◆表 5　慢性 GVHD の臓器スコア（改訂 NIH2014 診断基準）

臓器	スコア			
	0 点	1 点	2 点	3 点
PS	ECOG[*1]0，KPS[*2]/LPS[*3] 100%	ECOG 1，KPS/LPS 80～90%	ECOG 2，KPS/LPS 60～70%	ECOG 3～4，KPS/LPS <60%
皮膚	無症候	体表面積 1～18% かつ硬化病変なし	体表面積 19～50% or 浅在性（=つまめる）硬化病変	体表面積51～100% or 深在性（=つまめない）硬化病変 or 皮膚病変のため動けない or 潰瘍
口腔	無症状	慢性 GVHD を有するも症状は軽い，経口摂取はほぼ制限ない	いずれにも当てはまらない	慢性 GVHD を有し症状も強い，経口摂取が高度に低下
眼	無症状	軽いドライアイを有するが，乾燥を防ぐための点眼は 1 日 3 回以下でよい	いずれにも当てはまらない	重いドライアイのため ADL が低下し痛みを和らげるため保護眼鏡が必要 or 眼症状のため働けない or 乾燥性角結膜炎（KCS）のため視力喪失
消化管	無症状	症状はあるが，体重減少は 3 ヵ月で <5%	いずれにもあてはまらない	症状があり体重減少は 3 ヵ月で >15%，かつ以下のいずれか：①カロリーはほぼ栄養剤で摂る，②食道拡張，③ひどい下痢があり日常生活に支障
肝	総ビリルビンが基準範囲内，かつ ALT か ALP が基準値上限 3 倍未満	総ビリルビンが基準範囲内，かつ ALT が基準値上限の 3 倍から 5 倍か ALP が基準値の 3 倍以上	総ビリルビンは基準値上限を超えるが 3 mg/dL 以下 or ALT が基準値上限の 5 倍を超える	総ビリルビンが 3 mg/dL を超える
肺	無症状 or %FEV1=80% 以上	1 階階段を登っただけで息切れ or %FEV1 60～79%	平地歩行で息切れ or %FEV1 40～59%	安静でも息切れがあり酸素吸入必要 or %FEV1 39% 以下
関節	無症状	上肢か下肢に軽い拘縮か可動域制限はあるが，日常生活には支障ない	いずれにも当てはまらない	拘縮と可動域制限があり，日常生活が制限される（靴紐結び・ボタンかけ・着衣などできない）
筋膜	該当なし	該当なし	筋膜炎による紅斑	該当なし
性器	無徴候	軽度の徴候	中等度の徴候があり，診察時に不快感	重度の徴候
その他	腹水（漿膜炎），心嚢水，胸水，ネフローゼ症候群，重症筋無力症，末梢神経障害，皮膚筋炎，消化管症状なく 3 ヵ月で 5% を超える体重減少，好酸球数 >500/μL，血小板数 <100,000/μL，その他			
	症候なし	軽度	中等度	重度

*1：Eastern Cooperative Oncology Group
*2：Karnofsky Performance Status
*3：Lansky Performance Status
（文献 3，4 より引用）

◆表 6　慢性 GVHD の重症度分類（改訂 NIH2014 診断基準）

重症度	基準
軽症（mild）	臓器スコア 1 点が 1～2 臓器，ただし肺スコア は 0 点
中等症（moderate）	臓器スコア 2 点が 1 臓器以上，または臓器スコア 1 点が 3 臓器以上，または肺スコア 1 点
重症（severe）	肺スコア 2 点，または臓器スコア 3 点が 1 臓器以上

（文献 3，4 より引用）

胞抑制効果は数年以上持続する．慢性肺 GVHD 発症抑制など，長期予後を改善する可能性が示されている．HLA 半合致移植においても用いられることがある．

CI + mycophenolate mofetil（MMF）は，MTX による口内炎や生着遅延を軽減する目的で用いられる．特に臍帯血移植は本レジメンがよく用いられる．CsA + MTX と同等の GVHD 予防効果，口内炎の減少，生着促進効果が報告されている．

HLA 半合致移植を中心に，移植後大量 cyclophosphamide による GVHD 予防法も用いられている（PTCY 移植）．一般に GVHD 予防効果は高いと考えられている．

2）急性 GVHD 治療

Ⅱ度以上の急性 GVHD は，CI ＋副腎皮質ステロイド薬全身投与の一次治療を考慮する．ただし，24 時間以内に急速に悪化する場合，あるいは HLA 不適合移植や非血縁者間移植など急速に悪化すると予想される場合は，Ⅰ度でも副腎皮質ステロイド薬の全身投与を開始してよい．逆に，全身状態が良好な皮膚や上部消化管に限局するⅡ度急性 GVHD の場合，CI 血中濃度を十分に保ったうえで，局所ステロイド療法（皮膚病変の場合）で様子をみてもよい．なお，皮膚急性 GVHD の診断に皮膚生検は有効だが，治療適応判断には臨床診断でよい．副腎皮質ステロイド薬全身投与の標準量は，methylprednisolone 2 mg/kg/ 日または相当量の prednisolone である（水分貯留効果の少ない前者がベターと考えられている）．これを超える副腎皮質ステロイド薬投与の効果は否定的である．Ⅱ度以下急性 GVHD，特に皮膚 stage 1 ～ 2，肝 stage 0，消化管 stage 1 の mild Ⅱ度急性 GVHD の場合，methylprednisolone を 1 mg/kg/ 日で始めてもよい．治療開始 5 日目の治療反応性は急性 GVHD の予後を反映しやすいので，5 ～ 7 日目の早期に治療効果を判断する．改善が不十分であれば，速やかに二次治療を考慮する．治療開始後 3 日以上悪化が続く場合もその時点で二次治療（間葉系幹細胞治療，ATG，大量ステロイド，CsA・TAC 間の変更，臨床試験への参加）を考えてよい．ただし，一次治療抵抗例の予後は不良で，標準的な二次治療（サルベージ治療）は確立していない．消化管 GVHD は，非吸収性経口ステロイドの beclomethasone 追加の有用性が報告されている．

3）慢性 GVHD 治療

中等症・重症慢性 GVHD の標準的な一次治療は副腎皮質ステロイド薬である．通常 prednisolone 換算 0.5 ～ 1.0 mg/kg で開始する（副腎皮質ステロイド薬の投与量と有効性の関連は不明）．副腎皮質ステロイド薬の必要量軽減を期待して，通常は CI を併用するが，その有効性に関するエビデンスは不足している．皮膚，口腔，眼，肺など障害臓器に応じた局所療法も考慮する．軽症慢性 GVHD は局所療法単独でも一定の効果は期待できるが，高リスク例（血小板数 10 万未満，progressive 型，prednisolone 0.5 mg/kg 以上使用時の発症，広範な皮膚病変，消化管障害，PS 不良）では全身療法を行う．通常副腎皮質ステロイドを連日 2 週間使用したのち，月 10 ～ 20% を目安に緩徐に減量する．その際隔日で減量し，同量の隔日投与を目指すことが多い（prednisolone 1 mg/kg 連日で開始した場合は 1 mg/kg 隔日投与を目指す）．

ステロイド抵抗性慢性 GVHD に対する二次治療は標準化されていない．わが国ではブルトン型チロシンキナーゼ阻害薬 ibrutinib の併用を考慮することが多い．体外循環式光化学療法（ECP）の効果も期待される．

4）GVL 効果を利用した移植後再発治療

チロシンキナーゼ阻害薬の効果が期待できる CML 慢性期再発例を除き，移植後再発患者の長期生存には，GVL 効果誘導（免疫抑制療法中止，DLI，再移植など）が不可欠である．

5）免疫抑制療法中止

CML 慢性期再発は，免疫抑制療法中止のみで約 50％の奏効率が期待できる．ただし，CML 以外の血液腫瘍への効果は不明である．また，活動性 GVHD があると，免疫抑制療法は中止しにくい．

a）DLI または再移植

複数の大規模後方視的研究結果[7,8]から，DLI または再移植は，急性骨髄性白血病（AML）・骨髄異形成症候群（MDS）・急性リンパ性白血病（ALL）再発の生存率延長に寄与すると考えられる[9]．ただし，再発に対する救援療法として，DLI と再移植のどちらが有用かは不明である．初回移植後 4 ～ 5 ヵ月以内の急性白血病再発の場合，DLI や再移植単独の効果は難しい．DLI・再移植ともに再寛解が得られた状態で実施した方が成功率は高い．予後を改善する取り組みとして，移植後測定可能残存病変（measurable residual disease：MRD）のモニタリングを十分行い，MRD 再発の時点で早期に DLI・再移植を行う方法が試みられている．AML・MDS の場合，venetoclax や azacitidine により腫瘍量を減らした DLI・再移植も試みられている．初回移植と再移植でドナーを変えるべきかについてのエビデンスは乏しいが，少なくとも半合致移植後再発白血病の HLA 欠失や，ドナー特異的 HLA 抗体を有する場合，GVL 効果や生着が期待できる HLA を有するドナーを選ぶ必要があると思われる．

b）CAR-T 細胞療法

同種移植前後にかかわらず，難治性 CD19 陽性急性リンパ性白血病・びまん性大細胞性 B 細胞性リンパ腫・多発性骨髄腫の場合，CAR-T 細胞療法の適応も考慮される．

c）その他の免疫療法

DLI や再移植の効果が期待できない場合，研究段階の治療も考慮される．

■文　献■

1）日本造血・免疫細胞療法学会：造血細胞移植ガイドライン GVHD（第 4 版），2018（https://www.jstct.or.jp/uploads/files/guideline/01_02_gvhd_ver04.pdf）（最終確認：2023 年 3 月 14 日）
2）Filipovich AH et al: Biol Blood Marrow Transplant **11**: 945, 2005
3）Inamoto Y et al: Bone Marrow Transplant **49**: 532, 2014
4）Jagasia MH et al: Biol Blood Marrow Transplant **21**: 389 e1, 2015
5）Ferrara JL et al: Lancet **373**: 1550, 2009
6）Jacobsohn DA: Bone Marrow Transplant **41**: 215, 2008
7）Schmid C et al: Haematologica **103**: 237, 2018
8）Spyridonidis A et al: Leukemia **26**: 1211, 2012
9）日本造血・免疫細胞療法学会：造血細胞移植ガイドライン ドナーリンパ球輸注，2019（https://www.jstct.or.jp/uploads/files/guideline/02_03n_dli.pdf）（ 最終確認：2023 年 3 月 14 日）

ADVANCED

■PTCY 移植の成績■

PTCY 移植において，ドナーの年齢が 10 歳上がるごとに，生存率は 13%，非再発死亡率は 19%，2 ～ 4 度急性 GVHD 発症率は 11%，3 ～ 4 度急性 GVHD 発症率は 27% 悪化すると報告されている[1]．

■文　献■

1）DeZern AE et al: Blood Adv **5**:1360, 2021

5 同種造血幹細胞移植：合併症（感染症，SOS）

到達目標

- 造血幹細胞移植後の感染症およびSOSの病態・予防法・治療法を理解する

1 感染症

造血幹細胞移植後には，生理的バリアー（皮膚，粘膜など）の破綻，食細胞（主に好中球）数の低下，細胞性および液性免疫のすべてあるいは一部にさまざまな程度の障害がみられる．その時期や程度は，個々の症例によって選択される移植前処置，幹細胞源，移植片対宿主病（graft-versus-host disease：GVHD）予防法，急性および慢性GVHDの発症の有無とそれに対する治療などによって大きく異なっている．ただし，大まかな推移として，米国疾病予防管理センター（Centers for Disease Control and Prevention：CDC）のガイドラインにはそれを要約した図がある（**図1**）．この図を理解したうえで，移植後の時期ごとに，個々の症例の免疫抑制状態を考慮して感染症に対する予防および治療を決定していくことになる．

1）生着前期（図1のPhase Ⅰ）の感染症対策

a）防護環境を含めた環境整備

HEPAフィルターを装備した防護環境での管理は，アスペルギルス症の予防に有用である．そのため，造血幹細胞移植患者（自家造血幹細胞移植は必須でない）は生着まで防護環境での管理が望ましい．

b）抗菌薬などによる予防

生着前期は高度な好中球減少に粘膜障害や皮膚障害も加わっており，口腔・消化管粘膜や皮膚に常在する細菌や真菌の感染症が多い．

①**細菌感染症**：発症予防としてはニューキノロン系抗菌薬が広く用いられている．これは好中球減少患者における有効性を評価したメタアナリシスの結果によるもので，ニューキノロン系薬の予防的投与により感染症発症頻度の低下に加え，生存率も改善することが示されている．ただし，耐性菌の増悪があり，その効果は引き続き検討が必要である．

②**真菌感染症**：予防薬の第一選択はカンジダを標的としたfluconazoleである．Fluconazoleは造血幹細胞移植患者を対象としたプラセボとの無作為比較試験で，全身性真菌感染症を減少させ，死亡率も低下させることが示されている．Micafunginは，fluconazoleとの移植後早期を対象とした比較試験においてfluconazoleよりも優れた予防効果が報告されており，選択薬となりうる．アスペルギルス症の予防を考慮する場合にはitraconazole，voriconazoleあるいはposaconazoleの投与を検討する．防護環境での管理ができない場合やアスペルギルス症・ムーコル症の既往があり，二次予防が必要な場合には積極的に選択する．ただし，肝障害，胃腸障害，免疫抑制薬との薬物相互作用など使用時には注意が必要である．特にcyclophosphamideとの併用投与は控えるべきである．

③**ウイルス感染症**：移植後早期は単純ヘルペスウイルス（HSV）感染症がみられるが，aciclovirまたはvalaciclovirの投与によって効果的に予防できる．移植後約1ヵ月間，投与を継続する．その後も免疫抑制薬投与期間あるいは移植後1年間は水痘帯状疱疹ウイルス（VZV）抗体陽性者ではVZV再活性化抑制のためにaciclovirの経口投与を継続することが推奨される．

c）治　療

移植後早期生着前の発熱時の対応は，通常の化学療法後の発熱性好中球減少症（febrile neutropenia：FN）に対するものと同じである（ⅩⅢ-3「感染症の予防と治療」参照）．

通常の化学療法と異なる点は，好中球減少の程度や期間，併存する粘膜障害，ときには皮膚障害が高度であることから，口腔内や消化管・皮膚の常在菌が起因となる可能性が高い点である．そのため耐性Gram陽性球菌［メチシリン耐性黄色ブドウ球菌（MRSA）や表皮ブドウ球菌，腸球菌など］が起因菌となる頻度

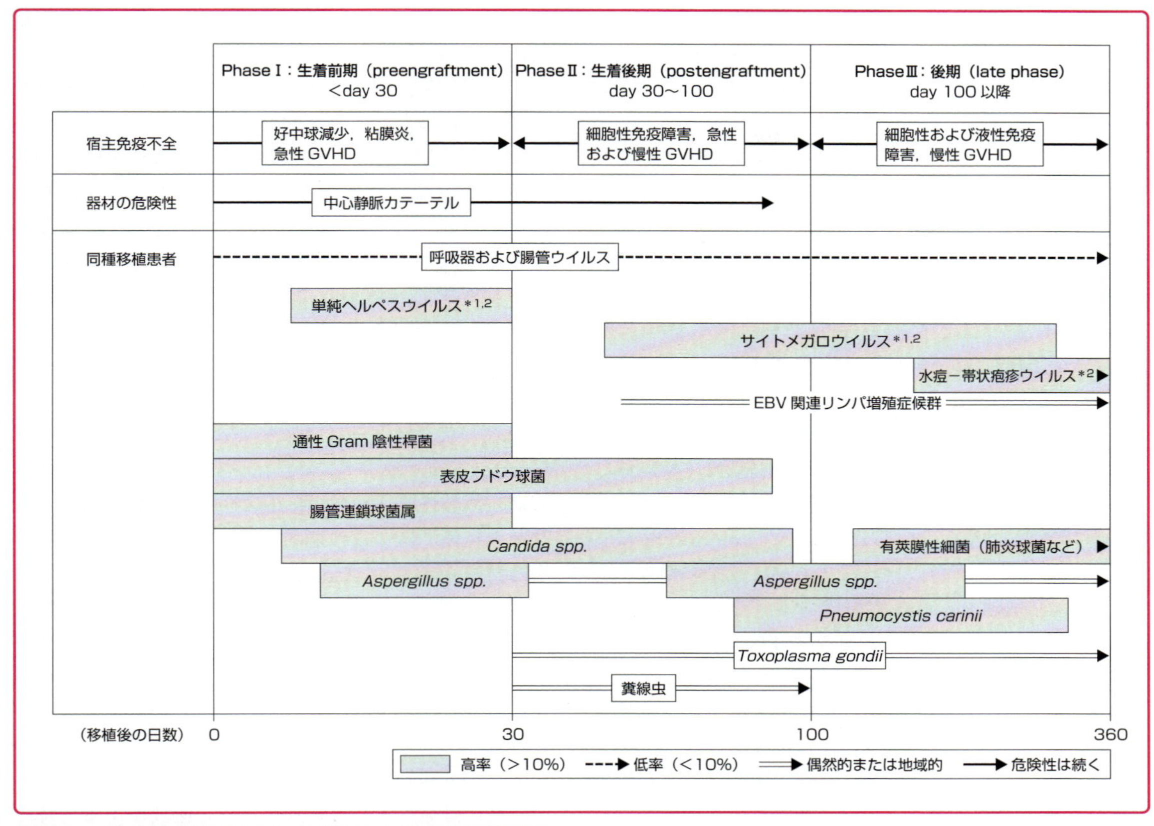

◆図1 造血幹細胞移植後の感染症とその起因病原体

*1：一般的予防なし，*2：主に移植前に抗体陽性の患者

[米国疾病予防管理センター（CDC）：造血幹細胞移植患者の日和見感染症予防のためのCDCガイドライン，矢野邦夫（訳），メディカ出版，p29，2001より引用]

が高く，vancomycinやteicoplaninといったグリコペプチド系薬の早期投与も検討する必要がある．

Fluconazoleの予防投与中に真菌感染症を発症した場合，あるいは画像検査や血清学的検査［ガラクトマンナンや（1→3）-β-Dグルカン］で真菌感染症が疑われる場合には，アスペルギルスや薬剤耐性カンジダに有効なvoriconazole，posaconazole，micafungin，caspofugin，amphotericin B（リポソーム製剤）へ変更する．ムーコル症を発症した場合にはamphotericin B（リポソーム製剤），posaconazole，isavuconazoleを選択する．同種造血幹細胞移植患者ではciclosporinやtacrolimusなどのカルシニューリン阻害薬が投与されており，voriconazole，posaconazoleおよびisavuconazoleはカルシニューリン阻害薬との薬剤相互作用，amphotericin Bは腎障害に注意が必要である．

2）移植後の生着後期～後期（図1のPhase II～III）の感染症対策

a）サイトメガロウイルス（CMV）感染症

近年，若年者の抗体陽性率は低下しているが，日本人成人の多くが抗CMV抗体陽性（CMV既感染）であり，移植後の**CMV感染症**の多くは患者あるいはドナー細胞に潜伏感染しているCMVの再活性化によるものである．

①臨床像：CMVは種々の臓器を標的とするため，その感染症は多彩な臨床像を呈する．標的となる臓器は，主に肺，消化管，網膜である．CMV感染は，血液や尿などからウイルスが検出されるが臨床的に無症状・無所見な状態を指し，**CMV感染症**と区別する．

②preemptive therapy：生着後にCMV抗原血症/またはPCR検査を定期的（週1回程度）に行い，陽性化がみられた時点でganciclovirあるいはfoscarnetを投与し，CMV感染症の発症を抑制するという方法をpreemptive therapy（先制治療）と呼ぶ．詳細は日本造血・免疫細胞療法学会のガイドラインに示されている[1]．

この方法により，致死率の高いCMV肺炎の発症は効果的に予防可能だが，胃腸炎や網膜炎の発症はみられるため注意が必要である．

③予防投与：抗ウイルス薬を全例に投与するCMV感染症予防法は，当初はganciclovirで検討されたが，同剤の骨髄抑制が問題となっていた．しかし，CMVのDNAターミナーゼ阻害作用という異なる作用機序を有し，骨髄毒性がないletermovirが開発された．プラセボとの比較試験により「臨床的に意義のあるCMV感染（先制治療が必要なCMV感染と臓器感染症）」が本剤により有意に減少することが示され，広く用いられている．Letermovirによる予防の注意点は，中止後のCMV感染の増加と投与中のbreakthrough感染である．そのため，予防投与終了後もCMV抗原血症やPCRによるモニタリングを継続する．

④治療：CMV感染症が診断されたら，速やかに治療を開始する．治療の基本はganciclovirの投与であり，21～28日間継続する．骨髄機能低下あるいはそれが懸念される場合にはfoscarnetを選択する．中止後も再燃の可能性を考慮して，CMV抗原検査やX線撮影などによりCMV感染症のモニタリングは継続する．副作用としてganciclovirは骨髄毒性，foscarnetは腎障害，電解質異常に注意が必要である．

b）ヒトヘルペスウイルス6型（HHV-6）

移植後1ヵ月以内，特に生着の前後にHHV-6による中枢神経障害を発症することがある．辺縁系脳炎や脊髄炎として発症する．臨床経過，画像検査に加えて，脳脊髄液のPCRでHHV-6を検出することで診断する．臍帯血移植が最大の危険因子と考えられているが，他の幹細胞ソースでもみられる．有効な薬剤はfoscarnetとganciclovirであるが，第一選択薬としては前者が推奨される[2]．

c）アデノウイルス・BKポリオーマウイルス

ともに出血性膀胱炎の原因ウイルスである．血尿や頻尿などの症状および尿からPCRによりウイルスを検出することで診断する．Cidofovirなど効果が期待できる薬剤はあるが，わが国で承認されていない．

d）Epstein-Barrウイルス（EBV）

EBVは移植後2～3ヵ月頃に発症する移植後リンパ増殖性疾患（post-transplant lymphoproliferative disorder：PTLD）の原因ウイルスとなる．移植前処置あるいはGVHD治療での抗胸腺細胞グロブリン（ATG）投与がPTLD発症の危険因子である．PTLDを発症した場合には免疫抑制薬の減量・中止，ドナーリンパ球輸注，rituximab投与や化学療法を行う．診断は組織診断が基本となるが，末梢血血球成分でのEBVの検出・増加の確認が有用である．ATG投与のある高リスク患者では，末梢血のEBVを定量的にモニタリングし，増加してきた場合にB細胞性PTLDを想定して早期にrituximabを投与することを検討する．

e）アスペルギルス症・ムーコル症

急性・慢性GVHDに対して高用量のステロイド（prednisolone換算0.3 mg/kg/日以上）を投与する時期が**侵襲性肺アスペルギルス症**の好発期である．高リスク症例では，この期間は抗アスペルギルス作用のある抗真菌薬（posaconazole，voriconazole）の予防投与を検討し，定期的な胸部X線検査（必要に応じてCT）や血清検査（アスペルギルス抗原，β-Dグルカン）により早期の診断を心がける．上記アゾール系薬投与中の発症時にはamphotericin B（リポソーム製剤）を，それ以外ではvoriconazole，posaconazole，isavuconazoleを選択する．なおムーコル症も同時期に好発するため鑑別に挙げる必要がある．特にvoriconazoleの予防下での発症や血清学的検査が陰性の場合にはその可能性を考慮する．

f）ニューモシスチス肺炎

ニューモシスチス肺炎は移植後のST合剤投与によって予防可能であり，免疫抑制薬投与期間中は継続する．用法・用量としては「1日4錠，週2日」，「1日2錠，週3日」，「連日1錠」が選択されることが多い．薬剤アレルギー，骨髄抑制，腎障害などが原因でST合剤が投与できない場合には，atovaquoneあるいはpentamidineの吸入で代用する．

2 SOS

SOSは肝類洞閉塞症候群（sinusoidal obstruction syndrome）の略称で，以前は肝中心静脈閉塞症（veno-occlusive disease：VOD）という名称が使用されていた．造血幹細胞移植の前処置の肝毒性の1つとして肝類洞の内皮傷害・閉塞をきたすもので，黄疸，有痛性肝腫大，腹水・体重増加を特徴とする．わが国の後方視的検討ではその累積発症率は9.3%と報告されている[3]．

1）病　態

SOSの病態はいまだ不明な点が多いが，大量の化学療法（主にアルキル化薬）や放射線による肝類洞の内皮傷害に始まると考えられている．この内皮傷害により類洞が閉塞し，肝細胞の虚血・壊死が進行する．薬剤を代謝するチトクローム P450 レベルが高く，薬物の解毒作用のあるグルタチオンが少ないとされる中心静脈近傍の zone 3 に内皮傷害を惹起する代謝産物が蓄積しやすいと考えられている．

2）危険因子

自家移植と比して同種移植，移植前の肝機能異常・肝疾患の罹患（HCV 肝炎など），造血幹細胞移植歴，腹部・肝臓への放射線照射歴，急性白血病に対する gemtuzumab ozogamicin や inotuzumab ozogamicin の投与歴，移植前処置の薬剤（busulfan ＋ cyclophosphamide），強度減弱前処置と比して骨髄破壊的前処置，前処置以外の薬剤（amphotericin B，vancomycin，aciclovir，methotrexate）などが，危険因子として挙げられている．

3）診　断

a）診断基準

従来から Seattle と Baltimore の２つの診断基準が用いられてきた．若干の違いはあるが，ともに移植後およそ３週以内の黄疸，有痛性の肝腫大，腹水，体重増加が項目として挙げられている．2016 年に，European Group for Blood and Marrow Transplantation から新しい診断基準が提唱された[4]．成人の SOS ではビリルビン上昇を必須として，有痛性の肝腫大，腹水，5％を超える体重増加のうち２項目を認め，移植後 21 日以内発症を classical SOS としている．21 日以降に発症する場合には late onset SOS とし，classical SOS の診断基準を満たす場合，組織学的診断される場合，さらにビリルビン高値，有痛性の肝腫大，腹水，体重増加のうちの２項目にカテーテル検査や超音波検査により SOS の所見を加えるとされている．なお重症度も提唱されており，症状出現から診断までの日数，ビリルビン値およびその上昇の速度，トランスアミナーゼ上昇の程度，体重増加率，腎機能障害の程度から判定される．

わが国の後方視的検討ではビリルビン 2 mg/dL 以上は全体で 69％であり，診断基準にとらわれずに以下に示すような項目を考慮して，総合的に診断を行う必要がある[3]．

b）検査値

診断基準には，血清ビリルビン値以外には検査値が項目として挙げられていない．造血幹細胞移植後には，さまざまな原因によりビリルビン値上昇や肝酵素上昇を認めることが多いが，SOS の場合はビリルビン値に加え，病態が進行すると AST/ALT の上昇も伴うこととなり，肝不全のさらなる進行を意味する．また SOS では，輸血不応性の高度な血小板減少（しばしば 5,000/μL 以下）が出現し，診断の一助となる．

c）その他の検査

腹部超音波，腹部 CT は肝腫大，腹水，門脈血流の停滞などの有無を評価するのに有効である．傍臍静脈の径と血流信号や胆嚢壁肥厚などを項目に取り入れた超音波による評価システムの有用性も我が国から報告されている[5]．SOS は臨床的に診断されるため，診断に苦慮するような場合を除き，病理組織学的検査は必須ではない．

4）予防法

発症後の予後が不良であり，予防が重要である．しかし，その効果が確立しているものは少ない．そのうち，現在わが国で使用可能でその効果が示されているのは ursodeoxycholic acid である．前処置開始前から移植後１〜２ヵ月を目安に投与する．内服薬であり，悪心や粘膜傷害で経口摂取が難しい期間は継続困難となる．その他，低用量の未分画 heparin や dalteparin の効果を示す報告もあるが，その効果は確立していない．

5）治療法

発症した場合には defibrotide を投与する．血小板減少と凝固異常のある中での投与でもあり，出血に注意する必要がある．以下のような支持療法を併用する．

①NaCl および水の制限・管理
②利尿薬：ただし，体液貯留にもかかわらず血管内脱水の状態になっていることが多く，利尿薬の使用は最小限にする．
③赤血球，新鮮凍結血漿，アルブミン製剤による血管内浸透圧維持
④高ビリルビン血症に対するビリルビン吸着
⑤肝不全・腎不全に対する血漿交換，血液透析，CHDF（持続的血液濾過透析）

その他，methylprednisolone の SOS への有効性を示す報告があり，ほかに有効な薬剤がない状況では治療薬の１つとして検討してもよい（0.5 mg/kg，１日２回，７日程度）[7]．

Transjugular intrahepatic portosystemic shunts（TIPS）は門脈圧亢進に対する処置としては有効である．

肝移植は不可逆的な肝不全となった場合，唯一の治

療法であるが，きわめて限られた症例のみ実施可能である．

■文　献■

1）日本造血・免疫細胞療法学会：造血細胞移植ガイドライン サイトメガロウイルス感染症（第5版），2022（https://www.jstct.or.jp/uploads/files/guideline/01_03_01_cmv05.pdf）（最終確認：2023年3月15日）
2）日本造血・免疫細胞療法学会：造血細胞移植ガイドライン HHV-6（第2版），2022（https://www.jstct.or.jp/uploads/files/guideline/01_03_03_hhv6_02.pdf）（最終確認：2023年3月15日）
3）Yakushijin K et al: Bone Marrow Transplant **51**: 403, 2016
4）Mohty M et al: Bone Marrow Transplant **51**: 906, 2016
5）Nishida M et al: Biol Blood Marrow Transplant **24**:1896, 2018
6）Grupp SA et al: Lancet Haematol **10**: E 333, 2023
7）Al Beihany A et al: Bone Marrow Transplant **41**: 287, 2008

6 自家造血幹細胞移植：適応，幹細胞動員，前処置

到達目標

- 自家造血幹細胞移植併用大量化学療法の特性，適応疾患について理解する
- 自家造血幹細胞の動員について理解する
- 自家造血幹細胞移植の前処置について理解する

1 適　応

自家造血幹細胞移植（自家移植）は，抗腫瘍効果を増強させるために，抗がん薬や放射線照射を臓器毒性が許容される最大限に使用し，遷延性骨髄抑制を救援する目的で自家造血幹細胞の輸注を行う治療法であり[1)]，同種造血幹細胞移植（同種移植）に比べ，移植片対宿主病や免疫低下による感染症，その他の移植関連死亡は少ないが，同種免疫による抗腫瘍効果は期待できず，再発が多い．採取の簡便さから，現在ではそのほとんどが骨髄でなく，末梢血幹細胞を使用して実施されている．適応年齢の上限は一般に65歳程度とされるが，多発性骨髄腫の場合は，全身状態次第で65歳を超える高齢者にも実施が検討される．

通常量の化学療法と比較して，自家移植併用大量化学療法の方が治癒をもたらす，もしくは生存を延長する可能性が高い疾患が対象となる．近年の無作為比較試験の結果から，対象疾患は縮小傾向にある．2023年に改訂された日本血液学会『造血器腫瘍診療ガイドライン2023年版』[2)]，日本造血・免疫細胞療法学会の各種ガイドライン[3)]に示された『移植の適応とそのエビデンスレベル』を基に作成した主な適応疾患を**表1**に示す．自家移植が標準的治療として推奨される疾患には，化学療法に感受性がある再発びまん性大細胞型B細胞リンパ腫（DLBCL）や再発Hodgkinリンパ腫，初発多発性骨髄腫の奏効期，第一寛解期のマントル細胞リンパ腫，分子生物学的第二寛解期の急性前骨髄球性白血病（APL），小児の高リスク神経芽腫が含まれる．自家移植を考慮してもよい疾患としては，化学療法への感受性を残した再発濾胞性リンパ腫・再発末梢性T細胞リンパ腫のほか全身性ALアミロイドーシスやPOEMS症候群などの骨髄腫類縁疾患があげられる．自家移植後晩期に再発した染色体標準リスク群の多発性骨髄腫症例には2回目の移植が勧められる．一方で，若年者高リスク群（IPI：High/Intermediate，High）の第一寛解期DLBCLや中間リスク以下の急性骨髄性白血病・分子生物学的第一寛解期のPhiladelphia染色体陽性急性リンパ性白血病などに対する自家移植は，一般診療として推奨できるだけのエビデンスは不十分であり，臨床試験として実施すべきとされている．

2 造血幹細胞動員

1）自家末梢血幹細胞の動員法

上述のように現在，自家移植の際の造血幹細胞は骨髄よりも末梢血幹細胞が選択される．**末梢血幹細胞採取（PBSC harvest）**は骨髄採取と異なり，麻酔科医，手術室の確保，赤血球分離，自己血輸血の準備などが必要ない．化学療法施行後，寛解期に入ってから末梢血幹細胞の採取を行う．末梢血幹細胞を採取するためには，通常末梢血にはわずかにしか存在しない造血幹細胞を骨髄から動員させることが必要である．そのための方法は，①化学療法後の造血回復（cytotoxic mobilization），②化学療法後の造血回復期に**顆粒球コロニー刺激因子（G-CSF）**投与（cytotoxic/cytokine mobilization），③G-CSF単独投与（cytokine mobilization）に分類される．加えて2017年にG-CSF使用下でplerixafor（モゾビル®）が併用可能となった．これにより，5～30%と報告されている移植に必要十分な幹細胞採取ができないpoor mobilizerが減少することが期待される．PBSC harvest前には，末梢血幹細胞の動員効果のみでなく，原疾患への有効性も期待してetoposide（VP-16），cyclophosphamide

◆表 1　自家造血幹細胞移植の適応疾患［成人＋小児固形腫瘍］

自家造血幹細胞移植が標準的治療である疾患群	[成人] びまん性大細胞型リンパ腫（救援療法に感受性がある初回再発期） 多発性骨髄腫（初発奏効期） マントル細胞リンパ腫（第一寛解期） Hodgkin リンパ腫（救援療法に感受性のある初回再発期） 急性前骨髄球性白血病（分子生物学的第二寛解期） [小児] 神経芽腫（高リスク）
自家造血幹細胞移植を考慮してもよい疾患群	[成人] 濾胞性リンパ腫（救援療法に感受性のある初回再発期） 末梢性T 細胞リンパ腫（救援療法に感受性のある初回再発期） 節外性NK/T 細胞リンパ腫（初発進行期第一寛解期, 救援療法に感受性のある初回再発期） 多発性骨髄腫（自家移植後（晩期）再発した染色体標準リスク群） 全身性AL アミロイドーシス [小児] 腎腫瘍（再発Wilms 腫瘍, 再発 clear cell sarcoma of kidney, malignant rhabdoid of kidney), Hodgkin リンパ腫（第二寛解期), 中枢神経外胚細胞腫（思春期および若年成人での縦隔原発例, 再発例), 髄芽腫とPNET（3 歳未満乳幼児, 高リスク髄芽腫), 中枢神経杯細胞腫（高リスク治療抵抗性, 再発例)
開発中であり，臨床試験として実施すべき疾患群	[成人] びまん性大細胞型 B 細胞リンパ腫（中間, 高リスクの第一寛解期） 急性骨髄性白血病（低リスク, 中間リスク） Philadelphia 陽性急性リンパ性白血病（分子生物学的第一寛解期） 膠原病 [小児] Ewing 肉腫（初発stage Ⅳ), 横紋筋肉腫（初発stage Ⅳ), すべてのテント上PNET

（文献 2，3 を参考に著者作成）

(CPA), cytarabine（Ara-C）などの薬剤を含むレジメンが用いられる場合が多い．採取においては原病の悪化，performance status（PS）の悪化，化学療法による副作用などに注意する．多発性骨髄腫の末梢血幹細胞採取においては従来 CPA が用いられていたが，CPA による抗腫瘍効果は少なく，毒性も高いので，採取計画の立てやすい G-CSF + plerixafor を用いる症例が増えつつある．実臨床では，末梢血の CD34 陽性細胞数を測定し，20 個 /μL 未満であるときのみ plerixafor を併用するというコストを意識した採取法も実施されている．2022 年 2 月には，同種移植ドナーの幹細胞動員に持続型 G-CSF 製剤（ジーラスタ®）使用が適応承認拡大を受けた．自家末梢血幹細胞採取についても現在治験が行われている．

2）自家末梢血幹細胞採取・保存・移植の実際

末梢血幹細胞採取時の合併症や事故も報告されており，末梢血幹細胞採取には手技の安全性と保存される細胞品質の担保が求められる．各施設で採取マニュアル，クリニカルパス，作業工程表などを作成し，医師単独で行うのでなく，看護師，臨床工学技士，輸血部技師などとの多職種連携のもとに，複数のチェック機構が働く体制整備が必要である．幹細胞保存に関しては，日本輸血・細胞治療学会が作成した『造血幹細胞移植の細胞取り扱いに関するテキスト』[4] を参考にし，凍結保存の作業記録を残しておく．2015 年には学会認定の細胞治療認定管理師が誕生しており，各施設における質の高い細胞調整の普及が期待される．

化学療法の造血回復期に G-CSF を併用する方法は効率的に幹細胞を採取できる．G-CSF は化学療法施行数日後もしくは nadir 時期より開始する．PBSC harvest の至適時期は，末梢血白血球や血小板の回復速度，単球や幼若顆粒球の比率などを参考に決定される．救援化学療法で用いたものと同じレジメンで採取する場合は，前回の経過を参考とする．G-CSF 単独で動員する場合は，投与 5 日目が CD34 陽性細胞動員のピークであり，その前後を含めた日程で採取する．G-CSF ± plerixafor の方法により計画的かつ確実な末梢血幹細胞採取が可能となった．Plerixafor を使用する場合は 4 日目の夜（採取の 9 ～ 12 時間前）に投与する．末梢血の CD34 陽性細胞数は最終的に採取される CD34 陽性細胞数とよく相関することが知られており，フローサイトメトリーでの測定結果がすぐに得られる施設では採取決定における有用な指標となる．患者負担ならびに採取関連有害事象のリスクを減らすためにも，なるべく1日で採取を終了させられるよう綿密に採取計画を立てる．採取は連続式血液成分分離装置を用いて行い，通常は両側肘静脈にアクセスし，一方を脱血用，一方を返血用とする．肘静脈に安定した血流が得られる血管の確保が困難な場合に，鼠径部の大腿静脈より透析用のダブルルーメンカテーテルを用いてアクセスすることもある．内頸静脈や鎖骨下静脈からのアプローチは重篤な合併症が起こりやすく，骨髄バンクの非血縁末梢血幹細胞移植ドナーにおいては大腿静脈へのアクセスに限定されている．処理血液量は150～250 mL/kg程度に設定され，血流速度50～80 mL/分で採取すれば所要時間は3～4時間である．採取に伴う副作用として血管迷走神経反射，クエン酸中毒などに注意する．クエン酸中毒の予防目的に，カルシウム希釈液の点滴を行う．採取したプロダクトを用いて単核球の細胞数測定とフローサイトメトリーによるCD34陽性率測定を行い，CD34陽性細胞数を算出する．移植に必要なCD34陽性細胞数は患者体重（kg）あたり2×10^6個以上を目標とする．1回の採取で必要数に到達しなかった場合には，患者の状態を確認して1～2回の追加採取を行う．採取細胞の凍結保存においてはhydroxyethylated starch（HES），dimethyl sulfoxide（DMSO）にアルブミンや自己血清を用いて凍害保護を行い，-80℃の冷凍庫を用いた保存もしくはプログラムフリーザーを用いて緩速冷却後に液体窒素に保存される．移植時には37℃の恒温槽で解凍し，輸注を行う．溶血して遊離したヘモグロビンが存在するため，ハプトグロビン製剤を輸注前に使用することもある．

3 前処置

自家移植では治癒を目指すために前処置（大量化学療法）が重要となる．同種移植とは異なり免疫抑制効果のある薬剤使用は不要であり，抗腫瘍効果の高い薬剤が選択される．全身放射線照射（total body irradiation：TBI）は強力な抗腫瘍効果/免疫抑制効果を有するが，毒性が強く二次発がんのリスクも増加するため，わが国では自家移植の前処置ではほとんど使用されていない．

悪性リンパ腫における前処置として，海外では一般にBEAMレジメン（carmustine 300～600 mg/m^2，VP-16 400～800 mg/m^2，Ara-C 800～1,600 mg/m^2，MEL 140 mg/m^2），ICE［ifosfamide 16～20 g/m^2，carboplatin（CBDCA）1.8 g/m^2，VP-16 1,500～3,000 mg/m^2］が使用される．わが国ではcarmustineが悪性リンパ腫に承認されていないため，それを改変したMCECレジメン［ranimustine（MCNU）400 mg/m^2，CBDCA 1,200 mg/m^2，VP-16 1,500 mg/m^2，CPA 100 mg/kg］，LEEDレジメン（MEL 130 mg/m^2，CPA 120 mg/kg，VP-16 1,500 mg/m^2，dexamethasone 160 mg/body），MEAMレジメン（MCNU 300 mg/m^2，Ara-C 1,600 mg/m^2，VP-16 800 mg/m^2，MEL 140 mg/m^2）などが汎用されている．60歳以上の高齢者には比較的毒性の少ないLEEDレジメンが，大量CPAの心毒性を避けたい症例ではMEAMレジメンが選択されることが多い．中枢神経系原発悪性リンパ腫の場合には，薬剤移行性を考慮してthiotepaと静注busulfan（BUS）による前処置が行われる．

急性骨髄性白血病に対して，欧米では同種移植と同じくBUS 16 mg/kg＋CPA 120 mg/kg，CPA 120 mg/kg＋TBI 12 Gyが使用されることが多い．わが国では，再発APLを対象としたJALSG APL205R臨床試験において，BUS 12 mg/kg＋MEL 140 mg/m^{2}の前処置を用いた自家移植が行われ，安全に施行可能であったと報告されている．記載しているBUSの量は経口投与量であり，現時点で静注BUSはEwing肉腫ファミリー腫瘍/神経芽細胞腫/悪性リンパ腫での自家移植前処置に適応を有しているが，APLに対しては保険未収載である．多発性骨髄腫ではTBIやBUSを組み合わせた前処置では有害事象が多く，MEL 200 mg/m^{2}が一般的であるが，高齢者では減量して使用されている．分子標的薬を併用した前処置も試みられているが，安全性・有用性に関する明確なエビデンスは未確立である．

■文　献■

1）原田実根：日内会誌 **84**: 1494, 1995
2）日本血液学会（編）：造血器腫瘍診療ガイドライン2023年版，金原出版，2023
3）日本造血・免疫細胞療法学会：ガイドライン一覧（https://www.jstct.or.jp/modules/guideline/index.php?content_id=1）（最終確認：2023年3月15日）
4）日本輸血・細胞治療学会：造血幹細胞移植の細胞取り扱いに関するテキスト，2015

1 鉄欠乏性貧血

到達目標

- 鉄欠乏性貧血の原因，症状，そして診断について説明できる
- 鉄欠乏性貧血の治療について理解する

1 病因・病態・疫学

鉄欠乏性貧血は圧倒的に閉経前の女性に多い[1]．食事から供給される鉄の量は1日1～2 mg，便中へ喪失する鉄の量は1日1 mg，加えて月経で喪失する鉄の量は平均で1日0.75 mgであるため，閉経前の女性は常に鉄欠乏の危険にさらされている．さらに，子宮筋腫，子宮腺筋症，および子宮内膜増殖症に伴う過多月経，妊娠に伴う鉄必要量の増加，出産に伴う失血などが鉄欠乏のリスクをさらに高めている．妊娠，出産に関連する正味の鉄必要量は最大630 mgだとする報告もある．わが国においては，20～49歳の女性の20～27%が鉄欠乏性貧血であるが，米国，英国，スイス，ノルウェー，デンマーク，フィンランド，およびオランダでは0～7%と報告されている．このことから，わが国でもより積極的に女性の鉄欠乏に取り組む必要性がある．なお，男性や閉経後の女性の場合，鉄欠乏性貧血の原因はほとんどの場合が消化管出血である．貧血精査で胃がんや大腸がんが発見されることはまれではない．一方，まれな原因として自己瀉血がある．これは患者背景としてMünchausen症候群と呼ばれる精神科疾患が存在し，瀉血には医療的な技術や知識を要するため，患者は医療従事者に多い．鉄欠乏性貧血の原因が不明の場合，鑑別疾患に挙げる必要がある．

2 症候・身体所見

動悸，息切れ，および顔面蒼白などが典型的な症状である．他に，爪の変形（さじ状爪），レストレス・レッグス（むずむず脚）症候群，**異食症**（土や氷），**Plummer-Vinson症候群**としての舌炎・嚥下障害（食道ウエッブ），早産・低出生体重児などが有名である．産後うつ病や母乳哺育導入率の低下と関連するという報告もある．一方で，社会的に影響が大きいのは，易疲労感・作業量減少である．WHOも，鉄欠乏性貧血が労働生産性の低下に関与して経済的悪影響をもたらすことに言及しており，女性の社会進出が進む現在，女性の鉄欠乏性貧血は社会的な損失にもつながっている．

3 診断・検査

典型的には小球性低色素性の貧血となるため，慢性疾患に伴う貧血（いわゆるACD：anemia of chronic disease），無トランスフェリン血症，鉄芽球性貧血，そしてサラセミアなどとの鑑別が必要になる．血清鉄のみならず，**フェリチン**低値を確認することはいうまでもないが，総鉄結合能（TIBC：total iron binding capacity）高値の確認も望ましい．原因の検索として，閉経前女性に婦人科受診を勧める．男性や閉経後女性であれば，消化器内科へ消化管出血の検索を依頼する．ただし，閉経前の若年女性であっても，貧血の原因を月経と決めつけてしまうのは危険であり，Borrmann IV型胃がんなど消化管出血の可能性があるため，少なくとも消化管検索は行うことを考慮する．

4 治療と予後

1）食事療法（ヘム鉄と非ヘム鉄）

鉄の補充はまず食品からと考える．経口から摂取される鉄の分類として，**ヘム鉄**と**非ヘム鉄**がある．非ヘム鉄はさらに**二価鉄**（Fe^{2+}，第一鉄）と**三価鉄**（Fe^{3+}，第二鉄）に分類される．一方でヘム鉄とはポルフィリンと結合した二価鉄のことであり，二価鉄とポルフィ

リンの複合体であるヘムと同義である．なお，ヘムはグロビンと結合し四量体となってヘモグロビンを形成する．ヘム鉄は非ヘム鉄より吸収されやすく胃粘膜への刺激が少ないとされている．この理由は，ヘム鉄は鉄ポルフィリン複合体としてそのまま上部消化管粘膜を通過することができるためとされているが，その吸収の経路に関する詳細は不明である．吸収率のよい（10～20%）ヘム鉄は，豚肉，牛肉，および鶏肉などの獣肉類，かつお，まぐろ，およびいわしなどの魚類，そして内臓類やレバー製品に多く含まれている．一方，卵類，しじみやあさりなどの貝類，大豆，あずき，およびココアなどの豆類，ほうれん草や小松菜などの緑黄色野菜，ひじきやのりなどの海藻類に含まれているのは，吸収率の悪い（2～5%）非ヘム鉄であることに注意する．なお，豚などの赤血球を原材料として加工されたヘム鉄がサプリメントとして流通している．これは健康食品に分類されるため，医薬品としての認可はないが，後述する様に，経口鉄剤による治療で消化器症状の副作用を強く自覚する患者には考慮する．

2）経口鉄剤（二価鉄と三価鉄）

食事による鉄の補充では不十分な場合，鉄剤の投与を行う．鉄剤には経口鉄剤と静注鉄剤の2種類あり，経口鉄剤での治療を始めるのが一般的である．以前よりわが国で承認されている経口鉄剤は，クエン酸第一鉄ナトリウム製剤（フェロミア®錠50 mg・顆粒8.3%），硫酸鉄徐放錠（フェロ・グラデュメット®錠105 mg），フマル酸第一鉄カプセル（フェルム®カプセル100 mg），および溶性ピロリン酸第二鉄シロップ（インクレミン®シロップ5%）であったが，「慢性腎臓病患者における高リン血症の改善」に用いられてきたクエン酸第二鉄水和物錠（リオナ®錠250 mg）が，「鉄欠乏性貧血」に対する効能または効果を追加取得した．クエン酸第二鉄水和物として250 mgと表記されているものの，鉄の含有量は62 mgである点には注意する．フェロミア®錠は50 mgの1錠がクエン酸第一鉄ナトリウムとして470.9 mgであり，鉄の含有量は表記通りの50 mgである．

経口鉄剤は大きく2種類に大別される．ひとつは二価鉄（Fe^{2+}，第一鉄），もうひとつは三価鉄（Fe^{3+}，第二鉄）である．フェロミア®とフェルム®が前者に，インクレミン®とリオナ®が後者に属する．直接的な比較のデータはないが，二価鉄より三価鉄のほうが経口鉄剤の代表的副作用である消化器症状が少ないとされるが，吸収に関しては三価鉄が二価鉄に劣っている．これは，三価鉄は中性～アルカリ性環境にある小腸では溶解度が下がることと，三価鉄が吸収されるためには，腸管上皮細胞に存在する還元酵素（duodenal cytochrome B：DcytB）や食餌中のビタミンCにより還元されて二価鉄となる必要があるためと考えられている．このため，経口鉄剤の吸収を高めるとしてビタミンCを併用する場合がある．しかし，フェロミア®単独群とビタミンC併用群の比較試験では，貧血改善効果に差はなかったと報告されている．

そのほか，鉄の吸収を阻害する因子として，紅茶，コーヒー，および緑茶などに含まれるタンニンが知られている．これらの飲用が治療の妨げになることは経験しない．吸収に促進的な胃酸を抑えるという意味で，プロトンポンプ阻害薬や胃切除も鉄欠乏の原因となりうる．*Helicobacter pylori*（ピロリ菌）の感染も鉄吸収には抑制因子として働く．慢性的な感染の結果として胃粘膜が退縮し，胃酸の分泌が低下するためと思われる．しかし，ピロリ菌の除菌によって吸収率が回復するというデータもあり，胃粘膜の炎症そのものも吸収率を低下させていると考えられる．

経口鉄剤の投与期間に関する明確な定めはないが，貧血の改善をもって投薬を中止してはいけない．フェリチンの正常化を目安とすべきであり，これには数ヵ月を要することもある．また，貧血の原因が月経に関連する場合，治療後の再増悪もしばしば経験する．定期的にフォローを行い，市販のサプリメント（ヘム鉄）を適宜使用するなどのアドバイスを考慮する．

3）静注鉄剤（高用量鉄剤の登場）

静注鉄剤の適用としては，①消化器症状など経口鉄剤の副作用が強い場合，②貧血の早期改善が必要な場合，③炎症性腸疾患活動期などの消化器疾患を合併する場合，④萎縮性胃炎，短腸症候群，および胃切除後症候群など鉄吸収の不良が予測される場合，⑤透析に際して鉄を補給する場合，などが挙げられる．わが国では以前より，含糖酸化鉄注射液（フェジン®静注40 mg）が使用されてきた．近年，使用可能となったのが，カルボキシマルトース第二鉄注射液（フェインジェクト®静注500 mg）である．また，デルイソマルトース第二鉄静注（モノヴァー静注®500 mg，1000 mg）の製造販売が承認されている．

静注鉄剤の使用に際しては，あらかじめ必要な鉄の総投与量を算定することにより，鉄の過剰投与や投与不足を防ぐことができる．総投与鉄量（mg）は，患者のヘモグロビン値X（g/dL）と体重W（kg）より，以下の様に算出する．$[2.72 \times (16-X) + 17] \times W$．なお，簡易的な一覧表がフェジン®の添付文書に掲載されているので参照されたい．たとえば体重50 kgでヘモグロビン値が7 g/dLの場合，必要な鉄の総投与量は2,070 mgとなる．フェジン®の1日投与量は40～120 mg（1～3アンプル）と定められているので，1回に2アンプル投与する場合に必要な総投与回数は26回である．患者の通院負担は無視できない問題だが，フェジン®の1回投与量は薬剤の毒性を勘案して定められている．同剤のインタビューフォームにはマウスを用いた毒性試験の結果が掲載されているが，単回静脈投与投与による急性毒性（LD50）は180 mg/kg（鉄として）であった．死亡例の90%は24時間以内の死亡であり，肺出血を示す例が散見されたという．こうした毒性の一因は，含糖酸化鉄の構造にあると推測される．すなわち投与された後に血中で遊離鉄を発生させる可能性である．遊離鉄はいわゆる**フェントン反応**を介して**活性酸素**が発生する原因となり，この活性酸素が細胞や組織に重大なダメージを与える[2)]．

このような問題を背景にして**高用量静注鉄剤**が開発され，わが国で認可されたのがフェインジェクト®である．同剤は，水和された酸化第二鉄とデキストラン非含有カルボキシマルトースとの複合体で，遊離鉄の発生が少ないという特徴がある．また，この特徴によって毒性の低減，そして高用量投与が可能となった[3)]．実臨床における総投与量と投与回数は，同剤の添付文書に表が記載されているので参照されたい．たとえば前述と同じ条件で，体重50 kgでヘモグロビン値が7 g/dLとすると，週1回，1回あたり500 mgを計3回投与となる．患者の通院負担が軽減されうる薬剤だが，使用に際しては留意事項があるので，Advanced ①の項目に記載した．

文　献

1）日本鉄バイオサイエンス学会治療指針作成委員会（編）：鉄剤の適正使用による貧血治療指針，第3版，響文社，2015
2）佐藤勉ほか：鉄とアポトーシス．Iron Overloadと鉄キレート療法，堀田知光ほか（監），メディカルレビュー社，p77，2007
3）Ikuta K et al: Int J Hematol **107**: 519, 2018

ADVANCED 1

フェインジェクト® 使用上の留意事項

患者に投与されたフェインジェクト® はいったんフェリチンとして蓄積され，その後は徐々にヘモグロビン産生で用いられる．このため，投与開始直後の一時的なフェリチン高値を理由にして投与を中止する必要はない．なお，フェインジェクト®の投与対象は原則として血中Hb値が8.0 g/dL未満の患者であり，血中Hb値が8.0 g/dL以上の場合は，手術前等早期に高用量の鉄補充が必要であって，含糖酸化鉄による治療で対応できない患者にのみ投与することとされている（保医発0825第1号，令和2年8月25日）．

ADVANCED 2

まれな鉄欠乏性貧血

TMPRSS6（transmembrane serine protease 6）など鉄吸収に関わる分子の先天的な異常によって発症するまれな鉄欠乏性貧血もある．

2 先天性溶血性貧血

到達目標

- 先天性溶血性貧血の病因，病態，疫学について説明できる
- 家族歴や既往歴を含め，適切に病歴を聴取し，先天性溶血性貧血を疑うことができる
- 主な先天性溶血性貧血の診断に必要な検査を理解し，鑑別診断を進めることができる
- 疾患や重症度に応じた治療法の選択，生活指導を行うことができる

1 病因・病態・疫学

溶血性貧血は赤血球寿命の短縮によって発症する貧血の総称である．赤血球寿命の短縮が軽度の場合は骨髄における赤血球造血が亢進することにより，血液検査所見ではヘモグロビン値低下が目立たず，背景にある溶血が見逃される場合がある．赤血球寿命の短縮が高度になり，赤血球造血を亢進させても代償できなくなった場合は，溶血性貧血が顕在化する．

旧厚生省特発性造血障害に関する調査研究班の1974年の報告によると，溶血性貧血全病型の推定患者数は100万人中12～44人で，先天性，後天性がほぼ1：1の割合であった．同班による1998年の調査結果では，推計受療患者数は，溶血性貧血全体で2,600人［95％信頼区間（CI）：2,300～2,900人］であり，病型別の比率は，温式自己免疫性溶血性貧血（autoimmune hemolytic anemia：AIHA）47.1％，発作性夜間ヘモグロビン尿症（paroxysmal nocturnal hemoglobinuria：PNH）24.9％，先天性溶血性貧血16.6％であり，先天性は全体の1/6程度と前の調査結果に比べて比率が減少している．

後天性溶血性貧血の病因が主として免疫学的機序による赤血球の破壊であるのに対し，先天性溶血性貧血は，赤血球が骨髄を出て約120日間末梢血中で生存するための生理機能に破綻をきたした場合に発症し，**赤血球膜異常症**，**赤血球酵素異常症**，**ヘモグロビン異常症**に大別される（**表1**）．

1）赤血球膜異常症

赤血球の直径は全身を循環する際，はるかに小さい直径の毛細血管や脾臓の類洞内皮細胞間隙を通過する．赤血球は変形能を保ち，膜が断片化することのない安定性を有するが，これらの機能は赤血球膜の脂質二重層を裏打ちする膜骨格と，膜を貫通して存在するトランスポーター，レセプターなどにより担われている．膜骨格はその構成蛋白間の横の結合により平面的な広がりを有し，脂質二重層を裏打ちする骨格となっている．

わが国の先天性溶血性貧血症例の約70％を占める**遺伝性球状赤血球症**（hereditary spherocytosis：HS）は，α・βスペクトリン（*SPTA1*，*SPTB*），バンド3（*SLC4A1*），アンキリン（*ANK1*）または4.2蛋白（*EPB42*）遺伝子の変異によって，これら膜蛋白の質的・量的な異常が引き起こされることによって発症する[1]．**遺伝性楕円赤血球症**（hereditary elliptocytosis：HE）は，*SPTA1*，*SPTB*，4.1蛋白（*EPB41*）またはグリコフォリンC（*GPC*）遺伝子変異によって生じる．近年病因遺伝子が同定された**脱水型遺伝性有口赤血球症**（dehydrated hereditary stomatocytosis：

◆表1 溶血性貧血の病因による分類

1. 先天性（遺伝性）溶血性貧血
   - a. 赤血球膜異常症
     - 遺伝性球状赤血球症（HS）
     - 遺伝性楕円赤血球症（HE）
     - 遺伝性有口赤血球症（HSt），など
   - b. 赤血球酵素異常症
     - グルコース-6-リン酸脱水素酵素（G6PD）異常症
     - ピルビン酸キナーゼ（PK）異常症，など
   - c. ヘモグロビン異常症
     - 鎌状赤血球症
     - 不安定ヘモグロビン症
     - サラセミア，など
2. 後天性溶血性貧血
   - a. 自己免疫性溶血性貧血（AIHA）
   - b. 発作性夜間ヘモグロビン尿症（PNH），など

DHSt）別名，遺伝性乾燥赤血球症（hereditary xerocytosis：HX）の病因は，赤血球膜陽イオンチャネル蛋白遺伝子である，機械刺激受容性カルシウムチャネル（*PIEZO1*）とカルシウム濃度依存性カリウムチャネル（*KCNN4*）の機能獲得型変異による．

2）赤血球酵素異常症

わが国の先天性溶血性貧血の原因で多くみられる赤血球酵素異常症では，解糖系酵素異常症として**ピルビン酸キナーゼ（PK）異常症**，**グルコースリン酸イソメラーゼ（GPI）異常症**，ペントースリン酸経路では**グルコース-6-リン酸脱水素酵素（G6PD）異常症**[2]，そしてヌクレオチド代謝系では**ピリミジン5′-ヌクレオチダーゼ（P5N）異常症**の頻度が高い．いずれも慢性溶血性貧血の病因となりうるが，G6PD異常症では感染・薬剤・食物（ソラマメ）によって急性溶血発作が誘発されることがある．神経・筋症状を合併する例では，ホスホグリセリン酸キナーゼ異常症，ホスホフルクトキナーゼ異常症（糖原病Ⅶ型，垂井病）やアデニル酸キナーゼ異常症などを鑑別診断する．

3）ヘモグロビン異常症

a）サラセミア

サラセミア（thalassemia）は，ヘモグロビン遺伝子または遺伝子発現量の制御領域における変異によって，α鎖・β鎖間に合成量の不均衡が生じて発症する先天性溶血性貧血である[3]．グロビンはα鎖と非α鎖（β，δ，γ鎖）それぞれ2本ずつで構成される四量体であり，健康成人血液中のヘモグロビン組成はヘモグロビンA（$\alpha_2\beta_2$）が全ヘモグロビンの約97%，ヘモグロビンA_2（$\alpha_2\delta_2$）が2～3%，ヘモグロビンF（$\alpha_2\gamma_2$）が約1%であり，合成抑制がα鎖である場合は**αサラセミア**，β鎖の場合は**βサラセミア**と呼ぶ．妊娠後期から生後1年間はγ鎖の合成があるため，βサラセミアは胎児期から新生児期には発症しない．サラセミアの病因は，合成抑制をきたさない正常なヘモグロビン鎖が赤血球内で相対的に余剰となり，余剰のヘモグロビン単量体からヘムが遊離することで，酸化ストレスが増大して赤血球膜に傷害を与えることによる．βヘモグロビン鎖は四量体を取りうるが，α鎖は四量体を構成することができないため，α鎖が余剰となるβサラセミアのほうがより重症となる．

わが国でのサラセミア保因者の頻度は3,000～5,000人に1人といわれており，αサラセミア（約5,000人に1人）よりもβサラセミア（700～1,000人に1人）のほうが多い．日本人αサラセミア保因者の半数に，**東南アジア（SEA）型**と呼ばれるタイプのサラセミア遺伝子が同定される．αグロビン遺伝子は同じ染色体上に隣接して2つ（α_1とα_2）存在するが，SEA型は両者を含む塩基対約20 kbの配列が欠失している．このSEA型の保因者は九州出身者に多く，血液検査上ヘモグロビン値が基準値の下限を示し，小型赤血球が認められるが，貧血症状を伴うことはほとんどない．

αサラセミアの多くが遺伝子欠失によるのに対し，βサラセミアではβグロビン遺伝子（HBB）における点突然変異が多く，わが国のサラセミア症例では8種類の遺伝子変異を調べれば，約80%の症例で病因が確定できる．なかでもプロモーター領域の-31A＞G変異は東北から関東に多く，コドン90のナンセンス変異c.268G＞T（p.Glu90Ter）は西日本に多い．

b）異常ヘモグロビン症

一方，ヘモグロビン一次構造の異常により立体構造が不安定になり，酸化ストレスに対する抵抗性が減弱した場合，異常ヘモグロビンは赤血球内で変性しやすくなる（**不安定ヘモグロビン症**）．ヘモグロビンが変性する過程で発生する活性化酸素は膜脂質を過酸化し，膜蛋白を修飾する．さらに，変性ヘモグロビンが赤血球内で沈殿（**Heinz小体**）を形成すると，赤血球の柔軟性が損なわれて脾洞通過時にHeinz小体が赤血球膜とともにちぎり取られ，マクロファージに貪食される．このような溶血を起こす異常ヘモグロビンは100種以上報告されている．**鎌状赤血球症（sickle cell disease）**も異常ヘモグロビン症の一型であり，βグロビン遺伝子のミスセンス変異により6番目のアミノ酸であるグルタミンがバリンに置換することにより生じる（HbS）．マラリアに抵抗性があることから赤道地帯に多く，わが国にはほとんどみられないが，近年国際化に伴いわが国でも確認されるようになってきている．低酸素環境下でHbSが重合化し赤血球が鎌状に変形するため，慢性溶血性貧血よりも末梢血流閉塞による胸部痛・下肢痛などの疼痛発作と循環障害による多臓器機能低下が多くみられ，主症状となる．

2 症候・身体所見

新生児期には重症の早発黄疸として発症し，光線療法や交換輸血が必要になるケースが多い．生後1ヵ月以降，徐々に溶血所見が認められなくなる例のなかには，その後まったく貧血を認めなくなる例や，感染，薬剤，特定の食物の摂取で**急性溶血発作**が誘発される例がある．一方，新生児期以降，慢性溶血性貧血が続く例もあるため，**慢性溶血**を認めるかどうかを生後数ヵ月の観察で見極めることが診断に重要である．そのためにも病型診断のための特殊検査を実施する時期は，少なくとも生後1ヵ月以降が望ましい．

慢性溶血を呈する例では，視診で貧血による皮膚蒼白あるいは黄疸，腹部触診では脾腫を認めることが多い．学齢期に達するくらいの4～6歳で胆石を伴う黄疸が認められる場合には，背景に先天性溶血性貧血の存在を考えるべきである．慢性溶血を伴う例にパルボウイルスB19による**無形成発作**が合併した場合には，著明な貧血のためにショック症状を呈する場合もある．

急性溶血発作で発症する例では，感冒様症状の先行，ヘモグロビン尿の後に急速な貧血による全身倦怠感が出現する．溶血発作は一般に血管内溶血であり，溶血の程度が強い場合には，急性腎不全の病態を呈して救急外来を受診するケースもある．トリガーとなる薬剤には，解熱消炎鎮痛薬（非ステロイド抗炎症薬：NSAIDs），抗菌薬（セフェム系，ニューキノロン系，ST合剤），抗痙攣薬（phenytoin，carbamazepine）などの頻度が高い．また，食物で有名なものがソラマメ（fava beans）である．例年，5月以降のソラマメが出回り始める時期に急性溶血発作を起こして救急外来を受診する男児には，G6PD異常症を疑わなくてはならない．この現象はfavismとしてよく知られている．本症はX連鎖劣性遺伝によるため，臨床上問題となるのはほとんどがヘミ接合体の男性であるが，女性の変異*G6PD*遺伝子ヘテロ接合体の10%は溶血性貧血を発症する．

3 診断・検査

溶血性貧血の診断基準を**表2**に示す．重要なのは，溶血の病因によって患者への注意事項および治療法が異なる点であり，病因を確定するための検査が重要となる．同時に貧血と黄疸を認めるが溶血を主因としない他の疾患，すなわち**無効造血**をきたす種々の血液疾患やビリルビン抱合能に異常のある体質性黄疸との鑑別が重要である．溶血性貧血であることが確定した場合には，**図1**のチャートに従って鑑別診断を進める[4]．

赤血球形態では，HSにおいて特徴的な小型球状赤血球の出現が特に重要であるが，球状赤血球はAIHAでも認められるので，全体的な臨床像と直接抗グロブリン試験（DAT）でAIHAを否定できるかどうかを慎重に検討する．DAT陰性AIHAの可能性が残る場合には，赤血球表面結合IgG分子数の測定が有用である．破砕赤血球や奇形赤血球を伴う重症の慢性溶血性貧血は，α-スペクトリン遺伝子異常を両アレルに有する遺伝性熱変形赤血球症（hereditary pyropoikilocytosis：HPP），重症のHS，あるいは先天性Ⅳ型コラーゲン異常症（*COL4A1*変異）などを鑑別する．*COL4A1*変異例の溶血性貧血には裂脳症や孔脳症などの中枢神経系先天奇形を伴うのが特徴である．赤血球に好塩基性斑点を認める場合，P5N異常症を疑う．診断未確定のまま脾摘を受けた患者の赤血球像において棘状赤血球を認めた場合は，PK異常症を疑う．

サラセミアでは，平均赤血球容積（MCV）が60 fL台と著明な小球性貧血を認め，標的赤血球の出現が特徴的である．わが国で多くみられる軽症型サラセミアでは，赤血球数（RBC）が代償性に増加し，Mentzer index（MCV/RBC）が13以下に低下していることが多い．サラセミアを疑う場合は，ヘモグロビンFおよびヘモグロビンA_2の増加があるかどうかヘモグロビン分析を行い，病因確定のためには遺伝子検査が必要である．

代償性の赤血球造血亢進所見として，骨髄では赤芽球過形成所見を認める．重症例では葉酸欠乏をきたすため，巨赤芽球性変化を伴うこともある．

赤血球を低張緩衝液中に浮遊させると，赤血球外部から水分の流入が起こり，赤血球は過膨張し，さらには破裂する．HSで観察される小型球状赤血球は，外部からの水分を取り込む余地が少ないため，正常赤血球よりも高張の緩衝液で溶血が生じる．この現象を**「赤血球浸透圧脆弱性の亢進」**あるいは**「赤血球浸透圧抵抗の低下」**と表現する．この赤血球浸透圧抵抗試験にはParpart法や酸グリセロール溶血試験（acidified

◆表2　溶血性貧血の診断基準　厚生労働省　特発性造血障害に関する調査研究班（2019年度改訂）

1. 臨床所見として，通常，貧血と黄疸を認め，しばしば脾腫を触知する．ヘモグロビン尿や胆石を伴うことがある
2. 以下の検査所見がしばしばみられる
   1）ヘモグロビン濃度低下
   2）網赤血球増加
   3）血清間接ビリルビン値上昇
   4）尿中・便中ウロビリン体増加
   5）血清ハプトグロビン値低下
   6）骨髄赤芽球増加
3. 貧血と黄疸を伴うが，溶血を主因としない他の疾患（巨赤芽球性貧血，骨髄異形成症候群，赤白血病，congenital dyserythropoietic anemia，肝胆道疾患，体質性黄疸など）を除外する
4. 上記の1，2によって溶血性貧血を疑い，3によって他疾患を除外し，診断の確実性を増す．しかし，溶血性貧血の診断だけでは不十分であり，特異性の高い検査によって病型を確定する

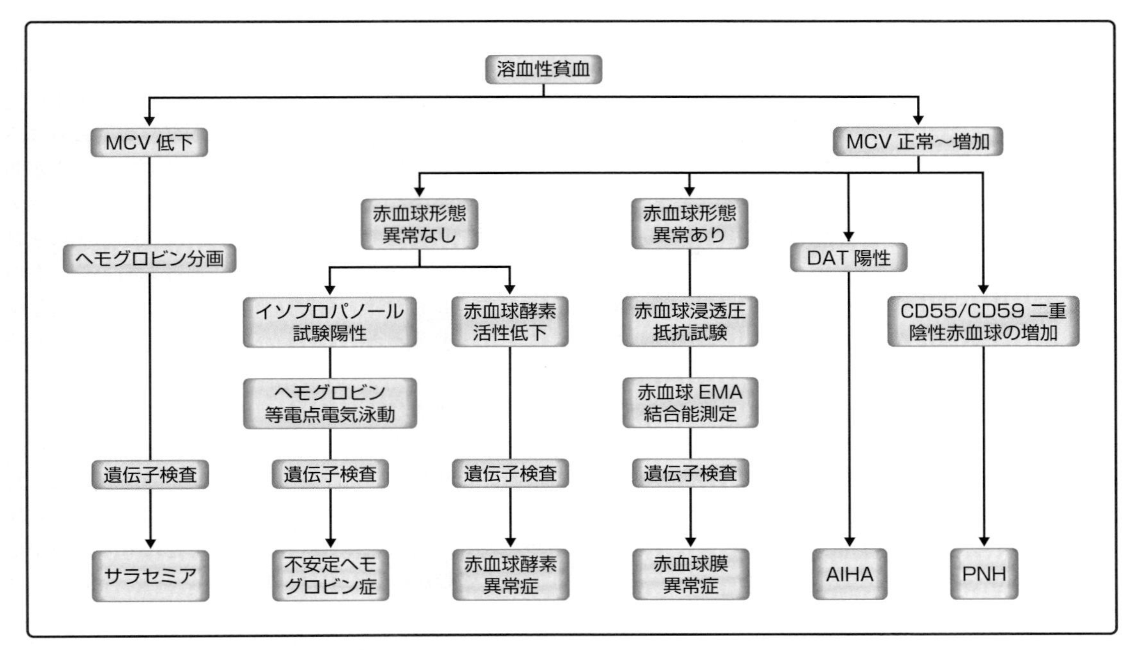

◆図 1 先天性溶血性貧血の診断チャート

溶血性貧血では網赤血球増加の影響で平均赤血球容積（MCV）がやや大きくなる傾向にあるが，鉄欠乏性貧血が否定され，MCV が 60 ～ 70 fL 前後の場合はサラセミアを疑う．ヘモグロビン分画でヘモグロビン F の増加，ヘモグロビン A_2 の増加などを示した場合は，遺伝子検査で確定診断する．

MCV が基準値内かやや増加を示す場合，まず直接抗グロブリン試験（DAT）と CD55/CD59 二重陰性赤血球測定を実施し，AIHA，PNH を否定する．まれに DAT 陰性の AIHA がみられるので注意が必要である．

赤血球形態で小型球状赤血球が観察される場合，赤血球浸透圧抵抗試験（FCM-OF），赤血球 EMA 結合能測定により HS の診断を確定する．

AIHA でも球状赤血球を認める場合があるので，注意が必要である．楕円赤血球（HE），有口赤血球（遺伝性有口赤血球症），有棘赤血球（βリポ蛋白欠損症，PK 異常症），断片化赤血球（遺伝性熱変性赤血球症，不安定ヘモグロビン症，赤血球破砕症候群），好塩基性斑点（鉛中毒，P5N 異常症），Heinz 小体（不安定ヘモグロビン症，薬剤惹起性溶血性貧血）などが観察された場合は，専門施設への確定診断依頼が必要である．

赤血球形態異常を認めない先天性非球状性溶血性貧血（CNSHA）の病因確定には，赤血球酵素異常症および不安定ヘモグロビン症の検索が必要となる．

（文献 4 を参考に著者作成）

glycerol lysis test：AGLT），さらにはフローサイトメーターを用いる方法（FCM-OF）がある．現在 HS のスクリーニング検査として最も有用なのは**赤血球 eosin-5′-maleimide（EMA）結合能測定**と **FCM-OF** である．EMA は赤血球膜貫通蛋白の 1 つ，バンド 3 の細胞外ループにある Lys^{430} 残基と結合する蛍光色素であり，HS における赤血球表面積の減少に伴い，赤血球 1 つあたりのバンド 3 分子数が減少することを検出する．

赤血球形態異常を認めない先天性非球状性溶血性貧血（congenital nonspherocytic hemolytic anemia：CNSHA）の病因確定には，赤血球酵素異常症および不安定ヘモグロビン症（unstable hemoglobinopathy）の検索が必要であり，専門施設に赤血球酵素活性測定，赤血球内還元型グルタチオン定量，イソプロパノール試験による不安定ヘモグロビンの検出を依頼する．

ヘモグロビン，赤血球膜および赤血球酵素の検索によっても病因が明らかにできない場合，溶血性貧血の鑑別診断として，骨髄異形成症候群（myelodysplastic syndromes：MDS）や先天性赤血球異形成貧血（congenital dyserythropoietic anemia：CDA）などの無効造血による貧血を検索する．MDS，CDA ともに骨髄赤芽球の異型性，特に CDA では核間架橋，多核赤芽球や巨大赤芽球などの形態異常が認められる．現時点で CDA は 1 ～ 4 型が知られており，それぞれに病因遺伝子が同定されているが，日本人症例では 1 型（*CDAN1*）または 4 型（*KLF1*）のみが診断されていて，欧米で多い2型（*SEC23B*）は1例も診断されていない．

4 治療・予後

HSに関しては脾摘術が著効するので，ヘモグロビン濃度が8 g/dL以下の重症例は脾摘の適応となる[5)]．ヘモグロビン濃度が8～12 g/dLの中等症例では，貧血症状や，胆石症などの合併症を考慮し，個々に脾摘の適応を検討する．劣性遺伝形式の重症型HSにおいても，脾摘は貧血の改善，溶血症状のほぼ完全な消失に有効であり，生命予後は良好である．一方，DHSt（HX）には脾摘が無効であり，特に***PIEZO1*****変異例は脾摘後に重篤な静脈血栓症を併発するため，禁忌である**．脾摘術はプロテインSやC欠損症などの先天性血栓症患者にも禁忌であり，術前に両疾患を否定しておくべきである．

脾摘は感染防御における免疫担当臓器としての脾臓の役割を考え，学齢期に入ってからが望ましい．幼児期の脾摘は，術後の重症細菌感染症を合併する可能性が高いので避けるべきである．合併症予防の目的で，術前に肺炎球菌，インフルエンザ菌B型（Hib）や髄膜炎菌ワクチンに対するワクチン接種を行い，術後には予防的な抗菌薬投与を考慮する．また，感染症についての患者教育も重要である．欧米では髄膜炎菌ワクチンやHibワクチンの事前接種が推奨されているが，わが国では両ワクチンとも保険収載されていない．不安定ヘモグロビン症や赤血球酵素異常症の一部にも脾摘が有効な病型があるので，病因確定後，専門施設のアドバイスを受けながら適応の有無を検討する．

ヘモグロビン7 g/dL未満の慢性溶血性貧血例では，赤血球輸血の適応となる．βサラセミアやPK異常症などの病因の一部に無効造血の関与が認められる溶血性貧血症例では，輸血による**鉄過剰症**の合併が問題となるため，フェリチン値を定期的に測定したうえで，鉄制限食と鉄キレート剤により500 ng/mLを目標にコントロールする．現在，赤血球輸血を伴わない鉄過剰症にはdeferoxamineの筋肉内注射，赤血球輸血による鉄過剰症にはdeferasiroxの内服投与が可能である．

代償性赤血球造血亢進はほとんどすべての溶血性貧血症例で認められるため，葉酸を投与すべきである．5歳までは2.5～5.0 mg/日，それ以降は5.0 mg/日が適当量である．さらに，先天性溶血性貧血の最重症例に対しては造血幹細胞移植が適応となり，わが国でもPK異常症の重症例に対して実施され，根治した例がある．

■文　献■

1）菅野　仁ほか：遺伝性球状赤血球症．血液疾患診療ハンドブック-診療の手引きと臨床データ集，第3版，吉田彌太郎（編），医薬ジャーナル社，p70-78，2016
2）菅野　仁ほか：臨血 **56**：771, 2015
3）山城安啓ほか：臨血 **56**：752, 2015
4）菅野　仁：臨検 **58**：327, 2014
5）Bolton-Maggs PHB et al：Br J Haematol **156**：37, 2011

ADVANCED

■先天性溶血性貧血関連遺伝子パネル検査の臨床的意義■

赤血球膜・酵素・ヘモグロビンのどれに病因があるかを明らかにできない場合，先天性溶血性貧血関連遺伝子パネルを用いたtarget-captured sequencing（TCS）検査が有用である[1)]．TCSの対象は膜蛋白（15種），酵素（17種），CDA（5種），非典型溶血性尿毒症症候群（atypical HUS）（14種）などを含めた58遺伝子で，アミノ酸をコードするエクソンだけではなく，イントロンや上下流領域を含めている．輸血依存性の重症溶血性貧血例では，患者赤血球にドナー由来の赤血球が混在するため，輸血間隔が短いと特殊検査が困難な場合がある．このようなケースにTCS検査は有用である．HSやDHSt（HX）と診断しえた症例について，病因遺伝子変異を確定することは，患者の予後や次世代への影響などの遺伝カウンセリング目的にも意義がある．

■文　献■

1）菅野　仁ほか：臨血 **62**：472, 2021

3 巨赤芽球性貧血

到達目標

- 巨赤芽球性貧血の病態を理解し，原因の鑑別ができる
- 病因に応じた適切な治療が選択できる

1 病因・病態・疫学

巨赤芽球性貧血は巨赤芽球の出現を特徴とする造血障害であり，**ビタミン B_{12}** もしくは**葉酸**の欠乏によるDNA合成障害を原因とする．**表1**に主なビタミン B_{12} および葉酸欠乏の原因を示す．ビタミン B_{12} 欠乏については，概してビタミン B_{12} の吸収系そのものが障害される場合は重症となり，利用可能なビタミン B_{12} が不足する場合は軽症にとどまる．軽症の場合，巨赤芽球性貧血の発症にいたる頻度は低い．

ビタミン B_{12} は動物性食品から摂取され，日本人の1日平均摂取量は7 μg とされている．これに対し1日あたりの必要量は約3 μg であり，きわめて厳格な菜食主義者を除き，摂取不足によりビタミン B_{12} 欠乏が起こることはまれである．**図1**にビタミン B_{12} の吸収メカニズムを示す．食物中のビタミン B_{12} は蛋白と結合しているが，胃液中の塩酸（HCl）の存在により遊離し，ハプトコリン［トランスコバラミン（TC）Ⅰ，R binder］と結合する．胃の酸性環境下では，内因子よりもハプトコリンのほうが親和性が強く結合が優位であるが，十二指腸に移行すると膵酵素によりハプトコリンが分解され，フリーになったビタミン B_{12} は胃の壁細胞から分泌される内因子と結合し，回腸末端にある cubilin，amnionless など複数の分子から構成される受容体コンプレックスを介して吸収される．ただし，1～5%のビタミン B_{12} は受動的拡散により吸収されると考えられている．吸収されたビタミン B_{12} は TC Ⅱと結合し，細胞上にある TC Ⅱ受容体を介して取り込まれる．**図2**に細胞内におけるビタミン B_{12} の代謝を示す．細胞内に取り込まれたビタミン B_{12} の機能の1つは，メチオニン合成酵素の補酵素としての働きである．メチオニンは，N^5-methyl tetrahydrofolate（THF）がホモシステインに methyl 基を付与することで合成されるため，メチオニン合成とともに，N^5-methyl THF が活性葉酸である THF に変換される．THF はプリン，ピリミジン塩基の合成に用いられる．もう1つのビタミン B_{12} の機能はミトコンドリアでの succinyl-CoA 合成反応である．

一方，**葉酸**は緑黄色野菜を中心とした植物性食物，レバーを中心とした動物性食物に多く含まれており，1日所要量は50～100 μg とされている．日本人の1日あたりの推奨摂取量が240 μg であるのに対し，平均摂取量は約300 μg とされていることから，摂取不足により欠乏状態になることはまれであるが，ビタミン B_{12} と異なり，妊娠，成長などにより需要量が増大すること，加熱により分解されやすいことに注意が必要である．葉酸は空腸上部で吸収され，ビタミン B_{12} 同様，受動的拡散と能動的取り込みにより吸収される．能動的吸収は還元型葉酸キャリアもしくは葉酸レセプターを介する経路が考えられていたが，ヘムのト

◆表1　ビタミン B_{12} および葉酸欠乏の原因

A. ビタミン B_{12} 欠乏
- 1. 重症
  - a. 悪性貧血
  - b. 胃切除
  - c. 回腸切除・バイパス術
  - d. 先天性疾患（内因子-ビタミン B_{12} 受容体異常，TC Ⅱ異常）
- 2. 軽症
  - a. 摂取不足
  - b. 胃酸分泌不全（加齢による慢性萎縮性胃炎，薬剤）
  - c. 膵機能不全（プロテアーゼ不足）
  - d. metformin 服用

B. 葉酸欠乏
- 1. 摂取不足
- 2. 吸収不全
- 3. 需要の増大
- 4. 薬物：葉酸拮抗薬（methotrexate），フェノバルビタール，アルコールなど

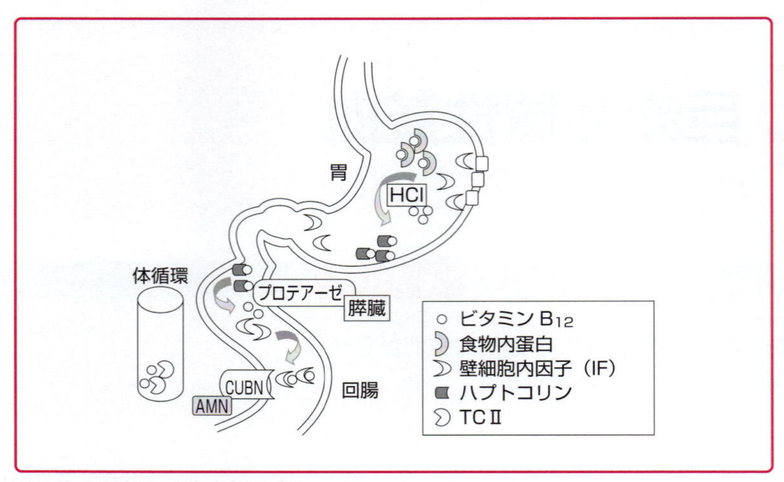

◆図 1　ビタミン B_{12} の吸収
食物中の蛋白に結合したビタミン B_{12}は，胃の酸性下で遊離し，ハプトコリンと結合する．膵臓から分泌されるプロテアーゼによりハプトコリンが分解されるとビタミン B_{12}はIFと結合し，cubilin(CUBN)，amnionless(AMN) などからなる受容体を介して回腸末端から吸収される．吸収されたビタミン B_{12} は TCⅡと結合し細胞に吸収される．

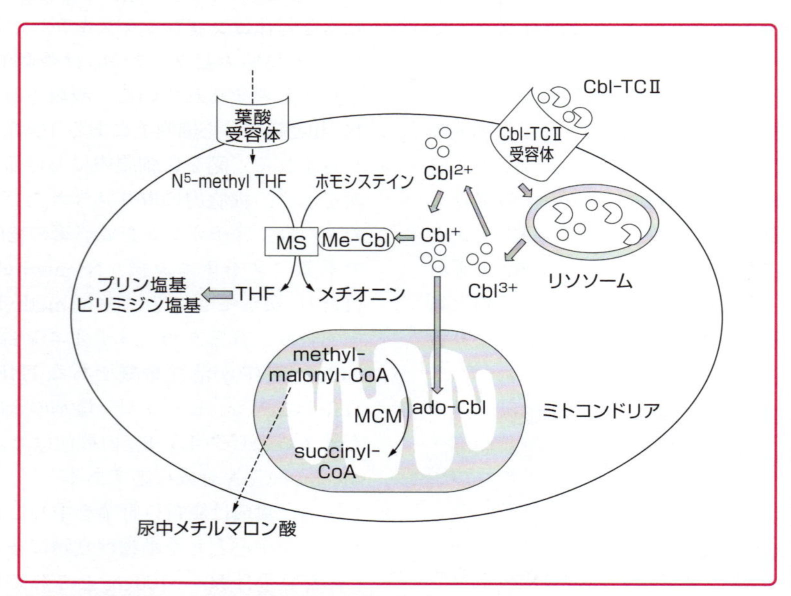

◆図 2　ビタミン B_{12} の細胞内代謝
細胞内に取り込まれたビタミン B_{12} は，メチオニン合成酵素とミトコンドリアでの succinyl-CoA合成反応の補酵素として用いられる．
Cbl：cobalamin，MS：methionine synthase，ado-Cbl：adenosyl cobalamin，Me-Cbl：methyl cobalamin，THF：tetrahydrofolate，MCM：methyl-malonyl-CoA mutase

ランスポーターとして同定された heme carrier protein 1（HCP1）が葉酸の重要なトランスポーター proton-coupled folate transporter（PCFT：SLC46A1）であることが見出されている．吸収された葉酸は N^5-methyl THF の形で全身の細胞へと運ばれ，取り込まれる．取り込まれた N^5-methyl THF は，プリン，ピリミジン塩基の合成における補酵素として機能する．前述のように活性葉酸である THF への転換反応は，ビタミン B_{12} を必要とするメチオニン合成酵素の反応とカップリングしているため，ビタミン B_{12} の不足は葉酸の欠乏と同じプリン，ピリミジン塩基の合成障害に帰結することになる．したがって，ビタミン B_{12} と葉酸の欠乏は同様の機序で巨赤芽球性貧血の発症を誘導するといえる．

大まかにビタミン B_{12} 欠乏性巨赤芽球性貧血と葉酸欠乏性巨赤芽球性貧血の頻度を比較すると，ビタミン B_{12} 欠乏による巨赤芽球性貧血の頻度のほうが圧倒的に高い．わが国における巨赤芽球性貧血の内訳は，悪性貧血 61％，胃切除後ビタミン B_{12} 欠乏 34％，その他のビタミン B_{12} 欠乏 2％，葉酸欠乏 2％であり，その原因として葉酸欠乏に比してビタミン B_{12} 欠乏の頻度が高く，ビタミン B_{12} 欠乏のなかでは，悪性貧血の頻度が最も高かった[1]．いわゆるビタミン B_{12} 欠乏症という視点からみると，欧米の高齢者の 20％近くが萎縮性胃炎によるビタミン B_{12} 欠乏状態にあるとの報告があり[2]，栄養学的にはビタミン B_{12} 欠乏は大きな問題ではあるが，**表 1** に示す通り，この原因によるビタミン B_{12} 欠乏で巨赤芽球性貧血にいたる例はまれである．したがって，巨赤芽球性貧血の発症要因としては，やはり自己免疫性萎縮性胃炎による悪性貧血の頻度が最も高く，かつ重要であると考えられる．

悪性貧血においては，抗胃壁細胞抗体，抗内因子抗体が認められる．抗胃壁細胞抗体は H^+/K^+-ATPase を認識する抗体である．H^+/K^+-ATPase は胃酸分泌を担うプロトンポンプであり，この酵素に対する免疫学的機序により壁細胞が破壊され，低酸・無酸状態になる．抗内因子抗体は内因子を認識する抗体であり，ビタミン B_{12} と内因子の結合を阻害，もしくはビタミン B_{12}-内因子複合体と受容体との結合を阻害する．免疫反応による慢性炎症は壁細胞を消失させ，粘膜は萎縮し，壁細胞が存在する胃底部・胃体部を中心とした自己免疫性**萎縮性胃炎**（type A gastritis）となる．この萎縮性胃炎の発生には $CD4^+T$ 細胞も関与していると考えられている．

悪性貧血の発症頻度は北欧・米国白人に多く，報告によりばらつきがあるものの 10 万人あたりの年間発症率は 10 ～ 50 人とされている．これに対し，わが国を含むアジアでは 1 ～ 5 人と発症率は低い[2]．発症は高齢者に多く，発症のピークは 65 歳とされている．また，胃全摘術後には内因子の分泌不全により，ビタミン B_{12} 欠乏による巨赤芽球性貧血が発症する．ビタミン B_{12} の場合，肝臓における貯蔵量が約 5 mg あるため，胃切除後，発症までに平均して 5 ～ 6 年を要するとされる．

2 症候・身体所見

症状は他の貧血と同様であり，易疲労感，頭痛，息切れ，動悸などを訴える．このほか，骨髄内溶血を反映し，軽度の黄疸を認めることがある．ビタミン B_{12} 欠乏に特徴的な症状として神経学的な異常は重要であり，診断時，約 30％の症例で症状が認められる．典型的な神経障害は，末梢神経障害によるしびれ感，感覚鈍麻，側索・後索障害による**深部感覚障害**（亜急性連合性脊髄変性症）などであり，Romberg 徴候が陽性となる．さらに，高齢者では認知症，抑うつなどの症状を呈することもある．これらの神経症状は貧血に先んじて発現することもあり，注意が必要である．このほか，造血以外の障害として，舌乳頭の萎縮による特徴的な Hunter 舌炎，白髪，萎縮性胃炎に伴う消化器症状などの症状を合併する．また，悪性貧血については，他の自己免疫疾患の合併がしばしば認められる．最も多い疾患が，慢性甲状腺炎などの甲状腺疾患であり，その頻度は 3 ～ 30％と報告されている．尋常性白斑の合併も報告されているが，その頻度は 5％以下と考えられている．また，自己免疫機序による複数の内分泌器官の障害を発症する自己免疫性多腺性内分泌不全症（autoimmune polyendocrine syndrome）を合併する若年発症例も存在し，このような症例の場合，慢性甲状腺炎以外に 1 型糖尿病，Addison 病などを合併することが知られている．また，注意すべき合併症として胃がんが挙げられる．北米の研究において悪性貧血の胃がん発症の相対危険率が 6.8 と報告されており[3]，巨赤芽球性貧血の診療において，胃がんは常に念頭におくべき重要な合併症である．

3 診断・検査

一般的検査所見として，大球性貧血が認められ，進行例では白血球・血小板減少を伴うことも少なくない．形態異常として，末梢血における過分葉好中球，骨髄における巨赤芽球，巨大後骨髄球などの特徴的な所見が観察される．また，骨髄での無効造血を反映して，間接ビリルビン，LDの上昇などの溶血所見が認められるが，網赤血球の絶対数は上昇せずむしろ基準値を下回ることが多い．血清ビタミン B_{12} もしくは葉酸は低値を呈するが，巨赤芽球性貧血診断における血清ビタミン B_{12} 値の感度・特異度は必ずしも高くない．その理由の１つとして，実際に利用可能なTC Ⅱに結合しているビタミン B_{12} は総量の約20%であり，残りは利用不可能なハプトコリン結合体であることが挙げられる[4]．たとえば，骨髄増殖性疾患では血清ビタミン B_{12} が高値を呈することが知られているが，この機序はハプトコリンが増加するためであり，実際に利用可能なTC Ⅱ結合ビタミン B_{12} が増加しているわけではない[4]．また，血清ビタミン B_{12} は内因子との結合を利用した測定系を用いるため，抗内因子抗体の力価が高い症例では必ずしも低値を示さないことに留意する必要がある．細胞内葉酸，ビタミン B_{12} の代謝から理解されるように，ビタミン B_{12} 欠乏ではメチルマロン酸やホモシステインの値が上昇し，葉酸欠乏ではホモシステインの値が上昇する．これらの感度・特異度は血清ビタミン B_{12} よりも高いが，巨赤芽球性貧血の診断法として保険適用となっていない．悪性貧血における特異的所見として，抗内因子抗体，抗胃壁細胞抗体などの自己抗体が陽性となる．抗内因子抗体の感度は50%であるが，特異度は90%以上である．一方で，抗壁細胞抗体の感度は90%であるが，特異度は50%と低い．Schilling試験は標識したコバルト-B_{12} を用いた吸収試験であり，悪性貧血では服用後の標識 B_{12} の尿中排泄が認められず，内因子の補充により排泄が認められるようになる．ただし，わが国においてSchilling試験は現在行われておらず，特異抗体の検出は保険適用になっていない．

4 治療と予後

巨赤芽球性貧血は慢性的に進行し，前述のように貧血所見以外にさまざまな症状を呈するため，診断が遅れることがある．特に，神経症状の改善には時間がかかるため注意が必要である．適切な治療がなされれば，通常と同じ生命予後が期待できる．

治療としてはビタミン B_{12} 欠乏の場合，吸収不全を原因とするため，注射によるビタミン B_{12} の非経口投与を原則とする．投与法として確立されたものはないが，一般的に初期治療としてビタミン B_{12} 1,000 μgであれば週３回，１ヵ月間，500 μgであれば週３回，２ヵ月間投与する．通常，血液所見は１ヵ月ほどで正常化する．造血の回復とともに鉄欠乏状態が顕在化し，貧血が十分に改善しない場合があり，その際は鉄剤の投与を行う．初期治療後，維持療法として３ヵ月に一度の非経口投与を継続する．

一方で，最近，治療法として経口投与を非経口投与と同等に位置づける報告もある[5]．前述の通り，受動的拡散により１～5%の吸収が期待できるため，計算上１日1,000 μgを服用すれば，十分量のビタミン B_{12} を投与しうることになる．ただし，巨赤芽球性貧血に対するビタミン B_{12} の投与は生涯にわたるため，服薬コンプライアンスがきわめて重要である．したがって，経口投与を試みる場合は，十分にその点を患者に説明する必要がある．また，現時点での経口薬の保険適用は末梢性神経障害に限られている．

葉酸欠乏による巨赤芽球性貧血は，アルコール多飲者，高齢者にみられる摂取不足，妊娠に伴う需要増大を原因とすることが多く，葉酸の吸収は吸収障害がなければ非常に良好であるため，5 mg/日程度の少量の経口投与にて効果が認められる．

文　献

1）Omine M: Int J Hematol **71**（Suppl 1）: 8, 2000
2）Stabler SP: Annu Rev Nutr **24**: 299, 2004
3）Vannella L et al: Aliment Pharmacol Ther **37**: 375, 2013
4）Green R: Blood **129**: 2603, 2017
5）Stabler SP: N Eng J Med **368**: 149, 2013

4 自己免疫性溶血性貧血：温式，冷式

到達目標

- 自己免疫性溶血性貧血（AIHA）の病型，病態について理解する
- AIHA の治療法について理解する

1 病因・病態・疫学

自己免疫性溶血性貧血（autoimmune hemolytic anemia：AIHA）とは，後天的に赤血球膜上の抗原と反応する自己抗体が産生され，抗原抗体反応の結果赤血球が傷害を受け，赤血球寿命が著しく短縮（溶血）することによって生じる免疫性溶血性貧血の総称である．自己抗体の出現につながる病因はさまざまであるが，Dacie は次のように整理している[1]．①免疫応答機構は正常だが患者赤血球の抗原が変化して，異物ないし非自己と認識される．②赤血球抗原に変化はないが，侵入微生物に対して産生された抗体が正常赤血球抗原と交差反応する．③赤血球抗原に変化はないが，免疫系に内在する異常のために免疫的寛容が破綻する．④すでに自己抗体産生を決定づけられている細胞が単または多クローン性に増殖または活性化され，自己抗体が産生される．

自己抗体の作動域が体温付近である温式AIHAと，体温以下の冷式 AIHA に分類される．冷式 AIHA には，寒冷凝集素症（cold agglutinin disease：CAD）と発作性寒冷ヘモグロビン尿症（paroxysmal cold hemoglobinuria：PCH）がある．

わが国における推定患者数は，1998 年の「厚生省特発性造血障害に関する調査研究班による調査」では約 1,500 人であり，温式 AIHA が 90%，CAD が 8%，PCH が 2%であった．温式 AIHA は特発性と続発性がほぼ半数ずつを占め，続発性の場合，基礎疾患は多岐にわたるが，膠原病や腫瘍（リンパ系腫瘍が多い），感染症など免疫システムにかく乱を引き起こす疾患が多い（**表 1**）．

◆表 1　続発性 AIHA の基礎疾患

1. **膠原病およびその他の自己免疫疾患**
   a. 全身性エリテマトーデス（SLE）（18 ～ 65%で直接 Coombs 試験が陽性）
   b. 関節リウマチ
   c. 自己免疫性甲状腺疾患
   d. 悪性貧血
2. **リンパ増殖性疾患**
   a. 慢性リンパ性白血病（CLL）（5 ～ 10%に合併）
   b. 血管免疫芽球性 T 細胞リンパ腫（AITL）（40 ～ 50%で直接 Coombs 試験が陽性）
   c. リンパ形質細胞性リンパ腫 /Waldenström マクログロブリン血症
   d. Castleman 病
3. **免疫異常症**
   a. 後天性免疫不全症候群（AIDS）（18 ～ 43%で直接 Coombs 試験が陽性．ただし，溶血亢進は少ない）
   b. 低ガンマグロブリン血症
4. **感染症**
   a. マイコプラズマ肺炎（特に CAD に多い）
   b. EBV 感染症（伝染性単核症）（特に CAD に多い）
   c. サイトメガロウイルス感染症（特に CAD に多い）
   d. 水痘
   e. 梅毒（PCH に特徴的）
5. **腫瘍**
   a. 胸腺腫（赤芽球癆）
   a. 骨髄異形成症候群（MDS）
   b. 卵巣腫瘍，卵巣嚢腫，奇形腫
6. **その他**
   a. 妊娠
   b. 骨髄移植，腎移植後の同種抗体の産生

1）温式 AIHA

温式抗体によって発症し，抗体のクラスは原則として IgG（多クローン性）である．抗体の結合した赤血球が IgG Fc 受容体や C3b 受容体を持つ網内系細胞（脾臓のマクロファージ）に捕捉されて溶血が起きる（**血管外溶血**）．標的抗原は特異性が明らかでない場合も多いが，赤血球膜上の Rh 血液型抗原や膜蛋白バンド 3 などが知られている．約 5%と低頻度ではあるが，温式 AIHA の中には赤血球に結合する IgG 量が少なかったり，原因抗体が IgM あるいは IgA の場合があるため直接 Coombs 試験が陰性になる症例が存

在し Coombs 陰性 AIHA という．温式 AIHA に特発性血小板減少性紫斑病（idiopathic thrombocytopenic purpura：ITP）を合併したものは特に **Evans 症候群**と呼ばれ，特発性 AIHA の 10 ～ 20%を占める．

2）CAD

IgM 型冷式抗体（寒冷凝集素）によって引き起こされ，抗体の標的は **Ii 血液型抗原**である．CAD の冷式抗体は四肢末端，耳介，鼻尖に到達して，温度が下がると赤血球に結合するが，体幹部に戻って 37℃付近まで再加温されると赤血球から離れる．しかし，低温部では抗体とともに補体（C3b）も結合しており，補体は高温部に戻っても赤血球膜に結合し続けるため，患者赤血球は C3b 受容体を持つ網内系細胞（肝臓の Kupffer 細胞）に捕捉され破壊される（**血管外溶血**）．理論上，補体反応が最後まで進んで**血管内溶血**にいたることも考えられるが，慢性 CAD の場合，網内系細胞による血管外溶血が主要な溶血機序であることが知られている．C3d が赤血球膜に結合し続けるため，**広範囲 Coombs 血清**（抗ヒト IgG 抗血清と抗ヒト補体成分の混合）を用いた直接 Coombs 試験は C3d 陽性となる．

CAD の臨床症状の発現には，寒冷凝集素の力価よりも，作用温度域や補体活性化能が重要である．たとえ力価は低くても 15 ～ 20℃以上など体温に近い領域でも活性を示す寒冷凝集素が産生される症例では，強い溶血症状を呈する．

CAD には特発性 CAD と続発性 CAD があり，両者は区別される．特発性 CAD は独立した B 細胞増殖性疾患（CAD 関連リンパ増殖性疾患）であり，寒冷凝集素はほとんどが単クローン性 IgM-κ 抗 I 抗体である．続発性 CAD は，既知のリンパ性腫瘍や感染症などに続発するものをいい，寒冷凝集素症候群（cold agglutinin syndrome：CAS）と呼称される[2]．リンパ腫に伴うものは単クローン性 IgM 抗 i 抗体，感染症に伴うものは多クローン性 IgM 抗 I/i 抗体が基本である．CAD 診断後は基礎疾患の検索が必須である．

3）PCH

IgG 型冷式抗体（**Donath-Landsteiner 抗体：D-L 抗体**）が原因であり，**P 血液型抗原**に反応する．D-L 抗体は補体（C1q）とともに低温環境で赤血球に結合し，温度が上がると D-L 抗体は赤血球から離れるが，残った C1q により古典的補体経路が活性化されることで溶血する（**血管内溶血**）．梅毒と関連するが，近年梅毒関連 PCH は激減しており，現在はウイルス感染後小児続発性 PCH と成人特発性 PCH がわずかにみられるのみである．

2 症候・身体所見

1）温式 AIHA

臨床症状はきわめて多様であり，強烈な貧血症状を呈する症例から，軽度のものまで幅広い．自覚症状としては全身倦怠感や動悸，労作時呼吸困難などの貧血症状がみられる．脾腫は 40％程度に認められ，黄疸はそれほど著明ではない．

2）CAD

全身倦怠感などの貧血症状と末梢循環障害による症状が認められる．低温部位での赤血球凝集に伴って，四肢末端，鼻尖，耳介などに**肢端チアノーゼ**が出現し，末梢の感覚障害や Raynaud 症状が認められる．感染後 CAD の場合は比較的急激に発症し，血管内溶血が強く，ヘモグロビン尿および高度の貧血で発症することが多い．

3）PCH

典型例では，寒冷曝露から数分～数時間後に背部痛，四肢痛，腹痛，頭痛などに引き続いてヘモグロビン尿と悪寒，発熱が認められる．小児続発性 PCH では，腹痛，四肢痛に伴って急激な溶血が起こり，場合によっては急性腎不全，心不全やショック症状をきたす．しかし多くの症例は発作性がなく，寒冷曝露との関連も希薄で，ヘモグロビン尿も必発といえないことから，名称とのイメージが違ってきている．

3 診断・検査

溶血性貧血であることを確認したうえで，特異的検査を施行して病型を確定する（**表 2**）[3]．溶血性貧血では，貧血のほかに，溶血に伴う赤血球造血の亢進を反映して網赤血球の著明な増加を認める．また，生化学検査では，間接ビリルビン値の上昇や血清 LD の増加，血清ハプトグロビンの低下を認める．骨髄では赤芽球系細胞の著しい過形成を認める．ただし，慢性 AIHA に伴った**無形成発作（aplastic crisis）**の場合は，骨髄赤芽球や網赤血球の著明な減少を認める．

1）温式 AIHA

確定診断には**直接 Coombs 試験**が必須である．広範囲直接 Coombs 試験（抗ヒト IgG 血清と抗ヒト補体モノクローナル抗体を混合したものを使用）を行い，陽性の場合はさらに特異的 Coombs 試験で赤血球膜上の IgG と補体成分（C3d）を確認する．IgG（± C3d）陽性であれば温式 AIHA と診断する．まれに Coombs 陰性の AIHA が存在するが，その場合は赤血球結合 IgG をフローサイトメトリー法で直接測定

◆表2　自己免疫性溶血性貧血（AIHA）の診断基準 厚生労働省 特発性造血障害に関する調査研究班（2022年度改訂）

A. 溶血性貧血の診断基準を満たす

B. 検査所見

以下の1または2を満たす

1. 広範囲抗血清による直接Coombs試験が陽性である
2. Coombs試験陰性例では，赤血球結合IgG高値［フローサイトメトリー(FCM) 法，RIA法にて診断］
   FCM法：カットオフ値16平均蛍光強度差，基準範囲：5.5-16.0
   RIA法：カットオフ値 赤血球当たり76.5 IgG分子，基準範囲：20-46

C. 病型分類

上記の診断のカテゴリーによってAIHAと診断するが，さらに抗赤血球自己抗体の反応至適温度によって，温式（37℃）の1）と，冷式（4℃）の2）および3）に区分する

1）温式自己免疫性溶血性貧血（温式AIHA）
　臨床像は症例差が大きい．特異抗血清による直接Coombs試験でIgGのみ，またはIgGと補体成分が検出されるのが原則であるが，抗補体または広スペクトル抗血清でのみ陽性のこともある．診断は2），3）の除外によってもよい

2）寒冷凝集素症（CAD）
　血清中に寒冷凝集素価の上昇があり，寒冷曝露による溶血の悪化や慢性溶血がみられる．特異抗血清による直接Coombs試験では補体成分が検出される

3）発作性寒冷ヘモグロビン尿症（PCH）
　ヘモグロビン尿を特徴とし，血清中に二相性溶血素［ドナート・ランドスタイナー（Donath-Landsteiner）抗体］が検出される．特異抗血清による直接Coombs試験では補体成分が検出される

D. 以下によって経過分類と病因分類を行うが，指定難病の対象となるのは，原則として慢性で特発性のAIHAを対象とする

急性：推定発病または診断から6ヵ月までに治癒する
慢性：推定発病または診断から6ヵ月以上遷延する
特発性：基礎疾患を認めない
続発性：先行または随伴する基礎疾患を認める

E. 参考所見

1）診断には赤血球の形態所見（球状赤血球，赤血球凝集など）も参考になる
2）特発性温式AIHAに特発性/免疫性血小板減少性紫斑病（idiopathic/immune thrombocytopenic purpura: ITP）が合併することがある（Evans症候群）．また，寒冷凝集素価の上昇を伴う混合型もみられる
3）寒冷凝集素症での溶血は寒冷凝集素価と相関するとは限らず，低力価でも溶血症状を示すことがある（低力価寒冷凝集素症）．直接凝集試験（寒冷凝集素症スクリーニング）が陰性の場合は，病的意義のない寒冷凝集素とほぼ判断できる
4）基礎疾患には自己免疫疾患，リウマチ性疾患，リンパ増殖性疾患，免疫不全症，腫瘍，感染症（マイコプラズマ，ウイルス）などが含まれる．特発性で経過中にこれらの疾患が顕性化することがあり，その時点で指定難病の対象からは外れる
5）薬剤起因性免疫性溶血性貧血でも広範囲抗血清による直接Coombs試験が陽性となるので留意する．診断には臨床経過，薬剤中止の影響，薬剤特異性抗体の検出などが参考になる

（文献3より引用）

する．骨髄での赤血球造血亢進を反映して，小型球状赤血球と多染性大赤血球（shift cellと呼ばれる）が混在するのが特徴であり，平均赤血球容積（MCV）はやや高値に傾くことが多いが，ときに自己凝集によって著明高値になることがある．

臨床症状，特異的検査でCAD，PCHを除外すれば温式AIHAと診断される．そのうえで基礎疾患の有無を検討して特発性か続発性かを判断する．

2）CAD

AIHAであることの診断は温式AIHAと同様である．特異的Coombs試験で補体成分（C3d）のみ陽性であれば冷式AIHAを疑い寒冷凝集素価（生食法，4℃）を測定する．64倍以上であった場合はCADと考えてよいが，直接凝集試験（direct agglutination test：DAggT）により診断を確実にする．また，末梢血塗抹標本で赤血球凝集像が認められるが，加温で凝集像が消失するのが特徴である．血清補体価は消費のために低値となる．以上の所見と，特徴的な臨床症状を考慮して診断する．

3）PCH

貧血，黄疸，網赤血球増加，ヘモグロビン尿など，血管内溶血性貧血の一般所見を認めるほか，血清補体価の低下，直接Coombs試験陽性（C3dに対する反応），Donath-Landsteiner試験によってD-L抗体を検出することで診断を確定する．

4 治療と予後

続発性AIHAの場合は，基礎疾患の病態改善が治療の基本である．なお，AIHAにおいては温式，冷式ともに血栓症のリスクが上昇するため，今後のAIHAの治療には貧血改善だけではなく，血栓症予防の観点

も必要と考えられる[4]．

1）温式 AIHA

初期治療では副腎皮質ステロイドの prednisolone 1.0 mg/kg/ 日が推奨される．高齢者の場合は減量投与（0.5 mg/kg/ 日）してもよい．通常 3 週間までに寛解（Hb 10.0 g/dL 以上）に達する．寛解が得られたら 1 ヵ月で初期投与量の約半量とし，その後は 1 ～ 2 週で 5 mg のペースで減量し 10 ～ 15 mg/ 日の初期維持量とする．その後さらにゆっくりと減量し平均 5 mg/ 日で維持量とする．増悪傾向が明らかとなれば，早めに中等量 0.5 mg/kg/ 日まで増量する．直接 Coombs 試験が数ヵ月以上陰性で溶血の再燃がみられなければ，ステロイドの終了を考慮する[4]．

セカンドライン治療として，抗 CD20 モノクローナル抗体製剤 rituximab（保険適用外）が推奨される．また，脾臓摘出術により完全寛解が期待できるが 3 分の 1 は脾摘後に再発し長期寛解（10 年以上）の可能性は不明である．免疫抑制薬として azathioprine，cyclophosphamide など（保険適用外）をステロイド薬と併用してもよい．

貧血が高度であれば赤血球輸血も考慮されるが，輸血された赤血球に患者の持つ抗体が反応して溶血を起こすリスクが存在するため，輸血はできる限り避けるのが望ましいとされる．しかし薬物療法が効果を発揮するまで救命的な輸血は機を失することなく行う必要がある．若年者で進行が緩徐であればヘモグロビン濃度を 4 g/dL 以上，50 歳以上では 6 g/dL 以上を保つように輸血を行うことも提唱されている．なお，抗体の干渉により，輸血に必須である血液型や交差適合試験の判定自体が困難になる場合も多い．

特発性 AIHA の場合，わが国では副腎皮質ステロイドを用いた治療によって最終的に約 75％が，見かけ上の治癒を含む血液学的寛解に入り，予後は比較的良好である（5 年生存率 80％）．しかし，10 ～ 20 年後に隠れていた基礎疾患が顕在化する症例が約 30％に認められており［半数以上が全身性エリテマトーデス（SLE)］，注意が必要である．また，約半数の症例は維持療法として長期にわたる免疫抑制療法が必要になっている．AIHA の合併症は副腎皮質ステロイドや免疫抑制薬の長期使用に関連して発生することが多く，B 型肝炎の再活性化，感染症，消化性潰瘍，心・脳血管障害，糖尿病，高血圧，骨粗鬆症などが挙げられるが，これらは死因にも結びつくため注意が必要である．

なお，続発性温式 AIHA の場合，予後は基礎疾患の性質に左右される．わが国の報告では，膠原病の場合，予後は比較的良好で 5 年生存率約 90％であるが，リンパ系腫瘍に合併したものは 5 年生存率約 20％であり，予後は悪い．また，抗体の産生が刺激される例として固形癌の合併もまれではなく，悪性疾患をスクリーニングし早期診断・早期治療をすることが予後の改善につながる．

2）CAD

特発性 CAD では寒冷曝露の回避と保温が治療の基本であるが，寒冷回避でも改善しない中等症以上の症例では薬物療法も検討する．副腎皮質ステロイドの有効性は乏しく，長期投与による副作用を避けるため，副腎皮質ステロイドは投与しないことが推奨される．溶血性貧血に対して補体 C1s を標的とした遺伝子組換えヒト化 IgG4 モノクローナル抗体（sutimlimab：保険適用）あるいは B 細胞を標的とした薬剤（rituximab 単独，rituximab ＋ bendamustine 併用：適応外使用）が選択されるが，優劣を示すデータに乏しい．末梢循環不全症状が強い場合は B 細胞を標的とした薬剤が考慮される．感染症に伴う続発性 CAD では，原則として保存療法によって自然軽快を待つ．発症後 2 ～ 3 週で症状は消失し治癒することが期待できる．

CAD 患者では 37℃でのクロスマッチにより適合する赤血球製剤をみつけることができる場合が多いが，輸血時に生体内が冷却されると，ドナー赤血球だけでなく患者赤血球も凝集・溶血を起こす可能性がある．輸血時に輸血・血液加温器を使用することが推奨される．

3）PCH

特発性 PCH では根治療法はなく，保温に気をつける．小児感染続発例では発症から数日～数週間で症状は消失し，慢性化や再燃は認められない．急性期の溶血を克服することができれば予後は良好である．

■文　献■

1）Dacie J: The haemolytic anaemias, Vol 3: The autoimmune haemolytic anaemias, 3rd ed, Churchill Livingstone, Tokyo, 1992
2）Berentsen S et al: Biomed Res Int **2015**:363278, 2015
3）厚生労働省 特発性造血障害に関する調査研究班（研究代表者：三谷絹子）：自己免疫性溶血性貧血診療の参照ガイド 令和 4 年度改訂版，2023
4）植田康敬：臨血 **63**: 608, 2022

5 発作性夜間ヘモグロビン尿症

到達目標

- 溶血の発生機序や臨床的特徴を理解し，的確に診断できる
- 溶血以外の病態（血栓症や造血不全）を理解する
- 病態に応じた適切な治療選択を行うことができる

1 病因・病態・疫学

発作性夜間ヘモグロビン尿症（paroxysmal nocturnal hemoglobinuria：PNH）は，造血幹細胞の後天性 ***PIG-A*** **遺伝子**変異を特徴とするクローン性疾患であり，溶血，血栓症，造血不全を主病態とする．*PIG-A* はX染色体（p22.1）に存在し，細胞膜糖脂質であるグルコシルホスファチジルイノシトール（glycosylphosphatidylinositol：GPI）アンカーの初期合成にかかわる糖転移酵素複合体の一部をコードしている．その変異はGPIアンカーの合成不全をもたらし（**図1A**），その結果，GPIアンカー結合型の膜蛋白質（**GPIアンカー型蛋白質**）の発現が障害され，約20種類のGPIアンカー型蛋白質がPNH血球膜から欠損する（**図1B**）．なかでも補体制御因子である**CD55**（**decay-accelerating factor：DAF**）および**CD59**の欠損は，PNH赤血球の補体感受性を著しく亢進させ，PNH特有の血管内溶血を引き起こす．PNH溶血が**補体介在性溶血**（以下，補体溶血）であることは，先天性補体C9欠損症を合併したPNH患者では溶血発作を認めないことや，わが国で2010年に上市された補体C5に対するヒト化単クローン抗体 **eculizumab** が溶血を阻止することからも明白である[1]．生体内では，わずかながらも常に補体第二経路が活性化されており，これに伴いPNHでは持続的な慢性溶血を認める．さらに感染症，夜間，妊娠，手術，ビタミンC過剰摂取などの種々の誘因により一時的に補体が強く活性化されると，大量の溶血により肉眼的なヘモグロビン（Hb）尿を認め，いわゆる溶血発作として臨床的に捉えられる．溶血発作時は，血管内溶血で生じた血漿遊離Hb（遊離Hb）の腎過剰負荷による急性腎障害，遊離Hbのnitric oxide（NO）捕捉・除去作用による血管平滑筋や消化管平滑筋の攣縮に伴う諸症状や血栓症などの危険性が高まる（**図2**）．

溶血以外では，血栓症の発生機序が徐々に明らかになりつつある．これまで，①PNHでは血小板，赤血球あるいは血管内皮由来のmicroparticlesが増加しており，露出されたリン脂質（phosphatidylserine）がprothrombinase活性化の場を与えることで向血栓に傾く，②血管内溶血で発生する遊離Hbが直接，あるいはNO吸着作用を介して間接的に血小板活性化を促す（**図2**），③GPIアンカー型蛋白質であるurokinase型プラスミノゲンアクチベーター受容体［u-PAR（CD87）］の膜欠損および遊離u-PARの患者血中への放出増加によりプラスミン生成が阻害され血栓溶解が遅延する，などの複数の要因が血栓形成にかかわると説明されているが，いずれも *PIG-A* 変異との関連が深い．これは，PNHクローンの割合が多い患者ほど血栓症合併の頻度が高く，eculizumabで補体活性化を阻止すると溶血のみならず血栓症イベントも明らかに減少することからも裏づけられる．一方，PNHでは，診断時にすでに約9割で貧血，4～7割で白血球（好中球）減少，5～6割で血小板減少を認め，汎血球減少もしばしば認められる[2]．PNHでは好中球や血小板の寿命は正常であることや，eculizumab投与後も好中球数や血小板数の改善は認めないことから，これら血球減少は補体による障害よりも造血障害を反映すると考えられる．骨髄像は低形成から赤芽球過形成までさまざまであるが，血球減少を認めない場合でも骨髄前駆細胞が減少しており，事実上，すべてのPNH患者でさまざまな程度の造血障害が存在している．またPNHの30～40%は**再生不良性貧血**（aplastic anemia：AA）の経過中に発症し，**AA-PNH症候群**としてよく知られている．AAでは

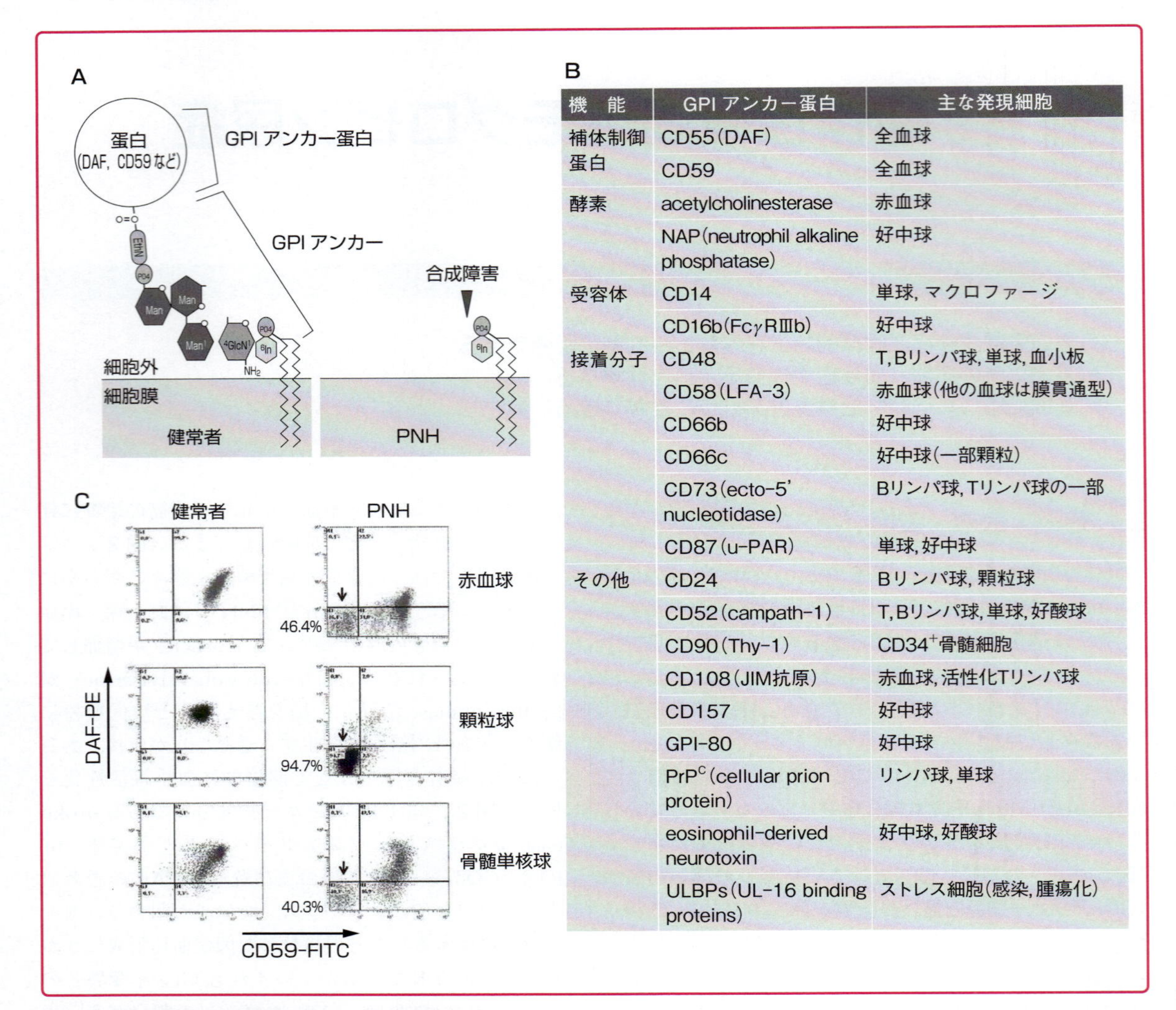

B

機　能	GPI アンカー蛋白	主な発現細胞
補体制御蛋白	CD55(DAF)	全血球
	CD59	全血球
酵素	acetylcholinesterase	赤血球
	NAP(neutrophil alkaline phosphatase)	好中球
受容体	CD14	単球, マクロファージ
	CD16b(FcγRⅢb)	好中球
接着分子	CD48	T, Bリンパ球, 単球, 血小板
	CD58(LFA-3)	赤血球(他の血球は膜貫通型)
	CD66b	好中球
	CD66c	好中球(一部顆粒)
	CD73(ecto-5' nucleotidase)	Bリンパ球, Tリンパ球の一部
	CD87(u-PAR)	単球, 好中球
その他	CD24	Bリンパ球, 顆粒球
	CD52(campath-1)	T, Bリンパ球, 単球, 好酸球
	CD90(Thy-1)	CD34⁺骨髄細胞
	CD108(JIM抗原)	赤血球, 活性化Tリンパ球
	CD157	好中球
	GPI-80	好中球
	PrP^C(cellular prion protein)	リンパ球, 単球
	eosinophil-derived neurotoxin	好中球, 好酸球
	ULBPs(UL-16 binding proteins)	ストレス細胞(感染, 腫瘍化)

◆図 1　PNH 分子異常と PNH 血球の検出

A：GPI アンカーの構造と PNH における合成障害部位. *PIG-A* 遺伝子産物は, GPI アンカー合成の最初のステップである *N*-acetylglucosamine を phosphatidylinositol に転移する酵素複合体の触媒ユニットとして作用する. PNH では, *PIG-A* 変異によりこのステップが障害され, 結果的に GPI アンカー結合型の膜蛋白（GPI アンカー蛋白）の発現が障害される. **B**：PNH 血球で欠損する GPI アンカー蛋白. **C**：2 カラーフローサイトメトリーによる PNH 細胞の検出. DAF および CD59 は, 正常では全血球に発現するため（左図）, 両者が同時に欠損する PNH 細胞を検出するよいマーカーとして広く用いられている. 右図の矢印は同一患者由来の PNH 赤血球（46.4%）, PNH 顆粒球（94.7%）, PNH 骨髄単核球（40.3%）を示す. この症例のように PNH 赤血球の比率は, 溶血あるいは輸血による希釈効果により, PNH 顆粒球の比率より低値を示すことが多い.

[川口辰哉：発作性夜間ヘモグロビン尿症. 血液専門医テキスト, 第 3 版, 日本血液学会（編）, 南江堂, p.188, 2019 より転載]

造血幹細胞に対する自己免疫学的攻撃により, その攻撃を回避するクローンが相対的に濃縮され, クローン性造血がしばしば認められる. PNH クローンはこのような免疫攻撃を回避することで選択的に拡大して発症にいたると想定されており, 造血不全は PNH 発症にむしろ必須の基礎病態と考えられるようになっている[3].

PNH は元来まれな疾患であり, 推定有病率は 100 万人に 1 ～ 5 人とされる. 男女比はほぼ 1：1, 発症年齢は 10 ～ 80 歳代までまんべんなく分布し, その中央値は欧米では 30 歳代に対し, わが国では 40 歳代とやや高い傾向を認める.

2 症候・身体所見

PNH の初発症状として, Hb 尿, 腹痛, 感染症,

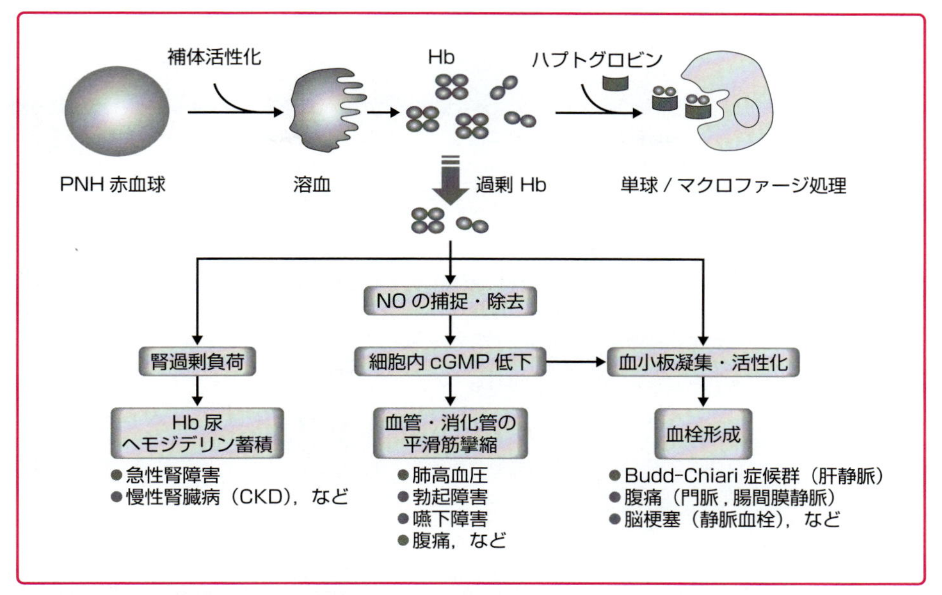

◆**図 2　血管内溶血で生じた遊離 Hb の病的作用**
［川口辰哉：発作性夜間ヘモグロビン尿症．血液専門医テキスト，第 3 版，日本血液学会（編），南江堂，p.189，2019 より転載］

血栓症，貧血症状，血球減少などを認め，診断のきっかけとなる．わが国では，病名の由来となった Hb 尿を最初から認める患者は約 30％にすぎず，むしろ血球減少の頻度が高い．一方，欧米では血栓症で発症することもまれではなく，血栓症の原因として PNH を忘れてはならない．血栓部位は，腹腔内の深部静脈（肝静脈，腸間膜静脈，門脈）や脳静脈などの静脈血栓が比較的多い．経過中は，造血不全の進行，血栓症，重症感染症などが問題となるが，数％は骨髄異形成症候群（myelodysplastic syndromes：MDS）や白血病などの新たなクローン性疾患を発症する．この白血病発生率は，年齢をマッチさせた健常者の 100 倍以上とされ，PNH はいわゆる前白血病状態と捉えることもできる．身体所見では，溶血による黄疸を認める場合があるが，遊離 Hb が尿中に喪失するため比較的軽度であり，通常は脾腫も認めない．

3 診断・検査

以上の臨床症状に加え，一般検査では，①溶血性貧血に関する検査値異常（貧血，網赤血球増加，骨髄赤芽球増加，間接ビリルビンや LD の高値，ハプトグロビン低値，ただし Coombs 試験は陰性），②血管内溶血を反映する検査値異常（尿・血清の遊離 Hb や尿沈渣のヘモジデリン陽性），③ GPI アンカー型蛋白質欠損の間接的証明（好中球アルカリホスファターゼスコア低値，赤血球アセチルコリンエステラーゼ活性低値）により PNH を強く疑い，PNH 特異検査として，④ GPI アンカー型蛋白質欠損の直接的証明［フローサイトメトリー（FCM）法による PNH 血球の検出］により，診断を確定する（**図 1C**）．溶血主体の典型的な PNH を古典的 PNH と称し，AA-PNH 症候群に代表されるように造血不全が高度な場合を骨髄不全型 PNH とするが，実際には区別が困難な例も多い．また，高感度に PNH タイプ血球を検出できる FCM 法を用いると，AA や MDS の患者でも，しばしば微少な PNH タイプ血球が検出される．このような PNH タイプ血球陽性の骨髄不全症は，溶血所見は明白ではないが，広い意味で PNH の一亜型と捉えられる．このような背景から，国際 PNH 専門家会議より造血不全病態を加味した病型分類が提唱され[4]，これを受けて厚生労働省特発性造血障害に関する調査研究班から新たな診断基準や重症度分類が示され，2023 年に最新の改訂版が公表された[5]（**表 1**）．なお，2015 年 1 月 1 日より PNH は医療費助成対象疾病（指定難病）となっており，診断が確定したら申請を考慮する．

◆表 1　PNH の診断基準（令和 4 年度改訂）

A. 検査所見
以下の 1）かつ 2）を満たす
1）グリコシルホスファチジルイノシトール（GPI）アンカー型膜蛋白の欠損赤血球（PNH タイプ赤血球）の検出と定量において，PNH タイプ赤血球（II 型 +III 型）が 1% 以上
2）血清 LDH 値が正常上限の 1.5 倍以上
〈診断のカテゴリー〉Definite: A を満たすもの
B. 補助的検査所見
以下の検査所見がしばしばみられる
1）貧血及び白血球，血小板の減少
2）溶血所見としては，血清 LDH 値上昇，網赤血球増加，間接ビリルビン値上昇，血清ハプトグロビン値低下が参考になる
3）尿上清のヘモグロビン陽性，尿沈渣のヘモジデリン陽性
4）好中球アルカリホスファターゼスコア低下，赤血球アセチルコリンエステラーゼ低下
5）骨髄赤芽球増加（骨髄は過形成が多いが低形成もある）
6）Ham（酸性化血清溶血）試験陽性または砂糖水試験陽性
7）直接 Coombs 試験が陰性*1
C. 参考所見
1）骨髄穿刺，骨髄生検，染色体検査等によって下記病型分類を行うが，必ずしもいずれかに分類する 必要はない
（1）古典的 PNH
（2）骨髄不全型 PNH
（3）混合型 PNH*2
2）PNH Definite は，臨床的 PNH と同義語であり，溶血所見が明らかでない微少 PNH タイプ血球陽性の骨髄不全症（subclinical PNH）とは区別される

*1 直接 Coombs 試験は，eculizumab または ravulizumab 投与中の患者や自己免疫性溶血性貧血を 合併した PNH 患者では陽性となることがある.
*2 混合型 PNH とは，古典的 PNH と骨髄不全型 PNH の両者の特徴を兼ね備えたり，いずれの特徴も不十分で，いずれかの分類に苦慮したりする場合に便宜的に用いる.
（文献 5 より引用）

◆表 2　PNH の溶血所見に基づいた重症度分類（令和 4 年度改訂）

軽　症	下記以外
中等症	以下のいずれかを認める 溶血 ・中等度溶血*1，または時に溶血発作*2 を認める
重　症	以下のいずれかを認める 溶血 ・高度溶血*3，または恒常的に肉眼的ヘモグロビン尿を認めたり頻回に溶血発作*2 を繰り返す ・定期的な輸血を必要とする*4 溶血に伴う以下の臓器障害・症状 ・血栓症またはその既往を有する（妊娠を含む*5） ・透析が必要な腎障害 ・平滑筋調節障害：日常生活が困難で，入院を必要とする胸腹部痛や嚥下障害（嚥下痛，嚥下困難） ・肺高血圧症*6

*1 中等度溶血の目安は，血清 LDH 値で正常上限の 3 ～ 5 倍程度
*2 溶血発作とは，肉眼的ヘモグロビン尿を認める状態を指す.
時にとは年に 1 ～ 2 回程度，頻回とはそれ以上を指す.
*3 高度溶血の目安は，血清 LDH 値で正常上限の 8 ～ 10 倍程度.
*4 定期的な赤血球輸血とは毎月 2 単位以上の輸血が必要なときを指す.
*5 妊娠は溶血発作，血栓症のリスクを高めるため，重症として扱う.
*6 右心カテーテル検査にて，安静仰臥位での平均肺動脈圧が 25mmHg 以上.
（文献 5 より引用）

4 治療と予後

PNH の根治療法は同種造血幹細胞移植のみであるが，適応は生命予後にかかわる重篤な骨髄不全を伴う若年者などに限られる．通常は各病態に応じた治療を行う．

溶血の治療は，慢性溶血と**溶血発作**に分けて対応する．溶血発作時は，補体活性化の誘因をできるだけ除去し（例：感染症に対する抗菌薬投与），肉眼的 Hb 尿が消失するまでハプトグロビン製剤投与や補液により腎保護に努め，必要に応じて赤血球輸血により貧血の改善を試みる．慢性溶血に対しては，貧血が軽度で無症状の場合は無治療で経過をみる．Hb 尿により鉄喪失が生じやすいため，高度鉄欠乏の場合は鉄剤を少量から開始する（急激な造血回復は異常赤血球も増加させて溶血が悪化するため）．溶血が高度で輸血依存となるなど著しく生活の質が低下した患者や，溶血が原因で臓器障害を来した中等症例，生命予後を左右する血栓症を合併する患者などの重症例は，抗 C5 抗体薬である eculizumab（ソリリス®），ravulizumab（ユルトミリス®）のよい適応になる（**表 2**）．通常は，治療開始後早期に効果を認め，LD は基準値付近まで低下するが，日本人の 3% 程度に認められる C5 遺伝子多型が原因による eculizumab，ravulizumab 不応例を認めることがあるので注意が必要である．治療中は補体抑制による髄膜炎菌感染のリスクが高まるため，少なくとも投与開始 2 週間前までには髄膜炎菌ワクチンの接種が義務づけられている．抗 C5 抗体薬は PNH における血管内溶血を大幅に改善するが，輸血依存からの脱却は半数程度に留まるという報告がある．これは，補体活性化経路を C5 で阻害した結果，上流に位置する C3 が PNH 赤血球に蓄積し，主に肝臓の kupffer 細胞で貪食される血管外溶血をきたすためである．現在 PNH に対して，C5 より上流の補体経路を阻害する薬剤（近位阻害薬）として補体 B 因子や D 因子，C3 を阻害するものが臨床開発されている．いずれも C5 阻害薬に対してより良好な貧血改善効果が報告されているが，長期的な安全性や，溶血発作（breakthrough hemolysis）の危険性については今後の検証が必要である．

血栓症に対しては，急性期は heparin の持続点滴，慢性期は warfarin による抗凝固療法が用いられる．予防に関しては抗 C5 抗体薬により大幅にリスクが低下することが報告されている．造血不全が高度な場合は，AA に準じた免疫抑制療法や，蛋白同化ステロイド薬などが行われる．

予後に関しては，厚生労働省の特発性造血障害に関する調査研究班の日米比較調査によれば，平均生存期間はわが国が 32.1 年と，米国の 19.4 年より長かったが，50%生存率では前者が 25 年，後者が 23.3 年と差がなかった[2]．死因に関しては，わが国では重症感染症（36.8 %）＞出血（23.7 %）＞腎不全（18.4 %）＞ MDS/ 白血病（15.8%）＞血栓症（7.9%）と造血不全に関連する死因が多いのに対し，米国では血栓症（42.1%）＞重症感染症（36.8%）＞出血（10.5%）＞腎不全＝ MDS/ 白血病（7.9%）と血栓症が最も多かった．他の欧米諸国からの報告も同様の傾向であり，欧米とわが国とで主死因が大きく異なるのは，血栓症の合併率の違い（欧米 30 ～ 40%，日本 10%）を反映すると思われるが，これらの人種間の違いの理由は不明である．Eculizumab 導入により，貧血改善のみならず血栓症合併が減少し，腎不全の悪化が阻止されることで，生命予後が同年代の健常者コントロールと同様に改善されたという英国の報告もある．抗補体薬継続により，PNH 患者の長期予後改善が期待されている．

文　献

1) Hillmen P et al: N Engl J Med **355**: 1233, 2006
2) Nishimura J et al: Medicine（Baltimore）**83**: 193, 2004
3) Sun L et al: Blood **136**: 36, 2020
4) Parker C et al: Blood **106**: 3699, 2005
5) 厚生労働省 特発性造血障害に関する調査研究班（研究代表者：三谷絹子）：発作性夜間ヘモグロビン尿症．特発性造血障害疾患の診療の参照ガイド 令和 4 年改訂版，2023

6 成人特発性再生不良性貧血

到達目標

- 再生不良性貧血（AA）の病因・病態を理解し，汎血球減少症をきたす他の疾患を鑑別して診断することができる
- 重症度や年齢に応じた治療を適切に選択することができる

1 病因・病態・疫学

再生不良性貧血（aplastic anemia：AA）は，末梢血の汎血球減少と骨髄の低形成を特徴とする．AA の発症メカニズムは，①造血幹細胞自体の異常，②**免疫学的機序による造血幹細胞の傷害**，③造血微小環境の異常の 3 つが想定されているが，大多数の患者は②の免疫病態が原因と考えられている．これには，IFN-γ や TNF-α などのサイトカインによる非特異的な造血抑制のほか，骨髄中の何らかの抗原に反応して増殖した T 細胞による正常造血幹細胞への直接的な攻撃が想定されている[1]．ただし，造血幹細胞上の標的抗原は，まだ明らかにされてはいない．

本症は先天性と後天性に分類される．Fanconi 貧血や先天性角化不全症などの先天性 AA は小児期に多いが，成人診断例もみられる．一方，後天性 AA のほとんどは特発性であるが，薬物，化学物質，放射線，妊娠などによる二次性 AA もある．また，特殊型として，発作性夜間ヘモグロビン尿症（paroxysmal nocturnal hemoglobinuria：PNH）に伴うもの（AA-PNH 症候群）や，肝炎関連 AA がある．肝炎関連 AA の原因ウイルスは明らかでないが，その病態は免疫学的機序による造血幹細胞の傷害である．

AA の発症頻度は欧米に比べアジアで高いものの，わが国における罹患率は 8.3（/100 万人年）程度にすぎない[2]．女性にやや多く（女 / 男 = 1.2），男女とも 10 ～ 20 歳代と 70 ～ 80 歳代にピークがある[2]．

2 症候・身体所見

貧血・感染症に伴う発熱・出血傾向が三大症状であるが，**発症経過によって主となる症状は異なる**．突然発症する急性型では発熱や出血傾向が初発症状となることが多く，貧血はむしろ軽度である．一方，ゆっくり進行する慢性型では，貧血が高度の割には自覚症状が乏しいことが多い．

3 診断・検査

1）検　査

a）血液検査

汎血球減少を認める．**発病初期は血小板減少のみの例も多い**．貧血は通常，正球性であるが，慢性型では軽度の大球性を示すことが多い．網赤血球は貧血の程度に見合った増加を認めない．血小板造血の指標である未成熟血小板割合（IPF％）は通常低下している．白血球減少は主に顆粒球減少によるもので，相対的にリンパ球比率が高くなる．重症例ではリンパ球の絶対数も減少する．

鉄の利用が低下するため，血清鉄高値，不飽和鉄結合能低値，血清フェリチン高値など鉄過剰状態の所見を認める．血清エリスロポエチンは高値となる．

b）骨髄検査

細胞密度の正しい評価のために，必ず骨髄生検を併用する．典型的な AA では，細胞成分が著減し脂肪組織に置き換わっている．しかし，ゆっくり進行する**慢性型では，穿刺部位によっては細胞数が正常か，むしろ代償性に増加**していることがある．その場合でも**巨核球は減少**している．造血細胞の異形成は顕著ではないが，赤芽球系の形態異常はしばしば認められる．なお，微小巨核球の増加は骨髄異形成症候群（myelodysplastic syndromes：MDS）であることを強く示唆する所見である．

c）染色体検査

形態学的に典型的なAAと診断した症例であっても，診断時あるいは経過中に染色体異常を約10%で認める．7番関連の染色体異常（特にmonosomy 7）は予後不良を示唆する．一方，trisomy 8の一部やdel（13q）単独例では免疫抑制療法の有効率が高いことが報告されている．経過中に染色体異常が消失する例もある．

d）MRI

細胞密度の評価にはMRIが有用である．典型例のT1強調画像では，骨髄の脂肪組織増加のため均一で非常に強い高信号を示す．症例によっては残存する造血巣を反映して，高信号のなかに島状の低信号域を認めることがある．STIR法では骨髄細胞の減少を反映してびまん性低信号となるが，島状の残存造血巣は高信号となる．

e）微少PNH型血球の検出

高感度フローサイトメトリーを用いてAA患者の末梢血を調べると，約半数の患者に微少のPNH型血球（顆粒球の0.003%以上，赤血球の0.005%以上）が検出される．PNH型血球が検出される例は免疫抑制療法の有効率が高く，クローン性造血を示す頻度が低いと報告されている．

2）診　断

特発性造血障害に関する調査研究班の診断基準を示す（**表1**）[2]．Hb10 g/dL未満，好中球1,500/μL未満，血小板10万/μL未満のうち少なくとも2つ以上を満たし，骨髄が低形成で，汎血球減少をきたす他の疾患が除外されればAAと診断する．なお，免疫病態が関与したAAでは，血小板減少が先行していることが多く，診断時に血小板数が10万/μL以上の場合は，他の疾患を慎重に鑑別する．特に，芽球の増加を伴わないMDSの鑑別はしばしば困難である．「低形成ではない」「軽度の異形成所見を認める」「染色体異常がある」などの理由のみで，安易にMDSと診断してはならない．

4 治療と予後

1）重症度基準

AAは重症度によって予後や治療方針が異なるため，診断確定後は血球減少の程度によって重症度を判

◆表1　再生不良性貧血の診断基準（平成28年度改訂）

1. 臨床所見として，貧血，出血傾向，ときに発熱を認める．

2. 以下の3項目のうち，少なくとも2つを満たす．
　①ヘモグロビン濃度；10.0 g/dL未満 ②好中球；1,500/μL未満 ③血小板；10万/μL未満

3. 汎血球減少の原因となる他の疾患を認めない．汎血球減少をきたすことの多い他の疾患には，白血病，骨髄異形成症候群，骨髄線維症，発作性夜間ヘモグロビン尿症，巨赤芽球性貧血，がんの骨髄転移，悪性リンパ腫，多発性骨髄腫，脾機能亢進症（肝硬変，門脈圧亢進症など），全身性エリテマトーデス，血球貪食症候群，感染症などが含まれる．

4. 以下の検査所見が加われば診断の確実性が増す．
　1）網赤血球や未成熟血小板割合の増加がない．
　2）骨髄穿刺所見（クロット標本を含む）は，重症例では有核細胞の減少がある．非重症例では，穿刺部位によっては有核細胞の減少がないこともあるが，巨核球は減少している．細胞が残存している場合，赤芽球にはしばしば異形成があるが，顆粒球の異形成は顕著ではない．
　3）骨髄生検所見で造血細胞割合の減少がある．
　4）血清鉄値の上昇と不飽和鉄結合能の低下がある．
　5）胸腰椎体のMRIで造血組織の減少と脂肪組織の増加を示す所見がある．
　6）発作性夜間ヘモグロビン尿症形質の血球が検出される．

5. 診断に際しては，1.，2. によって再生不良性貧血を疑い，3. によって他の疾患を除外し，4. によって診断をさらに確実なものとする．再生不良性貧血の診断は基本的に他疾患の除外による．ただし，非重症例では骨髄細胞にしばしば形態異常がみられるため，芽球・環状鉄芽球の増加や染色体異常がない骨髄異形成症候群との鑑別は困難である．このため治療方針は病態に応じて決定する必要がある．免疫病態による（免疫抑制療法がききやすい）骨髄不全かどうかの判定に有用な可能性がある検査所見として，PNH型血球・HLAクラスⅠアレル欠失血球の増加，血漿トロンボポエチン高値（320 ng/mL）などがある．

（文献2より引用）

定する．2018年に改訂されたわが国の重症度基準を**表2**に示す[2)]．

2）治療方針

各重症度における治療法の選択については，特発性造血障害に関する調査研究班が公表している「再生不良性貧血診療の参照ガイド令和4年度改訂版」[2)] を参考にする．

a）軽症（stage 1）および輸血不要の中等症（stage 2a）に対する治療（図1）[2)]

これらは輸血を必要とせず自覚症状もほとんどないことから，従来は積極的な治療が先送りされがちだった．しかし，長い罹病期間を経て輸血依存となった患者に免疫抑制療法を行っても造血回復が得られる可能性はきわめて低いことから，参照ガイドでは，輸血を必要としない例であっても，診断確定後速やかにciclosporin（CsA）を開始することが推奨されている．一方，貧血および白血球減少で診断基準を満たしても，血小板数が10万/μL以上ある例は一般に免疫病態の関与が乏しいので，経過観察か蛋白同化ステロイドの投与を選択する．CsA投与中は腎機能の悪化や高血圧症の合併に注意する．多毛や歯肉腫脹を訴える患者も多い．蛋白同化ステロイドの投与中は肝障害や男性化徴候（嗄声・多毛など）の出現に注意する．

なお，抗胸腺細胞グロブリン（anti-thymocyte globulin：ATG）は血小板輸血が必須のため，赤血球輸血を必要としないstage 2aでは推奨されていない．CsAが無効であった輸血非依存例に対してはトロンボポエチン受容体作動薬［eltrombopag（EPAG）またはromiplostim（ROMI）］の追加あるいは変更が提案されている．

b）輸血が必要な中等症（stage 2b）およびやや重症以上（stage 3～5）に対する治療（図2）[2)]

これらの重症度に対しては，同種造血幹細胞移植やATGを含む強力な免疫抑制療法が積極的に選択される．どちらの治療法を選択するかは，患者の年齢とHLA適合同胞ドナーの有無が鍵となる．

40歳未満でHLA適合同胞ドナーを有する患者では，一般に同種骨髄移植が第一選択とされている．移植後の5年生存率は80％以上である．免疫抑制療法でもほぼ同等の長期生存が得られるものの，海外の報告では再発が約30％，MDS，急性骨髄性白血病，PNHへの病型移行が約10％に認められ，HLA適合同胞ドナーからの骨髄移植に比べてfailure-free survivalが劣る．しかし，移植では早期の治療関連死亡が10～20％あり，移植片対宿主病（graft-versus-host disease：GVHD）による生活の質（quality of life：QOL）の低下に加えて，二次性悪性腫瘍合併や不妊のリスクもある．したがって，若年患者であっても，移植あるいは免疫抑制療法を受けた場合のrisk and benefitをよく説明し，患者自身の意向も尊重して治療法を選択する．

移植に伴う治療関連毒性が強い40歳以上の患者や，40歳未満であってもHLA適合同胞ドナーが得られない患者では，ATG＋CsA＋EPAGによる免疫抑制療法が優先される[3)]．ただし，EPAG併用例におい

◆表2　再生不良性貧血の重症度基準（平成29年度修正）

stage 1	軽　症	下記以外で輸血を必要としない．
stage 2	中等症	以下の2項目以上を満たし， a　赤血球輸血を必要としない． b　赤血球輸血を必要とするが，その頻度は毎月2単位未満． 網赤血球 60,000/μL未満 好中球 1,000/μL未満 血小板 50,000/μL未満
stage 3	やや重症	以下の2項目以上を満たし，毎月2単位以上の赤血球輸血を必要とする． 網赤血球 60,000/μL未満 好中球 1,000/μL未満 血小板 50,000/μL未満
stage 4	重　症	以下の2項目以上を満たす． 網赤血球 40,000/μL未満 好中球 500/μL未満 血小板 20,000/μL未満
stage 5	最重症	好中球200/μL未満に加えて，以下の1項目以上を満たす． 網赤血球 20,000/μL未満 血小板 20,000/μL未満

（文献2より引用）

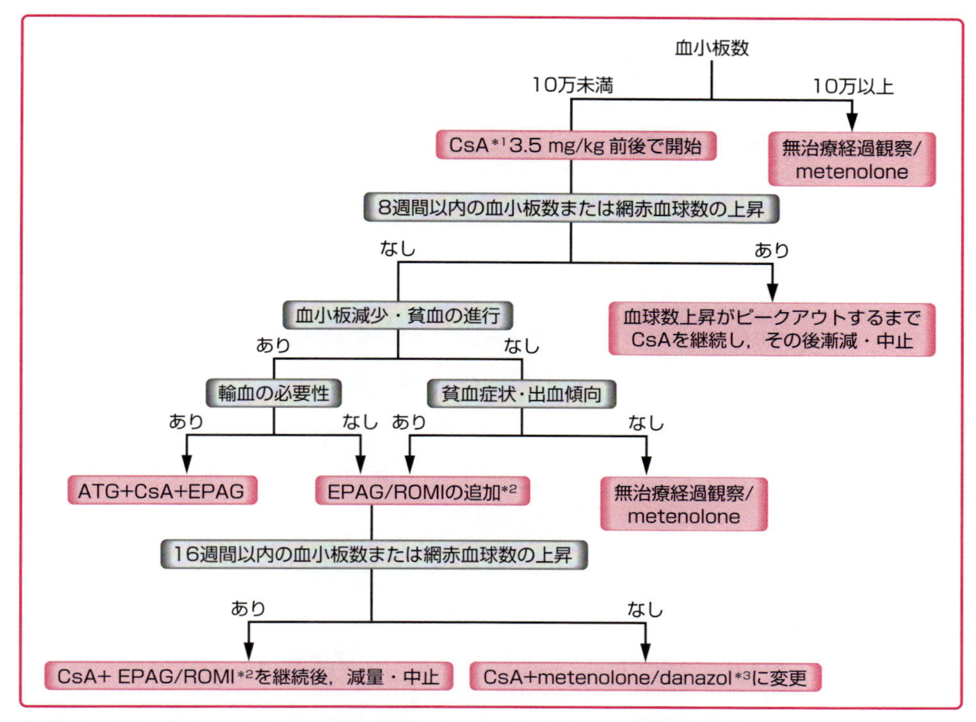

◆図 1　軽症（stage 1）および中等症（stage 2a）に対する治療指針

*1：食前分 2 で開始し，内服後 2 時間目の血中濃度が 600 ng/mL 以上となる最小用量を投与する．

*2：この重症度に対するトロンボポエチン受容体作動薬の有用性は少数例での治験に基づくものであるためエビデンスレベルは低い．

*3：保険適用外

CsA：ciclosporin，ATG：抗胸腺細胞グロブリン，EPAG：eltrombopag，ROMI：romiplostim，「/」は「または」

（文献 2 より引用）

て，monosomy 7 などの染色体異常が新たに出現する例が報告されている[4]．こうした免疫抑制療法後の clonal evolution が EPAG 併用によって助長されるか否かはいまだ明らかではない．ATG 投与後は**EB ウイルスの再活性化**が問題となる．定期的に EB ウイルス-DNA 量をモニタリングし，EB ウイルス関連 B リンパ増殖性疾患の合併に留意する．

免疫抑制療法施行後 6 ヵ月を経過しても無効の場合は再度免疫抑制療法を試みるか，移植を考慮する．欧米では ATG 投与後 3 ヵ月以内に反応が得られなかった例に対しては ATG の再投与が一般的であるが，わが国では再投与の有用性が確認されておらず，late responder の存在も指摘されているため，**少なくとも 6 ヵ月間は再投与を避けるべき**である．ATG 再投与の有効性は，欧州では 60 ～ 70％と高いが，わが国では約 20％前後にすぎない．再発例に対しては，初回治療の免疫抑制効果が不十分であった可能性があるため，ATG 再投与の効果は期待できるが，こうした所見がみられない場合はいたずらに ATG 療法を繰り返すことなく，早期に移植を検討する必要がある．なお，再発例の多くは CsA の早期中止が原因と考えられる．**血球回復が得られても，腎機能の悪化に注意しながら CsA は少なくとも 1 年間は継続**し，血球数の増加の頭打ちを確認後，2 ～ 3 ヵ月ごとに 0.5 ～ 1 mg/kg ずつのペースで減量するとよい．

免疫抑制療法やトロンボポエチン受容体作動薬が無効で HLA 適合同胞ドナーが得られない例では，骨髄バンクドナーからの非血縁者間移植を考慮する．骨髄バンクドナーさえもみつからない場合は，臍帯血移植や HLA 半合致血縁ドナーからの移植も選択肢に挙がる．

移植前処置は cyclophosphamide（CY）大量 + ATG が一般的であったが，最近は心毒性の軽減を図るために CY を減量し，代わりに fludarabine を追加するレジメンを選択されることが多い[5]．なお，末梢血幹細胞移植では慢性 GVHD 増加により治療成績が

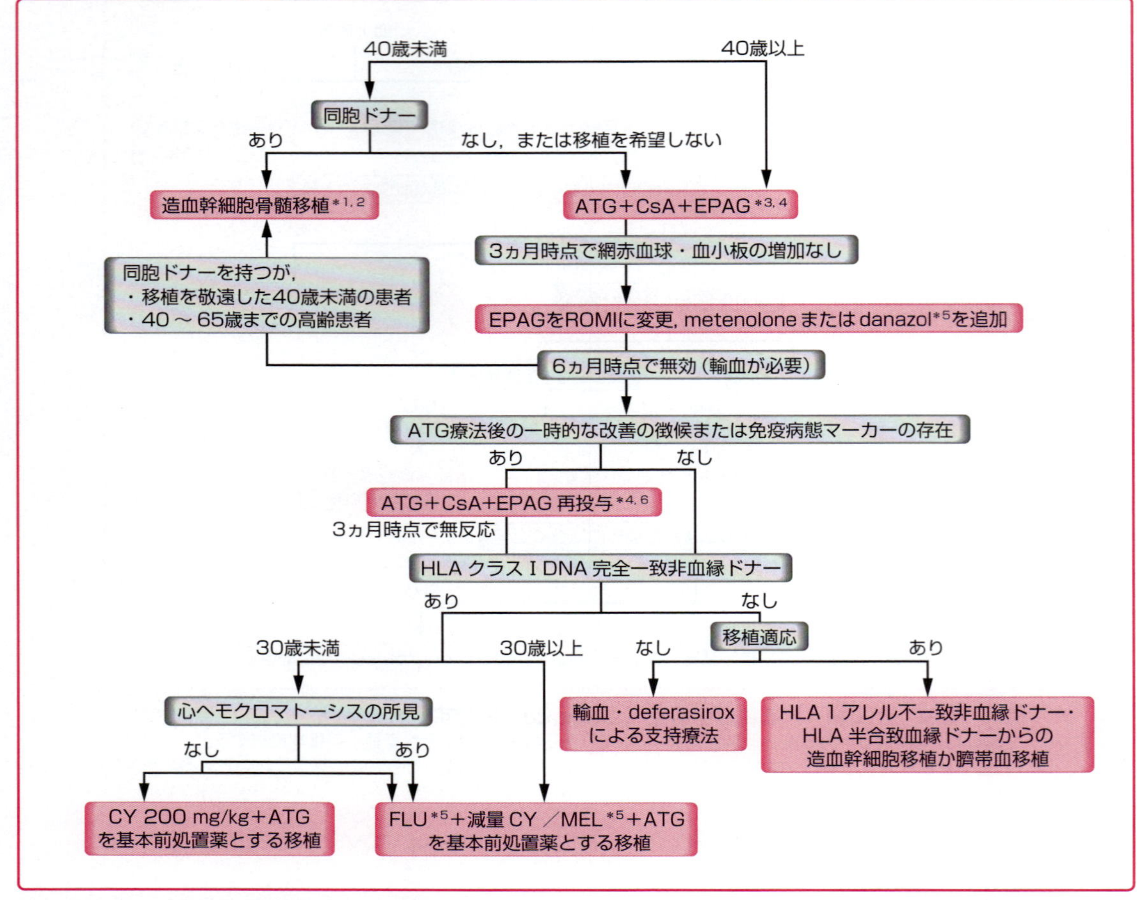

◆図 2　輸血が必要な中等症（stage 2b）およびやや重症以上（stage 3～5）に対する治療指針

*1：20 歳未満は通常絶対適応となる．20 歳以上 40 歳未満については，個々の状況により判断する．
*2：移植のドナーソースとしては骨髄が推奨される．
*3：EPAG によって，染色体異常を持つ造血幹細胞の増殖が誘発される可能性が否定できないため，免疫病態マーカーが陽性の若年者に対しては，EPAG の併用は慎重に行う．
*4：感染症を併発している場合は G-CSF を併用する．
*5：保険適用外
*6：ATG の再投与は有効性を示す十分なエビデンスがないため，EPAG や ROMI に対する反応性をみたうえで，適用は慎重に決定する．

ATG：抗胸腺細胞グロブリン，CsA：ciclosporin，EPAG：eltrombopag，ROMI：romiplostim，CY：cyclophosphamide，FLU：fludarabine，MEL：melphalan，「/」は「または」
（文献 2 より引用）

低下することから，移植片としては骨髄を選択することが望ましい．

3）輸血療法

貧血や血小板減少に対しては対症的に輸血療法が行われる．赤血球輸血は Hb 6～7 g/dL 程度を目安に行う．心肺疾患を伴う場合は Hb 濃度をそれ以上に維持するように赤血球輸血を行う．

明らかな出血傾向がなければ，血小板数が 1 万 /μL 以下になっても**予防的血小板輸血は通常行わない**が，感染症を併発している場合や出血傾向が強いときには 1～2 万 /μL 以上を維持する．

4）G-CSF

ATG 療法時の G-CSF 併用は，再発率を有意に低下させるものの治療の反応性や予後には影響せず，長期投与によって 7 番染色体異常の出現頻度が高くなることから，その使用は感染症合併のリスクが高いときに限定する．

5）鉄キレート療法

定期的な赤血球輸血を必要とする患者は，ヘモクロマトーシスによる糖尿病・心不全・肝障害などを合併するため予後不良である．赤血球輸血の総量（40 単位以上）と血清フェリチン値（2 ヵ月以上にわたって 1,000 ng/mL を超える）を総合的に評価したうえで，経口鉄キレート薬 deferasirox の開始時期を決定し，輸血後鉄過剰症による臓器障害の進行を防ぐ．赤血球輸血依存となった再発・難治例でも経口の鉄キレート薬の登場により，予後の改善が期待されている．

文　献

1）Young NS et al: N Engl J Med **379**: 1643, 2018
2）厚生労働省 特発性造血障害に関する調査研究班（研究代表者：三谷絹子）：再生不良性貧血診療の参照ガイド 令和 4 年度改訂版（http://zoketsush-ogaihan.umin.jp/file/2022/Aplastic_Anemia.pdf）（最終確認日：2023 年 6 月 16 日）
3）Peffault de Latour R et al: N Engl J Med **386**: 11, 2022
4）Patel BA et al: Blood **139**: 34, 2022
5）日本造血・免疫細胞療法学会：造血細胞移植ガイドライン再生不良性貧血（成人）（第 2 版）（https://www.jstct.or.jp/uploads/files/guideline/02_04_apla02.pdf）（最終確認日：2023 年 8 月 23 日）

7 小児特発性再生不良性貧血

到達目標

- 小児再生不良性貧血（AA）の病因・病態を理解し，遺伝性骨髄不全症候群や骨髄異形成症候群を含む他の疾患を鑑別して診断することができる
- 免疫抑制療法と同種造血幹細胞移植の適応を判断し，適切な治療を選択することができる

1 病因・病態・疫学

再生不良性貧血（aplastic anemia：AA）は，末梢血における**汎血球減少**と**骨髄低形成**を特徴とする症候群である．国内小児における年間発症数は70～100人であり，成因によって先天性と後天性に分けられる．小児では先天性がおよそ10％を占め，Fanconi貧血，先天性角化不全症，Shwachman-Diamond症候群などの**遺伝性骨髄不全症候群**（inherited bone marrow failure syndrome：IBMFS）がその代表であり，生殖細胞系列の遺伝子変異により造血不全を発症する．後天性の大部分は特発性（一次性）であるが，薬剤・放射線被曝などによる二次性もある．特発性の多くは，造血幹細胞を標的とする自己免疫機序による造血抑制が病因と考えられている．特殊なものとして肝炎に関連して発症する肝炎関連AAや発作性夜間ヘモグロビン尿症（paroxysmal nocturnal hemoglobinuria：PNH）に伴うものがあり，同様に免疫機序の関与が考えられる．

2 症候・身体所見

汎血球減少に起因するさまざまな症状がみられるが，3系統の血球減少の出現時期により主となる症状は異なる．貧血による息切れ・動悸・めまいなどの症状，血小板減少による皮下出血・口腔内出血・鼻出血などの出血傾向，好中球減少による感染に伴う発熱などが初発症状としてみられる．慢性に経過する場合は，血球減少の割に自覚症状が乏しいことも多い．後天性AAと診断されるなかにIBMFSが隠れている場合があり，それぞれの疾患に特徴的な身体異常の有無を見逃さないことが重要である．Fanconi貧血では，小児期から進行する汎血球減少に加えて皮膚の色素沈着・骨格異常・低身長・性腺機能不全などがみられ，高率に悪性腫瘍を合併する．先天性角化不全症では，大多数の患者で成人までに汎血球減少がみられ，皮膚の網状色素沈着・爪の萎縮・口腔粘膜白斑を3徴とするが，症状がそろわない不全型も存在する．Shwachman-Diamond症候群では，乳児期からの好中球減少を主体とする汎血球減少，膵外分泌異常による吸収障害や脂肪性下痢，骨格異常を特徴とする．

3 診断・検査

厚生労働省特発性造血障害に関する調査研究班によって提案された診断基準が用いられる（詳細はⅧ-6「成人特発性再生不良性貧血」参照）[1]．血液検査でHb 10 g/dL未満，好中球1,500/μL未満，血小板10万/μL未満のうち2つ以上を満たし，骨髄検査で低形成髄であり，ウイルス感染症や悪性疾患など汎血球減少の原因となる他の疾患を認めない場合にAAと診断される．病初期には血小板減少のみが先行し，免疫性血小板減少症（特発性血小板減少性紫斑病）と診断される場合もあるが，赤血球が大球性の場合や好中球数が正常下限であればAAも考慮し骨髄検査の施行が勧められる．骨髄の細胞密度を正確に評価するには，骨髄生検による病理学的検討が必須である．低形成骨髄異形成症候群（myelodysplastic syndromes：MDS）との鑑別には，血球の形態評価と骨髄染色体分析所見が重要である．AAでは骨髄細胞の分裂像が得られないことも少なくないため，小児MDSでしばしばみられる7番染色体モノソミーや8番染色体トリソミーの有無をFISH法により確認することも有用である．AA患者の末梢血に，PNHに特徴的なGPIア

ンカー膜蛋白欠失血球（PNH 型血球）が微量に検出されることがあり，免疫病態の関与を示唆する所見と考えられている．CD55・CD59 陰性血球の高感度フローサイトメトリーによる解析が有用であり，微小 PNH 型血球が検出される患者では免疫抑制療法への反応率が高いとされる．

小児 AA の診断において，IBMFS との鑑別は適切な治療方針決定のためにも重要であり，上述のような特徴的な身体所見の有無に留意する必要がある．しかし，典型的な身体的特徴を有さないこともあり，小児・若年患者では IBMFS 除外のためのスクリーニング検査を全例に実施すべきである．Fanconi 貧血の診断には，**染色体脆弱性試験**が有用であり，患者リンパ球では DNA 架橋剤の添加により著しい染色体断裂が生じる．先天性角化不全症のスクリーニングには末梢血でのフロー FISH 法による**テロメア長測定**が有用であり，短縮が認められる．Shwachman-Diamond 症候群では，便中脂肪の増加，血清イソアミラーゼやトリプシノーゲンの低値，腹部画像検査における膵脂肪化所見がみられ，これらは膵外分泌異常の診断に有用である．確定診断には遺伝子検査が用いられるが，近年次世代シーケンサーを用いた網羅的遺伝子診断システムが国内外で構築されている[2]．数百もの疾患原因遺伝子を同時に解析・評価することが技術的に可能となっており，臨床での広範な利用が期待される．

4 治療と予後

1）重症度基準と治療指針

小児 AA では重症度や造血幹細胞移植ドナーの有無によって治療方針が異なる．診断確定後は血球減少の程度によって重症度を判定する．特発性造血障害に関する調査研究班による重症度基準では最重症・重症・やや重症・中等症および軽症の 5 段階に分類される（Ⅷ-6「成人特発性再生不良性貧血」参照）[1]．治療は支持療法と造血回復を目指す治療から成り，後者は同種造血幹細胞移植と**免疫抑制療法**（immunosuppressive therapy：IST）が主な選択肢である．これら治療法の開発により，現在小児 AA 患者の長期生存率は 90％に達しているが，治療の選択に際しては全生存率だけでなく日常および学校生活に影響を与える造血の回復度合や治療による**晩期合併症**についても考慮すべきである．また，造血幹細胞移植・IST ともに診断から治療開始までの期間が短いほど治療効果が高いことが示されている．輸血依存であるやや重症以上の小児後天性 AA 患者に対する治療指針を**図 1** に示す．

2）支持療法

感染症に対する抗菌薬や輸血などが用いられる．赤血球輸血は Hb 7 g/dL 以上を保つことを目安に行うが，頻脈・心肥大などの所見と患者の自覚症状および活動状況に応じて適応を検討する．頻回の赤血球輸血は鉄過剰をきたし，ヘモクロマトーシスによるさまざまな臓器障害を引き起こす．赤血球輸血の総量（40

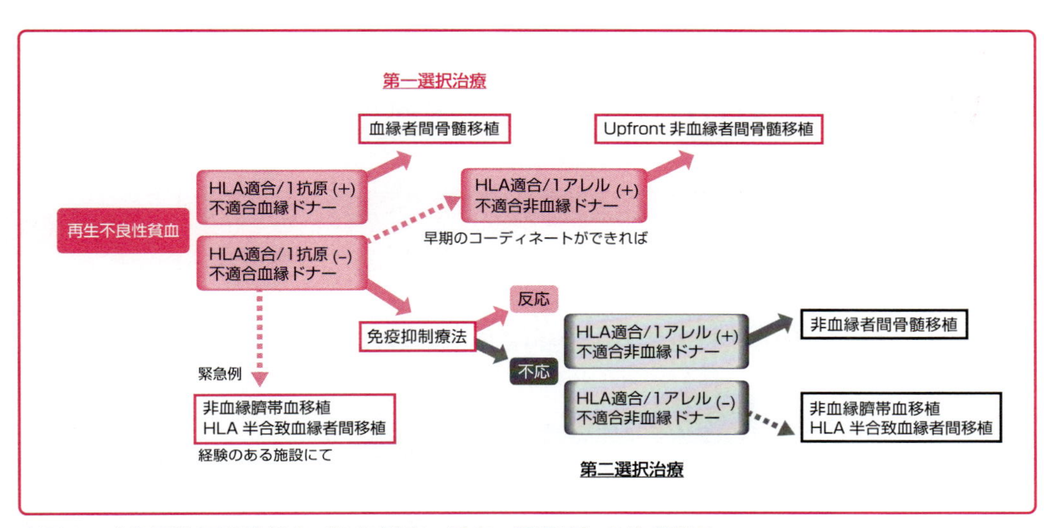

◆図 1　小児再生不良性貧血（やや重症・重症・最重症）の治療指針
（文献 4 より許諾を得て改変し転載）

単位以上）と血清フェリチン値（持続的に 1,000 ng/mL 以上）を総合的に評価し，経口鉄キレート薬の投与を検討する．頻回の血小板輸血は抗 HLA 抗体の産生を促すため，予防的輸血は行わず，血小板数 1 万 / μL 以下で出血症状があれば血小板輸血を行う．

3）造血回復を目指す治療

a）造血幹細胞移植

最重症，重症および輸血依存であるやや重症の AA では，HLA 適合血縁ドナーが得られれば，骨髄移植が治療の第一選択であり，国内小児における長期生存率は 95％を超える．国内移植登録データを用いた検討において，HLA1 抗原不適合血縁ドナーからの移植後生存率は HLA 適合血縁者間移植と同等であることが示され，HLA1 抗原不適合血縁者間骨髄移植も第一選択となりうる．幹細胞源は，末梢血では慢性移植片対宿主病（graft-versus-host disease：GVHD）の頻度が高いことから骨髄が推奨される．IST 不応例や再発例は，非血縁者間骨髄移植の適応となり，HLA1 アレル不適合までのドナーが選択される．近年その成績は飛躍的に向上し，HLA 適合血縁者間移植に匹敵する生存率が報告されている．現在，国際的には小児患者に対して upfront に非血縁者間骨髄移植を行うことが試みられており，IST 不応例への救済療法として実施するより良好な成績が報告されている[3]．適切な非血縁骨髄ドナーが得られない場合あるいは緊急移植を要する場合には，非血縁臍帯血移植または HLA 半合致血縁者間移植が検討される．日本造血・免疫細胞療法学会ガイドラインによる小児 AA に対する移植適応を**表 1** に示す[4]．

標準的移植前処置としては，大量 cyclophosphamide（CY）+ 抗胸腺細胞グロブリン（anti-thymocyte globulin：ATG）± 低線量全身放射線照射（total body irradiation：TBI）または fludarabine（FLU）+ 減量 CY + ATG ± 低線量 TBI が国内外で広く使用さ

◆表 1　小児再生不良性貧血に対する移植適応

重症度	HLA 適合血縁骨髄	HLA 適合非血縁骨髄	非血縁臍帯血	HLA 半合致血縁
初回治療例				
最重症/重症	S	CO	Dev	Dev
中等症	GNR	GNR	GNR	GNR
免疫抑制療法不応例（6 ヵ月の観察期間の後に判定）				
最重症/重症	S	S	CO	CO
中等症	CO	GNR	GNR	GNR

S（standard of care）：移植が標準治療である，CO（clinical option）：移植を考慮してもよい，Dev（developmental）：開発中であり，臨床試験として実施すべき，GNR（generally not recommended）：一般的には勧められない
（文献 4 より許諾を得て転載）

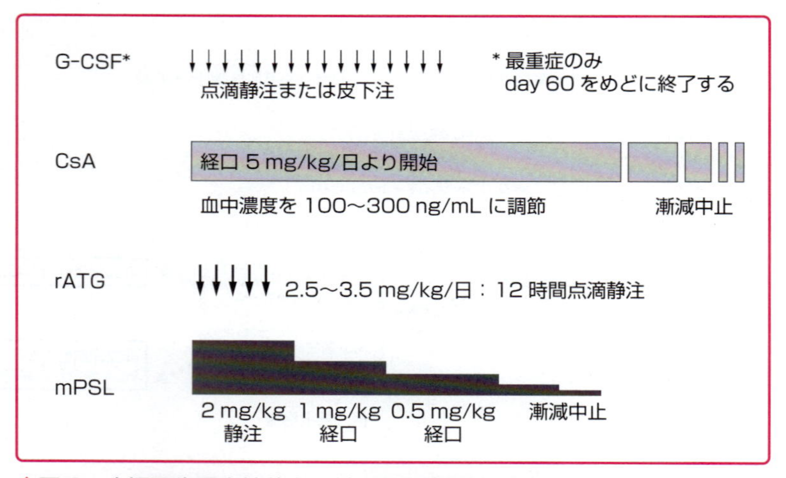

◆図 2　小児再生不良性貧血に対する免疫抑制療法の概略
rATG: rabbit anti-thymocyte globulin, mPSL: methylprednisolone

れているが，15%前後に二次性生着不全がみられる．とくにドナー型キメリズムが得られているにもかかわらず血球が減少する**ドナー型造血不全**（donor-type aplasia）や移植片機能不全（poor graft function）が問題となる．日本小児再生不良性貧血治療研究会では，二次性生着不全のリスク低減を期待してCYに代わりmelphalan（MEL）を使用する前処置法（FLU + MEL + ATG ± 低線量TBI）を提案している．国内移植登録データを用いた小児後天性造血不全症を対象とするFLU + MELベースの前処置とFLU + CYベースの前処置の比較検討において，全生存率に差はみられなかったが，FLU + CYベースの前処置では二次性生着不全が11%にみられたのに対し，FLU + MELベースの前処置では二次性生着不全の発生率は3%に抑えられ，ドナー型造血不全はみられなかったと報告されている[5]．ただし，AAに対してFLUおよびMELは保険適用外である．

b）免疫抑制療法

HLA適合または1抗原不適合血縁ドナーの得られないやや重症以上，および中等症の小児AA患者に対しては，ATGとciclosporin（CsA）併用によるISTが選択される．最重症例や感染合併例には顆粒球コロニー刺激因子（granulocyte colony stimulating factor：G-CSF）が併用されるが，G-CSFの長期投与とMDS発症との関連が報告されており，短期の使用が望ましい．従来使用されていたATG製剤はウマ由来であったが，2022年7月現在国内で入手可能な製剤はウサギ由来である．IST実施時には，ATGによる過敏反応や血清病の出現に注意する必要があり，発症予防にステロイドが併用される．また，ウサギATGでは従来のウマATGよりも免疫抑制効果が強いことからウイルスの再活性化が懸念される．ATG投与後は定期的なウイルスモニタリングを行い，特にEBウイルス関連リンパ増殖性疾患の合併に留意する．実際に用いられている治療の概略を**図2**に示す．IST後の長期生存率は90%前後と造血幹細胞移植と同等であるが，ウサギATGを使用した場合の6ヵ月での反応率は40～60%程度であり，そのうち10～30%に再発を認め，10%前後にMDSや急性骨髄性白血病への移行がみられるため長期の観察が必要である．

近年，ISTにトロンボポエチン受容体作動薬であるeltrombopagを併用することで治療成績が大幅に向上することが報告され，2017年に国内においても保険適用となった．しかし，治療後比較的早期の7番染色体モノソミーを含む染色体異常の出現例が報告されており，若年および小児患者に対する使用は慎重に判断する必要がある．

■文　献■

1）厚生労働省 特発性造血障害に関する調査研究班（研究代表者：三谷絹子）：特発性造血障害疾患の診療の参照ガイド 令和元年度改訂版．2020（http://zoketsushogaihan.umin.jp/resources.html）（最終確認：2023年3月15日）
2）Muramatsu H et al: Genet Med **19**:796, 2017
3）Dufour C et al: Br J Haematol **171**: 585, 2015
4）日本造血・免疫細胞療法学会（編）：造血細胞移植ガイドライン 再生不良性貧血（小児），第3版，2018（https://www.jshct.com/uploads/files/guideline/02_05_aa_ped03.pdf）（最終確認：2023年3月15日）
5）Yoshida N et al: Bone Marrow Transplant **55**:1272, 2020

8 遺伝性骨髄不全症候群

到達目標

- 主な遺伝性骨髄不全症候群の病因・病態・疫学について説明できる
- 遺伝性骨髄不全症候群の診断に必要な検査を理解し，鑑別診断を進めることができる
- 疾患に応じた治療を適切に選択できる

1 Fanconi 貧血

1）病因・病態・疫学

Fanconi 貧血（Fanconi anemia：FA）は，染色体不安定性を特徴とする遺伝性疾患で，骨髄不全，高発がん性などを特徴とする．日本小児血液学会の全国データによれば，1988 ～ 2011 年に登録された小児造血障害 1,841 例中で FA 患者は 111 人（6.0％）であった．出生 100 万人あたり約 5 人であり，FA の保因者は 200 ～ 300 人に 1 人と推定されていたが，最近の解析では日本人の約 2.6％が保因者と推定されている[1)]．

FA の細胞は，diepoxybutane（DEB）や mitomycin C（MMC）などの DNA 架橋剤に対して感受性が高く，染色体の断裂が高頻度に認められる．この所見は**染色体断裂試験**として診断にも用いられている．当初，細胞融合法を用いて FA の相補群分類が行われた．現在までに 22 の相補群（A，B，C，D1，D2，E，F，G，I，J，L，M，N，O，P，Q，R，S，T，U，V，W）に対する責任遺伝子が同定されている．このうち，X 連鎖性の遺伝形式をとる B 群と *de novo* の片アレル変異により発症するドミナントネガティブ型の R 群以外は常染色体潜性遺伝（劣性遺伝）形式である．これら 22 の遺伝子がコードする蛋白はいずれも DNA 架橋剤に対する抵抗性に必要であることから，DNA 損傷の修復を制御する経路を形成すると考えられている．

***FA* 遺伝子群**は 3 つのグループに分類される．グループ 1 の蛋白（FANCA，-B，-C，-E，-F，-G，-L，-M）は，3 種類の関連蛋白（FAAP20，FAAP24 と FAAP100；FA では遺伝子異常はみつかっていない）と FA コア複合体を形成する．この FA コア複合体は，DNA 損傷によって活性化される E3 リガーゼ複合体である．グループ 2 の蛋白（FANCD2，-I）は，核内で ID 複合体を形成し，DNA 損傷後に FA コア複合体によりモノユビキチン化され，クロマチン上の損傷部位に集積する．グループ 3 に属する FANCD1（BRCA2），-N（PALB2），-J（BRIP1/BACH1）の遺伝子はすべて乳がん感受性遺伝子である．活性化された ID 複合体と相互作用し，DNA 修復を制御する．グループ 1 および 2 とは異なり，変異があっても DNA 損傷後の FANCD2 や FANCI のモノユビキチン化には影響しない．以上のどれか 1 つの遺伝子産物が両アレルの遺伝子変異のために先天的に欠損すると，この経路の機能不全のため FA として発症する．欧米では，*FANCA* 遺伝子変異が最も高頻度（60 ～ 70％）であり，*FANCC*，*-G* 変異と併せて 80％以上を占める．一方，日本人における解析ではグループ 1 の *FANCA* と *FANCG* 遺伝子の変異が最も多く認められるが，欧米と異なり *FANCC* 変異はまれである[1)]．

2）症候・身体所見

①**身体の先天異常**：種々の身体の先天異常を伴うが，異常がみられない症例もある．皮膚色素沈着，低身長，多指症，母指低形成などの骨格系の異常や，泌尿器系，消化管などの内臓の異常を伴うことが多い．

②**汎血球減少**：小児期（約 7 歳）に汎血球減少をきたし，40 歳までに 90％以上が再生不良性貧血（aplastic anemia：AA）を発症する．AA の経過中に骨髄異形成症候群（myelodysplastic syndromes：MDS）や急性骨髄性白血病（acute myeloid leukemia：AML）へ移行する危険度が高く，40 歳までに約 30％が MDS や AML に移行する．

③**悪性腫瘍**：固形がんの発症頻度も高く，特に頭頸部や食道，婦人科領域の扁平上皮がんが多い．40 歳

までに約30%の患者が固形腫瘍を発症する.

3）診断・検査

臨床所見のみで，FAを確定診断することは不可能である．小児期や青年期に発症したすべてのAA患者に対して，DEBやMMCを用いた前述の染色体断裂試験を行う．典型的なFAでは染色体の脆弱性を証明できる．しかし，FA患者の約20%では，変異の野生配列への復帰や代償変異によって蛋白機能が回復した造血幹細胞クローンが増大した状態（reversion mosaic）にあると考えられている．染色体断裂試験が偽陰性に出る可能性もあり，骨髄不全の軽症化や自然寛解した例では，特に注意が必要である．

FANCD2に対する抗体を用いて，ウエスタンブロット法でモノユビキチン化を証明する方法も有用である．モノユビキチン化が障害されていれば，グループ1または2のFA遺伝子異常が予想される．また，近年の遺伝子診断の進歩により，90%以上の患者で原因遺伝子が同定されるようになっている．

鑑別診断としては，先天性角化不全症（dyskeratosis congenita: DC），Shwachman-Diamond症候群（Shwachman-Diamond syndrome: SDS），先天性無巨核球性血小板減少症（congenital amegakaryocytic thrombocytopenia: CAMT），Pearson症候群など，汎血球減少症と身体の先天異常を伴う他の遺伝性骨髄不全症候群が重要である（**表1**）．DCは爪の萎縮，口腔内白斑，皮膚の色素沈着を3徴とし，血球テロメア長の短縮が認められる．原因遺伝子としては，*DKC1*，*TERC*，*TERT*などが知られている．また，SDSは膵外分泌不全による脂肪性下痢が特徴的で，ほとんどの患者で*SBDS*遺伝子の両アレル変異がみられる．CAMTの原因遺伝子はトロンボポエチン受容体をコードする*MPL*遺伝子であり，Pearson症候群はミトコンドリアDNAの欠失により生じる．

4）治療と予後

蛋白同化ステロイドは約半数の患者で一次的効果を示すことがある．一方で，肝障害などの副作用があり，造血幹細胞移植の成績を下げるという報告もあるため，長期使用は避ける．輸血はHb 6 g/dL，血小板5,000/μLを維持するように行う．

唯一根治が期待できる治療法は，造血幹細胞移植である．通常の移植前処置で行われる放射線照射や大量cyclophosphamide（CPA）の投与では，移植関連毒性が強い．このため，少量CPAと照射線量を抑えた放射線照射と抗胸腺細胞グロブリンの併用療法が行われていた．しかし，最近ではfludarabineを含む前処置が開発され，さらに良好な治療成績が得られてい

◆**表1　汎血球減少症を伴う遺伝性骨髄不全症候群**

疾患	遺伝形式	原因遺伝子	障害される経路	臨床的特徴
Fanconi貧血	AR（*FANCB*: XR, *FANCR*: AD）	*FANCA*～*W*	DNA修復，相同組換え	汎血球減少，皮膚の色素沈着，身体の先天異常，低身長，性腺機能不全．染色体断裂試験陽性．造血器腫瘍，頭頸部や食道，婦人科領域の扁平上皮がんの合併
先天性角化不全症	XR（*DKC1*），AD，AR	*DKC1*，*TERC*，*TERT*など	テロメア長の維持，リボソーム生合成	血球減少，骨髄低形成，爪の萎縮，口腔内白斑，皮膚の色素沈着．テロメア長の短縮．造血器腫瘍，肺や頭頸部の扁平上皮がん，消化管の腺がん，肺線維症の合併
Shwachman-Diamond症候群	AR	*SBDS*など	リボソーム生合成	好中球を主体とした血球減少，膵外分泌不全，脂肪性下痢，発育不良，骨格異常．血中膵酵素の低値，便中脂肪の増加，脂肪膵の画像所見．造血器腫瘍の合併
先天性無巨核球性血小板減少症	AR	*MPL*	巨核球造血	血小板減少，巨核球の減少または消失，汎血球減少に進展．血漿トロンボポエチン値の上昇
Pearson症候群	散発性	ミトコンドリアDNA	ミトコンドリア機能	鉄芽球性貧血，汎血球減少に進展．膵外分泌不全，脂肪性下痢，発育障害，肝，腎，筋，内分泌などの臓器障害．環状鉄芽球，赤芽球系および骨髄球系前駆細胞の空胞形成

AD: 常染色体顕性遺伝（優性遺伝），AR: 常染色体潜性遺伝（劣性遺伝），XR: X連鎖潜性遺伝（劣性遺伝）

る．また，移植後の発がんを考慮して，非照射レジメンも試みられている．FA患者では10歳を過ぎるとMDSやAML発症の危険度が増し，慢性GVHDの合併頻度が高くなるので，10～15歳を移植適応年齢の目安とする．移植後の二次がんの発症は慢性移植片対宿主病（graft-versus-host disease：GVHD）が大きな危険因子になるため，移植幹細胞源は末梢血幹細胞ではなく，原則として骨髄移植を選択する．

2 Diamond-Blackfan貧血

1）病因・病態・疫学

Diamond-Blackfan貧血（Diamond-Blackfan anemia：DBA）は，乳児期に発症する赤血球造血のみが障害される先天性の赤芽球癆である．ほとんどが散発性であるが，約10～20％の症例では家族歴があり，主に常染色体顕性遺伝（優性遺伝）の形式をとる．発症頻度は，出生人口100万人あたり約5～7人と推定されている．日本小児血液学会の全国データによれば，1988～2011年に登録されたDBA患者は特発性赤芽球癆と診断された症例も含めて175人であった．

1990年代に原因遺伝子の遺伝子座が19番染色体長腕（19q13）に同定され，さらにそこに存在する原因遺伝子がリボソーム蛋白の1つであるRPS19をコードする遺伝子であることが明らかにされた．*RPS19*遺伝子変異は約25％のDBA患者に認められるが，ほかにも*RPS7*，*RPS10*，*RPS15A*，*RPS17*，*RPS20*，*RPS24*，*RPS26*，*RPS27*，*RPS28*，*RPS29*，*RPL5*，*RPL8*，*RPL9*，*RPL11*，*RPL15*，*RPL17*，*RPL18*，*RPL26*，*RPL27*，*RPL31*，*RPL35*および*RPL35A*の変異がDBAにおいて発見された．また，通常のシークエンス解析では同定できない片アレルの欠失が約10％と相当数存在することが明らかになった[2]．さらに最近，X連鎖性の遺伝形式を示すDBAの症例に，赤血球・巨核球系転写因子GATA1をコードする遺伝子の変異が同定された．

リボソームはmRNAの翻訳を担う細胞内装置で，ヒトリボソームは4種類のリボソームRNA（rRNA）と80種類のリボソーム蛋白からなる巨大な複合体である．大サブユニット（60S）と小サブユニット（40S）からなり，それぞれのサブユニットはrRNAとリボソーム蛋白で構成されている．RPS19，RPS24，RPS10，RPS26などは小サブユニット，RPL5，RPL11，RPL35Aなどは大サブユニットを構成する蛋白であるが，rRNAの成熟やリボソームサブユニットの組み立てにも重要な役割を果たしている．リボソームの機能障害によって生じる翻訳の異常やがん抑制因子p53の活性化が，DBAにおける赤芽球造血障害の中心的なメカニズムであることが明らかになりつつある．

2）症候・身体所見

①身体の先天異常：約40％の例に種々の身体の先天異常を合併する．頭部・顔部の異常が最も多く，大頭，小頭，大泉門開大，顔貌異常，小顎，口蓋裂・

◆表2 DBAの診断基準

A．診断基準
1．1歳未満発症である
2．大球性貧血（あるいは正球性貧血）で他の2系の血球減少を認めない
3．網赤血球減少を認める
4．赤芽球前駆細胞の消失を伴う正形成骨髄所見を有する
5．古典的DBAにみられた遺伝子変異を有する

B．診断を支持する基準
大支持基準
1．家族歴を有する
小支持基準
1．赤血球アデノシンデアミナーゼ活性（eADA）と還元型グルタチオン（eGSH）の高値
2．古典的DBAにみられる身体の先天異常を有する
3．HbFの上昇
4．他の遺伝性骨髄不全症候群の証拠がない

Definite：Aの5項目のうち，4項目以上をすべて満たす．
Probable：下記の①～③のいずれかを満たす．
①Aのうち3項目＋Bのうち1つの大あるいは2つの小支持基準
②Aのうち2項目＋Bのうち3つの小支持基準
③Aのうち項目5（遺伝子変異）＋Bのうち1つの大支持基準
（文献4を参考に著者作成）

口唇裂，巨舌などが約20%に認められる．上肢の異常としては，母指球の平坦化，母指骨異常などが9～19%に認められる．腎・泌尿器系の異常や先天性心疾患を約7%に認める．また，知能障害，低身長なども認められることがある．

②**貧血**：貧血は新生児期から顔色不良で発見されることが多く，生後6ヵ月までに75%，1歳までに90%が発症する．

③**悪性腫瘍**：悪性腫瘍を合併しやすい．特にAML/MDS，骨肉腫，大腸がん，女性器腫瘍の発症率が高い．

3）診断・検査

表2に診断基準を示す．すべての基準を満たさない場合でも，遺伝子変異や家族歴がある症例では，散発例や非典型例を疑う．

末梢血塗抹標本で大球性正色素性貧血を示し，網赤血球は減少ないしは消失する．白血球数および血小板数は正常である．骨髄は正形成であるが，赤血球系細胞のみが著減する．赤血球内HbFおよび赤血球膜i抗原が増加する．また，赤血球adenosine deaminase（eADA）活性や赤血球還元型glutathione（eGSH）が上昇する．

鑑別診断として**乳児一過性赤芽球減少症（transient erythroblastopenia of childhood：TEC）**が最も重要である．TECは1歳以上の幼児に好発し，先行するウイルス感染に続発することが多い．ほとんどの症例は，無治療で1～2ヵ月以内に自然治癒する．正球性貧血を呈し，HbFおよび赤血球ADAは正常である．また，パルボウイルスB19感染症や，Pearson症候群などの貧血と身体の先天異常を伴う遺伝性骨髄不全症候群も鑑別する必要がある．

4）治療と予後

副腎皮質ステロイドは約80%の症例で反応が認められる．初期治療としてprednisolone 2 mg/kg/日から投与を開始する[3]．約20%の症例はステロイドから離脱可能となる．副作用として成長障害，骨粗鬆症，肥満，高血圧，糖尿病，白内障，緑内障などに注意が必要で，1歳を過ぎてから投与を開始する[4]．他の治療薬剤としてciclosporin，metoclopramide，エリスロポエチンなどが挙げられるが，prednisolone＋ciclosporin併用療法も含め，一定の評価はまだ得られていない．

ステロイド抵抗性である場合には，3～6週ごとの輸血が必要となる．長期間の輸血は，鉄過剰によるヘモジデローシスをきたし，鉄沈着による肝障害，糖尿病，心筋障害を避けるため，deferasiroxあるいはdeferoxamineによる除鉄療法の併用が望ましい．

ステロイド不応性の輸血依存例は，造血幹細胞移植の適応となる．わが国の移植成績は海外に比して良好である．2007年の報告でも19例の同種移植が行われ，骨髄移植を受けた13例（6例：HLA一致同胞，7例：非血縁ドナー）はすべて無病生存している．しかし，臍帯血移植（CBT）は5例に行われ，血縁者間CBTを受けた2例は無病生存しているが，非血縁者間CBTを受けた3例のうち，2例は生着が得られず，1例は生着したがリンパ球増殖性疾患で死亡している[5]．したがって，現時点では移植ソースとしてはできるだけ骨髄を選択することが勧められる．移植前処置としては通常，骨髄破壊的前処置が用いられるが，近年，骨髄非破壊的前処置の有用性も報告されている．

生命予後は一般的に良好であるが，ステロイド療法および輸血依存症例が約40%ずつ存在している．前述した副作用および合併症のために，患者は長期にわたり悩まされ，生活の質（quality of life：QOL）は高いといえない．また，前述のように悪性疾患を合併しやすいため，生涯にわたるフォローアップが必要である．

文　献

1）Mori M et al: Haematologica **104**: 1962, 2019
2）Kuramitsu M et al: Blood **119**: 2376, 2012
3）Vlachos A et al: Br J Haematol **142**: 859, 2008
4）伊藤悦朗ほか：臨血 **62**: 1455, 2021
5）Mugishima H et al: Pediatr Transplant **11**: 601, 2007

9 赤芽球癆

到達目標

- 後天性赤芽球癆の病因・病態は多様であることを理解し，免疫抑制療法の適応について説明できる

1 病因・病態・疫学

赤芽球癆は正球性または大球性貧血と網赤血球の著減および骨髄赤芽球の著減を特徴とする症候群である[1)]．赤血球系前駆細胞の分化・増殖障害の発症機序として，①造血幹細胞・前駆細胞における先天的あるいは後天的遺伝子異常，②ウイルス・薬剤による赤血球系前駆細胞の分化・増殖障害，③自己傷害性リンパ球，あるいは，④特異的抗体による赤血球系前駆細胞に対する細胞傷害の4つが推定されている（**表1**）．

赤芽球癆の病型として大きく先天性と後天性に分けられる．先天性のものとしてDiamond-Blackfan貧血が知られており，半数以上の症例においてリボソーム蛋白関連遺伝子あるいは*GATA-1*遺伝子の変異がみられる．後天性は臨床経過から急性と慢性に区分される．経過観察，被疑薬の中止など待機的治療により発症または診断から1ヵ月以内に貧血の改善がみられるものを急性型とする．後天性の慢性赤芽球癆は病因の不明な**特発性**と基礎疾患を有する続発性に分類される．続発性には，**胸腺腫**，リンパ系腫瘍，自己免疫疾患，薬物，固形腫瘍，ウイルス感染症，妊娠，**ABO主不適合同種造血幹細胞移植**などに伴うものがある．赤芽球癆との関連性が指摘されたことがある薬剤は50種類以上に及んでいる．エリスロポエチン製剤投与後に発生する抗エリスロポエチン抗体関連赤芽球癆は特定の製剤（Eprex®）を慢性腎不全患者に皮下投与した際に発生しやすいと報告されているが，他の製剤でも発生しうる．近年，免疫チェックポイント阻害薬投与後の赤芽球癆発症例の報告も増えてきている．

特発性造血障害に関する調査研究班が集積した後天性慢性赤芽球癆185例の病因別内訳をみると，特発性（39％），胸腺腫（23％），リンパ増殖性疾患（14％）の3病型で約3/4を占めていた[2)]．日本血液学会血液疾患登録疫学事業の登録症例の集計を元に推定された赤芽球癆の年間罹病率は100万人あたり1.06人であった．男女比は1:1.5とやや女性に多く，発症年齢中央値は73歳で，69％は特発性であった[3)]．

◆表1　赤芽球癆の病型と病因

病　型	病　因
先天性	Diamond-Blackfan 貧血
後天性	特発性赤芽球癆 胸腺腫 リンパ系腫瘍（大顆粒リンパ球性白血病，悪性リンパ腫，多発性骨髄腫） 骨髄系腫瘍（骨髄異形成症候群，骨髄増殖性疾患） 自己免疫疾患［全身性エリテマトーデス，関節リウマチ，混合性結合組織病（MCTD）］ 固形腫瘍 感染症（ヒトパルボウイルスB19，HIV，HTLV-1，EBV，CMV） 薬剤・化学物質 ABO major 不適合ドナーからの同種造血幹細胞移植 エリスロポエチン（EPO）治療後の抗 EPO 抗体 妊娠

（文献1を参考に著者作成）

2 症候・身体所見

成人の場合，赤芽球癆と診断された時点ですでに重度の貧血であることが多い．特発性の場合，貧血以外の症状・身体所見は乏しい．続発性の場合は，基礎疾患に応じた症状と身体所見がみられる．頻回の赤血球輸血を受けた患者では鉄過剰症による症状を呈する場合がある．

3 診断・検査

正球性または大球性正色素性貧血と網赤血球の減少があり，骨髄にて赤芽球の著減が確認されれば赤芽球癆と診断される．網赤血球は一般的に 10,000/μL 未満ないしは 1%未満であり，2%を超える場合は他の疾患を考慮すべきである．ただし，経過により 1%未満となる場合もある．通常白血球数と血小板数は正常であるが，続発性，特に**大顆粒リンパ球性白血病**においてはリンパ球数異常を呈する場合がある．

後天性赤芽球癆の診断において急性と慢性の鑑別は重要である．その理由は，急性には薬剤性や**ヒトパルボウイルス B19（HPV-B19）**の急性感染症による self-limited なタイプの赤芽球癆が含まれ，慢性には維持免疫抑制療法を必要とする特発性赤芽球癆や胸腺腫・リンパ増殖性疾患に伴う続発性赤芽球癆が多く含まれるからである．

貧血の発症に先行する感染症の有無と薬剤歴の聴取はきわめて重要で，もし被疑薬があれば中止ないしは他剤へ変更し，約 1 ヵ月間経過観察する．被疑薬の詳細については成書を参照されたい[1]．この待機期間に画像検査による胸腺腫の有無，末梢血における大顆粒リンパ球数，リンパ球免疫形質解析，T 細胞抗原受容体遺伝子のクローナリティ，HPV-B19 の DNA，自己抗体，血清エリスロポエチン濃度，固形腫瘍の有無などについて検索する．妊娠可能年齢の女性に慢性赤芽球癆をみた際には妊娠の可能性について検討する．

大顆粒リンパ球性白血病の一般的診断基準としては末梢血において 2,000/μL 以上の顆粒リンパ球増多が 6 ヵ月以上持続することが要件であるが，クローン性が証明できれば顆粒リンパ球数は 2,000/μL 未満でもよい．また，必ずしも大リンパ球とは限らず，その5%ではアズール顆粒に乏しいとされるので注意が必要である．

HPV-B19 感染の初感染による赤芽球癆は，通常急性発症であるが，免疫不全を合併するような患者，たとえばヒト免疫不全ウイルス（HIV）感染症や臓器移植，化学療法後などにおいて慢性の赤芽球癆を引き起こすことがある．したがって，慢性型の赤芽球癆においても状況に応じて HPV-B19 の DNA 検査を行う必要がある．

4 治療と予後

1）初期治療

貧血が高度で日常生活が障害されている場合には赤血球輸血を考慮する．赤芽球癆の診断から約 1 ヵ月間の経過観察を行っても貧血が自然軽快しない場合や，基礎疾患の治療によって貧血が改善しない場合には免疫抑制薬の使用を考慮する[4]．妊娠関連赤芽球癆は出産後自然軽快することが多い．特発性後天性赤芽球癆は指定難病であり，stage 3 以上の場合治療費の一部が公費補助対象となる．

2）続発性赤芽球癆の治療

a）胸腺腫

赤芽球癆に対する胸腺腫摘出術の有効率は 1970 ～ 1980 年代に 25 ～ 38％と報告されたが，Mayo Clinic から報告された 50 年間 13 例の解析結果では，手術の有効性が確認された症例は皆無であった[5]．また，特発性造血障害に関する調査研究班により集積された胸腺腫合併赤芽球癆 41 例中，胸腺摘出術の後に赤芽球癆を発症している症例が16例いることが判明した[6]．したがって，赤芽球癆における胸腺腫摘出術の役割は，赤芽球癆に対する治療というよりも，胸腺腫そのものに対する治療と考えるのが妥当である．

b）大顆粒リンパ球性白血病

大顆粒リンパ球性白血病に対する標準治療は確立されていないが，赤芽球癆を合併した大顆粒リンパ球性白血病に対する cyclophosphamide（CY），ciclosporin（CsA），副腎皮質ステロイドなどによる治療経験が報告されている[7]．

c）悪性リンパ腫

悪性リンパ腫と赤芽球癆発症の時空関係からみると，同時発症例とリンパ腫の治療後に赤芽球癆が発症する症例とに分けられる．同時発症例ではリンパ腫に対して化学療法が有効であった場合，貧血の改善も期待される．

d）持続性 HPV-B19 感染症

静注用ガンマグロブリンには HPV-B19 に対する中和抗体が含まれており，臓器移植や HIV 感染症，リンパ球に作用する抗体薬を併用した化学療法後にみられる慢性 HPV-B19 関連赤芽球癆に対して有効な治療法である．

e）ABO 主不適合同種造血幹細胞移植後赤芽球癆

ABO 主不適合ドナーから同種造血幹細胞移植を受けた患者において，レシピエントに残存する不適合血球凝集素により赤血球造血の回復遅延，ときに赤芽球癆を発症しうることが知られている．血漿交換，免疫吸着，免疫抑制薬の急速減量，ドナーリンパ球輸注，副腎皮質ステロイド，エリスロポエチン，rituximab などの有効例が症例報告として散見されるが，標準的治療は確立されていなかったため，特発性造血障害に関する調査研究班と日本造血細胞移植学会（現・日本造血・免疫細胞療法学会）との共同で全国調査が行われ 46 例の赤芽球癆合併例が集積された[8]．解析対象症例数が限られた後方視的コホート研究であるため結果の解釈には注意を要するが，少なくとも赤芽球癆に対する治療介入が赤血球系造血の回復に貢献することを支持するエビデンスは得られなかった．したがって，現時点における移植後赤芽球癆に対する標準的マネジメントは，輸血を中心とする保存的治療であると考えられる．

3）免疫抑制薬による寛解導入療法

後天性慢性赤芽球癆に対する免疫抑制療法は古くから行われている[1]．しかしながら，後天性慢性赤芽球癆はまれな疾患であることから，免疫抑制薬に関する無作為前方視的介入試験，前方視的コホート研究は行われておらず，それぞれの薬剤の優劣について確固たるエビデンスはない．

寛解導入療法に用いられる免疫抑制薬として，副腎皮質ステロイド，CY，CsA が使われており，その他，難治例に対する抗胸腺細胞グロブリン，脾摘術，血漿交換療法，抗 CD20 抗体や抗 CD52 抗体などが報告されている．後天性慢性赤芽球癆に対する副腎皮質ステロイドおよび CsA の奏効率はそれぞれ 30 ～ 62％，65 ～ 87％である．CY の奏効率は単剤で 7 ～ 20％，副腎皮質ステロイドとの併用で 46 ～ 56％と報告されている[4]．

4）寛解維持療法

特発性造血障害に関する調査研究班の全国調査により，多くの後天性慢性赤芽球癆患者で寛解維持療法が必要であることが明らかにされた[3,6,7]．寛解維持に最適な薬剤は，有効性のみならず，有害事象の面から考慮しなければならない．CY の長期投与に伴う二次がんリスクの増加と生殖器毒性，副腎皮質ステロイドの必ずしも良好ではない寛解維持効果と長期投与に伴う糖尿病，感染，骨折リスクの増大などを考えると，腎機能の悪化に注意は必要であるが，現時点において寛解維持療法に推奨される薬剤は CsA であると考えられる[4]．

寛解維持のために必要な CsA の血中トラフ濃度は明らかではない．2 年以上寛解を維持している症例における CsA 維持量は初期投与量の約 40％であった．初期投与量の 50％程度まで減量した後はより慎重に減量を行うべきである．

5）後天性慢性赤芽球癆の予後

特発性造血障害に関する調査研究班による全国調査によりわが国における特発性赤芽球癆，胸腺腫関連赤芽球癆および大顆粒リンパ球性白血病関連赤芽球癆の予測平均生存期間は 11.8 ～ 17.7 年と推定されている[9]．これら 3 病因による慢性赤芽球癆の生存期間に統計学的有意差はない．急性赤芽球癆は self-limited であるが，免疫抑制療法の適応となった慢性赤芽球癆の予後不良因子は治療不応と貧血の再燃であり，主な死因は感染症と臓器不全であることも明らかにされている．

6）再発・難治例への対応

CsA が無効の場合，投与量と投与期間が適正であったかどうかを検討し，さらに続発性の可能性，特に大顆粒リンパ球性白血病や HPV-B19 の持続感染の有無を確認する．また，再発例に対しては CsA や副腎皮質ステロイドの減量・中止の速度が適正であったか否かを確認する．再発例においても CsA に反応することがある．複数の薬剤に不応の場合には，年齢や併存疾患にもよるが同種造血幹細胞移植も考慮される．

■文　献■

1）Narla A et al: Wintrobe's Clinical Hematology, 14th ed, Walters Kluwer, p990-1001, 2019
2）Sawada K et al: Haematologica **92**: 1021, 2007
3）Nakazawa H et al: Blood Adv **6**: 6282, 2022 DOI: 10.1182/bloodadvances.2021006486
4）Sawada K et al: Br J Haematol **142**: 505, 2008
5）Thompson CA et al: Br J Haematol **135**: 405, 2006
6）Hirokawa M et al: Haematologica **93**: 27, 2008
7）Fujishima M et al: Haematologica **93**: 1555, 2008
8）Hirokawa M et al: Biol Blood Marrow Transplant **19**: 1026, 2013
9）Hirokawa M et al: Br J Haematol **169**: 879, 2015

10 ACD（慢性疾患に伴う貧血）

到達目標

- ACDの病態を理解し，鑑別診断と適切な治療の選択を行うことができる

1 病因・病態

慢性感染症や自己免疫疾患などの慢性疾患の患者では，しばしば出血などの明らかな原因が特定できない貧血がみられる．欧米では，古くからこれをanemia of chronic diseaseあるいはanemia of chronic disorder（慢性疾患に伴う貧血：ACD）と呼んでいた．近年，その主な原因が炎症性サイトカインであることが明らかとなり，ほぼ同義でanemia of inflammation（炎症性貧血）とも記載されるようになった．炎症は非特異的な生体防御反応であり，T細胞，単球，マクロファージなどの免疫系の細胞からinterleukin-1（IL-1；αとβ），interleukin-6（IL-6），interleukin-10（IL-10），interferon-γ（IFN-γ），腫瘍壊死因子α（tumor necrosis factor-α：TNF-α）などのさまざまな炎症性サイトカインが放出されている．こういったサイトカインの過剰が貧血の原因になっている[1]．

ACDの基礎疾患としては，細菌，結核，真菌，ウイルスなどによる慢性感染症，関節リウマチや全身性エリテマトーデスなどの自己免疫疾患，潰瘍性大腸炎やCrohn病などの炎症性腸疾患，Castleman病，悪性腫瘍などがある．基礎疾患によっては鉄欠乏性貧血（iron deficiency anemia：IDA）を合併することがある．

ACDの病態は複雑で複合的であるが，主に，①血球系統を制御する転写因子のバランスの変化，②腎臓におけるエリスロポエチン（erythropoietin：EPO）産生能の低下，③骨髄における赤血球造血能の低下，④鉄の利用障害，⑤赤血球寿命の短縮の5つの要素によって生じている（**図1**）．これらのなかで特に重要と考えられるのは④鉄の利用障害である．

1）血球系統を制御する転写因子のバランスの変化

炎症は生体防御反応であり，造血系においては赤血球産生から顆粒球産生へのバランスの変化が生じる．こういった変化はおもに，造血幹細胞における転写因子の発現の変化によってもたらされる．すなわち，炎症性サイトカインのTNFαは，造血幹細胞を骨髄系細胞に分化させる転写因子PU.1を増加させる一方で[2]，赤血球への分化を促す転写因子GATA-1の発現を低下させる[3]．GATA-1の標的遺伝子にはEPO受容体や，グロビン遺伝子群，ヘム合成に必須なアミノレブリン酸合成酵素（5-aminolevulinic acid synthase：ALAS）も含まれる．このため，GATA-1の発現低下は赤血球造血を抑制し，貧血を引き起こす[4]．

2）腎臓におけるEPO産生能の低下

EPOは主要な赤血球造血刺激ホルモンで，主に腎臓で産生される．EPO遺伝子の転写は低酸素誘導因子（hypoxia inducible factor：HIF）によって増強されるため，組織の低酸素状態に応じてEPOの発現が増加する．貧血でヘモグロビン（Hb）値が減少すると腎組織への酸素供給が減少し，これに応じてEPOの産生は指数関数的に増加する．しかしながら，ACD患者においては，貧血の程度と比較してEPOの発現が相対的に低下している．これは，炎症性サイトカインであるIL-1やTNF-αが腎臓のEPO産生を抑制するためである．EPO産生の相対的な低下は，赤芽球前駆細胞である赤芽球バースト形成細胞（erythroid burst forming unit：BFU-E）および赤芽球コロニー形成細胞（erythroid colony forming unit：CFU-E）の増殖と成熟を阻害し，貧血の原因になる．

3）骨髄における赤血球造血能の低下

さまざまな炎症性サイトカインが，直接または間接的にBFU-EおよびCFU-Eの増殖を抑制する．たとえば，IFN-γはCFU-EにおけるEPO受容体の発現を減少させ，アポトーシスを誘導する[5]．敗血症の際に壊死細胞から放出されたり，炎症性刺激によって活性化した免疫細胞から放出されたりするhigh mobili-

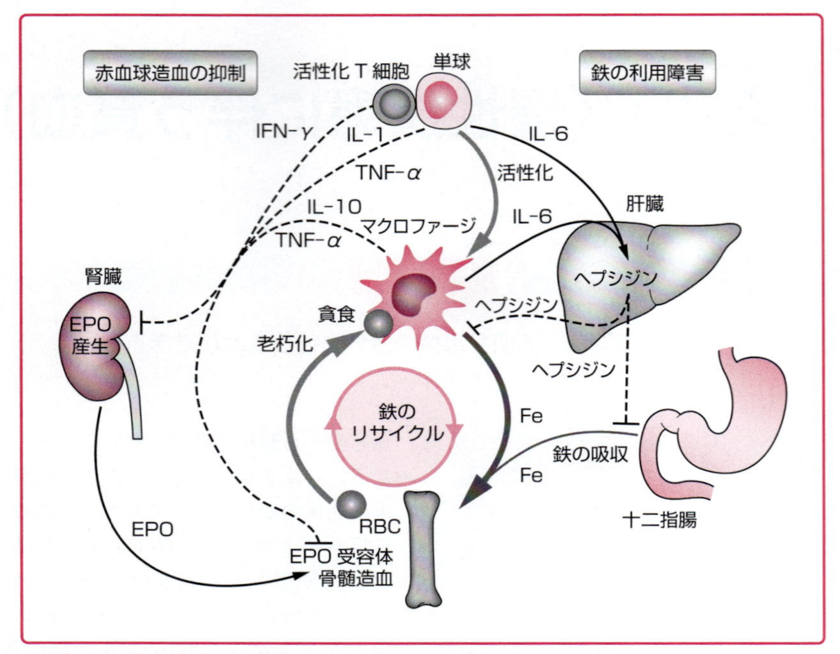

◆図 1　炎症性サイトカインによる ACD の発症機序

T 細胞，単球，マクロファージなどの免疫細胞から放出される IL-1，IFN-γ，TNF-αなどの炎症性サイトカインは，腎臓でのエリスロポエチン（EPO）産生を抑制する．また，これらのサイトカインは骨髄の赤芽球前駆細胞の EPO 受容体発現を低下させ，EPO に対する反応性を鈍化させる．別の炎症性サイトカインである IL-6 は肝臓のヘプシジン 25 産生を刺激し，これによってマクロファージを介した鉄のリサイクルと腸管からの鉄の吸収を抑制する．IL-6 によって血清ヘプシジン 25 が増加すると，造血系で利用可能な鉄が減少し，小球性低色素性の貧血となる．

ty group box-1 protein（HMGB1）は，EPO および EPO 受容体と結合して，その下流のシグナル伝達を抑制する[6]．また，transforming growth factor-β（TGF-β）は骨髄の間葉系細胞や細胞外マトリックスに影響を与えて骨髄の線維化を引き起こし，造血環境を悪化させる．

4）鉄の利用障害

体内の鉄の約 2/3 は赤血球の Hb 内に存在する．老朽化した赤血球は網内系のマクロファージに貪食され，そこから取り出された鉄は再び赤血球造血に利用される（**鉄のリサイクル；図 1**）．ACD においては鉄のリサイクル機構が滞っており，造血系における鉄の利用が障害されている．その病態には鉄代謝調節ホルモンの**ヘプシジン**が重要な役割を果たしている（Ⅰ-2「血球産生と分化」参照）[7]

ヘプシジンは 20 ～ 25 アミノ酸からなるペプチドホルモンで，主に肝細胞で産生され血中に分泌される．ヘプシジン 25 の発現は，炎症性サイトカインである IL-6 によって刺激されて増加する．血清ヘプシジン 25 が増加すると，マクロファージから細胞外に鉄を輸送するフェロポルチンの発現が低下し，鉄のリサイクルが滞る．その結果，造血系で利用できる鉄が減少し，Hb の合成能が低下して貧血が引き起こされる．ヘプシジン 25 は腸管からの鉄の吸収も阻害するため，長期に高 IL-6 血症が続くと体内の鉄の絶対量が減少して，IDA を合併する．

IL-1 や IFN-γ などの炎症性サイトカインは，網内系細胞において鉄貯蔵蛋白であるフェリチンの発現を増加させる．これも，網内系細胞からの鉄の放出が減少する一因と考えられる．

5）赤血球寿命の短縮

赤血球の寿命は約 120 日とされているが，ACD ではしばしば短縮している．マクロファージの活性化による赤血球貪食の亢進，脾腫，病原体が放出する毒素などがその原因として考えられている．基礎疾患によっては，微小血管内皮障害や自己免疫による溶血も，赤血球寿命の短縮に関与している．

2 診断・検査

ACDは正球性または小球性で低色素性の貧血を呈することが多い．また血清鉄が低下するため，IDAとの鑑別が問題となる．鑑別のポイントとして，IDAでは血清フェリチン値が低下し総鉄結合能（total iron binding capacity：TIBC）や不飽和鉄結合能（unsaturated iron binding capacity：UIBC）が増加しているのに対して，ACDでは血清フェリチン値が正常～増加し，UIBCおよびTIBCが正常～低下している点が挙げられる．また，ACDではCRPが陽性で，血清アルブミン値が低下していることが多い．ただし，ACDとIDAはしばしば合併することがあり注意を要する．たとえば，炎症性腸疾患に伴うACDでは持続的な消化管出血によるIDAを合併する．また，関節リウマチに伴うACDでは非ステロイド抗炎症薬(NSAIDs）による消化性潰瘍からの出血や，メトトレキサートなどによる薬剤性貧血の可能性も念頭に置く必要がある．

ACDとIDAの鑑別に用いる特殊な検査としては，可溶性トランスフェリン受容体1（soluble transferrin receptor 1：sTfR1)，血清IL-6，血清ヘプシジン25がある．sTfR1はIDAで増加し，sTfR1/logフェリチン比はACDでは1以下，IDAでは1以上になる[8]．血清IL-6はACDでは増加し，血清ヘプシジン25はIDAで著しく低下する．これらの検査はACDとIDAとの鑑別に有用であるが，残念ながらいずれも保険適用外である．

3 治療

ACDの治療は原疾患の治療が原則であり，可能な限り原疾患のコントロールを試みる．関節リウマチやCastleman病では，抗IL-6受容体抗体のtocilizumabが，肝臓のヘプシジン25産生を抑制して網内系細胞から造血系への鉄の供給を増加させ，これらの疾患にみられるACDを著明に改善させる[9,10]．腎性貧血に合併したACDでは，**遺伝子組換えヒトEPO製剤**（recombinant human erythropoietin：rhEPO）やダルベポエチン，エポエチンβペゴルなどの**赤血球造血刺激因子**（erythropoiesis stimulating agents：ESA）の効果が期待できる．プロリン水酸化酵素阻害薬（HIFの分解を抑制する経口薬）も，腎性貧血に合併したACDに対する改善効果が示されている[11]．ACDには潜在的な鉄欠乏症を合併していることも多く，血清フェリチン値が100 ng/mL以下である場合には鉄剤の投与も検討する．心不全をきたすような高度の貧血がみられるにもかかわらず原疾患の治療が困難な場合は，赤血球輸血を検討する．ただし，鉄剤投与や赤血球輸血に際しては常に鉄過剰症の危険を考え，血清フェリチン値のモニタリングを行うべきである．

文献

1) Weiss G: Biochim Biophys Acta **1790**: 682, 2009
2) Etzrodt M et al: Blood **133**: 816, 2019
3) Buck I et al: Biochem Pharmacol **76**: 1229, 2008
4) Ferreira R et al: Mol Cell Biol **25**: 1215, 2005
5) Taniguchi S et al: Blood **90**: 2244, 1997
6) Dulmovits BM et al: Blood **139**: 3181, 2022
7) Ganz T et al: Semin Hematol **46**: 387, 2009
8) Punnonen K et al: Blood **89**: 1052, 1997
9) Song SN et al: Blood **116**: 3627, 2010
10) Kawabata H et al: Haematologica **92**: 857, 2007
11) Li ZL et al: Kidney Dis (Basel) **6**: 65, 2020

11 腎性貧血

到達目標

- 腎性貧血の病態を理解し，適切な治療を行うことができる

1 病因・病態

慢性腎臓病（chronic kidney disease：CKD）では高頻度に貧血を合併する．その主な原因は腎臓における**エリスロポエチン**（erythropoietin：EPO）の産生障害であり，これが原因の貧血が狭義の**腎性貧血**（renal anemia）である．しかしながら，実際にはCKDに伴う貧血の病態はそれほど単純ではなく，むしろ複合的で，①腎臓におけるEPO産生能の低下，②骨髄における赤血球造血能の低下，③鉄の利用障害，④赤血球寿命の短縮の4つの要素が関連しうる．こういった，腎機能障害に起因する貧血の全病態が広義の腎性貧血である．

1）腎臓におけるEPO産生の低下

EPOは赤血球造血を促す重要なサイトカインで，主として腎臓の間質に存在する細胞が産生し分泌している．腎組織が貧血のために低酸素状態になると低酸素誘導因子（hypoxia inducible factor：HIF）-2α蛋白が増加し，これが転写因子として働いてEPOの発現を増加させ，貧血を改善する方向に造血を刺激する[1]．ところが，CKD患者では，腎組織が荒廃してEPO産生細胞が減少し，あるいは機能的に障害されているために十分なEPOの産生ができなくなっている．実際には，腎障害が軽度でEPO産生細胞の機能が維持されていても，貧血に見合うだけの血清EPO濃度の上昇がみられないことがある．これは，尿細管の障害によって酸素の需要が低下して，EPO産生細胞に供給される酸素量が比較的維持されているためと考えられる（**図1**）．このように，腎障害の患者では貧血に見合った十分なEPOが産生されないために，骨髄の赤芽球前駆細胞である赤芽球バースト形成細胞（BFU-E）と赤芽球コロニー形成細胞（CFU-E）の増殖・成熟が抑制されて貧血が生じる．これが腎性貧血の主要な機序である[2]．

2）骨髄における赤血球造血能の低下

腎不全にはしばしば副甲状腺機能亢進症を伴うが，高濃度の副甲状腺ホルモンは骨髄の赤血球造血を抑制する．また，透析患者においては骨へのアルミニウム蓄積が造血を抑制する可能性がある．降圧薬のアンジオテンシン受容体拮抗薬は，CKDでは腎保護作用を期待してしばしば用いられているが，EPOに対する赤芽球前駆細胞の反応性を減弱させる[3]．

3）鉄の利用障害

血液透析患者ではしばしば**鉄代謝異常**がみられる．すなわち，血清フェリチン値が比較的高いにもかかわらず血清鉄が低めとなり，造血系で利用される鉄が相

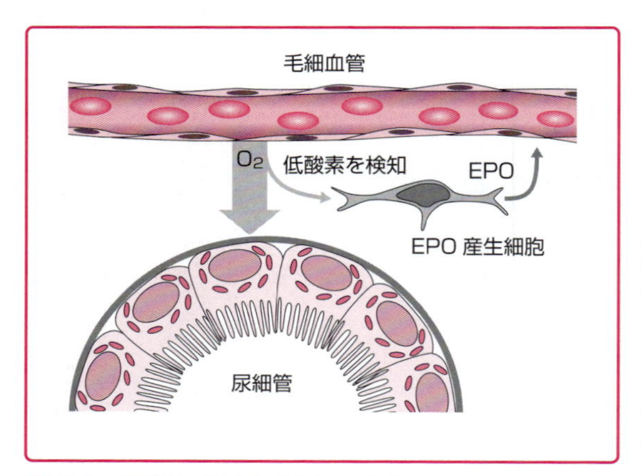

◆図1　腎臓におけるEPOの産生
腎の間質に存在するEPO産生細胞は，組織の低酸素を検知して赤血球造血刺激ホルモンであるEPOを産生する．EPO産生細胞内では，低酸素刺激が低酸素誘導因子（hypoxia inducible factor：HIF）という転写因子の発現を増加させ，これが*EPO*遺伝子のエンハンサーを刺激して，EPOの発現を増加させる．腎性貧血ではEPO産生細胞の数的・機能的障害のために，貧血の程度に比較してEPOの産生が十分にできなくなっている．また，腎尿細管障害のために酸素の需要が減少してEPO産生細胞に供給される酸素が相対的に増加することも，EPO産生の低下の原因になる．

対的に減少する．これは，網内系細胞に鉄がトラップされるためで，その原因は鉄代謝の制御ホルモンであるヘプシジン25が相対的に過剰になっているためと考えられる．血清ヘプシジン25が増加する原因ははっきりしていないが，血液透析による刺激で炎症が起こり血清IL-6がやや高値になり，これがヘプシジンの発現を刺激している可能性や，血清ヘプシジン25のクリアランスが低下している可能性などが考えられる．

4）赤血球寿命の短縮

CKD患者では，赤血球寿命が健常者と比較して若干短縮していることが知られている．その機序の1つとして，尿毒症物質による溶血が想定されている．糖尿病性腎症では，赤血球膜に終末糖化産物（advanced glycosylation endproduct）が蓄積し，赤血球寿命の短縮をもたらす．透析患者では人工透析による機械的な刺激も溶血の原因になる．

2 診断・検査

腎機能障害がみられる患者にヘモグロビン（Hb）の低下があれば腎性貧血を疑う．診断確定のためには血清EPO濃度を測定し，貧血に見合う上昇がなければまず腎性貧血と考えてよい．もし血清EPO濃度が異常高値（100 mIU/mL以上）であったり，血小板減少や好中球減少がみられる場合は，腎性貧血よりはむしろ再生不良性貧血や骨髄異形成症候群などの骨髄不全を考える必要がある[4]．

腎機能障害の重症度で分けてみると，CKDのstage 3［糸球体濾過量（GFR）30～59 mL/分/1.73 m^2］で貧血の頻度が上昇し始め，stage 4以上（GFR29 mL/分/1.73 m^2以下）で腎性貧血の頻度が急増する[5]．CKDのstage 3では血清クレアチニン値は基準上限から軽度の上昇にとどまることが多く，こうした軽度の腎機能障害であっても腎性貧血を生じうることには注意を要する．特に，クレアチニン値が正常範囲内でも蛋白尿がみられる場合には，しばしば腎性貧血がみられる．

腎性貧血は通常は正球性正色素性であるが，鉄欠乏を合併するとやや小球性低色素性になる．トランスフェリン飽和度（TSAT）あるいは血清フェリチン値の低下は鉄欠乏を示唆する．わが国ではあまり認知されていない検査項目ではあるが，英国血液学会のガイドラインでは，低色素性赤血球%（percentage of hypochromic red cell：% HRC；血液検査装置によっては% hypo-Heに相当）および網赤血球Hb量（reticulocyte hemoglobin content：CHr；血液検査装置によってはRet-Heに相当）を，最も信頼のできる機能的な鉄欠乏状態の指標としている[6]．

CKDで大球性貧血がみられる場合には，葉酸やビタミンB_{12}欠乏の合併を疑う必要がある．1型糖尿病に合併したCKDでは，しばしば胃の壁細胞に対する自己抗体による自己免疫性萎縮性胃炎がみられ，これは消化管からのビタミンB_{12}および鉄の吸収障害を引き起こす．通常，腎性貧血では網赤血球数の増加がみられないが，もしみられる場合は溶血や消化管などからの出血を考えて精査を行う必要がある．

3 治療法と治療目標

腎性貧血の治療には，**遺伝子組換えヒトEPO製剤**（recombinant human EPO：rhEPO-αおよびβ）が使用されていたが，最近では主にダルベポエチンα（darbepoetin α）や，エポエチンβペゴル（epoetin β pegol）といった，半減期の長い**赤血球造血刺激因子**（erythropoiesis stimulating agents：ESA）が用いられる．2015年の日本透析医学会のガイドラインでは，成人の保存期CKD患者および腹膜透析患者へのESAの投与開始基準をHb 11 g/dL以下，治療目標値を11～13 g/dLとしている（ただし，重篤な心血管系疾患の合併や既往のある場合には12 g/dL以下）[7]．また，成人の血液透析患者に関してはESAの投与開始基準をHb 10 g/dL以下，治療目標値を10～12 g/dLとすることを推奨しており，日本腎臓学会の推奨も同様の基準となっている[8]．投与経路は，保存期CKD患者および腹膜透析患者では皮下注，血液透析患者では透析回路を通しての静注が推奨されている[7]．

CKD患者のなかには，しばしばESAに不応性の腎性貧血がみられるが，こういった症例では鉄欠乏，慢性疾患に伴う貧血（anemia of chronic disease：ACD），副甲状腺機能亢進症（副甲状腺ホルモンによる造血抑制），薬剤性，骨へのアルミニウム蓄積，葉酸欠乏，赤芽球癆，隠れた悪性腫瘍（多発性骨髄腫など）の可能性などを考えて検査を進める必要がある[3]．まれではあるがrhEPOによる危険な合併症に，EPOに対する自己抗体による赤芽球癆がある．

最近，HIFの分解を抑制する経口の**プロリン水酸化酵素**（prolyl hydroxylase：PHD）**阻害薬**が次々に開発されている[9]．これらの薬剤はHIFの発現増加を介して内因性のEPOの発現を増加させ，ESA製剤に劣らない貧血改善効果をもたらす．ただし，HIFの増加は理論上，腫瘍の増殖や転移を促したり，血管内皮細胞増殖因子（vascular endothelial growth factor：VEGF）の発現を介して血管増生を促したり，血栓塞栓症のリスクを高めたりする可能性がある．したがって，投与開始前には悪性腫瘍や網膜症の有無，血栓塞栓症の既往の有無について精査を行い，慎重に投与を検討すべきである[10]．

鉄欠乏症は血栓症のリスク因子にもなるため，PHD 阻害薬内服中は適切な鉄の補充が望まれる．血液透析中の患者も，回路内の残血や頻回の血液検査のために鉄欠乏状態に陥りやすい．腎性貧血では血清フェリチン値が正常範囲でも，鉄剤に反応して貧血が改善することがある．これは機能的な鉄欠乏状態と考えられる．鉄補充療法の開始基準についてはなお議論があるが，2015 年の日本透析医学会のガイドラインでは，ESA 投与下で目標 Hb 値が維持できない患者において，血清フェリチン値 100 ng/mL 未満かつ TSAT 20％未満の場合，鉄補充療法が推奨されている[7]．鉄剤の投与経路は，血液透析中の患者では血管内投与が選択されることが多いが，腹膜透析および保存期 CKD の患者では経口投与が一般的である．鉄剤の血管内投与においては，鉄がもたらす酸化ストレスの毒性を念頭におき，過剰投与に注意すべきである．同様に，赤血球輸血を行う場合も鉄過剰症に対する注意が必要である．

腎性貧血が高度であれば，組織低酸素のために左心不全や心肥大のリスクが増大し，生活の質（quality of life：QOL）が低下する．一方，Hb 値を上げすぎると心血管合併症や脳梗塞のリスクが増加して，死亡率がむしろ増加する．特に，1ヵ月で 2 g/dL 以上の Hb 値の急速な上昇は危険とされる．わが国の維持透析患者を対象とした Hb 値，血清フェリチン値，鉄剤投与量と，有害事象の発症リスクに関する多施設共同研究によると，Hb 値の大きな変動，血清フェリチン高値（常に 100 ng/mL 以上），および経静脈的な 50 mg/ 週以上の鉄剤投与は，いずれも心・脳血管合併症および感染症の有意な増加をもたらす危険因子であった[11]．

■文　献■

1）Orlando IMC et al: Haematologica **105**: 2774, 2020
2）Lankhorst CE et al: Blood Rev **24**: 39, 2010
3）Elliott J et al: Adv Chronic Kidney Dis **16**: 94, 2009
4）吉田彌太郎ほか：臨血 **34**: 895, 1993
5）日本腎臓学会（編）：CKD 診療ガイド 2012（https://jsn.or.jp/guideline/pdf/CKDguide2012.pdf）（最終確認：2023 年 3 月 15 日）
6）Thomas DW et al: Br J Haematol **161**: 639-648, 2013
7）日本透析医学会：透析会誌 **49**: 89, 2016
8）日本腎臓学会（編）：エビデンスに基づく CKD 診療ガイドライン 2018，東京医学社，2018
9）Li ZL et al: Kidney Dis（Basel）**6**: 65, 2020
10）内田啓子ほか：日本腎臓学会 HIF-PH 阻害薬適正使用に関する recommendation, 2020（https://jsn.or.jp/data/HIF-PH_recommendation.pdf）（最終確認：2023 年 3 月 15 日）
11）Kuragano T, et al.: Kidney Int **86**, 845, 2014

1 WHO 分類：骨髄系腫瘍

到達目標

- WHO 分類による骨髄系腫瘍の大カテゴリーを理解する
- 骨髄増殖性腫瘍（MPN），骨髄異形成／骨髄増殖性腫瘍（MDS/MPN），骨髄異形成症候群（MDS）および急性骨髄性白血病（AML）の主な病型を理解し，鑑別診断ができる

1 骨髄系腫瘍の WHO 分類の特徴

骨髄系腫瘍の分類は，French-American-British（FAB）分類では形態学，免疫学的特徴を主体に行われてきたが，遺伝子異常の関与が解明されるに従い，WHO 分類においては，分子遺伝学的データを統合した分類が主体になってきている．

WHO 分類改訂第 4 版*（2017 年）[1,2]において骨髄系腫瘍は 9 つの大カテゴリーに分類されている．

①骨髄増殖性腫瘍（myeloproliferative neoplasms：MPN），②肥満細胞症，③好酸球増加と遺伝子再構成を伴う骨髄系とリンパ系腫瘍（myeloid and lymphoid neoplasms with eosinophilia and gene rearrangement），④骨髄異形成／骨髄増殖性腫瘍（myelodysplastic/myeloproliferative neoplasms：MDS/MPN），⑤骨髄異形成症候群（myelodysplastic syndromes：MDS），⑥胚細胞系列素因を伴う骨髄性腫瘍（myeloid neoplasms with germline predisposition），⑦急性骨髄性白血病および関連前駆細胞腫瘍［acute myeloid leukaemia（AML）and related precursor neoplasms］，⑧芽球性形質細胞様樹状細胞腫瘍（blastic plasmacytoid dendritic cell neoplasm：BPDCN），⑨分化系統不明瞭な急性白血病（acute leukaemias of ambiguous lineage）である．

WHO 分類第 4 版（2008 年）では MPN に分類されていた肥満細胞症と，AML に分類されていた BPDCN がそれぞれ独立したカテゴリーになり，さらに生殖細胞系列素因を有する骨髄系腫瘍が新しいカテゴリーとして設定されたことが大きな改訂点である．

*本書は基本的に WHO 分類改訂第 4 版（2017 年）に基づいて記載しているが，必要な場合には WHO 分類第 5 版（2022 年）にも言及している．

2 骨髄増殖性腫瘍（MPN）（表 1）

MPN は造血幹細胞の遺伝子異常に起因するクローン性の骨髄増殖性疾患群であり，分化能を有する細胞の増殖を特徴とする．慢性骨髄性白血病（chronic myeloid leukemia：CML），*BCR::ABL1* 陽性，慢性好中球性白血病（chronic neutrophilic leukemia：CNL），真性赤血球増加症（polycythemia vera：PV），原発性骨髄線維症（primary myelofibrosis：PMF），本態性血小板血症（essential thrombocythemia：ET），慢性好酸球性白血病，非特定型（chronic eosinophilic leukemia, not otherwise specified：CEL-NOS），MPN，分類不能型（myeloproliferative neoplasms, unclassifiable：MPN-U）に分類される．

MPN の診断において遺伝子変異が重要であり，CML では *BCR::ABL1* 融合遺伝子が 100% 陽性であり，PV の大部分には *JAK2* V617F または exon12 の変異が認められる．PMF や ET には約 50 ～ 60% に *JAK2* 変異が認められ，それ以外に *MPL* 変異や *CALR* 遺伝子変異が指摘されている．CNL には *CSF3R* 変異が高頻度で認められ，*SETBP1* や *ASXL1* 変異を伴うことも少なくない[3]．

骨髄線維化のグレードを 4 群に分け，PMF を前線維化期／早期（prePMF）と線維化期（overt-PMF）に分類し，さらに ET との鑑別の重要性が強調された．PV や ET から骨髄線維症に移行することは以前より知られているが，線維化の有無は予後を予測する上においても有用であり，骨髄生検の重要性が示唆されている．

◆表1　Myeloproliferative neoplasms（MPN）の WHO 分類（改訂第4版，2017年）

病　型	末梢血所見	骨髄所見	染色体/遺伝子
慢性骨髄性白血病，*BCR::ABL1* 陽性（chronic myeloid leukaemia；CML），*BCR::ABL1*-positive	白血球増加 好中球増加 好塩基球増加 好酸球増加	• 過形成 • 顆粒球系増加 • 巨核球増加	Ph 染色体 *BCR::ABL1* 遺伝子
慢性好中球性白血病（chronic neutrophilic leukaemia: CNL）	• 白血球≧ 25,000/μL • 好中球＞ 80% • 未熟顆粒球＜ 10% • 単球＜ 1,000/μL • 芽球＜ 1%	• 好中球過形成 • 異形成なし • 芽球＜ 5%	*CSF3R* 遺伝子変異
真性赤血球増加症（polycythaemia vera: PV）	Hb>16.5g/dL（男），>16.0g/dL（女） または Ht>49%（男），>48%（女）	• 過形成，3 血球系の増殖 • 多彩な形態の成熟巨核球	*JAK2* V617F 変異（96%） *JAK2* exon 12 変異（4%）
原発性骨髄線維症（primary myelofibrosis: PMF）	• 白赤芽球症 • 涙滴赤血球	• dry tap • 骨髄線維化	*JAK2* V617F 変異（50%） *CALR* exon 9 変異（30%） *MPL* 変異（5%）
本態性血小板血症（essential thrombocythaemia: ET）	血小板≧ 45 万/μL	• 高度な分葉を呈する大型成熟巨核球の増殖 • 好中球の著明増加や左方移動，赤芽球増殖は認めない • 細網線維増生はまれ	*JAK2* V617F 変異（50 ～ 60%） *CALR* exon 9 変異（30%） *MPL* 変異（3%）
慢性好酸球性白血病，非特定型（chronic eosinophilic leukaemia, not otherwise specified：CEL-NOS）	好酸球≧ 1,500/μL 芽球＜ 2 ～ 20%	芽球＜ 5 ～ 20%	
MPN，分類不能型（myeloproliferative neoplasm, unclassifiable: MPN-U）	MPN の所見を有するが，いずれの診断基準も満たさない		

3 好酸球増加と遺伝子再構成を伴った骨髄系とリンパ系腫瘍

PDGFRA，*PDGFRB* または *FGFR1* 遺伝子はいろいろな遺伝子と融合遺伝子を形成することによりチロシンキナーゼが恒常的に活性化される．好酸球増加（≧1,500/μL）を特徴とし，慢性好酸球性白血病，慢性骨髄単球性白血病や骨髄増殖性腫瘍といった，骨髄系腫瘍の形態をとることもあるが，リンパ芽球性リンパ腫のようなリンパ系腫瘍となることもある．

PCM1::JAK2 融合遺伝子を伴うものは暫定的病型として追加された．

4 骨髄異形成／骨髄増殖性腫瘍（MDS/MPN）（表2）

血球の異形成という MDS の特徴と細胞増殖という MPN 両者の特徴を持つこのカテゴリーは，5病型からなる．

慢性骨髄単球性白血病（chronic myelomonocytic leukemia：CMML），非定型慢性骨髄性白血病，*BCR::ABL1* 陰性（atypical CML：aCML，*BCR::ABL1* negative），若年性骨髄単球性白血病（juvenile myelomonocytic leukemia：JMML），MDS/MPN，分類不能型（MDS-MPN，U）に加え，前版で暫定的病型であった環状鉄芽球と血小板増多を伴う MDS/MPN（MDS/MPN with ring sideroblasts and thrombocytosis：MDS/MPN-RS-T）が独立した病型になった．このカテゴリーの疾患はいずれも MPN で認められる *BCR::ABL1* 遺伝子，*PDGFRA*，*PDGFRB*，または *FGR1* 再構成がないことの確認が必要で，それ以外に**表2**に示すような遺伝子変異を認めることがある．

5 骨髄異形成症候群（MDS）（表3）

MDS は造血幹細胞のクローン性疾患で，血球異形成と無効造血による血球減少を特徴とし，ほとんどの症例で何らかの遺伝子異常が認められる．WHO 分類

◆表2　Myelodysplastic / myeloproliferative neoplasms（MDS/MPN）のWHO分類（改訂第4版，2017年）

病　型	末梢血所見	骨髄所見	染色体/遺伝子
慢性骨髄単球性白血病 （chronic myelomonocytic leukaemia：CMML）	• 単球≧ 1,000/μL, 10% • 芽球＜ 20% • 幼若顆粒球＜ 10%	• 1系統以上に異形成 • 芽球＜ 20%	染色体：+8，-Y -7/del(7q),comlex *TET2* *SRSF2* *ASXL1* *SETBP1* *RAS/MAPK*
非定型慢性骨髄性白血病，*BCR::ABL1*-陰性 （atypical CML：aCML, *BCR::ABL1* negative）	• 白血球≧ 13,000/μL • 前骨髄球～好中球≧ 10% • 好塩基球＜ 2% • 単球＜ 10% • 芽球＜ 20%	• 芽球＜ 20% • 血球異形成	染色体：+8, del（20q） -7/del（7q), i（17q） *SETBP1*, *ETNK1*
若年性骨髄単球性白血病 （juvenile myelomonocytic leukemia：JMML）	• 白血球増加 • 単球≧ 1,000/μL, • 芽球＜ 20%	• 異形成軽度 • 芽球＜ 20%	-7 （1/3） *PTPN11* *KRAS/ NRAS* *CBL*, *NF1*
環状鉄芽球と血小板増多を伴うMDS/MPN （MDS/MPN with ring sideroblasts and thrombocytosis：MDS/MPN-RS-T）	• 血小板≧ 45万/μL • 芽球＜ 1%	• 赤芽球異形成 • 環状鉄芽球≧ 15% • 巨核球異形成 • 芽球＜ 5%	• *SF3B1* 変異 • *JAK2*　V617F 変異 • *CALR* • *MPL*
MDS/MPN, 分類不能型 （MDS-MPN, U）	MDS,MPN の所見を有するが，いずれの診断基準も満たさない		

改訂第4版（2017年）では，*SF3B1* 以外の遺伝子変異の情報は診断や分類には組み込まれていない．MDS の病型においては，前版から大きな改訂は行われなかったが，名称が変更されており，不応性貧血（refractory anemia）という名称がなくなり，MDS に統一された．

異形成が単一系統の症例は MDS with single lineage dysplasia（MDS-SLD）と名称が変わり，血球系統別の分類がなくなった．異形成と血球減少の系統は必ずしも関係しないことが改めて指摘されているが，MDS-SLD の多くは赤芽球系の異形成と貧血を示す．

2系統以上の異形成を持つ症例は MDS with multilineage dysplasia（MDS-MLD）に分類され，2008年の分類では予後が変わらないとして統合されていた環状鉄芽球を有する症例は別に分類されることになった．

環状鉄芽球を有する症例は MDS with ring sideroblasts（MDS-RS）と名称を変更し，異形成の系統数が1系統の症例は MDS-RS-SLD，2系統以上の異形成を有する症例は MDS-RS-MLD に分類される．*SF3B1* 遺伝子変異が環状鉄芽球と関連性が強いことを重視し，MDS の中で唯一遺伝子情報が診断に組み込まれている．

芽球が5％以上に増加している症例は MDS with excess blasts と名称が変更になり，末梢血の芽球が5％未満で骨髄芽球が5～9％を MDS-EB-1 とし，末梢血の芽球が5～19％または骨髄芽球が10～19％，またはアウエル小体を認める症例を EB-2 に分類するその定義に変更はない．

染色体異常が診断に組み込まれているのは，単独5番染色体長腕欠失を伴う MDS である．貧血，血小板増多，低分葉巨核球の存在などを特徴とするが，del（5q）単独，または-7/del（7q）以外の1つの染色体異常を有するものと規定された．

6 胚細胞系列素因を伴う骨髄性腫瘍（表4）

以前より家族性の骨髄性腫瘍が知られていたが，胚細胞系列の変異に関連して発症する骨髄系腫瘍として，今回の改訂で新しく定義された．

①先行する異常や臓器機能障害を伴わない骨髄性腫瘍，②先行する血小板異常を伴う骨髄性腫瘍，③他臓器の機能障害を伴う骨髄性腫瘍の3群に分けられる．①には *CEBPA* 変異や *DDX41* 変異，②には *RUNX1* 変異，*ANKRD26* 変異，*ETV6* 変異，③には *GATA2* 変異，骨髄不全症候群や Down 症候群に関連する骨髄性腫瘍，および Noonan 症候群に関連する JMML が含まれる．

◆表３　MDSのWHO分類（改訂第４版，2017年）

病　型	末梢血所見	骨髄所見
単一系統に異形成を伴うMDS （MDS with single lineage dysplasia：MDS-SLD）	• 血球減少：1～2血球 • 芽球＜1%	• 異形成：1血球 • 芽球＜5% • 環状鉄芽球＜15%
単一系統に異形成を伴う環状鉄芽球を伴うMDS （MDS with ring sideroblasts with single lineage dysplasia：MDS-RS-SLD）	• 血球減少：1～2血球 • 芽球＜1%	• 異形成：1血球 • 芽球＜5% • 環状鉄芽球≧15% • *SF3B1* 変異
多系統に異形成を伴うMDS （MDS with multilineage dysplasia：MDS-MLD）	• 血球減少：1～3血球 • 芽球＜1%	• 異形成：2～3血球 • 芽球＜5% • 環状鉄芽球＜15%
多系統に異形成を伴う環状鉄芽球を伴うMDS （MDS-RS-MLD）	• 血球減少：1～3血球 • 芽球＜1%	• 異形成：2～3血球 • 芽球＜5% • 環状鉄芽球≧15% • *SF3B1* 変異
芽球増加を伴うMDS-1 （MDS with excess blasts-1：MDS-EB-1）	• 血球減少：1～3血球 • 芽球2～4% • Auer小体なし	• 異形成：問わない • 芽球5～9% • Auer小体なし
芽球増加を伴うMDS-2 （MDS-EB-2）	• 血球減少：1～3血球 • 芽球5～19% • Auer小体±	• 異形成：問わない • 芽球10～19% • Auer小体±
単独5q欠失を伴うMDS [MDS with isolated del（5q）]	• 血球減少：1～2血球 • 芽球＜1%	• 異形成：2～3血球，低分葉巨核球増加 • 芽球＜5% • 染色体：5q− ± 1つの付加的異常（-7またはdel（7q）を除く）
MDS，分類不能型 （MDS,unclassifiable, MDS-U）	• 血球減少：1～3血球 • 芽球1% • Auer小体なし	• 異形成：1～3血球 • 芽球＜5% • Auer小体なし
	• 汎血球減少 • 芽球＜1% • Auer小体なし	• 異形成：1血球 • 芽球＜5% • Auer小体なし
	• 血球減少：1～3血球 • 芽球＜1%	• 異形成：なし • 芽球＜5% • MDSに特有の染色体異常

◆表４　Myeloid neoplasms with germline predispositionのWHO分類（改訂第４版，2017年）

先行する異常や臓器機能障害を伴わない胚細胞系列の素因を有する骨髄性腫瘍
myeloid neoplasms with germline predisposition without a pre-existing disorder or organ dysfunction

- 胚細胞系列 *CEBPA* 変異を伴うAML
- 胚細胞系列 *DDX41* 変異を伴う骨髄性腫瘍

先行する血小板異常を伴う胚細胞系列の素因を有する骨髄性腫瘍
myeloid neoplasms with germline predisposition and pre-existing platelet disorders

- 胚細胞系列 *RUNX1* 変異を伴う骨髄性腫瘍
- 胚細胞系列 *ANKRD26* 変異を伴う骨髄性腫瘍
- 胚細胞系列 *ETV6* 変異を伴う骨髄性腫瘍

他臓器の機能障害を伴い胚細胞系列の素因を有する骨髄性腫瘍
myeloid neoplasms with germline predisposition associated with other organ dysfunction

- 胚細胞系列 *GATA2* 変異を伴う骨髄性腫瘍
- 骨髄不全症候群に関連する骨髄性腫瘍
- テロメアの生物学的疾患に関連する骨髄性腫瘍
- 神経線維腫症，Noonan症候群，またはNoonan症候群様疾患に関連するJMML
- Down症候群に関連する骨髄性腫瘍

◆表 5　Acute myeloid leukaemia and related precursor neoplasms

1. 反復性遺伝子異常を伴う AML (AML with recurrent genetic abnormalities)
    a) t(8；21)(q22；q22.1) を伴う AML; *RUNX1::RUNX1T1*
    b) inv(16)(p13.1q22) または t(16；16)(p13.1；q22) を伴う AML; *CBFβ::MYH11*
    c) *PML::RARA* を伴う急性前骨髄球性白血病
    d) t(9;11)(q21.3；q23.3) を伴う AML；*KMT2A::MLLT3*
    e) t(6；9)(p23；q34.1) を伴う AML；*DEK::NUP214*
    f) inv(3)(q21.3q26.2) または t(3;3)(q21.3;q26.2) を伴う AML; *GATA2, MECOM*
    g) t(1；22)(p13.3；q13.1) を伴う AML（巨核芽球性）；*RBM15::MKL1*
    暫定疾患) *BCR::ABL1* を伴う AML
    h) *NPM1* 遺伝子変異を伴う AML
    i) *CEBPA* 遺伝子両アレル変異を伴う AML
    暫定疾患) *RUNX1* 遺伝子変異を伴う AML
2. 骨髄異形成関連の変化を伴う AML（AML with myelodysplasia-related changes: AML-MRC)
3. 治療関連骨髄性腫瘍（therapy-related myeloid neoplasms: t-MNs)
4. AML，非特異型（AML, not otherwise specified: AML, NOS)
5. 骨髄肉腫（myeloid sarcoma)
6. Down 症候群関連骨髄増殖症（myeloid proliferation related to Down syndrome)

◆表 6　系統不明な急性白血病（acute leukaemias of ambiguous lineage)

- Acute undifferentiated leukaemia
- Mixed-phenotype acute leukaemia with t(9;22)(q34.1;q11.2); *BCR::ABL1*
- Mixed-phenotype acute leukaemia with t(v;11q23.3); *KMT2A*-rearranged
- Mixed-phenotype acute leukaemia, B/myeloid, NOS
- Mixed-phenotype acute leukaemia, T/myeloid, NOS
- Mixed-phenotype acute leukaemia, NOS, rare type
- Acute leukaemias of ambiguous lineage, NOS

7 急性骨髄性白血病および関連前駆細胞腫瘍（表 5）

WHO 分類第 3 版で AML に含まれていた BPDCN が独立したカテゴリーに変更されたことと赤白血病の診断基準に関して大きく改訂された

1）反復性遺伝子異常を伴う AML（AML with recurrent genetic abnormalities）

t(15;17) は複雑核型や cryptic rearrangement のことを考慮し，染色体の記載が削除され，*PML::RARA* という融合遺伝子名のみの記載になった．また，AML with t(9;11)(p21.3;q23.3) の遺伝子異常を *KMT2A::MLLT3* へ変更したこと，inv (3)(q21.3q26.2) または t(3;3)(q21.3;q26.2) には融合遺伝子がなく，*GATA2* 遺伝子のエンハンサーにより *MECOM* 遺伝子発現が亢進することがわかり，記載が変更になった．2008 年度版では暫定的病型であった，*NPM1* 変異を伴う AML と *CEBPA* 遺伝子両アレル変異を伴う AML とが正式な病型になった．また，新たに *BCR::ABL1* を伴う AML と *RUNX* 遺伝子変異を伴う AML が暫定的病型として追加された．

2）骨髄異形成関連の変化を伴う AML（AML with myelodysplasia-related changes：AML-MRC）

AML-MRC は形態学的診断，病歴および細胞遺伝学的診断の 3 つの条件に基づいて診断される．それぞれ 2 系統以上の血球に 50％以上の異形成を伴う AML，MDS または MDS/MPN から進展した AML，MDS に特徴的な染色体異常を有する AML 症例が含まれる．この定義については，2008 年分類と変わっていない．しかし，多系統に異形成を認める症例の中で，*CEBPA* 遺伝子両アレル変異や *NPM1* 遺伝子変異を伴うものは除外することが明記された．また，*CEBPA* 遺伝子両アレル変異や *NPM1* 遺伝子変異との関連がある del (9q) は MDS に特徴的な染色体異常から除外された．

3）治療関連骨髄性腫瘍（therapy-related myeloid neoplasms：t-MNs）

悪性腫瘍に対する化学療法や放射線療法後に発症する AML である．治療関連の MDS，MDS/MPN，AML が含まれる．MPN 由来の AML は原疾患の自然経過によるものか，化学療法によるものかが区別できないため，このカテゴリーには含まない．

4）AML，非特異型（AML-NOS）

芽球比率の算出方法がWHO分類第4版（2008年）から大きく変更になった．これまでは赤芽球が50％以上の場合，非赤芽球細胞中の芽球の比率が20％以上を急性白血病としていたが，WHO分類改訂第4版（2017年）では，全有核細胞中の芽球比率で算出することが明記された．その結果，赤芽球が50％以上で芽球が全有核細胞の20％以上の症例は，異形成を有することが多いためAML-MRCに分類される場合が多い．また，これまで急性赤白血病と診断されていた，芽球が全有核細胞の20％未満の症例の多くがMDSに分類されることになった．本カテゴリーの細分類は急性前骨髄球性白血病を除き，赤白血病の基準が異なったこと以外はおおむねFAB分類に準じている．さらに発症はまれであるが，急性好塩基球性白血病と骨髄線維症を伴った急性汎骨髄症が含まれている．

5）骨髄肉腫（myeloid sarcoma）

骨髄以外の場所に骨髄芽球による腫瘤形成を認める．分化傾向の有無は問わない．皮膚，リンパ節，消化管，骨，軟部組織，および睾丸などに多く認められる．白血病患者に認められる腫瘤は白血病浸潤とし，myeloid sarcomaとは区別する．

6）Down症候群関連骨髄増殖症（myeloid proliferation related to Down syndrome）

一過性異常骨髄造血（transient abnormal myelopoiesis）とDown症候群関連骨髄性白血病の2つの病型に分けられ，前者は自然軽快するものが多いが，一部の症例は骨髄性白血病を発症する．巨核芽球の増殖が特徴的であり，*GATA1*の変異や*JAK::STAT*経路の変異が認められるが，Down症候群に関連した骨髄性腫瘍では，さらに付加的遺伝子変異が認められる．

8 芽球性形質細胞様樹状細胞腫瘍（BPDCN）

皮膚腫瘤形成と腫瘍細胞の骨髄やリンパ節浸潤を特徴とする．腫瘍細胞は形質細胞様樹状細胞由来であり，CD4，CD43，CD56，CD123などが陽性であり，CD3，CD133，CD19などは陰性である．

9 分化系統不明瞭な急性白血病（表6）

単一系統の分化を示さない急性白血病で，明確な分化系統を示さないもの，および2系統以上の分化を示すもの（mixed-phenotype acute leukaemias：M-PAL）に分けられる．M-PALには，芽球に2系統以上の分化を示す形質が共存する場合と，分化系統が異なる2種類の芽球が存在する場合とに分けられる．WHO分類第4版（2008年）と比較し，病型に大きな変更はない．

■文　献■

1）Swerdlow SH et al（eds）: WHO Classification of Tumours of Haematopoietic and Lymphoid Tissues, 4th ed, Revised ed, IARC Press, 2017
2）Arber DA et al: Blood **127**: 2391, 2016
3）Maxson JE et al: Blood **129**: 715, 2017

2 WHO 分類：リンパ系腫瘍

到達目標

- WHO 分類*改訂第 4 版（2017 年）の枠組みを理解する
- WHO 分類に基づいた診断ができる．または，病理組織レポートの結果を WHO 分類に当てはめて解釈できる
- WHO 分類第 5 版（2022 年）および国際一致分類（ICC）の違いが理解できる

1 リンパ系腫瘍分類の変遷とWHO 分類の位置づけ

リンパ系腫瘍はもともとリンパ球の腫瘍であるが，固形腫瘍とは異なる多くの病型バリエーションが存在する．これまでに多くの分類法が提唱されており，歴史的概略を**図 1** に示す．現在の一連の分類に大きな影響を与えているのは，Kiel 分類の流れをくむ 1994 年の REAL（Revised European-American Lymphoma Classification）分類[1]である．Kiel/REAL 分類の基本は「正常対応細胞に基づいた分類」であり，現在の WHO 分類でも踏襲されている．

これに加えて，REAL 分類から WHO 分類への大きな変更点の 1 つは，白血病の FAB（French-American-British）分類との統合である．FAB 分類では急性リンパ芽球性白血病（acute lymphoblastic leukemia：ALL）は急性白血病として急性骨髄性白血病とまとめられていたし[2]，慢性リンパ性白血病（chronic lymphocytic leukemia：CLL）の FAB 分類も存在した[3]．こうしたリンパ性白血病は，「白血病かリンパ

*本書は基本的に WHO 分類改訂第 4 版（2017 年）に基づいて記載しているが，必要な場合には WHO 分類第 5 版（2022 年）にも言及している．

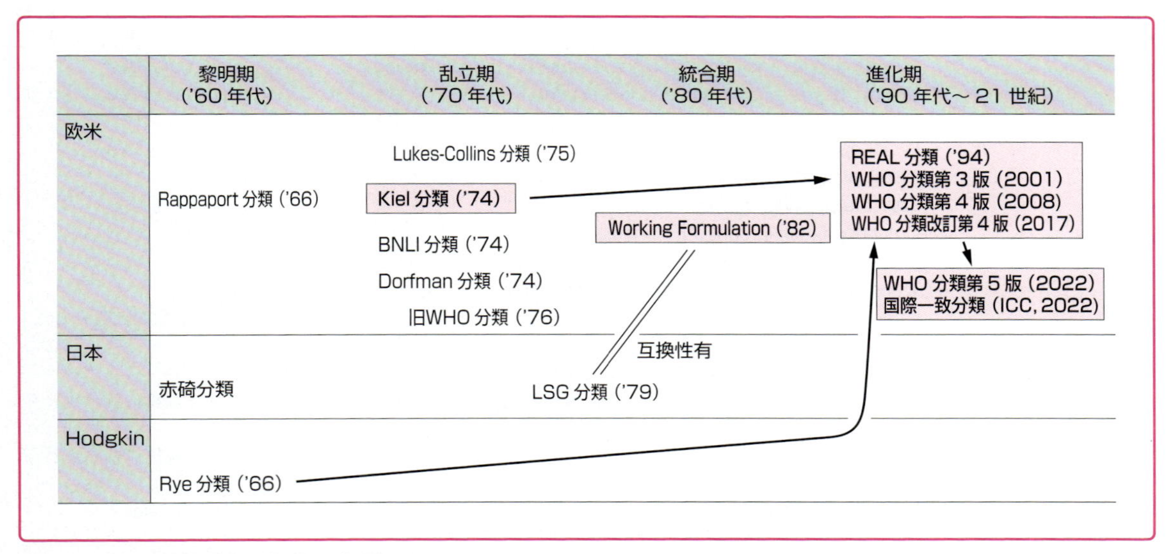

◆**図 1　リンパ系腫瘍分類法の変遷**
リンパ腫分類の大まかな流れを示す．今日の臨床に影響を与えているのは，四角で囲ったものである．

腫か」という区分ではなく，正常対応細胞に基づいてリンパ系腫瘍として再分類され，特にALLはB/Tそれぞれのリンパ芽球性リンパ腫（lymphoblastic lymphoma：LBL）と同じ疾患と位置づけられた．

こうした流れをくむWHO分類改訂第4版は2017年に出版された．第5版は2022年にLeukemia誌の論文という形で先行公開され[4]，正式版はweb版として2022年8月3日に公開された（https://tumourclassification.iarc.who.int/chapters/63）．その一方で，WHO分類改訂第4版の著者らが中心となって改訂第4版に改訂を加えた，国際一致分類（International Consensus Classification：ICC）が，2022年6月にBlood誌に公開された[5]．リンパ系腫瘍では，骨髄系腫瘍と比べるとWHO分類第5版/ICC間の乖離は少ないが，現時点ではどちらも把握しておくことが望ましい．

2 B細胞腫瘍

表1にWHO分類第5版（2022年）におけるB細胞腫瘍と，改訂第4版（2017年）[6]からの変更点を示す．4つの大分類に分けられ，tumour-like lesions with B-cell predominanceという良性疾患群が新たに規定された．ALLはB細胞性がT細胞性と分けられ，それぞれの系統別に区分された．また，形質細胞腫瘍は大分類として独立した．一方，ICCではALLや形質細胞腫瘍の扱いは従来通りである[7]．正常対応細胞に即した分類という点では，WHO分類第5版の方が先進的である．

下記に，便宜的な群名とともに解説する．なお，カッコ内が正式名称である．

1）良性疾患群（tumour-like lesions with B-cell predominance）

反応性リンパ節腫大から，IgG4関連疾患やCastleman病のような確立した疾患までが含まれる．

2）ALL群（precursor B-cell neoplasms）

疾患名の記載から染色体表記が削除され，すべて遺伝子表記になった．具体的には，WHO分類第4版まででは“B-lymphoblastic leukaemia/lymphoma with t(9;22)(q34;q11.2)；BCR-ABL1”だったものが，第

◆表1　WHO分類第5版（2022年）におけるB細胞腫瘍の概要

大分類	小分類	改訂第4版（2017年）からの変更点
Tumour-like lesions with B-cell predominance		新設
Precursor B-cell neoplasms	B-cell lymphoblastic leukaemias/lymphomas	染色体転座から遺伝子転座表記に変更
Mature B-cell neoplasms		病型の羅列から，小分類を用いた体系化に変更
	Pre-neoplastic and neoplastic small lymphocyticproliferations	B-PLLの削除
	Splenic B-cell lymphomas and leukaemias	SMZLはこちらに含まれる
	Lymphoplasmacytic lymphoma	
	Marginal zone lymphoma	
	Follicular lymphoma	
	Cutaneous follicle centre lymphoma	
	Mantle cell lymphoma	
	Transformations of indolent B-cell lymphomas	新設
	Large B-cell lymphomas	18の病型が定義された
	Burkitt lymphoma	
	KSHV/HHV8-associated B-cell lymphoid proliferations andlymphomas	
	Lymphomas associated with immune deficiency and dysregulation	B細胞腫瘍に組み入れられた
	Hodgkin lymphoma	B細胞腫瘍に組み入れられた
Plasma cell neoplasms and other diseases with paraproteins	Monoclonal gammopathies Diseases with monoclonal immunoglobulin deposition Heavy chain diseases Plasma cell neoplasms	大分類に独立

5 版 で は“B-lymphoblastic leukaemia/lymphoma with *BCR::ABL1* fusion”という具合である．遺伝子転座に関しては，コロンを 2 つ連続されるのが正式表記であるが，これは ISCN2013 から導入された．

3）リンパ腫群（mature B-cell neoplasms）

この群は WHO 分類改訂第 4 版までは，一定の順序はあるものの病型名が単に羅列されていただけであるが，第 5 版では小分類名が設けられた（**表 1**）．それぞれの中に具体的な病型が定義されている．なお，このような小分類名は，ICC では設けられておらず，WHO 分類改訂第 4 版と同様に病型名が羅列されている．

大きな変更点としては，Hodgkin リンパ腫が B 細胞リンパ腫としてこの中に組み入れられた．この点，ICC では Hodgkin リンパ腫は B 細胞リンパ腫の枠組み外という位置づけを踏襲している．ただし，nodular lymphocyte predominant Hodgkin lymphoma のみは，Hodgkin という語を削除して B 細胞リンパ腫に組み入れられた[5]．その他にも，疾患名の変更や組み換えが，いくつか実施されている．特に大きなカテ

◆表 2　WHO 分類第 5 版（2022 年）における large B-cell lymphomas に含まれる病型

large B-cell lymphomas 病型
Diffuse large B-cell lymphoma（DLBCL），NOS
T-cell/histiocyte-rich large B-cell lymphoma（LBCL）
DLBCL/ high grade B-cell lymphoma with *MYC* and BCL2 rearrangements
ALK-positive LBCL
LBCL with *IRF4* rearrangement
High-grade B-cell lymphoma with 11q aberrations
Lymphomatoid granulomatosis
EBV-positive DLBCL
DLBCL associated with chronic inflamation
Fibrin-associated LBCL
Fluid overload-associated LBCL
Plasmablastic lymphoma
Primay LBCL of immune-privileged sites
Primary cutaneous DLBCL, leg-type
Intravascular LBCL
Primary mediastinal LBCL
Mediastinal gray zone lymphoma
High-grade B-cell lymphoma,NOS

◆表 3　WHO 分類第 5 版（2022 年）における T/NK 細胞腫瘍の概要

大分類	小分類	改訂第 4 版（2017 年）からの変更点
Tumour-like lesions with B-cell predominance		新設
Precursor T-cell neoplasms	T-lymphoblastic leukaemias/lymphomas	NK-LBL の削除
Mature T-cell and NK-cell neoplasms		病型の羅列から，小分類を用いた体系化に変更
	Mature T-cell and NK-cell leukaemias	
	Primary cutaneous T-cell lymphomas	
	Intestinal T-cell and NK-cell lymphoid proliferations and lymphomas	
	Hepatosplenic T-cell lymphoma	
	Anaplastic large cell lymphoma	
	Nodal T-follicular helper（TFH）cell lymphoma	AITL は、名称変更して含まれる
	Other peripheral T-cell lymphomas	PTCL-NOS が単一病型として含まれる
	EBV-positive NK/T-cell lymphomas	ENKL などが含まれる
	EBV-positive T- and NK-cell lymphoid proliferations and lymphomas of childhood	

ゴリーである large B-cell lymphomas では，**表 2** に示すような 18 の病型が定義された．注意すべきは，いわゆる double hit lymphoma の定義が変更されたことで，第 5 版では "DLBCL/ high grade B-cell lymphoma with *MYC* and *BCL2* rearrangements" と，*MYC* と *BCL2* の組み合わせに限定され，*MYC* & *BCL6* は除外された．このほかに，濾胞性リンパ腫ではWHO 分類第 5 版では細胞サイズによるグレード分類（1/2/3A）が廃止されたが，ICC では残されているといった違いが認められる．

4）骨髄腫群（plasma cell neoplasms and other diseases with paraproteins）

WHO 分類改訂第 4 版まで，骨髄腫を中心とする形質細胞腫瘍はリンパ腫の病型に挟まれる形で羅列されていたが，第 5 版では大分類として独立した．単クローン性免疫グロブリン増多症に新病型が加わり，monoclonal gammopathy of renal significance のほか，寒冷凝集素症（cold agglutinin disease）も追加されている．

3 T/NK 細胞腫瘍

表 3 に WHO 分類第 5 版（2022 年）における T/NK 細胞腫瘍と，改訂第 4 版（2017 年）からの変更点を示す．B 細胞腫瘍同様に良性疾患群が設けられ，菊池・藤本病や自己免疫疾患に伴うリンパ節腫張が含められた．リンパ腫群（mature T-cell and NK-cell neoplasms）でも，B 細胞腫瘍同様の小分類が 9 つ設けられた．濾胞ヘルパー T 細胞（T-follicular helper cell：TFH cell）由来のリンパ腫はまとめられ，angioimmunoblastic T-cell lymphoma（AITL）は "nodal TFH cell lymphoma, angioimmunoblastic-type" に名称変更された．また，WHO 分類第 5 版（2022 年）では extranodal NK/T cell lymphoma（ENKL）は，これまであった，" nasal type" の後修飾語が外されたが，ICC では存置されている．

4 間質細胞由来腫瘍

表 4 に，リンパ組織における間質細胞由来腫瘍を示す．濾胞樹状細胞肉腫（follicular dendritic cell sarcoma）は血液内科で治療することもあるが，他はなかなかお目にかからない腫瘍である．

■文　献■

1）Harris NL et al: Blood **84**: 1361, 1994
2）Bennett JM et al: Br J Haematol **47**: 553, 1981
3）Bennett JM et al: J Clin Pathol **42**: 567, 1989
4）Alaggio R et al: Leukemia **36**: 1720, 2022
5）Campo E et al: Blood **140**: 1229, 2022
6）Swerdlow SH et al（eds）: WHO Classification of Tumours of Haematopoietic and Lymphoid Tissues, 4th ed, Revised ed, IRAC press, 2017
7）Arber DA et al: Blood **140**: 1200, 2022

◆**表 4　WHO 分類第 5 版（2022 年）におけるリンパ組織の間質細胞由来腫瘍**

大分類	小分類	病型	改訂第 4 版（2017 年）からの変更点
Mesenchymal dendritic cell neoplasms		Follicular dendritic cell sarcoma	
		EBV-positive inflammatory follicular dendritic cell sarcoma	名称変更
		Fibroblastic reticular cell tumour	
Myofibroblastic tumour		Intranodal palisaded myofibroblastoma	新設
Spleen-specific vascular-stromal tumours	Splenic vascular-stromal tumours		新設
		Littoral cell angioma	
		Splenic hamartoma	
		Sclerosing angiomatoid nodular transformation of spleen	

3 慢性骨髄性白血病

到達目標

- 慢性骨髄性白血病（CML）の病態を理解し，病期・病態に応じた薬剤を選択する
- 薬剤の治療効果を的確に判断し，対応する

1 病因・病態・疫学

慢性骨髄性白血病（chronic myeloid leukemia：CML）は，造血幹細胞レベルの細胞に染色体転座 t(9;22)(q34;q11.2) が起こることで発症し，本転座で形成される 22q- を Philadelphia（Ph）染色体という（**図 1A**）．22 番染色体上の *BCR* と 9 番染色体上の *ABL* が結合するが，CML での *BCR* の切断点は exon 12 ～ 16 の major *BCR*（M-BCR）に集中し，分子量 210 kDa の BCR-ABL1 融合蛋白が産生される（**図 1B**）．この BCR-ABL1 が**恒常的活性型チロシンキナーゼ**として造血細胞に過剰な増殖をもたらすことで

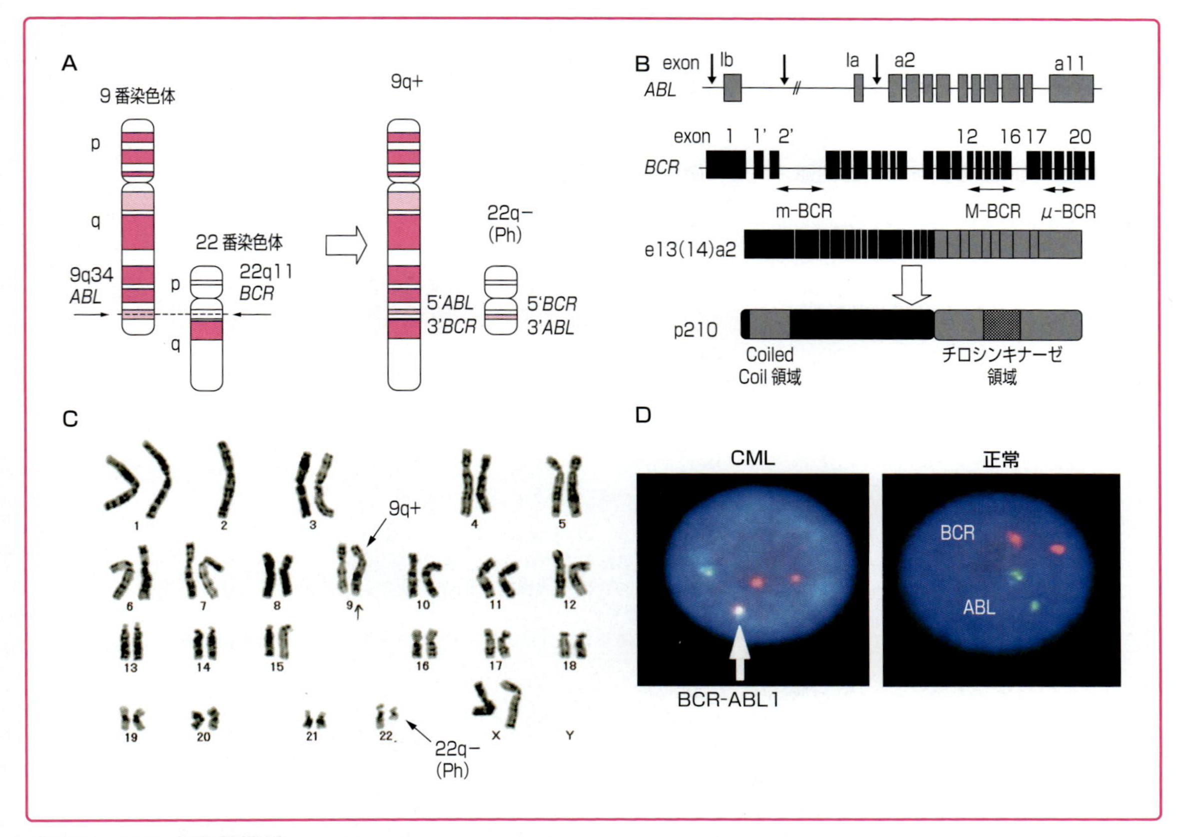

◆**図 1　CML の発症機構**
A：t(9;22)(q34;q11.2) による Ph染色体の形成，**B**：CMLにおける BCRの切断点と p210 BCR-ABL1の産生，**C**，**D**：G-バンド法，FISH法による t(9;22) の検出

CML が発症する．CML を放置すると，数年間の慢性期（chronic phase：CP）の間に**付加的染色体異常，Src ファミリーキナーゼ（SFKs）**の活性化などが起こり，移行期（accelerated phase：AP），急性転化期（blast phase：BP）へと進行し，予後不良となる（**図 2**）．

CML の年間発生率は 10 万人あたり約 1.8 ～ 2.0 人で，男性にやや多い．発症年齢の中央値はおおよそ 55 歳である．ほとんどの症例で原因は明らかではない．

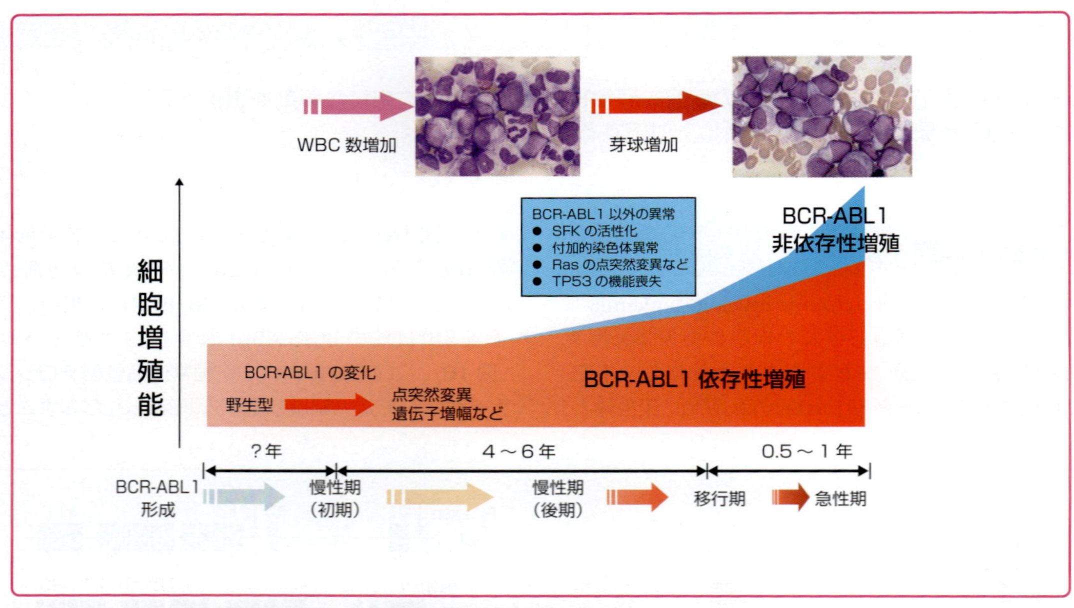

◆**図 2　CML の各臨床期と増殖・病態に関わる分子異常**
（Hochhaus A et al: Best Pract Res Clin Haematol **22**: 367, 2009 および Perl A et al: J Clin Invest **121**: 22, 2011 を参考に著者作成）

◆**表 1　WHO 分類改訂第 4 版（2017 年）における病期進行の診断基準**

移行期（accelerated phase）
以下のいずれか 1 つ以上に該当するもの • 治療が奏効しない持続する白血球増加（＞ 10,000/μL） • 治療が奏効しない持続する脾腫の増大 • 治療が奏効しない持続する血小板増加（＞ 100 万 / μL） • 治療に無関係の血小板減少（＜ 10 万 / μL） • 末梢血における好塩基球割合≧ 20% • 末梢血あるいは骨髄における芽球割合 10 ～ 19% • 診断時におけるいわゆる“major route”の付加的染色体異常（second Ph, trisomy 8, isochromosome 17q, trisomy 19）または複雑型染色体異常，3q26.2 異常 • 治療中における Ph クローンに新たな付加的な染色体異常の出現 TKI に対する反応性による基準（provisional）は下記のいずれかに該当するもの • 1st line TKI への血液学的な治療抵抗性（あるいは 1st line TKI で血液学的完全奏効が得られない） • 2 つの連続した TKI 治療に対して血液学的，細胞遺伝学的あるいは分子生物学的治療抵抗性 • TKI 治療中に 2 つ以上の *BCR::ABL1* 遺伝子変異が出現
急性転化期（blast phase）
下記のいずれか 1 つに該当するもの • 末梢血あるいは骨髄における芽球割合≧ 20% • 髄外浸潤　髄外病変の出現（明らかなリンパ芽球の増加を末梢血や骨髄に認めた場合，差し迫ったリンパ芽球性急性転化を疑い，詳細な遺伝学的検査が必要である）

（文献 2 より引用）

2 症候・身体所見

CP では自覚症状が乏しく，健診で発見されることも多い．白血球数が増加すると，全身倦怠感，肝脾腫による腹部膨満感がみられる．理学的には脾腫大が 40～60%，肝腫大が 10～20%の症例に認められる．AP に進行すると，肝脾腫の増悪，発熱などの症状が出現する．BP では急性白血病と同様の感染症，出血などがみられる．

3 診断・検査

1）診　断

CP では末梢血中の白血球数が 1 万～数十万 /μL に増加し，種々の分化段階の顆粒球系細胞が出現する．好中球アルカリホスファターゼ（NAP）活性は低い．好塩基球数はほぼ全例で増加し，しばしば好酸球増加を伴う．軽度の貧血がみられ，血小板数は 30～50%の症例で増加する．骨髄は過形成で，分化傾向を示す顆粒球系細胞が著増し，巨核球も増加する．生化学検査では LD，尿酸，ビタミン B_{12} が高値を示す．

CML は，t(9;22) を**染色体分析**（**G-バンド法**または **FISH 法**）で検出するか（**図 1C，D**），RT-PCR 法で *BCR::ABL1* 遺伝子を検出することで確定診断される．複雑な染色体異常を有する場合には G-バンド法で t(9;22) が検出されないことがあり，FISH 法や RT-PCR 法での確認が必要である．

2）リスク分類

初診時 CML-CP のリスク分類として，診断時の年齢，脾臓のサイズ，血小板数，末梢血中の骨髄芽球比率から計算される Sokal スコアが古くから用いられきた．また，Interferon-α（IFN-α）の時代に，これらの因子に好酸球，好塩基球の比率を加えた Hasford スコアが作成された．これらはチロシンキナーゼ阻害薬（TKI）治療の際にも有用である．さらに，EUTOS スコア，EUTOS long-time survival（ELTS）スコア

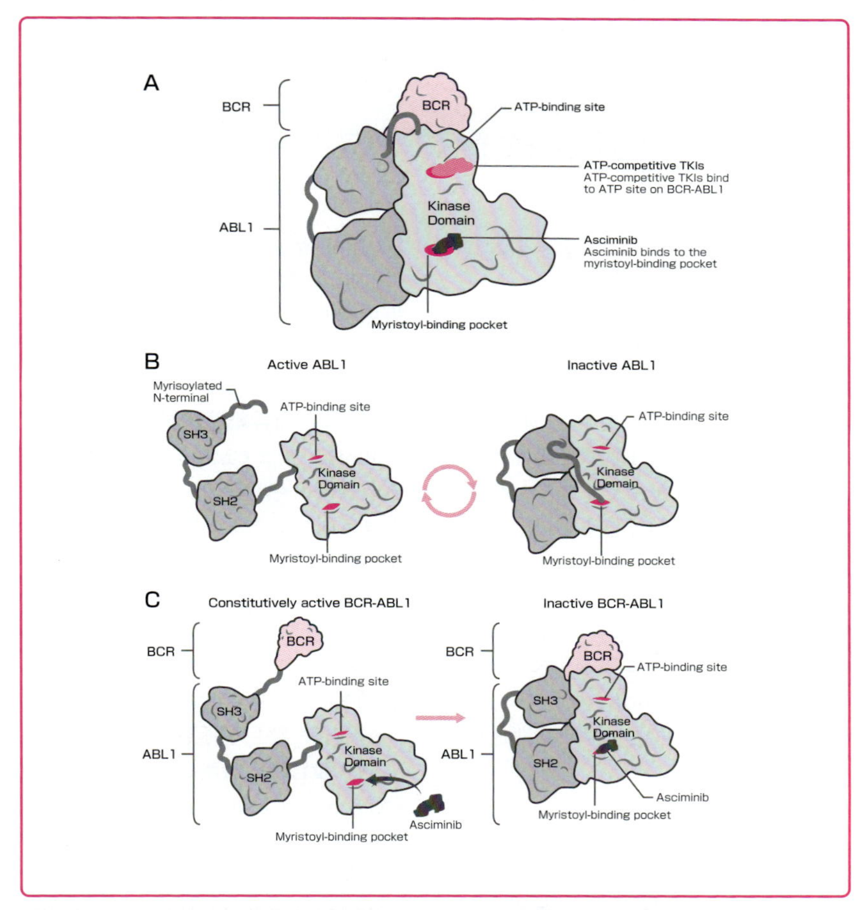

◆図 3　*BCR::ABL1* の活性化機構と STAMP 阻害薬の作用機序
（文献 3 より引用）

◆表2　わが国で承認済みのCMLに対するチロシンキナーゼ阻害薬

阻害機序	ATP競合的阻害薬					STAMP阻害薬
薬剤	Imatinib	Nilotinib	Dasatinib	Bosutinib	Ponatinib	Asciminib
世代	第1世代	第2世代	第2世代	第2世代	第3世代	該当せず
Lines	1st-Lineより可	1st-Lineより可	1st-Lineより可	1st-Lineより可	2nd-line以降	3rd-line以降
イマチニブを対照としたABLの阻害効果	1倍	20倍	325倍	50～200倍	130倍	5.7倍（作用機序が異なるため比較困難）
阻害効果の特異性	PDGFR＞c-Kit＞ABL	ABL＞PDGFR＞c-Kit	Src, Tecファミリー，PDGFR,c-Kitを阻害	Srcファミリーを阻害，PDGFR、c-Kitの阻害作用は弱い	ABL＞VEGFR＞FGFR,PDGFR,c-Kit, FLT3も阻害	Srcファミリー，JAK1/2, EGFR, FGFR,MAPK, Aktなどをほとんど阻害しない
抵抗性の点突然変異	各種	Y253F/H, E255K/V T315I	V299L, F317L/I, T315I	V299L, G250E, F317L, T315I	*in vitro*でT135Iを含むすべての変異に有効 複合点突然変異が抵抗性をもたらす	T315Iには標準量では効果が低い（わが国では適応外）ミリストイル結合ポケット付近の変異が抵抗性をもたらすと推定される
血中半減期	18時間	24時間	4～5時間	32～39時間	22時間	12.6時間
主な非血液毒性	皮疹 体液貯留 肝障害 筋痛または関節痛	心血管系閉塞 末梢動脈閉塞 QTc延長 膵酵素上昇 血糖値上昇	胸水貯留 心嚢液貯留 肺高血圧症	下痢 皮疹 嘔吐 全身倦怠感	心血管系閉塞 膵炎 腹痛 リパーゼ上昇 皮疹	好中球減少症 血小板減少症 頭痛
標準投与量・方法	CP: 400 mg, QD AP/BP, PhALL: 600 mg, QD	CP, AP: 400 mg, BID 初発CP；300 mg，BID	CP: 100 mg, QD AP/BP,PhALL:70 mg, BID	CP/AP/BP: 500 mg, QD 初発CP；400 mg，QD	CP/AP/BP 45 mg,QD	CP 40 mg, bid
承認状況	CML-CP/AP/BP PhALL	CML-CP/AP	CML-CP/AP/BP 再発・難治性PhALL	CML-CP/AP/BP	一次治療抵抗性のCML-CP/AP/BP 再発・難治性PhALL	2剤以上のTKIに抵抗性または不耐容のCML-CP

も作成され，これらはインターネット上でデータ入力することで自動的に算出される[1]．

3）病期進行診断

WHO分類改訂第4版（2017年）*における病期進行の診断基準を**表1**に示す[2]．BPではCML細胞は分化能を失い，芽球のみが増加する．骨髄系BPでは骨髄系抗原に加え，リンパ系抗原も1個以上陽性となることが多い．リンパ系BPのほとんどはBリンパ球系で，多くの症例で芽球は骨髄系抗原を1個以上発現する．

4　治療薬・治療方法

1）Busulfan，hydroxycarbamide

白血球数や脾腫をコントロールできるが，病期進行を回避できない．

*本書は基本的にWHO分類改訂第4版（2017年）に基づいて記載しているが，必要な場合にはWHO分類第5版（2022年）にも言及している．

2）IFN-α

CML細胞に対する直接的な殺細胞効果および抗腫瘍免疫能の活性化によって効果を示す．一部の症例に高い効果を示すが，単独投与では10年全生存率（OS）は約25%にすぎない．

3）同種造血幹細胞移植（alloHSCT）

alloHSCTはCMLを完治できる唯一の治療法である．長期生存率は60～70%であり，ミニ移植の成績もほぼ同等である．これらはTKI治療に劣っており，すべてのTKIがFailureしない限りCML-CPに対する適応はない．一方，TKI治療中にAPに進行した患者，BPの患者で，移植可能例にはalloHSCTが推奨される．

4）TKI

a）ATP競合型阻害薬

ATP競合型阻害薬は，BCR-ABL1のATP結合領域（ATP-binding site）に入り込み（**図3**）[3]，BCR-ABL1のシグナルを阻害し，CML細胞を死滅させる．第1世代TKIとしてimatinib，その後，第2世代TKIのnilotinib，dasatinib，bosutinibが開発された．第2世代TKIは，imatinibと比較して*in vitro*で数十

〜数百倍のBCR-ABL1阻害作用を示す（**表2**）．Nilotinibは BCR-ABL1に対する選択性が高く，dasatinib，bosutinibはSFKsも阻害する．第2世代TKIはimatinib抵抗性の原因となる*BCR::ABL1*遺伝子の点突然変異に有効であるが，それぞれ有効性を示す点突然変異が異なる（**図4**）[4]．さらに，第2世代TKIにも抵抗性のT315I変異に対して第3世代TKIのponatinibが開発され2nd-Line以降で使用可能である．

b）Specifically Targeting the ABL Myristoyl Pocket（STAMP）阻害薬

c-Ablでは，ミリストイル化されたN末端部分がキナーゼ領域に存在するミリストイルポケットに結合し，立体構造を不活性型に変化させる（**図3B**）[3]．BCR-ABL1は，N末端部分がBCRに置換されているため，この抑制が効かない（**図3C**）．STAMP阻害薬はミリストイルポケットに特異的に結合し，BCR-ABL1の立体構造を不活性型に変化させる阻害薬である（**図3C**）．

c）TKI投与時の有害事象

初発CML-CPに対するTKIの投与開始初期の血液毒性はCML細胞に依存した造血から正常造血への移行の際にみられるものである．これはどのTKIにも

		IC50-fold increase（WT=1）					
		imatinib	Bosutinib	Dasatinib	Nilotinib	Ponatinib	DCC-2036
	親株	10.8	38.3	568.3	38.4	570.0	13.1
	WT	1	1	1	1	1	1
P-loop	M244V	0.9	0.9	2.0	1.2	3.2	0.6
	L248R	14.6	22.9	12.5	30.2	6.2	0.4
	L248V	3.5	3.5	5.1	2.8	3.4	1.3
	G250E	6.9	4.3	4.4	4.6	6.0	3.0
	Q252H	1.4	0.8	3.1	2.6	6.1	2.1
	Y253F	3.6	1.0	1.6	3.2	3.7	2.3
	Y253H	8.7	0.6	2.6	36.8	2.6	2.7
	E255K	6.0	9.5	5.6	6.7	8.4	3.5
	E255V	17.0	5.5	3.4	10.3	12.9	2.1
C-helix	D276G	2.2	0.6	1.4	2.0	2.1	4.5
	E279K	3.6	1.0	1.6	20	3.0	6.5
ATP binding region	E292L	0.7	1.1	1.3	1.8	2.0	1.0
	V299L	1.5	26.1	8.7	1.3	0.6	0.3
	T315A	1.7	6.0	58.9	2.7	0.4	0.4
	T315I	17.5	45.4	75.0	39.4	3.0	0.7
	T315V	12.2	29.3	738.8	57.0	2.1	0.6
	F317L	2.6	2.4	4.5	2.2	0.7	1.1
	F317R	2.3	33.5	114.8	2.3	4.9	21.0
	F317V	0.4	11.5	21.3	0.5	2.3	6.6
SH2-contact	M343T	1.2	1.1	0.9	0.8	0.9	1.0
	M351T	1.8	0.7	0.9	0.4	1.2	2.2
Substrate binding region	F359I	6.0	2.9	3.0	16.3	2.9	0.7
	F359V	2.9	0.9	1.5	5.2	4.4	0.9
A-loop	L384M	1.3	0.5	2.2	2.3	2.2	0.9
	H396P	2.4	0.4	1.1	2.4	1.4	1.5
	H396R	3.9	0.8	1.6	3.1	5.9	0.7
C-terminal lobe	F486S	8.1	2.3	3.0	1.9	2.1	0.5
	L248+F359I	11.7	39.3	13.7	96.2	17.7	1.0

Sensitive	< 2
Moderately resistant	2.1 〜 4
Resistant	4.1 〜 10
Highly resistant	> 10

For each mutant the relative IC50 increase over wild tyep *BCR::ABL1* was calculated. Results represent the average of at least three independent experiments.

◆図4 *BCR::ABL1*遺伝子の点突然変異に対する各TKIの有効性
野生型と比較した場合のIC50の増加倍数を示す．
（文献4を参考に著者作成）

みられ，重症度および期間は，主に患者に残存する正常造血幹細胞数によって規定される．

非血液毒性は，各TKIで異なる．imatinibでは末梢浮腫，筋痙攣，nilotinibでは膵炎，糖尿病，dasatinibでは胸水・心嚢液貯留，bosutinibでは下痢と肝障害，ponatinibでは膵酵素上昇や膵炎などがある（**表3**）．胸水・心嚢液貯留を除いて，これらの多くは，投与開始初期にみられ，減量や休薬と適切な補助療法により忍容性が得られることが多い．

TKIの長期投与で起こる心血管系閉塞事象や肺高血圧症にも注意が必要である．CML患者は健常者と比べ心筋梗塞や脳梗塞などの心血管系閉塞事象の頻度が高く，imatinibを除く第2世代以降のTKIはすべてその頻度を高める．高血圧，肥満などの心血管系の高リスク患者では心血管系閉塞事象の頻度が高いことから，TKIはプラークの形成から破綻という通常の血栓形成のプロセスを促進すると推測される．このため，TKI投与開始前にFramingham Risk Score[5)]やEuropean High Risk ChartによるSCORE[6)]により血栓症リスクを評価することが重要である．また，TKI投与中は心電図，心エコー，頸動脈エコー，Ankle-brachial index（ABI），BNPなどを定期的にモニタリングし，体重，血圧，血糖値，コレステロール値などを適切にコントロールすることが必要である．ただし，心血管系リスクのない患者にも心血管系閉塞事象が起こるため，TKI開始初期には慎重な観察を要する．

5 治療効果と意義

治療を開始すると，まず，末梢血データの正常化［血液学的完全奏功（CHR）］，次に骨髄染色体検査でPh染色体が検出されない細胞遺伝学的完全奏功（CCyR）が得られる（**図5**）．それ以降の測定可能残存病変（measurable residual disease：MRD）は，RQ-PCR法でのみ評価可能である．CCyR達成後さらにCML細胞が減少すると分子遺伝学的大奏功（major molecular response，MMR：国際標準法で*BCR::ABL1/ABL1* ≦ 0.1％）が達成される．残存CML細胞数が10^5～10^6個以下になると，高感度RQ-PCR法でもMRDが検出されなくなる．分子遺伝学的奏功の深さはLog減少の大きさで示され，$MR^{4.0}$（*BCR::ABL1 IS* ≦ 0.01％）以下を深い分子遺伝学的奏功（deep molecular response：DMR）と呼ぶ．

CCyRを達成すると多くの症例で病期進行は回避されるが，確実な病期進行の回避にはMMRの達成・維持が必要である．DMR達成は将来のTKI中止のための必要条件とされている．

◆表3　CML-CPに対する各TKIによるGrade3/4の有害事象（心血管系を除く）とその頻度

有害事象	Imatinib 400 mg, qd	Dasatinib 100 mg,qd	Nilotinib 300 mg, bid	Bosutinib 400 mg, qd	Ponatinib 45 mg, qd	Asciminib 40 mg, bid
血液毒性						
貧血	++	+++	++	++	+++	+
血小板減少症	+++	++++	+++	++++	++++	++++
好中球減少症	++++	++++	+++	++++	++++	++++
非血液毒性						
全身倦怠感	++	+	−	NR	++	−
皮疹	++	−	+	+	++	−
頭痛	+	−	+	++	++	++
筋肉痛	++	−	+	+	++	NR
下痢	++	+	++	+++	NR	−
吐気	+	−	+	−	+	+
嘔吐	++	−	−	++	NR	++
腹痛	++	NR	NR	++	+++	−
膵炎	+	NR	++	NR	+++	NR
末梢浮腫	+	++	+	−	NR	−
胸水貯留	+	++	+	NR	NR	−
リパーゼ上昇	+++	−	++	+++	++++	++
肝機能障害	+++	+	++	++++	++	+

＋＝≦1%，++＝1～5%，＋＋＋＝5～10%，++++＝10～50%，NR, not reported
IRIS，DASISION，ENESTnd，BFORE，PACE，ASCEMBLE 試験での結果

6 治療法

1）CML-CP の治療

a）初発 CML-CP

初発の CML-CP を対象とした IRIS 試験では，imatinib は標準薬物療法であった IFN-α ＋低用量 cytarabine（Ara-C）に細胞遺伝学的効果，無増悪生存（PFS）で優れ，標準治療となった．10 年のフォローアップでも imatinib 群の OS は 89%，無イベント生存率（EFS）は 83.3%，AP/BP への進行のない生存率は 92.1%と画期的な成績であった[7]．

その後，初発 CML-CP に対して第 2 世代の nilo-

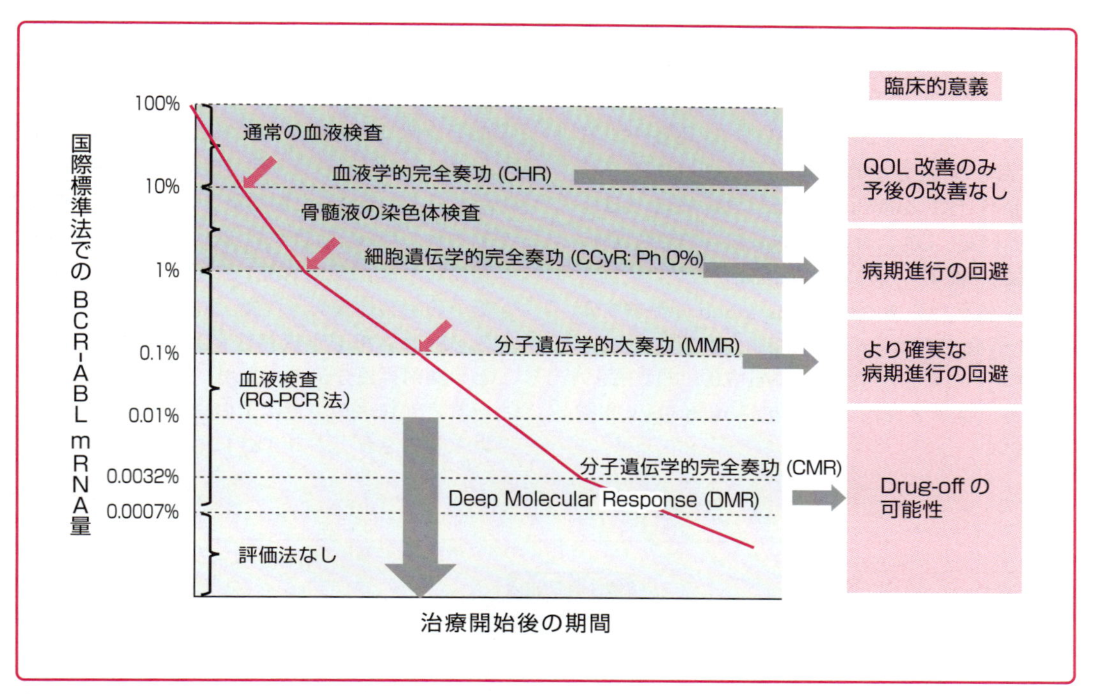

◆図 5　CML における治療効果判定とその臨床的意義

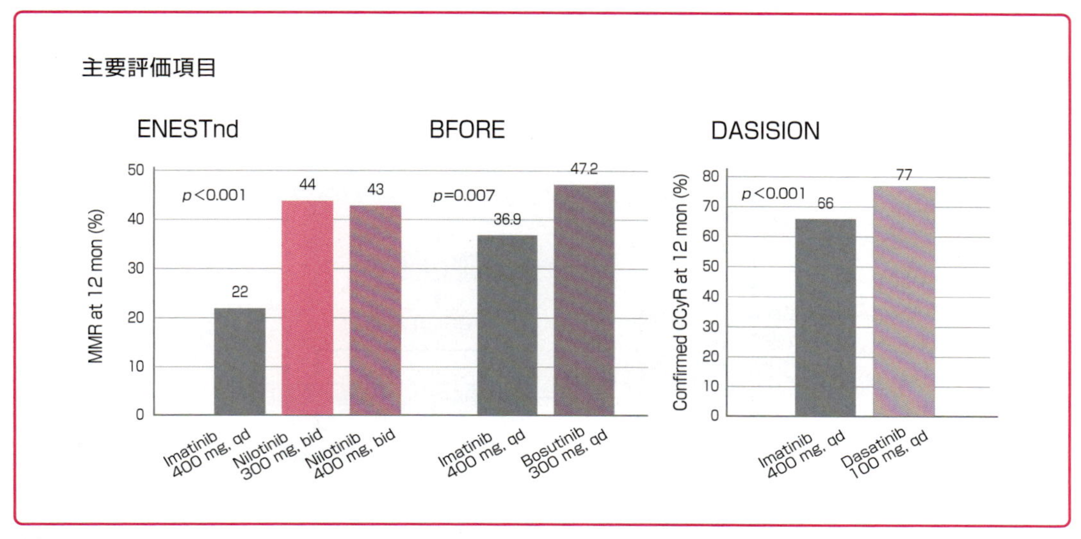

◆図 6　初発 CML-CP に対する第 2 世代 TKI *vs.* imatinib

tinib［300 mg，1 日 2 回（bid），400 mg，bid］，dasatinib［100 mg，1 日 1 回（qd）］，bosutinib（400 mg，qd）を imatinib（400 mg，qd）と比較する第Ⅲ相無作為化比較試験 ENESTnd，DASISION，BFORE が実施された．その結果，これらの第 2 世代 TKI は CCyR，MMR の達成率で imatinib に勝り，初発 CML-CP に対して承認された（**図 6**）[8~10]．第 2 世代 TKI は治療反応で imatinib に勝ったが，各試験で OS に有意差はなかった．このため日本血液学会の造血器腫瘍診療ガイドライン 2023 年版では，初発 CML-CP に対して imatinib，nilotinib，dasatinib，bosutinib のどれでもよいとされている（**図 7**）[11]．しかし，日本血液学会が実施した観察研究「新 TARGET」では，第 2 世代 TKI（nilotinib または dasatinib）は，病期進行の回避，OS において imatinib に有意に勝っていた（**図 8，表 4**）[12]．特に，Sokal 高リスクの症例，付加的染色体異常のある症例を imatinib で治療すると有意に予後が悪かった（**図 8B，C**）[12]．また，NCCN のガイドライン（2022 年 Ver 3.0）では中間 / 高リスク群では第 2 世代 TKI の方が imatinib より優先されている．

CML-CP を TKI 治療した際の最も重要な予後因子は治療反応性である．ELN の 2020 年版によると，初発 CML-CP をどの TKI で治療しても同一の判定基準を用いる（**表 5**）[13]．治療開始後の各時期で，Optimal response であれば治療を継続し，Failure であれば，別の TKI に切り替える（**図 7**）．その中間が Warning であり，治療を変更する必要はないが，注意深い観察を要する．最近では治療開始早期の治療反応（early molecular response：EMR）が重要とされ，3 ヵ月後に *BCR::ABL1* IS ＞ 10％の症例は予後が不良である．

b）セカンドライン以降の TKI 治療

①**抵抗性例**：TKI 抵抗性例では，服薬状況や TKI の血中濃度を低下させる併用薬剤をまず確認する必要がある．こういった問題がない場合が真の抵抗性例である．TKI 抵抗性には BCR-ABL1 依存性と非依存性がある．BCR-ABL1 依存性には *BCR::ABL1* 遺伝子の点突然変異，増幅，mRNA の過剰発現がある．BCR-ABL1 非依存性には ABCB1，ABCG2 などの薬剤排出分子の高発現，SFKs の活性化などがある．*BCR::ABL1* 遺伝子の点突然変異は，60 種類以上報告されており TKI に対する二次抵抗性例の

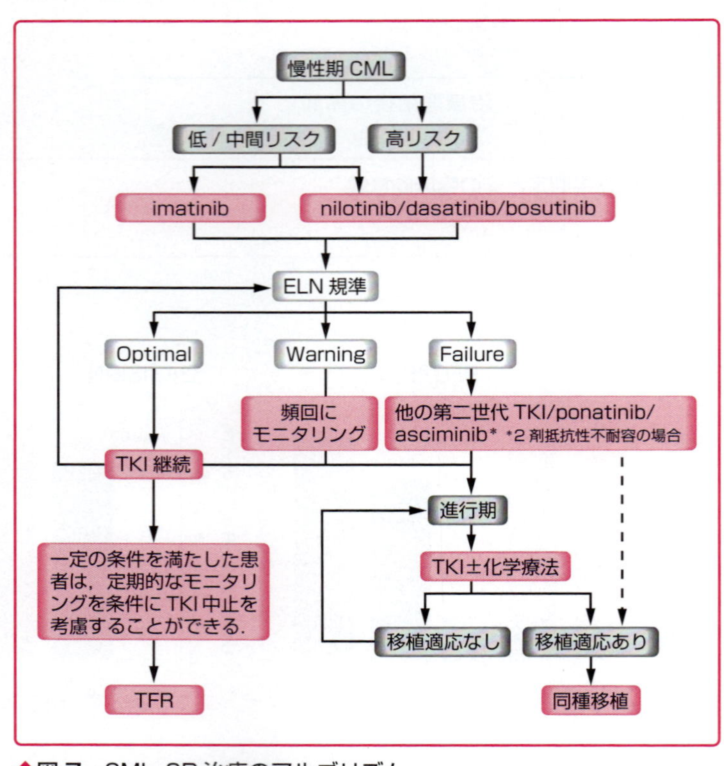

◆**図 7　CML-CP 治療のアルゴリズム**
（文献 11，p106 より許諾を得て改変し転載）

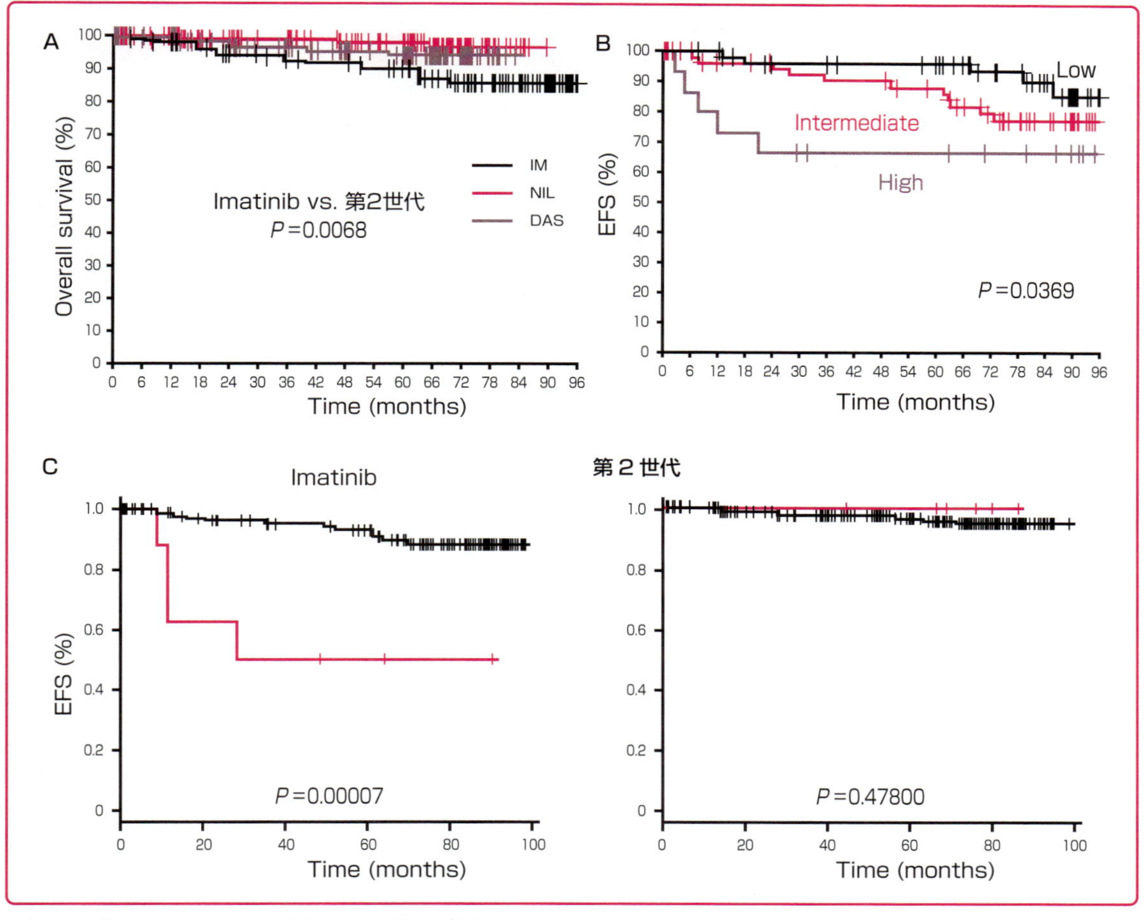

◆図8 新TARGET: 第1世代 vs. 第2世代
A. OS
B. Imatinib 治療群の Sokal リスク別の EFS
C. 付加的染色体異常のある CML-CP の EFS：Imatinib vs. 第2世代
(文献12より引用)

◆表4 新TARGETにおけるTKI治療群ごとの予後

患者数	全集団（*n*=452）	Imatinib（*n*=139）	Nilotinib（*n*=169）	Dasatinib（*n*=144）	*Imatinib vs. Nilotinb/Dasatinib P* 値
全イベント*, *n*（%）	40(8.8%)	21(15.1%)	7(4.1%)	12(8.3%)	0.003
死亡	24(5.3%)	15(10.8%)	3(1.8%)	6(4.2%)	0.002
CML関連死亡	6(1.3%)	5(3.6%)	0(0%)	1(0.7%)	0.017
AP/BPへの進行回避	8(1.8%)	6(4.3%)	0(0%)	2(1.4%)	0.015
付加的染色体の出現	8(1.8%)	3(2.2%)	2(1.2%)	3(2.1%)	0.765
点突然変異の出現	22(4.9%)	9(6.6%)	7(4.1%)	6(4.2%)	0.571
治療効果の喪失	22(4.9%)	11(7.9%)	4(2.4%)	7(4.9%)	0.079
5年 全生存率（95%CI）	94.5%（91.5～96.5）	90.4%（83.3～94.6）	98.4%（93.6～99.6）	94.4%（87.9～97.5）	0.023
5年 無増悪生存率（95%CI）	93.8%（90.6～95.9）	89.8%（82.7～94.1）	98.4%（93.6～99.6）	92.4%（85.2～96.2）	0.015
5年 無イベント生存率（95%CI）	91.4%（87.9～93.9）	89.1%（81.9～93.5）	95.4%（89.9～97.9）	88.8%（81.0～93.5）	0.125
8年 全生存率（95%CI）	92.3%（88.6～94.8）	86.2%（78.0～91.5）	97.1%（91.2～99.1）	94.4%（87.9～97.5）	0.007
8年 無増悪生存率（95%CI）	91.6%（87.8～94.2）	85.6%（77.5～91.0）	97.1%（91.2～99.1）	92.4%（85.2～96.2）	0.006
8年 無イベント生存率（95%CI）	84.7%（77.7～89.6）	79.1%（69.1～86.2）	94.1%（87.9～97.2）	88.8%（81.0～93.5）	0.033

*Events：CHR, MCyR または CCyR の喪失, AP/BP への進行, すべての原因による死亡
P値：3群比較（Imatinib vs. Nilotinib vs. Dasatinib） by Chi-Square Test
(文献12より引用)

◆表 5　CML-CP を TKI 治療した際の ELN2020 の治療効果判定基準

効果判定		Optimal	Warning	Failure
診断時		該当なし	高リスクの付加的染色体異常 ELTS Score 高リスク	該当なし
BCR::ABL1 IS 値	3 ヵ月後	≦ 10%	＞ 10%	＞ 10% if confirmed
	6 ヵ月後	≦ 1%	＞ 1 ～ 10%	＞ 10%
	12 ヵ月後	≦ 0.1%	＞ 0.1 ～ 1%	＞ 1%
	12 ヵ月以降	≦ 0.1%	＞ 0.1 ～ 1% MMR 喪失	＞ 1% 抵抗性の点突然変異 高リスクの付加的染色体異常

• TFR を目指す患者での 12 ヵ月以降の Optimal response は *BCR::ABL1* IS ≦ 0.01%（MR4）.
• 36 ～ 48 ヵ月で MMR 未達成であれば TKI の切り替えを考慮する.
（文献 13 より引用）

50 ～ 70%に認められる．Failure 例では可能であれば *BCR::ABL1* 遺伝子の点突然変異を検索し（保険未承認），それに応じた TKI を選択する（**図 4**）[4]．T315I 変異に有効なのは第 3 世代の ponatinib のみである．点突然変異がない，もしくはどの TKI にも感受性を示す点突然変異には，各 TKI の副作用と患者の背景・合併症をもとに TKI を選択する．ELN2020 では第 2 世代 TKI 抵抗性例には，別の第 2 世代 TKI よりも ponatinib への切り替えを推奨している[13]．一方，imatinib の抵抗性・不耐容例に第 2 世代（nilotinib，dasatinib，bosutinib）は，ほぼ同等の効果を示す．

STAMP 阻害薬である asciminib（40 mg，bid）は 3rd-Line 以降の CML-CP に対して bosutinib（500 mg，qd）との無作為化比較試験において主要評価項目であった 24 週時点での MMR 達成率で勝り，わが国でも承認された[14]．海外では T315 変異にも承認されているが，わが国の承認用量では無効であり，適応外であることに注意を要する．

②**不耐容例**：副作用のため十分な量の TKI が内服できない状態が不耐容である．この際には，まだ投与していない TKI に切り替える．この際，各薬剤の副作用を考慮した TKI 選択が望ましい．

7　CML-CP に対する TKI の中止について

少なくとも 3 年以上 imatinib を投与し，$MR^{4.5}$ 以上を 2 年以上持続した 100 例で imatinib を中止し，2 回連続の $MR^{4.5}$ 喪失で imatinib を再開した STIM 試験の結果では，60 ヵ月の推定 CMR 維持率は約 40%であった（**図 9**）[15]．その後多くの試験が実施され，TKI 中止後の無再発に関連する因子として，全治療期間，DMR 期間が長いこと，IFN の治療歴などが挙げられている．ただし，TKI 中止後に RQ-PCR 法で *BCR::ABL1* mRNA が検出されない症例でも DNA PCR 法では *BCR::ABL1* が検出されることから，この状態は治癒ではなく，無治療寛解維持（treatment-free remission：TFR）と呼ばれている．さらに，MMR 喪失を imatinib 再開の基準とした A-STIM 試験では，約 20%の症例が $MR^{4.5}$ を喪失後も MMR を維持し，推定 3 年 MMR 維持率が 61.1 %であった[16]．この結果から，最近の STOP 試験は MMR 喪失を TKI の再開基準として用いている．

ただし，妊娠希望や副作用などの特別な状況でない限り，日常診療での TKI の中止は推奨されていない．TKI の中止を考慮するにあたって，最低限満たすべき条件を**表 6** に示す．

8　CML-AP に対する治療

TKI 治療歴のない新規 CML-AP には，imatinib 400 mg，bid，nilotinib 70 mg，bid，nilotinib 400 mg，bid の投与が推奨される．初診時に AP であっても，初期治療で深い寛解が達成できれば alloHSCT を必要としない症例も多い．一方，TKI 投与中に AP に進行した症例では，別の TKI への変更が必要である．ただし，PFS，OS はプラトーに達せず，TKI 投与により CML 細胞を減少させた後に，移植可能例には alloHSCT が推奨される．

9　CML-BP に対する治療

CML-BP には imatinib，dasatinib，ponatinib（imatinib 以外は 2nd-Line 以降）が承認されているが，単独で十分な効果は期待できない．Imatinib 未治

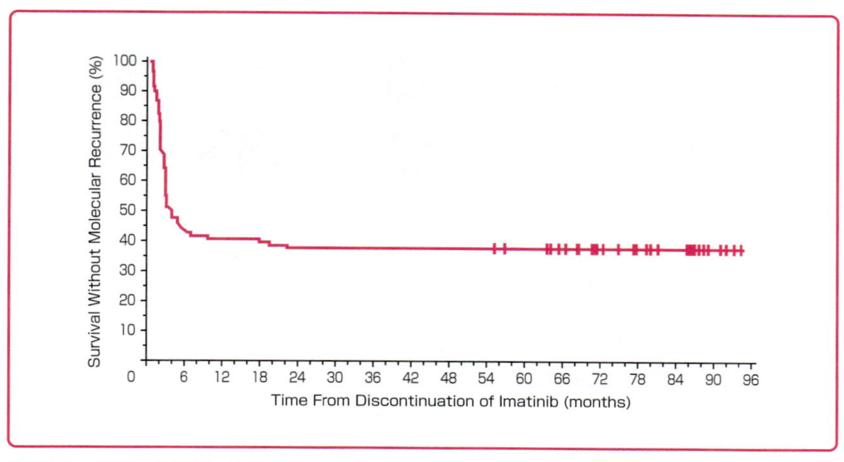

◆図 9　STIM 試験における TFR 率
(文献 15 より引用)

◆表 6　TKI 中止を考慮するための条件(NCCN ガイドライン 2022.ver3)

- 18 歳以上
- AP/BP への移行歴がない
- TKI 治療歴最低 3 年以上 (imatinib では 6 年以上がベター)
- $MR^{4.0}$ 以上の治療効果を 2 年以上継続
  (少なくとも間隔の空いた 4 回の検査)
- *BCR::ABL1* IS の測定が可能で 2 週間以内に結果がわかる
- TKI 中止後適切なモニタリングを実施できること
  1 ～ 6 ヵ月：月に 1 回，7 ～ 12 ヵ月：2 ヵ月に 1 回，それ以降：3 ヵ月に 1 回
- MMR 喪失が確認されたら 4 週間以内に TKI を再開できること

療例では imatinib と化学療法との併用により CML 細胞を減少させた後に，移植可能例には alloHSCT が推奨される．リンパ系 BP に対しては急性リンパ性白血病に準じた寛解導入療法，骨髄系 BP には急性骨髄性白血病に準じた治療が行われる．BP に対し nilotinib は未承認であり，dasatinib，ponatinib と併用する抗がん薬のレジメンについては国内外でいくつかの臨床試験が実施されている．

■文　献■

1) Sokal, Hasford スコア自動計算サイト (https://www.leukemia-net.org/content/leukemias/cml/euro_and_sokal_score/index_eng.html)(最終確認：2023 年 2 月 28 日)
ELTS スコア自動計算サイト (https://www.leukemia-net.org/content/leukemias/cml/elts_score/index_eng.html)(最終確認：2023 年 2 月 28 日)
2) Swerdlow SH et al (eds)：WHO Classification of Tumours of Haematopoietic and Lymphoid Tissues, 4th ed, Revised ed, IARC Press, 2017
3) Réa D et al: Crit Rev Oncol Hematol **171**:103580, 2022
4) Redaelli S et al: Am J Hematol **87**:E125, 2012
5) Wilson PW et al: Circulation **97**:1837, 1998
6) Perk J et al: Eur Heart J **33**:1635, 2012
7) Hochhaus A et al: N Engl J Med **376**:917, 2017
8) Kantarjian H et al: N Engl J Med **362**:2260, 2010
9) Saglio G et al: N Engl J Med **362**:2251, 2010
10) Cortes JE et al: J Clin Oncol **36**:231, 2018
11) 日本血液学会：造血器腫瘍治療ガイドライン 2023 年版，金原出版，2023
12) Kizaki M et al：Int J Hematol **109**:426, 2019
13) Hochhaus A et al：Leukemia **34**:966, 2020
14) Réa D et al：Blood **138**:2031, 2021
15) Mahon FX et al：J Clin Oncol **35**: 298, 2016
16) Rousselot P et al：J Clin Oncol **32**: 424, 2014

4 真性赤血球増加症／本態性血小板血症／原発性骨髄線維症

到達目標

- 骨髄増殖性腫瘍の病態やWHO分類の診断基準の内容を理解し，的確に診断できる
- 病期・病態やリスクに応じた治療を適切に選択できる
- 血栓症発症リスクに応じた適切な治療法が選択できる

1 病因・病態・疫学

1）病因・病態

骨髄増殖性腫瘍（myeloproliferative neoplasms：MPN）は，造血幹細胞（hematopoietic stem cell：HSC）の異常により，分化した骨髄系，赤芽球系，巨核球系の1系統または複数の系統の血球がクローナルな増殖をきたす疾患群である．*BCR::ABL1* 陰性MPNの代表的な疾患としては，真性赤血球増加症［真性多血症（polycythemia vera：PV）］，本態性血小板血症（essential thrombocytosis：ET），原発性骨髄線維症（primary myelofibrosis：PMF）が挙げられる[1,2]．これらの疾患は，類似した臨床像を呈し，相互への病型移行がみられること，最終的には骨髄線維化による骨髄不全あるいは急性白血病への移行がみられるなどの共通像がみられる．PV，ETでは長期予後が期待され，血栓症・出血性合併症が治療の中心になるのに対して，PMFでは，急性白血病への移行や感染症などにより，予後不良な経過をとるため，治療戦略もPV，ETとは異なってくる．

MPNの分子病態は長らく不明であったが，2005年にMPNの多くの症例において，チロシンキナーゼJAK2（Janus Kinase 2）蛋白の617番目のアミノ酸が，バリンからフェニルアラニンに置換された点突然変異（V617F）が認められることが報告され，*BCR::ABL1* 陰性MPNの分子病態の解明が急速に進んだ．さらに，*JAK2* exon12変異，*MPL*（*myeloproliferative leukemia virus oncogene*）W515変異，*CALR*（*calreticulin*）変異が見出された[3]．

造血細胞の分化・増殖には，多くのサイトカインがかかわっている．造血細胞表面には，サイトカインの受容体（レセプター）が発現しており，サイトカイン受容体にサイトカインが結合すると，細胞内に増殖刺激シグナルが伝達される．その伝達を主に担っているのが，JAK-STATシグナル伝達経路である．*JAK2* V617F変異は機能獲得型変異で，JAK2の恒常的活性化が生じ，サイトカイン非存在下でも，JAK-STATシグナルが活性化されて，細胞増殖が亢進し，MPNの病態形成に深くかかわっている．また，MPLは，トロンボポエチン（TPO）レセプターをコードしており，*MPL* 変異では，その膜貫通部位の変異が生じ，TPOレセプターが二量体を形成し，サイトカイン刺激がなくても，JAK-STATシグナルが恒常的に活性化する．一方，*CALR* 変異では，フレームシフトによって，新たなC末端がMPLの細胞外のNドメイン部位に結合し，恒常的なJAK-STATシグナルの活性化が生じる．このように，いずれの変異も，サイトカイン非依存性にJAK-STATシグナルを恒常的に活性化し，MPNの病態形成に寄与している（**図1**）．これらの遺伝子変異は，マウスモデルの解析により，単独でMPNの病態を引き起こすことができることが明らかにされており，ドライバー変異と呼ばれている．*BCR::ABL1* 陰性MPNのほぼ90％の症例で，これらいずれかのドライバー変異が病態形成にかかわっていることから，WHO分類改訂第4版（2017年）*から，これらの遺伝子変異が診断基準に組み込まれている[1]．

これらのドライバー変異は造血幹細胞レベルで変異が生じていると考えられ，変異によって生じたMPN幹細胞は，正常造血幹細胞に対して，徐々にクローン

*本書は基本的にWHO分類改訂第4版（2017年）に基づいて記載しているが，必要な場合にはWHO分類第5版（2022年）にも言及している．

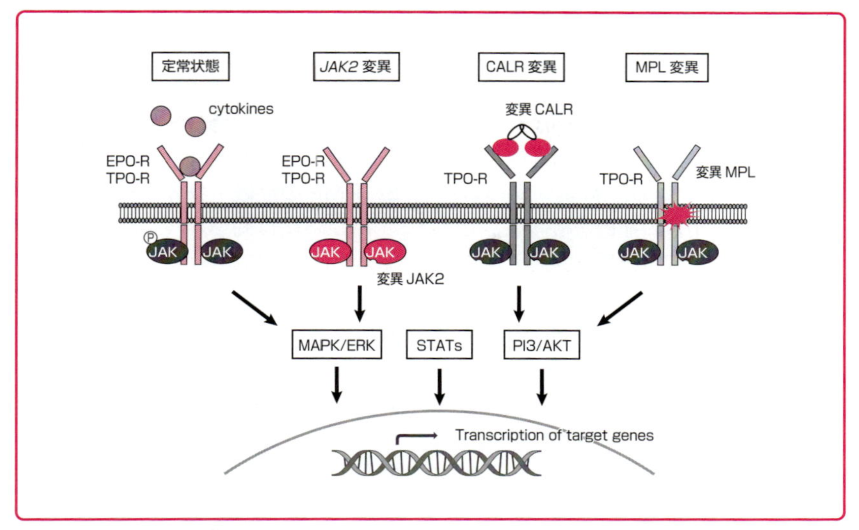

◆**図 1　MPN の病態**

EPO-R：エリスロポエチン受容体，TPO-R：トロンボポエチン受容体

◆**表 1　MPN における遺伝子変異の頻度**

遺伝子機能	遺伝子	頻度		
		PV	ET	PMF
シグナル伝達	*JAK2* *MPL* *CALR*	95%	50 ~ 60% 3 ~ 5% 35%	50 ~ 60% 5 ~ 8% 30%
DNA メチル化	*TET2* *DNMT3A* *IDH1/2*	12% 8% 3%	6% 9% 9%	12% 6% 6%
ヒストン修飾	*EZH2* *ASXL1*	2% 7%	1% 2%	5 ~ 7% 30%
転写因子	*TP53*	5%	6%	5%
RNA スプライシング	*SRSF2* *SF3B1* *U2AF1*	 10% 7%		13 ~ 23% 9 ~ 14% 5 ~ 20%

（文献 3 を参考に著者作成）

を拡大し，骨髄球系細胞の増殖を生じ，MPN 病態を呈する．MPN 発症においては，ドライバー変異以外にも，他のさまざまな遺伝子変異が病態形成に寄与している（**表 1**）．検出頻度は低いものの，メチル化関連制御因子である *TET2* 変異，*DNMT3A* 変異，*IDH1/2* 変異，ヒストン修飾関連因子である *EZH2* 変異，*ASXL1* 変異などが報告されており，遺伝子変異数や，変異獲得順位も予後に影響することが報告されている．加えて，*JAK2* ハプロタイプなどの遺伝的素因，加齢に伴って生じるクローン性造血などが，MPN 発症やその後の疾患の進行に密接にかかわっていると考えられている．

上記のような病態を背景に，PV では，汎血球増加症をきたすが，なかでも赤血球数の増加が顕著である．ET では，血小板減少が顕著となる．いずれも血球増加期の後に，病態の進行によって，血球減少，無効造血，骨髄線維症，髄外造血がみられる消耗期（spent phase）または多血 / 血小板増多（症）後線維化期（post-polycythemic/thrombocythemic MF phase：post-PV/ET MF）に移行がみられる．PMF では，増殖した巨核球系細胞や単球系細胞から分泌される炎症性サイトカインが骨髄間質細胞に作用し，骨髄の線維化，血管新生および骨硬化を生じ，髄外造血による巨脾，巨脾による腹部膨満感，圧迫症状，無効造血による貧血，血小板減少，末梢血での涙滴状赤血球の出現，白赤芽球症などを呈するようになる．その後，病勢の進行とともに，骨髄不全の進行や急性白血病への移行がみられる．

2）疫　学

PV は，わが国での年間発生率は人口 10 万人あたり約 2 人と推定される．診断時年齢は 50 ～ 60 歳代が多く，男女比は 1.2 ～ 2.2：1 である．30 歳未満の若年者発症はまれである．ほぼ半数の症例が検診などで偶然発見されるが，脳梗塞の発症を契機に診断されることもある．ET は，欧米では人口 10 万人あたり 0.2 ～ 2.3 人の発症とされている．好発年齢は 50 ～ 60 歳であり，女性にやや好発する．第二の発症ピークが約 30 歳にあることから，ときに妊娠，出産が問題となる．小児での発症はまれである．PMF はまれな疾患であり，北米での発症率は人口 10 万人あたり約 1 人と報告されている．わが国における発症年齢の中央値は 66 歳である．男女比は 2：1 と男性にやや多い．

2 症候・身体所見

1）PV の症候・身体所見

PV の症状は，循環赤血球量の増加と血液粘稠度の亢進による血流うっ滞に基づくもので，頭痛，頭重感，めまい，赤ら顔（深紅色の口唇，鼻尖），深紅色の手掌，眼瞼結膜や口腔粘膜の充血などがみられる．赤ら顔のため，飲酒運転と間違われることもある．合併症として高血圧症，血栓症，塞栓症，血小板機能異常による易出血性がみられる．血液粘稠度の亢進による脳血流量の低下もみられ，脳血栓症の誘因となる．血小板増加を伴う症例では，血栓性閉塞による肢端紅痛症（erythromelalgia）がみられる．これは四肢末端に非対称性に焼けたような痛みを伴う赤く充血した腫脹がみられ，下肢に多く認められるものである．起立，運動などが誘因となり，足の挙上，冷却などの処置で軽快する．アスピリンが著効するのも特徴的である．痛風発作もしばしばみられる．皮膚瘙痒感は約半数の症例にみられ，特に入浴後に生じやすい．これは増加した好塩基球から放出されたヒスタミンによるもので，皮膚発赤もみられる．脾腫は 30％の症例にみられるが，post-PV MF の時期を除き，巨脾は少ない．

2）ET の症候・身体所見

診断時には無症状のことが多く，偶然の機会に血小板増加を指摘される例が多い．臨床的に最も問題となる症状は血栓症，出血である．血栓症は，動脈血栓（心，脳，末梢）が静脈血栓より生じやすい．Budd-Chiari 症候群にみられる脾静脈，肝静脈閉塞の原因となることもある．微小血管閉塞は一過性虚血発作，知覚障害，異常感覚を伴う四肢先端の虚血を引き起こす．特徴的なものは血管運動症状と呼ばれるもので，頭痛，失神，視力障害，肢端紅痛症などがある．出血は消化管などの粘膜表面にみられることが多い．軽微な脾腫が 15 ～ 20％の例にみられる．

3）PMF の症候・身体所見

初診時には約 20％の症例は臨床症状がなく，約 25％では検査値異常などで偶然の機会に発見されている．臨床症状としては，動悸，息切れ，倦怠感などの貧血症状が約 20％，脾腫に伴う腹部膨満感，腹痛などの腹部症状が約 10％，体重減少，発熱，盗汗などの全身症状を約 10％，紫斑，歯肉出血などの出血傾向が約 1％に認められている．肝脾腫については，脾腫が 75％に，肝腫大が 20％にみられている．理学所見は貧血に伴う所見と肝脾腫が主体であり，ときに臍部にまで達する著明な脾腫を認める．

3 診断・検査

1）PV

a）診　断

PV では，汎血球増加をきたすが，なかでも赤血球増加が著明である．WHO 分類改訂第 4 版（2017 年）では，①総血液量増加の基準として，男性 Hb ＞ 16.5 g/dL，女性 Hb ＞ 16.0 g/dL，ヘマトクリット値で男性 Ht ＞ 49％，女性 Ht ＞ 48％，②骨髄生検で，赤芽球系，顆粒球系および巨核球系細胞の増殖と，大小さまざまな成熟巨核球を伴う汎過形成を認め，③ *JAK2* 遺伝子変異を検出，の 3 項目を満たすことで PV の診断に至る．WHO 分類改訂第 4 版（2017 年）では，これら大基準 3 項目と小基準 1 項目が設定されている（**表 2**）[1,2]．2008 年に発表された WHO 分類第 4 版[4]からの変更点としては，Hb 値が必ずしも循環赤血球量を反映しないこと，循環赤血球量の増加と *JAK2* V617F 変異陽性から PV と考えられるにもかかわらず Hb 値が WHO 分類の診断基準を満たさない "masked PV" が存在すること，さらには骨髄の病理所見が循環赤血球量を反映することから，Hb 値の基準が引き下げられ，その代わりに骨髄生検所見が必須項目として採用された．一方，内因性赤芽球コロニー形成，実施可能な施設が限られているため，実臨床にそぐわないとして削除されている．

本症の早期では診断基準を満たさない可能性があるので，疑わしい場合には経時的に（一般に 3 ～ 6 ヵ月ごとに）血算を測定する．PV と相対性赤血球増加症に分類されるストレス多血症との鑑別には，循環赤血

◆表2　WHO分類改訂第4版（2017年）のMPN診断基準

	PV	ET	prePMF	PMF
大基準	1. 男性ではHb＞16.5 g/dLあるいはHt＞49%，女性ではHb＞16.0 g/dLあるいはHt＞48%，もしくは赤血球量の増加 2. 骨髄生検で過形成を示し，赤芽球系，顆粒球系および巨核球系の増殖と，大小さまざまな巨核球がみられる 3. *JAK2* V671F変異あるいは*JAK2* exon12変異が認められる。	1. 血小板数≧45万以上 2. 骨髄生検で，主に巨核球系の増殖を認め，大型で，成熟した巨核球の増加を認める，顆粒球系や赤芽球系造血の著増や，好中球の左方移動は認めない，細網線維の軽度の増加（グレード1）はほとんど認めない 3. *BCR-ABL1*陽性CML，PV，PMF，MDSや他の骨髄性腫瘍のWHO基準を満たさないこと 4. *JAK2*，*CALR*，*MPL*いずれかの遺伝子変異を認める	1. 巨核球の増殖と異形成が存在するが，グレード1を超える細網線維の増生は伴わない．年齢に比して骨髄の細胞数の増加を認め，顆粒球系細胞の増殖としばしば赤芽球系細胞の減少を伴う 2. *BCR-ABL1*陽性CML，PV，ET，MDSや他の骨髄性腫瘍のWHO基準を満たさないこと 3. *JAK2*，*CALR*，*MPL*いずれかの遺伝子変異を認める．これらの遺伝子変異がない場合は，他のクローナルマーカーが存在するか，反応性の骨髄細網線維増生の所見がないこと*[2,3]	1. 巨核球の増加と異形成の存在．通常は，細網線維もしくはコラーゲン線維の増生（グレード2，3）を伴う 2. *BCR-ABL1*陽性CML，PV，ET，MDSや他の骨髄性腫瘍のWHO基準を満たさないこと 3. *JAK2*，*CALR*，*MPL*いずれかの遺伝子変異を認める*[3]
小基準	1. 血清エリスロポエチンの低下	1. 染色体異常などのクローナルマーカーが存在，あるいは，反応性血小板増加症の所見がないこと	下記のいずれかを2回連続して認める 1. 併存症によらない貧血 2. 白血球数≧11,000/μL 3. 触知可能な脾腫がある 4. 血清LDの上昇	下記のいずれかを2回連続して認める 1. 併存症によらない貧血 2. 白血球数≧11,000/μL 3. 触知可能な脾腫がある 4. 血清LDの上昇 5. 白赤芽球症
診断	大基準を3つすべて満たすか，大基準1，2と小基準を満たす*[1]	大基準を4つすべて満たすか，大基準1-3と小基準を満たす	大基準3つすべてと小基準を1つ以上満たす*[2]	大基準3つすべてと小基準を1つ以上満たす*[2]

*[1]：大基準2の骨髄生検は，持続する赤血球増加（男性でHb＞18.5 g/dLあるいはHt＞55.5%，女性でHb＞16.5 g/dLあるいはHt＞49.5%）を認め，大基準3と小基準を満たす場合は，必須ではない．ただし，骨髄線維化の初期は，骨髄生検のみで検出可能で（約20%の症例で認められる），線維化の所見により，二次性骨髄線維症へのより早期の進行を予想可能である．
*[2]：反応性（二次性）の軽度細網線維増加（グレード1）を生じる病態としては，感染症，自己免疫疾患，慢性炎症，ヘアリー細胞白血病や他のリンパ系腫瘍，癌の転移，中毒による骨髄障害が挙げられる．
*[3]：*JAK2*，*CALR*，*MPL*いずれの遺伝子変異も認めない場合には，他の頻度の高い遺伝子変異（*ASXL1*, *EZH2*, *TET2*, *IDH1*/*IDH2*, *SRSF2*, *SF3B1*）の検索が診断の助けとなる．
（文献1，2を参考に著者作成）

球量の測定が重要であるが，脾腫，白血球・血小板増加があればPVの可能性が高く，*JAK2*変異を認めれば，ストレス多血症は否定される．

診断項目の大基準2にて骨髄生検による病理所見が求められているが，男性でHb値が18.5 g/dL，ヘマトクリット値が55.5%，女性でHb値が16.5 g/dL，ヘマトクリット値が49.5%を超える場合には大基準3の*JAK2*変異陽性かつ小項目を満たせば，必ずしも骨髄生検は必須ではないとしている．しかし，20%の症例では初診時から骨髄の線維化を認め，そのような症例は高率にpost-PV MFに移行する可能性があることから，予後予測の観点からも骨髄生検は初診時に行うことが必要である．

b）検査所見

Hb値は18～24 g/dLと増加がみられるが，赤血球造血亢進による相対的鉄不足や出血による鉄欠乏を伴うことが多く，しばしば小球性低色素性を呈する．白血球増加（12,000/μL以上）も21～43%の症例でみられ，白血球分画では好中球や好塩基球の増加を認める．時折，末梢血に未熟な白血球がみられるが，芽球は一般に認めない．血小板増加（40万/μL以上）は50%以上の症例でみられる．

骨髄は3血球系統の過形成を認めるが，各系統の比率は正常と著しい差はない．赤血球造血の亢進，巨大化した成熟巨核球，多分葉化した核，巨核球の集簇がみられる．ただし巨核球には分化障害はない．多血（症）期，post-PV MF（**表2**）の2段階において，形態学的な特徴がみられる．多血（症）期の骨髄生検像では，年齢と比較して過形成で，赤芽球系や顆粒球系細胞には形態異常は認めない．このステージでは80％の症例で細網線維の増加はないが，20％の症例では細網線維，さらには膠原線維の増加を認める．このような症例は経過中にpost-PV MFに移行しやすい．post-PV MFでは，白赤芽球症や赤血球の形態異常が特徴的で，骨髄生検では細網線維および膠原線維の増生がみられ，一般的には低形成像を呈する．核の形態異常を伴った巨核球の集塊を認めることもある．

染色体異常は10～20％で認められ，疾患が進行するにつれて多くなる．+8，+9，del（20q），del（13q），del（1p）などが多いが，特異的なものはない．骨髄異形成症候群や急性白血病に移行するほぼ100％の症例が染色体異常を有し，そのなかには治療関連性の骨髄異形成症候群・白血病に共通してみられる染色体異常も含まれる．

JAK2 V617F陽性率は97％で，V617F変異の割合（アレルバーデン値）が50％を超える症例は約30％を占める．V617F変異量はpost-PV MFへの移行率と正の相関を示し，変異量が50％を超えるとその危険度は約10倍になる．V617F変異量が高いと白血病へ移行しやすいとの報告はない．*JAK2* exon 12変異はV617F変異よりも強いチロシンキナーゼ活性を有し，赤血球数の増加が有意にみられる．発症年齢はV617F変異に比して低く，Hb値は高く，血清EPO濃度は低い傾向にある．白血球数や血小板数の増加は軽度のため，特発性赤血球増加症との異同が問題となる．特発性赤血球増加症と診断された症例の27％で*JAK2* exon 12変異を認めるが，これらの症例の一部はPVの前段階に相当する可能性があるので，経過観察が必要である．

V617F変異陽性PVから急性白血病に移行した際には，約半数の患者はV617F変異陰性である．このことからpre*JAK2*クローンの存在が想定されている．

2）ET

a）診　断

ETの診断には，①持続する血小板数増多（≧45万/μL），②骨髄生検標本での巨大な成熟した巨核球の増加，③慢性骨髄性白血病（chronic myeloid leukemia：CML），PV，PMF，MDSやたの骨髄系腫瘍の診断基準を満たさない，④*JAK2*，*CALR*，*MPL*のいずれかの変異が存在，の4項目すべてを満たすことが必要である．上述したように*JAK2*などのドライバー変異を認めない“triple-negative”なETが約12％存在する．これらの例では，染色体異常などクローナルな造血を示すマーカーが存在するか，あるいは反応性の血小板増多を否定できた場合にETと診断する（**表2**）[1,2]．**表3**に，鑑別のための反応性血小板増加症を示す主な疾患，病態を記す．

表2の大基準2，3の検索のためには骨髄生検が必須となる．2017年のWHO診断基準改訂により，PMFが，骨髄線維化をほとんど認めないprefibrotic/early PMF（prePMF）と，線維化が著明なovert PMFに2分された．以前の診断基準でETと診断された症例をWHO分類改訂第4版（2017年）の診断基準で再評価すると，16％がprePMFに分類されると報告されている．ETの骨髄はほとんどの場合正形成であり，成熟した，核が分葉する大型の巨核球の増加を認める．骨髄の線維化は原則認めない（グレード1以下）．一方，prePMFの骨髄は3系統の過形成を示し，異型を有する巨核球が集簇して増加している．prePMF以外に，MDSのなかでは血小板増加を伴う5q-症候群，MDS/MPNに含まれる血小板増加を伴う鉄芽球性貧血（refractory anemia with ring sideroblasts associated with marked thrombocytosis：RARS-T）との鑑別が必要である．

b）検査所見

ETの診断基準は血小板数≧45万/μLであるが，100万/μL以上の血小板増多をきたす例も多い．白血球数増加，赤血球数増加は原則みられないが，ある場合でもごく軽度である．塗抹標本では巨大血小板や奇形血小板を認めるが，白赤芽球症はみられない．骨髄生検ではほとんどの症例が正形成を示すが，一部軽度の過形成を示す例もある．最も目立つ所見は，巨大な，胞体に富み分葉した切れ込みのある核（牡鹿の角

◆**表3　反応性血小板増加をきたす疾患，病態**

• 感染症
• 炎症性疾患
• 悪性腫瘍
• 出血
• 溶血
• 鉄欠乏性貧血
• 摘脾後

様）を有する成熟した巨核球の増加である．巨核球は散在性であることが多いが，疎に集簇する所見もときにみられる．prePMF と異なり，いびつな異型が強い巨核球が密に集簇することはまれである．ET では骨髄の線維化は原則みられず，あってもグレード 1 を超えない．骨髄穿刺では，成熟した巨核球の増加と，血小板の凝集像がシート状にみられる．他の検査所見としては，血小板数が著増すると後天性の von Willebrand 症候群（VWS）をきたすことがあり，その場合，APTT の延長がみられる．通常，LD 上昇は認めない．また，採血時の血小板破壊により偽性高カリウム血症がみられることがある．

3）PMF

a）診　断

WHO 分類改訂第 4 版（2017 年）では，PMF は，前線維化期と線維化期（overt）に分けて独立した診断基準が記載された．改訂第 4 版（2017 年）では，骨髄線維化の評価に関して，細網線維と膠原線維に関して小修正が加えられ，MF-0 から MF-3 までの 4 段階で評価するグレード分類が記載されている．WHO 分類による診断基準では，前線維化期 PMF（prePMF）も線維化期 PMF（overtPMF）も，それぞれ大基準 3 つすべてと，小基準を 1 つ以上満たしたときに診断する（**表 2**）[1,2]．大基準 1 で，巨核球の増殖と異形成，および骨髄の線維化を評価し，大基準 2 で，他の骨髄性腫瘍の WHO 分類を満たさないことを確認し，大基準 3 で，遺伝子変異もしくはクローナルマーカーの存在，それらがみられないときには反応性の骨髄線維化を除外すること，となっている．具体的には，大基準 1 は，前線維化期 PMF では，「グレード 1 を超える細網線維の増生は伴わない．年齢に比して骨髄の細胞数の増加を認める」，線維化期 PMF では，「細網線維もしくはコラーゲン線維の増生（グレード 2，3）を伴う」といった，より具体的な記載になっている．一方，前述のように，前線維化期 PMF との鑑別が問題となる本態性血小板血症については，大基準 2 で，「細網線維の軽度の増加（グレード 1）はきわめてまれである」との記載が加えられている．本態性血小板血症では，巨核球の形態で，過剰に分葉した核を有する大型の成熟巨核球の増加がみられるのに対して，PMF では，一般的には“雲のような”や“風船様”と呼ばれる異常な核の切れ込みを呈する巨核球の集簇がよくみられる．また，大基準 3 にある *JAK2*，*MPL*，*CALR* に遺伝子変異を認めない場合は，他の頻度の高い遺伝子変異（*ASXL1*，*EZH2*，*TET2*，*IDH1/IDH2*，*SRSF2*，*SF3B1*）を証明するか，反応性骨髄線維化をきたす疾患を除外する，といったように遺伝子名が具体的に記載されている．*JAK2*，*CALR*，*MPL* いずれのドライバー変異を認めない triple negative PMF も約 15％程度存在する．この場合は，より慎重に反応性の骨髄線維化を除外することが重要である．

b）検査所見

Hb 10 g/dL 未満の貧血を 68％に認める．また，血小板 50 万 /μL 以上の上昇を 13％に，10 万 /μL 未満の低下を 35％に認める．末梢血への骨髄芽球 1％以上の出現は，62％の症例に認める．赤芽球，骨髄芽球が末梢血塗抹標本にみられる，いわゆる白赤芽球症は 86％にみられる．巨大血小板は 44％に，涙滴赤血球は 69％の症例に認められる．骨髄穿刺は採取不能（dry tap）であることが多く，診断には骨髄生検が必須である．生検像は，異形成を伴う巨核球の増殖，広範な線維化（細網線維，コラーゲン線維の増生），骨硬化を呈する．染色体検査は，骨髄が dry tap であるため末梢血細胞を用いて行う．90％近くの症例において分裂像が得られ，60％が正常核型を，40％が異常核型を示す．del(20)(q11q13)，del(13q)(12q22)，trisomy 8 が主なものである．超音波，CT 検査では，脾腫を 85％に認める．

4）二次性骨髄線維症（二次性 MF）

骨髄の広範な線維化は，PMF 以外にも種々の基礎疾患に続発して二次性に生じうる．わが国での基礎疾患としては，PV，ET，骨髄異形成症候群，悪性リンパ腫，急性骨髄性白血病などが挙げられ，造血器悪性腫瘍に続発することが多い．このうち PV と ET を基礎疾患とする二次性 MF は，PMF と共通の遺伝子変異がみられること，同様の臨床像・臨床経過を示すことから，同一の病態と考えられている．WHO 分類での診断基準は第 4 版（2008 年）から変更はない（**表 4**）[5]．

5）血球増加をみた際の診断の進め方

Hb ＞ 16.5 g/dL（男性），＞ 16 g/dL（女性）など赤血球増加に，白血球増加や血小板増加を伴う場合には，まず CML を疑って，*BCR::ABL1* の検索を行う．赤血球の単独の増加であれば，二次性赤血球増加症を来す病態がないか鑑別を行い，*BCR::ABL1* が陰性で，二次性赤血球増加症にも該当しない場合には，*JAK2* 遺伝子変異を検索する．*JAK2* 遺伝子変異を認め，Hb 値の基準を満たせば，PV の診断に至る．Hb 値の基準を満たさない場合，あるいは，*JAK2* 遺伝子変異を認めない場合は，骨髄生検を行い，PV を含む他の MPN，反応性の血球増加の鑑別を行う．PV の診断に至った場合でも，骨髄生検で，骨随線維化の評価をし

◆表4　WHO分類（第4版，2008年）によるPost-PV/ET MFの診断基準

	Post-PV MF	Post-ET MF
必須基準	1. 以前にWHO分類でPVと診断されている	1. 以前にWHO分類でETと診断されている
	2. grade 2〜3（0〜3スケールにて）の骨髄線維化がみられる	2. grade 2〜3（0〜3スケールにて）の骨髄線維化がみられる
付加的基準（2基準を要する）	1. 貧血がある、あるいは抗がん薬を投与されていないにもかかわらず瀉血の必要がない，あるいは抗がん薬投与の必要がない	1. 貧血あるいは基準値からHb 2 g/dL以上の低下がある
	3. 白赤芽球症を認める	2. 白赤芽球症を認める
	4. 脾腫を認める ・左肋骨弓から5 cm以上の脾臓を触知 ・新たに脾臓を触知できる	3. 脾腫を認める ・左肋骨弓から5 cm以上の脾臓を触知 ・新たに脾臓を触知できる
	以下の症状が2つ以上みられる ・6ヵ月間に10%以上の体重減少がある ・夜間盗汗 ・説明のできない37.5℃以上の発熱	4. LDの上昇（基準値を超える）
		5. 以下の症状が1つ以上みられる ・6ヵ月間に10%以上の体重減少がある ・夜間盗汗 ・説明のできない37.5℃を超える発熱

（文献5を参考に著者作成）

ておくことが望ましい．

赤血球増加を伴わない白血球増加をみた際には，まず感染症をはじめとした反応性の増加を鑑別する必要がある．また，末梢血白血球分画で芽球の増加など急性白血病の所見がないか確認を行う．いずれにも該当しない場合，まず，*BCR::ABL1*の検索を行い，CMLの存在がないか鑑別する．*BCR::ABL1*が陰性の場合，*JAK2*，*CALR*，*MPL*遺伝子の変異の有無について検索を行う．いずれかの変異を認めた場合，骨髄生検にて，ET，prePMF，PMFの鑑別を行う．いずれの遺伝子変異も認めない場合でも，ET，PMFでは15％程度は，これらの遺伝子変異を認めない症例があるため，骨髄生検を行って，他の造血器腫瘍の鑑別，反応性の骨髄線維化がないか，鑑別することが必要である．

4　治療と予後

1）PVの治療と予後

a）リスク分類と治療指針

PVの生命予後は比較的良好であり，脳梗塞，心筋梗塞，静脈血栓症などの心血管疾患の合併が患者の予後に最も影響するため，血栓症の合併を予防することが最重要課題となる．具体的にはHt値の減少を図り，全血液粘稠度を下げることで血栓症を予防し，脳血流量の改善を図る．喫煙，肥満，高血圧，高脂血症，糖尿病などの血栓症にリスクファクターがあれば，これらの治療は必須である[6,7]．日本血液学会『造血器腫瘍診療ガイドライン2023年版』血栓症のリスク分類では，年齢≧60歳，血栓症の既往のいずれかがあれば高リスク群である．低リスク群では，瀉血と低用量aspirin，高リスク群では，加えて細胞減少療法を行う（図2）[6]．瀉血療法，細胞減少療法は，ヘマトクリット値45％未満を目標に行う．細胞減少療法では，hydroxycarbamide（hydroxyurea：HU）がよく用いられる．HUによる適切な治療を行っても効果不十分，または有害事象などでHUによる治療が不適当な場合は，JAK2阻害薬ruxolitinibの投与を行う．

b）瀉　血

最も簡単な治療法で速やかに循環赤血球量を下げることができる．症状をみながら，Ht値45％を目標に400 mLの瀉血を2〜3日間隔で繰り返す．軽症例では2〜3ヵ月に1回程度の瀉血で済むこともある．高齢者や心血管障害のある患者では急激な循環動態変化を避けるため，100〜200 mLの少量瀉血を頻回に行う．

c）抗血小板療法

本症でみられる血栓症は血小板活性化作用を有するトロンボキサンA_2合成の亢進が主な誘因であるが，少量のaspirinはシクロオキシゲナーゼ-1の酵素活性を不可逆的に失活させ，トロンボキサンA_2合成を抑制し，血小板凝集を抑える．したがって，aspirinは

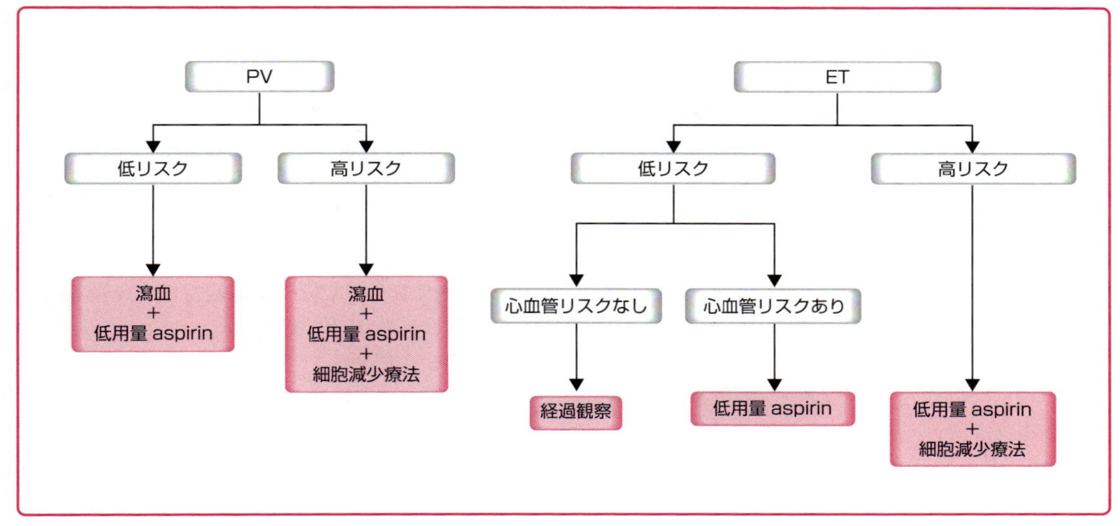

◆図２　リスク分類に基づくPV, ETの治療方針
（文献６，p107より許諾を得て改変し転載）

少量（100 mg/日）であれば出血の危険も少ないため，血小板増加を伴う症例では血栓症を予防できる．特に肢端紅痛症には有効である．ただし血小板数が多い症例では後天性VWSを合併することがあり，そのような症例にaspirinを投与すると出血を助長するため，HUなどであらかじめ血小板数を下げてからaspirinの投与を開始する．欧米では血小板増加を伴う症例にanagrelideの使用が推奨されているが，わが国での使用は認められていない．

d）細胞減少療法

年齢が60歳以上，あるいは血栓症の既往がある高リスク群患者が絶対的適応となる．その他，血小板数が100万/μL以上，白血球数が1.5万/μL以上，瀉血を頻回に繰り返す（目安として500 mLの瀉血を8週以内に2回以上），髄外造血により脾腫が著明，疼痛や脾梗塞などの合併症を伴う，重篤な心血管障害を有し瀉血困難，などの場合には抗腫瘍薬の投与を検討する．しかし抗腫瘍薬は二次発がんの問題があり，妊娠可能年齢の女性や精子形成に影響する若い男性に対する使用は極力避ける．HUは速やかな効果がみられ，しかも中止によって速やかな骨髄回復が得られるので使いやすい．また，他の抗腫瘍薬と比較して白血病原性も少ない．その他，抗腫瘍薬としてbusulfanやranimustine（サイメリン：MCNU）が用いられるが，二次発がんが問題となるので，使用は極力避ける．MCNUは本疾患に唯一保険適用が認められている注射剤で，2～3ヵ月に1回の静注で有効である．

e）JAK阻害薬

JAK1/JAK2阻害薬であるruxolitinibは，原発性骨髄線維症やpost-PV MFでの脾腫の改善，盗汗や体重減少，易疲労感，皮膚瘙痒感などの全身症状の改善に劇的な効果がみられ，最近では全生存期間の延長が報告されている．PVではHU抵抗性/不耐容の患者を対象に脾腫の改善とHtのコントロールをプライマリーエンドポイントに行われた第Ⅲ相臨床試験（RESPONSE試験）では，60％の症例でHtのコントロールが得られ，40％の症例で脾臓容積の35％以上縮小を認め，両者をともに認めた症例は22.7％であった．また脾腫のないHU抵抗性/不耐容の患者を対象に行われた第Ⅲ相臨床試験（RESPONSE2試験）においても62％の症例でHtのコントロールが可能であった．以上の結果から，ruxolitinibはPV治療のセカンドラインとしての地位を確立し，わが国では既存治療が効果不十分または不適当なPV患者に使用が認められている．

f）interferon-α

Interferon-αは白血病原性や催奇形性がないため，欧米では50歳以下の患者に推奨されており，半数の症例でHt値が45％以下に低下し，2/3以上の症例で脾臓容積の縮小を認める．胎盤通過性がなく，妊婦への使用も可能である．現在ペグ化interferon-α（ropeginterferon alfa-2b）とHUとのhead-to-headのランダム化比較試験（PROUD-PV）とその継続試験（CONTINUATION-PV）でも，その有用性が示されているが，わが国での使用はまだ認められていない．

g）対症療法

高尿酸血症に対して allopurinol が有効である．皮膚瘙痒感は入浴後に生じることが多い．湯の温度を低くし，体を洗うときには皮膚を軽くなでる程度にして激しくこすらないよう指導する．抗腫瘍薬による骨髄抑制が効果的であるが，interferon-α，抗ヒスタミン薬，H_2 受容体拮抗薬（H_2 ブロッカー）も試みる．肢端紅痛症には 100 mg 程度の低用量 aspirin や抗腫瘍薬による血小板減少作用が有効である．

h）予　後

Mayo クリニックの多数例の調査では，生存期間の中央値は 13.7 年で，一般人口と比較すると悪い[8]．生命予後に影響を及ぼす合併症は，血栓症，出血性イベントである．わが国における PV 266 例の後方視的解析では，診断から 131 ヵ月時点の生存率は 72.8％で，血栓症は診断時に 15.4％，その後の経過中に 8.5％に生じ，欧米のデータに比較すると頻度は低いものの，わが国においても PV の生命予後規定因子となっている[9]．また，骨髄線維症への移行は 2.6％，急性白血病への移行は 1.1％に認められている．死因は血栓症が最も多く，次いで血液系悪性腫瘍，非血液系悪性腫瘍，出血，骨髄線維症の順である．血栓症の危険因子として，高年齢（60 歳以上）と血栓症の既往歴が挙げられる．血栓症による死亡は心血管疾患に起因するものが最も多い．全悪性腫瘍のなかでは急性骨髄性白血病が最も多く，化学療法に抵抗性を示し，予後はきわめて不良である．急性骨髄性白血病移行リスク因子として，年齢（60 歳超），白血球増加（15,000/μL 以上），骨髄線維症（MF-1 以上），触知可能な脾腫，染色体異常，*TP53* 変異，*RUNX* 変異が挙げられている．

2）ET の治療と予後

a）リスク分類と治療方針

ET の生命予後は良好であり，健常者とほぼ同等の生命予後が期待される．そのため，合併する血栓性イベント，微小血管障害による症状，出血性イベントの予防が治療目標である．血栓症のリスクとしては，年齢 60 歳以上，血栓症の既往，血小板数 150 万以上のいずれかがあれば，高リスク群とされるが，*JAK2* V617F 変異もリスク因子として抽出されている．生命予後については，リスク分類 IPSET では，年齢 60 歳以上，白血球数 11,000/μL 以上，血栓症の既往が，リスク因子として抽出されている．血栓症低リスク群では，定期的な経過観察を行うが，*JAK2* 変異，あるいは心血管リスク因子がある場合は，抗血栓療法として低用量 aspirin を用いる．高リスク群では，加えて細胞減少療法が必要である（**図 2**）[6,7]．血栓症の高リスク群や，血小板数が 150 万 /μL 以上を認める症例では，HU の投与を考慮し，血小板数を 40 万～ 60 万 /μL 未満を目標とする．HU の他に，白血病誘発性のない anagrelide も初回治療薬として推奨される．白血球数，血小板数および高血圧，脂質異常症，糖尿病，喫煙などの心血管リスクファクターの有無を血栓症の危険因子として扱うかは報告により異なっており，結論は得られていない．

b）抗血小板療法

血栓症低リスク群では，低用量 aspirin の投与は一般的には不要であるが，*JAK2* 変異がある，心血管リスクファクター（喫煙，高血圧，脂質異常症，糖尿病）がある，あるいは微小血管の塞栓，血栓症を示唆する症状があるときには，aspirin 投与を考慮する．それ以外の低リスク群では，抗血小板療法による出血リスクを凌駕する有益性は見出しにくい．血栓症高リスク群では，合併する血栓症の予防を目的として低用量 aspirin 投与と細胞減少療法を行う．血小板数が著増している場合後天性 VWS をきたすことがある．この場合の aspirin 単独投与は出血を助長する危険があるため避け，はじめに細胞減少療法を行い血小板数が減少していることを確認した後に aspirin の投与を行う．

c）細胞減少療法

血栓症高リスク群や，血小板数が 150 万 /μL 以上を認める症例では，細胞減少療法を考慮する．細胞減少療法には，HU と anagrelide がある．HU は脱毛や消化器症状が少なく使いやすい抗がん薬であるが，爪の色素沈着，下腿の皮膚潰瘍，発熱などの有害事象に注意が必要である．また，血液毒性では白血球数減少と貧血が起こり，休薬が必要になることがある．HU は代謝拮抗薬であり発がん性はきわめて低いと推定されているが，明確な結論は出ていない．Anagrelide は巨核球に選択的に作用し，巨核球の分化や成熟を抑制することで血小板産生を抑制すると推定されている薬剤である．サイクリック AMP ホスホジエステラーゼⅢ（PDE Ⅲ）阻害活性を有しているため，頭痛，動悸などの有害事象を認める．

d）interferon-α

ET の発症年齢は PV と比べ若く，やや女性に好発することから，妊娠，挙児希望が問題となることがある．このような場合は，interferon-α 投与を考慮する（保険適用外）．また，現在ペグ化 interferon-α（ropeginterferon alfa-2b）が臨床治験中である．

e）予　後

Mayo クリニックの多数例の調査では，生存期間の中央値は 19.8 年で，一般人口とほぼ同等であると考えられている．わが国における ET 381 例の後方視的解析では，診断から 131 ヵ月時点の生存率は 71.8％で，血栓症は診断時に 17.6％，その後の経過中に 8.7％に生じ，年齢 60 歳以上と，血栓症の既往が，わが国における ET の生命予後因子となっている[9]．骨髄線維症への移行は 2.6％，急性白血病への移行は 2.9％に認められている．年齢≧ 60 歳（2 点），初診時白血球数≧ 11,000/μL（1 点），血栓症の既往（1 点）の合計点が 3，4 点の高リスク，1，2 点の中間リスク，0 点の低リスクの 3 つの異なる予後に分類できる．主な死因は血栓症，出血，骨髄線維症，急性白血病への進展，血液腫瘍以外の固形がんである．

3）PMF の治療と予後

a）リスク分類と治療方針

PMF の臨床経過は均一ではなく，症例間によるばらつきが大きい．予後不良因子は，65 歳以上，持続する臨床症状（10％以上の体重減少，発熱，盗汗），Hb<10 g/dL，白血球数＞ 25,000/μL，末梢血の芽球≧ 1％である．予後不良因子を組み合わせたリスク分類には，IPSS（International Working Group for Myelofibrosis Research and Treatment）が頻用されており，IPSS の予後因子をハザード比によって点数を変える DIPSS と，DIPSS に血小板 10 万 /μL 以下，予後不良染色体，輸血依存を加味した DIPSSplus は，診断時だけでなく，臨床経過中の予後予測にも有用である．このため，臨床経過中の新たなリスクの出現に伴って，予後の変化も推測でき，病勢の進行に合わせた治療方針の決定に有用である（**表 5**）DIPSS-plus リスク分類において，低リスク群，中間-Ⅰリスク群に該当する症例では，無症状の場合，支持療法のみでも長期の生存が期待できるために，「wait and watch」の方針が望ましい．貧血や脾腫に圧迫症状・腹部症状，あるいは倦怠感や体重減少，発熱，盗汗などの全身症状がある，あるいは経過中に出現してきた場合には，それぞれの症状に応じて，治療を検討する．貧血に対しては，赤血球輸血や蛋白同化ステロイド療法を行う．脾腫に伴う症状に対しては，ヒドロキシウレア，JAK1/JAK2 阻害薬である ruxolitinib，摘脾，脾臓への放射線照射を検討する．中間-Ⅰリスクでも脾腫や全身症状がある場合や，中間-Ⅱリスク以上では，JAK2 阻害薬 ruxolitinib の投与を検討する．中間-

◆表 5　PMF の予後予測モデル

■IPSS
年齢≧ 65 歳（1）
発熱，夜間盗汗，体重減少の持続（1）
WBC>25,000/μL（1）
Hb<10g/dL（1）
末梢血 blast ≧ 1％（1）

リスク分類	スコア合計	平均生存期間
低リスク	0	11.3 年
中間-Ⅰリスク	1	7.9 年
中間-Ⅱリスク	2	4.0 年
高リスク	3～5	2.3 年

■DIPSS
年齢≧ 65 歳（1）
発熱，夜間盗汗，体重減少の持続（1）
WBC>25,000/μL（1）
Hb<10g/dL（2）
末梢血 blast ≧ 1％（1）

リスク分類	スコア合計	平均生存期間
低リスク	0	到達せず
中間-Ⅰリスク	1, 2	14.2 年
中間-Ⅱリスク	3, 4	4 年
高リスク	5, 6	1.5 年

■Age-adjusted DIPSS（65 歳未満）
発熱，夜間盗汗，体重減少の持続（2）
WBC>25,000/μL（1）
Hb<10g/dL（2）
末梢血 blast ≧ 1％（2）

リスク分類	スコア合計	平均生存期間
低リスク	0	到達せず
中間-Ⅰリスク	1, 2	9.8 年
中間-Ⅱリスク	3, 4	4.8 年
高リスク	5～7	2.3 年

■DIPSSplus
予後不良核型（1）
血小板 <100,000/μL（1）
輸血の必要性（1）
DIPSS 中間-Ⅰリスク（1）
DIPSS 中間-Ⅱリスク（2）
DIPSS 高リスク（3）

リスク分類	スコア合計	平均生存期間
低リスク	0	15.4 年
中間-Ⅰリスク	1	6.5 年
中間-Ⅱリスク	2, 3	2.9 年
高リスク	4～6	1.3 年

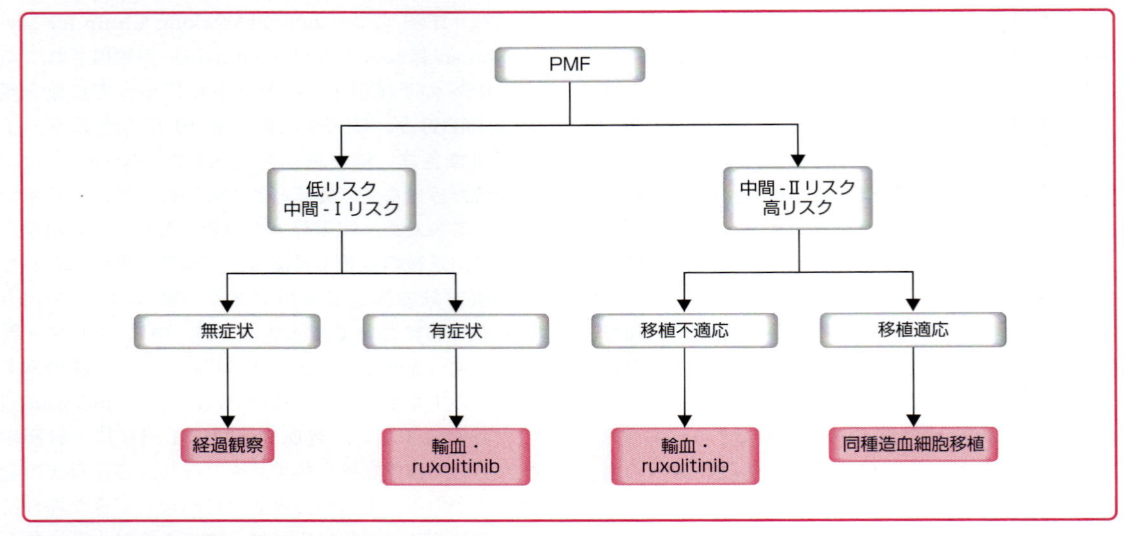

◆**図3　リスク分類に基づくPMFの治療方針**
（文献6を参考に著者作成）

IIリスク群，高リスク群に該当し，適切なドナーが存在する場合には，診断後早期の同種造血細胞移植を念頭に治療にあたる（**図3**）[6,7]．最近では，このような臨床所見だけではなく，染色体異常や遺伝子異常もリスク因子として組み込まれている．また，ドライバー変異によって若干の臨床所見に差がみられ，*CALR*変異症例のほうがやや予後が良好とされる．ドライバー変異以外の遺伝子変異では，*ASXL1*，*EZH2*，*SRSF2*，*IDH1/2*のいずれかの遺伝子変異を有する場合は，high molecular risk（HMR）と定義され，予後不良であることが報告されている．ただし，現時点では国内ではこれらの遺伝子変異検査は保険適用外である．

また，診断後平均10年を経て，一部のPV/ET患者がpost-PV/ET MFの状態に移行する．PMFに用いられる予後予測モデルではpost-PV/ET MFの予後を明確に層別化ができないことが指摘されており，最近ではMYSEC-PMという新たな予後予測スコアリングシステムが提唱されている．治療に関しては，PMFに準じた治療を行い，高リスクの若年患者には造血細胞移植を積極的に考慮する．

b）貧血に対する治療

Danazolは PMFの貧血の改善に有効である．輸血依存性またはHb 10 g/dL以下のPMFに対しdanazol 600 mg/日を投与すると，30例中8例ではHbレベルが正常化し，他の3例はHb 1.5 g/dL以上の上昇を認めている．わが国では，danazolではなくmetenoloneが用いられることが多いが，やはり40%程度の症例に貧血の改善がみられる．

c）JAK2阻害薬

JAK1/JAK2阻害薬であるruxolitinibは，30～40%にPMFに伴う脾腫の改善（脾体積の35%以上の減少）を，約半数に自覚症状の改善をもたらす．これらの効果は，*JAK2*変異の有無にかかわらず観察される．一般的には，予後予測分類で中間-IIリスク以上の症例，および脾腫・全身症状を有する低・中間-Iリスクの症例が対象となる．PMF，post-PV/ET MFで，IPSSで中間-IIリスク以上，脾腫5 cm以上の症例を対象に臨床第III相試験が2試験施行され，いずれの試験でも，ruxolitinibの投与により，著明な脾腫の改善，発熱，全身倦怠感，体重減少，活動性の低下などの全身症状（QOL）の改善がみられた．最近になり，両試験を併せた結果が報告され，ruxolitinib群で有意な生存率改善が証明された．その際に，治療開始時の脾サイズ，ruxolitinib治療開始後の脾の縮小率が生存率と相関することが同時に示された．その後の観察研究においても，ruxolitinibは，生命予後の改善効果が示されている．主な有害事象は，貧血と血小板減少である．また，ruxolitinibはT細胞機能を抑制することから，投与中は結核，B型肝炎の再活性化，帯状疱疹などを含め日和見感染症に注意が必要である．

d）脾腫に対する治療

脾腫に伴う腹部膨満感，腹痛などの症状が強い場合，HU投与により約40%に脾腫の軽減が得られる．主な有害事象は骨髄抑制である．脾腫に加えて，全身症状を有する場合は，ruxolitinibが有効である．脾腫に伴う腹部症状の改善には，脾臓への放射線照射も有効である．1日照射量0.15～1.0 Gy，計2.5～6.5 Gyの分割照射が一般的である．93.9％の患者では，脾腫が減少するもののその効果は一時的であり，平均6ヵ月（1～41ヵ月）である．放射線照射に伴い血球減少が約半数に出現する．脾摘は貧血，血小板減少症，脾腫に伴う腹部症状の改善が期待できるものの，出血，感染症，血栓症などによる周術期の死亡率が9％と高く，合併症も31％に生じることから，一般的な治療法とは言い難い．最近では，ruxolitinibの登場によって，脾腫に対する放射線地照射や摘脾の役割は小さくなっている．

e）造血細胞移植

同種造血細胞移植は，PMFに対する現時点での唯一の治癒的治療法である．前述のいずれかの予後予測分類において中間～高リスク群に該当，あるいは低リスク群でも，予後不良染色体など白血病への移行の高リスク群で，適切なドナーを有する若年者では，移植関連死亡，長期予後などを考慮して移植の適応を検討する．骨髄の線維化が著明であるにもかかわらず，移植した造血幹細胞は生着可能であり，生着不全は10％以下である．また，生着に伴い半数以上の症例で骨髄の線維化が消失する．PMFに対する同種造血幹細胞移植の成績としては，治療関連死亡が30～50％と高く，全生存率は30～63％である．年齢，臓器予備能や合併症を考慮して，骨髄破壊的前処置あるいは骨髄非破壊的前処置による移植を考慮する．

ドナー選択については，HLA一致同胞以外の非血縁ドナーやHLA不一致ドナーからの移植は，移植後非再発死亡が高いとする報告が多い．HLA半合致移植については，実施可能との報告もあるが，まだエビデンスが不十分である．

移植前治療については，骨髄破壊的治療後に同種造血細胞移植を行った報告では移植関連死亡が27～43％と多い．PMFは比較的高齢者に発症することから，治療関連毒性がより少ないミニ移植に期待が集まっている．骨髄破壊的前処置と非破壊的前処置を比較した前向き試験は存在しないが，後方視的解析では両者に移植成績の差はみられていない．若年者では，無移植片対宿主病／無再発生存を考慮すると，骨髄破壊的治療が推奨される．

f）予　後

Mayoクリニックの多数例の調査では，生存期間の中央値は5.9年で，一般人口と比較すると，他のMPNと異なり，著しく悪い[8]．わが国では，特発性造血障害に関する調査研究班による調査では，3年生存率57％，生存期間中央値は3.8年で，主な死因は，急性白血病への移行14％，感染症13％，出血6％であった[10]．

■文　献■

1）Swerdlow SH et al（eds）：WHO Classification of Tumours of Haematopoietic and Lymphoid Tissues, 4th ed, Revised ed, IARC Press, 2017
2）Arber DA et al: Blood **127**: 2391, 2016
3）Tefferi A: Am J Hematol **91**: 50, 2016
4）Swerdlow SH et al（eds）：WHO Classification of Tumours of Haematopoietic and Lymphoid Tissues, 4th ed, IARC Press, 2008
5）Barosi G et al: Leukemia **22**:437, 2008
6）日本血液学会（編）：造血器腫瘍診療ガイドライン2023年版，金原出版，2023
7）Barbui T et al: Leukemia **32**:1057, 2018
8）Tefferi A et al. Blood **124**:2507; quiz 615, 2014
9）Dan K et al: Int J Hematol **83**:443, 2006
10）Takenaka K et al: Int J Hematol **105**:59, 2017

5 その他の骨髄増殖性疾患

到達目標

- 末梢血で単球，好中球，好酸球の増加をきたすMPNの病態を理解する
- 反応性の血球増加症や，MDS，他のMPN病型との鑑別を行い，適切な治療法が選択できる

1 慢性骨髄単球性白血病（CMML）

1）病因・病態・疫学

慢性骨髄単球性白血病（chronic myelomonocytic leukemia：CMML）は，骨髄増殖性腫瘍（myeloproliferative neoplasms：MPN）と骨髄異形成症候群（myelodysplastic syndromes：MDS）の特徴を併せ持つ骨髄性腫瘍である[1]．*TET2* 変異が約60%，*SRSF2* 変異が40～50%，*ASXL1* 変異が約40%，*RUNX1* 変異が約15%，*NRAS*，*CBL* 変異が約10%，*SETBP1* 変異が5～10%にみられる．造血はクローナルであり骨髄系細胞の増殖が生じているものの，分化の障害により骨髄系細胞に異型が存在し，貧血や血小板減少を呈する．臨床像，検査成績は多様であるが，白血球数≦13,000/μLでMDSの特徴を主に示すmyelodysplastic CMML（MD-CMML）と，白血球数＞13,000/μLと増加しMPNの特徴を有するmyeloproliferative CMML（MP-CMML）に大別すると理解しやすい．海外から人口10万人あたりの発症，有病者数は年間0.4人，1.94人と報告されている．発症年齢中央値は65～75歳，男女比は1.5～3.0：1であり，高齢者，男性に好発しやすい．

2）症候・身体所見

MP-CMMLでは持続する全身症状（体重減少，発熱，盗汗など），MD-CMMLでは血球減少に伴う倦怠感，易感染性，出血傾向を示す．

3）診断・検査

末梢血における単球の増加が最大の特徴であり，中央値は2,000～7,000/μLである．成熟した単球が増加していることが多いが，顆粒分布，核の分葉，クロマチンパターンの異常を呈することもある（図1A）．末梢血中に芽球や前単球も出現するが，合わせても20%未満であり，20%以上に増加しているときは急性骨髄性白血病（acute myeloid leukemia：AML）と診断する．半数以上の症例で，単球や好中球の増加に応じ白血球数も増加している．低分葉や異常分葉，あるいは顆粒に乏しい異常好中球が，ほとんどの症例でみられる．軽度から中等度の貧血や血小板減少がみられることが多い．骨髄は過形成であり，顆粒球系細胞

A

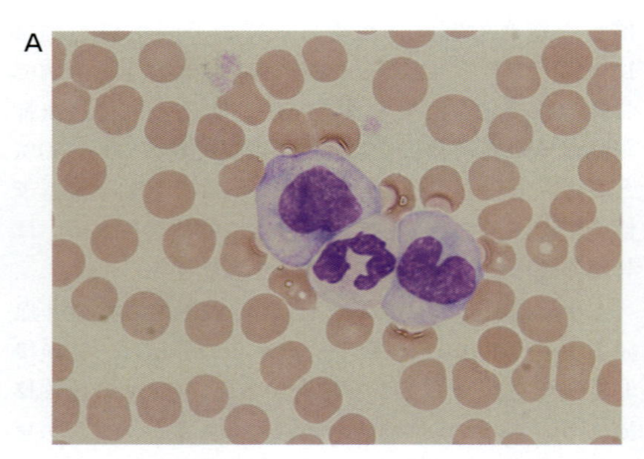

B

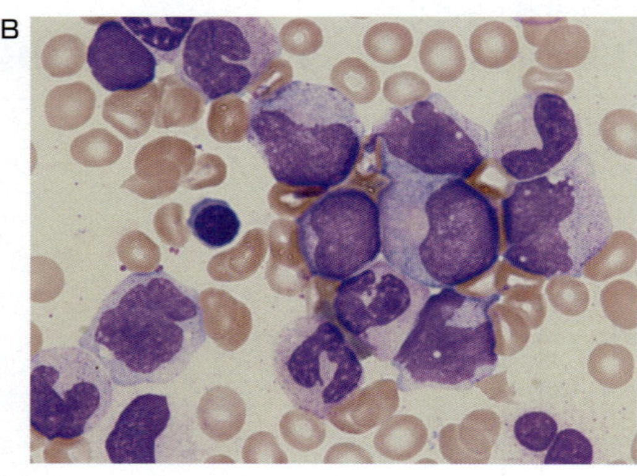

◆図1　CMMLの血液像
A：末梢血において単球が1,000/μLを超えて増加している．好中球にも脱顆粒の異型を認める．B：骨髄では，単球系細胞と好中球系細胞が同時に増殖している．好中球系細胞に，核の分葉異常，顆粒異常などの異形成を認める．

の増加をみる（**図 1B**）.

CMML 細胞の浸潤により脾腫を生じやすい．リンパ節腫大はまれであり，存在する場合は急性転化の可能性を考慮する．

WHO 分類改訂第 4 版（2017 年）*の診断基準は，①末梢血の持続する単球増加（1,000/μL 以上，かつ単球数は白血球数の 10% 以上を占める），（WHO 分類第 5 版の単球増加の基準は 500/μL 以上）②*BCR::ABL1* 陽性慢性骨髄性白血病（chronic myeloid leukemia：CML），真性赤血球増加症（polycythemia vera：PV），本態性血小板血症（essential thrombocythemia：ET），原発性骨髄線維症（primary myelofibrosis：PMF）の診断基準を満たさない，③ *PDGFRA*，*PDGFRB*，*FGFR1* の再構成や *PCM1::JAK2* を認めない，特に好酸球が増加している場合は除外が必要，④芽球＋前単球は，末梢血および骨髄の 20％未満，⑤少なくとも 1 系統の血球に異形成が存在，である．異形成が軽度な場合，あるいは存在しない場合は，造血細胞に後天性のクローン性の染色体異常，あるいは分子遺伝学的異常が存在すること，または，単球増加が 3 ヵ月以上持続し，悪性腫瘍，感染症，炎症など，単球増加をきたす他の疾患が除外できること，のいずれかを満たす必要がある[1]．

CMML は末梢血，骨髄に占める芽球＋前単球の割合により，CMML-0（末梢血の 2％未満，かつ骨髄の 5％未満），CMML-1（末梢血の 2 ～ 4％，and/or 骨髄の 5 ～ 9％），CMML-2（末梢血の 5 ～ 19％，and/or 骨髄の 10 ～ 19％，あるいは芽球＋前単球の割合にかかわらず，芽球に Auer 小体がみられる場合）に 3 分される．

4）治療と予後

生存期間中央値は 20 ～ 40 ヵ月である．予後不良因子は，芽球割合の増加，白血球数増加，赤血球輸血依存性，染色体（trisomy 8，3 つ以上の染色体異常を有する複雑核型，7 番染色体の異常），遺伝子変異（*ASXL1*，*NRAS*，*RUNX1*，*SETBP1*）などである．CMML の 15 ～ 30％は AML へ移行する．

血球減少に対し輸血や抗菌薬投与などの支持療法を行う．赤血球輸血依存症例には赤血球造血刺激因子（erythropoiesis stimulating agents：ESA）が有効であり，約 2/3 に赤血球改善効果が認められる．MP-CMML には hydroxycarbamide（hydroxyurea：HU）を用いた細胞減少療法を行う．予後不良因子を有する，あるいは芽球が増加している MD-CMML には 5-azacitidine（AZA）の投与を考慮する．脱メチル化薬である AZA，decitabine の総有効率は 40 ～ 50% である[2]．芽球が増加している場合（CMML-2）や，芽球の増加が中等度でも（CMML-1）予後不良因子を有する場合は，造血幹細胞移植を考慮する．高齢者に発症しやすいこともあり移植適応例は限られてくるものの，造血幹細胞移植は治癒的治療法であり，長期生存が 30 ～ 50% に期待できる．

*本書は基本的に WHO 分類改訂第 4 版（2017 年）に基づいて記載しているが，必要な場合には WHO 分類第 5 版（2022 年）にも言及している．

2 慢性好中球性白血病（CNL）

1）病因・病態・疫学

慢性好中球性白血病（chronic neutrophilic leukemia：CNL）は，持続する末梢血の成熟好中球増加，骨髄系細胞の増加による骨髄過形成，肝脾腫を特徴とするまれな骨髄増殖性腫瘍である．骨髄球系細胞の異型や単球の増加はみられず，この点が *BCR::ABL1* 陰性非定型 CML や CMML との鑑別に有用である．顆粒球コロニー刺激因子（G-CSF）のレセプターである colony stimulating factor 3 receptor（*CSF3R*）の変異が 60 ～ 70% の症例にみられ，持続する好中球増加の原因と想定されている．*ASXL1*，*SRSF2* 変異がそれぞれ 70 ～ 80%，約 40% に生じている．

2）症候・身体所見

ほとんどの症例は診断時に無症状であり，好中球上昇が診断のきっかけとなることが多い．体重減少，盗汗，骨痛，紫斑などがみられることもある．触知可能な脾腫が，約 1/3 の例に認められる．

3）診断・検査

末梢血の好中球数は 25,000/μL 以上であり，成熟した分葉核好中球が 80% 以上を占める．中毒顆粒や Dohle 小体がしばしば観察される（**図 2**）．骨髄は過形成で，顆粒球の大部分は後骨髄球～分葉好中球からなる．好中球の成熟は正常であり，異型は認めない．芽球は＜ 5% である．大多数の症例に *CSFR3* の変異を認める．

4）治療と予後

生存期間中央値は約 2 年であり，10 ～ 20% が急性転化する．病初期には末梢血の好中球増加や脾腫に対して HU が有効であるものの，ほとんどの症例は進行する．JAK 阻害薬である ruxolitinib により 21 例中 13 例に白血球数や脾腫の改善が報告されており，*CSF3R* 変異の allele burden が低下する例もある．造血幹細胞移植は治癒的治療法であり，わが国から報告

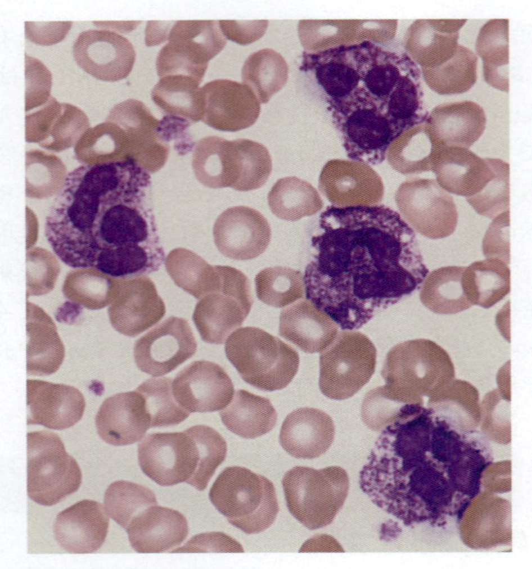

◆図 2　CNL の血液像
末梢血でみられる成熟好中球増加．中毒顆粒が目立つ．
（大分県立病院，奥廣和樹先生，大塚英一先生より提供）

された 5 例の 1 年総生存率は 40% である[3]．

3 *BCR::ABL1* 陰性非定型慢性骨髄性白血病

1）病因・病態・疫学

BCR::ABL1 陰性非定型慢性骨髄性白血病（atypical chronic myeloid leukemia，*BCR::ABL1* negative）は，MPN と MDS の特徴を併せ持つ，きわめてまれな造血幹細胞疾患である[4]．名称どおり Philadelphia（Ph）染色体は陰性であり，*PDGFRA*，*PDGFRB*，*FGFR1* の再構成や *PCM1::JAK2* も認めない．CMML と異なり，単球の増加はないか，あってもごくわずかである．WHO 分類第 5 版では，MDS/MPN の特徴を強調することと CML との混同を避けるために，好中球増加を伴う MDS/MPN に疾患名が変更されている．

染色体異常は 80％の症例にみられ，＋ 8，del（20q）などの異常が多い．*SETBP1*，*ETNK1* 変異の検出は診断の補助となる．*SRSR2*，*ASXL1*，*TET2* 変異が比較的よくみられる一方，CNL にみられる *CSF3R* の変異はまれである．

発症頻度は，CML の数％程度と想定されている．高齢者に多く，発症年齢中央値は 70 ～ 80 歳台，男女比は約 1 である．

2）症候・身体所見

貧血に伴う症状を呈することがある．血小板減少が高度な例では，出血傾向を呈する．

3）診断・検査

診断基準は白血球数≧ 13,000/μL であるが，数万 / μL に上昇することが多い．好中球の異型が著明であり，偽 Pelger 核異常，核の過分葉，クロマチンの異常凝集，棍棒様の核分節，顆粒に乏しい細胞質などがみられる．好中球系の前駆細胞が末梢血白血球数の 10％以上と増加するが，芽球は末梢血，骨髄ともに 20％未満である．単球の増加や好塩基球の増加は認めない．中等度の貧血がみられる．血小板は減少することが多い．

骨髄は過形成であり，異型を有する好中球とその前駆細胞が増加している．赤芽球の異形成は約 40％の症例にみられる．巨核球の異形成も観察される．

4）治療と予後

生存期間中央値は 14 ～ 29 ヵ月と予後不良であり，約 30％の例は AML へ移行する．造血幹細胞移植は治癒的治療法であり，わが国から報告された 14 例の 1 年総生存率は 54% である[3]．

4 腫瘍性好酸球増多症

持続的に末梢血の好酸球数＞ 1,500/μL を呈する好酸球増多症は，①アレルギー性疾患，炎症性疾患，寄生虫感染などによる反応性好酸球増多症，②腫瘍性好酸球増多症，③CML，肥満細胞症，AML with inv（16）などに伴う好酸球増加症，④クローナルな増殖を示す所見はないものの，臓器障害を伴う特発性好酸球増多症候群（idiopathic hypereosinophilic syndrome：HES），⑤臓器障害を伴わない idiopathic hypereosinophilia，⑥異常 T 細胞クローンの増殖により産生される IL-2，-3，-5，GM-CSF などのサイトカインが好酸球増加の原因となる lymphocytic variant of HES の 6 つに分類すると理解しやすい．

腫瘍性好酸球増多症は，WHO 分類改訂第 4 版（2017 年）では，*PDGFRA*，*PDGFRB*，*FGFR1* の遺伝子再構成，または *PCM1::JAK2* 融合遺伝子が認められるものは，「好酸球増加と *PDGFRA*，*PDGFRB*，*FGFR1* の遺伝子再構成，あるいは *PCM1::JAK2* を有する骨髄系 / リンパ系腫瘍」に，これらの遺伝子異常を認めないものは，MPN のなかの「他の疾患に分類されない慢性好酸球性白血病［chronic eosinophilic leukemia（CEL），not otherwise specified（NOS）］」と，異なるカテゴリーに分類されている[5]．

1）病因・病態・疫学

「好酸球増加と *PDGFRA*，*PDGFRB*，*FGFR1* の遺伝子再構成，あるいは *PCM1::JAK2* を有する骨髄系 /

リンパ系腫瘍」は，遺伝子再構成，あるいは融合遺伝子の形成により，リガンド刺激なしにチロシンキナーゼが恒常的に活性化され，好酸球の腫瘍性増殖をきたす疾患である．*PDGFRA* の再構成例は肥満細胞の増加を伴い，CEL の病態を呈することが多い．*PDGFRB* の再構成例は好酸球増加を伴う CMML 様の病態を，*FGFR1* の再構成例は CEL，急性白血病，悪性リンパ腫など多彩な病型を呈するが，特に T リンパ芽球性リンパ腫（T lymphoblastic lymphoma：T-LBL）の病態をとることが多い．*PCM::JAK2* を有する例は，慢性期は CEL，PMF 様の病態をとり，骨髄芽球または B リンパ芽球性の急性転化をきたしやすい．

「他の疾患に分類されない慢性好酸球性白血病」は，CML，PV，ET，原発性骨髄線維症などの MPN が否定され，*PDGFRA*，*PDGFRB*，*FGFR1* の再構成，あるいは *PCM::JAK2* を認めない好酸球増多症のうち，クローン性を示す染色体あるいは遺伝子異常が存在するか，あるいは芽球の増加（末梢血では 2%，骨髄では 5%以上）を呈する場合に診断する．

腫瘍性好酸球増多症はまれな疾患である．いずれも男性に好発しやすいが，特に *PDGFRA* の再構成や *PCM1::JAK2* を認める例の発症は，男性に高率に偏っている．年齢中央値は，*PDGFRA*，*PDGFRB* の再構成，あるいは *PCM1::JAK2* を有する症例では 40 歳代後半，*FGFR1* の再構成を伴う例では 40 ～ 60 歳代と報告されている．

PDGFRA の再構成を伴う場合，4q12 の微小欠失による *FIP1 L1::PDGFRA* の形成が，*PDGFRB* の再構成の場合，t(5;12)(q31-33;p12) 転座による *ETV6::PDGFRB* を形成することが多い．*FGFR1* のパートナー遺伝子は多彩である．

2）症候・身体所見

発熱，全身倦怠感，皮膚瘙痒感，筋痛，呼吸困難，心不全症状を呈する．心内膜線維化，拘束型心筋症，心臓弁膜症，血栓症，肺線維化などをきたす．肝脾腫も生じる．*FGFR1* の再構成を伴う腫瘍では，リンパ節腫脹，脾腫をきたしやすい．

3）診断・検査

末梢血では，成熟好酸球の増加をみる．好酸性顆粒の減少，小型顆粒，核の過分葉や低分葉などの異形成も伴うが，これらの形態異常は反応性好酸球増多症でも観察される．未熟好酸球は少数であり，通常芽球の増加は認めない．ときに貧血，血小板減少を認める．骨髄は過形成であり，好酸球とその前駆細胞の増加を認める．好酸球の分化障害はなく，芽球のみが増加することはまれであり，好酸球の形態による反応性好酸球増多症との鑑別は困難である．骨髄芽球が 5 ～ 19%と増加している場合，あるいは他の骨髄球系細胞の異型が著明な場合は，反応性好酸球増多症より，「他の疾患に分類されない慢性好酸球性白血病」を考えやすい．*FIP1 L1::PDGFR* の検索は，FISH 法または RT-PCR 法により行う．骨髄の染色体分析により 4p12，5q31-33，8p11-13 を含む異常がみられる場合は，それぞれ *PDGFRA*，*PDGFRB*，*FGFR1* の異常を疑う．

PDGFRA あるいは *PDGFRB* の再構成例では，骨髄の肥満細胞が増加していることが多い．*FGFR1* の再構成は T 細胞性リンパ性白血病 / リンパ腫にみられることが多いが，CEL，あるいは好酸球増加を伴う AML，B 細胞性リンパ性白血病にもみられる．

4）治療と予後

FIP1 L1::PDGFRA や *ETV6::PDGFRB* が検出される症例には 100 ～ 400 mg/ 日の imatinib が著効する．腫瘍クローンの著減をみる症例も多く，長期生存が期待できる．*FIP1 L1::PDGFRA* がある場合は 100 mg/ 日から開始することが多い．*FGFR1* 異常を伴う腫瘍は予後不良であり，同種造血幹細胞移植が試みられる．Pemigatinib により細胞遺伝学的寛解が 70%にみられる．*PCM1::JAK2* を有する症例には ruxolitinib の有効性が期待できる．

「他の疾患に分類されない慢性好酸球性白血病」の生存期間中央値は 16 ～ 22 ヵ月との報告がある．HES の治療を参照してステロイド，HU，peg-IFN-α，imatinib が選択され，一部の症例では白血球数，好酸球数が減少するがその効果は一時的であることが多い．同種造血幹細胞移植も考慮される．

■文　献■

1）Swerdlow SH et al（eds）：WHO Classification of Tumours of Haematopoietic and Lymphoid Tissues, 4th ed, Revised ed, IRAC Press, p82, 2017
2）Patnaik MM et al: Am J Hematol **97**:352, 2022
3）Itonaga H et al: Leuk Res **75**:50, 2018
4）Diamantopoulos PT et al: Fronties in oncology **11**:722507, 2021
5）Swerdlow SH et al（eds）：WHO Classification of Tumours of Haematopoietic and Lymphoid Tissues, 4th ed, Revised ed, IRAC Press, p54, 2017

6 骨髄異形成症候群

到達目標

- 骨髄異形成症候群（MDS）の概念と病態について説明できる
- 異形成所見について理解し，適切に MDS の診断ができる
- MDS にみられる特徴的な分子遺伝学的異常について説明できる
- 個々の患者を WHO 分類改訂第 4 版（2017 年）*に基づいて病型診断できる
- MDS の治療オプションについて理解し，適切なリスク評価を行ったうえで治療方針を立てることができる

1 病因・病態・疫学

骨髄異形成症候群（myelodysplastic syndromes：MDS）は異常な造血幹細胞が増殖と各血球系への分化を繰り返した結果，造血系が異常クローンに置換される後天性造血障害である．骨髄細胞数は一見保たれているが，病的なアポトーシスの結果として無効造血のために成熟血球を末梢へ十分に供給できず，慢性に経過する治療抵抗性の貧血・血球減少をきたし，しばしば骨髄不全に陥る．異常クローンの増加は見かけ上緩やかであり，急性骨髄性白血病（acute myeloid leukemia：AML）で認められるような著明な芽球増加は認めないが，異常クローンは AML へ移行しやすい潜在的悪性性格（前白血病状態という）を併せ持っており，予後は不良である．各血球系にはさまざまな形態異常（異形成像）が出現し，本症候群の名称の所以となっている．

中高年齢者に好発するが，まれに若年者にもみられる．発症は男性に多い．1993～2008年のがん登録データによると，わが国における診断年齢中央値は76歳であり，罹患率は人口10万人あたり男性3.8人，女性2.4人であるが，70歳を超えると急速に増加する（**図 1**）．また，発症には近年増加傾向が認められる．

MDS患者の大多数は原因不明であるが，ほとんどの症例は後天的な遺伝子異常によって発症すると考えられている．遺伝子異常は細胞増殖・分化・アポトーシス異常のほか，エピゲノム異常や骨髄微小環境の異常，免疫異常などをきたして MDS 発症につながることが想定されている．個々の遺伝子異常が病態にどのようにかかわるのかいまだ不明な点が多いが，①造血幹細胞レベルで founder 変異が発生してクローン性増殖を開始し，増殖優位性を獲得して造血系全体に拡大する，②異常クローンは分化障害や異形成所見を示し，臨床的に MDS と認識される，③一部の細胞に二次的な変異が起こり，より増殖の旺盛なサブクローンが出現・拡大して AML へ移行する，といったステップが想定されており，次世代シークエンシング技術を駆使した網羅的遺伝子解析によって続々と遺伝子変異が見出されている[1]．そのなかには RNA スプライシ

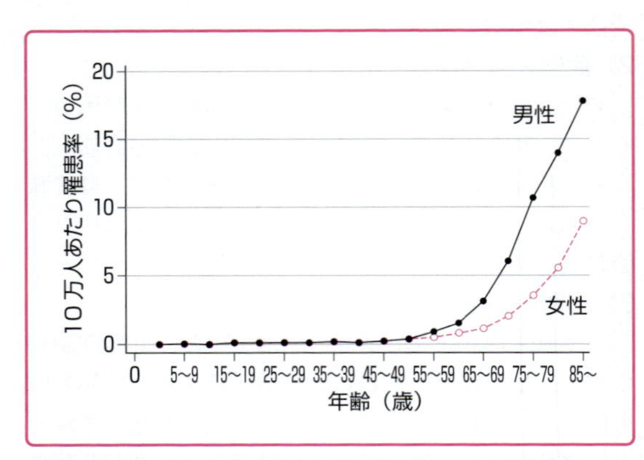

◆図 1　わが国における年齢階級別 MDS 罹患率
MDS は加齢とともに罹患率が高まる．特に 70 歳を超過すると急速に罹患率が上がり，85 歳以上では男性 17.7，女性 8.9（人口 10 万人比）に達する．
（Chihara D et al: J Epidemiol **24**: 469, 2014 を参考に著者作成）

*本書は基本的に WHO 分類改訂第 4 版（2017 年）に基づいて記載しているが，必要な場合には WHO 分類第 5 版（2022 年）にも言及している．

ング装置構成分子をコードする *SF3B1* 遺伝子変異のように環状鉄芽球増加に特異的な遺伝子変異もある.

一方, MDS における骨髄染色体異常は診断と予後推定の観点からきわめて重要な細胞生物学的情報であるが, 対応する遺伝子変異が明確に証明された例は多くない. **5q-症候群**におけるリボソーム構成蛋白 RPS14, カゼインキナーゼ 1α, マイクロ RNA (miR-145, miR-146a) の同定は欠失領域の分子遺伝学的解明が精力的になされた例である.

最近になり, MDS の原因となる遺伝子変異を持ったクローンが血液学的に健常と考えられる人々の一部に存在することが明らかとなった. クローン性造血を持つ人々の割合は加齢とともに増加し, 70 歳以上では人口の 10%以上に達する. この病態は clonal hematopoiesis of indeterminate potential (CHIP) と呼ばれている[2] (ADVANCED 参照). また, MDS の診断基準を満たさない**意義不明の特発性血球減少症** (idiopathic cytopenia of undetermined significance : ICUS) と診断される患者の一部に, すでに MDS と同様の変異クローンが認められることも報告されており (これらは clonal cytopenia of undetermined significance : CCUS と呼ばれる), CHIP/CCUS → MDS と進展する前 MDS 病態の解明が進みつつある.

また MDS 症例の 10 ~ 15%には明らかな悪性腫瘍治療歴があり, これらの症例は抗腫瘍薬 (特にアルキル化薬) や放射線照射に続発する治療関連 MDS (therapy-related MDS : t-MDS) と理解されている.

2 症候・身体所見

MDS に特異的な臨床症状はなく, 血球減少と血球機能の低下に伴う一般的な臨床症状が認められる. 貧血による労作時息切れ, 白血球減少に伴う易感染性, 血小板減少による出血傾向などが認められるが, 無症状であり健診ではじめて指摘されることも多い. 免疫異常を背景として, 発熱・皮疹を伴う Sweet 病や Behçet 病を合併することもある.

3 診断・検査

MDS の診断基準は WHO[3] や厚生労働科学研究費補助金 (難治性疾患政策研究事業)・特発性造血障害

◆表 1 MDS の診断基準の要点

1. 臨床所見として, 慢性貧血を主とするが, 時に出血傾向, 発熱を認める. 症状を欠くこともある.
2. 末梢血で 1 血球系以上の持続的な血球減少を認める. MDS 診断の際の血球減少とは, 成人でヘモグロビン濃度 13 g/dL 未満 (男性) または 12 g/dL 未満 (女性), 好中球数 1,800/μL 未満, 血小板数 15 万 /μL 未満を指す. 特に 1 系統のみで軽度の血球減少 (10 g/dL < Hb < 13 g/dL (男性), 10 g/dL < Hb < 12 g/dL (女性), 1,500/μL < 好中球数 < 1,800/μL, 10 万 /μL < 血小板数 < 15 万 /μL) の場合には, これが MDS に由来するかどうかを慎重に判断する必要がある.
3. 骨髄は正ないし過形成のことが多いが, 低形成のこともある.

A. WHO 分類における必須基準
- ① 末梢血と骨髄の芽球比率が 20%未満である.
- ② 血球減少や異形成の原因となる他の造血器あるいは非造血器疾患 (表 2) が除外できる.
- ③ 末梢血の単球数が 1,000/μL 未満である.
- ④ t(8;21), t(15;17), inv(16), t(16;16) の染色体異常を認めない.

B. 決定的基準
- ① 骨髄塗抹標本において, 1 系統以上の血球系で異形成が 10%以上である.
- ② 骨髄鉄染色標本において, 環状鉄芽球が 15%以上である (*SF3B1* 遺伝子変異がある場合は 5%以上である).
- ③ 分染法あるいは FISH 検査で MDS が推測される染色体異常 (表 3) を認める.

C. 補助基準
- ① MDS で認められる遺伝子異常が証明できる. (例 : *TET2*, *DNMT3A*, *ASXL1*, *SF3B1*, *TP53* 遺伝子変異など)
- ② 網羅的ゲノム解析でゲノム変異が証明できる.
- ③ 骨髄生検標本で MDS で認められる所見が証明できる [abnormality localized immature precursors, CD34 陽性芽球の集簇, 免疫染色により判定できた微少巨核球 (10%以上) など].
- ④ フローサイトメトリーで異常な形質を有する骨髄系細胞が証明できる.

- 1 ~ 3 によって MDS を疑う. A の必須基準全てと B の決定的基準のいずれかを満たした場合に MDS の診断が確定する. A の必須基準を全て満たすが, B の決定的基準を満たさず MDS と確定できない場合, あるいは典型的臨床像 (たとえば輸血依存性の大球性貧血など) である場合は, 可能であれば C の補助基準を適用する. 補助基準は MDS, あるいは MDS の疑いであることを示す根拠となる. 補助基準の検査ができない場合や疑診例は経過観察をし, 適切な観察期間 (通常 6 ヵ月) での検査を行う.
- なお, ヘモグロビン濃度は高齢者の場合は男性 12 g/dL, 女性 11 g/dL 程度まで病的意義が明らかでないことがある. また, 好中球数には人種差があり日本人の健常者では 1,800/μL 未満が相当数観察され 1,500/μL (程度) までは病的意義が明らかとはいえない可能性がある. さらに, 血小板も 10 万 /μL (程度) までは病的意義が明らかでないことがある.
- WHO 分類改訂第 4 版 (2017 年) では, 典型的な染色体異常があれば, 形態学的異形成が骨髄異形成症候群の診断に必須ではない.

(文献 4 を参考に著者作成)

◆表2 MDSと鑑別すべき疾患と病態

巨赤芽球性貧血（ビタミンB_{12}/ 葉酸欠乏）
血清エリスロポエチン欠乏
薬剤性血球減少症（薬剤起因性血液障害）
慢性肝疾患，肝硬変
脾機能亢進症（例：門脈圧亢進症，Gaucher 病）
アルコール過剰摂取
重金属曝露（例：鉛，ヒ素）
銅欠乏
低栄養（膠様髄）
HIV 感染
Anemia of chronic disorders（感染，炎症，がん）
先天性貧血性疾患（例：congenital dyserythropoietic anemia）
自己免疫性血球減少症（例：特発性血小板減少性紫斑病，全身性エリテマトーデス）
血球貪食症候群
感染症
がんの骨髄転移
白血病（例：急性骨髄性白血病）
骨髄増殖性腫瘍（例：原発性骨髄線維症）
再生不良性貧血
発作性夜間ヘモグロビン尿症
Idiopathic cytopenia of undetermined significance（ICUS）
Idiopathic dysplasia of unknown significance（IDUS）
Clonal hematopoiesis with indeterminate potential（CHIP）
Clonal cytopenia of unknown significance（CCUS）
大顆粒リンパ性白血病
悪性リンパ腫
多発性骨髄腫

（文献4より引用）

◆表3 診断時にMDSで認められる染色体異常

染色体異常	MDS	t-MDS	染色体異常	MDS	t-MDS
不均衡型			均衡型		
+8*	10%		t(11;16) (q23;p13.3)		3%
-7 or del(7q)	10%	50%	t(3;21) (q26.2;q22.1)		2%
-5 or del(5q)	10%	40%	t(1;3) (p36.3;q21.2)	1%	
del(20q)*	5～8%		t(2;11) (p21;q23)	1%	
-Y*	5%		inv(3) (q21;q26.2)	1%	
i(17q) or t(17p)	3～5%	25～30%	t(6;9) (p23;p34)	1%	
-13 or del(13q)	3%				
del(11q)	3%				
del(12p) or t(12p)	3%				
del(9q)	1～2%				
idic(X) (q13)	1～2%				

* 形態学的基準を満たさない場合は，これらの染色体異常の単独存在のみではMDSと診断できない.
* 印以外の染色体異常は，原因不明の持続的血球減少がある場合は，形態異常が明らかでなくてもMDSの可能性を示す根拠となる.
t-MDS: therapy-related MDS
（文献3，4を参考に著者作成）

に関する調査研究班（以下，特造班）[4]（**表1～3**）によって提唱されているが，基本的に以下の①および②を満たすことで診断される.

①1系統以上の血球減少

②1系統以上の有意な異形成，MDSに特徴的な染色体異常のいずれかを満たす

1）血球減少

血球減少は Hb ＜ 10 g/dL，好中球＜ 1,800/μL，血小板 ＜ 10 万 /μL が基準として長らく使用されてきたが，これらは MDS の予後には関係するものの，診断基準としての妥当性には異論があった．その結果，WHO 分類改訂第 4 版（2017 年）では，原則は上記基準であるものの，Hb ＜ 13 g/dL（男）/ ＜ 12 g/dL（女），好中球数 ＜ 1,800/μL，血小板＜ 15 万 /μL，つまりほぼ施設基準以下で血球減少と考えてよいと表現が修正されている．特造班でもこの基準が採用されているが，血球減少がボーダーライン上など軽度の場合には，他の疾患の可能性を十分に鑑別する必要がある（**表 2**）．

2）異形成の判断

異形成の判定は診断上最も重要であるが，必ずしも「異形成＝ MDS」というわけではない．たとえばビタミン B_{12} 欠乏や抗腫瘍化学療法後，コロニー刺激因子治療後には異形成がしばしば認められる．したがって異形成を MDS の診断根拠とする場合は，異形成をきたす他の要因を十分に考慮し，除外することが必要である．また，WHO 分類では異形成細胞の割合が該当血球系列の 10％以上にみられるときに「有意な異形成あり」と判定され，10％未満の場合は診断上「異形成なし」の取り扱いとなることに注意が必要である．

血球減少があるものの異形成が有意と判定されず，染色体異常も MDS の診断基準に満たない場合は，他疾患を除外したうえで ICUS の診断となる．ICUS は WHO 分類において独立した病型にはなっていないが，MDS への移行リスクが高い病態として，注意深い観察が必要である．特に，明確な異形成細胞が存在するものの数的基準（10％基準）のみで ICUS とされた場合は CCUS の可能性を念頭におき，より慎重な対応が必要と考えられる．

3）染色体異常

MDS ではおよそ半数例に骨髄染色体異常が検出される．染色体異常は診断だけでなく予後判定にもきわめて重要であり，診療上必須の情報である．MDS で指摘されている染色体異常を**表 3** に示した．これらの染色体異常が認められる場合，異形成の有無にかかわらず MDS と診断可能だが（染色体異常で診断される場合，病型は MDS-U になる），Y 染色体欠失，＋ 8，del（20q）が単独で認められる場合のみは，それだけで MDS と診断することはできず，異形成の存在が必須である．

4）骨髄芽球

WHO 分類第 3 版以降は MDS の骨髄芽球比率が 20％未満に設定されている．骨髄中の芽球が 5 ～ 19％の場合を MDS-EB（従来は RAEB）と規定し，末梢血中芽球も含めて芽球の多寡によって EB-1 と EB-2 に区分される（**表 5**）．ただし，芽球比率が 20％未満の場合でも，t(8;21)，t(15;17)，inv(16) のように *de novo* AML に特異的な染色体異常を持つ症例は，MDS-EB ではなく AML と診断する．WHO 分類改訂第 4 版（2017 年）より骨髄芽球割合判定のための分母は赤芽球割合にかかわらず**全有核骨髄細胞**（all nucleated marrow cells：ANC）に統一された．このため，従来 AML（M6）と診断されていた症例の大部分が MDS に含まれることになった．また，Auer 小体の意義は依然として定かでないが，骨髄系腫瘍に特徴的な異常として，MDS でみられる場合は EB-2 に分類される．

MDS の骨髄は一般に正～過形成であるが，10％程度の症例は低形成骨髄を呈する．この場合，再生不良性貧血との鑑別が問題になるが，基本的には上記①と②を手がかりに診断する．また，MDS の約 10 ～

◆表 4　MDS に認められる主な異形成所見

赤芽球系	顆粒球系	巨核球系
核辺縁不整	小型または巨大好中球	微小巨核球
核間架橋	低分葉好中球（偽 Pelger-Huet 核好中球）	単核～低分葉核巨核球
核破砕・核崩壊像	脱顆粒・低顆粒好中球	分離多核巨核球
多核赤芽球	偽 Chédiak-Higashi 顆粒	
巨赤芽球性変化	Döhle 小体	
環状鉄芽球	Auer 小体	
細胞質空胞変性		
PAS 染色陽性赤芽球		

■の 4 項目は，MDS において特に診断価値の高い（特異性の高い）異形成所見
（文献 3 を参考に著者作成）

15％は骨髄線維化を伴うことが知られており，MDS with fibrosis（MDS-F）と表記される．細網線維が骨髄中にびまん性に拡大し（膠原線維の増加は問わない），かつ複数血球系に異形成がある場合が該当する．

4 病型分類

WHO2017病型分類（**表5**）[3] が用いられる．近年MDSの分子遺伝学的病態解明が飛躍的に進んでいるが，これらの遺伝子異常は質的，量的な病的意義が確定していないため，通常の染色体検査以外の遺伝子変異に関する情報は原則として確定診断に用いない．唯一 *SF3B1* 変異のみが例外であり，*SF3B1* 変異を持つ症例では，環状鉄芽球5％以上でMDS-RSと診断することが可能である．

5 治療と予後

MDSは無効造血による血球減少（骨髄不全）と腫瘍細胞の増殖を特徴とする骨髄性腫瘍であるが，症例ごとに骨髄不全や腫瘍化の度合い，予後，治療反応性は大きく異なる．このため，初診時には必ずリスク層別化を行って治療方針を決定する．

予後判断には通常改訂国際予後スコアリングシステム［revised international prognostic scoring system：IPSS-R（**表6**）[5]］が用いられる（旧来のIPSSが用いられることは非常に少なくなってきた）．IPSS-R Very Low ～ Intermediateは低リスクMDSと

◆**表5　MDSのWHO 2017病型分類**

病　型	異形成系統数	血球減少系統数*1	環状鉄芽球	骨髄・末梢血芽球	従来型検査による染色体異常
MDS with single lineage dysplasia (MDS-SLD)	1	1 or 2	<15%/<5%*2	BM<5%, PB<1% Auer rods(−)	Any [isolated del(5q)以外]
MDS with multilineage dysplasia (MDS-MLD)	2 or 3	1～3	<15%/<5%*2	BM<5%, PB<1% Auer rods(−)	Any [isolated del(5q)以外]
MDS with ring sideroblasts (MDS-RS)					
MDS-RS and single lineage dysplasia (MDS-RS-SLD)	1	1 or 2	≧15%/≧5%*2	BM<5%, PB<1% Auer rods(−)	Any [isolated del(5q)以外]
MDS-RS and multilineage dysplasia (MDS-RS-MLD)	2 or 3	1～3	≧15%/≧5%*2	BM<5%, PB<1% Auer rods(−)	Any [isolated del(5q)以外]
MDS with isolated del(5q)	1～3	1～2	None or any	BM<5%, PB<1% Auer rods(−)	del(5q)のみ or -7 or del(7q)以外の付加異常1種
MDS with excess blasts (MDS-EB)					
MDS-EB-1	1～3	1～3	None or any	BM 5～9% or PB 2～4% Auer rods(−)	Any
MDS-EB-2	1～3	1～3	None or any	BM 10～19% or PB 5～19% or Auer rods	Any
MDS, unclassifiable (MDS-U)					
with 1% blood blasts	1～3	1～3	None or any	BM<5%, PB = 1%*3 Auer rods(−)	Any
with single lineage dysplasia and pancytopenia	1	3	None or any	BM<5%, PB<1% Auer rods(−)	Any
based on defining cytogenetic abnormality	0	1～3	<15%*4	BM<5%, PB<1% Auer rods(−)	MDS特異的異常 (表3)

*1 血球減少は，ヘモグロビン<10 g/dL，血小板数<10万/μL，好中球数<1,800/μLで定義される．しかし，これらの基準を満たさない程度の軽度貧血・血小板減少で発症することがある．末梢血単球は1,000/μL未満であることを確認すること．
*2 *SF3B1* 変異が認められる場合．
*3 芽球1％は少なくとも2回別の機会に確認されることが必要．
*4 環状鉄芽球が15％以上である場合は，赤芽球系異形成陽性となるためMDS-RS-SLDに分類される．
（文献3を参考に著者作成）

呼ばれ，多くの症例で芽球増加は軽度であり，血球減少や機能障害など骨髄不全症状が臨床上最も問題となる．このため低リスク症例では主に造血改善を目的とした治療が行われる（**表7**）．

一方，IPSS-R Intermediate ～ Very High は高リスク MDS と呼ばれ，多くの症例で芽球増加の顕在化，予後不良染色体の存在，著明な血球減少が認められる．これらの症例では白血化による生命リスクが臨床上最も重要な問題となり，予後はきわめて不良であるため，抗腫瘍療法が選択される（**表7**）．

IPSS-R Intermediate は文字通りの「中間リスク」であり，本リスクの症例は個々の状況に応じて低リスク，高リスクいずれの対応を取ることも可能とされているが，最近の報告では IPSS-R 3.5 点以下を低リスク，4 点以上を高リスクとして取り扱うことも提唱されている[6]．

1）低リスク MDS

低リスク MDS で治療対象となるのは血球減少が臨床的に問題になる症例である．減少している血球系統を考慮して治療方針を決定する．

症候性貧血が主体となる場合は，del（5q）では lenalidomide がまず考慮される．非 del（5q）症例や lenalidomide が無効の場合には，darbepoetin α［**赤血球造血刺激因子**（**erythropoiesis stimulating agents：ESA**）］が試みられる．ESA は，血清エリスロポエチン（erythropoietin：EPO）値が 500 IU/L 以下の場合で奏効率が高いとされている．

これらの治療が無効の貧血症例，あるいは白血球・血小板減少が有意な症例では，ciclosporine A（CsA）などの免疫抑制薬，メチル化阻害薬（azacitidine：AzaC），蛋白同化ステロイド（metenolone acetate）などが選択肢となる．

◆**表6　改訂国際予後スコアリングシステム（IPSS-R）**

点　数	0	0.5	1	1.5	2	3	4
染色体異常	Very Good		Good		Intermediate	Poor	Very Poor
骨髄芽球（%）	≦2		＞2～＜5		5～10	＞10	
Hb（g/dL）	≧10		8～＜10	＜8			
Plt（万/μL）	≧10	5～＜10	＜5				
好中球（/μL）	≧800	＜800					

	≦1.5（0～1.5）	＞1.5～3（2～3）	＞3～4.5（3.5～4.5）	＞4.5～6（5～6）	＞6（7～10）
リスク	Very Low	Low	Intermediate	High	Very High
生存期間中央値（年）	8.8	5.3	3.0	1.6	0.8
25% 白血病移行期間（年）	NR	10.8	3.2	1.4	0.73

■ **IPSS-R における染色体異常**

	染色体異常（左数字は異常染色体数）		生存期間中央値（年）	25% 白血病移行期間（年）
Very good	1	-Y，del(11q)	5.4	NR
Good	0	Normal	4.8	9.4
	1	del(5q)，del(12p)，del(20q)		
	2	double including del(5q)		
Intermediate	1	del(7q)，+8，+19，i(17q) any other single	2.7	2.5
	2	any other double		
Poor	1	-7，inv(3)/t(3q)/del(3q)	1.5	1.7
	2	double including -7/del(7q)		
	3	complex：3 abnormalities		
Very poor	≧4	complex：＞3 abnormalities	0.7	0.7

NR：not reached
（文献5を参考に著者作成）

a）lenalidomide

Lenalidomideはdel（5q）を持つ低リスク輸血依存MDS症例に対して，血液学的・細胞遺伝学的改善効果を示す．60％以上の症例で貧血の改善効果が認められ，細胞遺伝学的効果も27～45％に認められることが報告されており，del（5q）を持つ低リスクMDS症例では第一選択薬である．del（5q）の病態形成にはさまざまな遺伝子が関係しているが，lenalidomideはその1つであるカゼインキナーゼ1αを介して治療効果を発揮することが明らかになっている．

del（5q）症例では，まずlenalidomideを試み，無効あるいは不耐容の場合にはESAの使用を考慮することになる．

b）エリスロポエチン製剤（ESA）

わが国ではdarbepoetin αが使用可能であり，貧血を伴う低リスクMDS症例が対象となる．奏効予測因子として，血清EPO低値や輸血低依存性が挙げられており，これらを点数化したESA反応性予測スコアが提唱されている（**表8**）．本スコアに従うと，血清EPO 500 IU/L未満の症例やEPO 500 IU/L以上で

◆表7　MDSにおける治療オプション

	低リスク	高リスク
①サイトカイン（DPO，G-CSF）	S or CO＊1	－
②蛋白同化ステロイド（酢酸メテノロン）	CO	－
③免疫抑制療法（CsA，ATG）	＃CO＊2	－
④ lenalidomide	S［del（5q）症例のみ］	CO＊5
⑤メチル化阻害薬（AzaC）	CO＊3	S＊6
⑥従来型化学療法（従来型抗がん薬）	－	CO
⑦造血幹細胞移植	CO＊4	S＊7
⑧支持療法（輸血・鉄キレート療法）	S	S（キレート療法はCO＊8）

DPO: darbepoetin α，G-CSF: granulocyte-colony stimulating factor，CsA: ciclosporine A，ATG: anti-thymocyte globulin，AzaC: azacitidine
S（standard）：標準的治療，CO（clinical option）：選択可能，＃わが国保険未承認

＊1 EPO＜500 IU/Lの症例や輸血量の少ない貧血症例ではdarbepoetin αの効果が期待される．G-CSFは感染症合併時など好中球減少を早急に是正すべきときに使用を考慮．
＊2 低形成MDS，60歳以下の若年者，巨核球・赤芽球低形成症例，HLA-DR15を持つ症例，微少PNHクローン陽性症例，血中トロンボポエチン濃度高値，del（13q）を伴うMDS-U症例などで使用が考慮される．
＊3 予後延長を目的とする使用は推奨されない．輸血低減や生活の質の改善目的に使用する．
＊4 血球減少高度で血液補充療法依存性あるいは重症感染症・出血ハイリスクの症例で，他の保存的治療法無効の場合に同種移植を考慮する．
＊5 AzaC不応のdel（5q）症例では試みてもよい．
＊6 化学療法を行う場合は，第一選択薬として考慮する．
＊7 施行可能な症例では，基本的に早期移植を考慮する．
＊8 鉄キレート療法は高リスクMDSに対して予後延長効果は示されていないため，造血幹細胞移植予定のない症例に対して積極的な使用は推奨されない．

◆表8　ESA治療反応性予測スコア

項　目		点　数
血中EPO濃度（IU/L）	＜100	+2
	100～500	+1
	＞500	-3
輸血量	2単位（欧米）／月未満	+2
	2単位（欧米）／月以上	-2

【合計点数】
＞+1：good（奏効率61～74％），－1～+1：intermediate（奏効率14～23％），
＜－1：poor（奏効率7％）
注：欧米では血液450～500 mL由来が1単位であることに注意する．
（Hellstrom-Lindberg E et al: Br J Haematol **120**: 1037, 2003を参考に著者作成）

あっても輸血量が少ない症例では効果が期待できることになる．一方，EPO 500 IU/L 以上で輸血量の多い症例では効果は期待しにくい．

血清 EPO 値は腎障害の影響を除くと，ヘモグロビン（Hb）値と逆相関することが知られている．わが国の低リスク MDS 症例では血清 EPO 500 IU/L はおよそ Hb 8 g/dL に相当し，輸血依存患者を含む Hb 8 g/dL 未満では大多数の症例が EPO ＞ 500 IU/L となる．したがって，ESA 製剤による治療は輸血依存に陥る前の Hb ＞ 8 g/dL の段階で考慮すべきと考えられるが，「臨床的に問題となる貧血」は症例によって異なるため，どの程度の貧血で治療を開始するかは個々の判断に委ねられている．

c）免疫抑制薬

一部の低リスク MDS において，再生不良性貧血と同様の免疫抑制療法が有効であることが知られている．海外では ATG と CsA の併用療法が行われるが，わが国では CsA のみで治療されることが多い．有効性の予測因子として，低形成 MDS，60 歳以下の若年者，巨核球・赤芽球低形成症例，HLA-DR15 を持つ症例，赤血球輸血歴の短い症例，血中トロンボポエチン濃度高値，微少 PNH クローン陽性症例，del（13q）を伴う MDS-U 症例などが挙げられている．検査の特殊性なども関係して，免疫抑制療法の適応基準は確立していないが，骨髄低形成症例では使用を考慮してもよい．

免疫抑制療法による予後延長効果は証明されていないため，治療は血球数の改善を目的に行う．また，免疫抑制薬は MDS に対しては保険適用外であることに注意する．

d）蛋白同化ステロイド

蛋白同化ステロイドの有効性が一部の MDS で報告されている．わが国の単施設における後方視的解析によると，蛋白同化ステロイドの投与を受けた不応性貧血（RA）27 例中，11 例（40.7%）に反応がみられたと報告されているが，否定的な報告もあり，蛋白同化ステロイドの有効性は確立していない．疾患の類似性から再生不良性貧血との異同が問題となる症例では考慮可能と考えられるが，ルーチンでの使用は推奨されていない．

なお，蛋白同化ステロイドは MDS に対して保険未承認であるが，metenolone acetate に限っては 2011 年 9 月の厚生労働省通達によって MDS での使用が査定対象外となったため，事実上保険使用が可能である．

e）メチル化阻害薬

低リスク MDS 症例を含む臨床試験において，azacitidine（AzaC）によって 17 ～ 61%に何らかの血液学的改善が認められることが報告されており，わが国の第Ⅰ/Ⅱ相試験でも低リスク MDS を対象としたサブ解析で 60%に血液学的改善が認められている．

しかし，高リスク症例とは異なり，AzaC による予後延長効果は証明されていないため，低リスク MDS では予後延長ではなく血球数増加による生活の質（quality of life：QOL）の改善を目標に使用すべきである．米国 National Comprehensive Cancer Network（NCCN）ガイドラインでは，lenalidomide，ESA，免疫抑制療法の対象とならない症例で AzaC の使用を考慮すべきとされているが，低リスク MDS における効果予測因子は確立していない．なお，AzaC の標準投与日数は 7 日間であるが，低リスク症例を含む AzaC 投与法を比較した臨床試験の結果からは 5 日間の短縮投与も有効である．

f）同種造血幹細胞移植

後述の高リスク MDS の項を参照．

2）高リスク MDS

高リスク MDS は多くの症例で腫瘍化病態が強く現れているのが特徴であり，白血化リスクが高く，予後は不良である．IPSS-R 高リスク症例の生存期間中央値は 0.8 ～ 1.6 年，25%白血病移行期間は 0.7 ～ 1.4 年とされ，早期の治療介入が必要とされる[5]．高リスク MDS では抗腫瘍療法の施行が原則であり，可能であれば唯一の根治療法である造血幹細胞移植を行う．そして，幹細胞移植を行わない（行うことができない）症例では抗腫瘍薬を選択することになる．

a）同種造血幹細胞移植

現時点で治癒が期待できる唯一の治療法である．決断分析を用いた移植時期の解析では，60 歳以下の HLA 一致同胞間骨髄移植では，IPSS Int-2 ～ High の高リスク MDS の場合診断後できるだけ速やかに移植を行うことでよい余命が期待できるとされている．対象を 60 歳代の強度減弱前処置（reduced-intensity stem cell transplantation：RIST）による HLA 一致移植とした別の解析でも同様の結果が示されており，これらのエビデンスから高リスク群では施行可能であれば速やかに同種移植を行うのが妥当とされている．

最近 IPSS-R を用いた解析結果が発表され，やはり低リスク症例では移植待機，高リスク症例では速やかな移植が最良の余命期待値に結びつくことが確認されたが，このなかで IPSS-R Intermediate 群では早期の移植が有利とされたことは注目に値する[7]．今後

IPSS-R Intermediate 群についてはわが国のデータも参考にして対応を検討する必要がある．

表 9 に日本造血・免疫細胞療法学会から提唱されているわが国の造血幹細胞移植ガイドラインを示すが，高リスク症例では少なくとも HLA 適合非血縁者間移植までは標準的な治療であり，症例によっては臍帯血移植も考慮される．移植前処置は標準的なものを基本とするが，高齢症例や，重篤な移植関連毒性が予想される症例では，RIST も考慮される．

b）メチル化阻害薬

AzaC は全リスクの MDS（FAB 分類の RAEB-t を含む）に使用可能だが，高リスク群では白血化リスクを低減するだけでなく，生存期間の延長に寄与することが報告されている（AZA-001 試験）[8]．従来の化学療法薬では予後延長のエビデンスがないため，本試験結果から AzaC は高リスク MDS における第一選択薬と位置づけられている．本試験のサブ解析では，A：AzaC が 75 歳以上の高リスク MDS においても支持療法と比較して感染症を増加させずに輸血量の減少と生存期間の延長をもたらすこと，B：予後不良とされる 7 番染色体異常や複雑核型を持つ症例においても高い奏効率を示し，生存期間を延長させたこと，C：WHO 分類では AML に分類される FAB 分類の RAEB in transformation（RAEB-t）でも AzaC 群で有意に生存期間が改善していることが報告されており，幅広い症例で効果が期待される．

AzaC は理論上エピゲノム異常の解除で効果を発揮するとされる．高リスク症例では遺伝子メチル化に関

◆表 9　MDS に対する移植適応

de novo MDS			
IPSS	HLA 適合同胞	HLA 適合非血縁	臍帯血*4/HLA-allele 1 座不適合の非血縁*4/HLA 1 抗原不適合血縁*4
Low*1	CO	CO	Dev
Intermediate-1*1	CO	CO	Dev
Intermediate-2	S	S	CO/S*3
High	S	S	CO/S*3
IPSS-R	HLA 適合同胞	HLA 適合非血縁	臍帯血*3/HLA-allele 1 座不適合の非血縁*4/HLA 1 抗原不適合血縁*4
Very low*1	CO	CO	Dev
Low*1	CO	CO	Dev
Intermediate*2	CO/S	CO/S	CO
High	S	S	CO/S*3
Very high	S	S	CO/S*3
治療関連 MDS			
	HLA 適合同胞	HLA 適合非血縁	臍帯血*3/HLA-allele 1 座不適合の非血縁*4/HLA 1 抗原不適合血縁*4
	S	S	CO

S（standard of care）：移植が標準治療である，CO（clinical option）：症例により移植を考慮してもよい，Dev（developmental）：開発中であり，臨床試験として実施すべき

*1 血球減少が高度で輸血に依存性がある，または重症感染症や出血のリスクが高い場合は移植を検討する．

*2 IPSS-R Intermediate は Low に近い可能性が指摘されており，治療方針は今後の検討課題である．International Working Group for the Prognosis of MDS による検討では，IPSS-R のスコア 3.5 点を cut-off 値として，Low と High の 2 群に分類すると予後判定や治療の判断に有用であるとされる（3.5 以下を低リスク，4.0 以上を高リスクとする）．また，Italian Group for Blood and Marrow Transplantation（GITMO）による検討では，IPSS-R が Very low/Low の場合は診断後ただちに同種移植を行う必要はなく，Intermediate/High/Very high の場合は早期に同種移植を行うのが望ましいことを報告している．

*3 臍帯血移植に関しては移植前治療，患者年齢，CD34 陽性細胞数などにより推奨度が異なる．

*4 Myeloablative conditioning による臍帯血移植は HLA 7/8 適合の非血縁者間骨髄移植，あるいは HLA 1 座不適合血縁者間移植成績と同等である．Reduced intensity conditioning による臍帯血移植の成績は不良であるが，芽球の少ない寛解期での移植成績は，ほかの幹細胞ソースに匹敵する成績が期待できる．

［日本造血・免疫細胞療法学会（編）：造血細胞移植ガイドライン　骨髄異形成症候群　骨髄増殖性腫瘍（成人）第 3 版，2018 より許諾を得て改変し転載］

係する *TET2* 変異症例は非変異症例と比較して AzaC の有効性が高いことが報告されているが，治療有効性のバイオマーカーとしての位置づけは確立していない．

AzaC は治療効果が認められるまでやや時間がかかるのが特徴であり，効果判定には 4 ～ 6 サイクルの施行が望ましいとされる．また，有効例ではその後の継続使用によって改善状態が維持されるため，有効性が認められれば有害事象が許容範囲で血液学的効果が持続する限り投与を継続するのが望ましいと考えられている．

AzaC は高リスク MDS に対する第一選択薬ではあるが根治を期待することはできず，最終的に病態は進行する．AzaC 不応症例の予後はきわめて厳しく，造血幹細胞移植が選択されない限り生存期間中央値は約半年である．

c）従来型薬剤による化学療法

化学療法は腫瘍性疾患である MDS に対する合理的な治療であるが，合併症や血球回復遅延のため施行には困難を伴うことが多い．少量 cytarabine（AraC）療法に代表される低用量化学療法や寛解導入療法として行われる強力化学療法が選択肢となる．

低用量化学療法は，正常クローンの抑制を最小限に抑えつつ異常クローンをできるだけ減少させて正常造血の割合を高めることを目的に行われる．わが国では少量 AraC 療法や cytarabine-aclarubicin（-G-CSF）[CA(G)] 療法が行われているが，少量 AraC 療法については，30％程度の血球改善率と輸血頻度の一時的な減少が報告されているものの，白血化リスクや生存率については支持療法のみの場合と差が認められず，効果は限定的である．寛解の得られる症例も一部経験されるが，長期間の寛解維持は困難であり，低用量化学療法は輸血回数の低減など QOL の改善を主目的とする治療と位置づけられる．

一方，強力化学療法は芽球低減，寛解導入を目指して行われる治療であるが，MDS では高齢者が多い，骨髄不全が背景にあるため血球回復遅延や治療合併症の頻度が高いなどの理由から継続困難であることが多く，治療成績は不良である．若年で正常核型の症例などごく一部で寛解率，生存率ともに比較的良好な結果が得られる可能性があるものの，大部分の症例では強力化学療法の治療効果は限定的である．

以上より，現在のところ従来型化学療法は AzaC 不応あるいは不耐症例に対する二次的治療の位置づけであり，高リスク MDS の標準治療にはなっていない．

3）支持療法

支持療法はあらゆる症例に対して行われる．血球減少に対しては適宜輸血を行い，赤血球輸血による鉄過剰症が認められる症例に対しては，鉄キレート薬による治療を行う（XIII-4「鉄キレート療法」参照）．低リスク MDS 症例では鉄キレート療法による予後延長を示すデータが数多く報告されているため，積極的なキレート療法が推奨されている．一方，高リスク症例では明確な予後改善効果は証明されていない．このため高リスク MDS 症例への積極的な鉄キレート療法の施行は推奨されていない．しかし，将来造血幹細胞移植を予定している患者については，移植前高フェリチン血症が移植後予後の不良因子とされており，移植前の除鉄が移植後合併症の低減に有効との報告もあるため，海外ガイドラインなどでは移植予定患者では可能な範囲で除鉄を進めておくのが望ましいとされている．

■文　献■

1）Haferlach T et al: Leukemia **28**: 241, 2014
2）Jaiswal S et al: N Engl J Med **371**: 2488, 2014
3）Swerdlow SH（eds）et al: WHO Classification of Tumors of Haematopoietic and Lymphoid Tissues, 4th ed, Revised ed, IARC Press, 2017
4）厚生労働省　特発性造血障害に関する調査研究班（研究代表者：三谷絹子）：骨髄異形成症候群診療の参照ガイド　令和 4 年改訂版，2023（http://zoketsushogaihan.umin.jp/file/2022/Myelodysplastic_Syndromes.pdf）（最終確認：2023 年 8 月 18 日）
5）Greenberg PL et al: Blood **120**: 2454, 2012
6）Greenberg PL et al: J Natl Compr Canc Netw **15**: 60, 2017
7）Della Porta MG et al: Biol Blood Marrow Transplant **20**: 1260, 2014
8）Fenaux P et al: Lancet Oncol **10**: 223, 2009

ADVANCED

■CHIPと冠動脈疾患■

Clonal hematopoiesis of indeterminate potential（CHIP）は，加齢に伴うクローン性造血として発見され，健常者に潜む前がん病変として大きく脚光を浴びたが，その後CHIPはMDSやAMLの前段階であるだけでなく，動脈硬化や冠動脈疾患，心不全の発症と密接にかかわっていることが明らかとなった．Jaiswalらによると CHIPによって冠動脈疾患の危険率（hazard ratio）は約2倍となり．これは高コレステロール血症や高血圧，喫煙，肥満，糖尿病など従来知られていた危険因子に匹敵する．変異遺伝子では，*JAK2*遺伝子変異による危険率が約10倍と最も大きな影響を示すことが明らかとなった[1]．CHIPが動脈硬化，血栓傾向を引き起こす機序として，骨髄系・リンパ系細胞に炎症誘発性変化が発生することや，好中球からの血栓励起物質の放出促進などが挙げられており，冠動脈疾患や炎症性疾患とCHIPの新たな関係が注目されている．

■文　献■

1）Jaiswal S et al: N Engl J Med **377**: 111, 2017

7 急性骨髄性白血病

到達目標

- FAB/WHO 分類*に基づいた急性骨髄性白血病（AML）の診断・分類ができる
- AML の病態と予後因子を理解し，適切な治療選択ができる
- AML に対する化学療法レジメンと有害事象を理解し，適切な治療管理ができる

1 病因・病態・疫学

急性骨髄性白血病（acute myeloid leukemia：AML）は，**分化・成熟能**が障害された幼若骨髄系細胞のクローナルな**自律性増殖**を特徴とする，多様性に富む血液腫瘍である．骨髄における AML 細胞の異常な増殖の結果，正常な造血機能は著しく阻害され，好中球減少，貧血，血小板減少に伴うさまざまな症状を呈する．適切な治療がなされない場合は，感染症や出血により短期間で致死的となる．

AML の発症頻度は年間 10 万人あたり約 4 人で，40 歳以上の年齢で頻度が増加し，発症年齢中央値は約 60 歳である．なお 2022 年 5 月に国立がん研究センターがん対策情報センターより公表された 2018 年のわが国における白血病粗罹患率は，年間 10 万人あたり 11.3 人であり，年々増加傾向にある．AML に限定した罹患率は不明であるが，白血病の約 80％は急性白血病であり，そのうち AML は成人では約 80％，小児では約 20％である．

AML の多くは，細胞増殖・分化に関係するさまざまな遺伝子に異常が生じ，それらが蓄積することにより発症・進展すると考えられている．従来は，受容体型チロシンキナーゼやサイトカイン受容体のシグナル伝達分子などの，造血幹細胞の増殖と生存に対して促進的に作用する遺伝子変異と，細胞の分化阻害や自己複製に関与する遺伝子変異の，少なくとも 2 種類の遺伝子変異の蓄積により AML が発症すると考えられ，それぞれクラスⅠ，クラスⅡ遺伝子変異と分類されてきた．この仮説は，クラスⅡ遺伝子変異に属する *PML::RARA* や *RUNX1::RUNX1T1* 変異を有する AML に，クラスⅠ遺伝子変異に属する *FLT3* や *KIT* 遺伝子変異がそれぞれ高頻度に認められるという臨床

*本書は基本的に WHO 分類改訂第 4 版（2017 年）に基づいて記載しているが，必要な場合には WHO 分類第 5 版（2022 年）にも言及している．

◆表 1　AML に認められる遺伝子変異の機能別一覧（TCGA による）

機能別グループ		遺伝子変異
Class 1	Transcription fusions	t(8;21), inv(16), t(15;17), etc
Class 2	Nucleophosmin 1	*NPM1* mutations
Class 3	Tumor suppressor genes	*TP53*, *PHF6* mutations, etc
Class 4	DNA methylation-related genes	
	DNA hypomethylation	*TET2*, *IDH1*, *IDH2*, etc
	DNA methyltransferases	*DNMT3A*, etc
Class 5	Activated signaling genes	*FLT3*, *KIT*, *RAS* mutations, etc
Class 6	Chromatin-modifying genes	*ASXL1 and EDH2* mutations, *KMT2A* fusions, *KMT2A::PTD*, etc
Class 7	Myeloid transcription factor genes	*CEBPA*, *RUNX1* mutations, etc
Class 8	Cohesin complex genes	*STAG2*, *RAD21*, *SMC1*, *SMC2* mutations, etc
Class 9	Spliceosome-complex genes	*SRSF2*, *U2AF1*, *ZRSR2* mutations, etc

的特徴から裏づけされるのみならず，遺伝子改変マウスを用いた実験系においても証明されている．しかし，近年の網羅的ゲノム解析により，エピジェネティック機構に関与する分子，cohesin 複合体を形成する分子，RNA スプライシングに関与する分子などの新たな分子機構に関与する遺伝子変異が相次いで明らかにされ，TCGA（The Cancer Genome Atlas）では機能別に9種類への分類が提唱されている（**表1**）．また，これら複数の遺伝子変異が多段階的に蓄積することがAML の発症・進展と多様性を導き出していることが明らかにされている（**図1**）[1,2]．

2 症候・身体所見

AML に起因する臨床症状は，白血病細胞の増生とこれによる正常造血能障害や臓器浸潤により惹起される．白血球減少による肺炎などの感染症，血小板減少による鼻出血・歯肉出血・皮下出血などの出血傾向，赤血球減少による貧血などが認められる．AML の臓器浸潤は，リンパ節，肝臓，脾臓，中枢神経，皮膚など全身臓器に及び，腫脹した臓器による圧迫症状や浸潤臓器の機能異常をきたす．

初発症状としては，倦怠感，息切れ，動悸などの貧血症状が最も多く，発熱，出血傾向などの頻度が高い．AML の病型特異的な症状はないが，単球性AML においてはリンパ節腫脹，肝脾腫，歯肉腫脹，皮膚浸潤を伴う場合が多い．t(8;21)(q22;q22) あるいは inv(16)(p13.1q22)，t(16;16)(p13.1;q22) を有するAML では髄外腫瘤を認めることがある．播種性血管内凝固は，急性前骨髄球性白血病（acute promyelocytic leukemia：APL）ではほぼ必発であるが，単球性 AML でも高頻度に合併する．

3 診断・検査

AML の診断と病型分類は，①骨髄における白血病細胞の存在，②白血病細胞が骨髄系起源であること，③白血病細胞の**染色体核型・遺伝子変異解析**，④FAB/WHO 分類に基づく病型分類によって行われるが，骨髄増殖性腫瘍，骨髄異形成症候群などの他の骨髄性腫瘍疾患との鑑別のために系統的な理解が求められる（**図2**）[3,4]．

1）骨髄における白血病細胞の存在診断

血球数，血液像から白血病の可能性が疑われたら骨髄検査（骨髄穿刺あるいは骨髄生検）を行う．低形成，dry tap の場合には骨髄生検を行う．

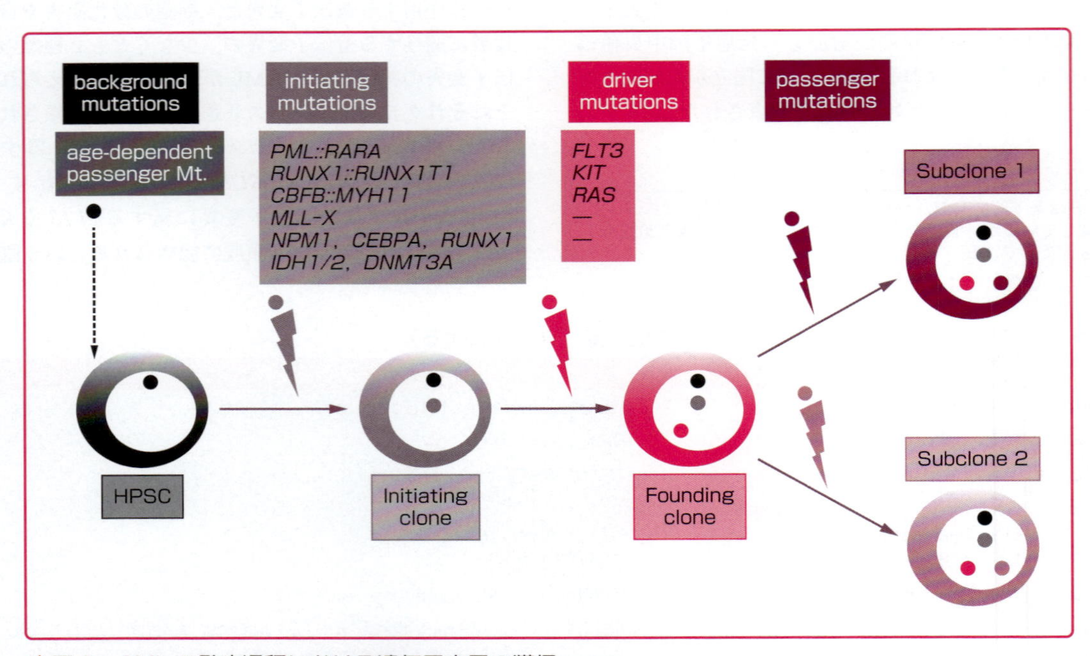

◆**図1　AML の発症過程における遺伝子変異の獲得**
AML の発症においては，複数の遺伝子異常が段階的に蓄積することによって clonal な増殖を伴う AML として発症するが，さらなる遺伝子変異を獲得することによって多様性を示す過程が明らかになっている．
[清井　仁：急性骨髄性白血病．血液専門医テキスト，第3版，日本血液学会（編），南江堂，p.277，2019より転載]

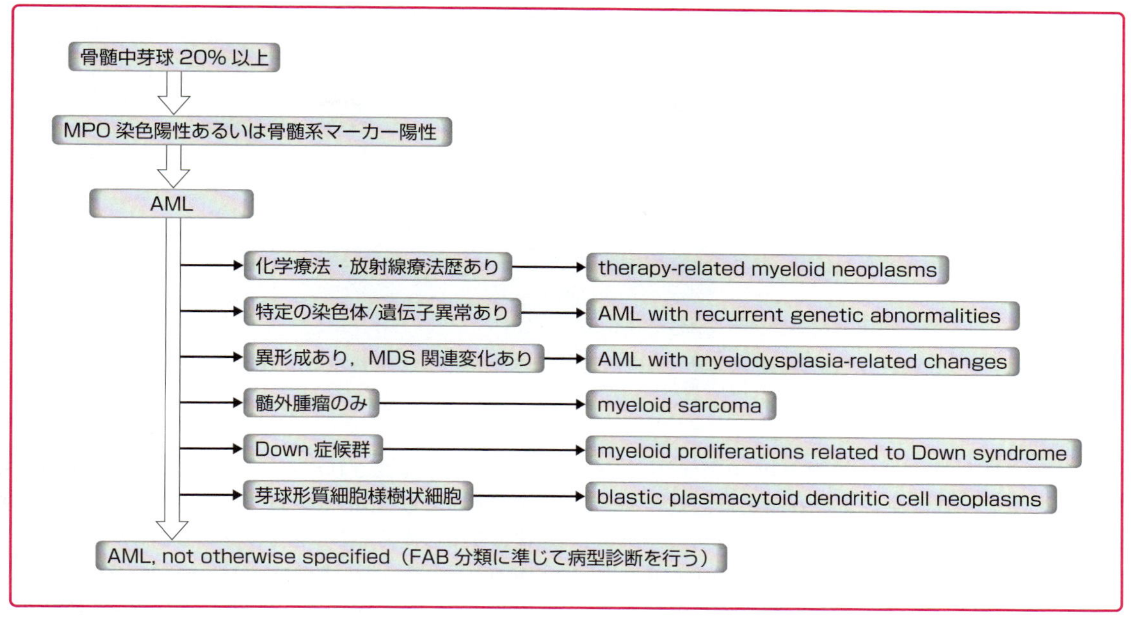

◆図 2　AML の診断手順
WHO分類改訂第4版（2017年）に基づく AMLの病型診断手順を示す．AML，not otherwise specifiedのカテゴリーでは，FAB分類に基づく形態学的診断により病型を決定する．WHO分類第5版（2022年）では変更予定である．
［清井　仁：急性骨髄性白血病．血液専門医テキスト，第3版，日本血液学会(編)，南江堂，p.278，2019より転載］

May-Giemsa(MG) 染色された骨髄塗抹標本にて，芽球割合と形態の診断を行う．この際，細胞密度，異形成の有無についても評価することが重要である．骨髄有核細胞中に 20％以上［**WHO 分類改訂第 4 版**(2017 年)］の芽球（白血病細胞）(**FAB 分類**では 30%以上）を認めた場合に，急性白血病を疑う．WHO 分類第 5 版（2022 年）および国際一致分類（International Consensus Classification：ICC）では，AML と定義する骨髄中芽球割合は，検出される染色体異常・遺伝子変異に応じて 10%以上または 20%以上に設定され，多様な診断分類法に改訂された．

2）白血病細胞が骨髄系起源であることの診断

白血病細胞が骨髄系起源（AML）であることを診断するためには，細胞化学的検査と表面形質検査が必要である（Ⅳ-2「細胞化学的検査」，Ⅳ-5「表面形質検査（免疫表現型解析）」参照)．

a）細胞化学的検査

①**ミエロペルオキシダーゼ（MPO）染色**：MPO 染色により芽球の 3％以上が MPO 陽性であれば AML と診断する．MPO 陰性の場合には，非分化型 AML（FAB 分類：M0)，単球性 AML（FAB 分類：M5)，巨核芽球性 AML（FAB 分類：M7)，あるいはリンパ性白血病が疑われる．

②**エステラーゼ染色**：顆粒球系細胞を青染する特異的ナフトール ASD クロロアセテートエステル（特異的エステラーゼ）染色と，単球系細胞，巨核球を赤褐色染する非特異的αナフチルブチレート（非特異的エステラーゼ）染色がある．これらの二重染色により骨髄単球性 AML（FAB 分類：M4）と単球性 AML（FAB 分類：M5）を鑑別する．

③ **Periodic acid-Schiff (PAS) 染色**：正常の赤芽球では陰性であるが，赤芽球性 AML（FAB 分類：M6）では陽性となる．

b）表面形質検査

白血病細胞表面に発現される細胞分化抗原を定量的に検出できる**フローサイトメトリー**により，細胞起源を判定する．白血病の病型診断には**表 2** に示す抗原が一般的に用いられる．骨髄球系抗原である CD13, CD33 は AML 全般で高頻度に陽性となるが，M4 および M5 における CD14，M6 における glycophorin A(CD235a)，M7 における CD41，CD42，CD61 など，病型別に特徴的な発現抗原がある．また，AML でもリンパ球系抗原の発現をときに認めることがあり，t(8;21)(q22;q22) を有する AML における CD19，M3 および M4Eo における CD2，M4 および M5 における CD4 などが代表的なものである．

◆表 2　白血病診断に用いられる細胞分化抗原と細胞系列

細胞系列	細胞分化抗原
未分化血球系	CD34, CD117, HLA-DR
骨髄系	CD13, CD33, CD15, MPO
単球系	CD14
巨核球系	CD41, CD61, CD42
赤芽球系	glycophorin A（CD235a), CD71
B 細胞系	CD19, CD20, Ig
T 細胞系	CD2, CD3, CD4, CD8
NK 細胞系	CD16, CD56

［清井　仁：急性骨髄性白血病．血液専門医テキスト，第 3 版，日本血液学会（編），南江堂，p.279，2019 より転載］

マルチパラメーター・フローサイトメトリー（MFC）により，寛解時における測定可能残存病変（measurable residual disease：MRD）の検出が試みられている．白血病細胞に発現している抗原は正常血液細胞でも発現しているために，複数の抗原発現パターンを組み合わせて検出することにより特異度を増す．たとえば AML 細胞において，CD33 に加えて CD7，CD19，CD56 などの非骨髄球系抗原の発現を認めた場合には，それぞれ CD33/CD7，CD33/CD19，CD33/CD56 共発現細胞を検出することにより正常骨髄球系細胞との区別が可能となる．また，寛解時には白血病細胞の割合は低いため，CD45 gating により，白血病細胞分画を濃縮して検出感度を高める工夫がなされる．

3）染色体・遺伝子変異検査

染色体核型や遺伝子変異は，AML の病型分類のみならず，治療法の選択，予後予測，治療効果判定に際しての重要な情報であり，AML の診断および治療上必須の検査である（Ⅳ-6「染色体検査」，Ⅳ-7 および 8「分子生物学的検査」参照）．

a）染色体検査

通常，染色体核型は G バンドや Q バンドなどの分染法により同定されるが，特定の遺伝子転座や欠失については FISH 法も併用される．また，転座型染色体異常の結果形成される融合遺伝子については，定量 RT-PCR（RQ-PCR）法によって高感度かつ短時間に，特定の融合遺伝子発現量を定量することが可能であり，MRD の検出にも有用である．

WHO 分類改訂第 4 版（2017 年）では，t(8;21)(q22;q22)，inv(16)(p13.1q22)，t(16;16)(p13.1;q22)，t(15;17)(q22;q21）の染色体異常，またはこれら染色体異常の結果形成される *RUNX1::RUNX1T1*，*CBFB::MYH11*，*PML::RARA* 融合遺伝子の発現が確認されれば，骨髄中芽球割合が 20％未満であっても AML と診断されるため，複数の検査法により染色体異常の存在を検査することが望まれる．WHO 分類第 5 版（2022 年）および ICC では，上記の染色体異常に加えて，*DEK::NUP214*，*RARA*，*KMT2A*，*MECOM*，*NPM1*，bZIP *CEBPA* 変異など反復性ある染色体異常・遺伝子変異が検出される場合は骨髄中芽球割合が 10％以上で AML と診断する改訂がなされた．

b）遺伝子変異検査

AML の予後層別化において染色体核型は重要であり，**予後層別化因子**として広く用いられている[5]．しかし，約 1/4 の症例では染色体核型は正常であり（**図 3**），その予後も多様である．近年，AML の発症・進展に関与する多くの遺伝子変異が明らかにされ，正常染色体核型（予後中間群）の予後を細分化する因子として注目されている[4]．WHO 分類改訂第 4 版（2017 年）では，予後良好を示す *NPM1* 遺伝子変異と両アレルでの *CEBPA* 遺伝子変異は一病型として記載され，一方，新たに予後不良を示す *BCR::ABL1*，*RUNX1* 遺伝子変異が暫定的な病型（provisional entity）として取り上げられた［*RUNX1* 遺伝子変異は WHO 分類第 5 版（2022 年）では削除］．*FLT3* 遺伝子変異は，AML における最も高頻度かつ予後不良な遺伝子異常の 1 つであるが，他の多くのカテゴリーと重複することから，WHO 分類では一病型としては取り上げられていない．しかし，WHO 分類や ELN（European LeukemiaNet）のガイドラインにおいては，AML において検索すべき遺伝子変異として記載されている．また，変異遺伝子産物に対する標的治療薬剤の開発も進み，2018 年わが国でも再発難治 *FLT3* 遺伝子変異陽性 AML に対して FLT3 阻害薬が保険承認され，広く臨床応用されている．今後，AML の診

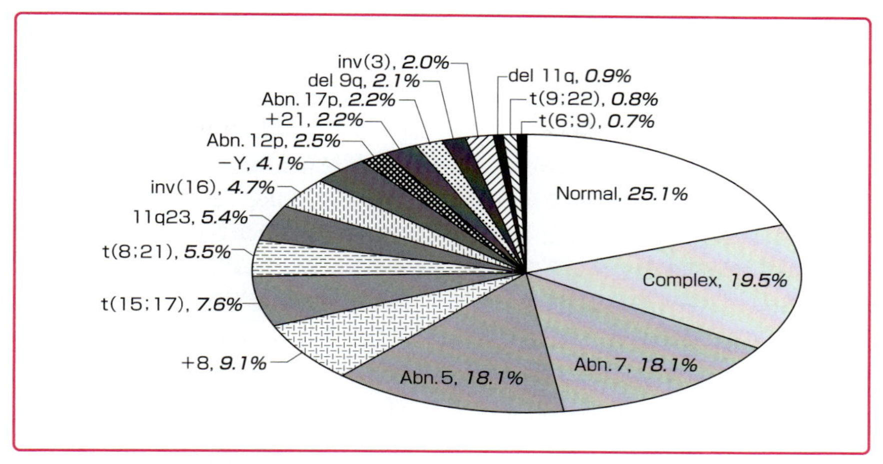

◆図 3　成人 AML における染色体核型

UK Medical Research Council（MRC），Cancer and Leukemia Group B（CALGB），Southwest Oncology Group（SWOG）からの報告 4,257 例を集計した結果を示す．約 1/4 の症例では染色体正常核型である．

［清井　仁：急性骨髄性白血病．血液専門医テキスト，第 3 版，日本血液学会（編），南江堂，p.280，2019 より転載］

断・治療上検索すべき対象となる遺伝子は拡大され[2)]，WHO 分類第 5 版（2022 年）や ELN2022 ガイドラインにおいても検索すべき遺伝子変異が多様化している．現時点でわが国においては，これら遺伝子変異検査のすべてが必ずしも保険適用となっていないことに留意する必要がある．

WHO 分類改訂第 4 版（2017 年）では，新たに myeloid neoplasms with germline predisposition の分類が追加された．この分類には，MDS や AML の発症に関連する遺伝子の生殖細胞系列における変異を有する骨髄系腫瘍が該当し，現時点では *CEBPA*，*DDX41*，*RUNX1*，*ANKRD26*，*ETV6*，*GATA2* 遺伝子の生殖細胞系列変異を有するものが定義されている．本病型を同定するためには，白血病細胞だけでなく，正常細胞におけるこれら遺伝子の変異を同定することが必要となる．結果の取り扱いについては，遺伝カウンセリングを含めた慎重な取り扱いが求められる．

4）FAB/WHO 分類に基づく病型分類

AML は，前述 1）～ 3）の検査結果に基づき，FAB 分類および WHO 分類によって病型分類される（**図 2**）．FAB 分類は *de novo* AML のみを対象としてきたが，WHO 分類では治療関連骨髄性腫瘍（therapy-related myeloid neoplasms）のうち芽球割合が 20％以上の AML と骨髄異形成関連の変化を有する AML〈AML with myelodysplasia-related change，AML-MRC［ただし WHO 分類第 5 版（2022 年）および ICC では AML-MR に変更］〉および骨髄肉腫を含むとともに，特定の遺伝子異常を有する AML（AML with recurrent genetic abnormalities）と Down 症候群に伴う骨髄増殖症を 1 つのカテゴリーとして定義している（Ⅸ-1「WHO 分類：骨髄系腫瘍」参照）．WHO 分類では，これらカテゴリーに該当しない症例を AML，非特定型〈AML，not otherwise specified：AML-NOS［ただし WHO 分類第 5 版（2022 年）では AML-NOS は廃止］〉としているが，その細分類は基本的に FAB 分類における形態学的・免疫組織学的診断に基づいて行われる．本項では，FAB 分類別の形態学的・免疫組織学的特徴を記載する（ⅩⅤ-1「骨髄・末梢血スメア標本」も参照）．

a）M0（WHO 分類：AML with minimal differentiation）

MPO 染色陰性．ただし，電子顕微鏡下では MPO 染色陽性顆粒を認め，FCM や免疫組織学的には MPO 陽性となる．芽球は通常 CD13，CD33，CD117 抗原を発現する．分化初期段階のマーカーである CD34，CD38，HLA-DR 抗原の発現も認めるが，リンパ球関連抗原や成熟骨髄系・単球系抗原の発現は認めない．

b）M1（WHO 分類：AML without maturation）

成熟傾向を示さない骨髄芽球が，骨髄有核細胞中の非赤芽球細胞の 90％以上を占める．芽球の 3％以上が

MPO染色陽性で，Auer小体を有する場合もある．1つ以上の骨髄系関連抗原（CD13，CD33，CD117）を発現し，約70％の症例でCD34，HLA-DRの発現を認める．

c）M2（WHO分類：AML with maturation）

骨髄あるいは末梢血中に20％以上の芽球を認め，好中球への分化傾向（前骨髄球以降の各分化段階の顆粒球の和が10％以上）を示し，骨髄中単球系細胞は20％を超えない．芽球中のアズール顆粒はさまざまであるが，Auer小体は高頻度に認められる．1つ以上の骨髄系関連抗原（CD13，CD33，CD65，CD11b，CD15）を発現する．30～40％にt(8;21)(q22;q22)を認める．

d）M4（WHO分類：acute myelomonocytic leukemia）

顆粒球系と単球系への分化傾向を示す．顆粒球系細胞と単球系細胞はそれぞれ骨髄有核細胞の20％以上存在する．芽球の3％以上はMPO染色陽性で，単球系細胞は非特異的エステラーゼ染色陽性である．CD13，CD15，CD33，CD65などの骨髄系抗原に加えてCD14，CD4，CD11b，CD11c，CD64，CD36，CD68，CD163，リゾチームなどの単球系抗原が陽性となる．また，血中・尿中リゾチーム活性が高値となる．骨髄中に未熟好酸球を5％以上認める場合をM4Eoと定義し，大半がinv(16)(p13.1q22)，またはt(16;16)(p13.1;q22)を有する．

e）M5（WHO分類：acute monoblastic and monocytic leukemia）

白血病細胞の80％以上が単球系細胞（単芽球，前単球，単球）で，好中球は20％未満である．単球系細胞の80％以上が単芽球である場合を急性単芽球性白血病（M5a），大半が前単球である場合を急性単球性白血病（M5b）と定義される．単芽球はMPO染色陰性であるが，前単球では弱陽性となる．非特異的エステラーゼ染色は通常，単芽球，単球ともに陽性であるが，単芽球の約20％に陰性または弱陽性のものがある．CD13，CD33，CD15，CD65などの骨髄系抗原に加えてCD14，CD4，CD11b，CD11c，CD64，CD68，CD36，リゾチームなどの単球系抗原が陽性となる．

f）M6（WHO分類：pure erythroid leukemia）［WHO分類第5版（2022年）ではacute erythroid leukemiaに名称変更）］

FAB分類では，骨髄有核細胞の50％以上を赤芽球系細胞が占め，非赤芽球系細胞中の30％以上に骨髄芽球を認める場合をM6（acute erythroid leukemia）と定義している．WHO分類改訂第4版（2017年）では，骨髄有核細胞中の赤芽球割合に関係なく，20％以上の芽球を有する場合をAMLと定義したことにより，骨髄有核細胞の50％以上を赤芽球系細胞が占め，かつ骨髄有核細胞の20％以上に骨髄芽球を認める場合はAML-MRC，20％未満の場合にはMDS with excess blastsに分類される．骨髄有核細胞の80％以上を赤芽球系幼若細胞が占め，有意な骨髄芽球成分を認めない場合は従来通りpure erythroid leukemiaとして分類される．PAS染色では赤芽球の胞体が粗大顆粒状あるいはびまん性に染色される．赤芽球はCD13，CD33などの骨髄系抗原は陰性で，glycophorin A（CD235a）やCD71が陽性となる．

g）M7（WHO分類：acute megakaryoblastic leukemia）

芽球の50％以上に巨核芽球の形質を持つものである．好塩基性の突起（bleb）や偽足を呈することがある．MPO染色陰性で，PAS染色，非特異的エステラーゼ染色，酸ホスファターゼ染色が陽性となる場合がある．巨核芽球は血小板糖蛋白であるCD41あるいはCD61を発現している．より成熟した血小板関連蛋白であるCD42の発現は低い．骨髄線維化を伴うことが多く，骨髄液の吸引が困難な場合が多い．この際には骨髄生検や，そのスタンプ標本を用い，免疫組織学的に巨核芽球の存在と芽球割合を診断する．

5）分化系統不明瞭な急性白血病（acute leukemia of ambiguous lineage:ALAL）

急性白血病の病像を呈するものの，単一の血球系統への分化を示さない，すなわち，AMLまたはALLに分類できない疾患群が少数認められる．WHO分類改訂第4版（2017年）では，特異的分化系統を示さない急性未分化性白血病（acute undifferentiated leukemia：AUL），二系統以上の分化系統を示す混合型急性白血病（mixed phenotype acute leukemia：MPAL），その他の分化系統不明瞭な急性白血病（ALAL-NOS）に分けられる．さらにMPALは，*BCR::ABL1*と*KMT2A*遺伝子再構成を有する群は独立した疾患として区別された．特定の遺伝子異常有さないMPALは白血病細胞の形質に従い，B/myeloid，T/myeloid，その他の希少型に分けられた（**表3**）．

ALALやMPALの診断には，形態学，細胞化学，細胞表面および細胞質マーカー，染色体所見，遺伝子異常により総合的に判断する．MPALには系統の異なる複数の芽球集団が存在するもの（bilineal leukemia）と，1つの芽球が複数系統の抗原を同時に発現

◆表3 WHO分類改訂第4版（2017年）における分化系統不明瞭な急性白血病の分類

1. 急性未分化性白血病
2. t(9;22)(q34;q11.2); *BCR-ABL1* を有するMPAL
3. t(v;11q23); *KMT2A* 再構成を有するMPAL
4. その他のB/骨髄性MPAL
5. その他のT/骨髄性MPAL
6. その他のMPAL希少型
7. その他の系統不明の白血病

◆表4 MPAL診断における系統特異的マーカー

系統	マーカー
骨髄系統	ミエロペルオキシダーゼ陽性（フローサイトメトリー，免疫組織化学，細胞化学） または 単球系分化陽性（少なくとも右記の2つが陽性）：非特異的エステラーゼ，CD11c, CD14, CD64, リゾチーム
Tリンパ球系	細胞質CD3(CD3ε鎖に対する抗体を用いたフローサイトメトリー)* または 細胞表面CD3
Bリンパ球系	CD19強陽性，かつ右記の1つが強陽性：CD79a，細胞質CD22, CD10 または CD19弱陽性，かつ右記の2つが強陽性：CD79a，細胞質CD22, CD10

*抗CD3ζ鎖を認識するポリクローナル抗体を用いた免疫組織化学はT細胞特異的ではない．
[宮﨑泰司：混合型急性白血病．血液専門医テキスト，第3版，日本血液学会（編），南江堂，p.294，2019より転載]

するもの（biphenotypic leukemia）の2種類がある．確定診断には，同一芽球上での複数系統の抗原発現を検討することが必要で，フローサイトメトリーによる細胞表面/細胞質マーカー検査が重要である．芽球の系統（骨髄性，リンパ性）の判断には，特異性の低いマーカーは用いず，WHO分類の判定基準に則って診断する（**表4**）．

「骨髄系」は，MPO陽性（フローサイトメトリー，免疫組織化学，細胞化学のいずれかによる）または単球系分化陽性（非特異的エステラーゼ，CD11c，CD14，CD64，リゾチームのうち少なくとも2つが陽性）のいずれかを満たさなければならない．「T細胞性」の判定基準は，細胞質または細胞表面CD3陽性である．細胞質CD3陽性の判定には注意すべき点があり，CD3 ε鎖に対する抗体を用いたフローサイトメトリーによって判定される必要がある．「B細胞性」の判定には骨髄性やT細胞性のような明確なマーカーがなく，複数のマーカーを組み合わせて判断する．CD19強陽性，かつ，CD79a，細胞質CD22，CD10の1つ以上が強陽性の場合，またはCD19弱陽性，かつ，上記3抗原のうち2つ以上が強陽性の場合のどちらかである．T細胞受容体遺伝子や免疫グロブリン遺伝子の再構成は，それぞれT，B細胞系統特異的なマーカーとなっている．一部の急性白血病では複数の表現型（細胞系統マーカー）を持つ例が高頻度にみられることが知られており，AMLのなかでt(8;21)，inv(16)，*PML::RARA* 融合遺伝子を有する症例は，MPALには含めない．さらに，*FGFR1* 遺伝子再構成，慢性骨髄性白血病の急性転化，骨髄異形成関連の変化を伴うAMLもMPALとはせず，それぞれに分類する．

MPALでは *BCR::ABL1* と *KMT2A*（*MLL*）で遺伝子型が規定されている．*BCR::ABL1* を伴うMPAL例が成人に多いのに比べて *KMT2A* 再構成を伴う例は小児に多く，骨髄系細胞は単球系の形質を持つことが多い．*KMT2A* 遺伝子再構成の相手はさまざまで，*AFF1* 遺伝子（4番染色体q21）が最も多い．いずれの遺伝子異常ともAML，ALLともにみられ，MPAL特異的な遺伝子異常ではない．

B/骨髄系MPALは，同一芽球上にBリンパ系と骨髄系のマーカーを持つもの，それぞれの芽球集団が存在するものがある．骨髄系の芽球はMPOまたは単球系マーカーが陽性で，多くの場合その他の骨髄系マーカー(CD13，CD33，CD117など）も陽性である．B/骨髄系は，*BCR::ABL1*，*KMT2A* および *ZNF384* 遺伝子再構成例で多くみられる．T/骨髄系MPALでは多くの例でT細胞マーカーとして細胞質CD3のほかにCD7，CD5，CD2がみられる．細胞表面CD3発現があるものでは2つの芽球集団を持つ，いわゆるbilineal のことが多い．*BCL11B* 遺伝子再構成がT/骨髄系MPALおよびAULに認められることが多い．

ALALに対する標準治療は確立していない．AML

型の治療とALL型の治療のどちらがより奏効するのかも不明である．一般には芽球が持つ複数の細胞系統のうち主要なほうを対象とした治療計画が立てられるが，多くは治療抵抗性で予後不良である．*BCR::ABL1*を持つMPALに対して，チロシンキナーゼ阻害薬が奏功する場合がある．可能であれば第一寛解期から同種造血幹細胞移植が実施されると考えられるが，同種移植後の成績としてまとまった報告はない．

4 治療と予後

1）AMLに対する治療の概要

初発AMLに対する基本的な治療戦略は治癒を目指した化学療法であり，多剤併用療法が基本となる．しかし，その適応は化学療法による臓器毒性や合併症に耐えられるかを年齢，臓器機能，全身状態などによって慎重に判断する必要がある（**表5**）．AMLに対する化学療法は，**寛解導入療法**と寛解が得られた後に行う**寛解後療法**からなる[6]．

2）若年成人（65歳未満）に対する寛解導入療法

Cytarabine（キロサイド：Ara-C）100 mg/m^{2}持続点滴7日間とdaunorubicin（ダウノマイシン：DNR）45～60 mg/m^{2}またはidarubicin（イダマイシン：IDR）12 mg/m^{2}点滴3日間の併用療法（3 & 7療法）が広く用いられてきたが，日本成人白血病治療共同研究グループ（Japan Adult Leukemia Study Group：JALSG）における無作為化比較試験（AML201）により，増量したDNR（50 mg/m^{2}点滴5日間）とAra-Cの併用療法は，標準量のIDR（12 mg/m^{2}点滴3日間）とAra-Cの併用療法と同等の治療成績が得られることが明らかにされた[7]．Eastern Cooperative Oncology Group（ECOG）からも，高用量のDNR（90 mg/m^{2}点滴3日間）とAra-C（100 mg/m^{2}持続点滴7日間）による寛解導入療法は，標準量のDNR（45 mg/m^{2}点滴3日間）とAra-C（100 mg/m^{2}持続点滴7日間）による寛解導入療法に比較して，有意に寛解導入率と長期予後を改善するとの報告がなされているが，日本人における安全性は検証されていない[8]．したがって，Ara-C 100 mg/m^{2}持続点滴7日間とDNR 50 mg/m^{2}点滴5日間またはIDR 12 mg/m^{2}点滴3日間が，わが国において有効性と安全性が確立された現時点での標準的寛解導入療法といえる（**図4**）．欧米では，初回治療から*FLT3*変異陽性AMLにはFLT3阻害薬併用3 & 7療法，CD33陽性AMLおよびt(8;21)(q22;q22)，inv(16)(p13.1q22)またはt(16;16)(p13.1;q22)染色体異常を有するcore binding factor（CBF）-AMLには低用量calicheamicin結合抗CD33抗体（gemtuzumab ozogamicin）併用3 & 7療法，AML-MRCや二次性AMLにはCPX-351が推奨されている（わが国では保険未承認）．

1コースで**完全寛解**（complete remission：CR）が得られない場合には同じ治療を繰り返し行うことが多いが，1コース目の治療反応性が悪い（芽球減少効果が認められない）場合には，他のプロトコールへの変更も考慮される．2回の寛解導入療法までに75～80％程度の症例でCRが得られる．2回の治療によってもCRが得られない症例は，不応例（難反応例）としてサルベージ療法が行われる．

3）若年成人（65歳未満）に対する寛解後療法

寛解後療法では，Ara-C大量療法（HiDAC）3コース，あるいはAra-Cとアントラサイクリン系薬［mi-

◆表5　強力化学療法の適応基準

項　目	基　準
年齢	65歳未満
心機能	左室駆出率（LVEF）50％以上
肺機能	Pa_{O_2} 60 Torr以上またはSp_{O_2} 90％以上（room air）
肝機能	血清ビリルビン2.0 mg/dL以下
腎機能	血清クレアチニン施設基準値上限の1.5倍以下
感染症	制御不能の感染症の合併なし

強力化学療法を行うにあたり上記基準が目安となるが，患者の全身状態やその他の合併症を考慮して判断する必要がある．
（文献7より引用）

A

Ara-C（100 mg/m^2）持続点滴静注7日間と
IDR（12 mg/m^2）点滴静注3日間の投与を行う

Day	1	2	3	4	5	6	7
Ara-C 100 mg/m^2 cont. IV	↓	↓	↓	↓	↓	↓	↓
IDR 12 mg/m^2 30 min DIV	↓	↓	↓				

B

Ara-C（100 mg/m^2）持続点滴静注7日間と
DNR（50 mg/m^2）点滴静注5日間の投与を行う

Day	1	2	3	4	5	6	7
Ara-C 100 mg/m^2 cont. IV	↓	↓	↓	↓	↓	↓	↓
DNR 50 mg/m^2 30 min DIV	↓	↓	↓	↓	↓		

◆図4　若年成人AMLに対する寛解導入療法

JALSG AML201試験で行われたIDR/Ara-C 3 & 7療法（**A**）とDNR/Ara-C 5 & 7療法（**B**）を示す．この2種類の寛解導入療法では，寛解率，長期予後とも同等の成績が得られ，現時点でのわが国における標準的寛解導入療法といえる．
［清井　仁：急性骨髄性白血病．血液専門医テキスト，第3版，日本血液学会（編），南江堂，p.282，2019より転載］

toxantrone (MIT), DNR, aclarubicin (ACR), etoposide (VP-16), vincristine (VCR), vindesine (VDS)] の組み合わせによる4コースの地固め療法が主として用いられる (**図5**). 海外では, 60歳未満の成人AMLに対してはHiDAC療法が標準的な地固め療法として用いられているが, JALSG AML201試験における無作為化比較試験では, HiDAC 3コースとAra-Cとアントラサイクリン系薬の組み合わせ4コースの地固め療法とでは治療成績に有意差を認めていない. しかし, CBF-AMLでは, HiDAC療法の有効性が高いことがAML201試験および諸外国で明らかにされている[9,10]. 一方, HiDAC療法実施例では, Ara-C + アントラサイクリン系薬による治療例と比較して, 有意にdocumented infectionの頻度が高いことが明らかにされている. したがって, CBF-AMLに対してはHiDAC 3コース, それ以外のAMLに対してはAra-Cとアントラサイクリン系薬の組み合わせ4コースが標準的な地固め療法である.

副作用マネージメント等は他項を参照されたい (XIII章「支持療法」). AML治療で頻用されるアントラサイクリン系薬の心筋毒性は蓄積性であるため, 再発・難治例も含めて, 過去の使用総量に留意する必要で, 一般にdoxorubicin換算で総投与量400 mg/m^{2}以上となると心筋毒性の危険性が高くなる. また, HiDAC療法の留意点として, 高度な血球減少が招来されるため感染症対策が重要であること, 中枢神経系障害や遷延性の骨髄抑制を防ぐために点滴時間3時間を厳守すること, 角結膜障害対策として副腎皮質ステロイド点眼, 60歳以上ではAra-C 1回投与量を1,500 mg/m^{2}に減量すること, などが重要である.

4) 高齢者に対する治療

高齢者AMLでは, 臓器機能などの患者側要因により, 若年成人と同等の治療強度を持つ多剤併用化学療法を一律に実施することは困難で, 高齢者AMLに対する標準治療は確立されていなかった. 一部の高齢者AML患者には強力化学療法によって予後が改善される場合もあり, 全身状態や臓器機能が十分に保たれている場合には化学療法の適応となるが, その場合でも治療強度は若年成人に対するよりも減量することが必要である. 2020年BCL-2阻害剤venetoclax併用Azacitidine (VEN+AZA) または少量Ara-C (VEN+LoDAC) 療法がわが国でも保険承認された. VEN+AZA療法はvenetoclax 400 mg内服28日間 (初回治療時は1日目100 mg, 2日目200 mg, 3日目400 mgと漸増) とazacitidine 75 mg/m^{2}点滴または皮下注射7日間, VEN+LoDAC療法はvenetoclax 600 mg内服28日間 (初回治療時は1日目100 mg, 2日目200 mg, 3日目400 mg, 4日目600 mgと漸増) とcytarabine 20 mg/m^{2}を1日1回またはcytarabine 10 mg/m^{2}を1日2回皮下または静脈内投与10日間施行する[11]. 特にVEN+AZA療法は, 高齢AML初

A

Ara-C (2,000 mg/m^2) 3時間点滴静注を12時間ごとに10回行う
この治療を3回繰り返す
60歳以上の場合は, Ara-Cの1回投与量を1,500 mg/m^{2}へ減量する

Day	1	2	3	4	5
Ara-C 2,000 mg/m^2 3hr DIV	↓ ↓	↓ ↓	↓ ↓	↓ ↓	↓ ↓

B

地固め第1コース (MA)

Ara-C (200 mg/m^2) 持続点滴静注5日間と
MIT (7 mg/m^2) 点滴静注3日間の投与を行う

Day	1	2	3	4	5
Ara-C 200 mg/m^2 cont. IV	↓	↓	↓	↓	↓
MIT 7 mg/m^2 30 min DIV	↓	↓	↓		

地固め第2コース (DA)

Ara-C (200 mg/m^2) 持続点滴静注5日間と
DNR (50 mg/m^2) 点滴静注3日間の投与を行う

Day	1	2	3	4	5
Ara-C 200 mg/m^2 cont. DIV	↓	↓	↓	↓	↓
DNR 50 mg/m^2 30 min DIV	↓	↓	↓		

地固め第3コース (AA)

Ara-C (200 mg/m^2) 持続点滴静注5日間と
ACR (20 mg/m^2) 点滴静注5日間の投与を行う

Day	1	2	3	4	5
Ara-C 200 mg/m^2 cont. DIV	↓	↓	↓	↓	↓
ACR 20 mg/m^2 30 min DIV	↓	↓	↓	↓	↓

地固め第4コース (A triple V)

Ara-C (200 mg/m^2) 持続点滴静注5日間, VP-16 (100 mg/m^2) 点滴静注5日間, VCR (0.8 mg/m^2) 静注または点滴静注, VDS (2 mg/m^2) 静注または点滴静注の投与を行う

Day	1	2	3	4	5	6	7	8	9	10
Ara-C 200 mg/m^2 cont. DIV	↓	↓	↓	↓	↓					
VP-16 100 mg/m^2 1 hr DIV	↓	↓	↓	↓	↓					
VCR 0.8 mg/m^2 IV or DIV								↓		
VDS 2 mg/m^2 IV or DIV										↓

注: VCRは最大2 mg/body

◆図5 若年成人AMLに対する寛解後療法 (地固め療法)

JALSG AML201試験で行われた, HiDAC 3コース (HiDAC療法; **A**) と, Ara-Cとアントラサイクリン系薬の組合せ4コースの地固め療法 (アントラサイクリン系薬+ Ara-C 4コースによる地固め療法; **B**) を示す. AML全体では治療成績に有意差を認めていないが, t(8;21) (q22;q22), inv(16) (p13.1q22) またはt(16;16) (p13.1;q22) 染色体異常を有するcore binding factor (CBF)-AMLではHiDAC療法による治療の有効性が高いことが明らかにされている.
[清井 仁: 急性骨髄性白血病. 血液専門医テキスト, 第3版, 日本血液学会 (編), 南江堂, p.282, 2019より転載]

発例に対して，複合寛解率（CR+CRi）が66％と高く，治療継続により寛解状態が維持できる可能性が示され，unfit AMLの標準治療とされた[11]．一方，副作用として，遷延する骨髄抑制，発熱性好中球減少症，腫瘍崩壊症候群などがあり，VENおよびAZAの細かい用量調整が必要である．またVENはCYP3Aで代謝されるため，アゾール系抗真菌薬などCYP3A阻害薬との併用時にはVEN投与量の調整が必要である[11]．

5）再発・難治例に対する治療

2回の寛解導入療法に対する不応例や，CRに到達したものの，その後再発をきたした症例は，再発・難治例として**サルベージ療法**が必要となる．しかし，再発・難治例においては化学療法のみでの治癒は期待しがたいため，可能な症例では同種造血幹細胞移植が適応となる．

サルベージ療法は，再発・難治時に再びゲノム解析を行い，標的薬が存在する遺伝子異常（actionable mutation）を検索することが重要である．*FLT3*遺伝子異常が認められる場合，わが国で使用可能な第2世代FLT3阻害薬（GilteritinibおよびQuizartinib）の単剤投与が推奨される．Gilteritinibは膜近傍ドメイン遺伝子内縦列重複（ITD：internal tandem duplication）変異およびチロシンキナーゼドメイン（TKD：tyrosine kinase domain）変異に阻害活性を有するが，QuizartinibはITD変異のみに阻害作用を有する[11]．*FLT3*変異の種類に加えて，血球減少，肝障害，CK高値，QTcF延長などの副作用プロファイルにより両剤を使い分ける（Ⅴ-3「分子標的治療薬の作用機序と副作用」参照）．再発・難治*FLT3*変異AMLに対する第2世代FLT3阻害薬の有効性は示されたものの，寛解の質や奏功期間が短いなどの限界があり，現時点では同種移植への移行が必要である[11]．

Actionable mutationが存在しない場合，非交差耐性薬剤やHiDAC療法を組み込んだ治療法が選択される．実臨床において，再発・難治AMLに対してVEN+AZA療法やVEN+LoDAC療法が適用されることもあるが，その有用性は確立していない．これまでの治療歴（使用薬剤）や臓器機能などの患者側要因を背景に決定されることが多く，再発・難治AMLに対する標準的治療法は確立されていない．同種移植が可能な症例は，引き続いての移植を計画していく．また，わが国においては，CD33陽性再発・難治AMLに対してgemtuzumab ozogamicinの適応承認が得られているが，単剤使用に限られること，造血幹細胞移植前後で本薬剤を使用した場合は肝類洞閉塞症候群を含む重篤な肝障害を発症するリスクが高いことから，治療戦略を考慮した使用が望まれる．

6）寛解後維持療法

従来までは，AML寛解後維持療法のエビデンスは乏しく，治療戦略の一環として計画的に施行されていなかった．近年，分子標的薬など新規薬剤の登場によりAML維持療法の安全性と有効性が注目されている．2020年55歳以上のAML初発寛解例に対してAzacitidine経口剤（CC-486）を用いた維持療法によって生存期間の延長が報告され，米国では標準治療とされている（わが国では保険未承認）．他の新規薬剤による維持療法に加え，予後因子やMRD推移などを加味し，維持療法の対象症例，薬剤選択，治療期間など，さらなる検討が必要であろう．

7）治療効果判定

AMLにおける治療効果判定は血液学的効果が重要である（**表6**）．CRは，正常造血の回復と末梢血からの芽球消失，および骨髄中の芽球5％未満かつ髄外病変がないことによって定義される．一般的には，赤血球輸血が不要，かつ末梢血好中球数1,000/μL以上，血小板数10万/μL以上への回復が認められれば，正常造血の回復とされる．骨髄中CRの基準を満たすも

◆表6　AMLにおける治療効果判定基準

治療効果	基　準
完全寛解 (complete remission：CR)	骨髄中芽球5％未満，髄外腫瘤なし，末梢血中芽球なし，正常造血の回復（赤血球輸血が不要，かつ末梢血好中球数1,000/μL以上，血小板数10万/μL以上）
不完全な血球回復を伴う寛解 (CR with incomplete recovery：CRi)	CRの基準中，末梢血好中球数1,000/μL以上，あるいは血小板数10万/μL以上への回復のみを満たさない場合
形態学的芽球消失 (morphologic leukemia-free state：MLFS)	血球回復を認めずに低形成髄であるものの形態学的に骨髄中芽球が5％未満である場合
部分寛解 (partial remission：PR)	末梢血からの芽球消失と，好中球数1,000/μL以上，血小板数10万/μL以上への回復，骨髄中芽球が治療前の50％未満に減少，骨髄中芽球割合が5％以上の場合

のの，末梢血好中球数1,000/μL以上，血小板数10万/μL以上への回復が認められない場合の基準としては，CRi（CR with incomplete recovery）がある．CRiが長期予後に及ぼす影響を含めてCRと同等の臨床的意義を持つかは明らかではない．CRとCRiを合算する**複合寛解**（CRc：composite CR）で評価する場合もある．また血球回復を認めずに低形成髄であるものの形態学的に骨髄中芽球が5％未満である場合をmorphologic leukemia-free state（MLFS）と定義する．末梢血からの芽球消失と，好中球数1,000/μL以上，血小板数10万/μL以上への回復，および骨髄中芽球が治療前の50％未満に減少しているものの骨髄中芽球割合が5％以上の場合を**部分寛解**（partial remission：PR）と呼ぶが，臨床的意義は乏しい．MLFSとPRの判定は新規薬剤の第Ⅰ/Ⅱ相試験における評価基準として用いられる．

AMLでは，細胞遺伝学的あるいは分子生物学的治療効果判定は一般化されていない．骨髄中芽球の5％以上への増加，末梢血での芽球出現，髄外腫瘤の出現のいずれかが認められた場合は，再発と定義される．

8）測定可能残存病変（MRD）

MRDの測定は血液学的寛解を達成・維持している患者における治療効果の評価，再発の予測，治療戦略の個別化に役立つ．MRDの評価法として，RQ-PCR法による疾患特異的遺伝子の発現定量と，複数の細胞表面発現分子を組み合わせるマルチパラメーターフローサイトメトリー法があり，形態学的判定に比べて高感度に残存するAML細胞を定量化することが可能である．疾患特異的融合遺伝子である*PML::RARA*，*RUNX1::RUNX1T1*，*CBFB::MYH11*発現量をRQ-PCR法で定量化するMRDの評価は有用であり，臨床で汎用されている．*Wilms' tumor-1*（*WT1*）遺伝子はAMLの約9割に高発現していることから，特異的融合遺伝子変異を有さない症例において，その発現量の定量測定が汎用されているが，非特異的であることに留意する必要がある．その他のAML細胞に認められる遺伝子変異を指標としたMRDの測定も探索的に行われているが，クローン変化に伴う偽陰性の可能性に考慮する必要がある．MRDの検出には複数の方法が試みられているが，それぞれの検出法における臨床像との関連性が明確となる閾値は確立しておらず，標準化に向けての検討が進められている[12]．

9）造血幹細胞移植

化学療法のみでは長期予後が期待できない症例が造血幹細胞移植の適応となる．日本造血細胞移植学会による移植適応ガイドラインを参考に，移植適応を判定する（Ⅶ章「造血幹細胞移植」参照）．

10）予　後

標準的な化学療法を受けた若年成人AML全体では，70～80％のCR率と40％前後の5年無再発生存率が得られるが，種々の予後層別化因子により予後良好群，中間群，不良群の3種類に区別される．予後良好群は，初回寛解導入療法によるCR率が約80％，5年生存率が約70％，5年再発率が約30％と良好な予後が期待できる一群をいう．中間群は，CR率が約70％，5年生存率が約40～50％，再発率が約50％であり，不良群は，CR率が約50％，5年生存率が約15％，再発率が約75％と治癒が困難な一群である．

、AMLの予後には，患者側要因と白血病細胞側要因の双方が関係するとともに，治療反応性も長期予後に影響を及ぼす層別化因子となる．

患者側要因として，年齢（60歳以上），全身状態[performance status（PS）3以上]，合併症の存在（感染症など）が予後不良因子として重要である．

白血病細胞側要因として，染色体核型，発症様式（*de novo*または二次性），初診時白血球数，細胞形態（異形成の有無，FAB病型，MPO染色陽性率）が予後層別化因子となる．

染色体核型については，t(8;21)(q22;q22)，inv(16)(p13.1q22)，またはt(16;16)(p13.1;q22)，t(15;17)(q22;q21)が予後良好な染色体核型，inv(3)(q21q26.2)，またはt(3;3)(q21;q26.2)などの3q異常，5番，7番染色体の欠失または長腕欠失，t(6;9)(p23;q24)，複雑核型が予後不良染色体核型とされ，それ以外の核型は予後中間群に分類される．*KMT2A*遺伝子を含む染色体転座は予後不良群とされていたが，t(9;11)(p22;q23)については，必ずしも予後不良ではなく予後中間群に分類される．また，常染色体のモノソミーが二種類以上あるいは一種類のモノソミーと他の構造異常により定義されるmonosomal karyotype（MK）も予後不良核型として報告されている．

近年，染色体異常のみならず，種々の遺伝子変異が予後因子として重要であることが報告されており，特にAMLの約1/4に認められる正常染色体核型（予後中間群）の予後を細分化する因子として注目されている．ELNやNCCNなどから，染色体核型と複数の遺伝子変異の有無を加味した予後層別化システムが提唱されているが[4]，さらなる遺伝子変異の有無による細分化も試みられている（ADVANCED参照）．

発症様式（二次性白血病），初診時白血球数高値，異形成の存在，FAB病型（M0，M6，M7），MPO染色陽性率50％未満が予後不良因子となる．

■文　献■

1）Welch JS et al: Cell **150**: 264, 2012
2）Cancer Genome Atlas Research N: N Engl J Med **368**: 2059, 2013
3）Swerdlow SH et al（eds）: WHO Classification of Tumours of Haematopoietic and Lymphoid Tissues, 4th ed, Revised ed, IARC Press, 2017
4）Döhner H et al: Blood **129**: 424, 2017
5）Grimwade D et al: Blood **116**: 354, 2010
6）日本血液学会（編）：造血器腫瘍診療ガイドライン 2023 年版，金原出版，2023
7）Ohtake S et al: Blood **117**: 2358, 2011
8）Fernandez HF et al: N Engl J Med **361**: 1249, 2009
9）Miyawaki S et al: Blood **117**: 2366, 2011
10）Bloomfield CD et al: Cancer Res **58**: 4173, 1998
11）DiDnardo CD et al. Blood **135**: 85, 2020
12）Schuurhuis GJ et al: Blood **131**: 1275, 2018

ADVANCED

■分子病態に基づく層別化と個別化療法■

従来より，染色体核型に基づくAMLの層別化は第一寛解期における同種造血幹細胞移植の適応を判断するうえで重要な因子とされてきた．しかし，AMLの発症・進展に関与する多数の遺伝子変異が明らかになるとともに，それら変異遺伝子産物を標的とした選択的治療薬剤の開発が飛躍的に進歩したことによって，分子病態に基づく層別化には，単に予後予測因子としてだけでなく，治療薬剤の選択や治療反応性を予測するバイオマーカーとしての意義も求められている．

ELNは，染色体核型に複数の遺伝子変異を加えた新たな分子層別化システムを初めて提唱し，2017年に改訂版を発表した（**表A**）[1]．ELN2017分類では，新たに*FLT3*-ITD変異のアレル比の概念と，遺伝子変異による層別化においては正常染色体核型に限定しない方針が導入された．すなわち，*FLT3*-ITD変異のアレル比が0.5以上の場合を*FLT3*-ITD^{high}，0.5未満の場合を*FLT3*-ITD^{low}と定義し，正常染色体核型に限らず*NPM1*遺伝子変異陽性/*FLT3*-ITD陰性または*FLT3*-ITD^{low}症例，および両アレルでの*CEBPA*遺伝子変異陽性症例はCBF-AMLと同様に予後良好群に分類される（ELN2022分類では改訂予定）．また，*RUNX1*，*ASXL1*，*TP53*遺伝子が対象項目として追加され，これら遺伝子変異陽性症例は予後不良群に分類される．

ELN2017分類で取り上げられている遺伝子変異以外にも,*BCOR*,*EZH2*,*SF3B1*,*SRSF2*,*U2AF1*,*ZRSR2*変異などは予後不良と関連する臨床情報が集積され，また，FLT3阻害薬の標的治療薬剤の実用化に伴い，それら遺伝子変異を有する症例における予後因子としての位置づけも変わりつつある．ELN2022分類ではAMLリスク分類も変更予定である．

今後，分子病態に基づく層別化がより細分化されてくる可能性がある一方で，標的治療薬剤の位置づけ，同種造血幹細胞移植を含む治療戦略へ還元できるかが重要な課題である．

◆表A　ELNによるAMLの層別化システム

Risk category	Genetic abnormality
Favorable	t(8;21)(q22;q22.1): *RUNX1-RUNX1T1* inv(16)(p13.1q22) or t(16;16)(p13.1;q22): *CBFB-MYH11* Mutated *NPM1* without *FLT3*-ITD or with *FLT3*-ITD^{low}* Biallelic mutated *CEBPA*
Intermediate	Mutated *NPM1* and *FLT3*-ITD^{high}* Wild type *NPM1* without *FLT3*-ITD or with *FLT3*-ITD^{low}* (without adverse risk genetic lesions) t(9;11)(p21.3;q23.3); *MLLT3*-KMT2A¶ Cytogenetic abnormalities not classified as favorable or adverse
Adverse	t(6;9)(q23;q34): *DEK-NUP214* t(v;11)(v;q23): *KMT2A* rearranged t(9;22)(q34.1;q11.2); *BCR-ABL1* inv(3)(q21q26.2) or t(3;3)(q21;q26.2); *GATA2-MECOM(EVI1)* −5 or del(5q)，−7，−17 or abn(17p) Complex karyotype§，monosormal karyotype† Wild type *NPM1* and *FLT3*-ITD^{high}* Mutated *RUNX1*‡ Mutated *ASXL1*‡ Mutated *TP53*#

* low：low allelic ratio（<0.5），high：high allelic ratio（≧0.5）
¶ まれな予後不良遺伝子変異の重複よりも優先される
§ 3つ以上の染色体異常あり，かつ以下の転座・逆位を伴わない：t(8;21)，inv(16)/t(16;16)，t(9;11)，t(v;11)(v;q23.3)，t(6;9)，inv(3)/t(3;3)，*BCR-ABL1*
† 少なくとも1つ以上の付加的モノソミーまたは染色体構造異常（core-binding factor AMLを除く）を伴う1つのモノソミー（XまたはY染色体欠失を除く）
‡ これらのマーカーはFavorable群のリスク因子を伴った場合，Adverseとして扱わない
# *TP53*変異は染色体複雑核型と関連する
（文献1より引用）

■文　献■

1）Döhner H et al: Blood **129**: 424, 2017

8 急性前骨髄球性白血病

到達目標

- 急性前骨髄球性白血病の下記の病態を理解する
  ①特有の細胞形態を呈するhypergranular type（M3）と形態診断困難なmicrogranular type（M3v）があり，線溶亢進型の播種性血管内凝固をきたす
  ②t(15;17）由来のPML-RARα融合蛋白に対する全トランス型レチノイン酸と亜ヒ酸が有効である

1 病因・病態・疫学

急性前骨髄球性白血病（acute promyelocytic leukemia：APL）は独特の細胞形態と**播種性血管内凝固**（disseminated intravascular coagulation：DIC）を特徴とする急性骨髄性白血病（acute myeloid leukemia：AML）の一病型である[1,2]．t(15;17)(q24.1;q21.2）に由来するPML-RARα融合蛋白により発症する．17番染色体長腕にコードされるレチノイン酸の核内受容体RARαは骨髄系細胞の分化に必須の分子C/EBPεなどの転写に関与し，融合蛋白形成により細胞分化が停止する．**全トランス型レチノイン酸**（all-*trans* retinoic acid：ATRA）はRARαに結合し，PML-RARαからN-CoRなどのコリプレッサーを解離して細胞分化に必要な転写因子の再活性化をきたす．一方，**三酸化ヒ素**（arsenic trioxide：ATO）はPMLへ結合し，スモ化などの蛋白修飾を回復させ，転写抑制を解除する[3]．

WHO分類改訂第4版（2017年）*では，t(15;17)の表記が消え，*PML::RARA*陽性APL（APL with *PML::RARA*）という項目名となった．*PML::RARA*陽性例の中に，染色体の挿入や複雑核型のためt(15;17）を同定できない症例が少なからず存在するためと考えられる[4]．また，まれにAPLはt(15;17）以外の染色体転座，*PML::RARA*以外の融合遺伝子によって発症する．

*本書は基本的にWHO分類改訂第4版（2017年）に基づいて記載しているが，必要な場合にはWHO分類第5版（2022年）にも言及している．

APLには，典型的なhypergranular type（FAB分類のM3）とmicrogranular type（M3v）がある[5]．治療前白血球中央値は2,000/μL前後であり，約6割は汎血球減少を呈するが，骨髄はAPL細胞により過形成となる．一方，白血球10,000/μL以上は約25%にみられる．M3vでは白血球高値例が多い．両病型ともにDICを高率に併発する．血小板や凝固因子の消費のみならず，線溶亢進型のDICのため出血傾向が強い．

APLは米国では10万人あたり年間0.08人の発症率とされ，AMLの5～8%を占める．ラテン人やアジア人ではやや多く，AMLの10～15%を占める．全年齢層に発症し，中年成人に多く，70歳以上の高齢者では少ない点が他のAMLと異なる．M3vの頻度は欧米では15～20%，日本人では5～10%とされる．治療関連APL症例はまれながら，t(15;17）を有し，治療反応は初発APL例と大差ないとされる．

2 症候・身体所見

他のAMLよりもDICに由来する出血傾向を呈することが多い[1,2]．皮下出血，歯肉出血，鼻出血，過多月経，抜歯後止血困難などがみられる．初診時より消化管出血や肺出血，頭蓋内出血などの臓器出血の併発例もみられる．貧血症状や腫瘍熱を伴う例も認める．後述する**APL分化症候群**（differentiation syndrome：DS）を治療前から発症している症例には注意を要する．

3 診断・検査

1）細胞形態と細胞化学

APLの診断には，末梢血および骨髄中のAPL細胞の同定が重要である．M3では細胞質に大小のアズール顆粒が充満し，核は不整で二分葉やアレイ状を呈する[5)]．1～2本のAuer小体を認めることも多い．Auer小体を多数束状に有するファゴット細胞が特徴的である．一方，microgranular typeのM3vでは，アズール顆粒が小さく，光学顕微鏡で認識できないため核の不整を伴う芽球様細胞が増加し，単芽球性白血病（FAB分類のM5a）や未分化型骨髄性白血病（M1）と鑑別困難な場合が少なくない．一部にアズール顆粒やAuer小体を有する細胞を認め，診断の手がかりとなる．しかし，アズール顆粒やAuer小体をまったく認めない例では細胞形態のみでは診断困難である．

APL細胞はミエロペルオキシダーゼ染色強陽性である．M3vにおいても同様であり，M5aと大きく異なる．一部に非特異的エステラーゼ染色弱陽性である．

2）細胞表面マーカー検査

M3では汎骨髄性抗原であるCD13，CD33のみ陽性が多い．他のAMLに多く認めるCD34，HLA-DRは通常陰性である．単球系白血病細胞ではCD34陰性が多いが，HLA-DRは強陽性である．M3vでは，CD13とCD33に加えて，CD34，HLA-DR陽性例が多く，汎T細胞抗原のCD2陽性例が多いのが特徴である．

3）凝固検査

APLのDICは凝固の亢進とともに強い線溶亢進を伴うのが特徴である[1,3)]．APLの凝固異常は種々の因子が複合して形成される．APL細胞の顆粒には第Ⅶ因子を活性化する組織因子が多く含まれる．また，直接第X因子を活性化するcancer procoagulant（PC）も関与するとされる．線溶亢進はプロテアーゼやウロキナーゼ型プラスミノゲン活性化因子が担っている．さらに，細胞表面上に発現するアネキシンⅡがプラスミノゲンと組織型プラスミノゲン活性化因子の受容体として働き，プラスミン産生を促進して線溶を亢進する．また，APL細胞が産生するサイトカインIL-1βやTNF-αは血管内皮細胞の組織因子発現を亢進し，トロンボモジュリン発現を低下させて血管内皮における血栓形成を促進する．線溶亢進型のDICでは，フィブリノゲンの低下，α_2プラスミンインヒビターの低下を認め，アンチトロンビンⅢは正常である．

4）染色体検査

APLの大半に染色体転座t(15;17)(q24.1;q21.2)を認める．付加的染色体異常は2～3割に認め，7，8，9番染色体の不均衡型異常，特に+8を10～15%に認める．また，細胞形態ではAPLと診断されても*PML::RARA*陰性例があり，その融合遺伝子の同定に染色体検査は欠かせない．

5）*PML::RARA*融合遺伝子の同定

17番染色体の*RARA*の切断点はintron 2で一定であるが，15番染色体の*PML*上の切断点には，intron 3（short form：bcr3），exon 6（variant form：bcr2），intron 6（long form：bcr1）の3ヵ所がある．Long formが約65%と最も多い．また，まれながら*PML::RARA*以外の融合遺伝子を持ったAPLがあり，この場合，主に*RARA*が*PML*以外の遺伝子と融合する形をとることから，ATOは基本的に無効であると考えられ，ATRAの有効性はパートナー遺伝子によって異なる[3,4)]．したがって，細胞形態によりAPLと診断すると同時に，ATRAやATOが有効なAPLであることを確認するために，FISH法やRT-PCR法により*PML::RARA*を同定することが重要である．*PML::RARA*は測定可能残存病変（measurable residual disease：MRD）の検出にも有用である．

4 治療と予後

APLの治療成績はATRAとATOの登場により飛躍的に向上し，最も治癒しやすい白血病となった[1,2)]．2022年8月時点でわが国ではATOは再発・難治例にのみ保険適用があるのでATRAと化学療法による治療について記載し，欧米で標準となっているATRAとATO併用療法は後述する．

1）ATRAと化学療法併用療法

ATRAと化学療法の併用によって治療する場合，ATRA単独または化学療法を組み合わせた寛解導入を行い，寛解後療法として短期間の地固め療法と必要に応じて長期間の維持療法を行う．臨床試験では治療の各段階でさまざまな比較検討が行われているが，得られた治療成績は各試験の治療レジメンに従って寛解導入から維持療法まで実施した結果であり，これらはセットで考えるべきである．異なる臨床試験の寛解導入・地固め・維持療法を組み合わせても期待通りの効果が得られるとは限らず，避けるべきである．

a）寛解導入療法

ATRA 45 mg/m^{2}を連日経口投与し，寛解まで持続する．併用する化学療法はアントラサイクリン系と

cytarabine（Ara-C）が多い．Idarubicin（IDR）のみを隔日で4日間投与するAIDA療法もよく用いられてきた．日本成人白血病治療共同研究グループ（Japan Adult Leukemia Study Group：JALSG）では治療前白血球数により併用するIDRとAra-Cの日数を変えている．白血球数3,000/μLかつAPL細胞1,000/μL未満ではATRAのみで寛解導入を開始する．それ以上，あるいは治療途中でAPL細胞が1,000/μL以上となった場合にIDR/Ara-Cを併用する．ATRAの副作用には，皮膚障害，胃腸障害，骨痛，頭痛，高トリグリセライド血症，肝障害のほかに白血球増加症やDSがある．血小板の回復は3週頃，白血球の回復は4週頃よりみられ，5～6週で寛解に達することが多い．

b）DIC対策

ATRAと化学療法による非寛解の主因は臓器出血とDSによる早期死亡であり，治療抵抗例はほとんどない．DICは化学療法による細胞破壊に伴って増悪するので治療初期に臓器出血をきたし，頭蓋内出血と肺出血は致死率が高い．線溶亢進型のDICでは血小板とフィブリノゲンの補充が重要な予防となる．血小板は少なくとも3万/μL，できれば5万/μL以上を，フィブリノゲンは150 mg/mL以上を保つようにする．化学療法に先立ってこれらを補充するのがポイントである．フィブリノゲンは凍結血漿で補充するので塩化ナトリウムが大量に入り，心不全をきたしかねないので利尿に注意する．抗凝固療法も適宜行われ，トロンボモジュリンアルファ点滴などが使用されるが，トラネキサム酸などによる抗線溶療法はATRA投与下では血栓症の危険が増すため勧められない．

c）APL分化症候群（DS）

DSは，APL細胞の分化増殖に伴って肺や腎へ細胞浸潤し，サイトカインストームによる重篤な状態へいたる特有の合併症である．IL-1，IL-6，IL-8やTNF-αなどのサイトカインとICAM-2やLFA-1などの接着分子の発現が関与する．その結果，分化したAPL細胞の組織への浸潤や微小循環障害とともに毛細血管漏出症候群や全身性炎症反応症候群（systemic inflammatory response syndrome：SIRS）へと進展する．ATRAやATOによる寛解導入初期の白血球数増加時に併発しやすいが，必ずしも白血球数とは相関せず，また治療開始前より併発することもある．ATRAと化学療法による寛解導入では20％前後に併発する．DSはまた出血や感染症などの合併と相関する．発熱，体重増加，呼吸不全，肺浸潤，胸水あるいは心嚢液，低血圧，腎不全の7項目中2項目以上あれば臨床的に診断される．しかし，病像の完成を待っていては手遅れになり，早期治療が重要である．スペインのPETHEMAグループはDSを2～3項目のみのmoderateと4項目以上のsevereに分けて解析し，severeにいたると死亡率が26％と非常に高くなることを示している（**表1**）[6]．したがって，DSを疑ったら，すなわち実質的には上記7項目のうちの1項目でも認められた段階で，可及的速やかに治療を開始する．この段階では感染症など他の原因による可能性もあるが，それでもDSの治療は開始することが推奨され，他の原因についてはDSの治療と並行して精査や治療を行う．DSの治療としてはdexamethasone 10 mgを1日2回経静脈的に投与する．重篤な場合はATRAやATOを休薬し，DSの終息を待って慎重に再開する．

d）地固め療法

アントラサイクリン系とAra-Cによる化学療法を3コース行うのが一般的である．ATRA療法後の地固め療法では骨髄抑制が遷延する場合があり，特に高齢者では感染症による死亡例が多い．地固め療法の化学療法にATRAを14日間併用することにより無病生存率（disease-free survival：DFS）が有意に改善され，特に白血球高値の高リスク群で有効とされる．また，地固め療法にATOを2コース組み込んだ米国の試験では有意にDFSが改善され，高リスク群においてその効果は著しかった．

e）維持療法

JALSG APL97試験における化学療法による維持療法は観察群と比較してDFSに有意差を認めず，全生存率（overall survival：OS）はかえって観察群のほうが良好であった．十分な地固め療法を行いMRD陰性化後の化学療法は不要であることを示唆する．欧州APL93試験では，ATRA，methotrexate（MTX）および6-mercaptopurine（6-MP）による少量化学療法あるいは両者の併用のいずれも観察群より良好なDFSを得た．しかし，まったく同じ維持療法を行ったGIMEMA試験ではDFSに有意差を認めなかった．両試験は地固め療法が異なっており，このように維持療法の効果はその前までの治療プロトコールによっても左右される．JALSG APL204試験ではATRAと合成レチノイン酸tamibaroteneによる維持療法の比較試験を行い，特に治療前白血球数1万/μL以上の高リスク例において，tamibarotene群の無再発生存率（relapse-free survival：RFS）が有意に良好であった[7]．

g）ATRAと化学療法併用療法の成績

ATRAと化学療法を実施した欧州APL93試験とJALSG APL97試験のよる長期治療成績を比較すると

◆表 1 PETHEMA LPA96 and LPA99 試験における DS の程度と治療効果

	DS なし	Moderate	Severe	DS 全体
症候の数	0～1	2～3	≧4	≧2
症例数	556	90 (12%)	93 (13%)	183 (25%)
年齢中央値（範囲）	39 (2～83)	―	―	43 (3～78)
白血球数（/μL）	2.0 (0.2～460)	―	―	3.3 (0.4～133)
ATRA の休薬	87 (16%)	54 (60%)	60 (64%)	114 (62%)*
DEXA 治療	90 (16%)	74 (82%)	84 (90%)	158 (86%)*
血液透析	NA	1 (1%)	11 (12%)	12 (6.6%)*
人工呼吸器管理	NA	7 (8%)	24 (26%)	31 (17%)*
寛解導入中死亡	37 (7%)	5 (6%)	24 (26%)	29 (16%)*
DS による死亡	0	0	10 (11%)	10 (5%)*
出血による死亡	22 (4%)	5 (6%)	10 (11%)	15 (8%)*
感染症死	14 (2%)	0	3 (3%)	3 (2%)
血栓症併発	18 (3%)	3 (3%)	9 (10%)	12 (7%)*

*$p<0.05$, DEXA：dexamethasone 10 mg を 1 日 2 回静注．DS の診断は次の項目に基づく：呼吸困難，原因不明な発熱，5 kg 以上の体重増加，原因不明の低血圧，急性腎不全，肺浸潤あるいは胸水もしくは心囊液貯留を示す胸部 X 線所見．
[麻生範雄：急性前骨髄球性白血病．血液専門医テキスト，第 3 版，日本血液学会（編），南江堂，p.291，2019 より転載]

◆表 2 ATRA と化学療法による初発 APL の長期治療成績

	Euro APL93	JALSG APL97	JALSG APL204
症例数	576	283	344
年齢中央値（範囲）	46(28～72)	48(15～70)	48(15～70)
治療前白血球数中央値（範囲）($\times 10^9$/L)	-	1.7(0.03～257)	1.4(0.1～127)
治療前血小板数中央値（範囲）($\times 10^9$/L)	-	30(2～238)	31(1～470)
M3v	81(15%)	18(6%)	21(6%)
完全寛解	533(92.5%)	267(94%)	319(93%)
10 年累積再発率	26.60%	26.50%	-
10 年累積非再発死亡率	11%	8.60%	-
無イベント生存率	10 年 61.7%	-	7 年 79%
無病生存率	-	10 年 67%	-
全生存率	10 年 77%	10 年 78.8%	7 年 87%

（**表 2**），両者は酷似し，寛解率は 90%を超える．寛解中の非再発死亡を 10%前後に認め，多くは地固め療法中の感染症による．再発を 26%に認め，OS は 77～78%である．また，治療関連骨髄異形成症候群や AML を認める場合がある．したがって，ATRA と化学療法における課題として，臓器出血と DS による早期死亡，寛解中の感染症による非再発死亡，再発および治療関連骨髄性腫瘍が挙げられる．後年実施された JALSG APL204 試験の長期結果では，無イベント生存率（event-free survival：EFS）・OS は改善し，寛解に達した症例の多くで長期生存が得られるようになっているが，寛解率は過去の試験と同程度であり，寛解導入中の早期死亡の抑制は最も重要な課題であることが示唆される．

h）ATRA と化学療法における予後因子

年齢と治療前白血球数が DFS に対する予後因子である．60 歳以上では寛解率，DFS，OS が有意に低い．治療前白血球数 10,000/μL 以上は，DFS に対する高リスク群である．PETHEMA の Sanz らは治療前血小板数も予後因子として，白血球数 10,000/μL 以下かつ血小板数 40,000/μL 超を低リスク群，白血球数 10,000/μL 以下かつ血小板数 40,000/μL 以下を中間リスク群，白血球数 10,000/μL 超を高リスク群としている．また，CD56 陽性は独立した予後不良因子であり，CD56 陽性例は髄外再発しやすいとされる．

◆表３　初発 APL に対する AIDA 療法を対照とした ATRA+ATO 併用療法の治療成績

試験	寛解導入療法	症例数	年齢中央値	リスク群	%CR	%DS	%CIR	%DFS	%EFS	%OS
APL0406	AIDA[a]	137	47（18～70）	低/中間	97	13	14（4）	83（4）	80（4）	93（4）
	ATRA ＋ ATO[b]	129	47（19～70）	低/中間	100	17	2（4）*	97（4）*	97（4）*	99（4）*
UK MRC AML17	AIDA[a]	119	47（16～77）	全	89	21	18（4）	－	70（4）	89（4）
	ATRA ＋ ATO ＋（GO）[c]	116	47（16～75）	全	94	26	1（4）*	－	91（4）*	93（4）
ALLG APML3	AIDA[a]	70	39（19～73）	全	91	－	－	79（5）	72（5）	83（5）
ALLG APML4	ATRA ＋ ATO ＋ IDR	124	44 （3～78）	全	95	14	5（5）	95（5）*	90（5）*	94（5）*

CR：完全寛解，CIR：cumulative incidence of relapse（累積再発率），EFS：無イベント生存率，括弧内は観察期間（年）
a：ATRA ＋ MTX ＋ 6-MP の維持療法あり，b：途中白血球数増加例には hydroxycarbamide（hydroxyurea）併用，c：高リスク群および寛解導入途中に白血球増加例には GO 併用，*$p<0.05$
［麻生範雄：急性前骨髄球性白血病．血液専門医テキスト，第３版，日本血液学会（編），南江堂，p.292，2019 より転載］

2）ATRA と ATO 併用療法

a）ATRA と ATO による寛解導入療法および地固め療法

海外では化学療法薬を極力用いずに ATRA と ATO のみで寛解導入から地固めまでを行う ATRA と ATO 併用療法が開発され，高い有効性が示されている．海外では ATRA と ATO 併用療法が初発 APL の標準治療とされ，また化学療法薬の投与が最低限となることから高齢者や小児への応用も期待されている．代表的な APL0406 試験では，ATRA + ATO 群の寛解導入は，ATRA 45 mg/m^2 および ATO 0.15 mg/kg が day 1 から完全寛解が得られるまで（最長 day 60 まで）投与される[8]．地固めでは，ATRA は２週間投与・２週間休薬を計７コース，ATO は週５回で４週間投与・４週間休薬を計４コース，それぞれ投与される．維持療法はない．寛解導入において白血球増多をきたした場合は，hydroxycarbamide（hydroxyurea，HU）を投与する（APL0406 試験での HU の最大投与量はわが国での承認用量を超えていることに留意）．英国の AML17 試験や米国の試験では，治療前あるいは治療後白血球数高値に対して gemtuzumab ozogamicin（GO）を投与する．ATO には肝障害，末梢神経障害および QT 延長などの副作用がある．最低週２回は QTc を測定し，500 msec 以上に延長した時には ATO を休薬する．また，血清カリウムやマグネシウムが低下しないように補充する．

b）ATRA と ATO 併用療法の成績

APL0406 試験は治療前白血球数１万 /μL 未満の標準リスク例を対象とし，AIDA 療法との比較において，ATRA と ATO 併用療法は再発率が低く EFS や OS は有意に良好であった（**表３**）[8]．AML17 試験は全リスクを対象としているが，標準リスクでの比較ではやはり ATRA と ATO 併用療法の EFS が AIDA 療法に対して有意に優れていた．白血球数１万 /μL 以上の高リスク例を対象とした無作為化比較で ATRA と ATO 併用の優越性を示した試験は未だないが，高リスク例に対する ATRA と ATO 併用療法の治療成績は，AML17 試験では４年 EFS 87％，OS 87％，米国の試験では５年 EFS 81％，OS 86％と良好である．

3）MRD のモニタリングと再発時の治療

a）MRD のモニタリング

治療中および治療後は，定期的に骨髄 *PML::RARA* による MRD 評価を行う．ATRA と化学療法併用および ATRA と ATO 併用のいずれの場合も，寛解導入療法直後は血液学的寛解が得られても MRD は陽性であることが多い．しかし，地固め療法終了までには MRD が陰性化している必要がある．まれであるが地固め療法後も MRD が陽性の場合は治療抵抗例として再発例に準じた対応を行う．治療中あるいは治療終了後にいったん陰性となった MRD が再び陽性となった場合は，２～４週後に再検する．２度の検査で MRD 陽性と確定した場合は分子学的再発と診断され，血液学的再発と同様に再発例として対応する．

b）再発時の治療

初発時の治療法および再発時期によって，再発時の治療選択は異なる．ATRA と化学療法後の再発例，および ATRA と ATO 併用後６ヵ月以上経ってからの再発例の第一選択は ATO である．ATRA の併用も検討される．ATO は再寛解まで連日投与し，白血球数が２万 /μL または APL 細胞が 5,000/μL に増加した場合は IDR を併用する．通常，80％以上に再寛解が得られる．

再寛解後は ATO 週５日間，５週間の地固め療法を２コース行い，65 歳未満であれば，大量 Ara-C による末梢血幹細胞採取後に，busulfan/melphalan を前処置とした自家移植を行う．その際，骨髄および採取した末梢血幹細胞中の *PML::RARA* 陰性を確認する必要がある．この治療プロトコールを用いた JALSG

PL205試験では，5年EFS 65%，OS 77%と良好な成績を報告している．再寛解導入を行っても分子学的寛解にいたらない場合や，採取した自己末梢血幹細胞で*PML::RARA*が陽性の場合は，同種移植を考慮する．

ATRAとATO併用療法後，6ヵ月以内の早期再発例では，ATRAと化学療法併用による再寛解導入を行う．その後，分子学的寛解例には自家移植が勧められる点は同様である．

移植非適応例やATOで寛解にいたらない場合は，GOによる治療を行う．

文　献

1）日本血液学会（編）：造血器腫瘍診療ガイドライン2023年版，金原出版，p47，2023
2）Sanz MA et al: Blood **113**: 1875, 2009
3）麻生範雄：臨血 **59**: 725, 2018
4）Grimwade D et al: Leukemia **16**: 1959, 2002
5）Bennett JM et al: Leukemia **14**: 1197, 2000
6）Montesinos P et al: Blood **113**: 775, 2009
7）Shinagawa K et al: J Clin Oncol **32**: 3729, 2014
8）Lo-Coco F et al: N Engl J Med **369**: 111, 2013

9 治療関連骨髄性腫瘍

到達目標

- 治療関連骨髄性腫瘍の病態，臨床的特徴を理解し，この疾患に対する治療計画を立てられるようになる

1 病因・病態・疫学

細胞毒性を有する化学療法薬，電離放射線への曝露後に造血器腫瘍の発生頻度が増加することが知られており，これらはWHO分類改訂第4版（2017年）において「治療関連骨髄性腫瘍（therapy-related myeloid neoplasms：t-MN）」としてまとめられている[1]．WHO分類第5版では，二次性骨髄性腫瘍（secondary myeloid neoplasms）の中の，細胞毒性治療後の骨髄性腫瘍（myeloid neoplasms post cytotoxic therapy，MN-pCT）となる予定である[2]．さまざまな悪性腫瘍に対する治療の進歩に伴い長期生存者が増えており，t-MN患者数も増加している．t-MNは化学療法/放射線治療の長期有害事象の1つと考えられ，病歴によって規定される造血器腫瘍の一群である．細胞毒性（DNA損傷性）治療あるいは一定範囲以上の放射線治療後に発症した急性骨髄性白血病（acute myeloid leukemia：AML），骨髄異形成症候群（myelodysplastic syndromes：MDS），骨髄異形成/骨髄増殖性腫瘍（myelodysplastic/myeloproliferative neoplasms：MDS/MPN）を含み，これらの疾患定義に当てはまらないクローン性造血は含まない．なお，MDS，MPN，MDS/MPNから進展したAMLは治療歴があっても別のカテゴリーに分類される．

t-MNの病因の1つとして，細胞毒性を持つ薬物，放射線による造血細胞の遺伝子変異の惹起と形質転換，それに引き続くt-MN発症が考えられる[3]．したがって，薬物代謝や細胞毒に対する反応の個人差（たとえば，薬物代謝やDNA修復に関連する蛋白の多型など）がt-MN発症に関係しうる．もう1つの病因として，化学療法/放射線療法を受ける以前より存在していた遺伝子変異を有する造血細胞が，治療をきっかけとして選択されるという状況が考えられている．細胞毒性治療に抵抗性を与える遺伝子変異（たとえば*TP53*変異や*PPM1D*変異）を持つ造血前駆（幹）細胞が治療前より少数存在しており，化学/放射線療法はそうした細胞が増殖優位性を発揮する契機となって治療後に遺伝子変異を持つ細胞集団が増大し，この集団がさらなる遺伝子変異を獲得することでt-MN発症につながるというものである[3]．最初にみられる遺伝子変異は加齢などの影響で自然に獲得されていると考えられており，クローン性造血を有する例ではt-MNリスクが高いとの報告もある．このほかにも，化学/放射線療法の造血微小環境への影響とそれに基づく造血前駆（幹）細胞の形質転換なども病因につながりうると考えられている．

◆表1　薬剤による治療関連白血病の違い

	アルキル化薬	トポイソメラーゼⅡ阻害薬
発症までの期間	5～10年	1～5年
MDS期の存在	あり	なし
ゲノム/染色体異常	• 5番，7番の異常 • 複雑核型 • TP53変異	• 11q23/MLL転座 • 転座型染色体異常 • t(8;21)，t(15;17) • *RUNX1::RUNX1T1* • *PML::RARA*

t-MNでは，投与された薬剤の種類と臨床像に一定の関連がある．代表的な比較を**表1**に示す．アルキル化薬は治療から5～10年を経てt-MNを生ずる．その際には，血球の異形成と血球減少がみられ，5番，7番染色体の異常を持つ複雑核型の治療関連MDSとして発症し，*TP53*変異を伴うことが多い．その後，一部がAMLへと進展する．トポイソメラーゼⅡ阻害薬治療後は，アルキル化薬後のt-MNとは異なり血球減少期を経ることなく，1～5年でAMLとして発症してくる．均衡型の染色体転座を持つ例が代表で，11q23に切断点のある転座がみられ，11q23にコードされる*KMT2A*遺伝子の再構成を伴う例や，t(8;21)/*RUNX1::RUNX1T1*，t(15;17)/*PML::RARA*，inv(16)/*CBFB::MYH11*などのゲノム変異がみられる．しかし実臨床では，両グループの薬剤を組み合わせて治療されることが多く，明確な区別は困難である．米国からの報告では，固形腫瘍に対する化学療法後の二次性MDS/AMLの危険度は原発腫瘍によってさまざまである（**表2**）[4]．また，自家造血幹細胞移植もt-MNのリスク因子である．t-MNは造血器腫瘍，固形腫瘍に対する化学療法の拡大，一次腫瘍の予後の改善に伴って増加していると考えられる．

2 症候・身体所見

患者の状態は発症したt-MNのタイプとともに，原発悪性腫瘍の経過や過去に実施された治療内容などによって大きく異なる．二次性の造血器腫瘍は通常，化学療法・放射線療法から数年を経て発症するため，t-MN例では原疾患のコントロールはある程度できている場合が多いと考えられるが，再発の有無，コントロール状況，原疾患そのものやその治療による臓器障害の程度など，患者の症状，状態に大きく影響を与えるさまざまな要因が存在する．そしてこれらは，t-MNに対する治療方針にも大きな影響を与える．t-MNに特異的な症状，症候はない．

◆表2　固形腫瘍治療後の治療関連骨髄性腫瘍のリスク

原発固形腫瘍	標準化罹患比（95% CI）	過剰絶対危険度
食道	3.9（2.7～5.5）	9.9
非小細胞肺がん	3.5（3.0～4.1）	7.7
乳がん（女性）	3.8（3.5～4.1）	3.6
軟部腫瘍	10.4（6.4～15.9）	12.6
卵巣	5.8（4.8～6.9）	8.2

（文献4より引用）

3 診断・検査

t-MNの診断は治療歴とそれぞれMNの*de novo*症例診断基準に準じて行われる．多くの例では多系統の血球に異形成が存在しており，5番，7番染色体の異常と複雑核型，*TP53*変異，*PPM1D*変異を高頻度に伴うことが知られているが，均衡型の染色体転座例においても異形成を認めることがあるとされる．原疾患がMPNの場合は経過中に化学療法を受けたとしても，そこから発症してくるAMLは化学療法の影響と原疾患の自然経過によるものかの区別がつかないため，「MPN」カテゴリーで取り扱うと規定されている．

診断に際しては，身体所見，血液検査，骨髄検査など一般的な白血病・骨髄性腫瘍の診断と同じ検査が必要となる．原発腫瘍に対する化学療法・放射線治療の内容〈薬剤と投与量［アントラサイクリン系薬剤の累積投与量（doxorubicin換算）］，投与スケジュール，放射線治療の場合には線量，照射部位，照射計画など〉，治療を受けてから発症までの期間も重要な情報である．骨髄，末梢血では芽球割合，異形成の有無，加えて一連の細胞化学検査，細胞表面マーカー，染色体検査を行う．ゲノム変異情報も重要である．さらに，原発悪性腫瘍の確認，臓器機能の確実な評価も欠かせない．

病型の分類は初発例の取り扱いに準じて行うが，芽球割合と末梢血血算がその基本となる．しかし，初発例とは異なりいずれとも判定しがたい中間的な症例もある．AMLの病態をとる際には芽球増加の前にしばしば数ヵ月以上の血球減少期を認め，FAB分類でみられるM1，M2，M4などとして白血病化することが多い．t-AML/MDSのFAB病型については国内での大規模調査が実施されており，**表3**のような結果となっている[5]．異形成は3血球系統にみられ，末梢血では貧血，血小板減少がある．白血球減少もよくみられる．骨髄は過形成がほとんどだが，なかには低形成の場合，骨髄線維化を伴う場合もある．一方で発症までの期間が比較的短く，均衡型染色体異常（相互転座/融合遺伝子形成）の例も存在する．こうした例はより初発型に近く，形態異形成も認めない場合が多い．典型的には，トポイソメラーゼⅡ阻害薬による治療関連造血器腫瘍に認められる．

染色体核型およびゲノム変異は治療法の選択とも関連して重要である．報告によってさまざまだが，一般に初発MDS，初発AMLと比較して染色体異常の割合が高い[6]．5番，7番染色体異常が最も多く40～

◆表3　国内の治療関連 AML/MDS の病型診断

診　断	FAB 病型	患者数（人）	頻度（%）
AML	M0	3	1
	M1	20	8
	M2	40	16
	M3	19	7
	M4	25	10
	M5	25	10
	M6	5	2
	M7	4	2
	分類不能	9	4
		150	59
MDS	RA	38	15
	RARS	6	2
	RAEB	28	11
	RAEB-t	20	8
	CMML	14	6
		106	41
合計		256	100

70%の症例で同定される．それぞれの染色体の欠損，長腕の部分欠損で，これらを含む複数の染色体異常を同時に持つ複雑型の頻度も高い．また，10%程度には均衡型の転座がみられ，11q23 切断点での再構成，t(15;17)，t(8;21)，inv(16) などがみられる．このなかで t(15;17) は初発白血病でみられる通り急性前骨髄球性白血病（APL）と対応しており，*PML::RARA* 融合遺伝子が存在する．このように初発例でみられる均衡型の染色体異常を持つ例では，融合遺伝子 / 融合蛋白が形成されており，治療反応性を含めた白血病そのものの病態は初発型で同じ染色体異常を有する例に類似すると考えられている．正常核型例も一部にみられるが，初発例との予後の差は明らかではない．遺伝子レベルでは，融合遺伝子形成にかかわる *RUNX1*，*MLL*，*RARA*，*EVI1* などのほかに，*TP53*，*RUNX1*，*KIT*，*RAS* 遺伝子変異などが同定される．最も頻度が高いのは *TP53* 変異である．染色体異常と同様に t-MN に特異的な遺伝子異常は同定されていない．

4　治療と予後

t-MN を主な対象とする臨床試験はきわめて少ない．これまでの経験等より，白血病に対する治療では，実施可能であれば，まず化学療法が選択されることが多い．治療関連 AML を含む 60 〜 75 歳の AML を対象とした前向き試験において，daunorubicin と cytarabine のリポソーム製剤である CPX-351 が通常化学療法と比較して寛解率，生存期間ともに優っていたことから，欧米では CPX-351 には t-AML に対する適応がある[6]．国内でも臨床試験が進行しており，その結果が待たれる．後方視的解析データからは，一般に t-MN に対する治療成績は，初発例と比較して劣ると考えられる．また，t-MDS と t-AML の生存期間は初発例でみられるような差がなく，t-AML における不良な治療反応と同時に，t-MDS では白血病化のみならず，血球減少に伴うイベントも多いことがわかる．一定の強度を持つ化学療法が実施されても寛解率は 40 〜 50%程度であり，2 年生存率は 10 〜 20%と不良である．こうしたなかで，t(15;17) / *PML::RARA* を有する例では全トランス型レチノイン酸（ATRA）など APL の治療が有効であり，化学療法との併用によって他の病型より良好な成績が期待される．同様に t(8;21) / *RUNX1::RUNX1T1*，inv(16) / *CBFB::MYH11* を有する症例も，他病型より化学療法感受性が高いと考えられる．一方で 5 番，7 番染色体異常や複雑核型，*TP53* 変異症例は治療反応性が悪い．患者年齢や臓器機能を考慮して実施される化学療法（低用量 cytarabine，azacitidine，venetoclax など）は，どの程度有効なのか明らかではない[6]．

同種造血幹細胞移植は治癒をもたらしうる治療と考えられている．しかし，原発悪性腫瘍に対する化学療法，放射線療法，手術は，患者臓器機能や臓器予備能に何らかの影響を残していることが多く，移植関連有害事象を増加させると考えられる．*TP53* 変異を有する造血器腫瘍に対しては同種移植後の長期生存例は少数と報告されており，さらに，t-MN を対象とする移植の前向き試験は実施されておらず，全体として同種造血幹細胞移植が生存を改善させるのか結論は出ていない．実臨床では全身状態，臓器予備能がよく，t-MN がうまくコントロールされている症例に対してより多く同種造血幹細胞移植が選択されていると思われる．

予後と関連する因子は，年齢を含む患者全身状態，臓器機能，t-MN のゲノム変異 / 染色体核型である．治療計画を立てていくうえでは，①患者の状態からして一定の強度を持つ化学療法が実施できるのかどうか，②染色体核型で ATRA による分化誘導療法や化学療法が有効なタイプかどうか，③同種造血幹細胞移植が実施できるかどうかが治療を選択していくうえで重要なファクターとなる．これらは初発例に対する治療選択法と重複するが，t-MN では初発例と比較して十分な治療ができない例も多い．

■文　献■

1) Swerdlow SH et al (eds) : Therapy-related myeloid neoplasms. WHO Classification of Tumours of Haematopoietic and Lymphoid Tissues, 4th ed, Revised ed, IARC Press, p153-155, 2017
2) Khoury JD et al: Leukemia **36**:1730, 2022.
3) McNerney ME et al: Nat Rev Cancer **17**: 513, 2017
4) Morton LM et al: Blood **121**: 2996, 2013
5) Takeyama K et al: Int J Hematol **71**: 144, 2000
6) Strickland SA et al: Cri Rev Oncol Hematol **171**: 103607, 2022

10 急性リンパ性白血病（Ph 染色体陽性急性リンパ性白血病を除く）

到達目標

- 急性リンパ性白血病（ALL）の病態・症候を理解し，適切に診断・分類ができ，予後因子を理解して治療法を選択できる

1 病態・疫学

急性リンパ性白血病（acute lymphoblastic leukemia：ALL）は ALL 細胞全体のうちのわずかな ALL 幹細胞に由来する．発症時にはすでに派生クローンができて多クローン性になっており，化学療法感受性の優性クローンが駆逐されても感受性の低い劣性クローンが優勢となって再発してくる可能性を示している．

フィラデルフィア（Ph）染色体または *BCR::ABL1* 融合遺伝子陽性 ALL（Ph⁺ALL）と陰性 ALL に大別されるが，そのほかの分子病態も徐々に解明されてきている．

発症は小児に多く，わが国の統計では B 細胞性 ALL（B-ALL）は 1 ～ 4 歳，T 細胞性 ALL（T-ALL）は 5 ～ 14 歳が最多である[1]．成人の罹患率はおおむね 10 万人に 1 人程度であり，20 歳から 60 歳までは年齢による発症頻度に差はみられないが 60 歳を超えると増加してくる．成人では約 75 ～ 80％が B-ALL である．

2 症候・身体所見

骨髄での正常血液細胞の産生不良により，全身倦怠感，息切れ，めまい，動悸などの貧血症状，感染，出血症状がみられる．病状が進行すると脾臓，肝臓およびリンパ節への白血病細胞浸潤による腫大がみられる．最近では健康診断時の検査異常で発見される例も増加しており，そのような場合は無症状である．

頭痛，嘔吐などの症状があれば，**中枢神経系白血病**（central nervous system leukemia：CNSL）を疑う．

3 診断・検査

1）診　断

通常は末梢血では白血球増加，貧血，血小板減少がみられる．骨髄では白血病芽球が認められるが，末梢血には芽球が認められないこともある．骨髄の細胞数が多いと骨髄が吸引できない dry tap になることがあるが，生検検体のスタンプ標本で診断可能である．芽球はペルオキシダーゼ陽性細胞が 3％未満である．リンパ芽球性リンパ腫（lymphoblastic lymphoma：LBL）と ALL は本質的には同じ疾患と考えられており WHO 分類*でも ALL/LBL として同一疾患単位にまとめられている[2]．骨髄に腫瘍細胞が存在し，かつ腫瘤性病変を作ることもあるので ALL と LBL の境界は必ずしも明瞭ではない．一般的に骨髄中に 25％を超す腫瘍細胞が存在するものを ALL とすることが多い．

2）分　類

WHO 分類第 4 版（2008 年）からは病態に基づく遺伝子異常により分類されており，これは第 5 版（2022 年）でも踏襲されている（**表 1**）[2]．第 5 版でも B-ALL/B-LBL は第 4 版と同様に非特定型と反復性遺伝子異常を伴うものに細分類されているが，第 5 版ではさらに新しい病型が追加されている．T-ALL/T-LBL は非特定型と早期 T 前駆細胞（early T-precursor lymphoblastic leukaemia / lymphoma：ETP-ALL/LBL）に分けられ，第 4 版で暫定病型として T-ALL/T-LBL の中に組み込まれていた NK-lymphoblastic leukaemia/lymphoma（NK-ALL/LBL）

*本書は基本的に WHO 分類改訂第 4 版（2017 年）に基づいて記載しているが，必要な場合には WHO 分類第 5 版（2022 年）にも言及している．

◆表 1 ALL の WHO 分類第 5 版 (2022 年) [第 4 版との比較]

■ Precursor B-cell neoplasms *B-cell lymphoblastic leukaemias/lymphomas*

第5版	第4版
B-lymphoblastic leukaemia/lymphoma, NOS	第5版と同じ
B-lymphoblastic leukaemia/lymphoma with high hyperdiploidy	B-lymphoblastic leukaemia/lymphoma with hyperdiploidy
B-lymphoblastic leukaemia/lymphoma with hypodiploidy	第5版と同じ
B-lymphoblastic leukaemia/lymphoma with iAMP21	第5版と同じ
B-lymphoblastic leukaemia/lymphoma with *BCR::ABL1* fusion	B-lymphoblastic leukaemia/lymphoma with t(9;22)(q34;q11.2); *BCR-ABL1*
B-lymphoblastic leukaemia/lymphoma with *BCR::ABL1*-like features	B-lymphoblastic leukaemia/lymphoma, *BCR-ABL1*-like
B-lymphoblastic leukaemia/lymphoma with *KMT2A* rearrangement	B-lymphoblastic leukaemia/lymphoma with t(v;11q23.3); *KMT2A*-rearranged
B-lymphoblastic leukaemia/lymphoma with *ETV6::RUNX1* fusion	B-lymphoblastic leukaemia/lymphoma with t(12;21)(p13.2;q22.1); *ETV6-RUNX1*
B-lymphoblastic leukaemia/lymphoma with *ETV6::RUNX1*-like features	なし
B-lymphoblastic leukaemia/lymphoma with *TCF3::PBX1* fusion	B-lymphoblastic leukaemia/lymphoma with t(1;19)(q23;p13.3); *TCF3-PBX1*
B-lymphoblastic leukaemia/lymphoma with *IGH::IL3* fusion	B-lymphoblastic leukaemia/lymphoma with t(5;14)(q31.1;q32.1); *IGH/IL3*
B-lymphoblastic leukaemia/lymphoma with *TCF3::HLF* fusion	なし
B-lymphoblastic leukaemia/lymphoma with other defined genetic abnormalities	第5版と同じ

■ Precursor T-cell neoplasms *T-lymphoblastic leukaemia/lymphoma*

第5版	第4版
T-lymphoblastic leukaemia / lymphoma, NOS	T-lymphoblastic leukaemia/lymphoblastic leukaemia
Early T-precursor lymphoblastic leukaemia / lymphoma	Early T-cell precursor lymphoblastic leukaemia
第5版では削除	NK-lymphoblastic leukaemia/lymphoma

は第5版では削除された．また，かつてALLの1病型であったバーキット型は成熟B細胞性腫瘍でありB-ALL/LBLには含めない．

3) 主要な検査

a) 表面マーカー

B-ALL/LBLの細胞は$CD19^+$，cytoplasmic $CD79a^+$，cytoplasmic $CD22^+$であるがいずれも特異的ではない．またCD10，surface CD22，CD24，PAX5，TdTが陽性であることが多いがCD20，CD34の発現は一定していない．

T-ALL/LBLの細胞は通常TdTが陽性でCD7，CD3も陽性になることが多いがCD3のみがT細胞特異的とされている．他のT細胞性マーカーであるCD1a，CD2，CD4，CD5，CD8の発現は一定していない．CD4とCD8の両者が陽性になることも多い．T-ALL/LBL細胞とNK-ALL/LBL細胞との厳密な鑑別は困難である．CD56と未分化なT細胞マーカーであるCD2，CD7が陽性，免疫グロブリン（immunoglobulin：Ig）やT細胞受容体遺伝子（T-cell receptor：TCR）再構成が陰性であればNK細胞の可能性がある．

b) 染色体異常，遺伝子異常

WHO分類第4版に基づくALLの日本血液学会疾患登録数（2018～2020年の合計）を**表2**に示す．

北米の報告では成人B-ALLの27%が正常核型である．

B-ALLの染色体異常ではPh染色体が最多である．小児での頻度は5%程度であるが年齢とともに増加し60歳以上ではB-ALLの約半数，成人全体では約1/3がPh^+ALLである．その他はt(12;21)/*ETV6::RUNX1*，t(1;19)(q23;p13.3)/*TCF3::PBX1*，t(5;14)(q31.1;q32.1)/*IGH::IL3*，t(4;11)(q21.3;q23.3)/*KMT2A::AFF1*が知られており，わが国からは思春期および若年成人にt(1;1)(q21;q22)/*MEF2D::BCL9*，t(4;11)

◆表 2　WHO 分類改訂第 4 版に基づく ALL の日本血液学会疾患登録数（2018 ～ 2020 年の合計）

		0 ～ 14 歳	15 ～ 19 歳	20 ～ 29 歳	30 ～ 39 歳	40 歳以上	合計
B-ALL/LBL	非特定型	560	109	111	89	743	1612
	t(9;22)(q34;q11.2) *BCR::ABL1*	51	20	36	57	764	928
	t(v;11q23.3) *KMT2A* 再構成	47	5	5	7	16	80
	t(12;21)(p13.2;q22.1) *ETV6::RUNX1*	185	3	2	0	0	190
	高 2 倍体	241	5	2	0	11	259
	低 2 倍体	8	0	1	0	2	11
	t(5;14)(q31.1;q32.3) *IL3::IGH*	0	0	0	0	2	2
	t(1;19)(q23;p13.3) *TCF3::PBX1*	59	5	10	2	17	93
	BCR::ABL1-like	7	2	2	2	15	28
	iAMP21	4	0	0	0	0	4
T-ALL/LBL	非特定型	176	63	99	54	214	606
	早期 T 前駆細胞	13	4	4	3	21	45

(q35;q23.3) /*DUX4::IGH*，*ZNF384* 融合遺伝子が比較的多く認められることが報告されている．数的異常では高 2 倍体（hyperdiploidy，染色体数＞ 50），低 2 倍体（45 ＞染色体数）などが認められるがいずれも成人ではまれである．*BCR::ABL1* 融合遺伝子を持たないものの *BCR::ABL1* 陽性 ALL と類似の遺伝子発現プロファイルを持つ *BCR::ABL1*-like ALL は通常の臨床現場では診断困難である．

T-ALL の半数は通常の染色体分析では正常核型であるが，転座などの染色体異常があるにもかかわらず通常の染色体分析で検出できない例も多い．染色体異常例のうち TCR 領域の転座が多く t(7;10)(q34;q24) / *TCRB::HOX11* と t(10;14)(q24;q11) / *TCRA/D::HOX11* が約 30％を占める．TCR 以外では t(11;19)(q23.3;p13.3) / *KMT2A::MLLT1*，t(10;11)(p12.3;q14.2) / *PICALM::MLLT10*，細胞周期の制御遺伝子である *p16 (CDKN2A)*，*p15 (CDKN2B)*，*p14 (ARF)* の位置する 9p21 の欠失が知られている．

初診時に PCR でキメラ遺伝子のスクリーニング，免疫グロブリンまたは TCR 再構成を検索し，症例に特異的な遺伝子を調べておく必要がある．キメラ遺伝子のスクリーニングでは *major BCR::ABL1*，*minor BCR::ABL1*，*ETV6::RUNX1*，*TCF3::PBX1*，*STIL::TAL1*，*KMT2A::AFF1* などの検索が可能である．この結果により予後の類推，治療方針（移植適応，*BCR::ABL1* 陽性であればチロシンキナーゼ阻害薬の適応など）の判断が可能である．染色体分析の結果が出るまでに時間がかかる施設や染色体分析不能の症例でもキメラ遺伝子のスクリーニングで早期の診断が可能である．

さらにキメラ遺伝子，Ig または TCR 再構成で治療経過中の測定可能残存病変（measurable residual disease：MRD）の評価が可能になる．

4 治療と予後

1）予後因子

a）年　齢

年齢が高くなるにつれて寛解率が低下し，再発率と寛解中の死亡も増加する．30 歳または 35 歳以上が予後不良とされてきたが，成人白血病治療共同研究機構（Japan Adult Leukemia Study Group：JALSG）が 25 歳以上の Ph 陰性 ALL 341 例を解析した ALL202-O 研究[3] では予後不良は 41 歳以上であった．

b）初診時白血球数

30,000 ないし 50,000/μL 以上が予後不良である．T-ALL では，100,000/μL 以上が予後不良という報告もある．JALSG ALL202-O 研究[3] では，50,000/μL 以上が予後不良であった．

c）表面形質

以前は成人では B-ALL が T-ALL より予後不良とされたが，最近では予後に差はないと考えられる．

CD13, CD33 などの骨髄球系表面マーカーの発現も予後に影響しない.

d) 染色体異常

Ph 染色体, t(4;11) / *KMT2A::AFF1* 等の *KMT2A* 領域 (11q23) を含む再構成, 複雑核型, 低2倍体が予後不良な染色体として知られている. 成人の t(4;11)/*KMT2A::AFF1* 陽性例の完全寛解 (CR) 率は75%, 無病生存 (DFS) 期間中央値は7ヵ月と報告されている. t(1;19)/*TCF3::PBX1* は以前は予後不良とされていたが, 最近は成人ではむしろ予後良好と考えられている. 他の染色体異常と予後については成人例が少ないために小児の解析結果に基づいていることが多い. 低2倍体, 9番染色体短腕の異常は小児では予後不良であるが成人 ALL でも予後不良との報告がある. 高2倍体は小児では予後良好とされているが成人での成績は不明である. t(12;21)/*ETV6::RUNX1* も予後良好な染色体であるがほとんどが小児例である.

最近の大規模な成人 B-ALL の研究では *DUX4* 再構成, *ETV6::RUNX1*/-like, *TCF3::PBX1*, *PAX5* の P80R 変異, 高2倍体を標準リスク, *PAX5*alt, *ZNF384*/-like,*MEF2D* 再構成を中間リスク, Ph-like, *KMT2A-AFF1*, 低2倍体,*BCL2::MYC* 再構成を高リスクとしている[4]. 日本造血・免疫細胞療法学会のガイドライン (第3版) では染色体と遺伝子については *KMT2A* (*MLL*) 再構成, 低2倍体, 複雑核型 (反復性遺伝子異常を認めず, 染色体本数 40～50, かつ, 5つ以上の異常を持つ), *BCR::ABL1*-like (Ph-like), のいずれかの予後不良因子を持つものを高リスクに分類している.

分子病態では Ph 染色体または *BCR::ABL1* 遺伝子陰性にもかかわらず Ph⁺ALL と類似の遺伝子発現プロファイルを示す Ph-like ALL が注目されている. 成人では Ph-like ALL の約9割でキナーゼ活性が亢進しており, その過半数はサイトカインレセプターの一種である *CRLF2* の過剰発現である. Ph-like ALL は通常の化学療法では予後不良で小児, 思春期, 成人での5年無イベント生存 (EFS) 率はそれぞれ58%, 41%, 24%と報告されている. 治療には Ph⁺ALL と同じチロシンキナーゼ阻害薬や Janus kinase (*JAK*) 阻害薬が期待されている.

e) Prednisolone (PSL) 反応性

小児 ALL の治療では寛解導入の冒頭に prednisolone (PSL) 単独投与を7日間行うものが多く, この際8日目の末梢血芽球が 1,000/μL 以下となるかどうかで判定される PSL 反応性が重要な予後因子と考えられている. 成人においては PSL 反応性が予後因子になるかは賛否両論あり確立していない.

f) CR までの期間

治療開始後4週以内に CR となることが予後良好因子であるとの報告もあるが, 差がないとする報告もある. JALSG ALL202-O 研究[3] では, 2コース目で寛解に入った症例は予後不良であった.

g) 測定可能残存病変 (measurable residual disease : MRD)

血液学的に寛解に入っても表面マーカーあるいは PCR で検出できる MRD の残存は予後不良である. 最近では MRD が最も強い予後不良因子となる可能性が指摘されている. 寛解導入療法後および地固め療法後のいずれにおいても MRD が残存 (0.01%以上) していれば再発の危険性が高まる. 小児においては寛解導入療法後あるいは早期強化療法後の MRD で治療の層別化が行われているが, 成人においては MRD の判定時期と層別化治療は確立していない.

h) L-asparaginase (L-ASP) の投与量

modified DFCI 91-01 の報告では L-ASP の実投与量が少ないことが予後不良因子として挙げられている.

i) 再発例における移植

再発 ALL の予後はきわめて不良であり欧州の報告では5年全生存 (OS) 率は5～10%である. 再発例における予後因子として第1寛解の持続期間, 再発時血小板数, 再発時年齢が報告されているが, 最も重要な予後因子は同種造血幹細胞移植であり, 移植を施行しなかった症例の予後はきわめて不良である.

2) 化学療法

多剤併用化学療法で寛解導入, 地固め, 維持強化療法を行うのが原則である. 中枢神経再発も多いので methotrexate (MTX), cytarabine (Ara-C) の予防的髄注も必要である.

小児 ALL は成人 ALL より予後が良好であるが, その理由として成人には予後不良な遺伝子異常が多いこと, 十分な強度の化学療法が行えない場合があること, 成人と小児では化学療法の使用薬剤が異なること等が挙げられている. 小児 ALL の化学療法では L-ASP, vincristine (VCR), MTX が多く使われ, さらに早期から中枢神経再発予防が行われている. 小児プロトコール (CCG) および成人プロトコール (CALGB) で治療された16～20歳 (adolescents and young adults : AYA) の ALL の後方視的解析の報告では CR 率はともに90%であるが7年の EFS 率は CCG で63%, CALGB で34%, OS もそれぞれ67%, 46%であり, いずれも有意に CCG で良好であった[5]．この報告以降，小児ALLのプロトコールやこれを減量した治療，そのコンセプトを参考に考案した治療などの小児型化学療法で，若年成人あるいは60歳までの成人を治療する研究が多数行われ，その多くで従来のいわゆる成人型化学療法より良好な治療成績が報告されている．さらに，最近は小児ではリスク別に治療強度を変える層別化治療が行われることが多く，成人でも層別化治療を組み込んだ小児型化学療法が試みられている．しかし，成人ではL-ASPや大量MTXによる肝障害，血栓症，膵炎等の有害事象の頻度が高く，年齢が増すにつれて薬剤の投与量を減量する必要があり，また治療関連死亡も増えるため，世界中で小児型化学療法の適応年齢や薬剤投与量について模索が続いている．おもな小児型化学療法の成績を**表3**に示す．わが国ではJALSGが65歳までの成人の初発未治療Ph陰性B-ALLを対象としてL-ASPとステロイドを増量した小児型化学療法［JALSG Ph(-) B-ALL213研究］を施行し，その安全性と有効性を探索している．

いわゆる成人型化学療法としてはMD Anderson Cancer Center（MDACC）で開発されたcyclophosphamide（CPA），doxorubicin（DXR），VCR，PSLとAra-C，MTXの治療を交互に行い，L-ASPを併用しないHyper-CVAD/MA療法が代表的なレジメンである．小児型化学療法とHyper-CVAD/MA療法との優劣は明らかではない．

a）寛解導入療法

成人ALLに対しての**寛解導入療法**はVCR，PSL，CPAおよびアントラサイクリン系薬剤が基本で，小児型化学療法ではこれにL-ASPを加える．無作為化比較試験は行われていないので，どの寛解導入療法が優れているかについて判断することは難しい．寛解導入療法の副腎皮質ステロイドとしてPSLとdexamethasone（DEX）を比較した1,000例を超える小児例での検討では，DEX群におけるCNS再発の低下（7.1% vs 3.7%）と6年EFS率の改善（77% vs 85%）が認められたが，成人での有用性については否定的な報告もある．

b）地固め療法

地固め療法は治療法によりかなり異なるが，基本的には寛解導入で使用しなかった薬剤を含むなるべく多種類の薬剤を組み合わせて使用することが求められる．最近の多くのプロトコールでは，Ara-C大量療法，MTX大量療法が含まれている．MTX大量療法は本来はCNS再発予防を目的としているが，JALSG ALL202-O研究では寛解後療法に大量MTX（3 g/㎡）と中等量MTX（500 mg/㎡）を比較する試験を行い，大量MTXがCNSのみならず全身的にも有効であることを示した[3]．

通常，B-ALLとT-ALLは同じ化学療法を行うが，T-ALLではnelarabine（NEL）の効果も検討されている．NELは血漿中でara-GTPに変換されDNAポリメラーゼを阻害するが，細胞内ara-GTP濃度はT細胞内ではB細胞内に比べて20～40倍高くなるためT-ALLでの効果が期待されている．おもに小児例を対象としたCOG AALL0434研究で初発の中間およ

◆表3　成人ALLにおける小児型治療の成績

研究	症例数	年齢中央値（範囲）	白血球中央値 × 10^9/L	寛解率	生存率	文献
PETHEMA ALL-96	46	20（18～30）	7（平均）	100%	6年 EFS 63%	Ribera JM:J Clin Oncol **26**: 1843, 2008
Modified DFCI 91-01	85	37（18～60）	10.5	89%	3年 RFS 71%	Storring JM:British J Haematol **146**: 76, 2009
DFCI 01-175	100	28（18～50）	15.5	85%	4年 EFS 58%	DeAngelo DJ:Leukemia **29**: 526, 2015
GRAALL-2003	225	31（15～60）	11.8	93.5%	42カ月 EFS 55%	Huguet F:J Clin Oncol **27**: 911, 2009
JALSG ALL202-U	139	19（15～24）	10.5	94%	5年 DFS 67%	Hayakawa F:Blood Cancer J **4**: e252, 2014
GRAALL-2005	787	36（24～48）		91.9%	5年 EFS 52.2%	Huguet F:J Clin Oncol **36**: 2514, 2018
NOPHO ALL208	221	28（18～45）	12.8		5年 EFS 74%	Toft N:Leukemia **32**: 606, 2018
AYA-15	79	18（14～51）	7.5	88.6%	5年 EFS 57.5%	Hnbali A:Leukemia Res Rep **16**: 100270, 2021

び高リスク T-ALL の地固め療法に NEL 追加の有効性が報告された．成人 T-ALL における NEL と化学療法併用の効果は確立していない．わが国では JALSG と日本小児がん研究グループ（Japan Children's Cancer Group：JCCG）が共同で行った 24 歳以下の T-ALL を対象にした第 II 相試験（ALL-T11/T-ALL-211-U）で NEL を地固め療法に使用し 15 ～ 24 歳における 3 年 EFS は 88.6％と良好であった．JALSG の 25 歳以上の T-ALL を対象にした第 II 相試験（T-ALL213-0）でも NEL を地固め療法に使用し，間もなく効果と安全性について報告される見込みである．

c）維持療法

小児では長期間の維持療法が予後を改善することが無作為化比較試験で証明されている．成人で同様の試験は行われていないが，維持療法を行わないと長期予後が不良であることは報告されている．一般的には，成人でも小児と同様に，6-mercaptopurine（6-MP）の連日経口投与と週 1 回の MTX の内服を 2 ～ 3 年継続する維持療法を行う．小児で PSL と VCR を月 1 回加えると再発が減少したという報告があり，同様の治療を行っている成人プロトコールも多い．

d）中枢神経再発予防

成人 ALL 診断時の CNSL 合併率は 10％未満とされているが，予防を行わないと CNS 再発率は 21 ～ 50％と報告されており小児の CNS 再発頻度とほぼ同様である．寛解導入中から MTX にステロイド，またはそれに Ara-C を加えた予防的髄注を行い，地固めに全身的な大量 MTX 投与を組み込むことが CNS 再発予防に必須である．MTX の髄注のみでは CNS 再発予防には不十分である．

初発時にすでに中枢神経浸潤が認められた場合も上記の髄注を行うが，髄注の効果が不完全な場合や脳実質や脳神経への浸潤が認められる場合は 24 ～ 30 Gy の頭蓋照射を追加する．脳神経への浸潤が認められた場合は，神経障害が不可逆的になる可能性があるので頭蓋照射は早急に始めるべきである．

e）高齢者の治療

60 歳以上の高齢者では，体力や合併症のため化学療法を行えない症例もある．また，寛解導入療法を若年者と同様に行うと CR 率が下がることもあり，若年者より化学療法の投与量や期間を少なくしていることが多い．治療成績は CR 率が 60％程度，3 年生存率が 20％以下と不良である．症例を選んで強力な化学療法を行えばよい成績が得られる可能性もあるが，65 歳以上の症例では治療研究の対象にならないことも多く，標準的治療は存在しない．

f）再発・難治例の治療

①化学療法：従来の化学療法では再発・難治例の CR 率は 20 ～ 40％であり長期生存率はきわめて低い．治療には大きく分けて Hyper-CVAD/MA と Ara-C を骨格にしたものが使われている．Ara-C や併用するアントラサイクリン系薬剤のいずれの投与量を増やしても予後の改善に結びついていない．Hyper-CVAD/MA と Ara-C 骨格の治療効果に大きな差はないと考えられるが MD Anderson Cancer Center の報告では初回救援療法対象例に限ってみると Hyper-CVAD/MA の方が CR 率は変わらないものの再発が少ない．

再発・難治 T-ALL には NEL も使用されているがおおむね CR 率 ,1 年生存率ともに 30％程度である．再発・難治 T-ALL を対象にした NEL と他剤との併用の効果は不詳である．

Cloforabine は第二世代のプリン代謝拮抗薬であり，小児では単剤，多剤併用の結果が散見されているが，成人例での報告がなかったため JALSG では cloforabine，etoposide，CY を漸増し至適投与量を探索する CLEC 療法の第 I 相試験（RR-ALL214）を施行した．CR 率は 22.2％，奏功率は 44.4％であった[6]．抗体薬や CAR-T 療法が存在しない再発・難治 T-ALL には CLEC 療法も選択肢の 1 つと考えられる．

②新規治療薬：新規治療薬は B-ALL を標的にした抗体薬とキメラ抗原受容体-T 細胞（chimeric antigen receptor- T cell：CAR-T）療法（ADVANCED 参照）がある．抗体薬の治療成績は従来の化学療法の成績を上回るので再発・難治 B-ALL には第 1 選択である．Inotuzumab ozogamicin（InO）は抗 CD22 抗体に抗腫瘍薬 ozogamicin を結合させた抗体薬であり，blinatumomab は抗 CD19 抗体の可変部と抗 CD3 抗体の可変部のみを結合させた二重標識抗体（bispecific T cell engager：BiTE）薬である．Ino の CR ＋ CR with incomplete hematological response（CRi）は 74％，そのうち MRD 陰性例は約 90％である[7]．Blinatumomab の CR+ CR with partial hematologic recovery（CRh）率も 40-80％でありそのほとんどが MRD 陰性となる[8]．しかしいずれの抗体薬でも生存期間は 1 ～ 2 年，2 年生存率も約 20％であり，同種造血幹細胞移植への橋渡し治療の位置づけである．ただし，InO 投与例では同種造血幹細胞移植後の肝中心静脈 / 類洞閉塞症候群（VOD/SOS）の頻度が多く，それによる死亡率も高い．Blinatumomab では特有のサイトカイン放出症候群（cytokine release syndrome：CRS）と神経障害に留意する必要がある．

3） 移植適応

従来，第1寛解期のPh陰性ALLには同種造血幹細胞移植が推奨されていた．しかし，小児型化学療法の導入で化学療法の予後が改善し，ドイツのGRAAL-2003とGRAAL-2005研究では第1寛解期での同種造血幹細胞移植施行例は非施行例と比べて優位性が認められなかった[9]．JALSGと日本造血・免疫細胞療法学会（Japanese Society for Transplantation and Cellular Therapy：JSTCT）の共同研究でも25歳未満，25歳以上のどちらの群においても化学療法群は同種造血幹細胞移植群に比べて同等もしくはそれ以上の生存率を示しており[10]，移植後のQOL（quality of life）低下を考慮すると第1寛解期では化学療法が優先される傾向にある．一方で予後不良な染色体陽性症例，初めの1週間で骨髄中の白血病細胞が5％以上残存した症例，寛解導入に救援療法を必要とした症例等では同種造血幹細胞移植施行例の優位性が示されている．また，MRD陽性例も化学療法では予後不良であり移植の適応と考えられている．

日本造血・免疫細胞療法学会ガイドライン第3版（2020年）では*KMT2A*（*MLL*）再構成，低2倍体，複雑核型（反復性遺伝子異常を認めず，染色体本数40～50，かつ，5つ以上の異常を持つ），*BCR::ABL1*-like ALL，初回寛解導入療法で完全寛解（CR，CRi）導入不応例，寛解導入療法（end of induction：EOI）後のMRD陽性のいずれかの予後不良因子を持つALLを高リスクとし第1寛解期の移植適応としている．第2寛解期以降の寛解例はすべて同種造血幹細胞移植を標準治療と位置づけている．

移植ソースとして非血縁ドナーや臍帯血，HLA半合致血縁ドナーが増加し，移植方法も末梢血幹細胞移植（peripheral blood stem cell transplantation：PBSCT）や骨髄非破壊的移植など多様化してきており，それぞれの状況に応じた移植ソース，移植方法が選択される．

自家造血幹細胞移植の有用性は認められず，通常は行われない．

■文　献■

1）Horibe K et al: Int J Hematol **98**: 74, 2013
2）Alaggio R et al: Leukemia **36**: 1720, 2022
3）Sakura T et al: Leukemia **32**: 626, 2018
4）Paietta E et al: Blood **138** : 948, 2021
5）Stock W et al: Blood **112**: 1646, 2008
6）Saito T et al: Int J Hematol **113** : 395, 2021
7）Kantarjian HM et al: N Engl J Med **375**: 740, 2016
8）Kantarjian HM et al: N Engl J Med **376**: 836, 2017
9）Dhédin N et al : Blood **125** : 2486, 2015
10）Kako S et al : Int J Hematol **14**: 608, 2021

ADVANCED

■キメラ抗原受容体-T細胞（chimeric antigen receptor- T cell：CAR-T）療法■

CAR-T療法は体外で患者T細胞表面に遺伝子改変技術を用いてCD19抗原を認識する受容体を表出させ，その細胞を増幅させた後に体内に戻してB-ALL細胞を傷害する免疫療法である．通常のTCRが主要組織適合性抗原（major histocompatibility complex：MHC）であるHLAに提示された抗原のみを認識できるのに対し，CAR-T療法は特定のHLA患者に限定されない．また，HLAの発現を減弱あるいは欠失させることで免疫監視機構から逃れている腫瘍細胞に対しても有効である．

CARはCD19を認識する免疫グロブリンの重鎖と軽鎖の可変部を一本鎖抗体の形にして細胞外ドメインとして持ち，CD3，CD4，CD8などの膜貫通結合ドメイン，CD3ζを細胞内シグナルドメインとする構造からなる．この第1世代のCAR-Tは細胞内ドメインがCD3ζのみでシグナル伝達能力が限られていたため持続的にT細胞応答を誘導しなかった．現在，臨床に使われているのは細胞内ドメインにCD28または4-1BBの共刺激分子を組み込んだ第2世代CAR-Tである．

B-ALLに対するCAR-T療法はCR+ CRi率はきわめて良好であるが，成人を対象としたMemorial Sloan Kettering Cancer Center（MSKCC）の報告では生存期間中央値は13ヵ月である．中国からの報告ではCAR-T治療後に同種造血幹細胞移植を行った症例の1年の無白血病生存は76.9％であったが移植を行わなかった症例では11.6％であった．MSKCCの報告ではCAR-T治療前の骨髄中の芽球が5％未満の症例の生存期間中央値は20ヵ月超であったのに対し，骨髄中の芽球5％以上の症例は12ヵ月であり，腫瘍量が予後に影響していた．

有害事象で特に問題になるのはサイトカイン放出症候群（cytokine release syndrome：CRS）と神経障害である．重篤なCRSの発症頻度は報告によって異なるが，生命にかかわることもあり，その治療にはステロイドのみならず抗IL-6受容体抗体であるtocilizumabの治療を必要とする．CRS，神経障害ともに腫瘍量の多い症例に発症しやすい．

scFVとζ鎖の間にCD28と4-1BBの両者を組み込んだ第3世代CAR-T細胞も開発されており，第2世代CAR-T細胞よりも有効であることが示されている．現在，臨床試験が進行中である．

11 Ph 染色体陽性急性リンパ性白血病

到達目標

- Philadelphia 染色体陽性急性リンパ性白血病の病態を理解する
- チロシンキナーゼ阻害薬の導入で，きわめて不良な予後が画期的に改善されたことを理解する
- 治療はチロシンキナーゼ阻害薬併用化学療法で分子遺伝学的寛解状態を得て同種造血幹細胞移植を実施することが基本であることを理解する
- 分子病態の解明とそれに基づく同種造血幹細胞移植の適応が今後の課題であることを理解する
- 再発・難治例にはモノクローナル抗体療法が有効であることを理解する

1 病因・病態・疫学

Philadelphia（Ph）染色体陽性急性リンパ性白血病（Ph^+acute lymphoblastic leukemia ALL：Ph^+ALL）は，t(9;22)(q34;q11.2) 染色体転座によって *BCR::ABL1* 融合遺伝子が形成されされることが病因である．BCR-ABL1 融合蛋白の ABL1 チロシンキナーゼ（tyrosine kinase：TK）が恒常的に活性化されて，下流の細胞増殖シグナル（RAS，PI3K，PLCγ など）が活性化されることで発症する．*BCR::ABL1* 融合遺伝子の切断部位により P210 の蛋白質を作る *major BCR::ABL1* と P190 の蛋白質を作る *minor BCR::ABL1* がある．小児では *minor BCR::ABL1* が主体であるが，成人では *major BCR::ABL1* が約 30％を占める．

Ph^+ALL の発症は年齢とともに増加する．日本血液学会血液疾患登録事業の 2018 ～ 2020 年度報告では，0 ～ 14 歳では ALL 全体のうち 4.4% を占めるに過ぎないが，40 歳以上では ALL 全体の約半数が Ph^+ALL であった（**表 1**）.

2 症候・身体所見

ALL にみられる貧血，出血傾向，感染による発熱，ときにリンパ節腫大を認めるが，本疾患に特異的な症状，身体所見はない．

3 診断・検査

血液学的検査で ALL を疑い，G 分染法や FISH 法による染色体分析で Ph 染色体の同定，または PCR で *BCR::ABL1* の mRNA を検出して確定診断をする．患者の約 6 割に Ph 染色体以外の付加的染色体異常を認める．

Ph^+ALL は通常 B 細胞性 ALL（B-ALL）でありフローサイトメトリーによる細胞表面抗原（表面マーカー）は B 細胞の抗原（CD19，CD79a，CD22）が陽性であるがいずれも特異的ではない．CD10，CD24，PAX5，TdT が陽性であることも多い．顆粒球系に多く発現する CD13，CD33 の陽性率が Ph 陰性 ALL に比べて高い．

◆表 1　ALL の日本血液学会疾患登録患者数（2018 ～ 2020 年の合計）に基づく Ph^+ALL の頻度

0 ～ 14 歳	15 ～ 19 歳	20 ～ 29 歳	30 ～ 39 歳	40 歳以上
4.4%	13.4%	21.3%	36.3%	48.7%

4 治療と予後

1）基本的な治療戦略

チロシンキナーゼ阻害薬（tyrosine kinase inhibitor：TKI）が優れた抗腫瘍効果を示すため必須の薬剤であるが，単剤での効果持続時間は短く，化学療法などの併用が不可欠である．現在のところ，可能であればTKIを使用した多剤併用療法による寛解導入療法とその後の初回完全寛解（complete remission：CR1）での同種造血幹細胞移植（allogeneic hematopoietic stem cell transplantation：alloHSCT）が望ましいとされている．移植前に測定可能残存病変（measurable residual disease：MRD）が残存していると移植後の再発が多いことが知られており，移植前治療でなるべく深い寛解状態にする必要がある．AlloHSCTができない場合は一定回数のTKI併用地固め化学療法と約2年間の維持療法を実施する．

2）Ph⁺ALLに使用可能なTKI

Ph⁺ALLに対してわが国の保険診療では，imatinib（IM），dasatinib（DA），ponatinib（PN）の3剤が適応を取得している．IMは初発患者に適応があるが，DAとPNの適応は“再発または難治性”である．DAはIMより高いABL1阻害活性を持ち，Ph⁺ALLに関与するSrc family kinaseも阻害する．また，DAはCNS移行がIMより良好である．現在は初発例にもDAを使うことが多いが，DA使用群がIM使用群より予後が良好であるかは明らかではない．DAはIM使用中に出現する多くの*ABL1*遺伝子変異にも有効なことが多いが，DA使用中の治療抵抗，再発例ではT315I変異例の可能性がある．PNはT315I変異にも有効であり，さらに抗腫瘍効果もDAより優れている．初発例にPN併用化学療法とDA併用化学療法を比較した解析では，PN併用群が有意に予後良好であったと報告されている[1]．ただし，PN使用例では投与量依存性に心血管系の合併症が増えることが報告されており，投与量については検討の必要がある．

3）TKIと化学療法の併用

寛解導入，ならびに地固め療法でTKIと併用する化学療法にはさまざまな種類が報告されているが優劣はあきらかではない．海外の多数の臨床研究，日本成人白血病治療共同研究機構（Japan Adult Leukemia Study Group：JALSG）のPh＋ALL202試験[2]およびPh＋ALL208試験[3]のTKI併用化学療法ではIMと多剤併用の化学療法のCR率は約95％である．いずれもその約6割にalloHSCTが行われて5年の全生存（overall survival：OS）率は約50％である．TKI併用化学療法でごく少数の非寛解例と数％の治療関連死亡が認められたが，その後，イタリアのGIMEMA LAL1205 protocolではステロイドとTKI（DA）のみで早期死亡なく100％のCR率を報告した（ただし，分子遺伝学的寛解率は低く，その後の地固め療法なしでは早晩再発する）．JALSG Ph＋ALL213試験[4]ではprephaseのprednisolone（PSL）に続いてPSLとTKI（DA）のみによる寛解導入を行った結果，治療関連死亡はなくなり100％のCR率を達成してステロイドとTKIによる寛解導入が安全で有効な治療であることを示した．

化学療法に併用するTKIの優劣については，直接比較する試験が存在しない．MD Anderson Cancer Center（MDACC）においてhyper-CVADにIMを併用した第Ⅱ相試験の最終報告では，CR1で30％にalloHSCTが行われ，5年OSは43％であった．同様にhyper-CVADにDAを併用した第Ⅱ相試験ではCR1で19％にalloHSCTが行われ，5年OSは46％でありIMとDAが違うだけの両試験のOSに大差がない．DAを使ったJALSG Ph＋ALL213試験[4]では3年の無イベント生存（event-free survival：EFS）率は67.2%，OSは82.8%ときわめて良好であるが74%の症例がCR1で移植されており移植が成績の向上に寄与している可能性がある．

DAとPNについては，MDACCで実施された連続する第Ⅱ相試験から患者背景を合わせて41人ずつ集め，hyper-CVAD + PNとhyper-CVAD + DAが比較されている．それぞれの3年EFSが69％と46％（$p = 0.04$），OSが83％と56％（$p = 0.03$）でPN使用群が有意に優れていた[1]．

欧州のGroup for Research on Adult Acute Lymphoblastic Leukemia（GRAALL）は，初回治療をIM併用強度減弱化学療法（A群）とIM併用hyper-CVAD（B群）に無作為化し，第2コースに共通の大量MTX/ Ara-Cを実施した後の分子遺伝学的効果を比較した．その結果，初回治療ではA群はB群より死亡が有意に少なく，CR率が高かった．しかし，第2コース後の両群の分子遺伝学的効果には差がなかった．第2コース後にCRでドナーがいればalloHSCTを実施したが，5年EFSとOSに差はなく，alloHSCTを基本とする治療戦略では初回治療に強力な化学療法が不要であることが示された．

4）同種造血幹細胞移植

現在のところ，治癒を得る最も確実な方法はTKI併用化学療法を行い，可能であれば，CR1の状態でalloHSCTを実施することである．移植前のMRD陽性は再発が多いことが知られているが，これらの症例が移植後に MRD 陰性になっても予防的に TKI を投与した方がよいかは見解の一致をみていない．

現在では HLA 不一致移植（臍帯血移植，HLA 半合致ドナーを用いたハプロ移植など）や強度減弱前処置を用いたミニ移植を行うことで，65 歳まではほとんどの患者が同種移植を受けることができる．しかし，TKI 併用化学療法の治療成績が向上しており，一方で alloHSCT で約 10 ～ 20％に非再発死亡が認められることや移植片対宿主病（graft-versus-host disease：GVHD）を合併して QOL を落とす可能性を考慮すると，ドナーが得られる患者に一律に CR1 で alloHSCT が必要なのかは今後の課題である．

Children's Oncology Group（COG）が小児 Ph⁺ALL を対象に IM の導入効果を検証した試験（AALL0031）では CR1 における alloHSCT の優位性を示せなかった．成人を対象にした GRAALL の比較試験では CR 到達患者の約 6 割が CR1 で alloHSCT を受けており，移植患者は非移植患者より無再発生存（relapse-free survival：RFS）と OS で有意に良好な結果を得たが，初診時 WBC が 30,000/μL 以上または化学療法 2 サイクル後に MRD 陽性の症例のみに alloHSCT の有効性を認めている[5]．同様の結果は中国からも報告されている．

付加的染色体を有する症例や遺伝子の *IKZF*，*CDKN2A/2B*，*PAX5* などの欠失例が予後不良であることも知られており，今後は染色体異常や分子遺伝学的異常による移植適応も検討課題である．

おもな予後不良因子を**表 2** に示す．

5）再発・難治例の治療

再発・難治 Ph⁺ALL の治療には 2 種類の抗体薬が使用可能であり，いずれも標準的な化学療法との比較試験で優位性が示されている．inotuzumab ozogamicin（InO）はほとんどの B-ALL に発現している CD22 抗原に対する IgG4 モノクローナル抗体（inotuzumab）に抗腫瘍薬である ozogamicin をリンカーで結合させた抗腫瘍薬である．blinatumomab は B-ALL の 90％ 以上に発現している CD19 抗原を標的としており，抗 CD19 抗体の可変部と抗 CD3 抗体の可変部のみを結合させた二重標識抗体（bispecific T cell engager：BiTE）製剤である．再発・難治 Ph⁺ALL に対して InO の CR+CR with incomplete hematological response（CRi：血小板＜ 100,000/μL，好中球＜ 1,000/μL）率は 73％，そのうち MRD 陰性化率は 81％ である[6]．blinatumomab の再発難治 Ph⁺ALL を対象とした多施設共同研究では治療の 2 サイクル終了時に 36％ の症例が CR ＋ CR with partial hematologic recovery（CRh; 血小板＜ 50,000/μL，好中球＜ 500/

◆表 2　Ph⁺ALL における予後不良因子

白血球数	初発時　30,000/μL 以上
染色体	付加的染色体の存在
遺伝子	*IKZF1* 欠失と他の遺伝子欠失の併存（*PAX5, CDKN2A/2B* など）
MRD	3 ヵ月後，化学療法 2 サイクル後，同種造血幹細胞移植前などの MRD 陽性

ADVANCED

■ Chemotherapy-free regimen ■

初発 Ph⁺ALL に対して化学療法を行なわず，TKI と blinatumomab だけで治療する試みがイタリアの GIMEMA グループから報告された[8]．

63 例の初発 Ph⁺ALL に寛解導入として day 1 から day 31 までの PSL 投与と day8 から day 85 までの DA 投与を行った．寛解後療法として DA と blinatumomab の併用を最低 2 サイクル，最大 5 サイクルまで施行した．全例で CR が得られたが，有害事象のため早期に脱落した 1 例があり day 85 時点での CR は 63 例中 62 例（98％）であった．分子遺伝学的奏功（陰性または *BCR::ABL1* 定量感度以下）は 29％ であった．DA と blinatumomab の併用 2 サイクル後と 5 サイクル後の分子遺伝学的奏功はそれぞれ 60％，72％ に増加した．24 例に alloHSCT が行われているが観察期間中央値 18 ヵ月で全例の OS と無病生存率（disease-free survival：DFS）は 95％と 88％ であった．特に寛解導入後（day 85）に分子遺伝学的奏功が得られた症例の DFS が 100％ であったことは注目される．

本研究では以下の重要な知見が得られた．①化学療法を用いずに DA と blinatumomab でほぼ全例に比較的安全に CR を得られること，②分子遺伝学的奏功率も高いこと，③ DA 治療中に出現した T315I 変異クローンも blinatumomab 治療で消失したこと．

今後の治療の新たな展開が期待される．

μL）に達している[7]．*BCR::ABL1* 遺伝子に T315I 変異が認められた 10 例中 4 例にも CR+CRh が得られており，TKI 耐性例にも blinatumomab が有望な治療法であることを示している．再発・難治 Ph⁺ALL について InO と blinatumomab の優劣は明らかではない．また，いずれも長期予後は不良（全生存期間中央値は InO で 8.7 ヵ月，blinatumomab で 7.1 ヵ月）であり可能であれば alloHSCT を行う．

CAR-T 療法は遺伝子改変技術により細胞表面に CD19 抗原を認識する受容体を表出させた T 細胞を作成して B-ALL 細胞を傷害する免疫療法である．成人再発・難治例 Ph⁺ALL に対して CR は 91% と報告されているが長期予後は不良である．

■文　献■

1）Sasaki K et al: Cancer **122**: 3650, 2016
2）Hatta Y et al: Ann Hematol **97**: 1535, 2018
3）Fujisawa S et al: Am J Hematol **92**: 367, 2017
4）Sugiura I et al: Blood Adv **6**: 624, 2022
5）Chalandon Y et al: Blood **125**: 3711, 2015
6）Stock W et al: Cancer **127**: 905, 2021
7）Zugmaier G et al: Blood **126**: 2578, 2015
8）Foà R et al: N Engl J Med **383**:1613, 2020

12 慢性リンパ性白血病とその類縁疾患

到達目標

- 慢性リンパ性白血病（CLL）の病態と診断基準を理解し，治療の適応を判断できる
- CLL の類縁疾患を理解し，鑑別診断できる

1 病因・病態・疫学

1）定　義

慢性リンパ性白血病（chronic lymphocytic leukemia：CLL）とは均一な小型成熟 B リンパ球の腫瘍であり，CD5 と CD23 がともに発現している．末梢血中で上記の特徴を有する単クローン性 B リンパ球数が 5,000/μL 以上である[1～4]．

小リンパ球性リンパ腫（small lymphocytic lymphoma：SLL）は CLL と同一細胞由来の腫瘍であるが，末梢血中細胞数が 5,000/μL 未満で，リンパ節，脾臓，あるいは他臓器の髄外浸潤が確認される場合に，この病名が用いられる[1]．

2）病　態

CLL の正常細胞起源は，抗原感作を受けた成熟 CD5 陽性 B 細胞と考えられているが，免疫グロブリン重鎖可変領域遺伝子（immunogloburin heavy chain variable region gene：IGHV）の体細胞突然変異（somatic hypermutation：SHM）のある例（mutated *IGHV*：50 ～ 70%）とない例（unmutated *IGHV*：30 ～ 50%）の 2 群が存在する．

FISH 解析や DNA アレイ法により 80 ～ 90%の症例に染色体異常が確認される．最も高頻度な異常は 13q14.3 欠失で，miR-16-1 と miR-15a が存在する部位であり，約 50 ～ 60% の症例に認められる．次いで多い異常は trisomy 12 で約 20%に認められる．頻度は下がるが 11q22-23 欠失（*ATM* と *BIRC3* が存在）と 17p13 欠失（*TP53* が存在）も認められる．近年の次世代シーケンサー技術の進歩により，somatic mutation としては，*SF3B1*（10 ～ 20%），*NOTCH1*（6 ～ 10%）等の変異が比較的高頻度に認められる．

3）疫学と病因

CLL 発症年齢の中央値は約 70 歳で，高齢者ほど頻度が高くなる．男女比は 1.5 ～ 2：1 で男性に多い．欧米では成人白血病で最も頻度の高い疾患であるが，わが国を含むアジアではまれで，欧米の 1/10 以下である．家族内発症も報告されており，CLL の発症に遺伝的因子が関与していることが示唆される．

2 症候・身体所見

CLL は，無症状で末梢血のリンパ球増加で診断されることが多い．リンパ節腫脹，脾腫，貧血，血小板減少で診断されることもある．溶血性貧血や免疫性血小板減少などの自己免疫疾患の検索中に発見されることもある．まれに診断時に倦怠感，盗汗，体重減少，発熱などの腫瘍関連症状を示す．

3 診断・検査

1）診断基準

WHO 分類*における CLL の定義は前述したが，iwCLL（International Workshop on CLL）の診断基準によると，末梢血に B リンパ球が 5,000/μL 以上存在し，それが 3 ヵ月持続することを必須としている[1,2]．これら B リンパ球のクローナリティはフローサイトメトリー（flow cytometry：FCM）解析による免疫グロブリン軽鎖（κ または λ）の偏りを証明する必要がある．下記のような形態的および免疫学的形質の特徴に基づいて診断することになるが，末梢血中に B リンパ球増多をきたす類縁疾患との鑑別が必要である．

*本書は基本的に WHO 分類改訂第 4 版（2017 年）に基づいて記載しているが，必要な場合には WHO 分類第 5 版（2022 年）にも言及している．

2）末梢血塗抹標本による形態的特徴

CLL 細胞は，小型で細胞質の乏しい円形から類円形の核を持つ成熟リンパ球で，典型例ではその直径は赤血球 2 個分より小さい．わが国の塗抹標本は強制乾燥で作製されるため，自然乾燥標本で作製される海外のものに比較して，細胞が大きくなる点に注意が必要である．CLL や有毛細胞白血病（hairy cell leukemia：HCL）などの形態診断には自然観察標本が優れている（**図 1**）．わが国の CLL は細胞が大きく異型が強い例が多いとされるが，自然乾燥標本で見直すと海外と同様の典型的な形態を呈することが経験される（**図 1A，B**）．標本上，Smudge 細胞またはバスケット細胞といわれる壊れた細胞の核影が散見されるのも CLL の特徴である [5]．

CLL には，大型で核小体が明瞭な前リンパ球（prolymphocyte）や，大型で広い細胞質や核の異型，多型性がみられるリンパ球（pleomorphic lymphocyte）が混在していることが多いが，通常は全リンパ球の 15％未満である．

3）免疫学的形質（FCM 解析，免疫組織化学）

FCM 解析で末梢血中腫瘍細胞マーカーの解析を行うことが重要であり，CLL 細胞は CD5 陽性，CD23 および CD200 強陽性，CD20 および CD22 弱陽性，FMC7 および CD10 陰性，表面免疫グロブリン（sIg）弱陽性または陰性である．診断に重要な免疫学的形質を用いた scoring system が CLL と他の B 細胞性腫瘍を鑑別するために利用されている [6]．5 つの特徴的な表面形質が判定に用いられ，CD5：陽性，CD23：陽性，FMC7：陰性，sIg：弱陽性，および，CD22 または CD79b：弱陽性または陰性の場合，それぞれ 1 点が与えられる．合計スコアは最大 5 点であるが，3～5 点を CLL，0～2 点を他の B 細胞性腫瘍としている．

骨髄やリンパ節の組織切片を用いた免疫組織化学により CLL/SLL のほぼ全例が lymphoid-enhancer-binding factor 1（LEF1）陽性となるため診断上有用である．正常 B 細胞や他の小型 B 細胞性リンパ腫の大多数は LEF1 陰性となる．

4）染色体・遺伝子異常

CLL は G 分染法では分裂像が得られないことが多く，染色体異常の解析は間期核 FISH 法で行うことが推奨される．頻度の多い染色体異常と遺伝子異常は 1-2）項を参照のこと．

5）病期診断

CLL の病期分類には，米国で用いられている改訂 Rai 分類と欧州で用いられる Binet 分類がある（**表 1**）．診察所見と基本的な血液検査のみで判定でき，簡単で安価なため世界中で汎用されている．染色体異常や遺伝子変異が導入された現在でも予後因子として採用されている [3,4,7]．

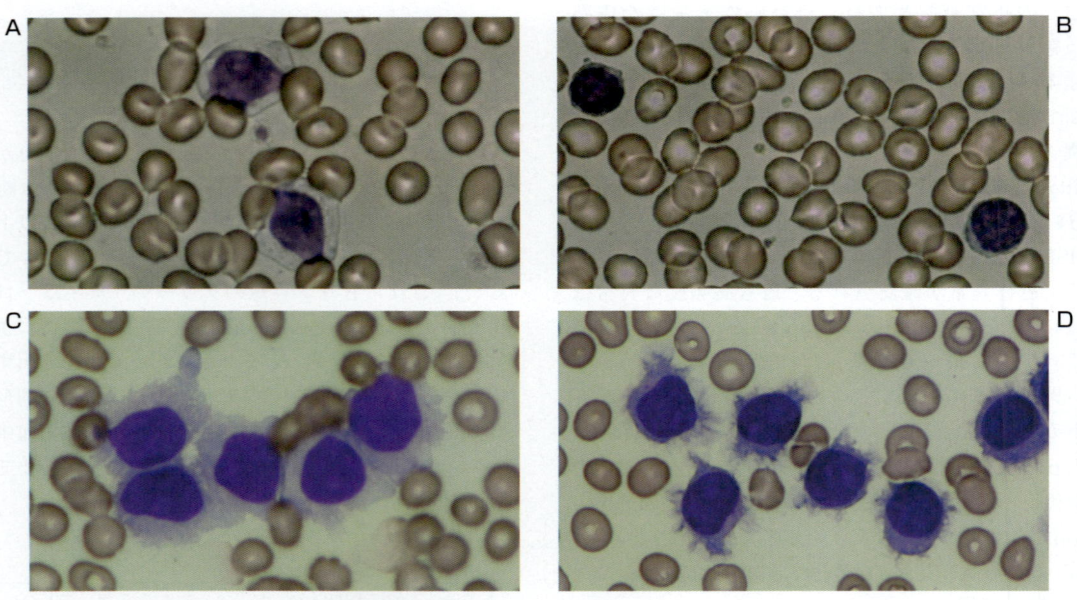

◆**図 1　末梢血塗抹標本（May-Grünwald-Giemsa 染色）**
A：CLL（強制乾燥），B：CLL（自然乾燥），C：HCL（強制乾燥），D：HCL（自然乾燥）

◆表1 CLL の病期分類

■Rai 分類

病 期	リンパ節腫脹	肝腫大か脾腫	Hb（g/dL）	血小板数（/dL）
0	なし	なし	≧11	≧100,000
I	あり	なし	≧11	≧100,000
II	ー	あり	≧11	≧100,000
III	ー	ー	＜11	≧100,000
IV	ー	ー	ー	＜100,000

■Binet 分類

病 期	身体診察における腫大領域数*	Hb（g/dL）	血小板数（/dL）
A	＜3	≧10	≧100,000
B	≧3	≧10	≧100,000
C	ー	＜10	＜100,000

*頸部リンパ節領域，腋窩リンパ節，鼠径リンパ節，肝，脾

4 治療と予後

1）治療適応

CLL の病初期に治療する有用性は示されておらず，無治療経過観察“watch and wait”が勧められる．iwCLL による実臨床における治療開始の基準は，a）進行性の骨髄機能低下による貧血や血小板減少の進行・悪化，b）左肋骨弓下 6 cm 以上の脾腫あるいは進行性・症候性の脾腫，c）長径 10 cm 以上リンパ節腫脹あるいは進行性・症候性のリンパ節腫脹，d）2ヵ月間に 50％を超えるリンパ球増多またはリンパ球倍加時間 6ヵ月以下，e）ステロイドや他の標準治療に抵抗性の自己免疫性貧血または血小板減少症，f）CLL に起因するいずれかの症候があるとき［①過去 6ヵ月における 10％以上の体重減少，② ECOG performance status（PS）2 以上の倦怠感，③感染症所見なく 2 週間以上持続する 38℃以上の発熱，④感染症所見のない盗汗］を活動性病態と定めている[4]．

高齢者や他の併合症により全身状態不良の患者も多く，強力な化学療法が逆に予後を悪化させる可能性があることを考慮しなければならない．そのため fitness（総合的全身機能）評価は重要であり，年齢，合併症（comorbidity）重症度，ECOG の PS，クレアチニン・クリアランス（CrCl）などを参考にして，標準治療可能な「fit」，標準治療が推奨されない「unfit」，最善支持療法（BSC）が考慮される「frail」に分けられることが一般的になっている．しかし，CLL に対して fitness を評価する標準的方法は確立していない．合併症を評価する方法はいくつかあるが，Cumulative Index Rating Scale（CIRS）が広く用いられている．CIRS は心臓，血管系，造血器，呼吸器，消化管，肝膵，腎，神経系など 14 の臓器系別に治療内容などから重症度を 0 点から 4 点までスコア化し，その合計点（最大 56 点）で評価するものである[4,5]．

治療開始前に検討すべき染色体・遺伝子検査は *TP53* 異常（FISH 解析による 17p13 欠失，*TP53* 変異）である．現在，標準治療の 1 つとされる fludarabine（FLU）併用化学療法に抵抗性であることが知られており，治療選択に必須となっている．

2）治療法

a）無治療経過観察（watch and wait）

Binet 分類 A と B，改訂 Rai 分類 0 〜 II 期の早期 CLL で活動性病態がない症例に対して，病初期から治療を行っても生存期間の延長はみられないため，無治療経過観察が勧められる．

b）化学免疫療法（CIT）

活動性病態を有する症例または進行期症例（Binet 分類 C，改訂 Rai 分類 III・IV期）のなかで fit であり，17p 欠失や *TP53* 変異がない症例は FLU，cyclophosphamide，rituximub の併用療法（FCR 療法）が海外では標準療法として認知されている．ドイツのグループによる FC 療法に R を加えた FCR 療法と，FC 療法との第 III 相比較試験（CLL8 試験）の結果，FCR 療法は FC 療法に比較して完全奏効（CR）率，無増悪生存率（PFS）・全生存率（OS）の改善がみられた．この結果，抗 CD20 抗体薬を併用した化学免疫療法（chemoimmunotherapy：CIT）が CLL 治療の主流になっている．他のグループで FCR 療法が行われた多数例の解析により *IGHV* 変異のある症例は長期予後が良好で長期生存が期待できることも示されている．ただし，CLL8 のサブグループ解析で FCR 療法を行った群の中では 17p 欠失を有する症例は予後不良であ

ることが示されており，他の治療選択が必要である．

Bendamustine も CLL に対し有効性と安全性が報告されている薬剤である．ドイツのグループにより bendamustine と rituximub の併用療法（BR 療法）と FCR 療法を比較する第Ⅲ相比較試験（CLL10 試験）が行われた．BR 療法は FCR 療法に比べ PFS が劣る結果となったが，65 歳以上の高齢者では同等であることが判明した．BR 療法は好中球減少や感染症の頻度が低く，高齢者 fit 症例の治療選択の 1 つと考えられる．

c）BTK 阻害薬

経口の BCR シグナル阻害薬のうち，ibrutinib と acalabrutinib は BCR シグナルの下流にある Bruton 型チロシンキナーゼ（Bruton's tyrosine kinase：BTK）阻害薬で BCR シグナル伝達を抑制し，CLL 細胞に障害を与える．再発 CLL 症例を対象にした ibrutinib と ofatumumab との第Ⅲ相試験（RESONATE 試験）が行われ，ibrutinib が治療奏効率や PFS において ofatumumab に対する優位性が示され，承認された．Ibrutinib は 17p 欠失のある症例に対しても有効である．未治療高齢者を対象にした比較試験（RESONATE2 試験）でも有用性が証明され，初回治療でも使用可能になった．acalabrutinib は BTK への特異性を高めた第二世代 BTK 阻害薬であり，17p 欠失や *TP53* 変異を有する CLL 症例に対する有効性も臨床試験結果から示され，治療適応のある CLL 症例において幅広く使用されるようになった（2022 年 11 月時点では再発難治 CLL が適応）．BTK 阻害薬は，特徴的な有害事象として心房細動発症や出血傾向が報告されており注意を要する．

d）経口 BCL2 阻害薬

新規の経口 BCL2 阻害薬として venetoclax が開発され，臨床試験が行われてきた．再発難治 CLL 症例を対象とした venetoclax+rituximab と bendamustine+rituximub の比較試験（MURANO 試験）において，主要評価項目である PFS において venetoclax+rituximab 群の優位性が示され，再発難治 CLL 症例で使用可能となった．従来の薬剤とは異なり，venetoclax による治療時に腫瘍崩壊症候群が生じうることも報告されており，注意が必要である．

e）他の新規治療薬

抗 CD20 抗体薬である obinutuzumab はドイツグループの第Ⅲ相試験（CLL11 試験）の結果，未治療 unfit CLL 症例に対し海外で標準治療薬である chlorambucil（本邦未発売）との併用により，chlorambucil 単剤や chlorambucil と rituximab 併用した群に比べ有効であることが示されている．すでに濾胞性リンパ腫に対してわが国で使用可能であり，CLL への適応拡大が期待される．

f）同種造血幹細胞移植（alloHSCT）

BTK 阻害薬あるいは BCL2 阻害薬が導入されても治癒は困難と考えられる CLL に対して，同種造血幹細胞移植（allogenic hematopoietic stem cell transplantation：alloHSCT）は唯一の治癒可能な治療法である．*TP53* 異常を持つ症例や高リスク症例（プリンアナログ抵抗性，FCR 療法後早期再発，BTK 阻害薬および BCL2 阻害薬抵抗性）に検討されうる．

g）CLL 国際予後指標（international prognostic index for chronic lymphocytic leukemia：CLL-IPI）

CIT 導入後に行われた新規 CLL を対象にした多数例の比較試験に登録した 3,472 例を用いてメタ解析が行われた[7]．その結果，OS に対する独立した予後不良因子が 5 つ［① *TP53* 変異または del（17p）あり，② *IGHV* 変異なし，③血清 β_2 ミクログロブリン（β_2MG）＞3.5 mg/L，④臨床病期：Binet B～C または Rai Ⅰ～Ⅳ，⑤年齢＞65 歳］抽出された．回帰係数より調整をして，① *TP53* 異常は 4 点，② *IGHV* 変異なしと③血清 β_2MG 高値は各 2 点，④進行病期と⑤高齢は各 1 点とスコア化し，合計 0～10 点とした．0～1 点を低リスク群（low：L），2～3 点を中間リスク群（intermediate：I），4～6 点を高リスク群（high：H），7～10 点を超高リスク群（very high：VH）とすると，5 年 OS はそれぞれ，93.2%，79.3%，63.3%，23.3% と有意差をもって層別化された（$p < 0.0001$）．

5 CLL 関連疾患と鑑別診断

CLL と鑑別を要する疾患は末梢血に成熟 B リンパ球が増加する疾患であり，**有毛細胞白血病（HCL）**，有毛細胞白血病亜型（hairy cell leukemia variant：HCL-v），マントル細胞リンパ腫（mantle cell lymphoma：MCL），リンパ形質細胞性リンパ腫（lymphoplasmacytic lymphoma：LPL），脾辺縁帯リンパ腫（splenic marginal zone lymphoma：SMZL），濾胞性リンパ腫（follicular lymphoma：FL）などがある．これらを適切に診断するためには，末梢血塗抹標本における形態，免疫学的表現型，染色体 / 遺伝子異常を検討する必要がある（**表 2**）．

1）有毛細胞白血病（HCL）

CLL の類縁疾患として重要なものが HCL である．

◆表2 CLL と類縁疾患の鑑別

		CLL	MCL	PLL	HCL	HCL-v	SMZL	LPL	FL
臨床像と一般検査		進行は緩徐	予後不良 治療抵抗性 一部進行緩徐	進行は急速 治療抵抗性	汎血球減少 単球減少	白血球増加 単球減少なし	進行は緩徐 脾腫	進行は緩徐 WM は IgM 型 M 蛋白陽性	進行は緩徐
形態 （自然乾燥塗抹標本）		小型細胞	小型～中型細胞 核不整	大型細胞 明瞭な核小体	全周性の毛髪状突起	HCL と PLL の特徴を併せ持つ	絨毛リンパ球 全周でない	小型細胞 形質細胞分化	小型～大型細胞
表面マーカー（FCM）	CD5	＋	＋	－（20～30% に＋）	－	－	－	－	－
	CD20	弱＋	＋	＋	強＋	強＋	＋	＋	＋
	CD22	弱＋	＋	＋	強＋	強＋	＋	＋	＋
	CD23	強＋	－または弱＋	－（10～20% に＋）	－	－	－	－	－または＋
	FMC7	－	＋	＋	＋	強＋	－または＋	＋	＋
	sm-Ig	IgM/IgD －または弱＋	IgM/IgD 強＋	IgM/IgD 強＋	IgG など強＋	IgG など強＋	IgM/IgD ＋	IgM ＋ （IgD－）	IgM ＋/－ IgD など＋
	CD11c	－または＋	－	－	強＋	＋	－	＋	－
	CD25	－または＋	－	－	＋	－	－または＋	＋	－ （10% に＋）
	CD103	－	－	－	＋	強＋	－	－	－
	CD10	－	－	－	－（10～20% に＋）	－	－	－	＋
染色体/遺伝子異常		• 特異的異常－ • 13q 欠失：50%強 • ＋12：20% 程度	*CCND1* 転座＋	• 特異的異常－ • 17p 欠失：50%	• *BRAF* V600E 変異 • *CCND1* 転座－	• 特異的異常－ • BRAF 変異－	特異的異常－	*MYD88* L265P 90% 以上陽性	*BCL2* 転座あり（全例でない）
診断のポイント		IHC： LEF1 ＋	• CD5 ＋は CLL と同様なため必ず鑑別が必要 • FISH：*CCND1* 転座＋ • IHC：CCND1 ＋ • IHC：SOX11 ＋	• 特異的なもの－ • 形態のみ	• 遺伝子：*BRAF* 変異＋ Annexin A1 ＋ TRAP ＋ • IHC：CCND1 弱＋	• 特異的なもの－ • 遺伝子：*BRAF* 変異－ Annexin A1 － TRAP －	特異的なもの－	遺伝子：*MYD88* L265P ＋	• FISH: *BCL2* 転座＋ • IHC：BCL2 ＋ • FCM：CD10 ＋

HCL は，塗抹標本で細胞質の広い大型の B リンパ球（いわゆる目玉焼き像）の増加する疾患（**図 1C**）で，自然乾燥標本では細胞表面に全周性の突起を認め（**図 1D**），位相差顕微鏡像ではいわゆる hair を認める．細胞化学では酒石酸抵抗性の酸ホスファターゼ（TRAP）が陽性になる．透過電子顕微鏡像では細胞質にリボソームラメラ複合体と呼ばれる構造物をみる．***BRAF*** **遺伝子異常（V600E 変異）**がみられ診断に有用である．後述する HCL-v などではみられない．

腫瘍細胞は脾，骨髄で増殖するが，骨髄では線維化が起こり，しばしば dry tap になる．線維化のため，末梢血は汎血球減少を呈することが多い．表面免疫グロブリンは強陽性で，CD20，CD22 も強く発現される．CD11c，CD25，CD103 が陽性で，CD5，CD10 は陰性である．アネキシン A_1 の発現は HCL に特徴的であり，診断的価値が高い．治療は cladribine が特異的に有効である．

HCL-v で増殖する細胞は HCL に類似するが，末梢血のリンパ球増加を認め，CD25 陰性，アネキシン A_1 陰性，TRAP 陰性，BRAF V600E 変異陰性である．治療効果も cladribine が無効であり，HCL と異なった病態を示す．

■文　献■

1）Swerdlow SH et al（eds）: WHO Classification of Tumours of Haematopoietic and Lymphoid Tissues, 4th ed, Revised ed, IARC Press, p216-221, 2017
2）Hallek M et al: Blood **131**: 2745, 2018
3）Alaggio R et al: Leukemia **36**: 1720, 2022
4）日本血液学会（編）：造血器腫瘍診療ガイドライン 2023 年版，金原出版，p147-172，2023
5）瀧澤　淳：臨血 **58**：471, 2017
6）Matutes E et al: Leukemia **8**: 1640, 1994
7）The International CLL-IPI working group : Lancet Oncol **17**: 779, 2016

13 濾胞性リンパ腫

到達目標

- 濾胞性リンパ腫の病因・病態・予後因子を理解する
- 病期・腫瘍量に応じて治療法を適切に選択できる
- 主な薬物療法の適応や有害反応を理解し，適切に選択して施行できる

1 病因・病態・疫学

濾胞性リンパ腫（follicular lymphoma：FL）は germinal center B-cell に由来する成熟 B 細胞腫瘍であり，一般に年の単位で緩徐に進行する“indolent”リンパ腫の代表的な病型である．診断時に無症状であることも多く，70 ～ 80% の患者が，進行期で診断される．進行期例であっても生存期間（overall survival：OS）中央値は，抗 CD20 モノクローナル抗体である rituximab の登場により改善を認め 10 年以上と長い．しかし，ほとんどの進行期例は，薬物療法に一時的には奏効するも，長い臨床経過の中で再発・再燃を繰り返し薬物療法抵抗性となり，かつ 20 ～ 30% の患者では“aggressive”リンパ腫への組織学的形質転換（histological transformation：HT）をきたし，原病進行が致命的となる治癒困難な疾患群である．

t(14;18)(q32;q21) は，85 ～ 90% の FL において認められる特徴的な染色体異常として診断的価値は高く，BCL2 蛋白の過剰発現をきたすことが FL 発症にかかわっていると考えられている．一方，t(14;18)(q32;q21) のみで FL が発症するわけではなく，近年の分子生物学的解析により *MLL2*・*TNFRSF14*・*EZH2*・*EPHA7*・*CREBBP*・*MEF2B* などの遺伝子が，FL において高頻度に変異を認めることが明らかにされており，FL 発症への関与も示唆されている．

欧米では悪性リンパ腫に占める割合は約 20% である．わが国での頻度は欧米に比べて低いとされ，報告により幅はあるが非 Hodgkin リンパ腫（non-Hodgkin lymphoma：NHL）の 10 ～ 15% を占め，その割合は近年増加傾向である．発症年齢中央値は約 60 歳，男女比は 1:1.7 とされ，20 歳以下の若年者ではまれとされる．

2 症候・身体所見

FL は節性病変を主体とするが，脾臓・骨髄 / 末梢血・Waldeyer 輪にも病変を伴うことが多い．リンパ節病変に加えて十二指腸を中心とする消化管・軟部組織・皮膚・眼付属器といった節外臓器に病変を伴うこともある．

診断時すでに全身性に進展している患者が多く，臨床病期Ⅲないしⅳ期の進行期が 70 ～ 80% を占める．診断時に無症状の患者が多く，リンパ節腫脹のみを主訴として来院される，他疾患のフォローや健康診断で受けた腹部超音波検査や CT および FDG-PET/CT で偶然リンパ腫腫脹を指摘され血液内科を紹介となる患者も多い．時に傍大動脈領域や腸間膜に一塊となった巨大腫瘤を形成し腹部膨満感や腹痛などの症状を伴う患者，骨髄浸潤による汎血球減少や末梢血異常リンパ球の出現を契機に診断される患者もいる．

WHO 分類第 4 版（2008 年）で主に十二指腸下行脚に発生する消化管の FL が，新たな疾患概念（primary intestinal FL）として収載され，WHO 分類改訂第 4 版（2017 年）*において，duodenal-type FL という表現に変更され，WHO 分類第 5 版（2022 年）においても踏襲された．これは，多発する小さなポリープ病変を呈することが多く，無症状で上部消化管検査によって偶然発見される場合が多い．当初は十二指腸に限局していると考えられていたが，小腸内視鏡検査の進歩などによって，十二指腸病変で発見された患者において十二指腸以外の小腸にも病変を認めるこ

*本書は基本的に WHO 分類改訂第 4 版（2017 年）に基づいて記載しているが，必要な場合には WHO 分類第 5 版（2022 年）にも言及している．

とが多いことが明らかにされた．

3 診断・検査

FLは，病理学的にgerminal center B-cell由来とされる異型リンパ球が，濾胞様構造を部分的に保持する傾向を残し増殖するB細胞腫瘍と定義される．FLは，centrocyteが主体であるが，大型細胞であるcentroblastが含まれる割合によって3段階に分類される（**表1**）Grade 1および2は連続的でともに低悪性度な病態を示すため，両者を区別せずに“grade 1-2”と記載する場合もある．Grade 3は，3Aと3Bに分類されGrade 3Bについては治療上diffuse large B-cell lymphoma（DLBCL）と同様に取り扱われる．

染色体異常としては前述のようにt(14;18)(q32;q21)が高頻度に認められ，診断的価値は高い．細胞表現形質としては一般的に，sIg$^+$，BCL2$^+$，BCL6$^+$，CD10$^+$，CD5$^-$，CD19$^+$，CD20$^+$，CD22$^+$，CD79a$^+$である．反応性リンパ腫腫脹の濾胞はBCL2陰性だが，FLではBCL2が陽性となるため，FLの病理組織学的診断においてCD10とBCL2の共発現を確認することは有用である．しかし，CD10陰性FLやBCL2陰性FLも報告されており，注意が必要である．その場合には細胞形態や濾胞樹状細胞のネットワーク形成の有無などを加味して診断を行う．

病理組織学的にFLの診断が得られた場合には，治療方針を決定するためのFDG-PET/CTを含めた病期診断を実施する．FLはDLBCLやHodgkinリンパ腫と異なりFDGの集積レベル（SUVmax値）が低いため，治療開始前のFDG-PET/CTを撮影することは，治療方針決定に加えて，より正確な治療効果判定を行ううえでも重要である．FLは前述のように初発時に進行期であることが多く十二指腸病変や骨髄浸潤を伴う例も多いことから，上部消化管内視鏡および骨髄検査を実施する．骨髄検査は，paratrabecular patternと呼ばれる骨梁周囲のみにFLの浸潤を認める場合は，骨髄穿刺や細胞表面マーカー検査では浸潤を同定できない場合も多く，骨髄生検が望ましい．

4 治療と予後

1）予後と予後指標

Rituximabの臨床導入がFLの予後を改善したことは，さまざまな臨床試験で示されている．

一方，2001年～2013年に米国・フランスで診断されたFL患者のコホート研究では，10年OSは約80%，死亡例の半数がHTを含む原病に伴う死亡であり，rituximabの臨床導入後もFLは依然として根治困難な疾患であると認識されている．一方，治療関連死亡・二次がんによる死亡も見過ごすことはできず，長い臨床経過なだけにその他の疾患の発症や治療の晩期毒性にも留意は必要である．

NHLの代表的な予後予測モデルであるinternational prognostic index（IPI）はFLにも適用可能であるが，予後不良群の患者が10～15%と少ないことが臨床応用上の問題点であった．そのため予後不良FL患者をより正確に同定することを目的とした予後予測モデル，FL international prognostic index（FLIPI）が提唱された．FLIPIにおいて，リスク因子数に応じてlow/intermediate/highの3群に分類，10年OS割合

◆表1　FLのgradingとvariants

Grading	Definition
Grade 1～2（low grade）	0～15 centroblasts/HPF
Grade 1	0～5 centroblasts/HPF
Grade 2	6～15 centroblasts/HPF
Grade 3	>15 centroblasts/HPF
3A	centrocytes present
3B	solid sheets of centroblasts
Reporting of pattern	**Proportion of follicular**
Follicular	>75%
Follicular and diffuse	25～75%
Focally follicular/predominantly diffuse	<25%
Diffuse	0%
Diffuse areas containing >15 centroblasts per HPF are reported as diffuse large B-cell lymphoma with follicular lymphoma (grade 1～2, grade 3A or grade 3B).	

は，各群においてそれぞれ70.7%，50.9%，35.5%であった．一方，FLIPIはrituximabの臨床導入前のデータに基づくこと，β_2ミクログロブリンなどの新たな指標が含まれないことから，次いでFLIPI2が提唱された．3年無増悪生存（progression free survival：PFS）割合はlow riskで91%，intermediate riskで69%，high riskで51%，3年OSはlow riskで99%，intermediate riskで96%，high riskで84%だった．さらにrituximab併用化学療法を要するFLにおいて，遺伝子変異の有無を予後因子に導入したm7-FLIPIが提唱され，再発高リスク群をより多く抽出可能であったと報告された[1]．一方，遺伝子変異の有無を含めた予後指標を実臨床において実装することは現状難しく，β_2ミクログロブリン値と骨髄浸潤の有無により3つのリスク群に分類するPRIMA-PIが，PFSを層別化するより簡便な指標として提唱されている[2]．しかし，FLに特化した予後指標の結果に基づいて治療方針を決めるという戦略は，現状確立していない．

FLの予後にかかわる重要な因子として最近注目されているものが，POD24（progression of disease within 24 months）であり，初回抗CD20抗体併用化学療法施行されたFL患者で診断から24ヵ月以内に増悪した場合，予後は不良であることが報告されている[3]．そのためPOD24に該当するFL患者に対する有効性の高い治療開発が求められている．

2）治　療

a）限局期（臨床病期Ⅰ・Ⅱ期）

未治療・限局期FLにおいて，巨大病変がない場合，病変部放射線治療（involved site radiation therapy：ISRT）が推奨される．しかし，限局期FLに対するISRTの有効性については，ランダム化比較試験に基づく強い根拠はなく，後方視的研究において限局期例では放射線治療によって50%前後の患者に10年無病生存が期待できたとする報告に基づく．前述のようにFLは診断時に進行期例が大部分であり，限局期と判断して放射線照射を考慮する場合には骨髄生検・FDG-PET/CTおよび上部消化管内視鏡を含めて十分な病期診断を行う必要がある．

b）進行期（臨床病期Ⅲ・Ⅳ期）

未治療・進行期FLに対する治療戦略として，①無治療経過観察（watchful waiting：WW），②rituximab単剤療法，③rituximab併用化学療法の3つが選択肢となり，いずれを選択するかの判断指標として腫瘍量（tumor burden）を用いる．腫瘍量の判定には，GELF規準（**表2**）[4]やBNLI規準などが報告されているが，より項目が客観的である点から，近年の日常診療においてはGELF規準が広く用いられている．さらに臨床試験によっては，GELF規準の項目に加えて，LD高値およびβ_2ミクログロブリン高値が加えられることがあり，いずれかの項目に該当した場合を「高腫瘍量」，1つも該当する項目がない場合を「低腫瘍量」と判定する．高腫瘍量の場合には，rituximab併用化学療法が推奨され，低腫瘍量であればWWまたはrituximab単剤療法が選択肢となる．

①低腫瘍量・進行期：無症候性かつ低腫瘍量の進行期FLでは，診断後ただちに治療を開始しなくても数年以上にわたり無症状の状態を維持できることが知られており，さらに一部のFL患者では，自然経過で一時的に腫瘍縮小を認める場合もある．WWと早期治療介入を比較する複数のランダム化第Ⅲ相試験が実施され，WW群でOSの点で不利益はないことが示されており，WWが標準治療と考えられた．一方，低腫瘍量・進行期FLに対するrituximab早期導入の有効性を検討した第Ⅱ相試験では，奏効割合（overall response rate：ORR）73%，PFS中央値23.5ヵ月，約7年の時点でのOS割合は91.7%と良好な成績が示されており，選択肢の1つに位置づけられている．Rituximab単剤療法によって化学療法の導入を先送りすることができればWWと比較してrituximab早期導入

◆表2　GELF規準

• 腫瘍最大径≧7 cm
• 長径3 cm以上のリンパ腫病変≧3領域
• 全身症状（B症状）を認める
• 下縁が臍線より下の脾腫（CT上≧16 cm）
• 胸水または腹水貯留あり（細胞診の結果問わず）
• 脊髄・尿管・眼窩・気管・消化管などの圧迫症状あり
• 白血化あり（末梢血腫瘍細胞＞5,000/μL）
• 血球減少あり（Hb＜10 g/dL，好中球＜1,000/μL，Plt 10万/μL）

*LD，β_2ミクログロブリン高値も含まれる場合がある．
（文献3を参考に著者作成）

のメリットがあると考えランダム化第Ⅲ相試験（RWW 試験）が実施され，rituximab 早期導入により化学療法導入までの期間を延長することは示されたが，OS の改善は認められず，WW に対する rituximab 早期導入の優位性は未確定である．次いで，rituximab 導入療法後の rituximab 維持療法と再燃してから rituximab 再投与する場合を比較した試験（RESORT 試験）が実施され，治療成功期間に両群で有意差を認めず，低腫瘍量・進行期 FL に対して rituximab 導入療法後の rituximab 維持療法は推奨されない．

②高腫瘍量・進行期：高腫瘍量・進行期 FL に対しては，抗 CD20 モノクローナル抗体併用化学療法が標準治療に位置づけられている．多剤併用化学療法である CHOP（cyclophosphamide，doxorubicin，vincristine，prednisolone）療法，CVP（cyclophosphamide，vincristine，prednisolone）療法などに rituximab の上乗せ効果を検証したランダム化第Ⅲ相試験が実施され，PFS および OS において rituximab の上乗せ効果が確認された．R-CHOP 療法，R-CVP 療法および R-FM（rituximab，fludarabine，mitoxantrone）療法の三者を比較したランダム化第Ⅲ相試験（FOLL05 試験）では，R-CHOP 療法が有効性と有害事象のバランスが優れていると結論づけられた（**図 1**）[5]．さらに，R-CHOP 療法と BR（bendamustine，rituximab）療法の有効性を検証したランダム化第Ⅲ相試験（StiL NHL1 試験）では，BR 療法の PFS が R-CHOP 療法と比較して延長することが示されたが，両群の OS に有意差は認めなかった．有害事象について BR 療法ではリンパ球減少・皮膚障害・日和見感染，R-CHOP 療法では好中球減少・脱毛・末梢神経障害・便秘の出現頻度が高く，両者でパターンが異なることは治療を選択するうえで留意が必要な点であるが，昨今の高腫瘍量 FL に対する日常診療においては，bendamustine が選択されることが増えている．

Rituximab 併用化学療法（R-CHOP 療法，R-CVP 療法）に奏効した未治療・高腫瘍量 FL 患者を対象とした rituximab 維持療法の有効性を検証したランダム化第Ⅲ相試験（PRIMA 試験）では，2ヵ月ごと 2 年間の rituximab 維持療法を行った群において有意に PFS を延長することが示された（**図 2**）[6]．一方，両群の OS に有意差は認めなかったこと，BR 療法後の rituximab 維持療法の有効性については未確立であることは留意が必要である．

その後，新規抗 CD20 モノクローナル抗体である obinutuzumab の臨床導入が進められた．未治療・高腫瘍量 FL に対する導入化学療法（CHOP 療法，CVP 療法，bendamustine 療法）＋維持療法という一連の治療戦略において rituximab に対する obinutuzumab の有効性を検討するランダム化第Ⅲ相試験（GALLIUM 試験）が実施され，obinutuzumab 群で有意に PFS を改善することが示された（**図 3**）[7]．OS においては，観察期間中央値が約 8 年の最終解析の時点でも両群に有意差は認めなかった．有害事象については，obinutuzumab 群で発熱性好中球減少，感染症および輸注関連反応などの頻度が高い傾向を認めた．以上よ

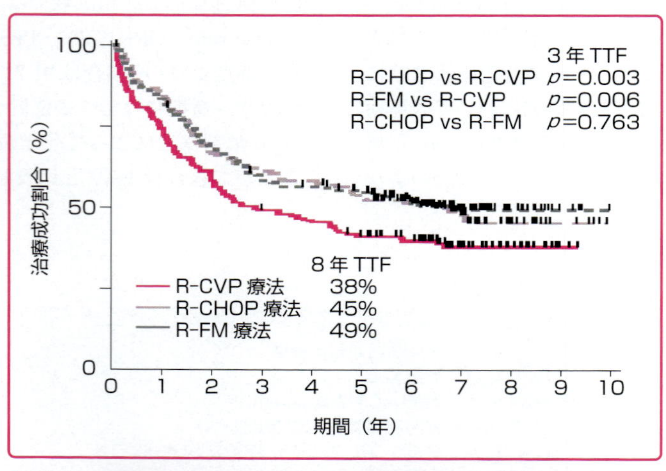

◆図 1　R-CHOP 療法，R-CVP 療法，R-FM 療法のランダム化第Ⅲ相試験（FOLL05 試験）における無増悪生存期間

TTF：time to treatment failure

（文献 5 を参考に著者作成）

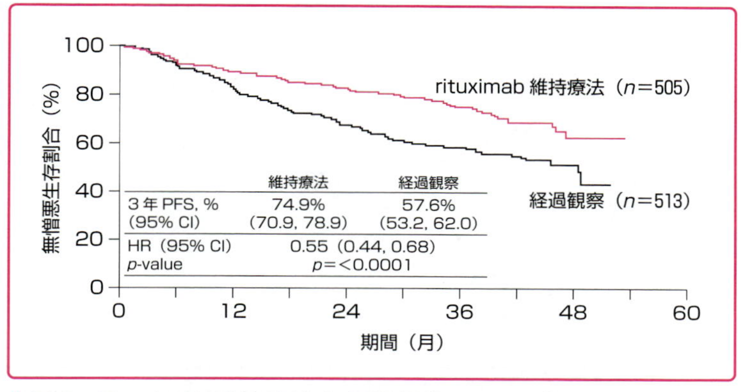

◆図 2　Rituximab 維持療法と経過観察のランダム化第Ⅲ相試験（PRIMA 試験）における無増悪生存期間

（文献 6 を参考に著者作成）

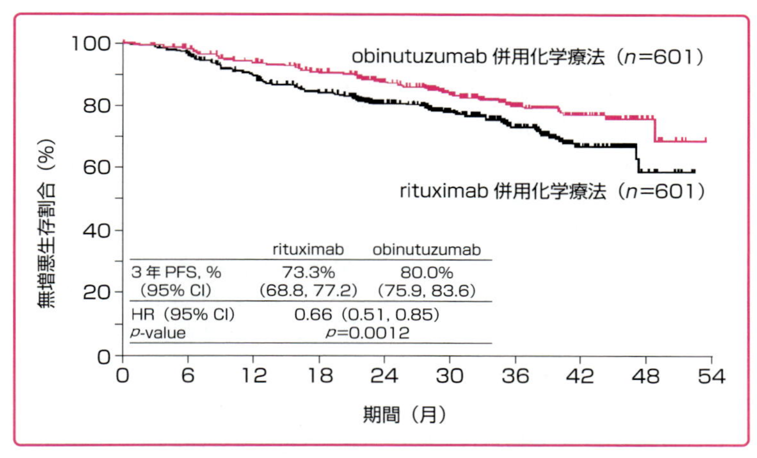

◆図 3　Rituximab 併用化学療法と obinutuzumab 併用化学療法のランダム化第Ⅲ相試験（GALLIUM 試験）における無増悪生存期間

（文献 7 を参考に著者作成）

り，obinutuzumab 併用化学療法＋ obinutuzumab 維持療法が，高腫瘍量・進行期 FL に対する現在の標準的治療法に位置づけられている．

c）再発期

再発 FL に対する治療は，これまでの治療内容と再発までの期間，再発時の病変の広がり，患者の希望などを考慮して選択する．また HT の有無は治療選択を決定する上で最も重要であり，再発時には可能な限り再生検を行うことが推奨される．Rituximab を含む治療に対して奏効が得られなかった場合や奏効が得られた後，半年以内に再燃した場合は，rituximab 抵抗性と判断する．

再発 FL に対する治療として，無症候性かつ低腫瘍量であれば rituximab 単剤療法や WW も選択肢である．Rituximab 抵抗性ではない再発 FL に対しては，免疫調節薬である lenalidomide と rituximab の併用療法が，rituximab 単剤療法と比較して優位に PFS および OS を延長することが，ランダム化第Ⅲ相試験（AUGMENT 試験）において示されている．R-CHOP 療法が初回治療で選択された場合には，その再施行は doxorubicin の総投与量の点から十分なサイクル数の施行が困難であるが，bendamustine については，初回治療で用いられていても奏効期間が十分な場合には再実施も選択肢となる．Rituximab 抵抗性 FL に関しては，obinutuzumab 併用 bendamustine 療法＋ obinutuzumab 維持療法の有効性が，ランダ

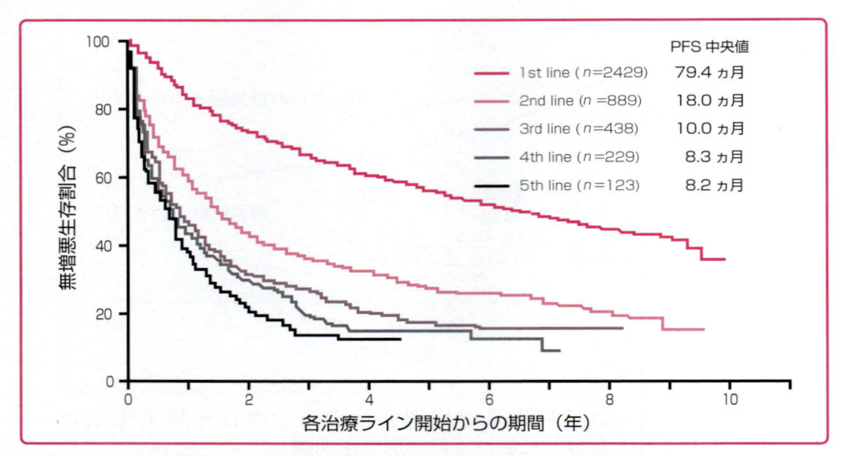

◆**図４ FL に対する治療ラインごとの無増悪生存期間（US National LymphoCare Study）**
（文献８を参考に著者作成）

ム化第Ⅲ相試験（GADOLIN 試験）にて確認されている．さらに，FL の 3 割弱において *EZH2* 遺伝子変異が認められるが，3 次治療以降において EZH2 阻害薬である tazemetostat も選択肢となる．また，実臨床においては選択される機会は減ってきているが，放射線免疫療法である ^{90}Y-ibritumomab tiuxetan，プリン誘導体である fludarabine や cladribine もわが国において再発 FL に対して承認が得られている．

一方，HT 患者や治療抵抗性 FL に対しては，aggressive リンパ腫に準じて救援化学療法を検討する．特に HT 患者については，再発 DLBCL と同様に救援化学療法に奏効した場合，自家末梢血幹細胞移植併用大量化学療法（自家移植）を行うことで *de novo* DLBCL に対する自家移植と同等の有効性が報告されている．FL に対する治療ラインが進むごとに，その治療の奏効持続期間は短くなっていくことが，さまざまな臨床研究で示されており（**図４**）[8]，若年発症を含め治療経過の長い FL 患者においては徐々に治療選択肢が限定されてくる．そのため，年齢や臓器機能から適応と判断される濃厚な前治療歴を有した再発・難治性 FL に対しては，その高い治療関連死亡のリスクには留意が必要であるが，同種造血幹細胞移植も考慮される．また，CD19 分子を標的とした CAR-T 細胞療法の１つである tisagenlecleucel が，POD24 も含めた再発・難治性 FL を対象とした第Ⅱ相試験（ELARA 試験）の結果に基づきわが国において承認が得られている．Tisagenlecleucel により完全奏効に到達した例において長期の病勢制御が期待される．

■文　献■

1）Pastore A et al: Lancet Oncol **16** : 1111-1122, 2015
2）Bachy E et al: Blood **132** : 49-58, 2018.
3）Solal-Celigny P et al: J Clin Oncol **16** : 2332-2338, 1998
4）Casulo C et al: J Clin Oncol **33** : 2516-2522, 2015
5）Federico M et al: J Clin Oncol **31** : 1506-1513, 2013
6）Salles G et al: Lancet **377** : 42-51, 2011
7）Marcus R et al: N Engl J Med **377** : 2605-2606, 2017
8）Link BK et al: Br J Haematol **184** : 660-663, 2019

14 MALT リンパ腫

到達目標

- MALT リンパ腫の病因・病態を理解する
- 限局期，進行期，病変臓器別の標準的治療法を的確に判断できる

1 病因・病態・疫学

辺縁帯リンパ腫（marginal zone lymphoma）はわが国のデータでは全悪性リンパ腫の 4.6%と減少傾向にあり，まれな病型である．無治療で病勢が年単位に進行する低悪性度リンパ腫に分類される．経過中に 3.8 ～ 7.5%の頻度で DLBCL などの高悪性度のリンパ腫に移行することがあり，組織学的形質転換と呼ばれる．辺縁帯リンパ腫は病変部位によって，粘膜関連リンパ組織型節外性辺縁帯リンパ腫（extranodal marginal zone lymphoma of mucosa associated lymphoid tissue: MALT リンパ腫），節性辺縁帯リンパ腫（nodal marginal zone lymphoma）および脾辺縁帯リンパ腫（splenic marginal zone lymphoma）のサブタイプに分かれる．MALT リンパ腫は節外臓器に発症し，ほとんどの患者で病期Ⅰ，Ⅱの限局期である．最も多い臓器として約半数が胃であり，他には眼付属器，皮膚，肺，唾液腺，甲状腺などがある．病因には慢性炎症や感染症が関係するとされ，胃 MALT リンパ腫には約 90%で *H. pylori* 感染が認められる．一方，眼付属器MALT リンパ腫は *Chlamydophila psittaci* 感染，皮膚 MALT リンパ腫は *Borrelia burgdorferi* 感染，小腸 MALT リンパ腫は *Campylobacter jejuni* 感染と発症との関連が報告されている．肺 MALT リンパ腫は *Chlamydophila* 感染を示唆する報告もあるが，まだ少数例での検討であり，発症に関連する感染性病原体や特異な自己免疫性疾患は明らかでない．唾液腺 MALT リンパ腫，甲状腺 MALT リンパ腫はその発症に関連する自己免疫性疾患として Sjögren 症候群や慢性甲状腺炎が合併していることが多い．染色体検査では胃や肺では t(11;18)(q21;q21)(*BIRC3::MALT1*）の頻度が高い．特に *H.pylori* 陰性胃 MALT リンパ腫では t(11;18) の転座が多い．t(14;18)(q32;q21)(*IGH::MALT1*）は眼付属器や唾液腺，t(3;14)(p14;q32) では眼，甲状腺，皮膚に多い．肺辺縁帯リンパ腫では *BIRC3::MALT1* 転座が 23 ～ 40%の頻度で検出され，他にも *IGH::MALT1* 転座や t(1;14)(p22;q32)(*IGH::BCL10*）が認められる．

2 症候・身体所見

病変が節外臓器であることから，それぞれの臓器病変に応じた症状が出現する．肉眼的もしくは内視鏡検査や画像検査で病変を認めたとしても，多くは無症状である．診断時年齢中央値は 60 歳代前半であり，わずかに女性が多い．

3 診断・検査

確定診断は腫大したリンパ節もしくは節外臓器の病変部位を生検して病理学的になされる．確定診断は節外臓器もしくは腫大したリンパ節の病変部位を生検して病理学的になされる．形態的に多彩な小型 B 細胞が主に濾胞辺縁帯から濾胞間に浸潤・増殖するリンパ腫である．腫瘍細胞は上皮へ浸潤し，lymphoepithelial lesion（LEL）を形成する．腫瘍細胞は表面膜免疫グロブリンが陽性（IgM の場合が多い）で Pan-B 細胞マーカー（$CD19^+$ $CD20^+$ $CD79a^+$）が陽性であるが，$CD10^-$，$BCL6^-$，$BCL2^-$，Cyclin $D1^-$ である．胃病変の場合は，治療方針が異なることから *H. pylori* の陽性の有無を確認する必要がある．生検時は上述した染色体転座の有無を確認するためにも染色体検査を行う．治療方針が異なることから，特に胃 MALT リンパ腫の診断時には染色体検査に加えて，FISH 検査にて *BIRC3::MALT1* 転座を提出する．

病期診断のために他のリンパ腫と同様に，病歴，理

学所見に加え，頸部〜骨盤CT，骨髄検査（生検・穿刺）は最低限必要な検査である．CT検査は原則として造影が望ましい．骨髄検査は病理組織学的検討に加えて，フローサイトメトリー，染色体検査を補助的検査として行う．胃が好発部位であり，消化管病変の有無の評価をかねて必要に応じ，上部・下部消化管内視鏡検査を行う．FDG-PET検査は病期診断，治療効果判定にほぼ必須の検査と考えられている．悪性リンパ腫の臨床病期分類はAnn Arbor分類が広く用いられているが，Ann Arbor分類の改訂版として2014年にLugano分類（2014）が作成された．MALTリンパ腫もFDG高集積とされており，治療前，効果判定時にPET-CTを撮像することが明記されている．またPET-CTを治療前に行った場合は骨髄生検を行わなくてもよいとされているが，実臨床では一般的に骨髄穿刺・生検を行うことが多い．消化管MALTリンパ腫の場合，Ann Arbor分類，Lugano分類に加えて日常診療では消化管悪性リンパ腫のLugano病期分類（1994）も用いられている．

4 治療（治療アルゴリズム）

病期分類に加えて病変部位に応じて治療方針を決定する．

1）限局期胃MALTリンパ腫

H. pylori 陽性か陰性で治療方針が異なる．*H. pylori* 陽性胃MALTリンパ腫では除菌療法を行う[1]．除菌による全奏効割合は50〜80％である．ただし*BIRC3::MALT1* 転座を有する場合は除菌療法の成功率は低い．除菌後3ヵ月時点で*H.pylori* 陽性のままの場合は二次除菌を試みる．*H.pylori* 除菌から完全奏効までの期間は数週間から1年以上と報告されており，さらに長期間かかる場合もある．除菌成功により奏効が得られた後の維持療法としてエビデンスがある治療法はなく，経過観察をする．除菌療法に抵抗性の場合は，明確なエビデンスはないが，放射線治療[2]やrituximab単剤療法かrituximab併用化学療法を考慮する．ただし除菌後に残存するMALTリンパ腫に対する放射線治療の完全奏効割合は98％であり，有効性は高いと考えらえる．

H. pylori 陰性胃MALTリンパ腫は*BIRC3::MALT1* 転座を有する例が多く，除菌療法に抵抗性であることが多い．ただし*H. pylori* 陰性限局期MALTリンパ腫でも除菌療法での治療効果が得られた例があることから除菌療法を行ってもよい．*H. pylori* 陰性胃MALTリンパ腫を対象とした病変部放射線治療（involved site radiation therapy: ISRT，22.5〜43.5 Gy）が行われた後方視的解析結果が報告された．178人（174人が*H.pylori* 陰性，12人はⅣ期）が登録され，観察期間中央値6.2年において5年全生存期間（overall survival: OS）と10年OSは各々94％，79％と良好であった[3]．この結果から放射線治療が考慮される．

2）限局期かつ胃以外の節外臓器に発生したMALTリンパ腫

MALTリンパ腫のⅠ期のみを対象とした（胃MALTリンパ腫も含む）米国大規模データベースによる解析の結果，肺MALTリンパ腫が最も予後不良であり，逆に皮膚や眼付属器MALTリンパ腫の予後が良好であった[4]．胃以外の節外臓器に発生した場合の至適治療方針は決定していない．放射線治療や外科切除による局所治療が主体となる．上述した大規模データベースの後方視的解析の結果，放射線治療を施行した群は米国の人口調整生存率と同等であったことから，放射線治療が可能な場合は推奨される[4]．放射線治療に関して，局所治療を必要とする低悪性度リンパ腫を対象とした（MALTリンパ腫を含む）放射線治療40〜40 Gy群と24 Gy群との比較試験において無増悪生存割合（progression-free survival: PFS）とOSともに同等であった．同じく低悪性リンパ腫を対象とした24 Gy群と4 Gy群との第Ⅲ相試験において4 Gy群の非劣性を証明されなかったことから，限局期MALTリンパ腫に対して領域放射線照射（involved-field radiotherapy: IFRT）24 Gyが現在のところ標準治療といえる．近年，放射線治療技術の進歩からISRTが導入されており，可能であればISRTを行う．単独の照射体積に収まらない非連続Ⅱ期や，照射が困難な部位にある場合はrituximab単剤療法を考慮する．

3）進行期

低悪性度リンパ腫を対象とした臨床試験にMALTリンパ腫が含まれており，主に進行期濾胞性リンパ腫の治療方針に準じる．このためrituximab併用化学療法が選択肢の1つである．わが国から未治療低悪性度リンパ腫を対象としてR-CHOP21療法とR-CHOP14療法を比較した第Ⅲ相試験結果が報告され，両者のPFSは同等であったことから，R-CHOP21療法が標準治療レジメンの1つである．またドイツから未治療低悪性度リンパ腫を対象としたBR療法（bendamustine，rituximab）とR-CHOP療法を比較した第Ⅲ相試験結果が報告され，BR療法はR-CHOP療法と同等の治療効果であることが示された．同様に米国にて未治療低悪性度リンパ腫を対象としたBR療法とR-

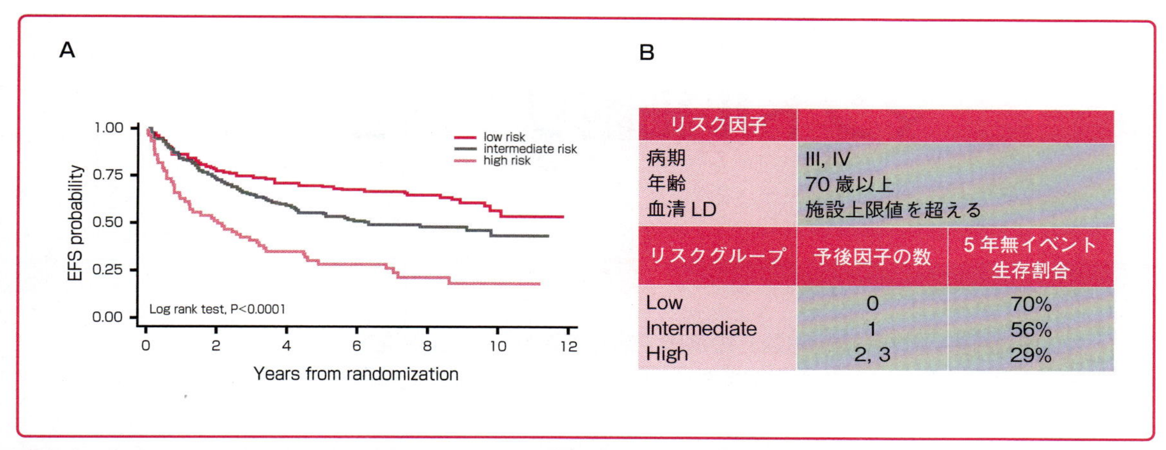

リスク因子	
病期 年齢 血清 LD	III, IV 70 歳以上 施設上限値を超える

リスクグループ	予後因子の数	5 年無イベント生存割合
Low	0	70%
Intermediate	1	56%
High	2, 3	29%

◆図 1　MALT-PI により層別化された MALT リンパ腫の各リスク群の予後
A：リスク別の無イベント生存割合
B：リスク因子とグループ
（文献 5 より引用）

CHOP/CVP 療法との第Ⅲ相試験が行われ，同様の試験結果を示した．以上より BR 療法も治療選択肢の 1 つといえる．ただし，英国から進行期低悪性度リンパ腫を対象として watchful waiting 群とアルキル化薬（chlorambucil）群との第Ⅲ相比較試験の結果，両者の OS は同等であったことから無治療経過観察も選択肢の 1 つである．

5 予後予測因子と予後

緩徐な臨床経過を示す場合が多く，限局期は無治療経過観察でも長期に限局期に留まることが多い．病期にかかわらず予後は比較的良好で，5 年 OS は 86%，10 年 OS は 80% である．

予後予測指標として①病期Ⅲ期以上，②年齢 70 歳以上，③施設上限値を超える LD 値の 3 つの予後不良因子からなる MALT-IPI が提唱されている（**図 1**）[5]．項目なしが Low リスク，1 項目が Intermediate リスク，2 ～ 3 項目が High リスクに分類される．Low リスク群，Intermediate リスク群，High リスク群の 5 年無イベント生存割合は各々 70%，56%，29% であった．ただしこのリスク分類による治療層別化の有用性は確定していない．

■文　献■

1）Wotherspoon AC et al: Lancet **342**: 575, 1993
2）Fung CY et al: Cancer **85**: 9, 1999
3）Yahalom J et al: Blood Adv **5**: 1830, 2021
4）Alderuccio JP et al: Cancers **13**:1803, 2021
5）Thieblemont C et al: Blood **130**:1409, 2017

15 マントル細胞リンパ腫

到達目標

- マントル細胞リンパ腫（MCL）の病因・病態を理解し，正しく診断できる
- 年齢・病期・病態に応じて治療法を適切に選択できる．また，造血幹細胞移植療法の適応を述べることができる

1 病因・病態・疫学

マントル細胞リンパ腫（mantle cell lymphoma：MCL）は小型から中型の腫瘍細胞が，不整な核を有する成熟B細胞腫瘍であり，細胞遺伝学的には95％以上の症例でt(11;14)(q13;q32)を認める．この染色体転座によって*cyclin D1*（*CCND1*）遺伝子と免疫グロブリン重鎖遺伝子が相互転座し，脱制御された*cyclin D1*が過剰発現する．MCLには2つの分子学的病型が知られており，大多数の症例が免疫組織学的にCD5とSOX11が陽性で，アグレッシブな臨床経過をとる典型的（Classic MCL）に相当する．もう1つはLeukaemic non-nodal MCLとしてWHO分類第4版*および第5版で規定された病型で，CD5陽性率がやや低く，SOX11陰性で，節性病変はあっても小さく，主に脾腫，骨髄浸潤および白血化を示し，経過観察が可能な緩徐な経過を示すことが多い（**図1**）．

わが国の非Hodgkinリンパ腫（non-Hodgkin lymphoma：NHL）の2.8～5％，欧米では5～10％の頻度でみられる，比較的まれな悪性リンパ腫病型である．60歳以上の高齢男性に多い．

*本書は基本的にWHO分類改訂第4版（2017年）に基づいて記載しているが，必要な場合にはWHO分類第5版（2022年）にも言及している．

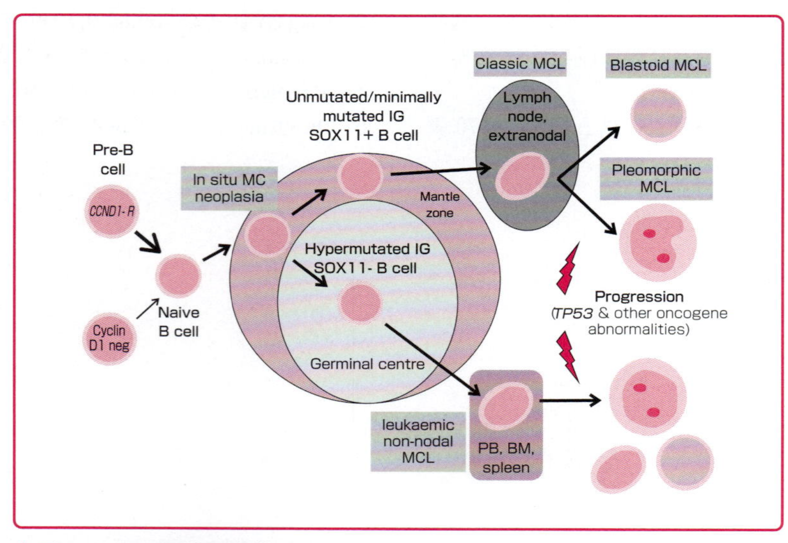

◆**図1 MCLの分子病態**
（WHO分類改訂第4版，2017，Fig. 13.97を参考に著者作成）

2 症候・身体所見

臨床病期Ⅲまたは Ⅳ期の進行期の場合が多い．リンパ節が最も高頻度に認められる病変部位である．骨髄，脾臓も高頻度に病変を認める節外臓器であり，白血化をきたす場合も多い．フローサイトメトリーで検討すると，ほとんどの症例で末梢血腫瘍細胞が検出される．その他の病変部位としては消化管，Waldeyer輪，肝臓などがあり，消化管では**多発ポリープ病変**（multiple lymphomatous polyposis）を認める場合がある．

3 診断・検査

1）病理組織所見

典型的なMCLでは単調な腫瘍細胞の増殖が認められる．増殖のパターンとしては不明瞭な結節パターン，びまん性パターン，マントル帯パターン，およびまれに濾胞様パターンがある．まれにマントル層内側やマントル層に限局的な浸潤を示す所見が偶発的に認められることがあり，*In situ* mantle cell neoplasmと規定されている［WHO分類第5版（2022年）］．

組織学的亜型として，blastoid，pleomorphic，small cell，marginal zone-likeの4亜型があり，前2亜型はアグレッシブな臨床経過をとる．また，細胞増殖に関連する細胞分裂像やKi67陽性細胞の割合が予後に関連するとされる．

2）免疫学的形質

IgM/IgD陽性で，軽鎖はλタイプがκタイプより多い．CD5^{+}，FMC-7^{+}，CD43^{+}，BCL2^{+}，CD10^{-}，BCL6^{-}である．CD23は陰性であり，MCLと同様にCD5が陽性となる慢性リンパ性白血病ではCD23^{+}となるため，鑑別上有用である．また，95％以上の症例でcyclin D1が陽性となり，病理診断上重要である．SOX11はClassic MCLでは陽性で，Leukemic non-nodal MCLでは陰性であることが多く，鑑別に有用である．

3）染色体・遺伝子

*cyclin D1*遺伝子と免疫グロブリン重鎖遺伝子の転座であるt(11;14)(q13;q32)が95％以上のMCLで認められ，MCL形成過程における最初の遺伝子異常と考えられている．免疫グロブリン軽鎖遺伝子と*cyclin D1*遺伝子の転座も報告されているがかなりまれである．

まれな病型としてcyclin D1発現やt(11;14)(q13;q32)を認めないMCLが報告されている．これらではcyclin D2やcyclin D3が高発現している．その機序は，①CCND2と免疫グロブリンκ鎖，λ鎖，重鎖との相互転座，あるいは，②*cyclin D2*あるいは*cyclinD3*遺伝子近傍へのκ鎖，λ鎖の短いエンハン

A

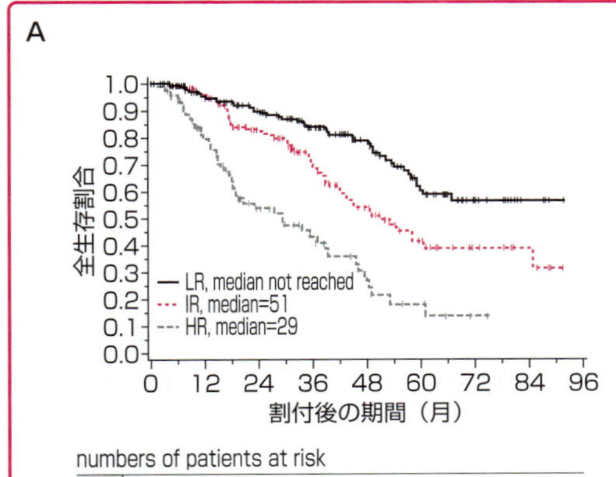

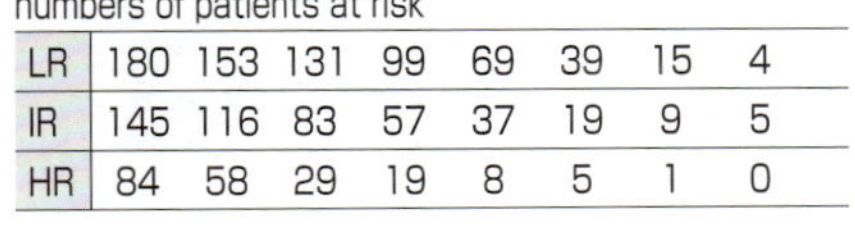

numbers of patients at risk

LR	180	153	131	99	69	39	15	4
IR	145	116	83	57	37	19	9	5
HR	84	58	29	19	8	5	1	0

B

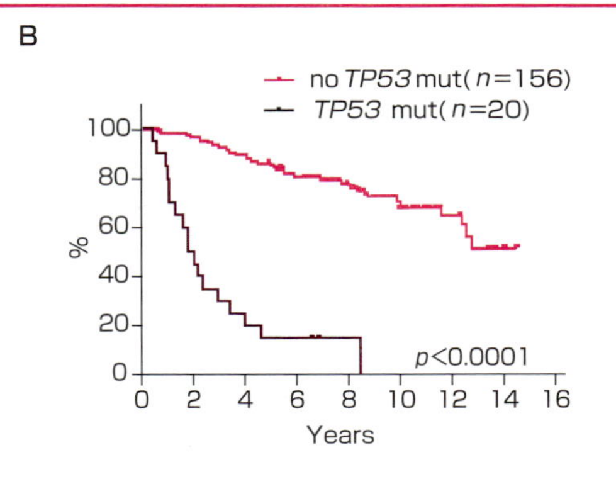

◆図2　MCLの予後因子

A：MIPIによる予後予測モデル

（文献2を参考に著者作成）

B：*TP53*遺伝子変異の有無によるMCLの全生存期間（HDC/AHSCTを施行した65歳以下症例）

（Eskelund CW et al：Blood **130**:1903, 2017より引用）

サー領域の挿入（criptic insertion）による．ただしcyclin D2やcyclin D3の発現は他のB細胞性リンパ腫細胞でもみられることから，Cyclin D1陰性MCLの診断には*SOX11*遺伝子の異常発現を確認する方が有用である．cyclin D1発現以外の細胞形質や臨床像は典型的なMCLと同様な病像を示すとされる．

4）予後因子

MCLの予後予測モデルとして年齢，PS，血清LD，白血球数の4因子から算出されるポイントにより3群に層別化するMCL international prognostic index（MIPI）[1]（**図2A**）と，簡略化したsimplified MIPが知られている．Ki67 index ≧ 30％や*TP53*遺伝子変異も予後不良因子であり（**図2B**），MIPIと組み合わせたMIPI-cあるいはMIPI-gも提唱されている．組織学的亜型のblastoid variantはKi67 index高値かつ高頻度に*TP53*変異を有し，予後不良である．

4 治療と予後

1）予　後

MCLの生存期間中央値は3～5年で，生存曲線の平坦化は認められない予後不良疾患である．

一方，Leukemic non-nodal MCLの大部分は比較的低悪性度な病態を示すことが報告されており，無治療経過観察が可能な症例が多い[2,3]．たとえば，診断3年以内に治療が必要になった症例割合はclassic MCLでは88％に対してLeukemic non-nadal MCLでは31％と報告されている（$p < 0.001$）．Leukemic non-nodal MCLと診断される症例でも，一部にclassic MCL同様に予後不良な経過をたどる症例があり，17p/TP53異常（変異あるいは欠失）や9p/CDKN2A欠失，あるいは多数領域でのゲノムコピー数異常との関連が示唆されている．経過観察が可能な緩徐な経過を示すLeukemic non-nadal MCLを診断時に正しく鑑別する方法はいまだ確立しておらず，今後さらに研究開発が進められると思われる．

2）治　療（図3）[4]

MCLの大部分は進行期だが，まれな限局期（bulky diseaseを持たないⅠおよびⅡ）に対しては領域への放射線治療と化学療法の併用療法が行われる．

進行期（bulky diseaseを持つⅡ，およびⅢ・Ⅳ期）に対しては化学療法が行われてきたが，その治療効果は不十分である．Rituximabは MCLに対しても広く用いられており，最も代表的なrituximab併用化学療法としてrituximab併用CHOP（R-CHOP）があるが，MCLに対して行われたR-CHOPとCHOPのランダム化比較試験では，CR割合がCHOPの7％に比べてR-CHOPでは34％と有意に良好であった（$p = 0.00024$）[5]．また，systematic reviewによってrituximab併用化学療法によって奏効割合や生存期間が改善することが示された．これらを基に，MCLに対する化学療法ではrituximabを併用することが推奨されている．

Rituximab維持療法の有用性については，高齢者MCLに対してR-CHOP療法とrituximab，fludarabineおよびcyclophosphamide（R-FC）療法を比較するとともに，奏効例についてrituximab維持療法およびinterferon-α維持療法を比較するランダム化比較試験が行われた．R-CHOPはR-FCより全生存（OS）が良好で，R-CHOP群ではrituximab維持療

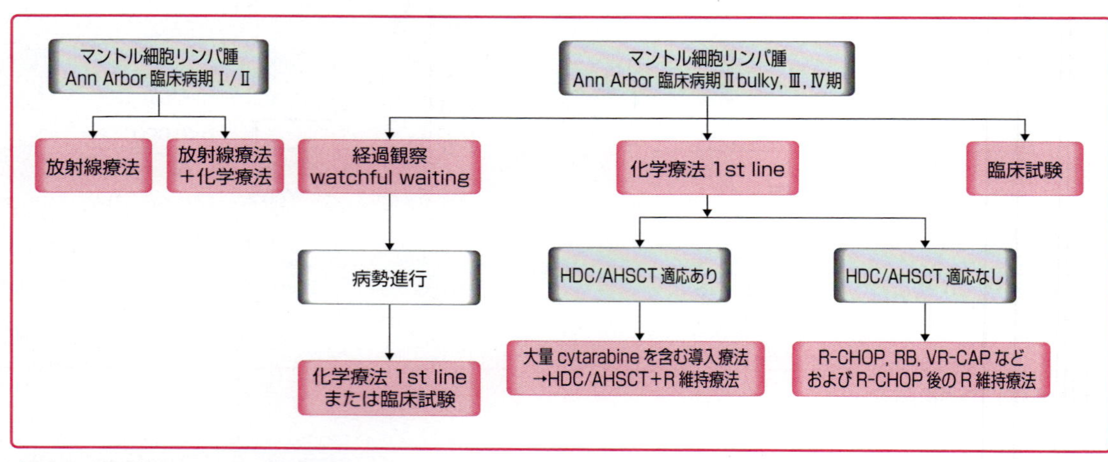

◆**図3　初発MCLの治療指針**
［文献4，p268より許諾を得て改変し転載］

法群がinterferon-α群に比べOSが有意に延長した[6]．これはMCLに対するrituximab維持療法の有用性を示す成績といえる．Rituximab維持療法については，若年MCLに対する自家造血幹細胞移植併用大量化学療法（high-dose chemotherapy with autologous hematopoietic stem cell transplantation：HDC/AHSCT）後に実施しても有用であることが示されている（後述）．

Bendamustineは MCLに対して高い有効性を示す薬剤である．濾胞性リンパ腫（follicular lymphoma：FL）を中心とする未治療低悪性度B細胞リンパ腫およびMCLを対象として，bendamustineとrituximab併用（BR）療法とR-CHOP療法のRCTのサブグループ解析では，MCLに対してBRがR-CHOPよりも無増悪生存（PFS）で良好であった[7]．

Bortezomibは VR-CAP（bortezomib，rituximab，cyclophosphamide，doxorubicin，prednisone）療法として，使用することで，R-CHOP療法に比べて，PFSの延長が示されている．さらに，長期追跡によりOSの延長も示された[8]．

比較的若年のMCL患者においては，rituximabと高用量cytarabine（AraC）を組み込み治療強度を高めた化学療法を実施し，地固め療法として自家造血幹細胞移植併用大量化学療法（high-dose chemotherapy with autologous hematopoietic stem cell transplantation: HDC/AHSCT）を行うことが推奨されている．自家移植前の導入化学療法としてR-CHOP/R-DHAP交替療法[9]，R-maxi-CHOP療法/R-HD-AraC療法[10]，RB（R, bendamustine）/RC（R, AraC）療法，R-high-CHOP/CHASER（cyclophosphamide, AraC, dexamethasone, etoposide, R）療法が報告されている．また，第Ⅲ相試験の結果，HDC/AHSCT後のR維持療法はPFS期間，OS期間を有意に改善することが示され，推奨される[11]．ただし，臨床試験では維持療法を3年施行されているのに対し，わが国の承認期間である2年を適応した場合の有用性は明らかではない．

再発・治療抵抗性例では，BTK阻害薬ibrutinib，bendamustine，bortezomibの単剤またはrituximabとの併用，GDP療法などの多剤併用療法が推奨されている[4]．新薬の開発も進んでおり，lenalidomide，acalabrutinib，zanubrutinib，venetoclaxなどの有効性が報告されており，ibrutinibとvenetoclaxを組み合わせたchemo-free regimenも検討されている．CD19を標的としたCD19-CAR-T細胞（Brexucabtagene autoleucel：KTE-X19）は，ibrutinibやacalabrutinibを含む複数治療に抵抗性となったMCL患者に有効であることが報告されている［ZUMA-2試験（第II相治験）］[12]．2020年には米国食品医薬品局が再発・難治性MCLに対してbrexucabtagene autoleucelを承認しており，今後わが国でも臨床導入されることが期待される．

■文　献■

1）Hoster E et al: Blood **111**: 558, 2008（MIPI）
2）Martin P et al: J Clin Oncol **27**: 1209, 2009
3）Clot G et al: Blood **132**:413, 2018
4）日本血液学会（編）：造血器腫瘍診療ガイドライン2023年版，金原出版，2023
5）Lenz G et al: J Clin Oncol **23**: 1984, 2005
6）Kluin-Nelemans HC et al: N Engl J Med **367**: 520, 2012
7）Rummel MJ et al: Lancet **381**: 1203, 2013
8）Robak T et al: Lancet Oncol **19**: 1449, 2018
9）Hermine O et al: Lancet **388**: 565, 2016
10）Eskelund CW et al: Br J Haematol **175**: 410, 2016
11）Le Gouill S et al: N Engl J Med **377**: 1250, 2017
12）Wang M et al : J Clin Oncol **41**: 555, 2023

16 びまん性大細胞型 B 細胞リンパ腫

到達目標

- びまん性大細胞型 B 細胞リンパ腫（DLBCL）の病態，分類，病期，予後予測因子を理解する
- 初発症例における標準的治療法を病期やリスク因子によって正確に決定できる
- 再発・難治症例における救援化学療法や，造血幹細胞移植や CAR-T 療法の適応を理解する

1 病因・病態・疫学

びまん性大細胞型 B 細胞リンパ腫（diffuse large B-cell lymphoma：DLBCL）はリンパ系腫瘍の中で最も頻度の高い病型であり非 Hodgkin リンパ腫の約 30 ～ 40％を占める．臨床的には中高悪性度リンパ腫であり，月単位で腫瘍の進展がみられることから，診断後早期の治療介入が必要である．DLBCL の病因としては，末梢リンパ節の胚中心において成熟段階にある B 細胞が，遺伝子変異を集積させることで腫瘍化にいたることが考えられている．一方，一部の症例では，methotrexate など免疫抑制薬の使用や臓器移植後などの免疫不全状態において，Epstein-Barr ウイルスが活性化することで腫瘍化に関与していることが考えられ，このような症例においては免疫抑制薬の中止などで，自然軽快する例も知られている．

DLBCL は生物学的に非常に不均一な疾患単位であり，それを反映するように WHO 分類改訂第 4 版（2017 年）*において，臨床学的・分子病理学的に特徴を持ったいくつかの亜型（subtype）と，それらには分類されない DLBCL, not otherwise specified（DLBC-NOS）に細分類されている[1]．そのなかで臨床的，生物学的に最も重要なサブタイプとして，細胞起源による分類（cell-of-origin）が挙げられる．遺伝子発現プロファイル（gene expression profile: GEP）により，2 つの subtype，activated B-cell type DLBCL（ABC-DLBCL） と germinal center B-cell type DLBCL（GCB-DLBCL）に分類され，遺伝子発現のパターンによりそれぞれに 2 つの分化段階，pre germinal center（GCB-DLBCL） と post germinal center（ABC-DLBCL）にある B 細胞に相当することが示唆されている．これら 2 つの subtype は臨床的にも異なるプロファイルをもつ 2 群である．すなわち ABC-DLBCL は GCB-DLBCL に比較し，高年齢や多数の節外病変を持つ患者背景を有し予後不良である[2]．

また，WHO 分類改訂第 4 版（2017 年）における high-grade B-cell lymphoma（HGBL）は臨床病理学的，生物学的に DLBCL-NOS あるいは Burkitt リンパ腫（Burkitt lymphoma：BL）に分類されない，高悪性度の成熟 B 細胞リンパ腫と定義されている．これまで「ダブルヒットリンパ腫」と呼ばれていた，*MYC* および *BCL2* および / または *BCL6* の遺伝子再構成を伴う DLBCL は，今回の改訂により HGBL として定義された．特に *MYC* と *BCL2* の遺伝子再構成を有する HGBL は，GCB-DLBCL に属し予後がきわめて不良な均一な一群として，生物学的にも臨床学的にも重要視されている．HGBL には WHO 分類第 4 版（2008 年）で DLBCL と BL との中間型として提唱された，“B-cell lymphoma, unclassiable, with features intermediate between DLBCL and BL（BCLU）” に相当するがダブルヒットリンパ腫でない B 細胞リンパ腫も含まれている．

一方，遺伝子変異解析技術の発展により，DLBCL の病態に直結する遺伝子異常が相次いで報告され，それまで悪性腫瘍との関連が未知であった新たな遺伝子異常やそのターゲットとなるパスウェイが複数発見されている．特に，エピゲノム制御にかかわる遺伝子である *KMT2D, EZH2, MEF2B, CREBBP, EP300* などの点突然変異が DLBCL で約 10 ～ 30％と非常に高

*本書は基本的に WHO 分類改訂第 4 版（2017 年）に基づいて記載しているが，必要な場合には WHO 分類第 5 版（2022 年）にも言及している．

頻度に起こっていることが発見され，他にも腫瘍微小環境における免疫応答を抑制する遺伝子の点突然変異や欠失（*B2M, CD58, HLA-C*），またBCR-NF-kappaB経路や*TP53*などアポトーシスに関与する遺伝子の点突然変異なども高頻度に発見された．

これらの遺伝子異常の多くは先に述べたDLBCLの細胞起源と関連することが明らかになっている．まずエピゲノム制御にかかわる遺伝子はABC-DLBCLに比べGCB-DLBCLで有意に頻度が高いことがわかっており，これらの遺伝子異常はgerminal center B-cellの腫瘍化に大きくてかかわっていることが機能解析でも明らかにされている．これに対しABC-DLBCLでは，従来から知られている*CD79B, MYD88, TNFAIP3, PRDM1*などBCR-NF-kappaB経路の遺伝子が選択的に起こっていることが示されている．

2 症候・身体所見

DLBCLは中悪性度リンパ腫の代表的な疾患であり，月単位の進行を特徴とする．リンパ節腫大は他の悪性リンパ腫同様，一般的に無痛性である．一方，40%の症例は節外臓器への浸潤を有することから，重度の肝機能障害や腎機能障害などの臓器障害が，DLBCL発見の契機になることも多い．また神経症状や骨症状の精査で，DLBCLの診断がつくこともあり，多彩な臨床症状を示す．診断時の年齢中央値は60歳代後半であり，約30%の患者はB症状（発熱，盗汗，体重減少）を呈する．さらに病変部位により定義される疾患群もあり，原発性縦隔大細胞型B細胞リンパ腫（primary mediastinal large B-cell lymphoma：PMBCL），原発性中枢神経系DLBCL（primary central nervous system lymphoma：PCNSL）や原発性精巣DLBCL（primary testicular lymphoma：PTL）は，独自の治療や診断方法が提唱されている．

3 診断・検査

DLBCLの診断は，生検組織の病理学的検討の結果なされる．大型の成熟B細胞のびまん性増殖が病理組織学的所見として重要であり，まずは形態学的特徴の確認が必要である．さらに，WHO分類改訂第4版（2017年）に記載されている悪性リンパ腫の亜型分類に対応する際，形態学的診断だけでなく，複数の免疫組織染色や，フローサイトメトリーを用いた細胞表面形質解析が必要となる．具体的には，pan-B細胞マーカーであるCD19，CD20，CD79aなどが腫瘍細胞において陽性であり，またCD3のようなT細胞マーカーが陰性であることが多い．一方，一部のDLBCLではCD5が陽性であり，CD5陽性DLBCLとして予後不良な疾患群として知られている．また，染色体分析やfluorescent *in situ* hybridization（FISH）解析などの細胞遺伝学的検査も必要となることが多い．特に近年では，HGBLが独立した疾患としてWHO分類に記載されたことで，*MYC*と*BCL2*のFISH解析の重要性がさらに増している．上記の検査の一部は，ホルマリン固定検体では解析できないため，生検体が必要である．そのため検体の一部は，生理食塩水で浸されたガーゼに包むなどの処置が必要であることから，検体提出にかかわるスタッフや医療者への周知が重要である．

病期を決定するために，CT，FDG-PETに加え，病変部位に応じて消化管内視鏡，MRIなどを行う．骨髄検査も行うことが多い．特にFDG-PETは病期判定だけでなく治療効果判定においても重要な役割を果たし，必須の検査項目である．悪性リンパ腫の臨床病期分類は古くからAnn Arbor分類が用いられているが，その改訂版として2014年にLugano分類が発表された[3]．なお，DLBCLでは胃に病変を有することが多いことから，消化管の検索は重要視され，消化管原発のDLBCLの場合には，Ann Arbor分類に加えLugano病期分類（1994年）が用いられている．

これらの診断時データを用いて予後予測モデルとして，国際予後予測モデル（International Prognostic Index：IPI）が広く用いられており，5つの予後予測

◆表1　NCCN-IPIの予後不良因子とリスク分類

予後不良因子	スコア
年齢	
41～60歳	1
61～75歳	2
76歳以上	3
血清LD	
正常上限を超えるかつ正常上限の3倍以下	1
正常上限の3倍を超える	2
Performance Status (PS)：2以上	1
Stage III または IV	1
節外病変（骨髄，中枢神経系，肝臓／消化管，肺）	1

NCCN-IPI：リスクグループ	
Low risk	スコア0または1
Low-Intermediate risk	スコア2または3
High-Intermediate risk	スコア4または5
High risk	スコア6以上

因子，すなわち年齢，血清 LD，節外病変数，臨床病期，および performance status（PS）の情報で，4 つのグループにリスク分類が可能である（low-risk，low/low-intermediate risk，high/high-intermediate risk，high risk）[4]．IPI はこれまで多くの研究で再現性が広く確認されている．一方，抗 CD20 抗体薬 rituximab（R）が標準治療として用いられるようになり，R-CHOP 療法を実施した患者群で IPI が再考された結果，Revised-IPI（R-IPI）として分類法が若干変化し，さらに最近では，IPI のリスク分類のなかでも，年齢，血清 LD 値をさらに細分化した，National Comprehensive Cancer Network（NCCN）-IPI が，より正確な患者層別化ツールとして使用されている（**表 1**）．

4 治療と予後

DLBCL の治療は初発と再発・難治例での治療では大きく異なり，また初回治療においても，限局期と進展期で方針が異なる．

1）初発限局期 DLBCL（図 1）

Rituximab 導入後に SWOG で実施された大規模比較試験では，初発限局期（Stage I/IE，non-bulky II/IIE）で，stage-modified IPI（bulky-mass のない Stage II，年齢 61 歳以上，PS2 以上，血清 LD 正常上限値以上）で 1 つ以上の因子を有する患者を対象にして，R-CHOP（rituximab，cyclophosphamide，doxorubicin，vincristine，prednisolone）療法 3 コース + IFRT の第Ⅱ相試験を実施した．その結果，R-CHOP 療法 3 コース + IFRT の良好な治療成績と安全性が示された．一方，若年者・低リスク DLBCL を対象に CHOP 療法に rituximab の上乗せ効果を検証したランダム化比較試験（MabThera International Trial：MInT 試験）では，70％以上を占める臨床病期Ⅰ/Ⅱ期の限局期患者において，R-CHOP 療法の有効性が認められたことから，若年者限局期では R-CHOP 療法 6 コース単独も選択肢として考えられる．また，欧州 The Lymphoma Study Association（LYSA）で

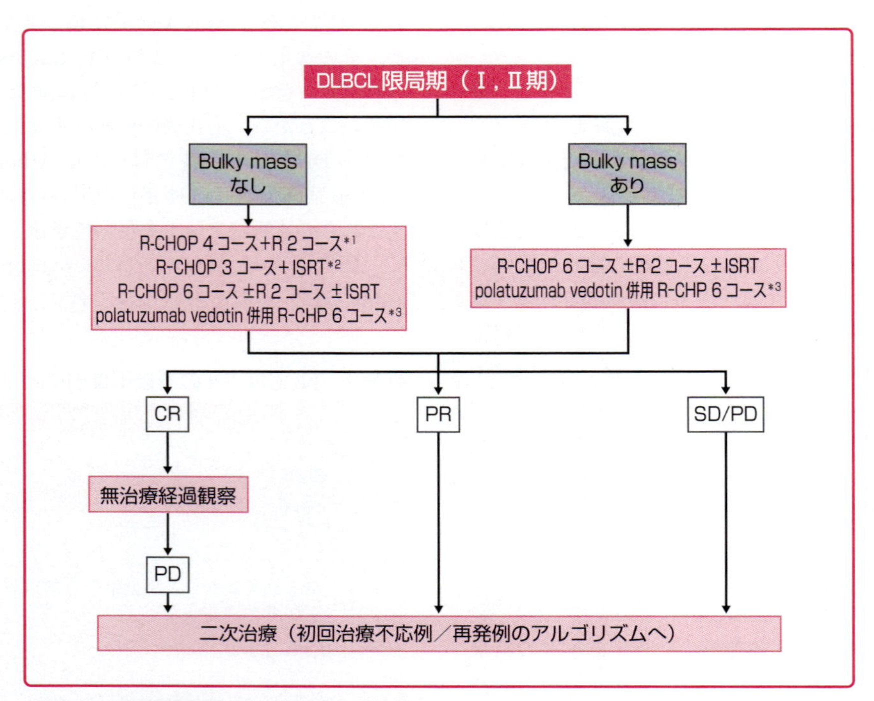

◆**図 1 初発限局期 DLBCL の治療方針**

*1 年齢調節 IPI でリスク因子を有しない場合
*2 R は計 4 回
*3 18 ～ 80 歳で IPI スコアが 2 以上 ＋ R 単独療法 2 コース
R-CHOP：rituximab，cyclophosphamide，doxorubicin，vincristine，prednisolone
CR: 完全奏効，PR: 部分奏効，SD: 安定，PD: 進行，RD: 再発，ISRT：病変部放射線治療
[日本血液学会（編）：造血器腫瘍診療ガイドライン 2023 年版，金原出版，p280，2023 より許諾を得て改変し転載]

は，R-CHOP-14 療法 4 コース後に完全奏効に至った限局期 DLBCL 患者において IFRT 追加の上乗せ効果を検証し，R-CHOP-14 療法単独が R-CHOP-14 療法 + IFRT に劣らないことが示された．さらに，German Lymphoma Alliance のランダム化非劣性試験では，限局期 DLBCL において，R-CHOP 療法 4 コース + R2 コースの R-CHOP 療法 6 コースに対する非劣性が示された．これら結果から，限局期 DLBCL に対しては R-CHOP 療法 3 コース + ISRT［現在は，IFRT よりもさらに標的体積や照射線量を小さくした involved radiation therapy（ISRT）が推奨される］，あるいは R-CHOP 療法 6 コースが推奨される治療法である．

2）初発進行期 DLBCL（図 2）

初発進行期 DLBCL の標準治療は R-CHOP 療法 6 ～ 8 コースである．これは，フランス・GELA（Groupe d'Etude des Lymphomes de l'Adulte）で行われた初発の 60 歳以上の患者を対象としたランダム化比較試験の結果と，上述の若年者 DLBCL を対象とした MInT 試験の結果に基づいている．また，これらの治療レジメンはいずれも 3 週間間隔の標準的な R-CHOP 療法（R-CHOP-21）であるが，それに対して R-CHOP 療法を 2 週間に短縮して治療強度を高める R-CHOP-14 療法の効果を検証するランダム化比較臨床試験が実施されたが，いずれも全奏効割合，無増悪生存割合（PFS），全生存割合（OS）で両群間に差がなかったことから，標準治療としては R-CHOP-21 療法が推奨される．一方，R-CHOP-21 療法での 6 コースと 8 コース間の直接比較はないものの，複数のサブグループ解析の結果を参考に，近年では．R-CHOP 6 コース（+ R 単独療法 2 コース）が一般的となっている．

2021 年に，R-CHOP 療法 6 コース（+ R 単独療法 2 コース）と，R-CHOP 療法の oncovin と polatuzumab vedotin を置き換えた，Pola-R-CHP 療法 6 コース（+ R 単独療法 2 コース）を比較したランダム化比較試験（POLARIX 試験）の結果が公表された．18 ～ 80 歳，IPI スコア 2 以上の DLBCL 患者を

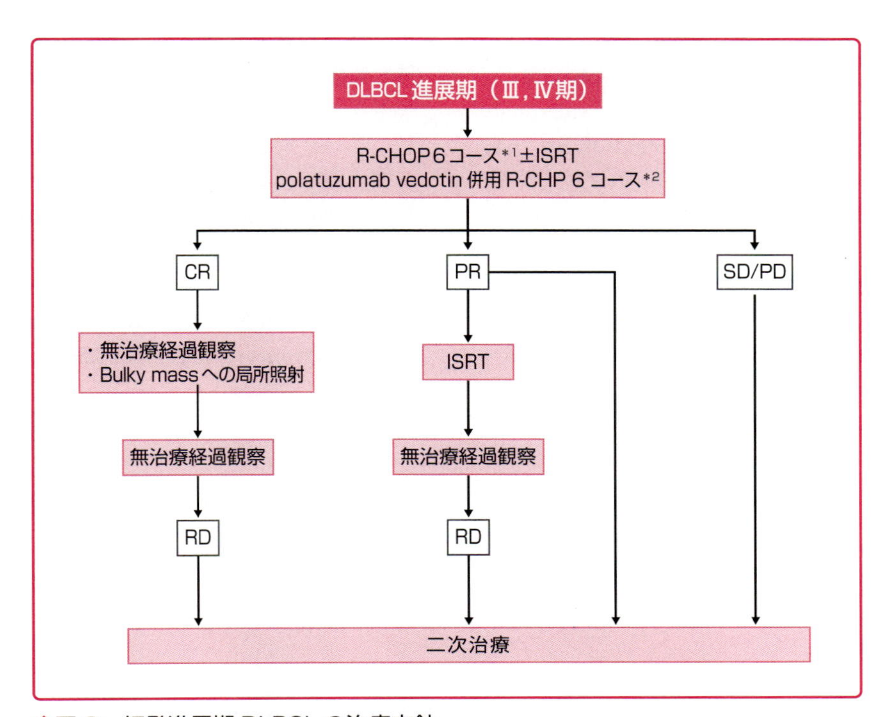

◆図 2　初発進展期 DLBCL の治療方針

*1 R-CHOP が 6 コースの場合は，± R 単独療法 2 コース
*2 + R 単独療法 2 コース
R-CHOP：rituximab，cyclophosphamide，doxorubicin，vincristine，prednisolone
CR: 完全奏効，PR: 部分奏効，SD: 安定，PD: 進行，RD: 再発，ISRT：病変部放射線治療
［日本血液学会（編）：造血器腫瘍診療ガイドライン 2023 年版，金原出版，p281，2023 より許諾を得て改変し転載］

対象にして実施され，2年PFSがPola-R-CHP療法76.7％ vs R-CHOP療法　70.2％とPola-R-CHP療法で有意に改善したことが報告された．OSでは両群で差が認められなかったものの，Pola-R-CHP療法では増悪，死亡などのイベントが25％低下したことが示され，またR-CHOP療法に比べ発熱性好中球減少以外の有害事象の増加も認めなかったことから，これらの患者に対する標準治療の1つとなった．一方，本試験の対象以外の患者におけるエビデンスは確立していない．

以上より，初発進行期DLBCLでは，R-CHOP療法6～8コースが標準治療であるが，18～80歳でIPIスコアが2以上の症例ではPola-R-CHP療法6コース＋R単独療法2コースも標準治療の1つとして勧められる．

3）再発・難治DLBCL

R-CHOP療法に交差耐性の少ない薬剤を使用した救援化学療法が実施される．一般的にはプラチナ製剤（cisplatin，carboplatin）やcytarabineが含まれるレジメンが選択され，主なものはR-ICE療法（rituximab，ifosfamide，carboplatin，etoposide），R-DHAP療法（rituximab，dexamethasone，cisplatin，cytarabine），CHASER療法（cyclophosphamide，cytarabine，etoposide，dexamethasone，rituximab）がある．また，polatuzumab　vedotin併用BR（bendamustine，R）療法の良好な結果も示され，再発・難治DLBCLの治療オプションの1つとして考慮できる．これらのレジメンの選択において高いエビデンスはなく，患者の臓器機能や病状を踏まえて判断する．

これらの治療で完全奏効もしくは部分奏効が得られれば，年齢や臓器機能を考慮し，可能であれば自家末梢血造血幹細胞移植併用の大量化学療法を行い，さらに深い奏効を目指す．ただし，初回治療後早期再発あるいは治療抵抗性DLBCLの治療奏効率はきわめて不良であり，上記の治療方針が奏効し，治癒にいたる患者は10％程度である．近年では，再発・難治性B細胞性リンパ腫に対して，CD19抗原を標的とするキメラ抗原受容体（CAR）遺伝子改変自家T細胞療法（CAR-T細胞療法）の有効性が相次いで報告され，わが国ではtisagenlecleucel（キムリア®），lisocabtagene maraleucel（ブレヤンジ®），axicabtagene ciloleucel（イエスカルタ®）の3剤が保険承認されている（詳細はV-6「細胞療法」参照）．

4）特殊な節外性リンパ腫に対する治療

PMBCLにおける初回治療は，Dose adjusted EPOCH-R療法が選択されることが多い．本レジメンを用いた第Ⅱ相試験で良好な結果が示されたため，直接比較した研究はないものの，強度の高い治療が初回治療として使用されている．PCNSLは脳血管関門の透過性を考慮し，大量methotrexate投与を含むレジメンが選択され，治療反応性などにより全脳照射が追加されるケースがある．またPTLは中枢神経再発が高率に認められることから，methotrexateの髄腔内投与と健側精巣への放射線療法を予防的に行うことが推奨されている．

■文　献■

1）Swerdlow SH et al : Blood **127**:2375, 2016
2）Rosenwald A et al : N Engl J Med **346**:1937, 2002
3）Cheson BD et al : J Clin Oncol **32**:3059, 2014
4）International Non-Hodgkin's Lymphoma Prognostic Factors Project : N Engl J Med **329**:987, 1993

17 Burkitt リンパ腫

到達目標

- Burkitt リンパ腫(BL)の疫学，病態，細胞遺伝学・分子生物学的特徴，臨床的特徴を理解する
- 予後を適切に判断し，BL に有効な治療を安全に実施できる

1 病因・病態・疫学

Burkitt リンパ腫（Burkitt lymphoma：BL）は，非Hodgkin リンパ腫（NHL）の一病型で，病勢が週単位で急速に進行する高悪性度（highly aggressive）の成熟 B 細胞腫瘍である．がん遺伝子の 1 つである *MYC* と免疫グロブリン遺伝子（*IGH*，*IGL*，*IGK*）との相互転座が特徴的である．BL は，アフリカ赤道地帯やパプアニューギニアなどに好発する**流行地型**（endemic）BL，それ以外の地域でみられる**非流行地型**（sporadic）BL，そしてヒト免疫不全ウイルス（HIV）感染者などの免疫不全患者に発生する**免疫不全関連**（immunodeficiency associated）BL（HIV 関連 BL）の 3 つに分類される（**表 1**）．Endemic BL は，サハラ砂漠以南の小児悪性腫瘍で最も頻度の高い疾患で，年齢中央値は 6 歳である．Endemic BL では 95%を超える症例で Epstein-Barr ウイルス（EBV）が陽性であるが，sporadic BL，免疫不全関連 BL における EBV 陽性率はそれぞれ 15 ～ 30%，25 ～ 40%である．Endemic BL の好発地域はマラリア流行地域と重なっており，マラリア感染，EBV 感染，およびその他の因子が B 細胞の活性化や腫瘍化に協調して関与する可能性が推測されている．欧米における成人 BL の発生頻度は全リンパ腫の 1%程度であるが，小児では 30 ～ 50%を占める．成人例の年齢中央値は 30 歳で，男女比は 2 ～ 3：1 と男性に多い．わが国の BL 発生頻度は，成人 NHL の約 1%である．HIV 感染者での BL 発症危険度は健常者の約 1,000 倍で，BL は全 HIV 関連リンパ腫の約 30 ～ 40%を占める．HIV 関連 BL の発症リスクは，多剤併用抗レトロウイルス療法の普及前後で大きな変化はないとされる．

2 症候・身体所見

Endemic BL の 50 ～ 70%において，下顎や眼窩周辺の顔面骨に病変をみる．成人の sporadic BL や免疫不全関連 BL では，多くの症例で回盲部腫瘤などの腸管病変をみる．また，骨髄浸潤ほか，卵巣，腎，膵，

◆表 1　BL の各 variant の比較

	endemic BL	sporadic BL	免疫不全関連 BL
疫　学	5 ～ 15 人 / 10 万人 / 年	2 ～ 3 人 / 10 万人 / 年	HIV 関連 NHL の 30 ～ 40%
臨床的特徴	下顎や眼窩周辺の顔面に好発．腸管，腎，性腺，乳腺，骨髄など節外病変の頻度も高い	回盲部に好発．腎，卵巣，乳腺，後腹膜など節外病変の頻度も高い	リンパ節病変，骨髄浸潤の頻度が高い
形態的特徴	典型例	典型例および Burkitt-like リンパ腫	形質細胞様分化を伴う
EBV 関与	＞ 95%	15 ～ 30%	25 ～ 40%
8 番染色体の切断部位	*MYC* の数百 kb 上流	*MYC* 内もしくは近傍	*MYC* 内もしくは近傍
14 番染色体の切断部位	*IGH* の joining segment 内	*IGH* の Sμ switch region 内	*IGH* の Sμ switch region 内
骨髄浸潤	初発時 22%	初発時 30 ～ 38%	初発時＜ 30%
中枢神経系浸潤	初発時 12%	初発時 13 ～ 17%	初発時 20 ～ 30%

NHL：非 Hodgkin リンパ腫，EBV：Epstein-Barr ウイルス

肝，乳腺などの節外臓器にも病変をしばしば認める．初発 sporadic BL の 2 割弱の症例で中枢神経（CNS）浸潤を認める．CNS 病変の有無は予後予測や治療選択において重要であり，症候を見逃してはならない．診断時，70%の患者が臨床病期Ⅲ期以上の進行期である．B 症状は 1/3 程度に認められる．腹腔内病変を有する患者では，腫瘤，腹痛，腸管閉塞，消化管出血，虫垂炎類似症状などを呈する．後腹膜腫瘍では脊髄圧迫による麻痺などの神経症状をきたすことがあり，その際には oncology emergency として緊急の対応を要する．

3 診断・検査

病変部位の生検検体を用いて病理学的に確定診断を行う．典型例においては，脂肪顆粒を有する好塩基性細胞質を持つ均一な中型 B 細胞がびまん性融合性に増殖し，分裂像を多数認める．アポトーシスに陥った腫瘍細胞の核断片を貪食する多数の核片貪食マクロファージが散在し，弱拡大像では “starry sky appearance（星空像）” と表現される特徴的な病理組織像を示す．CD19，CD20，CD22，CD10，BCL6，CD79a，PAX5 が陽性であり，CD5，CD23，BCL2，TdT が陰性である．Ki-67 は腫瘍細胞のほぼ 100%で陽性である．

BL の診断において，染色体，遺伝子検査も重要である．BL の約 80%に *MYC* と *IGH*（免疫グロブリン重鎖遺伝子）の相互転座による t(8;14)(q24;q32) を認める．*MYC* と *IGK*（免疫グロブリン κ 軽鎖遺伝子）もしくは *IGL*（λ 軽鎖遺伝子）との間での相互転座 t(2;8)(p12;q24) および t(8;22)(q24;q11) は，それぞれ 15%，5%に認められる．ただし *MYC* 転座は，一部のびまん性大細胞型 B 細胞リンパ腫（DLBCL）や High-grade B-cell lymphoma with *MYC* and *BCL2* and/or *BCL6* rearrangements（いわゆる double/triple hit リンパ腫）などでも検出されるため，注意を要する．*MYC* 構造異常の検出には，FISH 法も有用である．また網羅的遺伝子変異解析により，sporadic BL と免疫関連 BL の約 7 割，endemic BL の約 4 割の症例に転写因子 *TCF3*（*E2A*）や，その抑制因子である *ID3* に変異が集積することが報告されている．

腫瘍の増殖などを反映して，進行期症例では血清 LD，sIL-2R，β_2 ミクログロブリン，CRP，血清尿酸値の上昇を伴うことが多い．

全身の病変評価には，CT，FDG-PET を実施する．BL における FDG-PET 陽性率は 100%で，治療効果判定にも重要な検査である．

画像所見や便潜血陽性など消化管病変を疑う症例では消化管精査が望ましい．また，CNS 浸潤確認のため，髄液細胞診などを実施し，細胞数の増加を見る際にはフローサイト解析（FCM）を検討する．骨髄穿刺を行い，目視ほか FCM や染色体分析によって骨髄浸潤の有無を確認する．

BL の病期分類として，主に小児科領域においては **St. Jude/Murphy 分類**が使用されているが，成人 BL においては他のリンパ腫と同様に **Ann Arbor 分類**またはその改訂版の Lugano 分類（2014）が用いられている．

4 治療と予後

BL は増殖速度の極めて早いリンパ腫病型であるが，診断を迅速に行い強力な多剤併用化学療法を適切に行うことで，約 7 割の症例に長期予後を期待できる．短期強力化学療法として，R-hyperCVAD/MA，CODOX-M/IVAC＋R，DA-EPOCH-R などの報告があるが，特にこの 3 レジメンはわが国の臨床現場でも準標準的な治療法として実施されている（**図 1**）．これらの治療法により，BL の予後は著明に改善した．一方，CHOP 類似療法による BL の長期無再発生存率は 0 ～ 30%と不良である．これは，休薬期間における腫瘍細胞の再増殖が原因と考えられる．病勢進行により確定診断を待つことができないなどの状況におけ

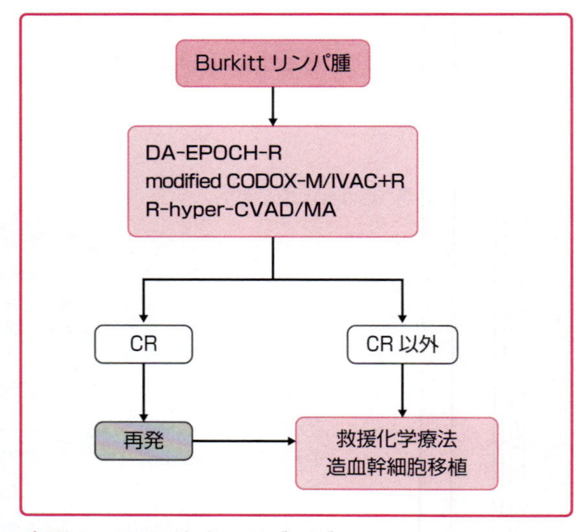

◆**図 1　BL の治療アルゴリズム**
［日本血液学会（編）：造血器腫瘍診療ガイドライン 2023 年版，金原出版，p305，2023 より許諾を得て改変し転載］

る CHOP 療法の実施は許容されるが，診断確定後は上記治療への移行が望まれる．高齢者など，強度の高い治療の実施が困難な例については，強度を減弱した modified CODOX-M/IVAC 療法や，毒性の程度によって治療強度を調整可能な DA-EPOCH-R 療法を用いる．BL は腫瘍崩壊症候群のリスクが最も高い疾患の1つである．特に進行期や血清 LD 値が正常上限の2倍を超える症例は高リスク群として注意を要する．これらの症例の初回治療実施時には，rasburicase と大量補液による腫瘍崩壊症候群の予防が必要である．

米国で免疫化学療法を実施した BL 633 例の後方視的解析から，BL の国際予後指標（BL-IPI）が提案されている（**図2**）[1]．予後不良因子として，年齢 40 歳以上，PS 2 以上，血清 LD 値が正常上限の3倍を超える，CNS 浸潤あり，の4項目が抽出されている．該当項目の数が0は低リスク群，1は中間リスク群，2以上は高リスク群とされ，それぞれの群における3年全生存（OS）割合は 96%，76%，59%であった．

1）CODOX-M/IVAC 療法

Cyclophosphamide，vincristine，doxorubicin，および大量 methotrexate からなる CODOX-M 療法と，ifosfamide，etoposide，大量 cytarabine からなる IVAC 療法の交替療法であり，髄注を併用する．初発 BL（小児 21 例，60 歳未満成人 20 例）に対する米国立がん研究所（NCI）の報告では，2年無イベント生存（EFS）割合が 92%で[2]，主な毒性は粘膜炎と神経毒性であった．成人 BL 52 例に対する CODOX-M/IVAC 療法の欧州における第Ⅱ相試験（LY06）では，2年 OS 割合と2年 EFS 割合は各々 73%，63%で，主な毒性は血液毒性と粘膜炎であった[3]．また，毒性軽減を目的として methotrexate を減量（6.7 g → 3 g/m^2）した modified CODOX-M/IVAC 療法では，比較的高齢の患者における有効性と安全性が確認された[4]．

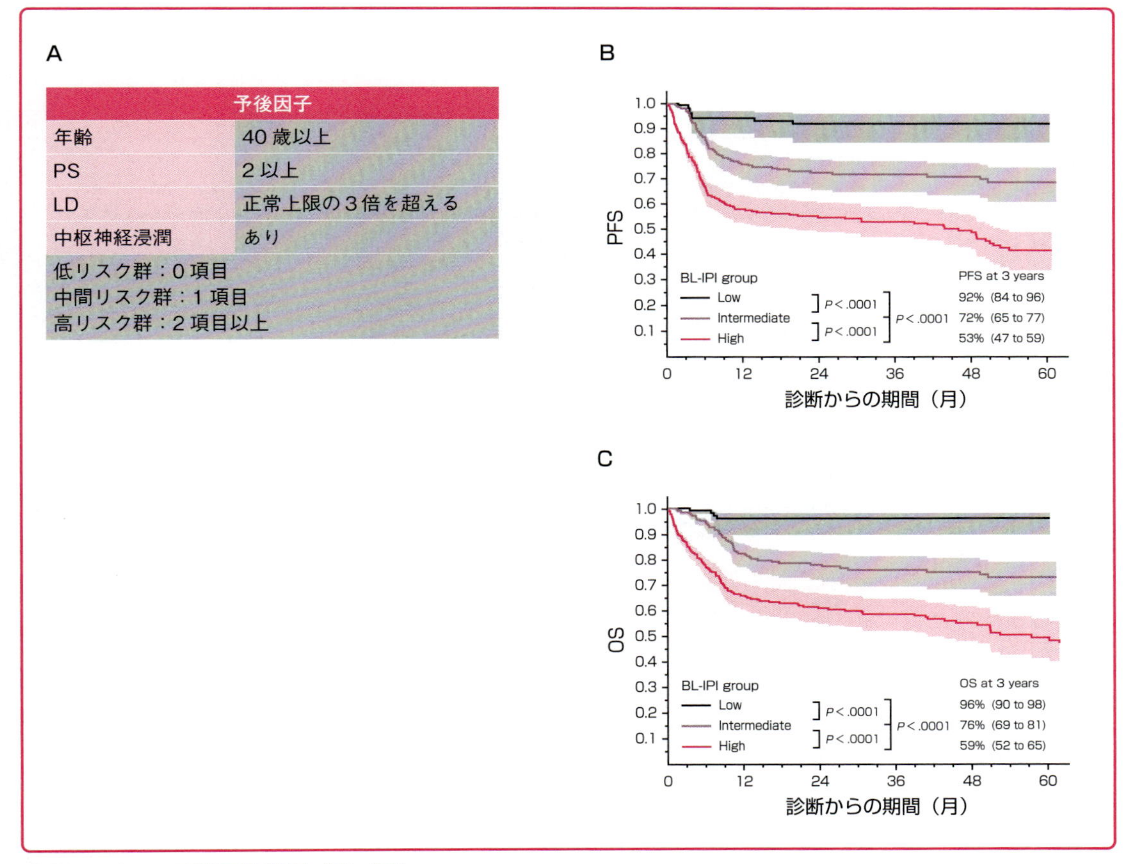

A

予後因子	
年齢	40 歳以上
PS	2 以上
LD	正常上限の3倍を超える
中枢神経浸潤	あり
低リスク群：0 項目 中間リスク群：1 項目 高リスク群：2 項目以上	

◆**図2　BL の国際予後指標（BL-IPI）**
2008 年から 2018 年の間に米国で治療を受けた成人初発 BL（*n*=633）データセットを用いた予後予測因子の抽出．
A：予後予測因子，**B**：リスク群別の PFS，**C**：OS
（文献1より引用）

2）R-hyper-CVAD/MA 療法

Cyclophosphamide, vincristine, doxorubicin, dexamethasone からなる hyper-CVAD 療法と，大量 methotrexate，大量 cytarabine からなる MA 療法の交替療法に，rituximab（R）および髄注を加えた治療である．R を含まない hyper-CVAD/MA 療法は，成人 BL 26 例（年齢中央値 58 歳）に対して，CR 割合 81％，3 年 OS 割合 49％と報告された[5]．R-hyper-CVAD/MA 療法では，成人 BL 31 例（年齢中央値 46 歳）に対し CR 割合 86％，3 年 OS 割合，3 年 EFS 割合，3 年無病生存（DFS）割合が各々 89％，80％，88％と良好な成績であり，61 歳以上の症例で

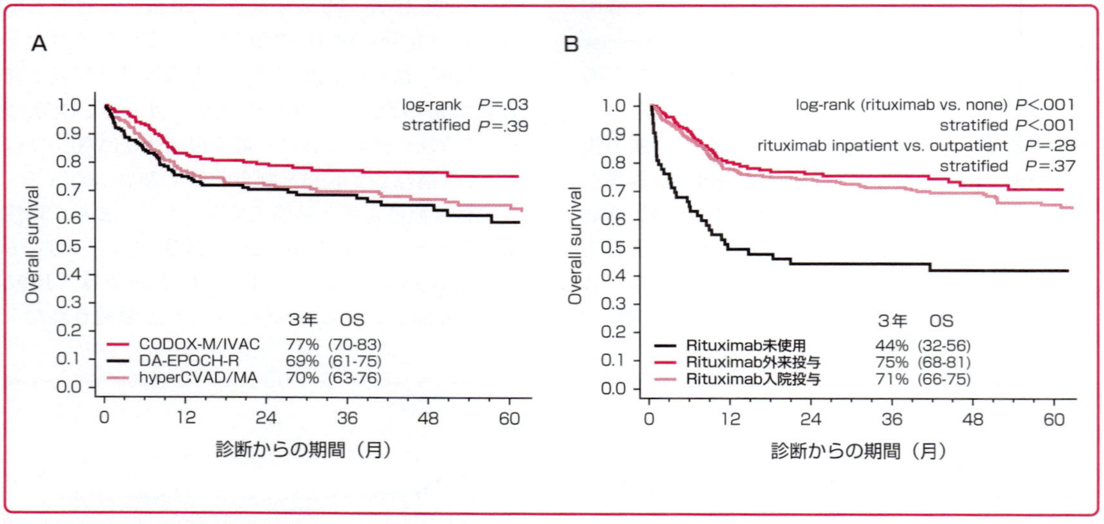

◆**図 3　BL に対する治療成績**
2008 年から 2018 年の間に米国 30 施設で治療を受けた初発 BL に対する治療成績の後方視的解析．
A：治療レジメンごと（CODOX-M//IVAC，DA-EPOCH-R，hyperCVAD/MA）の OS の差異，**B**：Rituximab 併用例（579/641: 90%）と未使用例における OS の差異．Rituximab は入院または外来で投薬されている．
（文献 8 より引用）

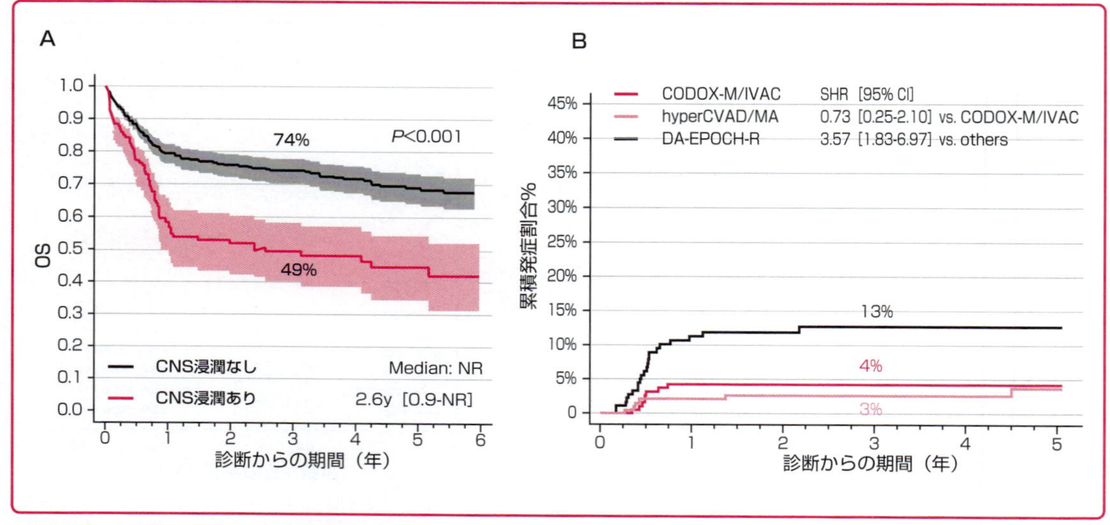

◆**図 4　BL における CNS 浸潤**
2008 年から 2018 年の間に米国 30 施設で治療を受けた初発 BL（n=641）における，**A**：CNS 浸潤の有無による OS 率の差異，**B**：治療レジメンごと（CODOX-M//IVAC，DA-EPOCH-R，hyperCVAD/MA）の累積 CNS 再発率．
（文献 9 より引用）

の3年OS割合も89%であった[6].

3）DA-EPOCH-R 療法

DA-EPOCH-R 療法は，etoposide，doxorubicin および vincristine の96時間持続点滴静注に cyclophosphamide および prednisone を加えた EPOCH 療法に rituximab を併用し，nadir 時の好中球数により次サイクルの投与量を調節する（dose adjusted：DA）治療法である．初発 BL 19例（年齢中央値25歳）を対象とした第Ⅱ相試験では，観察期間中央値86ヵ月における PFS 割合95%，OS 割合100%と高い有効性が確認された[7].

4）各併用化学療法の有効性の比較

上記治療法の有効性を前向きに検討した試験の報告はない．2009年から2018年に米国の30施設で治療を受けた初発 BL 641例についての後方視的解析では[8]，CODOX-M/IVAC（*n*=194），hyperCVAD-MA（*n*=195），DA-EPOCH（*n*=181）における3年 OS，3年 PFS はそれぞれ70%と64%で，レジメンごとの有効性は同等であった（**図 3A**）．また，rituximab 併用例（*n*=579）は非併用例（*n*=61）に比べて3年 OS，PFS ともに有意に良好な成績であった（**図 3B**）．また，同一のデータセットを用いた CNS 病変について解析では，初発時に CNS 病変保有例（*n*=120，19%）は非保有例に比べて CR 率，OS 率が有意に不良であった（**図 4A**）[9]．CNS 再発の3年累積発生率は，CODOX-M/IVAC 4%，hyperCVAD-MA 3%であったが，DA-EPOCH-R では13%と有意に高い結果であった（**図 4B**）．特に初発時 CNS 病変を有する例における DA-EPOCH-R 実施後の3年 CNS 再発率は35%と高率であった．CNS 浸潤例における高容量 MTX 療法の有用性が示唆される結果と推測される．

5）初回治療以降の治療法

初回化学療法によって良好な長期予後が期待できるため，初発治療後の地固めとしての自家造血幹細胞移植は推奨されない．Bulky mass に対する追加放射線照射の有用性は示されておらず，中枢神経浸潤予防としての全脳放射線照射も，髄注との併用による重篤な神経毒性のリスクがあり避けるべきである．再発後，救援化学療法に感受性の症例に対しては，自家移植の適応がある．

文　献

1）Olszewski AJ et al: J Clin Oncol **39**:1129, 2021
2）Magrath I et al: J Clin Oncol **14**:925, 1996
3）Mead GM et al: Ann Oncol **13**:1264, 2012
4）Lacasce A et al: Leuk Lymphoma **45**:761, 2004
5）Thomas DA et al: J Clin Oncol **17**:2461, 1999
6）Thomas DA et al: Cancer **106**:1569, 2006
7）Dunleavy K et al: N Engl J Med **369**:1915, 2013
8）Evens AM et al: Blood **137**:374, 2021
9）Zayac AS et al: Haematologica **106**:1932, 2021

18 末梢性 T 細胞リンパ腫

到達目標

- 末梢性 T 細胞リンパ腫（PTCL）の各病型における病理・病態的特徴，および診断の要点を理解する
- 代表的 PTCL 病型における基本治療を実践できる

1 病因・病態・疫学

WHO 分類改訂第 4 版（2017 年）*では約 30 の成熟 T および NK 細胞腫瘍が掲載されている[1]．成熟 T/NK 細胞リンパ腫は，世界的には非 Hodgkin リンパ腫の 10%前後を占めるが，わが国では 15 ～ 20%を占める．本項では，世界的に頻度の高い**①末梢性 T 細胞リンパ腫　非特定型（peripheral T-cell lymphoma, not otherwise specified：PTCL-NOS），②血管免疫芽球性 T 細胞リンパ腫（angioimmunoblastic T-cell lymphoma：AITL），③ ALK 陽性未分化大細胞性リンパ腫（anaplastic large cell lymphoma: ALCL），④ ALK 陰性 ALCL** の 4 つ（**図 1**）を中心に解説する[2]．

わが国では**成人 T 細胞白血病 / リンパ腫**が最も多く，次に多いのが PTCL-NOS と AITL である．さらに**節外性 NK/T 細胞リンパ腫，鼻型**と **ALCL** が続く（**図 1**）．

PTCL のゲノム異常として頻度が高いのは，*STAT3*, *STAT5B* などの JAK/STAT 経路にかかわる遺伝子，*TET2*, *DNMT3A* などのエピゲノム関連遺伝子，*CD28*, *PLCG1* や *VAV1* など T 細胞受容体経路にかかわる遺伝子であり，病型ごとに頻度に違いはあるが一部は共通して認められる．多くの PTCL では診断時年齢中央値は 60 ～ 70 歳だが，ALK 陽性 ALCL では 30 歳代である．

*本書は基本的に WHO 分類改訂第 4 版（2017 年）に基づいて記載しているが，必要な場合には WHO 分類第 5 版（2022 年）にも言及している．

2 症候・身体所見

一部の病型を除いて，多くの PTCL は病勢が月単位に進行する aggressive リンパ腫（中悪性度リンパ腫）に臨床的に分類される．DLBCL と，代表的 PTCL との初診時病態の比較を**表 1** に示す[2]．B 症状は半数以上の症例で認め，臨床病期は進行期が多い．各病型は病変分布に特徴があり，WHO 分類改訂第 4

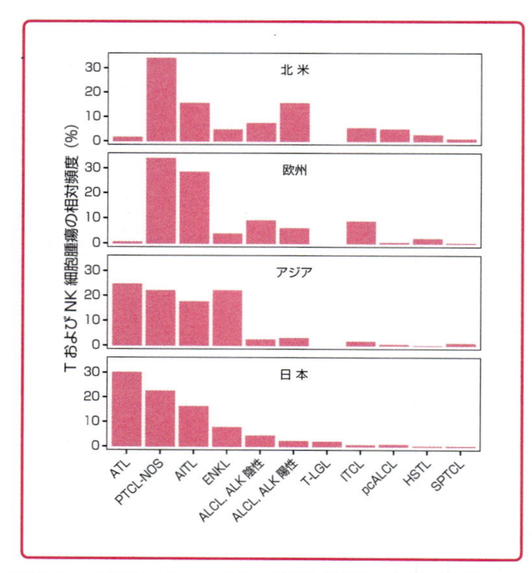

◆**図 1　各種 T および NK 細胞腫瘍の相対的頻度**
T-LGL: T 細胞大顆粒リンパ球性白血病（T-large granulocytic leukemia），pcALCL: 皮膚原発未分化大細胞リンパ腫（primary cutaneous ALCL），SPTCL: 皮下脂肪組織炎様 T 細胞リンパ腫（subcutaneous panniculitis-like T-cell lymphoma）．ITCL は EATL と MEITL を含む．
（わが国のデータは血液疾患登録事業 2018 ～ 2020 年度を参考に筆者作成．わが国以外のデータは文献 2 を参考に著者作成）

版の掲載順では白血病群，皮膚以外の節外性リンパ腫群，皮膚リンパ腫群，節性リンパ腫群に大別される．主要病型である PTCL-NOS，AITL，ALCL はいずれも節性病変が主体である．

3 診断・検査

1）病理学的検査・細胞表面抗原検査

PTCL では，B 細胞リンパ腫と比較してより多彩な細胞浸潤と豊富な血管増生を認めることが多い．腫瘍細胞は大小不同，核は深い切れ込みがあり，核クロマチンは顆粒状である．

細胞表面抗原では，汎 T 細胞抗原（CD2，CD5，CD7）のうちのいくつかにおいて発現減弱を認めることが多い．CD3 は代表的な T 細胞抗原だが，ALK 陽性 ALCL では約 75% で陰性である．AITL ではフローサイトメトリーで surface CD3 の発現減弱を認めることがある．節性 PTCL 病型の多くは $CD4^+$ / $CD8^-$ だが，細胞傷害性 T 細胞の形質を持つ PTCL では $CD4^-$ / $CD8^+$ あるいは $CD4^-$ / $CD8^-$ である．$CD4^-$ / $CD8^-$ ではその他に前駆 T 細胞腫瘍や $\gamma\delta$ 型 T 細胞リンパ腫を考慮する．細胞傷害性マーカーとしては TIA1，perforin, granzyme B などが用いられる．濾胞 helper T（T follicular helper: TFH）細胞の関連抗原である PD1，CD10，BCL6，ICOS，CXCL13 などが AITL および他の TFH リンパ腫診断の際に参考にされる．

2）染色体検査

PTCL では B 細胞リンパ腫に比べて診断に利用される病型特異的染色体異常が少ない．ALCL における ALK（2p23）転座，肝脾 T 細胞リンパ腫における i(7q)，一部の PTCL-NOS 例における t(5;9)(q33;q22) がときに参考とされる[1]．

3）遺伝子検査

サザンブロット法による T 細胞受容体遺伝子の再構成の検索はクローン性の証明に有用である．PCR による TCR 遺伝子再構成は，少量の DNA でも解析可能だが，偽陽性に注意を要する．今後，造血器腫瘍遺伝子検査パネルが実装される予定であり，造血器腫瘍ゲノム検査ガイドラインで疾患・病期別パネル検査推奨度が公表されている．AITL および TFH リンパ腫における *RHOA*，*TET2*，*IDH2* 変異，肝脾 T 細胞リンパ腫（hepatosplenic T-cell lymphoma：HSTL）や単形性上皮向性腸管 T 細胞リンパ腫（monomorphic epitheliotropic intestinal T-cell lymphoma: MEITL）における *STAT5B*，*STAT3* 変異，T 細胞大顆粒リンパ球性白血病（T-LGL）における *STAT3* 変異は診断的意義が高く，初発時診断でのパネル検査は推奨（他疾患との鑑別が難しい場合は強く推奨）とされている．

4 治療と予後

主要病型である PTCL-NOS，AITL，ALCL を中心に解説する．

1）予後と予後指標

予後予測モデルとして PIT（prognostic index for PTCL-U）がある．現在の PTCL-NOS に相当する疾患群を対象にしたモデルである．年齢＞ 60 歳，PS ＞ 1，LD ＞施設基準値，骨髄浸潤陽性の 4 つが予後因子として選択されている[3]．リスク因子数が 0 を group1，1 を group2，2 を group3，3 ～ 4 を group4 とし，各群において 5 年および 10 年生存率はそれぞ

◆表 1　各種 PTCL 病型と DLBCL との診断時病態の比較

診　断	年齢中央値，日本（歳）††	年齢中央値，全世界（歳）**	男性（%）	B 症状（%）‡	Ⅲ/Ⅳ期（%）	骨髄浸潤あり（%）	IPI 0/1（%）	IPI 2/3（%）	IPI 4/5（%）
PTCL-NOS	70	60	66	61	69	22	28	57	15
AITL	72	65	56	71	89	29	14	59	28
ALCL，ALK 陽性	38	34	63	59	65	12	49	37	14
ALCL，ALK 陰性	66	58	61	52	58	7	41	44	15
ITCL*	66	61	53	54	69	3	25	63	13
HSTL	63	34	68	75	95	74	5	47	47
DLBCL†	72	63	56	28	62	18	34	46	20

* EATL, MEITL を含む．
† Ruppert A et al: Blood **135**: 2041, 2020 および Khurana A et al: J Clin Oncol **39**:1641, 2021 のデータ．‡ Khurana A et al: J Clin Oncol **39**:1641, 2021 および Ellin F et al: Blood **124**: 1570, 2014 のデータ．†† Muto R et al: Cancer Med **7**: 5843, 2018 のデータ．** 文献 2 のデータから作成．年齢中央値に関して，全世界のデータは 1990 ～ 2002 年診断，わが国のデータは 2007 ～ 2014 年診断

れ，62.3 %・54.9 %，52.9 %・38.8 %，32.9 %・18.0%，18.3%・12.6%であった．

主にCHOP（類似）療法が実施された患者集団におけるPTCL病型間の予後比較では，PTCL-NOSとAITLの予後はほぼ同様であり，ALK陽性ALCLの予後が特に良好であった（**図2**）[2]．ただし，前述の通りALK陽性ALCL患者は若年であり，年齢を調整して比較すると予後に差がないという報告もある．

2）初回治療

CHOP療法・CHOP類似療法が主に行われてきたが，5年全生存割合（OS）は約30%であり，治療成績は十分ではない[2]．抗CD30モノクローナル抗体と微小管阻害薬（monomethyl auristatin E）をリンカーで結合した抗体薬物複合体brentuximab vedotinを初回治療から組み込んだA＋CHP療法は，CD30陽性PTCLに対して，主要評価項目である無増悪生存期間がCHOP療法と比較して優位に延長した（ECHELON-2試験）[4]．サブグループ解析において，登録患者の70%を占めるALCL（ALK陽性については予後不良群）では試験全体の結果と同様であったが，PTCL-NOSやAITLにおいては有意差を認めなかった．また，CD30陽性割合と奏効率に関連は認めていない．以上の結果から，ALK陰性ALCLおよび予後不良群のALK陽性ALCLではA＋CHP療法が推奨される．ALCL以外のPTCLでは，CD30陽性ならばA＋CHP療法も考慮されるが，CHOP（類似）療法に対する優越性は明らかでない．臨床試験への参加も選択肢として位置づけられる．米国造血細胞移植学会（ASBMT）ガイドラインでは，初回治療から高い治療効果を求める目的で，PTCL-NOS，AITL，ALK陰性ALCLに対する初回治療に続く地固め療法としての自家造血幹細胞移植併用大量化学療法（自家移植）を推奨している[5]が，比較試験はなく，その有用性は定まっていない．

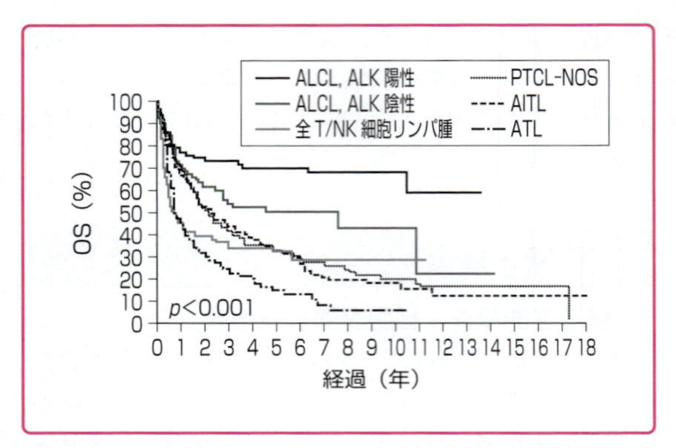

◆**図2　代表的TおよびNK細胞腫瘍の予後比較**
85%を超える患者でアントラサイクリン系薬を含む化学療法が実施された．
（Vose J et al: J Clin Oncol **26**: 4124, 2008を参考に著者作成）

3）再発難治例に対する救援療法

再発PTCLの初回治療終了から再発までの中央値は8ヵ月，再発・難治例の再発・増悪後から起算した生存期間中央値（survival after relapse：SAR）は5.8ヵ月という報告がある[6]．同研究では再発例は3年SAR 28%，難治例は3年SAR 21%であり，自家あるいは同種造血幹細胞移植群では3年SAR 48%であり，非移植群では3年SAR 18%であった．以上のように，救援化学療法奏効例では移植治療が考慮されるが，自家移植と同種移植のいずれかを選択するかについて，明確なエビデンスはない．

◆**表2　PTCLに対して国内で承認されている新規薬剤**

薬剤*	対象疾患	機序	投与経路	主な非血液毒性
mogamulizumab	再発難治CCR4陽性PTCL	抗CCR4抗体	点滴	感染症，infusion reaction，皮膚障害
brentuximab vedotin	CD30陽性PTCL	微小管阻害薬結合抗CD30抗体	点滴	感染症，末梢神経障害，infusion reaction，肺障害
alectinib	ALCL	ALK阻害薬	内服	感染症，間質性肺疾患
forodesine	再発難治PTCL	PNP阻害薬	内服	感染症，EBV関連悪性リンパ腫，二次性悪性腫瘍
pralatrexate	再発難治PTCL	葉酸拮抗薬	点滴	感染症，粘膜炎，皮膚障害
romidepsin	再発難治PTCL	HDAC阻害薬	点滴	感染症，QT間隔延長，不整脈
denileukin diftitox	再発難治PTCL	IL-2/シフテリア毒素遺伝子組換え蛋白質	点滴	感染症，infusion reaction，毛細血管漏出症候群，横紋筋融解症，視力障害・色覚異常，肝機能障害
tucidinostat	再発難治PTCL	HDAC阻害薬	内服	感染症，間質性肺疾患，QT間隔延長，不整脈
darinaparsin	再発難治PTCL	有機ヒ素製剤	点滴	感染症，せん妄，中枢神経障害，QT間隔延長

*わが国での販売開始年月順に記載している．

移植非適応症例については，新規薬剤による救援化学療法が選択される．前述の brentuximab vedotin に加え，romidepsin，pralatrexate，forodesine，mogamulizumab，denileukin diftitox，darinaparsin，tucidinostat，alectinib（ALCL，ALK 陽性のみ）などが使用可能である（**表 2**）．腫瘍表面抗原，患者の背景・合併症と各薬剤の非血液毒性とを考慮して薬剤選択されることが多い．

5 各論

1）PTCL-NOS

成熟 T 細胞リンパ腫の他のいずれの病型にも分類されない，節性または節外性の成熟 T 細胞リンパ腫と定義されており，DLBCL と同様に不均一な疾患集団である．わが国では悪性リンパ腫全体の 3 ～ 4％を占める．遺伝子発現プロファイリングから PTCL-NOS は TBX-21 高発現群，GATA3 高発現群に分類され，後者がより予後不良である[7]．ただし，分類不能型も存在する． TBX-21，GATA3 はそれぞれヘルパー T1 細胞（Th1）と Th2 の転写因子として知られる．また，TBX-21 高発現群には一部 $CD8^+$ 細胞傷害性形質を示すものがある．GATA3 高発現群のゲノム異常としては，コピー数異常や *TP53* 変異，*CDKN2A* 欠失などの頻度が高い．TBX-21 高発現群ではエピゲノム関連遺伝子の変異が多いことが知られている．TFH リンパ腫を除外するために，TFH マーカーの評価が必要である（ADVANCED 参照）．

2）AITL

AITL は高内皮細静脈および濾胞樹状細胞の著明な増生や，Epstein-Barr ウイルス陽性の B 細胞など多彩な細胞浸潤を特徴とする．腫瘍細胞は時に淡明な細胞質をも持ち，clear cell と呼ばれる．AITL の腫瘍細胞は免疫形質や遺伝子発現プロファイルが TFH 細胞に類似しており，AITL は TFH リンパ腫の代表的な組織型である．AITL ではエピゲノム関連遺伝子である *TET2*，*DNMT3A*，p.Arg172 *IDH2* 変異はそれぞれ 80，20 ～ 30，20 ～ 30 % で認める．p.Gly17Val *RHOA* 変異は AITL の約 50 ～ 70％の症例で認められ，疾患特異性が高い．多くは進行期で高率に B 症状があり，皮疹や関節痛，胸腹水を認めることがある．Coombs 試験陽性，各種自己抗体陽性，多クローン性高ガンマグロブリン血症など自己免疫病態を認める．血球減少や好酸球増多，稀に反応性形質細胞増多を認めることがある．

3）ALK 陽性 ALCL

大型で豊富な細胞質を有し，多形性，しばしば馬蹄形の核を持つリンパ腫細胞からなる PTCL である．ALK 関連染色体転座を認め，約 80 % は t(2;5)(p23;q25) であり，パートナー遺伝子は *NPM1* である．ALK 蛋白および CD30 が陽性である．CD2，CD4，CD5 は約 70％の症例で陽性であり，CD3 は約 75 % で陰性である．細胞傷害性マーカーである TIA1，perforin，granzyme B が陽性であることが多い．EBER は陰性である．診断年齢中央値は 30 歳代と若い．PTCL としては予後良好である．

4）ALK 陰性 ALCL

ALK 関連染色体転座および ALK 蛋白発現を欠く CD30 陽性 T 細胞腫瘍である．形態的に ALK 陽性 ALCL との鑑別は難しい．染色体転座により予後が層別化され，*DUSP22* 転座陽性例では ALK 陽性に並ぶほど予後良好である．一方，*TP63* 転座がある場合には予後不良である。*ALK*，*DUSP22*，*TP63* いずれも転座陰性の場合は，中間群に相当する．*DUSP22* 転座陽性例では STAT3 活性化がみられないが、PD-L1 の発現亢進がみられる．

5）腸 T 細胞リンパ腫（intestinal T-cell lymphoma：ITCL）

ITCL には腸管症関連 T 細胞リンパ腫（enteropathy associated T-cell lymphoma：EATL）と MEITL に分類している．ともに主病変は小腸である．EATL はセリアック病やグルテン不耐症との関連があり，西欧，特に地中海沿岸諸国に地域集積性がある．従来の type Ⅰ EATL に相当し．腫瘍細胞は通常大型であり，

ADVANCED

■TFH リンパ腫■

PTCL の中には，上記の AITL に特徴的な組織学的所見を欠くものの，腫瘍細胞が TFH 形質を示す一群がある．TFH マーカーが 2 つ以上（理想的には 3 つ以上）陽性である場合，組織学的所見に応じて nodal peripheral T-cell lymphoma with TFH phenotype あるいは follicular helper T-cell lymphoma と診断される[1]．この 2 病型は AITL と同様に TFH リンパ腫と分類され．ゲノム異常も AITL とオーバーラップしている．TFH マーカーを検討しない限り診断できないため，疾患頻度は実際より低く見積もられていると考えられる．

多形性，壊死や炎症性背景を示す．典型例は $CD3^+$，$CD4^-$，$CD5^-$，$CD8^-$，$CD30^{+/-}$，細胞傷害性マーカー陽性である．$TCR\alpha\beta^+$が多いが，$\gamma\delta$ 型の報告もある．一方，MEITL は ITCL 全体の 10 ～ 20%を占め，アジア人やヒスパニックに多い．腫瘍細胞は monomorphic な中型細胞であり，従来の monomorphic variant あるいは type Ⅱ EATL と呼ばれた一群に相当する．腫瘍細胞は中型，上皮向性を示す．淡明な細胞質を持ち，核は丸く．*SETD2* 変異の頻度が高い．EATL/MEITL は腸閉塞や下痢，血便，腸管穿孔などを契機に診断される．

6）T-LGL

豊富な細胞質内にアズール顆粒を持つ large granular lymphocyte（LGL）が腫瘍性に増加した，白血病型の PTCL である．なお，NK 細胞性の LGL も存在する．$CD3^+$，$TCR\alpha\beta^+$，$CD4^-$，CD5dim,$CD8^+$，$CD16^+$，$CD57^+$が典型であり，病型により *STAT3* や *STAT5B* 変異を認めることがある．赤芽球癆や骨髄不全症，関節リウマチなど自己免疫疾患を合併することが多い．ciclosporin や cyclophosphamide，methotrexate などによる免疫抑制療法が行われる．

7）HSTL

節外性，全身性の腫瘍で，細胞傷害性 T 細胞に由来する．腫瘍細胞は中型で，肝脾および骨髄への著明な洞 / 類洞内浸潤を呈する．著明な肝脾腫，血小板減少，黄疸で発症することが多い．リンパ節腫脹はないか，あっても軽度である．免疫不全の背景を持つ若年男性症例が典型例とされるが，近年の報告では約半数は 60 代以上である．表面抗原の典型例は $CD2^+$ $CD3^+$ $CD4^-$ $CD5^-$ $CD7^+$ $CD8^-$ $TIA1^+$ $CD56^+$であり，$TCR\gamma\delta$ が約 75%，$\alpha\beta$ が約 25%である．i（7q）は病型特異的染色体異常であり，25 ～ 70%で認める．一部の症例で *STAT3*，*STAT5B* 変異を認める．

8）皮下脂肪組織炎様 T 細胞リンパ腫（subcutaneous panniculitis-like T-cell lymphoma: SPTCL）

皮下脂肪組織を病変の主座とするまれな PTCL である．若年発症（中央値 35 歳）で，約 20%に全身性エリテマトーデスなどの自己免疫病態を合併する．近年，T-cell immunoglobulin mucin 3（TIM3）をコードする *HAVCR2* に胚細胞系列の変異を高率に認められることが報告された．TIM3 による T 細胞機能抑制の障害がリンパ腫発症にかかわる，常染色体潜性遺伝病と考えられている．

■文　献■

1）Swerdlow SH et al（eds）: WHO Classification of Tumours of Haematopoietic and Lymphoid Tissues, 4th ed, Revised ed, IARC Press, 2017
2）Vose J et al: J Clin Oncol **26**: 4124, 2008
3）Gallamini A et al: Blood **103**: 2474, 2004
4）Horwitz S et al: Lancet **393**: 229, 2019
5）Kharfan-Dabaja M et al: Biol Blood Marrow Transplant **23**:1826, 2017
6）Bellei M et al: Haematologica **103**: 1191, 2018
7）Iqbal J et al: Blood **123**: 2915, 2014

19 NK/T 細胞リンパ腫

到達目標

- NK/T 細胞リンパ腫の病理・病態的特徴，および診断の要点を理解する
- NK/T 細胞リンパ腫の治療法を選択できる

1 病因・病態・疫学

NK/T 細胞リンパ腫は，WHO 分類改訂第 4 版（2017 年）*における**節外性 NK/T 細胞リンパ腫・鼻型**（extranodal NK/T-cell lymphoma, nasal type：ENKL），WHO 分類第 5 版（2022 年）における**節外性 NK/T 細胞リンパ腫**に相当する．血管傷害と破壊，著明な壊死，細胞傷害性蛋白の発現，Epstein-Barr virus（EBV）関連を特徴とする節外主体のリンパ腫である．“NK/T”とは，ほとんどの症例で腫瘍細胞は NK 細胞型であるものの，細胞傷害性 T 細胞型の症例も存在するため，そのように命名されている．

発生頻度には地域間差がみられ，東アジア，およびカリブ海沿岸を中心とした中南米地域に多発する．悪性リンパ腫に対する ENKL の相対頻度はわが国を除く東アジアでは 5 ～ 10％であるのに対し，欧米諸国およびわが国では 1％未満である．

ENKL は EBV 関連疾患の 1 つであり，腫瘍細胞には多剤耐性（multi-drug resistance：MDR）に関与する P 糖蛋白が発現していることが知られている．次世代シークエンシングで異常が比較的高頻度にみられる遺伝子として，*BCOR*，*DDX3X*，*TP53* のほか，*STAT3*，*JAK3* などの JAK-STAT シグナル伝達経路関連遺伝子が知られている[1]．

ENKL の類縁疾患として aggressive NK 細胞白血病（aggressive NK-cell leukemia：ANKL）がある．NK 細胞の全身性増殖を特徴とし，きわめて aggressive な経過を示す．ほとんどの例で EBV 関連であり，P 糖蛋白発現を認め，ENKL と同様の遺伝子異常を認めるなど ENKL との共通点は多い．その一方で ENKL とは異なり鼻腔病変がなく全身性に急激に発症すること，より細胞質 $CD3\varepsilon^+$ の陽性率が低く CD16 の陽性率が高いこと，異なる遺伝子発現プロファイルを呈することなど，両者間にはいくつかの差異が指摘されている[2]．

*本書は基本的に WHO 分類改訂第 4 版（2017 年）に基づいて記載しているが，必要な場合には WHO 分類第 5 版（2022 年）にも言及している．

2 症候・身体所見

約 9 割の患者で鼻腔ないしその周辺組織（鼻咽頭，副鼻腔，眼窩など）に病変を認め，全体の約 7 割が限局期である．鼻腔およびその周辺組織発生例では，鼻閉，鼻汁，鼻出血を初発症状とすることが多い．一側性の鼻症状が受診契機につながることが多い．慢性副鼻腔炎として通院中に発見される患者も多い．眼窩に進展すると，開眼困難などの眼症状をきたす．

鼻以外では皮膚，消化管，肝および脾，精巣，中枢神経系などに発生し（non-nasal または extranasal），病変部位に応じた臓器症状を示す．潰瘍や壊死を伴いやすく，消化管では穿孔をきたすことがある．不明熱および血球貪食症候群としても発症し、鑑別上重要である．

ENKL 診断時の年齢中央値は 50 歳代であり[2]，びまん性大細胞型 B 細胞リンパ腫（diffuse large B-cell lymphoma：DLBCL）より若年者に発症する．

3 診断・検査

1）診断と検査

腫瘍細胞は，血管中心性（angiocentric）ないし血管破壊性（angiodestructive）に増殖し，腫瘍組織内に高率に壊死を認める．明確な腫瘤形成がない場合，あるいは複数回の生検で診断がつかない場合には，病

変周辺の正常組織を含めた生検を行うことで診断を得ることがある．

診断の要点を**表 1** に示した．確定診断には特徴的病理組織所見と，パラフィン材料での検索が可能である細胞質 CD3ε⁺，CD56⁺，および EBER 陽性（*in situ* hybridization による）を確認する．CD20 は通常陰性である．CD56 陰性の場合は，EBER 陽性に加えて細胞傷害性分子（perforin，granzyme B，TIA-1）のいずれか 1 つ以上が陽性であることを確認する必要がある．

FDG-PET は特に鼻腔（周辺）発生 ENKL において病変検出率がきわめて高く，病期判定に有用である．鼻腔（周辺）限局例で放射線治療を行う場合，病巣進展把握のために鼻腔 MRI が必要である．

2）予後因子と予後予測モデル

病型特異的予後予測モデルとして prognostic index of NK lymphoma（PINK）があり，これは 4 つのリスク因子（①年齢＞60 歳，②病期Ⅲ / Ⅳ，③ non-nasal type，④遠隔リンパ節浸潤あり）のうち，該当する因子の数により全生存割合（overall survival：OS）を予測するものである[3]．ENKL の病勢モニタリングでは末梢血 EBV DNA 量が参考となる．

4 治療と予後

日本血液学会『造血器腫瘍診療ガイドライン 2023 年版（2023）』[4] では，2003 年以降にわが国など東アジアで実施された臨床試験の結果に基づく治療選択が推奨されている．

1）鼻腔（周辺）ⅠE 期〜頸部リンパ節浸潤までのⅡE 期 ENKL

MDR 関連薬（doxorubicin，vincristine など）を主体とする CHOP（類似）療法で治療を開始した場合の 5 年 OS はおおむね 50％未満と不良である．一方，放射線治療は完全奏効（complete response：CR）割合が約 65％と比較的良好であるものの，単独では照射体積内外での再発が多いため，5 年 OS は 40％程度にとどまる．このため，anthracycline を含まず，白金薬もしくは L-asparaginase を主体とする化学療法と病変部放射線治療とを組み合わせた治療法が国内外で標準的に行われている．

わが国では，病変臓器全体と腫瘍辺縁＋2 cm のマージンを設定した高線量放射線治療（50 Gy）と，MDR 非関連薬および他の EBV 関連疾患での有効性が示された etoposide からなる DeVIC 療法（dexamethasone，etoposide，ifosfamide，carboplatin）の抗がん薬投与量を原法の 2/3 とした 2/3 DeVIC 療法との同時併用療法（**RT-2/3 DeVIC 療法**）[5]（**図 1**）が初回治療として推奨されている[4]．20〜69 歳のⅠE 期および頸部リンパ節浸潤までのⅡE 期 ENKL 患者を対象とした国内第Ⅰ / Ⅱ相試験（JCOG0211-DI）[5] の結果，観察期間中央値 67 ヵ月（61〜94 ヵ月）における 5 年 OS は 70％（90％ CI：53〜82％），5 年無増悪生存割合 63％，全奏効割合（ORR）81％，CR 割合は 77％であり，主な有害事象は放射線による粘膜炎であった．これらの治療成績はその後の国内研究において日常診療でも再現されていることが確認されている[6]．一方，国外では，CCRT-VIDL 療法（cisplatin と病変部放射線治療との同時併用：etoposide，ifosfamide，dexamethasone，L-asparaginase），後述する SMILE 療法（steroid＝dexamethasone，methotrexate，ifosfamide，L-asparaginase，etoposide）と

◆表 1　ENKL 診断の要点

1. 病理組織所見
   - 腫瘍細胞は中〜大型でびまん性に浸潤
   - 凝固壊死を伴い，血管中心性・破壊性増殖を認める
2. 細胞マーカー
   - CD2⁺，<u>細胞質 CD3ε⁺</u>，表面 CD3⁻
   - CD5⁻，CD20⁻，<u>CD56⁺</u>，CD45⁺
   - 細胞傷害性分子（perforin，granzyme B，TIA-1）⁺
3. <u>EBER</u>（*in situ* hybridization による）
   - 腫瘍細胞の核に陽性所見

下線部は特に重要な点を示す．

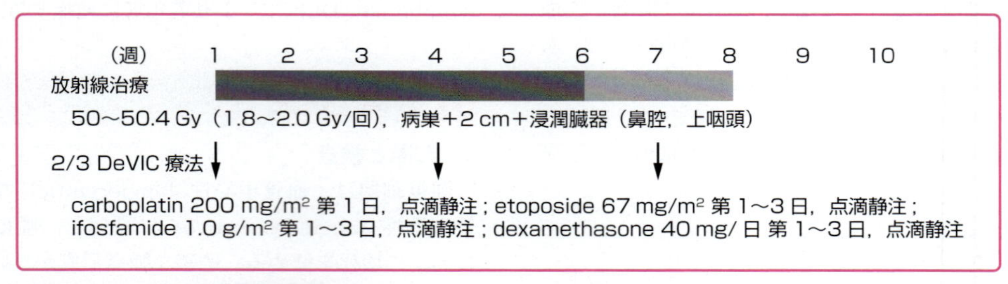

◆図 1　RT-2/3 DeVIC 療法

病変部放射線治療を組み合わせた治療法などが行われており，RT-2/3 DeVIC 療法との優劣は不明である．このため，臨床試験への参加も治療選択肢の 1 つである．

RT-2/3 DeVIC 療法で CR を得た場合，地固め療法としての自家移植併用大量化学療法は行わないことが勧められる[4]．

2）鼻腔（周辺）原発で病変が頸部リンパ節を超えて広がっている場合，皮膚など鼻腔（周辺）以外での発生例，ENKL 初回治療後再発または部分奏効（PR）以下の場合

進行期例における CHOP あるいはその類似療法による奏効割合は 36%であり，初回治療後再発あるいは不応例では 10%未満である[2]．現在では L-asparaginase あるいは白金薬を含む化学療法が主に選択される．

このうち，東アジア多国間共同臨床試験で開発された SMILE 療法は，15 ～ 69 歳の未治療Ⅳ期および初回治療後再発・難治 ENKL を対象に実施された SMILE 療法 2 コースの第Ⅱ相試験において，ORR が 79%，1 年 OS 55%と，既存治療より優れた治療効果が示され[7]，国内外で初発進行期および再発・難治 ENKL に対する推奨レジメンと位置づけられている．ただし，強い血液毒性と重篤な感染症が観察されており，70 歳以上の高齢者あるいは臓器機能不良例では実施を見送るか減量して行うなどの注意が必要である．

以上から，70 歳未満で臓器機能が保たれていれば SMILE 療法が用いられ，それ以外では SMILE 療法以外の L-asparaginase を含む化学療法が考慮される．臨床試験への参加は重要な治療選択肢の 1 つである．L-asparaginase の投与が難しい場合は DeVIC 療法，GDP 療法など，白金薬を主体とする化学療法が候補となる．移植可能例では追加治療として同種または自家移植が検討される．

■文　献■

1）Dobashi A et al: Genes Chromosomes Cancer **55**: 460, 2016
2）Suzuki R et al: Ann Oncol **21**: 1032, 2010
3）Kim SJ et al: Lancet Oncol **17**: 389, 2016
4）日本血液学会（編）：造血器腫瘍診療ガイドライン 2023 年版，金原出版，2023
5）Yamaguchi M et al: J Clin Oncol **27**: 5594, 2009
6）Yamaguchi M et al: J Clin Oncol **35**: 32, 2017
7）Yamaguchi M et al: J Clin Oncol **29**: 4410, 2011

20 成人T細胞白血病/リンパ腫

到達目標

- 成人T細胞白血病/リンパ腫（ATL）の病因・病態・疫学を理解する
- ATLの臨床像の多様性を理解し，臨床病型に基づいた治療法を選択できる

1 病因・病態・疫学[1)]

成人T細胞白血病/リンパ腫（adult T-cell leukemia/lymphoma：ATL）は，ヒトT細胞白血病ウイルスⅠ型（human T-cell leukemia virus type I：HTLV-1）が原因で発症する末梢性T細胞腫瘍である．HTLV-1の主な感染ルートは母子感染，なかでも多くは母乳を介した感染で，そのほか経胎盤感染や経産道感染も存在する．また性交渉，輸血を介した感染があるが，わが国をはじめとする多くの先進国では献血者のHTLV-1スクリーニングが実施されており，血液製剤による感染は発生しない．ATLはHTLV-1感染から60～70年の潜伏期間の後，ごく少数の感染者から発症（感染者のATLの生涯発症リスクは3～5%）する．明確なエビデンスはないが，針刺し事故ではHTLV-1感染は成立せず，青年期以降にHTLV-1に感染してもATL発症リスクは低いと考えられている．

HTLV-1感染者は，わが国では九州を中心とした西南部，紀伊半島，三陸沿岸，北海道，世界では中央アフリカ，中近東，ジャマイカなど西インド諸島，南米に多く分布し，わが国では約80万人，世界では500万～2,000万人存在すると推定されている．このHTLV-1感染者の分布に一致して，ATL患者が発生することになる．わが国での年間ATL発症数は最低でも1,000人以上と推測され，ATLの発症年齢中央値は約70歳である．HTLV-1感染者数はこれまでも若年層での急速な自然減がみられていたが，2011年から開始されたHTLV-1母子感染対策によってその減少傾向は今後さらに加速され，ATL患者は漸次高齢化しながら減少していくものと考えられる．

ATLの発がんや病態の維持へのHTLV-1 Tax蛋白の関与についてはこれまで多くの議論があった．ATLとして完成した患者の半数以上の腫瘍細胞でTax発現は喪失していることから，近年ではATLの発がん初期にはTaxが重要であるもののATLとして完成した後の腫瘍細胞の維持には，Taxと異なり恒常的に発現するHTLV-1の3′側LTRのアンチセンス転写産物であるHBZが重要であると考えられるようになった．またTax蛋白は免疫原性が高いことから，ATLの発がん過程の早期にはHTLV-1感染細胞は免疫監視機構の制御下におかれ一方的な増殖は阻止されるが，HTLV-1感染T細胞にTaxの発現喪失を含む遺伝子変化の蓄積が生じ，免疫監視機構からの逸脱をはじめとする腫瘍性増殖能獲得が起こり，ATLが完成すると考えられる．

2 症候・身体所見[1)]

ATL患者の症状や病変部位は非常に多彩で，それらは後述する臨床病型分類にも反映される．急性型を例にとると，それぞれの患者で病変部位は異なるが末梢血の白血球増加と異常リンパ球の出現，リンパ節腫大，肝脾腫，紅斑・丘疹・皮下腫瘤などの皮膚病変，消化管浸潤による消化器症状，中枢神経浸潤による神経症状などがみられることになる．高カルシウム血症を併発すると，倦怠感，便秘，腎障害，意識障害が出現する．免疫不全による種々の感染症，たとえば*Pneumocystis jirovecii*，サイトメガロウイルスなどによる肺炎，糞線虫やサイトメガロウイルスなどによる消化管感染症がみられることがある．

3 診断・検査[2, 3)]

ATLの診断においては，まず末梢血白血球数の増加や異常リンパ球の出現の有無（自動血球分類では見

逃される可能性があるので，目視が基本である）に注目する．典型的なATL細胞は核クロマチンの凝集がみられ核変形が強く，典型例では花弁状の分葉がみられる．これはATL診断の大きな手掛かりになる．次に血清LD値や可溶性インターロイキン2受容体（sIL-2R）値，カルシウム値を確認する．ATLを疑う場合には，血清抗HTLV-1抗体が陽性であることの確認が必須である．抗体検査にはスクリーニングとして受身凝集（PA）法，化学発光酵素免疫測定（CLEIA）法，化学発光免疫測定（CLIA）法，電気化学免疫測定（ECLIA）法があり，確認検査としてはウエスタンブロット（WB）法，ラインブロット（LIA）法，核酸増幅（PCR）法がある（スクリーニング検査では偽陽性が少なくないことから，臨床像がATLとして典型的でない場合等は必要に応じて確認検査の実施を検討する）．

次に，末梢血に異常細胞が出現している場合には末梢血で，リンパ節や節外病変に対しては病理組織学的検査で，核異型や多型性の有無に注目しながら，それぞれフローサイトメトリー検査や免疫染色でATLに特徴的な細胞表面形質の発現を調べる．ATL細胞は典型的にはCD4，CD25，**ケモカイン受容体4（CC chemokine receptor 4：CCR4）**を発現している．まれに$CD4^-CD8^+$や$CD4^-CD8^-$，$CD25^-$もありうる．CCR4はほとんどの症例で陽性であるが，後述のとおり治療標的となるので治療戦略決定のために，発現の有無を調べる．

HTLV-1感染者がATL以外のT細胞性腫瘍を発症している可能性を除外し，ATLの確定診断を行うためには厳密には腫瘍細胞のDNAにHTLV-1が単クローン性に組み込まれていることをサザンブロット法（Southern blotting method）で証明する必要がある．サザンブロット法は保険診療では実施できないため全例では行いにくいが，臨床像，細胞形態，病理組織像，細胞表面形質などが典型的でない場合は実施することが推奨される．

ATLと診断された場合には，次に急性型，リンパ腫型，慢性型，くすぶり型の4つの臨床病型分類を行うために必要な臨床情報を収集する（**表1，図1**）[2)]．慢性型は，血清LD値，アルブミン値，BUN値で規定される3つの予後不良因子を1つでも有するか否かによって，さらに二分される．急性型，リンパ腫型と予後不良因子を有する慢性型はaggressive ATL，予後不良因子のない慢性型とくすぶり型はindolent ATLと分類する．

◆表1　ATLの臨床病型分類

	急性型	リンパ腫型	慢性型	くすぶり型
リンパ球数（×10^3/μL）[a]	＊	＜4	≧4	＜4
異常リンパ球	＋	≦1%	＋	≧5%
flower cell	＋	−	時々	時々
LD	＊	＊	≦2N	≦1.5N
補正Ca値（mEq/L）	＊	＊	＜5.5	＜5.5
組織学的に腫瘍病変が確認されたリンパ節腫大	＊	＋	＊	−
腫瘍病変：				
皮膚	＊	＊	＊	＊＊
肺	＊	＊	＊	＊＊
リンパ節	＊	＋	＊	−
肝腫大	＊	＊	＊	−
脾腫大	＊	＊	＊	−
中枢神経	＊	＊	−	−
骨	＊	＊	−	−
腹水	＊	＊	−	−
胸水	＊	＊	−	−
消化管	＊	＊	−	−

N：基準値上限
＊：条件の制約はない，＊＊：他の項目が満たされれば不可欠ではないが，末梢血の異常リンパ球が5%未満の場合は，組織学的に証明された腫瘍部位を必要とする．
a：正常リンパ球と異常リンパ球を合計した実数
（文献2を参考に著者作成）

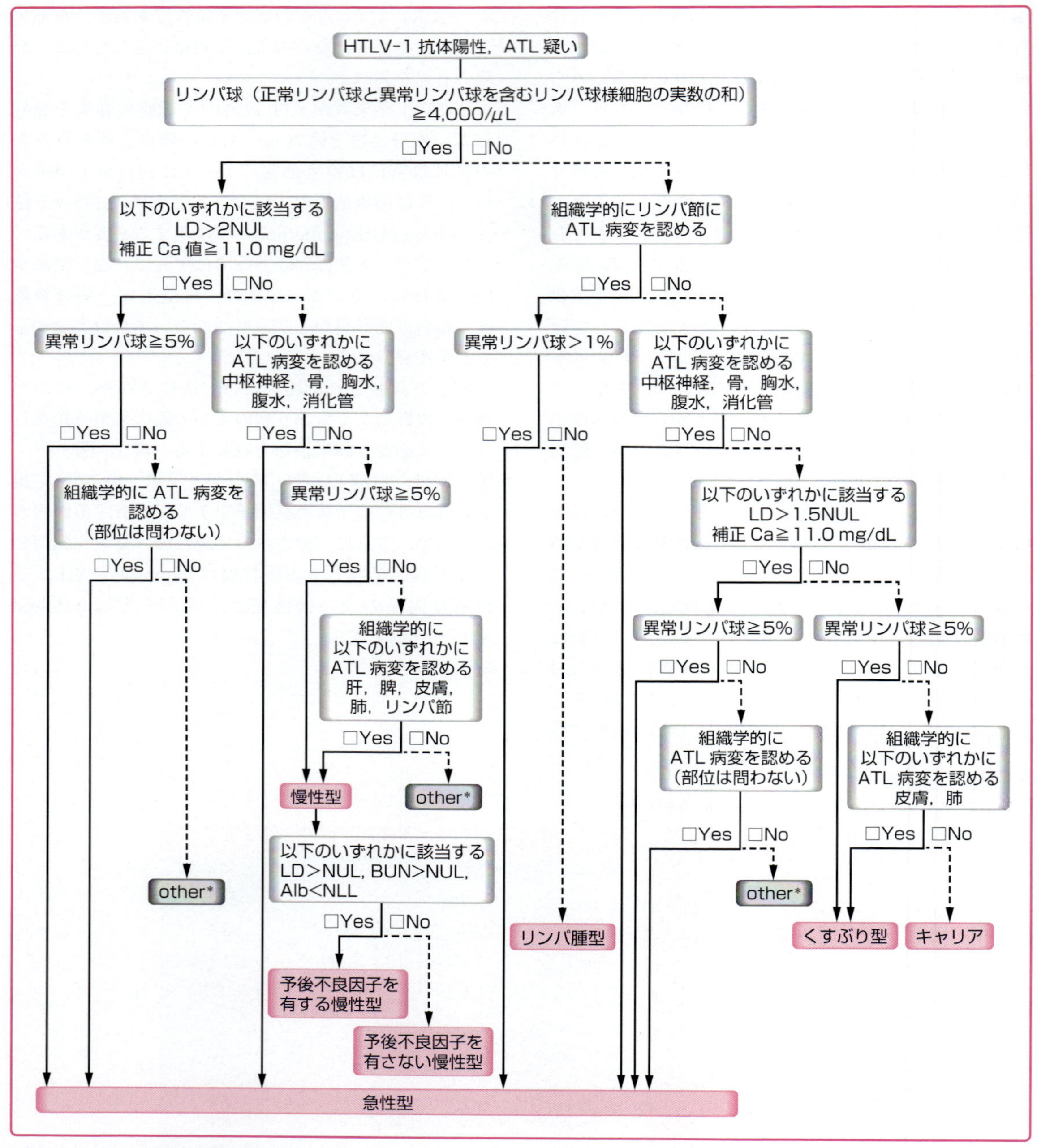

◆図 1 ATL の病型分類チャート
*ATL 以外の可能性を考える.
（JCOG1111c 試験 試験事務局作成を参考に著者作成）

4 治療と予後 [3]

1）治 療

ATL の治療方針は臨床病型によって決められる（図 2）.

a）Indolent ATL

十分なエビデンスがあるわけではないが，わが国では早期治療介入が生存期間の延長に寄与しないとして，無治療経過観察が標準治療とされている．皮膚病変に対しては，副腎皮質ステロイドの外用や局注，放射線照射や光化学療法などの皮膚指向性治療，あるいは抗アレルギー薬や副腎皮質ステロイド，経口VP-16の少量投与などが行われるが，症状緩和目的であり生存期間延長には寄与しないとされている．ATLの皮膚病変は，紅斑型，局面型，多発丘疹型，結節腫瘤型，紅皮症型，紫斑型に分類され，このうち結節腫瘤型，紅皮症型，紫斑型の予後は不良である．くすぶり型での皮膚病変は紅斑型，局面型，多発丘疹型がほとんどではあるが，予後不良な皮膚病変（結節腫瘤型，紅皮症型）を有する場合には，indolent ATLに分類される場合であっても病勢進行が速い可能性があり注意を要する．

また初診時にindolent ATLと診断した場合は，その後急速に増悪していく発症初期の状況をみている場合もあるので，診断後数ヵ月は定期的な経過観察を行うべきである．

b）Aggressive ATL

VCAP-AMP-VECP［(vincristine + cyclophosphamide + doxorubicin + prednisolone)-(doxorubicin + ranimustine + prednisolone)-(vindesine + etoposide + carboplatin + prednisolone)］療法あるいはCHOP（cyclophosphamide + doxorubicin + vincristine + prednisolone）療法などの多剤併用化学療法を行い，65（～70）歳以下の場合には寛解あるいはそれに近い状況になった時点を逃すことなく同種造血幹細胞移植が実施できるよう準備を進める．VCAP-AMP-VECP療法とCHOP14療法の比較試験（JCOG9801試験）では，完全奏効（CR）割合はVCAP-AMP-VECP療法が有意に優れ，生存期間は有意差はないもののVCAP-AMP-VECP療法がやや長かった．しかし，56歳以上では両治療群間で生存期間には差がみられなかった．したがって，現時点では56歳未満の患者に対してはVCAP-AMP-VECP療法がATLの標準治療と考えられるが，56歳以上の患者，あるいは本試験で対象になっていない70歳以上の患者の標準治療は決定されてはいない．

c）新規治療薬

抗CCR4抗体mogamulizumab，免疫調節薬lenalidomideに続き，2019年に抗CD30抗体－薬物複合体　brentuximab vedotin，2021年にヒストン脱アセチル化酵素（HDAC）阻害薬　tucidinostat，2022年にEZH1/2阻害薬　valemetostatがATL治療に使用可能となった．Mogamulizumabとbrentuximab vedotinは初発時には他の化学療法剤との併用，二次治療以降には単剤で，lenalidomideとtucidinostat, valemetostatは二次治療以降に単剤で使用可能であ

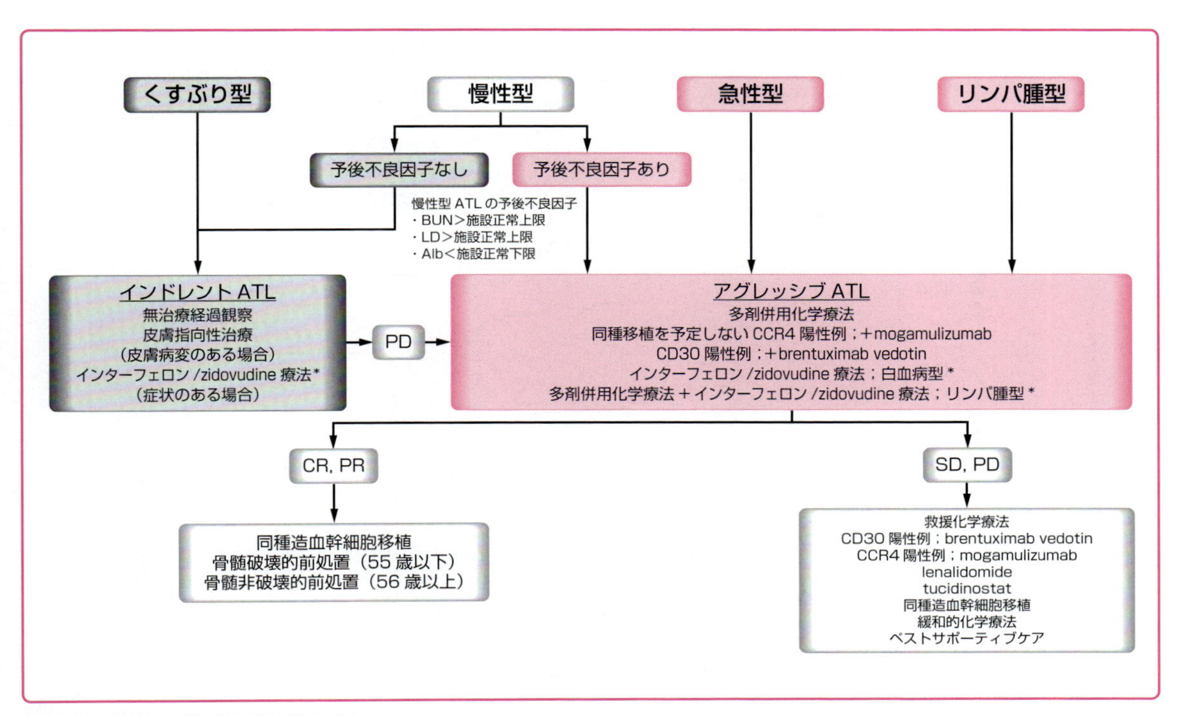

◆図2　ATLの治療アルゴリズム
*インターフェロン/zidovudine療法はわが国では保険適用外

る．これらの選択については，mogamulizumabが末梢血ATL細胞に対しては特に強力に作用するという特性は参考にはなるが，そのほかには確定的な情報はなく，今後の検討が必要である．Mogamulizumabが標的とするCCR4は正常の制御性T細胞にも発現しており，mogamulizumab投与後には制御性T細胞数も減少する結果，皮疹などの免疫関連有害事象が発生する．特に致死的な経過をとることのあるStevens－Johnson症候群や中毒性皮膚壊死が合わせて1％弱の症例でみられている．特にそれらは最終投与から1ヵ月以上経過してから発症することもあるので，あらかじめ患者へ症状を説明し，異常を感じたら受診するよう指導しておく必要がある．

d）同種造血幹細胞移植

同種造血幹細胞移植（allogenic hematopoietic stem cell transplantation：alloHSCT）の有用性については，alloHSCTを受けた患者と受けていない患者の比較ではなく，alloHSCTを受けることができた患者と受けられなかった患者の予後を比較した情報しかない．その限界はあるが長期生存者は前者では30～40％，後者では10％程度であることから，可能な限りalloHSCTを実施することが標準治療とみなされている．ATLに対するalloHSCTでは治療関連死の多いことが課題であるが，ATL患者高齢化の影響もあって，骨髄破壊的移植に加え特に55歳以上の患者に対しては強度減量前処置移植が広く行われるようになった．移植前非寛解状態で実施したHSCTの治療成績は寛解期でのHSCTと比較し明らかに劣ることから，初回治療で寛解状態となったタイミングを逸することなくHSCTを実施する必要がある．そのため早期ドナー獲得のために有利な臍帯血移植が広く行われるようになり，その治療成績も向上している．Mogamulizumabが使用可能となって間もない時期に，alloHSCT前にATLの病勢制御目的でmogamulizumabを投与された症例がステロイド抵抗性の重症GVHDを発症することが相次いで報告された．これは多数例の後ろ向き調査でも確認され，現在ではalloHSCTを計画する患者ではmogamulizumabの投与は基本的には避け，投与する場合でもmogamulizumabの最終投与からalloHSCTまで最低でも50日間は空けることがコンセンサスとなっている[4]．

2）予　後

2000年代に新たに診断されたATL患者の後ろ向き全国調査での生存曲線を図3に示す[5]．

ATL患者の予後因子として，急性型・リンパ腫型ATL患者に対しては病期，PS，年齢，血清アルブミ

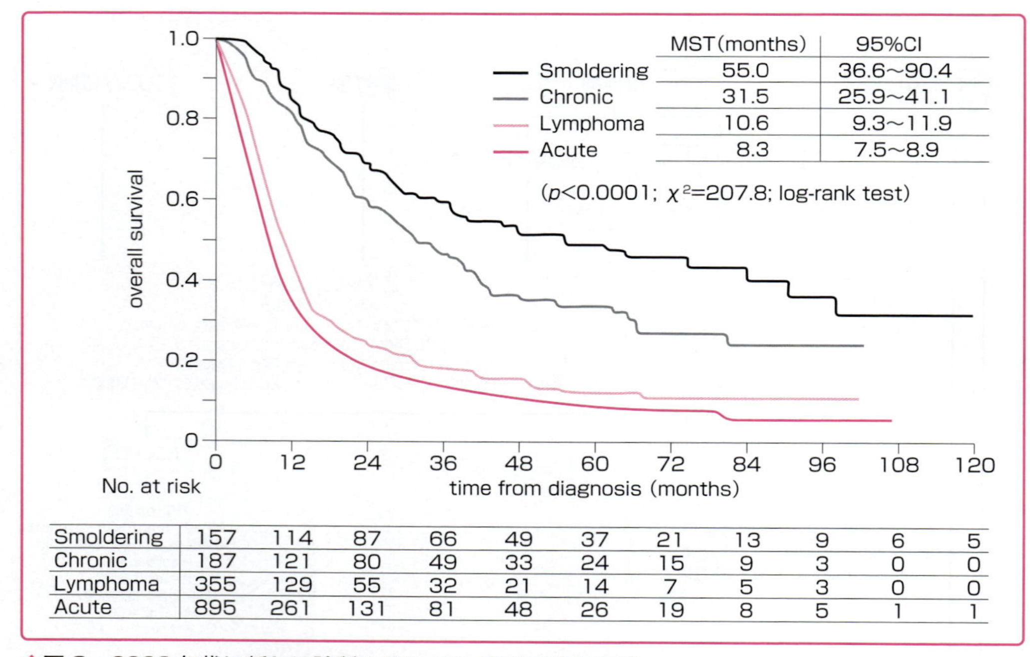

	0	12	24	36	48	60	72	84	96	108	120
Smoldering	157	114	87	66	49	37	21	13	9	6	5
Chronic	187	121	80	49	33	24	15	9	3	0	0
Lymphoma	355	129	55	32	21	14	7	5	3	0	0
Acute	895	261	131	81	48	26	19	8	5	1	1

◆図3　2000年代に新たに診断されたATL患者の生存曲線
MST：生存期間中央値
（文献5より引用）

ン値，sIL-2R値の5因子から決定されるATL-PI，くすぶり型・慢性型ATL患者に対してはsIL-2R値から決定されるindolent ATL-PI，aggressive ATL患者に対して補正カルシウム値とPSにより決定されるJCOG-PIが提唱されている[3].

文　献

1）Ishitsuka K et al: Lancet Oncol **15**: e517, 2014
2）Shimoyama M: Br J Haematol **79**: 428, 1991
3）Ishitsuka K et al: Semin Hematol **58**:114, 2021
4）Fuji S et al: J Clin Oncol **34**: 3426, 2016
5）Katsuya H et al: Blood **126**: 2570, 2015

21 その他のリンパ性腫瘍疾患：菌状息肉症，Sézary 症候群など

到達目標

- 菌状息肉症，Sézary 症候群の病態，診断，治療方針を理解する
- 皮膚原発リンパ腫の病態を理解する

本項では**菌状息肉症**（mycosis fungoides），**Sézary 症候群**に代表される，皮膚に主たる病変があるT/NK 細胞リンパ腫について概説する．

1 菌状息肉症，Sézary 症候群

1）病因・病態・疫学

小型～中型の腫瘍性T細胞からなる皮膚原発の成熟T細胞リンパ腫で，組織学的に腫瘍細胞が表皮向性を有するのが特徴である[1]．**菌状息肉症**（mycosis fungoides）と **Sézary 症候群**をあわせて皮膚原発リンパ腫の50%を占めるが，リンパ腫全体では1%にも満たない．発症年齢中央値は60歳代で男性に多い．

2）症候・身体所見

菌状息肉症は慢性に経過し，**紅斑期**［**紅斑**(patch)：明らかな盛り上がりや浸潤のない病変で，大きさは問わない］，**扁平浸潤期**［**局面**（plaque）：盛り上がりや浸潤（触れて分かる立体的な変化）のある病変で，大きさは問わない］，**腫瘤期**［**腫瘤**（tumor）：1 cm 以上の孤立性ないし結節性病変か，潰瘍形成した局面で，深達性の浸潤または垂直方面への増殖を示す病変］の順に進展する[1,2,3]．これらの病変はしばしば混在してみられる．進行例では病変がリンパ節，血液，内臓臓器に進展する[2,3]．主に腫瘤期で，大細胞転化（large cell transformation）［CD30 陽性または陰性の大型細胞が浸潤細胞の≧25%を占める］をきたすことがあり，予後不良と関連する[1]．Sézary 症候群は，異型細胞の浸潤を伴う紅皮症，全身リンパ節腫脹と，末梢血中のSézary 細胞（核に脳回状の切れ込みを有する腫瘍細胞で，細胞形態または免疫形質により定義される）の出現を認める疾患で，定義として末梢血にSézary 細胞が1,000/μL 以上である場合に診断される[1]．

3）診断・検査

臨床的に乾癬などの炎症性疾患との鑑別がしばしば困難で，発症からしばらく経ってから診断されることが少なくない．確定診断は皮膚生検であるが，病初期には専門病理医でも診断が困難で，生検を繰り返したり，ポリメラーゼ連鎖反応でT細胞受容体再構成の確認を要したりすることが少なくない．菌状息肉症では，腫瘍細胞の表皮向性を反映して表皮内異型リンパ球の浸潤（**Pautrier 微小膿瘍**）と乳頭層を主体とする帯状の浸潤（**図1**）がみられる．菌状息肉症の腫瘍細胞の典型的な免疫形質はCD3陽性，CD4陽性，CD8陰性，TCRαβ陽性で，多くはCD7陰性，細胞傷害性蛋白陰性である[1]．他の皮膚リンパ腫や関連疾患との鑑別点を**表1**に示した．Sézary 症候群の腫瘍細胞も菌状息肉症と同様の免疫形質を示す．鑑別として成人T細胞白血病／リンパ腫（adult T-cell leukemia/lymphoma：ATL）が特に問題で，抗HTLV-1抗体の

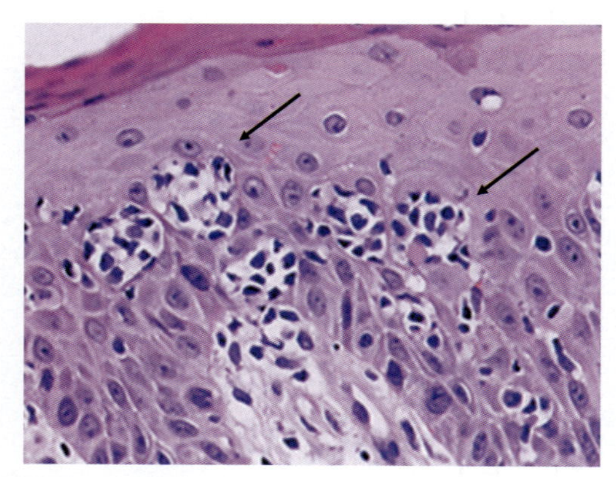

◆**図1　菌状息肉症**
HE 染色．表皮内にリンパ腫細胞の浸潤が認められ，いわゆるPautrier 微小膿瘍（矢印）がみられる．
（福岡大学，菊池昌弘先生より提供）

◆表1　皮膚原発 T/NK リンパ腫・関連疾患の鑑別診断
典型的な皮膚病変，免疫形質を示す．

	皮膚病変	CD3	CD4	CD8	細胞傷害性蛋白	CD56	EBV	その他
MF	紅斑，局面，腫瘤	＋	＋	−	−	−	−	
PC-ALCL	結節，腫瘤	＋	＋	−	＋	−	−	CD30 陽性
SPTCL	脂肪織炎様局面・皮下腫瘤	＋	−	＋	＋	−	−	βF1 陽性，T 細胞受容体γ陰性
PCGD-TCL	紅斑，局面，潰瘍性結節	＋	−	＋	＋	−	−	T 細胞受容体γ陽性，βF1 陰性
ENKL	結節，腫瘤	＋*	−	−／＋	＋	＋	＋	
ATL	紅斑，局面，腫瘤	＋	＋	−	−	−	−	一部は CD30 陽性 血清 HTLV1 抗体陽性
BPDCN	結節，腫瘤	−	＋	−	−	＋	−	CD123 陽性

EBV：Epstein-Barr ウイルス，MF: 菌状息肉症，PC-ALCL：皮膚原発未分化大細胞リンパ腫，SPTCL：皮下脂肪組織炎様 T 細胞リンパ腫，PCGD-TCL：皮膚原発γδ型 T 細胞リンパ腫，ENKL：節外性 NK/T 細胞リンパ腫・鼻型，ATL: 成人 T 細胞白血病／リンパ腫，BPDCN：芽球性形質細胞様樹状細胞腫瘍
*ENKL の多くは細胞表面 CD3 陰性，細胞質内 CD3 陽性
（文献 1 を参考に著者作成）

測定が必須である．ATL 多発地域では鑑別困難な症例もあり，HTLV-1 プロウイルスの単クローン性の組み込みをサザンブロット法で検索する．

病期は他のリンパ腫と異なり，ISCL（International Society of Cutaneous Lymphoma）/EORTC（European Organization of Research and Treatment of Cancer）の TNMB 分類（**表2**）により規定される[2,3]．病期診断に必要な検査は，病歴聴取，診察，血液学的検査（末梢血フローサイトメトリー検査を含む），画像検査は頸部から骨盤部までの造影 CT，または PET/CT 検査である．皮膚病変では，性状（紅斑・局面・腫瘤）や，その面積などが考慮される．腫大リンパ節を認めた場合，リンパ腫の浸潤を伴わない，皮膚病性リンパ節炎によるリンパ節腫大との鑑別のため，生検が望ましい．末梢血の腫瘍細胞数を細胞像やフローサイトメトリー所見をもとに評価して血液病変の判断をする．骨髄検査は必ずしも必須ではないが，説明のつかない血液学的異常がある場合は実施すべきである．

4）治療と予後

a）治　療[3]

菌状息肉症／Sézary 症候群では，病期等によってさまざまな治療選択肢が用いられるため，血液内科医，皮膚科医，放射線治療医等が相談しながら治療方針を決めることが望ましい．現時点では同種造血幹細胞移植以外に菌状息肉症／Sézary 症候群に対する治癒が期待できる治療がないため，治療の目標は症状緩和である．強い掻痒感や，外観上の問題による心理的負担が生活の質の低下の原因となる．また，病変が皮膚感染症のリスクとなりうる．これらに留意しながら治療選択を行う．

早期（紅斑期・扁平浸潤期）では，皮膚指向性治療が主な治療となる．これにはステロイド外用，紫外線療法（ナローバンド UVB 療法，PUVA 療法），放射線療法などがある．PUVA 療法では methoxsalen（psoralen）内服または外用後に長波長紫外線（ultraviolet A）を照射する．完全奏効が得られるまでは週 3 回程度継続し，それ以降は間隔を空けて維持療法として行う．放射線療法としては，病変が限局していれば，局所放射線療法（主に電子線），広範囲であれば全身皮膚電子線照射（total skin electron beam therapy: TSEBT）が選択肢となる．これらの皮膚指向性治療は，進行期においても皮膚症状の改善目的で全身性薬物療法と併用されることがある．

全身性薬物療法としては，interferon-γ，レチノイドである bexarotene，低用量 methotrtexate などが早期から選択肢となる．これらは必要に応じて皮膚指向性治療との併用で行われる．進行期菌状息肉症や，早

◆表２　菌状息肉症，Sézary 症候群の TNMB 分類と病期分類

■TNMB 分類

T	皮膚病変の範囲と性状	
	T1	限局性の紅斑だけまたは紅斑±局面（体表面積の 10%未満）
	T2	汎発性の紅斑だけまたは紅斑±局面（体表面積の 10%以上）
	T3	腫瘤形成（1 cm 以上）；1 病変またはそれ以上
	T4	紅皮症（体表面積の 80%以上）
N	リンパ節病変	
	N0	臨床的に異常リンパ節なし
	N1	臨床的に異常リンパ節あり；組織学的には浸潤はない
	N2	臨床的に異常リンパ節あり；組織学的に浸潤がある（リンパ節構造は保たれている）
	N3	臨床的に異常リンパ節あり；組織学的に浸潤がある（リンパ節構造の消失がみられる）
	Nx	臨床的に異常リンパ節あるが，組織学的確認なし
M	内臓病変	
	M0	内臓病変なし
	M1	内臓病変あり
B	末梢血リンパ球の状態	
	B0	異型リンパ球（Sézary 細胞）はない（またはリンパ球の 5%未満）
	B1	低腫瘍量；異型リンパ球（Sézary 細胞）がリンパ球の 5%以上だが B2 基準を満たさない
	B2	高腫瘍量；異型リンパ球（Sézary 細胞）が 1,000 個/μL以上で，クローン性増殖がある

■病期分類

病期		T	N	M	B
Ⅰ	A	1	0	0	0，1
	B	2	0	0	0，1
Ⅱ	A	1，2	1，2	0	0，1
	B	3	0～2	0	0，1
Ⅲ	A	4	0～2	0	0
	B	4	0～2	0	1
Ⅳ	A1	1～4	0～2	0	2
	A2	1～4	3	0	0～2
	B	1～4	0～3	1	0～2

（文献 2，3 より許諾を得て改変し転載）

期例でも前治療抵抗性の場合には，これらに加えて抗 CCR4 抗体 mogamulizumab，IL-2 免疫毒素 denileukin diftitox，抗 CD30 抗体薬物複合体 brentuximab vedotin，ヒストン脱アセチル化酵素（HDAC）阻害薬 vorinostat などが選択肢となる．殺細胞性抗腫瘍薬としては gemcitabine や経口 etoposide などが用いられることが多い．これらの薬物療法は，必要に応じて局所放射線療法との併用で行われる．進行期例でも Sézary 症候群など紅皮症をきたしている場合には，皮膚指向性治療の役割が大きい．多剤併用化学療法は，菌状息肉症 / Sézary 症候群に対して奏効期間が短い割に毒性が強いため，一般的に推奨されないが，大細胞転化をきたした場合などに選択肢となる．

菌状息肉症 / Sézary 症候群に対する治療選択肢を比較する大規模な臨床試験はこれまで行われていなかったが，最近，新規治療薬の第Ⅲ相試験の結果が報告された．大細胞転化例を除く再発または難治性の菌状息肉症 / Sézary 症候群を対象として，mogamulizumab と vorinostat の第Ⅲ相比較試験では，mogamulizumab の方が無増悪生存期間（PFS）が優れていた．同様に，CD30 陽性の菌状息肉症（Sézary 症候群は対象外）と皮膚原発 ALCL の再発・難治例を対象として，brentuximab vedotin と医師選択治療（低用量 methotrexate または bexarotene）の第Ⅲ相比較試験では brentuximab vedotin の方が PFS が優れていた．菌状息肉症に対する自家造血幹細胞移植併用大量化学療法は再発が多く，推奨されない．若年者では，進行期例で生命予後が不良と予想される場合に，治癒を目指した治療として同種造血幹細胞移植が検討される．

b）予　後

早期（ⅠA，ⅠB，ⅡA 期）は，一般的に進行が緩徐で，有病でも生命予後に影響することは少ない．5 年生存率は 80 ～ 100％と高い．一方，進行期の菌状息

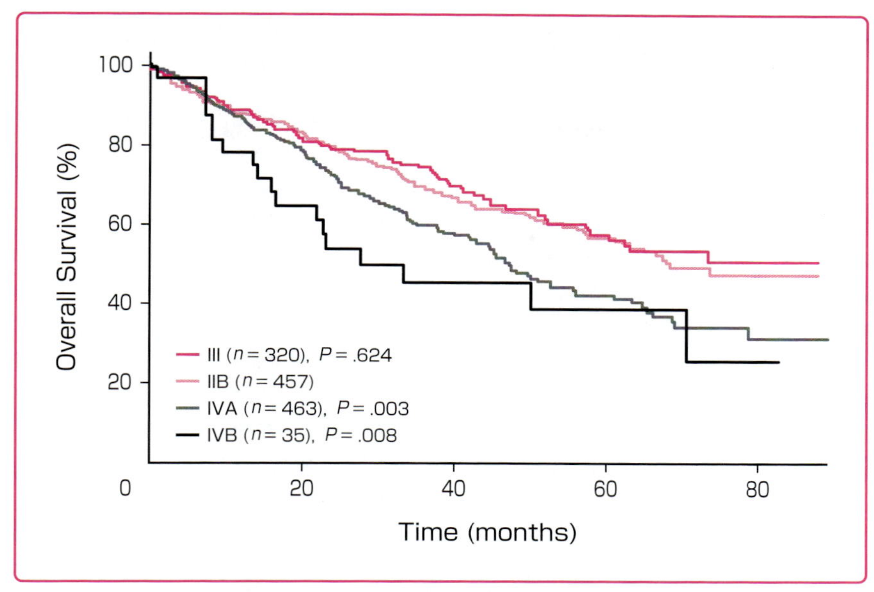

◆図2　進行期菌状息肉症・Sézary症候群の病期別生存率（n＝1275, 2007年以降）
（文献4より引用）

肉症 / Sézary 症候群を対象とした研究では，5年生存率がⅡB期57%，ⅢA期60%，ⅢB期55%，ⅣA期42%，ⅣB期39%と，進行につれて生存率の低下がみられた（**図2**）[4]．さらに大細胞転化を来たした患者は一般的に予後不良で，生存期間中央値2年という報告もある．その他の予後不良因子としては年齢＞60歳，血清乳酸脱水素酵素高値などがあり，これらと大細胞転化，Ⅳ期などのリスク因子からなる菌状息肉症 / Sézary 症候群の予後予測モデルが提唱されている．

◆表3　菌状息肉症，Sézary 症候群以外の皮膚リンパ腫の TNM 分類

T	**皮膚病変の範囲と性状**	
	T1	単発の皮膚病変 T1a：＜5 cm，T1b：＞5 cm
	T2	限局性皮膚病変（多発性病変が1つないし連続した2つの身体部位に限局）；すべての病変が以下の直径の円形領域に含まれる T2a：直径＜15 cm，T2b：15 cm≦直径＜30 cm，T2c：直径≧30 cm
	T3	汎発性皮膚病変 T3a：非連続性の2身体領域，T3b：3身体領域
N	**リンパ節病変**	
	N0	臨床的・病理学的にリンパ節病変がない
	N1	現在あるいは以前の皮膚病変の1つの所属リンパ節領域の病変
	N2	2つ以上のリンパ節領域の病変または現在あるいは以前の皮膚病変の所属リンパ節領域以外のリンパ節病変
	N3	中枢性（深在性）リンパ節病変
M	**内臓病変**	
	M0	内臓病変なし
	M1	内臓病変あり

（文献3，5より許諾を得て改変し転載）

2 皮膚原発 CD30 陽性 T 細胞増殖性疾患

皮膚原発 CD30 陽性 T 細胞増殖性疾患（primary cutaneous CD30 positive T-cell lymphoproliferative disorders）は，皮膚原発未分化大細胞リンパ腫（primary cutaneous anaplastic large cell lymphoma：C-ALCL），リンパ腫様丘疹症（lymphomatoid papulosis：LyP）に分けられ，これらは CD30 陽性の大型腫瘍細胞からなる皮膚原発リンパ腫として，一連のスペクトラムを形成し，両者の境界例もある[1,3]．皮膚原発 T 細胞リンパ腫全体の 30％を占める．この疾患群の特徴は病変の自然消退がみられることである．特にリンパ腫様丘疹症は単発または多発性の丘疹が 2～12 週間程度続いたのち消退するが，しばしば同領域または遠隔領域の皮膚に再燃を繰り返す．C-ALCL の多くは成人と高齢者で，年齢中央値は 60 歳，男女比は 2～3：1 である[1,2]．多くは T 細胞型で，一部は null 型である．細胞傷害性蛋白は約 70％の症例で陽性であるが，ALK は通常陰性である．C-ALCL は皮膚に浸潤する腫瘍細胞の 75％以上が CD30 陽性であることが診断基準である[1]．C-ALCL は診断時に皮膚に限局するものを指し，皮膚外進展はまれである．しかし，リンパ節に進展することもある．病期は，菌状息肉症，Sézary 症候群以外の皮膚リンパ腫の TNM 分類（**表 3**）により記載する[5]．治療方針を考える上で，皮膚浸潤を伴う全身性 ALCL との鑑別は重要であるが，鑑別困難な例もある．菌状息肉症が背景にある患者で同様の組織像がみられた場合には菌状息肉症の大細胞転化を考える．C-ALCL は予後良好で 5 年生存率は約 90％である．病変が限局していて放射線療法や外科的切除などの局所療法が可能な場合は，これらが第一選択として推奨される[3]．病変が広範囲の皮膚に及ぶ場合や，局所リンパ節への進展がある場合には，methotrexate 経口療法，CHOP 療法等の多剤併用化学療法などが選択肢となる[3]．再発・難治性の場合は抗 CD30 抗体薬物複合体の brentuximab vedotin が選択肢となる．CD30 陽性の菌状息肉症と C-ALCL の再発・難治例を対象とした第Ⅲ相試験で brentuximab vedotin は，医師選択治療（低用量 methotrexate または bexarotene）と比較して PFS が優れていた．診断時または再発時に所属リンパ節を超えて病変が進展した場合には全身性 ALCL として治療を行う．

3 皮膚原発末梢性 T 細胞リンパ腫，まれな亜型

1）皮下脂肪組織炎様 T 細胞リンパ腫（SPTCL）

皮下脂肪組織炎様 T 細胞リンパ腫（subcutaneous panniculitis-like T-cell lymphoma：SPTCL）は四肢の皮下脂肪組織を中心に浸潤する細胞傷害性 T 細胞リンパ腫で，リンパ節や他の臓器への進展はまれである．病理組織学的には脂肪細胞の周囲を腫瘍性 T 細胞が取り囲む“rimming”の所見が特徴的である[1]．さまざまな年齢に発生し，多発性の皮下結節を生じ，全身症状は 50％程度に，血球貪食症候群は 15～20％にみられる．SPTCL は $\alpha\beta$ 型 T 細胞の腫瘍で，5 年生存割合は 80％と予後は良好であり，予後不良の「皮膚原発 $\gamma\delta$ 型 T 細胞リンパ腫」とは区別する．しかし，SPTCL でも血球貪食症候群を伴う場合は予後不良である．自己免疫性疾患との合併が多くみられる．病理組織学的にも SPTCL と深在性エリテマトーデスの鑑別が困難なことが少なくない．SPTCL では生殖細胞系列に TIM-3 をコードする *HAVCR2* 遺伝子の機能喪失型変異が高頻度に認められる．SPTCL の治療は未確立であるが，$\gamma\delta$ 型を含んでいたときにいわれていたような予後不良な疾患ではなく，血球貪食症候群を伴わない場合は特に予後良好で，初回治療としては副腎皮質ステロイドや免疫抑制薬の内服療法を用い，多剤併用化学療法など強度の高い治療はすべきではない[3]．

2）原発性皮膚 $\gamma\delta$ 型 T 細胞リンパ腫（primary cutaneous gamma-delta T-cell lymphoma）

細胞傷害性蛋白を有する成熟 $\gamma\delta$ 型 T 細胞のリンパ腫で，皮膚および皮下に生じる．$\alpha\beta$ 型 T 細胞リンパ腫である SPTCL との鑑別が重要で，免疫組織化学かフローサイトメトリーで TCR$\alpha\beta$ か TCR$\gamma\delta$ の検索が必要である[1]．多剤併用療法が第一選択であるが，治療抵抗性で予後不良である．

3）原発性皮膚 CD8 陽性急速進行性表皮向性細胞傷害性 T 細胞リンパ腫（primary cutaneous CD8 positive aggressive epidermotropic cytotoxic T-cell lymphoma）

成人に発症するまれな T 細胞リンパ腫である．多発性皮膚病変で，菌状息肉症に類似の病変を示す．$CD3^+$，$CD4^-$，$CD8^+$ であり，細胞傷害性蛋白を発現する[1]．進行性で，予後不良である．

4）原発性皮膚 CD4 陽性小・中細胞型 T 細胞リンパ増殖症（primary cutaneous CD4 positive small/medium T-cell lymphoproliferative disorder）

単発もしくは少数の結節や腫瘤で，CD4 陽性の小型から中型の T 細胞リンパ増殖性疾患である[1]．経過は緩徐であり，他の T 細胞リンパ腫との鑑別が問題となる．生命予後には影響しないとされており，切除か放射線療法が第一選択である[3]．

■文　献■

1）Swerdlow SH et al（eds）: WHO Classification of Tumours of Haematopoietic and Lymphoid Tissues, 4th ed, Revised ed, IARC Press, 2017
2）Olsen EA et al: Blood **110**: 1713, 2007
3）大塚　幹夫ほか：皮膚リンパ腫診療ガイドライン 2020. 日皮会誌 **130**: 1347, 2020
4）Scarisbrick JJ et al: J Clin Oncol **33**: 3766, 2015
5）Kim YH et al: Blood **110**: 479, 2007

22 Hodgkin リンパ腫

到達目標

- Hodgkin リンパ腫（HL）の病態と診断を理解する
- 病期に応じた標準療法を理解する

1 病因・病態・疫学

1）病因・病態

Hodgkin リンパ腫（Hodgkin lymphoma：HL）は現在 WHO 分類第 5 版（2022 年）*を用いて分類されるが，Rye 分類（1966 年）が基本となっている．この Rye 分類では HL はリンパ球優位型，結節硬化型，混合細胞型，リンパ球減少型の 4 つに分けられた．その後の研究でリンパ球優位型のなかに特異細胞の形態や免疫表現型，臨床病態において他の HL と違いがある一群が見出され，**結節性リンパ球優位型 Hodgkin リンパ腫**（nodular lymphocyte predominant Hodgkin lymphoma：NLPHL）として分類された．WHO 分類では，HL は NLPHL と**古典的 Hodgkin リンパ腫**（classical Hodgkin lymphoma：CHL）に大別され，CHL は結節硬化型，リンパ球豊富型，混合細胞型，リンパ球減少型の 4 病型に分類される[1]．

CHL では病理学的に単核（Hodgkin 細胞）および多核の大型細胞（Reed-Sternberg 細胞：RS 細胞）（Hodgkin/Reed-Sternberg 細胞：HRS 細胞）が，NLPHL では LP（lymphocyte predoninant）細胞（popcorn 細胞）が認められる．両者の病理学的違いを**表 1** に示す．両者とも腫瘍細胞は B 細胞性であることが明らかになっている．

CHL の病因は複雑で完全には明らかとなっていない．40％程度までの症例で認められる EB ウイルス陽性 CHL については，EB ウイルスの潜伏感染が腫瘍化に関与している．遺伝子解析により NF-κB pathway，JAK-STAT pathway，immune escape pathway の遺伝子異常が報告されているが，EB ウイルス感染は，遺伝子異常の代替経路として働いていると考えられている．Programmed cell death 1 protein（PD-1）

*本書は基本的に WHO 分類改訂第 4 版（2017 年）に基づいて記載しているが，必要な場合には WHO 分類第 5 版（2022 年）にも言及している．

◆表 1　NLPHL と CHL の病理学的比較

	NLPHL	CHL
増殖様式	結節性（少なくとも 1 ヵ所）	びまん性，結節性
特異細胞	LP 細胞（popcorn 細胞）	Reed-Sternberg 細胞 Hodgkin 細胞
線維化	まれ	しばしば認める
特異細胞の表面マーカー		
CD15	−	＋/−
CD30	−	＋
CD20	＋	−/＋
CD45	＋	−
EBV 感染	まれ	約 50％の症例に認められる

のリガンドであるPD-L1，PD-L2がRS細胞で発現が上昇していることが明らかとなっており，*PD-L1*，*PD-L2*が位置する染色体9p24.1の遺伝子増幅やコピー数増加が発現上昇の主な理由と考えられている．このように，CHLのRS細胞では発現亢進したPD-L1，PD-L2とT細胞上のPD-1との結合により，T細胞機能が抑制され，RS細胞が免疫回避を起こしていることが考えられる．抗PD-1抗体により免疫回避が解除される．CHLで免疫チェックポイント阻害薬が高い有効性を示す理由である．

2）疫 学

HLは欧米ではリンパ腫の10～20%を占めるが，わが国では5～8%と比較的まれである．CHLでの好発年齢は15～35歳と60歳以上の2つのピークを認める．NLPHLは全HL中の10%以下とまれである．

2 症候・身体所見

1）NLPHL

体表のリンパ節腫大で気がつかれる症例が多い．B症状（38℃を超える発熱，盗汗，6ヵ月以内の10%以上の体重減少）などの全身症状を示す症例はCHLに比べ少ない．臨床病期Ⅰ～Ⅱ期の限局期症例が半数以上を占める．

2）CHL

リンパ節の腫大で診断されることがほとんどであるが，縦隔などの深部のリンパ節腫大も多く認められる．頸部リンパ節が最も頻度が高く6～7割に認められる．節外病変は1～2割の症例に認められる．CHLの場合4割程度の症例でB症状を認める．Pel-Ebstein型といわれる周期的な発熱はまれである．一般的に夕方のみ認める発熱で始まり，病勢の進行とともに1日中高熱を認めるようになることが多い．他の特徴的な症状は痒疹，アルコール不耐（アルコール摂取にて腫大リンパ節に疼痛が出現する）などがある．

3 診断・検査

HLの診断は病変組織の生検で行う．針生検で診断可能な場合もあるが，検体が不十分となることも多く，リンパ節切除生検が推奨される．NLPHLでは，LP細胞（popcorn細胞）が，CHLではHRS細胞が特徴である（**表1**）．免疫組織化学的特徴として，CHLのHRS細胞はCD30陽性であるのに対し，LP細胞はCD30陰性，CD20陽性である．

HLと診断された症例は，各種検査にて**臨床病期**の決定および全身状態の評価を行う．**表2**に治療開始前に行うべき検査を記載した．2014年には，節性リンパ腫の臨床病期を決定するAnn Arbor分類の修正版であるLugano分類が提唱された[2]．Lugano分類では，治療効果判定にFDG集積を用いる場合は，治療前にFDG-PET/CT検査を用いて臨床病期を決定する．HLの場合，FDG-PET/CT検査で病期判定を行った場合は，骨髄生検を行わなくてもよいとされている．

採血検査を含む全身状態の把握により，CHLの予後リスク別に分類できる．血沈は予後予測因子として重要であり，HLの診療では必須検査項目である．

限局期CHLの予後分類を**表3**に示す．各研究グループで予後因子は若干異なるが，縦隔bulky病変の有

◆表2　治療前の検査

A．必ず行う評価
1．病理診断
2．病歴，発熱の存在と期間，盗汗，および直前の6ヵ月における理由不明の10%以上の体重減少に特に注意する
3．診察
4．臨床検査
　a．CBC，白血球分画
　b．生化学検査，血清検査，血沈，感染症検査
　c．心電図，心臓超音波，呼吸機能検査（DLcoを含む）
5．放射線画像診断
　a．胸部X線
　b．頸部，胸部，腹部，および骨盤のCT（造影）
　c．PET検査
B．症例により行う評価
1．消化管内視鏡：病変評価に必要な場合
2．MRI：病変評価に必要な場合
3．頭部CT，頭部MRI，脳脊髄液検査：中枢神経病変が疑われた場合
4．骨髄生検：FDG-PET/CT検査が何らかの理由で行えない場合

◆表３　各研究グループにおける限局期 CHL の予後分類

研究グループ	EORTC/GELA	GHSG	NCIC/ECOG
予後良好群	CS Ⅰ～Ⅱ (横隔膜上部病変) リスク因子なし	CS Ⅰ～Ⅱ リスク因子なし	CS Ⅰ～Ⅱ リスク因子なし
予後不良群	CS Ⅰ～Ⅱ (横隔膜上部病変) リスク因子あり	CS Ⅰ，ⅡA リスク因子あり CS ⅡB では bulky 縦隔病変, 節外病変があれば進行期	CS Ⅰ～Ⅱ リスク因子あり CS Ⅰ～Ⅱでも bulky 病変（縦隔胸郭比 1/3 以上，または 10 cm 以上の腫瘤），腹腔内病変があると進行期
各研究グループにおけるリスク因子の定義	• bulky 縦隔病変 • 50 歳以上 • 血沈亢進 B 症状(-)の場合 ≧50 mm/時間 B 症状(+)の場合 ≧30 mm/時間 • 4 ヵ所以上の病変	• bulky 縦隔病変 • 節外病変 • 血沈亢進 B 症状(-)の場合 ≧50 mm/時間 B 症状(+)の場合 ≧30 mm/時間 • 3 ヵ所以上の病変	• 40 歳以上 • 結節性リンパ球優位型 Hodgkin リンパ腫または結節硬化型古典 Hodgkin リンパ腫でない • 血沈亢進 ≧50mm/時間 • 4 ヵ所以上の病変

EORTC/GELA:Groupe d'Etude des Lymphomes de l'Adulte, GHSG:German Hodgkin Study Group, NCIC:National Cancer Institute Canada, ECOG:Eastern Cooperative Oncology Group

◆表４　進行期 CHL の予後予測モデル（国際予後スコア：IPS）

予後因子	予後不良である基準
血清アルブミン	4 g/dL 未満
ヘモグロビン	10.5 g/dL 未満
性	男性
臨床病期	Ann Arbor Ⅳ期
年齢	45 歳以上
白血球増加	15,000/ mm^3 以上
リンパ球減少	600/ mm^3 未満または白血球数の 8% 未満

該当する予後因子を加算して prognostic score とする.

無，年齢，リンパ節病変数，血沈，節外病変の有無が主な予後因子である．限局期 CHL では予後良好群と予後不良群で治療法が異なることがあり注意を要する．進行期 CHL の予後予測には**国際予後スコア**（International Prognostic Score：IPS）を用いる（**表4**）[3].

CHL は化学療法，放射線療法で治療されるため，治療前に臓器機能の評価が重要である．心毒性がある doxorubicin，肺毒性がある bleomycin などを用いた治療を行うため，心臓超音波検査，呼吸機能検査は必須である．呼吸機能検査では，拡散能の評価も行う．

4 治療と予後

1）治　療

NLPHL と CHL に分けて記載する．欧米の主な診療ガイドラインでは，CHL に対して，治療中間 PET/CT の結果に基づく治療アルゴリズムが，臨床病期にかかわらず推奨されている．わが国においても進行期 CHL を対象に治療中間 PET/CT を組み込んだ臨床試験（JCOG1305）が行われ, 有効性が確認された. 治療中間 PET/CT を日常診療に応用するに当たっては，評価法の標準化が課題となるが，治療中間 PET/CT による層別化治療は今後の治療方法の1つとなりうる．

a）NLPHL

①**限局期症例**：German Hodgkin Study Group（GHSG）で行われた後方視解析では，拡大照射（extended field radiation therapy：EFRT）および**領域照射**（involved field radiation therapy：IFRT），**CMT**（combined modality treatment：化学療法と放射線の併用療法）のいずれの治療でも 95%以上の完全奏効が得られ，治療成功割合，全生存割合は治療群間で有意差はなかった．照射体積を

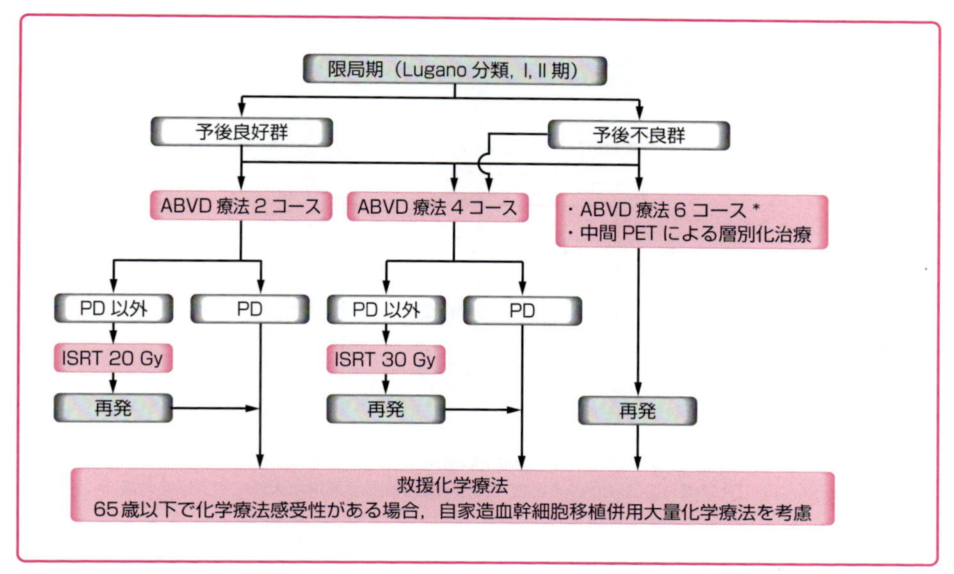

◆図 1　限局期 CHL の治療アルゴリズム
*bulky 病変を認めない場合.
（日本血液学会編：造血器腫瘍診療ガイドライン 2023 年版，金原出版，p351，2023 より許諾を得て転載）

可能な限り抑える観点から，現在は IFRT の代わりに ISRT（involved site radiation therapy）が推奨されており[4]，臨床病期 I A あるいは連続性 II A で bulky 病変が存在しない限局期 NLPHL に対しては，ISRT が推奨される治療法である．また，完全に病変が切除された症例では，注意深く無治療経過観察することも可能である．B 症状や bulky 病変を伴う症例，非連続性 II 期の症例については，多剤併用化学療法が選択される．

②**進行期症例**：進行期症例に対しては CHL と同様に多剤併用化学療法が用いられる．進行期症例は限局期症例に比べて少数である．NLPHL では形質転換（主にびまん性大細胞型 B 細胞リンパ腫への進展）の頻度が CHL に比べ多いことに留意が必要である．

b）CHL

①**限局期症例（図 1）**：限局期 CHL 治療は，放射線療法と短縮コース化学療法の併用療法（CMT）が標準療法である．予後良好群および予後不良群ともに，ABVD（doxorubicin，bleomycin，vinblastine，dacarbazine）療法 4 コースに ISRT 30 Gy を追加することを基本とし，予後不良因子を有しない場合，ABVD 療法 2 コースに ISRT 20 Gy を追加する治療も可能である[5,6]．放射線療法を行わない場合，ABVD 療法 6 コースは治療選択肢の 1 つである[5]．治療中間 PET/CT に基づく治療層別化として，予後不良群に対しては，ABVD 療法 2 コース後の治療中間 PET/CT 陰性の場合，RATHL 試験に基づき AVD 療法 4 コース追加することも選択肢の 1 つとなりうる[7]．治療中間 PET/CT 陽性の場合，60 歳未満かつ予後不良群の場合，**増量 BEACOPP**（bleomycin，etoposide，doxorubicin，cyclophosphamide，vincristine，procarbazine，prednisolone）療法 4 コース追加することが選択肢となりうる．60 歳以上もしくは予後良好群の場合，ABVD 療法 4 コース（全体で 6 コース）および ISRT 30 Gy を追加することが選択肢となり得る[5,8,9]．

②**進行期症例（図 2）**：進行期 HL の治療として，わが国では ABVD 療法が行われてきたが，ECHELON-1 試験では，ABVD 療法と ABVD 療法の bleomycin を抗 CD30 抗体薬物複合体である brentuximab vedotin（BV）に置換した A+AVD 療法が比較された．主要評価項目である modified PFS をメットし，A+AVD 療法が標準治療の 1 つとなった．長期フォローアップでは，A+AVD 療法の全生存期間に関するメリットも認められ[10]，進行期 HL の治療として A+AVD 療法が勧められる．治療中間 PET/CT に基づく治療層別化について複数の臨床試験が実施されており，ABVD 療法 2 コース後の治療中間 PET/CT 陽性の場合，増量 BEACOPP 療法への切り替えにより良好な成績が示されている[7,11,12]．わが国でも，治療中間 PET/CT に基づく治療層別化として，JCOG1305 試験が行われ，60

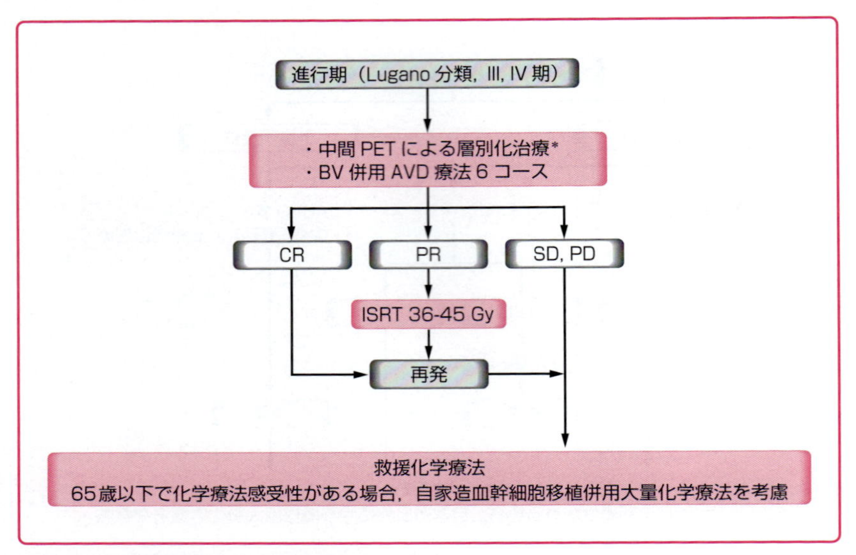

◆**図 2　進行期 CHL の治療アルゴリズム**
*中間 PET による層別化治療を行わない場合は ABVD 療法 6 もしくは 8 コースも選択肢の 1 つとなる．
（日本血液学会編：造血器腫瘍診療ガイドライン 2023 年版，金原出版，p351，2023 より許諾を得て転載）

歳までの進行期 HL を対象に，ABVD 療法 2 コース後の治療中間 PET/CT にて，陰性であれば ABVD 療法 4 コース追加し，陽性であれば増量 BEACOPP 療法 6 コースを施行する治療法が評価された．主要評価項目である 2 年 PFS をメットし，有効な治療法であることが示された．なお，国際予後スコアは，進行期 CHL の予後予測に有用であるが，リスク分類で層別化した治療は推奨されない．

c）再発症例に対する治療法

再発時は救援化学療法を施行する．救援化学療法は非 Hodgkin リンパ腫と基本的に変わりはない．ICE（ifosfamide，carboplatin，etoposide），ESHAP（etoposide，methylprednisolone，cytarabine，cisplatin）などであるが，いずれも奏効率は 70％以上とされ，どのレジメンが優れているかの比較試験はない．救援化学療法で奏効した症例で大量化学療法の対象年齢であった場合は，**自家造血幹細胞移植併用大量化学療法**を行う[13]．

再発症例に対して brentuximab vedotin と抗 PD-1 抗体（nivolumab，pembrolizumab）が承認されている．Brentuximab vedotin は，再発症例に対して単剤で 7 割以上の奏効割合を示す．抗 PD-1 抗体（nivolumab，pembrolizumab）は免疫チェックポイントを阻害することにより，腫瘍免疫回避を解除し，brentuximab vedotin 治療後の再発症例に対しても 6 割以上の高い有効性を発揮する．

d）高齢者の治療

60 歳以上の高齢者の HL の治療成績は不良である．腫瘍細胞の EB ウイルス感染率が高く，発症に免疫老化が関与していると推測されている．また，高齢者の場合，bleomycin の肺障害をはじめとする化学療法の有害事象が強く出現することが原因の 1 つと考えられるので注意が必要である．高齢者に対する治療選択においては，増量 BEACOPP 療法は推奨されないことに留意する必要がある．

2）予　後

HL は治癒の可能性が高い悪性腫瘍である．限局期症例では 9 割以上，進行期症例においても 7 割程度の治癒が期待される．

化学療法，放射線療法終了後は定期的な診察が必要である．治療完了 3 ～ 5 年までは再発の有無の検討が主目的であり，その後は晩期毒性のチェックが主目的となる．縦隔照射を併用した場合，肺がん・乳がんの発生頻度は増加するため，喫煙は禁忌であり，女性では 1 年に 1 度の乳がん検診は必須である．心血管病変は，縦隔への放射線療法，アントラサイクリン系薬剤の使用がリスクとなり，治療後 5 ～ 10 年以降に合併することが多い．

■文　献■

1）Alaggio R et al: Leukemia **36**: 1720, 2022
2）Cheson BD et al: J Clin Oncol **32**: 3059, 2014
3）Hasenclever D et al: N Engl J Med **339**: 1506, 1998
4）Specht L et al.: Int J Radiat Oncol Biol Phys **89**: 854, 2014
5）日本血液学会（編）：造血器腫瘍診療ガイドライン 2023 年版，金原出版，2023
6）Engert A et al: N Engl J Med **363**: 640, 2010
7）Johnson PWM et al: N Engl J Med **374**: 2419, 2016
8）NCCN Guidelines: version 2.2022
9）Follows GA et al: Brit J Haematol **197**: 558, 2022
10）Ansell SM et al: N Engl J Med **387**: 310, 2022
11）Press OW et al: J Clin Oncol **34**: 2020, 2016
12）Gallamini A et al: J Clin Oncol **36**: 454, 2018
13）Schmitz N et al: Lancet **359**: 2065, 2002

23 原発性マクログロブリン血症／リンパ形質細胞性リンパ腫

到達目標

- 原発性マクログロブリン血症／リンパ形質細胞性リンパ腫の疾患概念を理解し，診断・治療に結びつけることができる

1 病因・病態・疫学

原発性マクログロブリン血症（Waldenström macroglobulinemia：WM）は，単クローン性IgMの増加とそれに伴う多彩な症状を特徴とするB細胞腫瘍である．腫瘍細胞は，リンパ形質細胞性リンパ腫（lymphoplasmacytic lymphoma：LPL）と同じく，胚中心を経由したIgM型ナイーブB細胞がnormal counterpartとされる．原発性マクログロブリン血症は，第2回国際WMワークショップ（IWWM，2002年）において，「骨髄浸潤と単クローン性IgM血症を伴うLPL」と定義され，現在のWHO分類第5版*（2022年）[1]では，LPLの項に主要なサブタイプ（IgM-LPL/WM type）と記載されている．

2012年にTreonらがWMの約90％に*MYD88* $^{\mathrm{L265P}}$（体細胞遺伝子）変異を認めることを報告し，大きな注目を浴びた[2]．MYD88はToll様受容体やIL-1ファミリーサイトカイン受容体の下流でシグナルを伝えるアダプター分子であり，*MYD88* $^{\mathrm{L265P}}$ 変異により下流にあるNF-κBが恒常的に活性化しドライバーとなる．なお，*MYD88* $^{\mathrm{L265P}}$ はWMに特異的ではなく，活性型B細胞タイプのびまん性大細胞型B細胞リンパ腫の30％程度にも認められ，多発性骨髄腫ではみられない．また，*MYD88* $^{\mathrm{L265P}}$ を有するWMの約30％に*CXCR4*（体細胞遺伝子）変異を認めることが報告されている[3]．*CXCR4*変異はS338X（約半数を占める）など計40種類以上が見つかってるが，これらは重症先天性好中球減少症として知られるWHIM症候群（warts，hypogammaglobulineamia，infections，and myelokathexis syndrome）の*CXCR4*生殖細胞系列遺伝子変異と類似しており，*CXCR4* ^{WHIM} と記載される．

わが国におけるLPLの発生頻度はLymphoma Study Group of Japanese Pathologists（2000年）の統計で，悪性リンパ腫3,194例中22例（0.7％）と報告されている．欧米では，人口100万人あたり年間3人の発症頻度で，血液悪性腫瘍の1～2％とわが国と比べてやや多く，発症年齢中央値は64歳，男性が60％を占める．LPLの約7割がWMである．

2 症候・身体所見

病勢の進展に伴い，骨髄浸潤による症状（貧血），およびモノクローナルIgM増加に伴う症状（過粘稠度症候群，末梢神経障害）などが進行する．WM症例217例の報告[4]では，診断時に最も多くみられた症状は貧血（38％），過粘稠度症候群（31％），B症状（23％），出血（23％），神経症状（22％）であり，27％が無症状であった．また，眼底検査の異常（34％），リンパ節腫脹（25％），肝腫大（24％），脾腫（19％）の所見を認めた．5％の症例で寒冷凝集素を認めたのに対し，寒冷凝集素による症状は症状は1.5％であった．

過粘稠度症候群は，血清IgM著増（4,000 mg/dL以上など）に伴い出現し，視力障害，めまい頭痛，出血などの症状に加え，うっ血性心不全，腎障害，食欲不振，倦怠感，脱力を呈することもある．まれに認知症・傾眠・昏睡などを起こすことも知られている．神経症状は末梢神経障害が主であり，単クローン性IgMがミエリン随伴性糖蛋白などの神経系の抗原に反応し自己抗体としてふるまうことに起因する．単クローン性IgMがⅠ型やⅡ型クリオグロブリン活性を

*本書は基本的にWHO分類改訂第4版（2017年）に基づいて記載しているが，必要な場合にはWHO分類第5版（2022年）にも言及している．

示す場合はRaynaud症状，紫斑，寒冷蕁麻疹，関節痛，腎不全を呈する．また，腫瘍細胞の組織浸潤（肺，腎，消化管，皮膚など），IgMの沈着，アミロイドの沈着により，臓器障害を呈することもある．多発性骨髄腫と異なり，骨病変はまれである．

治療後にIgMが一過性に上昇し，過粘稠度症候群などの症状が増悪することがある（IgM flare）．rituximabの初回投与後に多くみられるため，特に血清IgM高値（4,000 mg/dL以上など）の場合は，血漿交換による対策が必要となる．

3 診断・検査

血算では貧血，血小板減少の有無を確認する．末梢血スメアでは赤血球の連銭形成が特徴である．血清のIgM値およびIgM型M蛋白を検出する．蛋白電気泳動法ではγグロブリン位にMピークを示し，免疫固定法ではIgM-κまたは-λ型のM蛋白を認める（図1）．血清β_2ミクログロブリン値は予後予測に用いられる．

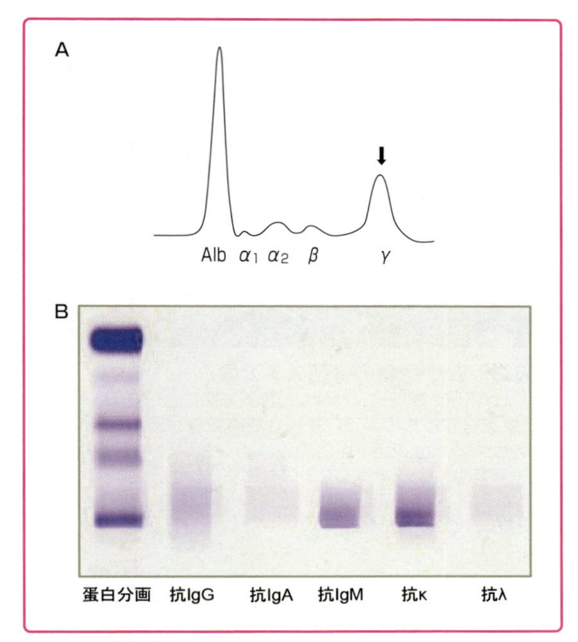

◆図1 M蛋白の検出・同定法
A：血清蛋白電気泳動法；γ分画になだらかなMピークを認める．
B：血清免疫固定法；IgMとκにバンドの増強を認める．
［矢野寛樹，飯田真介：マクログロブリン血症．血液専門テキスト，第3版，日本血液学会（編），南江堂，p367，2019より転載］

眼底検査ではおよそ3割の患者でソーセージ様と表現される網膜静脈の怒張や出血，白斑，乳頭浮腫などの所見を認める（図2）．全身CT検査でリンパ節腫脹，肝脾腫，溶骨病変，骨腫瘤を検索する．

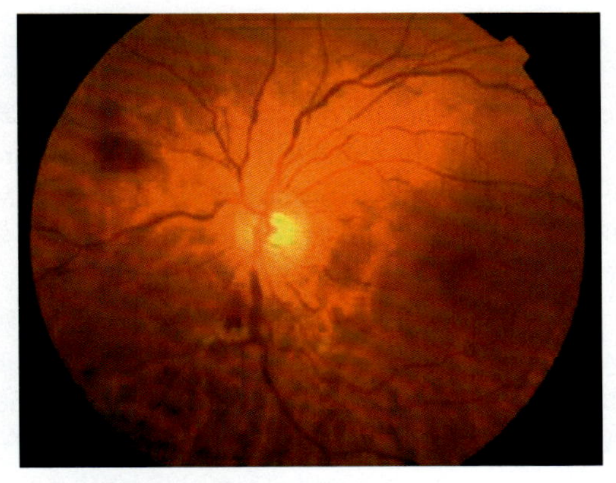

◆図2 WM患者の眼底写真
過粘稠度症候群による網膜静脈の蛇行と出血斑，および白斑がみられる．
［矢野寛樹，飯田真介：マクログロブリン血症．血液専門テキスト，第3版，日本血液学会（編），南江堂，p367，2019より転載］

骨髄所見は，通常過形成で，小リンパ球〜形質細胞様の多様な形態を示す腫瘍細胞の増加（≧10%）を認める（図3）．IWWMの診断基準では骨梁間パターンが特徴とされており，必ず骨髄生検を併用する．しばしばHE低染性，PAS陽性の核内封入体（Dutcher体）を認める．

WMの表面形質はIgM^+，$CD3^-$，$CD10^-$，$CD19^+$，$CD20^+$，$CD103^-$で，しばしば$CD25^+$，$CD38^+$，35〜61%に$CD23^+$，5〜20%に$CD5^+$と報告されている．最も高頻度に認められる染色体異常は$6q^-$（FISH法では30%）であり，進行例に多い傾向がある．

MYD88 ^{L265P}の有無が診断にきわめて有用であり，骨髄検体によるダイレクトシークエンス[2]や末梢血検体での定量PCR[5]で検出可能であるが，現在保険承認された検査キットはなく日常診療での実施は困難である．

4 治療と予後

WMは他のインドレントリンパ腫と同じく，治療は奏功するものの，免疫化学療法で治癒を得ることはできない．治療目標は症状の改善であり，無症候者では経過観察ののち，症状を認めた段階で第7回IWWM治療開始基準（表1）[8]を参考に治療を開始する．予後予測は，年齢，Hb値，血小板値，β_2ミクロ

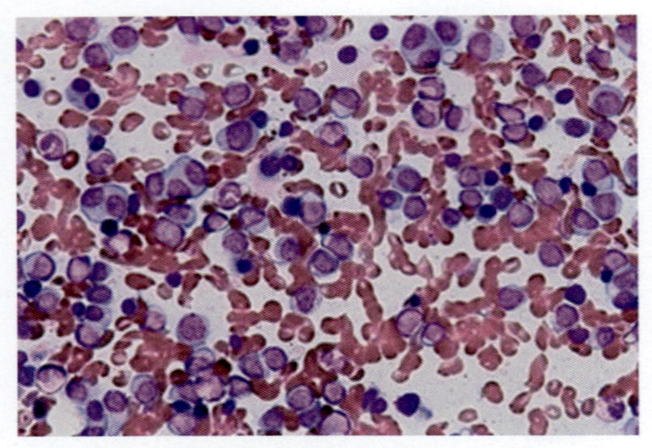

図3　WM患者の骨髄スメア像
小リンパ球，異型リンパ球から形質細胞に近いもの，核分裂像を有するものまで，多様な腫瘍細胞が浸潤している（May-Giemsa染色，×200）．
［矢野寛樹，飯田真介：マクログロブリン血症．血液専門テキスト，第3版，日本血液学会（編），南江堂，p368，2019より転載］

◆表1　WMの治療開始時期

臨床所見
・持続する発熱，盗汗，体重減少，倦怠感 ・過粘稠度症候群 ・有症状または長径5 cm以上のリンパ節腫脹 ・症候性肝腫大and/or脾腫 ・症候性臓器腫大and/or組織浸潤 ・WMによる末梢神経障害
検査所見
・症候性クリオグロブリン血症 ・寒冷凝集素症 ・免疫性溶血性貧血and/or血小板減少症 ・WMによる神経障害 ・WMによるアミロイドーシス ・ヘモグロビン≦10 g/dL ・血小板＜10万/μL

（文献8を参考に著者作成）

◆表2　WMの国際予後指標（ISSWM）

危険因子
• 年齢＞65歳
• Hb≦11.5 g/dL
• Plt≦10万/μL
• β_2-MG＞3 mg/dL
• IgM＞7.0 g/dL

リスク群	定　義	5年生存率
• low risk	1項目以下かつ65歳以下	87%
• intermediate risk	low/high risk以外	68%
• high risk	3項目以上	36%

Hb：ヘモグロビン，Plt：血小板，β_2-MG：β_2ミクログロブリン
（文献6を参考に著者作成）

グロブリン値，IgMからなるInternational Prognostic Scoring System for WM（ISSWM）で行い（**表2**）[6]，過粘稠度症状がある場合や，およびIgM Flareが危惧される症例（rituximab投与前に血清IgM 4000 mg/dL以上など）では，すみやかに血漿交換を行う．

症候性WMに対する初回治療として，第10回IWWM（2018年）では，bendamustine＋rituximab（BR），cyclophosphamide，dexamethasone，and rituximab（DRC），bortezomib＋dexamethasone＋rituximab（BDR），ibrutinib（わが国では保険適用なし）が推奨された[9]．また，rituximabやtirabrutinib単剤治療も推奨される治療である．これらのレジメンの治療成績を**表3**に示す．治療の効果判定については，第6回International Workshop on WMの判定規準（**表4**）を用いる[7]．

BR療法は，StiL NHL-1試験[13]のWM患者41例に対するサブグループ解析において，BRとR-CHOPのPFSは69.5ヵ月対28.1ヵ月（$p = 0.0033$）とBRが優れていることが示され，標準治療のひとつとなった．StiL NHL7-2008試験では，BR（最大6サイクル）＋R単剤2サイクルが行われ，奏功した患者において2年のR維持療法が評価された．症候性WM 293例が登録され，評価可能な257例の解析にてORR 92%，MRR 88%，PFS 65ヵ月と良好な成績であった．R維持あり群となし群でOS，PFSに差はみられず，R維持の有用性は確認されなかった．DRC（cyclophosphamide＋dexamethasone＋rituximab）療法は，2007年に報告された治療であり，ORR 83%，MRR 74%と高い奏効率を示し，PFSは35ヵ月であった．BDR（bortezomib＋dexamethasone＋rituximab）療法はORR 85%と良好であるが，末梢神経障害が高率（約半数）にみられるため神経障害をきたしている症例では避けるべきである[10]．

BTK阻害薬であるibrutinibは，初発症例に対する第Ⅱ相試験において高い奏効率を示している[11]．またibrutinibは*MYD88*^{L265P}変異を有する患者でより効果が高いが，*MYD88*^{L265P}に加え*CXCR4*^{WHIM}変異を有する症例では効果が減弱することが報告されている．R-placeboとR-ibrutinibを比較する第Ⅲ相試験

◆表3　WM の治療レジメン

	治療レジメン	症例数（うち初発，再発）	全奏効率（ORR）	大奏効率（MRR）	≧ VGPR	無増悪生存（PFS）
Gertz MA et al: Leuk Lymphoma **45**: 2047, 2004	R 単剤 1 サイクル（day1, 8, 15, 22）	69（34, 35）	52%	28%	0%	23 ヵ月
Dimopoulos MA et al: J Clin Oncol **25**: 3344, 2007	DRC（cyclophosphamide, dexamethasone, rituximab）	72（72, 0）	83%	74%	7%	35 ヵ月
Rummel MJ et al: Blood **134**（Suppl 1）: 343, 2019	BR（bendamustine, rituximab）	257（257, 0）	92%	88%	4%	65 ヵ月
Dimopoulos MA et al: Blood **122**: 3276, 2013	BDR（bortezomib, dexamethasone, rituximab）	59（59, 0）	85%	68%	10%	42 ヵ月
Treon SP et al: J Clin Oncol **36**: 2755, 2018	Ibrutinib	30（30, 0）	100%	83%	20%	92%（3 年）
Dimopoulos MA et al: N Engl J Med **378**: 2399, 2018	Ibrutinib, rituximab	75（34, 41）	93%	73%	27%	82%（30 ヵ月）
Sekiguchi N et al: Cancer Sci **111**: 3327, 2020	Tirabrutinib	27（18,9）	96%	89%	11%	2 年 94%（初発群） 2 年 89%（再発群）

ORR: overall response rate, MRR: major response rate, PFS: progression free survival

◆表4　WM の治療効果判定基準

効果	定義
complete response（CR）	血清 M 蛋白が免疫固定法で検出されない and 血清 IgM 値が正常 and リンパ節腫脹・臓器腫大が消失 and 骨髄浸潤病変が形態学的に消失
very good partial response（VGPR）	血清 M 蛋白が検出される and 血清 IgM 値が 90% 以上減少 and リンパ節腫脹・臓器腫大が消失 and 新たな症状の出現なし
partial response（PR）	血清 IgM 値が 50% 以上減少 and リンパ節腫脹・臓器腫大が縮小 and 新たな症状の出現なし
minor response（MR）	血清 IgM 値が 25% 以上減少 and 新たな症状の出現なし
stable disease（SD）	血清 IgM 値の減少が 25% 未満 and リンパ節腫脹・臓器腫大が進行なし and 症状の進行なし
progressive disease（PD）	血清 IgM 値が 25% 以上かつ 0.5 g/dL 以上増加（再検で確認） or 症状が進行

（文献 7 を参考に著者作成）

（45％が初期治療）では，30 ヵ月時点での PFS は 28％対 82％，奏効率は 32％対 72％と R-ibrutinib 群の優越性が示された[12]．Ibrutinib は WM に対しわが国では承認されていないが，第 2 世代 BTK 阻害薬である tirabrutinib が WM に対し開発された．

初発，再発・再燃 WM/LPL に対する第 II 相試験において，計 27 症例（初発 18 例，再発 9 例）に対し tirabrutinib 480 mg が投与され，ORR 96.3％，MRR 88.9％と良好な成績であった．現在，tirabrutinib は「原発性マクログロブリン血症およびリンパ形質細胞性リンパ腫」に対する効能効果を得ており，免疫化学療法の導入が難しい高齢者やフレイル症例などでは初回治療より選択される.

■文　献■

1）Alaggio R et al: The 5th edition of the World Health Organization Classification of Haematolymphoid Tumours: Lymphoid Neoplasms. Leuk **36**:1720, 2022
2）Treon SP et al: N Engl J Med **367**: 826, 2012
3）Treon SP et al: Blood **123**: 2791, 2014
4）Petit Â et al: Br J Haematol **115**: 575, 2001
5）Xu L et al: Leuk **28**: 1698, 2014
6）Morel P et al: Blood **113**: 4163, 2009
7）Owen RG et al: Br J Haematol **160**: 171, 2013
8）Dimopoulos MA et al: Blood **124**: 1404, 2014
9）Castillo JJ et al: Lancet Haematol **7**: e827, 2020
10）Dimopoulos MA et al: Blood **122**: 3276, 2013
11）Treon SP et al: J Clin Oncol **36**: 2755, 2018
12）Dimopoulos MA et al: N Engl J Med **378**: 2399, 2018
13）Rummel MJ et al: Lancet **381**: 1203, 2013

24 多発性骨髄腫

到達目標

- 形質細胞腫瘍の概念を理解し，病型診断を行うことができる
- 病型，年齢，合併症の有無を踏まえて，適切な治療を選択できる

1 病因・病態・疫学

多発性骨髄腫（multiple myeloma）［形質細胞骨髄腫（plasma cell myeloma）］は，WHO 分類改訂第 4 版（2017 年）*では，骨髄を主たる増殖の場とする多発性の形質細胞腫瘍であり，血清中や尿中に M 蛋白を認めることが多く腫瘍に関連した臓器障害を有する疾患と定義されている[1]．その起源は，胚中心で免疫グロブリン再構成を行った後の長期生存型の形質芽細胞（long-lived plasmablast）と考えられている．ほぼすべての骨髄腫は，その前がん病変である**意義不明の単クローン性ガンマグロブリン血症（monoclonal gammopathy of undetermined significance：MGUS）**期を経て発症すると考えられている．MGUS 期において，すでに免疫グロブリン重鎖遺伝子（*IgH*）座を含む染色体転座または奇数番染色体のトリソミーを伴う高 2 倍体（hyperdiploidy）を有する．その後，RAS-RAF-MAPK 経路，NF-κB 経路の活性化変異や *MYC* 遺伝子座の染色体転座などが加わって，多発性骨髄腫へ進展すると考えられている．

現在，国際骨髄腫作業部会（International Myeloma Working Group：IMWG）が提唱している骨髄腫診断規準が広く用いられている（**表 1**）[2]．このなかで全身化学療法の対象となるのは CRAB 症候と称される臓器障害，すなわち高カルシウム血症，腎不全，貧血，骨病変［骨髄腫診断事象（myeloma-defining events（MDE)］のうち 1 つ以上を有している（症候性）多発性骨髄腫［(symptomatic) multiple myeloma］であり，M 蛋白量は治療開始の指標としては用いないことに注意が必要である．2015 年に改訂された IMWG 規準において，myeloma-defining biomarker（SLiM：骨髄中形質細胞≧ 60％，involved/uninvolved 血清遊離軽鎖比≧ 100，または MRI で 2 ヵ所以上の 5 mm を超える巣状病変ありのいずれか 1 つ以上）を有する場合も（症候性）多発性骨髄腫の範疇に含められた．これらは，従来のくすぶり型（無症候性）骨髄腫のなかで 2 年以内に 80％以上の確率で多発性骨髄腫に移行する可能性の高い病態であるが，myeloma-defining biomarker のみを有し MDE（CRAB 症候）を示さない多発性骨髄腫のなかには長期間進展しない患者も一部含まれており，日常診療においてはただちに治療開始すべきか注意深い経過観察を行うかは個別に判断することが望ましい．

臓器障害のない骨髄腫は，**くすぶり型（無症候性）多発性骨髄腫［smouldering (asymptomatic) multiple myeloma］**と定義された．MGUS とは，M 蛋白量（血清 M 蛋白≧ 3.0 g/dL，または尿 Bence Jones 蛋白≧ 0.5 g/24 時間）と骨髄形質細胞割合（10％以上）で区別される．くすぶり型多発性骨髄腫は，診断後はじめの 5 年間で年間 10%，診断後 5 ～ 10 年で年間 3%，診断後 10 年目以降は年間 1%の頻度で多発性骨髄腫に進行する．同様に MGUS 患者は，年 1 ～ 2%の割合で多発性骨髄腫や原発性アミロイドーシスへ移行することが明らかにされており，外来での定期的な経過観察が必要である．

非分泌型骨髄腫（non-secretory myeloma）は，骨髄で異型形質細胞を 10％以上認め，なおかつ臓器障害があるにもかかわらず，免疫固定法（immunofixation electrophoresis：IFE）で血中・尿中の M 蛋白を検出できない骨髄腫である．非分泌型骨髄腫も血清遊離軽鎖（serum free light chain）を測定すると，約 2/3 の患者では κ/λ 鎖比の異常が検出できる．

*本書は基本的に WHO 分類改訂第 4 版（2017 年）に基づいて記載しているが，必要な場合には WHO 分類第 5 版（2022 年）にも言及している．

◆表 1　IMWG による形質細胞腫瘍の診断規準

病型	診断規準
Non-IgM MGUS （非 IgM 型意義不明の単クローン性ガンマグロブリン血症）	①血清中非 IgM 型 M 蛋白＜3 g/dL ②クローナルな骨髄中形質細胞＜10% ③臓器障害（CRAB またはアミロイドーシス）を認めない ①～③のすべてを満たす
IgM MGUS （IgM 型意義不明の単クローン性ガンマグロブリン血症）	①血清中 IgM 型 M 蛋白＜3 g/dL ②骨髄中リンパ形質細胞浸潤＜10% ③次の症候を欠如（貧血，全身症状，過粘稠，リンパ節腫大，肝脾腫とそれ以外の臓器障害） ①～③のすべてを満たす
Light-chain MGUS （軽鎖型意義不明の単クローン性ガンマグロブリン血症）	①血清遊離軽鎖比の異常（＜0.26 または＞1.65） ②該当する血清遊離軽鎖の増加 ③免疫固定法にて重鎖発現を認めない ④臓器障害（CRAB またはアミロイドーシス）を認めない ⑤クローナルな骨髄中形質細胞＜10% ⑥尿中 M 蛋白量＜500 mg/24 時間 ①～⑥のすべてを満たす
Solitary plasmacytoma of bone/of soft tissue ［孤立性形質細胞腫（骨の/軟部組織の）］	①生検にてクローナルな形質細胞からなる骨あるいは軟部組織の形質細胞腫の存在 ②骨髄中にクローナルな形質細胞を認めない ③孤立性形質細胞腫病変以外には骨 X 線像，椎体および骨盤 MRI（または CT）で異常を認めない ④臓器障害（CRAB）を認めない ①～④のすべてを満たす
Solitary plasmacytoma with minimal marrow involvement of bone/of soft tissue ［微小骨髄浸潤を有する孤立性形質細胞腫（骨の/軟部組織の）］	①生検にてクローナルな形質細胞からなる骨あるいは軟部組織の形質細胞腫の存在 ②骨髄中のクローナルな形質細胞＜10% ③孤立性形質細胞腫病変以外には骨 X 線像，椎体および骨盤 MRI（または CT）で異常を認めない ④臓器障害（CRAB）を認めない ①～④のすべてを満たす
Smouldering（Asymptomatic）multiple myeloma ［くすぶり型（無症候性）多発性骨髄腫］	①血清中 M 蛋白（IgG または IgA 型）≧3 g/dL または尿中 M 蛋白≧500 mg/24 時間 ②クローナルな骨髄中形質細胞が 10%以上で 60%未満 ③ myeloma-defining events（MDE）*またはアミロイドーシスを認めない ①または②に加えて③を満たす
(Symptomatic) multiple myeloma secretory/non-secretory ［(症候性) 多発性骨髄腫（分泌型 / 非分泌型）］	①クローナルな骨髄中形質細胞≧10%，または生検にて診断された骨性，または軟部組織の形質細胞腫を認める ② MDE *の 1 つ以上，または biomarker **の 1 つ以上を満たす ①と②の両者を満たす ①の骨髄中形質細胞が 10%未満の場合は，2 ヵ所以上の骨病変を認めることが必要
Multiple solitary plasmacytoma （多発性形質細胞腫）	①血清または尿中に M 蛋白を検出しないか，検出しても微量である ②クローナルな形質細胞による 2 ヵ所以上の形質細胞腫または骨破壊を認める ③正常骨髄 ④形質細胞腫病変以外の骨所見に異常を認めない ⑤臓器障害（CRAB）を認めない ①～⑤のすべてを満たす
Plasma cell leukemia （形質細胞白血病）	①末梢血中形質細胞＞2,000/μL ②白血球分画中形質細胞比率≧20% ①と②の両者を満たす
POEMS syndrome （POEMS 症候群）	POMES 症候群の項参照
Systemic AL amyloidosis （全身性 AL アミロイドーシス）	全身性 AL アミロイドーシスの項参照

*Myeloma-defining events（MDE）
- 形質細胞腫瘍に起因する下記の臓器障害（end organ damage）
- 高カルシウム血症：血清 Ca＞11 mg/dL または正常上限値よりも 1 mg/dL を超えて増加
- 腎不全：CrCl＜40 mL/分または血清 Cr＞2.0 mg/dL
- 貧血：ヘモグロビン値＜10 g/dL または正常下限値よりも 2 g/dL を超えて低下
- 骨病変：1 つ以上の病変を骨 X 線像，CT または PET-CT 検査で認める

**Myeloma-defining biomarker
下記のバイオマーカー(biomarker）の 1 つ以上を有する：
①骨髄中のクローナルな形質細胞≧60%
② involved/uninvolved FLC（血清遊離軽鎖）比≧100（involved FLC≧100 mg/L であること）
③ MRI で 2 ヵ所以上の 5 mm 以上の巣状骨病変あり
（文献 2 を参考に著者作成）

形質細胞白血病（plasma cell leukemia：PCL）は，末梢血中に異型形質細胞 2,000/μL 以上，かつ（WHO 分類では，または）白血球分画の 20％以上を認める骨髄腫と定義される．初診時から末梢血中に異型形質細胞を認める原発性 PCL（primary PCL）と，骨髄腫の経過中に発症する二次性 PCL（secondary PCL）とがある．

2018 年のわが国での骨髄腫の罹患者数は 7,765 人（男性 4,126 人，女性 3,639 人），年齢調整罹患率は 10 万人あたり 6.1 人（男性 6.7 人，女性 5.6 人 / 年）と推定されている．また 2020 年，わが国では 4,243 人（男性 2,145 人，女性 2,098 人）が骨髄腫で死亡している．2016 ～ 2018 年に登録された日本血液学会の観察研究では，（症候性）多発性骨髄腫患者の診断時の年齢中央値は 71 歳で 48％が女性であった．

骨髄腫の罹患率には人種差があり，人口 10 万人あたりアフリカ系米国人 11.7 人 / 年，欧米白人 5.2 人 / 年，アジア人 3.3 人 / 年であった．骨髄腫の発症原因は不明であるが，これまでに原爆を含む放射線被曝，ベンゼンなどの有機溶媒，除草剤や殺虫剤，慢性抗原刺激，そして自己免疫疾患や免疫不全症との関連が報告されている．

2 症候・身体所見

主要症候としては，①骨髄中での腫瘍増殖による貧血などの血球減少に伴う症状，②破骨細胞の活性化と骨芽細胞の分化抑制に基づく骨痛，病的骨折，高カルシウム血症による悪心や意識障害，③ M 蛋白による腎障害［**骨髄腫腎（myeloma kidney）**］，過粘稠度症候群，アミロイド浸潤による手根管症候群や巨舌などがみられる．正常免疫グロブリン値の低下による易感染性も伴う．まれに高アンモニア血症や高アミラーゼ血症を伴うこともある．骨病変の発症には，破骨細胞分化・活性化促進因子として骨髄腫細胞が分泌する MIP-1α/β やストローマ細胞が発現する RANKL（receptor activator of nuclear factor κB ligand）の関与が，そして骨芽細胞分化の抑制因子として Wnt/β-カテニン経路の可溶性抑制因子である DKK-1 や sFRP-2 などの関与が指摘されている．

3 診断・検査

血清と尿の蛋白電気泳動を行い，M 蛋白を認めた場合は免疫固定法によって免疫グロブリンのクラスを決定する（**図 1**）．骨髄穿刺または生検にて骨髄腫細胞の比率を評価する（**図 2**）．表面抗原は，正常形質細胞では CD19^{+}，CD56^{-}，CD38^{+}，CD138^{+}であるのに対し，骨髄腫細胞の多くが CD19^{-}，CD56$^{+/-}$，CD38^{+}，CD138$^{+/-}$である．CD20 抗原は約 20％で陽性であるが，その多くは t(11;14) または t(14;16) 陽性例である．接着分子としては CD56（NCAM）のほかに，β_1-インテグリン［VLA-1，-4（CD49d），-5（CD49e）］，β_2-インテグリン（LFA-1）や ICAM-1（CD54），ICAM-2（CD102），ICAM-3（CD50）の発現がみられ，プロテオグリカンとしては CD138 以外に CD44 の発現がみられる．その他，CD13，CD33 などの骨髄系抗原の発現が約 1/4 でみられ，まれに neuron specific enolase（NSE）を分泌することもある．また，MPC-1，CD49e，CD45 の発現によって未熟～成熟型骨髄腫細胞を区別できることが報告されており，病態の進展に伴って MPC-1^{-}，CD49e^{-}の未熟型細胞の分画が増加することが示されている．通常の G バンド法による染色体検査では，初発例で分裂像が得られることはまれであるが，その時点で染色体異常，特に 13 番染色体長腕欠失を認める例は予後不良である．また，二重色 FISH（fluorescence *in situ* hybridization）法による染色体検査では，14q32 上の免疫グロブリン重鎖（*IgH*）遺伝子との相互転座が約半数例に認められ，相手遺伝子としては 11q13（*CCND1*），4p16.3（*FGFR3/MMSET*），16q23（*c-MAF*），20q11（*MAFB*）などがある（**図 2**）．t(4;14)，t(14;16) や t(14;20) の陽性例や染色体 17p 欠失例は，アルキル化薬や副腎皮質ステロイドに耐性化しやすく，予後不良な高リスク例である．また染色体 1q 増幅も予後不良因子として注目されている．全身骨の X 線撮影は必須で，単純 X 線像で異常を認めない場合でも，疼痛があれば積極的に CT や MRI による溶骨病変の評価を行う．髄外病変のスクリーニングには全身 CT や PET 検査が有用であり，椎体病変の鑑別には MRI が威力を発揮する．ただし，腎障害を有する骨髄腫患者では，造影剤の使用は避けるべきである．M 蛋白血症を呈する他の疾患（原発性アミロイドーシス，原発性マクログロブリン血症を含む B 細胞リンパ腫，慢性リンパ性白血病）を除外する．また，アミロイドーシスの合併が疑われる場合には，骨髄生検，皮下脂肪組織生検，口唇生検などを施行し，コンゴーレッド染色と κ，λ 鎖に対する免疫染色にて診断する．特に心アミロイドーシスや腸管アミロイドーシスの合併は重篤な合併症であり，治療開始前に把握すべきであるが，重要臓器の生検は危険性が高いためなるべく避けるべきである．多発性骨髄腫と診断

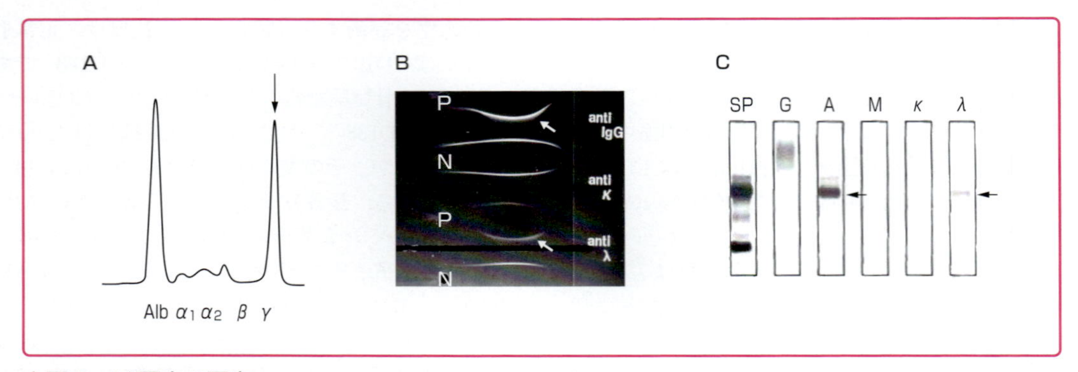

◆**図 1　M 蛋白の同定**
A：蛋白電気泳動，**B**：特異血清を用いた免疫電気泳動法（P：患者血清，N：正常血清），**C**：免疫固定法
A，B 図では IgG-λ型 M 蛋白陽性，C 図では IgA-λ型 M 蛋白陽性が認められる．
矢印は，M peak（A），M-bow（B）および M protein（C）を示す．

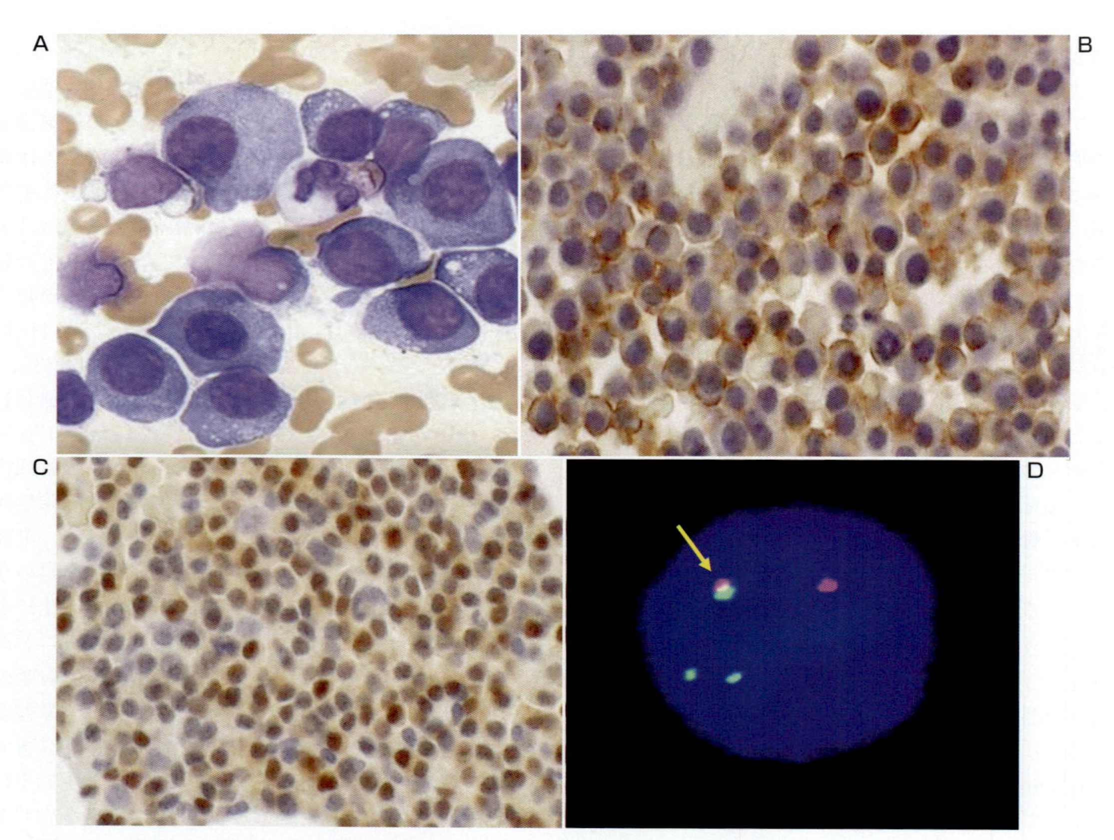

◆**図 2　骨髄中に認められた異型形質細胞，および染色体転座により異所性に発現した原がん蛋白**
A：骨髄中異型形質細胞（May-Giemsa 染色，×400），**B**：t(4;14) 転座型骨髄腫患者での FGFR3 の免疫染色（細胞膜に陽性），**C**：t(11;14) 転座型骨髄腫患者での cyclin D1 の免疫染色（核に陽性），**D**：*CCND1::IgH* 遺伝子．FISH 法での融合シグナル（矢印）

したら病期を決定する．現在は，Durie & Salmon の分類よりも簡便な国際病期分類（International Staging System：ISS）が頻用されているが，染色体 FISH 法や血清 LD 値を含めて予後を推定できる改訂 ISS を用いることが推奨される（**図 3**）[3]．

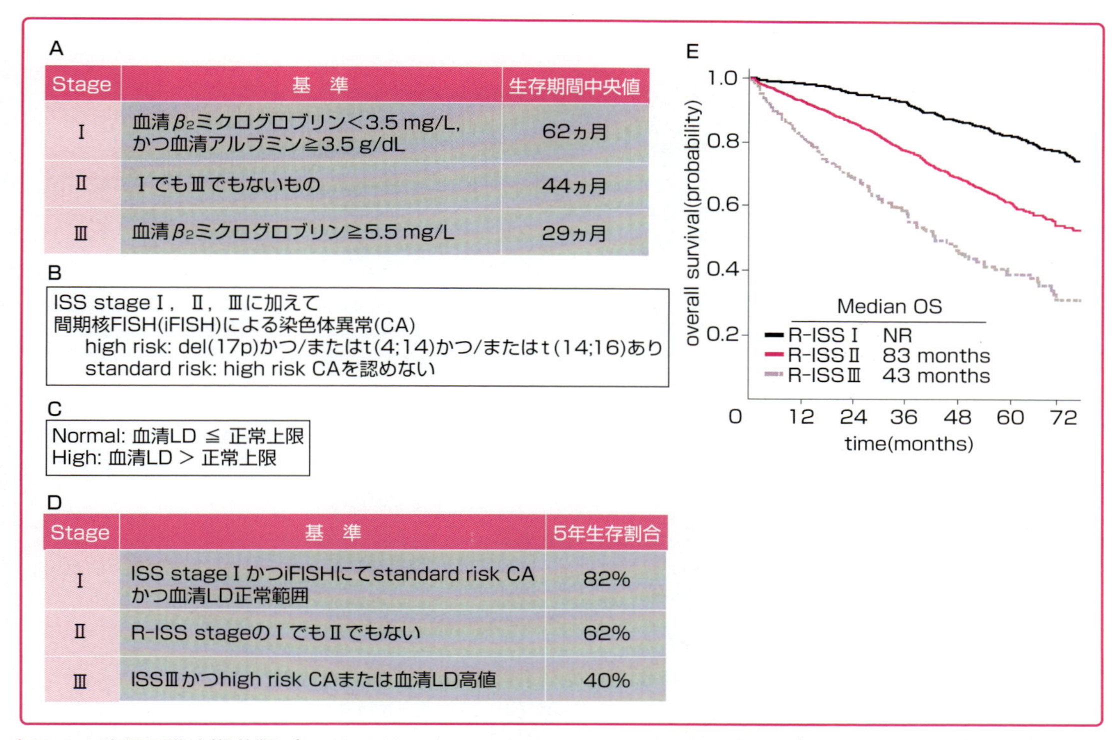

A

Stage	基　準	生存期間中央値
I	血清β_2ミクログロブリン<3.5 mg/L，かつ血清アルブミン≧3.5 g/dL	62ヵ月
II	IでもIIIでもないもの	44ヵ月
III	血清β_2ミクログロブリン≧5.5 mg/L	29ヵ月

B

ISS stage I，II，IIIに加えて
間期核FISH(iFISH)による染色体異常(CA)
high risk: del(17p)かつ/またはt(4;14)かつ/またはt(14;16)あり
standard risk: high risk CAを認めない

C

Normal: 血清LD ≦ 正常上限
High: 血清LD ＞ 正常上限

D

Stage	基　準	5年生存割合
I	ISS stage IかつiFISHにてstandard risk CAかつ血清LD正常範囲	82%
II	R-ISS stageのIでもIIIでもない	62%
III	ISSIIIかつhigh risk CAまたは血清LD高値	40%

◆図3　改訂国際病期分類（Revised International Staging System：R-ISS）による臨床病期と病期別予後
A：ISS，B：間期核FISH，C：LD，D：臨床病期（R-ISS），E：病期別予後
（文献3を参考に著者作成）

4 治療と予後

多発性骨髄腫に対する化学療法は，IMWGの診断規準による（症候性）多発性骨髄腫患者に対して適応となる[2]．多発性骨髄腫患者の初期治療は，患者年齢と重要臓器機能により異なった治療指針が推奨されている．なお，骨や軟部組織の孤立性形質細胞腫には，病変部位に対して40～55 Gyの局所放射線照射を行い経過観察し，多発性骨髄腫に移行した場合に化学療法を考慮する．近年，自家造血幹細胞移植を併用したmelphalan大量療法や新規薬剤の導入によって，免疫固定法でもM蛋白が検出感度未満となる完全奏効（complete response：CR）が得られるようになり，CRを得ることが無増悪生存期間や生存期間延長効果の代替マーカーとなることが示されてきた．したがって，免疫固定法検査陰性でCRを定義した効果判定規準として，IMWG統一効果判定規準（IMWG Uniform Response Criteria；**表2**）が広く用いられている[4]．加えて，next-generation flow（NGF）と呼ばれる5カラー以上のmultiparameter flow cytometry（MFC）や免疫グロブリン重鎖や軽鎖のVDJ領域の次世代シークエンス（next-generation sequencing：NGS）によるdeep sequencingを用いた測定可能残存病変（measurable residual disease：MRD）の意義が検討され，長期間持続するMRD陰性化は初発例においても再発例においても生存期間の延長に寄与することが示され，臨床試験の評価項目としての重要性が増してきている（**表3**）．

1）初期治療

a）自家造血幹細胞移植の適応となる患者

65歳未満（65歳以上70歳未満でも臓器機能が良好で全身状態がよい場合にも）の初期治療には，自家造血幹細胞移植を伴う大量化学療法が推奨される[5]．寛解導入療法には，幹細胞採取に影響が少なく迅速な効果を期待できるbortezomib＋low-dose dexamethasone（Bd）療法にlenalidomideまたはcyclophosphamideを加えた3剤併用療法，あるいはBd療法が用いられる．肺間質影の存在などの理由でbortezomib投与の困難な患者に対してはlenalidomide＋low-dose dexamethasone（Ld）療法を選択してもよいが，継続により幹細胞採取効率が低下するため4サイクル後までに幹細胞採取を行うことが望ましい．末梢血造血幹細胞の動員にはG-CSF単独またはG-CSF＋plerixafor（CXCR4阻害薬）併用を用いる．可能

◆表2　国際骨髄腫作業部会統一効果判定規準（IMWG uniform response criteria）

Response subcategory	Response criteria
sCR（stringent CR）	CR 規準を満たすとともに下記の条件を満たす FLC 比（κ/λ）が正常で，かつ免疫組織化学，または2～4カラーのフローサイトメトリーにて骨髄中に PC を証明しない
CR（complete response）	免疫固定法にて血清と尿中の M 蛋白がともに陰性化，かつ軟部形質細胞腫の消失，かつ骨髄中 PC が 5%未満まで減少
VGPR（very good partial response）	血清と尿中 M 蛋白が免疫固定法では検出されるが，蛋白電気泳動では検出されないか，または 90%以上に M 蛋白が減少し，かつ尿中 M 蛋白も 100 mg/24 時間未満まで減少
PR（partial response）	血清 M 蛋白が 50%以上減少し，かつ 24 時間尿中 M 蛋白量が 90%以上減少するか，200 mg/24 時間未満まで減少．血清と尿中 M 蛋白が測定可能病変でない場合には，M 蛋白規準の代わりに血清 FLC 値の involved-uninvolved FLC の差が 50%以上減少する必要がある 血清と尿中 M 蛋白が測定可能病変ではなく，かつ血清 FLC 値も測定可能病変でない場合に限って，M 蛋白規準の代わりに骨髄中 PC が 50%以上減少していることを必要とする（ただし治療前の骨髄 PC ≧ 30%の場合のみ） 上記の規準に加えて，治療前に軟部形質細胞腫が存在した場合には最長径と直交する短径の積和が 50%以上減少していることも必要条件とする
MR（minor response）	下記のすべての項目を満たす • 血清 M 蛋白の≧ 25%，＜ 50%の減少，および 24 時間尿中 M 蛋白量の≧ 50%，＜ 90%の減少 • 軟部形質細胞腫の≧ 25%，＜ 50%の縮小 • 溶骨病変の増大や数の増加を認めない
SD（stable disease）	CR, VGPR, PR, PD のいずれの規準をも満たさない場合
PD（progressive disease） PFS/TTP 評価目的の計算に用いる効果判定としての progressive disease と，治療中または治療終了後の disease progression の両者の判定に用いる．また CR 到達後の増悪に対しても同じ規準を使用する	下記の項目の1つあるいはそれ以上を満たす場合： • 最低値に比して下記の 25%以上の増加 血清 M 蛋白値（ただし 0.5 g/dL 以上）（ベースライン値が 5 g/dL ≧であれば 1 g/dL の増加でよい），尿中 M 蛋白量（ただし絶対値にして 200 mg/24 時間以上），血清あるいは尿中 M 蛋白値が測定可能病変でない場合は involved-uninvolved FLC の差，骨髄中 PC%にて判定する • 明らかな新規の骨病変出現または軟部形質細胞腫の出現，または既存の骨病変や軟部形質細胞腫の明らかな増大 • 高カルシウム血症の出現

• すべての response の判定には連続した2回の判定が必要である（判定間隔は問わない）．
• VGPR 以上の判定には，血清 M 蛋白と尿の M 蛋白の両者の検査を必要とする．
• sCR，CR 判定の目的での骨髄検査は1回の判定のみでよい．
• Clonal PC の存在は，κ/λ比を下に判定する．最低 100 以上の PC をカウントしκ/λ比が＞4：1 または＜1：2 である時には異常な比率と判断する．

◆表3　IMWG で用いられる MRD 効果判定規準

Response subcategory	Response criteria
Sustained MRD-negative	骨髄 MRD 陰性（NGF または NGS による感度 $<10^{-5}$）および画像検査の陰性所見が少なくとも1年以上継続
Flow MRD-negative	EuroFlow 標準法または検証された同様の方法により（NGF），表面形質の異常な形質細胞を骨髄中に認めない（感度 $<10^{-5}$）
Sequencing MRD-negative	ClonoSEQ 法または検証された同様の方法により（NGS），クローナルな形質細胞を検出できない（感度 $<10^{-5}$）
Imaging plus MRD-negative	NGF や NGS による MRD 陰性に加え，PET/CT による治療前集積の全消失，または縦隔血液プールや周囲の正常組織よりも集積低下

な限り，G-CSF 投与後の末梢血中 CD34 陽性細胞数を確認したうえで，plerixafor の必要性を決定することが望ましい．cyclophosphamide 大量療法と G-CSF の併用も選択できるが，患者負担は大きい．いずれの場合も，最低 2×10^6/kg 以上の CD34 陽性細胞を採取し凍結保存する．移植前処置としては，melphalan 大量療法（200 mg/m^2）が標準的に用いられ，腎障害を有する患者には 140 mg/m^2 への減量が行われる．

b）自家造血幹細胞移植非適応の患者

65 歳以上，もしくは合併症などによる移植非適応患者の標準化学療法は，抗 CD38 抗体である datatumumab にプロテアソーム阻害薬 melphalan + prednisolone + bortezomib を併用した Dara-MPB 療法，または daratumumab と免疫調節薬である lenalidomide + dexamethasone を併用した Dara-Ld 療法である[5〜7]．抗 CD38 抗体の併用によって，従来の標準治療であった MPB 療法や Ld 療法に比べて無増悪生存期間（progression free survival：PFS）や全生存期間（overall survival：OS）の延長効果が示された（**図 4**）．腎障害や高カルシウム血症を有する場合には，Bd 療法による導入療法が好まれる．Dara-MPB 療法の MPB 療法は 9 サイクルの実施を目指すが，daratumumab 維持療法の至適治療期間に関するエビデンスは存在しない．Dara-Ld 療法は継続治療レジメンであるが，至適投与期間についてのエビデンスはない．米国においては，bortezomib + lenalidomide + dexamethasone（BLd）療法が Ld 療法に比して無増悪生存期間と全生存期間を延長したというランダム化比較試験（RCT）の結果に基づき標準治療の 1 つとされている．しかし，移植非適応年齢の患者には神経毒性などの有害事象が強く，わが国において BLd 療法は標準治療とは位置づけられていない．ただし，bortezomib を週 1 回投与にして神経毒性を軽減した BLd 療法変法は，臨床第 II 相試験が実施され移植非適応患者における有効性と耐用性が報告されている．

c）維持・強化療法

自家造血幹細胞移植後の lenalidomide による維持療法は，複数の RCT において PFS の延長効果が示され，メタアナリシスにおいて OS 延長効果も示されており欧米では標準治療に位置づけられている．しかし，二次性悪性腫瘍を含む有害事象の増加は無視できるものではではない[5,8]．造血幹細胞移植後において，経口のプロテアソーム阻害剤である ixazomib 単剤による 2 年間の維持療法は PFS の延長効果が示されているが，OS 延長効果は明らかではない．同様に移植非適応患者における導入療法後の維持療法とし

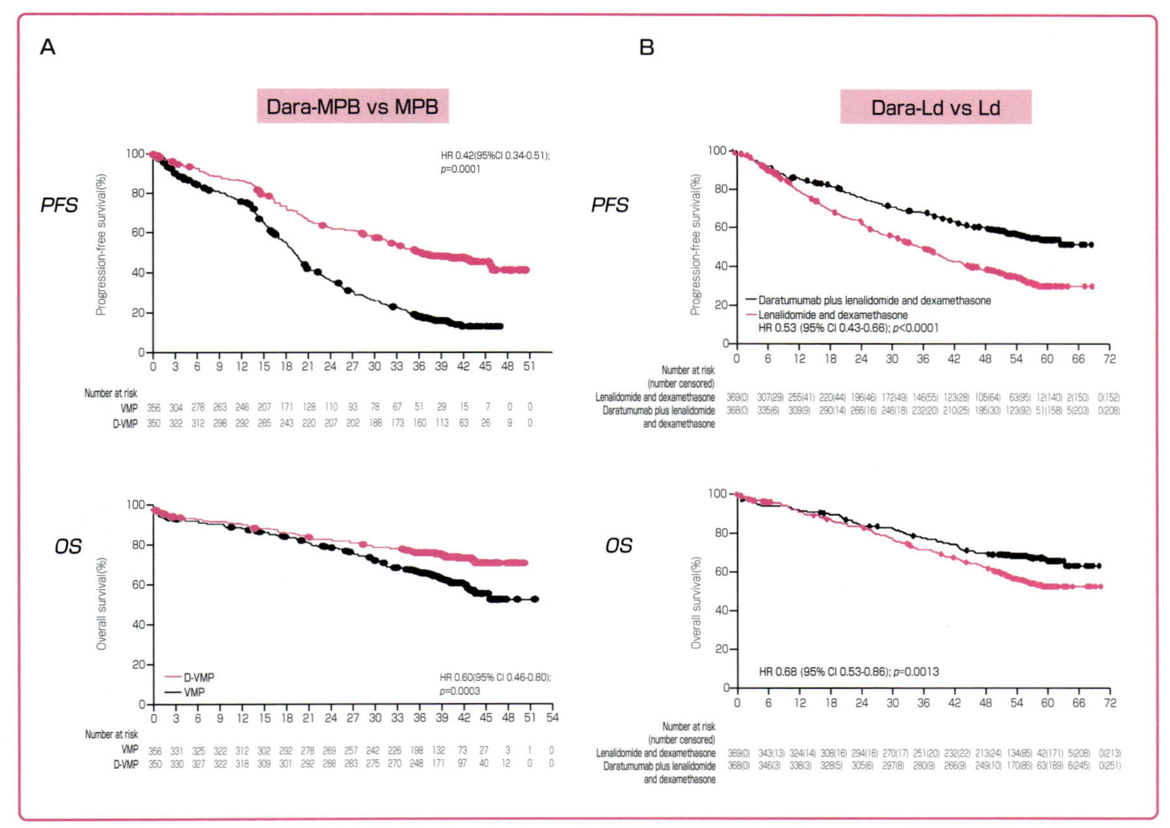

◆**図 4** 抗 CD38 抗体である daratumumab の併用によって，移植非適応多発性骨髄腫患者の無増悪生存期間と全生存期間が延長する（ALCYONE 試験と MAIA 試験）
（**A**：Mateos MV et al：Lancet **395**: 132, 2020 より引用）
（**B**：Facon T et al：Lancet Oncol **22**: 1582, 2021 より引用）

て，lenalidomide や ixazomib の PFS 延長効果が示されているが，いずれも OS の延長効果は明らかではない．また自家造血幹細胞移植後の強化療法の有用性は臨床試験ごとに異なっており，結論には至っていない．したがって維持・強化療法は，患者ごとに利益と不利益を考慮して実施するかどうかを決定する．

2）再発・難治例に対する救援療法

再発および難治性骨髄腫患者に対しては，前治療の最終投与日から再発・再燃までの期間，染色体病型，キードラッグ（プロテアソーム阻害薬，免疫調節薬）に対する耐性化の有無，重要臓器機能や治療に伴う副作用（末梢神経障害や血栓症など）残存の有無，患者の全身状態（performance status や frailty 評価など），通院の利便性などを考慮した上で最適な救援レジメンを選択する[5,8,9]．初期治療終了後 9～12 ヵ月以上経過してからの再発・再燃であれば，初期治療を再度試みることにより奏効することが多い．自家造血幹細胞移植後に比較的長期間の奏効期間（できれば 3 年以上）が得られた若年患者においては，2 回目の melphalan 大量療法の有効性が示されている．初期治療終了後早期に再発・再燃した患者に対しては，初回治療とは異なるキードラッグを含む救援療法が推奨される（プロテアソーム阻害薬と免疫調節薬の種類変更）．再発・難治性骨髄腫に対して，新規薬剤を含む 3 剤併用（triplet）療法が 2 剤併用（doublet）療法よりも高い効果を発揮する．全身状態のよい（fit な）患者に対しては 3 剤併用療法が推奨されるが，一方で毒性も増強するため，高齢患者や frail な患者に対しては毒性の少ない 2 剤併用療法の選択も考慮される．しかし，抗 CD38 抗体である daratumumab や isatuximab，抗 SLAMF7（signaling lymphocyte activation molecule family 7）抗体である elotuzumab などの併用は初回投与時の輸注反応（infusion related reaction：IRR）以外は比較的毒性が軽度で使用しやすい．救援療法の治療選択の詳細は割愛するが，初期治療で bortezomib および lenalidomide が使用されることが多いため，それぞれの薬剤に抵抗性となった患者における治療選択肢を図 5 に示す．たとえば，bortezomib に抵抗性となった場合には，Ld 療法もしくは Ld 療法を基軸にした抗体薬やプロテアソーム阻害薬

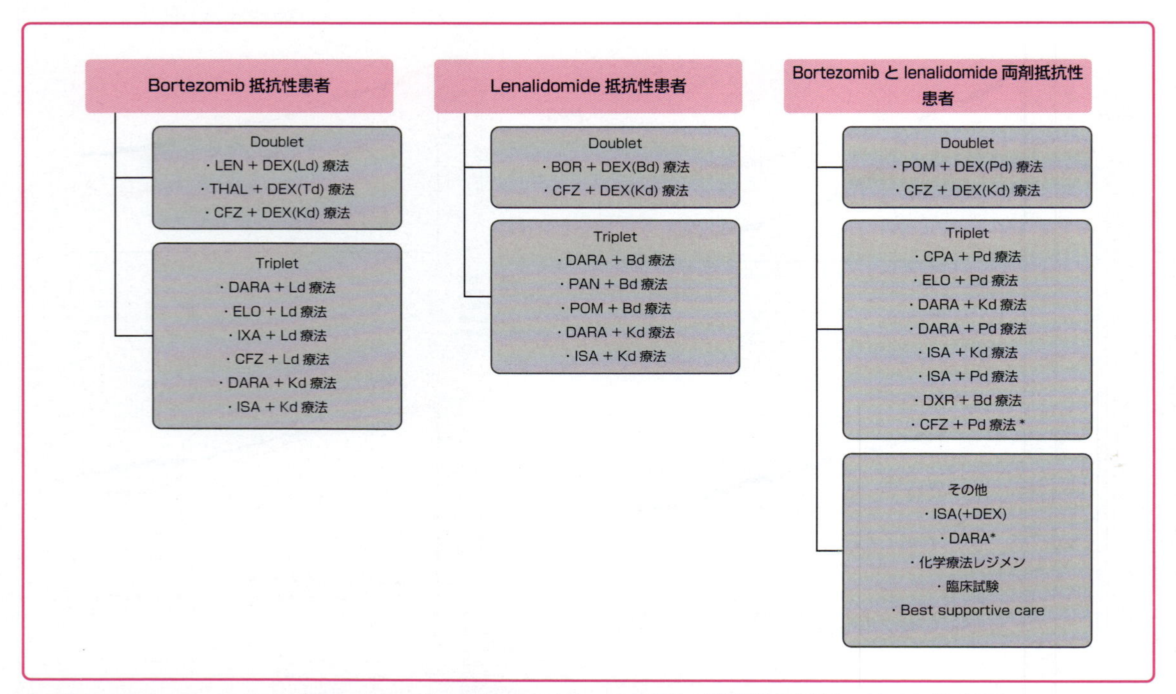

◆**図 5　Bortezomin および lenalidomide に抵抗性となった再発・難治性骨髄腫に対する治療選択**
* わが国では未承認
LEN; lenalidomide, DEX; dexamethasone, THAL; thalidomide, CFZ(K); carfilzomib, ELO; elotuzumab, IXA; ixazomib, ISA; isatuximab, BOR; bortezomib, PAN; panobinostat, POM; pomalidomide, CPA; cyclophosphamide, DXR; doxorubicin
[日本骨髄腫学会ホームページ（http://www.jsm.gr.jp/files/shishin/5_algorithm.pdf?1210）（最終確認：2023 年 3 月 8 日）より許諾を得て転載]

を併用したtripletを選択する．エポキシケトン誘導体であるプロテアソーム阻害薬carfilzomibは，bortezomibとの交叉耐性率が低いため，bortezomib抵抗性例にも効果が期待できる．同様に，lenalidomideに抵抗性となった場合には，Bd療法もしくはBd療法を基軸にしたtripletレジメン，または同じ免疫調節薬ではあるがlenalidomide耐性細胞にも効果を発揮するpomalidomide + dexamethasone（Pd）療法ベースのレジメンも一定の効果が認められる．さらにbortezomibとlenalidomideの2剤に抵抗性となったdouble-refractory患者には，carfilzomib + dexamethasone（Kd）もしくはpomalidomide + dexamethasone（Pd）療法を基軸とした併用療法を選択する．

プロテアソーム阻害薬，免疫調節薬と抗CD38抗体薬の投与を受けて再発・再燃したいわゆるtriple class exposed患者の予後はOS中央値で12.4ヵ月と不良である．この患者集団を対象として，B細胞成熟抗原（B-cell maturation antigen：BCMA）を標的とするキメラ抗原受容体導入T細胞（CAR-T）療法であるidecabtagene vicleucelが使用可能となった[10]．450 × 10^6 細胞の投与を受けた患者では，81％の奏効割合（39％がCR以上）を示しPFS中央値は12.1ヵ月であった． 投与初期のサイトカイン放出症候群や免疫エフェクター細胞関連神経毒性症候群，そして遷延する血球減少と低ガンマグロブリン血症に伴う感染症に対する対応が重要となる．同じBCMAを標的とするCAR-T療法であるciltacabtagene autoleucel，BCMAとCD3に対する二重特異性抗体薬であるteclistamabやelranatamab，抗体薬物複合体であるbelantamab mafodotinなどの開発が進んでおり，いずれの開発薬も高い効果が示されている．またGPRC5DやFcRH5などの新たな標的に対する二重特異性抗体の開発も進行中であり，これらの新たな細胞免疫療法は骨髄腫治療のパラダイムシフトにつながる可能性が期待されている．

3）薬剤の副作用とマネージメント

Bortezomibには，末梢神経障害の合併が多く適切な減量・休薬を行う必要があること，帯状疱疹の合併が多いため予防が必要であること，さらに間質性肺炎などの重篤な急性肺障害の合併がみられることが報告されている．Carfilzomibには末梢神経障害は少ないが，高血圧などの心血管系事象，まれに心不全や血栓性微小血管症を発症することがあり注意を要する．Thalidomideの有害事象としては，眠気，皮疹，倦怠感，末梢神経障害，便秘のほかに，重篤な深部静脈血栓症や肺血栓塞栓症，徐脈，まれに白血球減少などがある．催奇形性があるため，サリドマイド製剤安全管理手順（Thalidomide Education and Risk Management System：TERMS）への登録下で避妊を確実に実施できる患者にしか投与は許されない．Lenalidomideは，傾眠，便秘や末梢神経障害などの有害事象の頻度は低いが，好中球減少や血栓症の合併に注意が必要であり，腎障害を有する患者に対しては適切な減量が必要となる．Pomalidomide使用時には，強い好中球減少による感染症の合併に注意を要する．Lenalidomideおよびpomalidomideにも催奇形性があり，レブラミド適正管理手順（RevMate）への登録が必須である．抗CD38抗体であるdaratumumabやisatuximabには，上述のIRR以外にも低ガンマグロブリン血症による感染症への注意や，間接Coombs試験が陽転化するため使用前に血液型を確認しておく必要がある．

4）骨病変に対する支持療法

骨病変に対する支持療法として，ビスホスホネート製剤（zoledronic acid）または抗receptor activator of nuclear factor-κB ligand（RANKL）中和抗体denosumabの併用が推奨される[5,8]．英国におけるRCTでは，経口ビスホスホネート製剤であるclodronateに対してzoledronic acidの使用で骨関連事象の発生頻度が低下するのみでなく，骨髄腫患者の無増悪生存期間や生存期間が延長したとの報告もある．Zoledronic acidとdenosumabの直接比較試験では，骨関連事象発生までの期間は同等であったが，骨髄腫の無増悪生存期間はdenosumab群で延長していた．ただし，いずれの薬剤も顎骨壊死（anti-resorptive agent-related osteonecrosis of the jaw：ARONJ）の合併に注意が必要である．顎骨壊死の発症の予防のためには，zoledronic acid投与開始前に歯科医師による口腔内のチェックを受けて必要な歯科処置を行うこと，zoledronic acidの投与開始後は口腔内ケアを十分に行うこと，抜歯などの侵襲的処置は最小限にとどめること，などの患者指導を行う．病態が安定していれば，投与開始後2年の時点で投与継続が必要か否かを検討する．Zoledronic acidは，発熱や腎障害をきたすことがあり，腎障害のためにzoledronic acidを使用しにくい場合にはdenosumabのほうが推奨されるが，腎障害合併時には特に低カルシウム血症に対する注意が必要となる．

椎体圧迫骨折や腫瘤形成に伴う脊髄圧迫症状などの**オンコロジー・エマージェンシー（oncology emergency）**に対しては，MRIなどによる病態把握と

dexamethasone大量投与，そして局所放射線照射や外科手術などの可及的速やかな対応が必要である．溶骨病変に伴う骨痛に対しては，ビスホスホネート製剤やdenosumabの使用に加えて，オピオイド系鎮痛薬を使用する．Acetaminophen以外の非麻薬性鎮痛薬の使用は腎障害のある患者では使用を避けるべきである．さらに整形外科医の判断のもとに，コルセットなど適切な装具を使用し，可能な患者では早期から筋力低下を予防するためのリハビリテーションを行う．

5）同種造血幹細胞移植の位置づけ

治癒を目指すことのできる唯一の治療選択として，同種造血幹細胞移植は魅力的である．しかし，多発性骨髄腫に関しては移植関連死亡（TRM）率が2～3割と高いこと，そして長期の生存解析でプラトーにいたる治癒の可能性のある患者も2～3割にとどまることから移植片対骨髄腫効果（graft versus myeloma effect）は限られている[5,8]．骨髄非破壊的な前処置を採用することによりTRMは減少しつつあるものの，再発率の減少にはいたっていない．一般臨床での同種造血幹細胞移植は，日本造血細胞移植学会のガイドラインにおいても40歳未満でHLA一致ドナーを有する場合に限って考慮可能としている．しかも，進行期での移植成績はきわめて不良であり，前治療により奏効し安定している患者に限定すべきである．Upfrontでのタンデム自家・同種ミニ移植については，一部の無作為化比較第Ⅲ相試験でタンデム自家移植に比してPFSやOSで優れた成績が示されてはいるが，いまだ検証段階にある研究的治療と認識すべきである．

■文　献■

1）McKenna RW et al: Plasma cell neoplasms. WHO Classification of Tumours of Haematopoietic and Lymphoid Tissues, 4th ed, Revised ed, Swerdlow SH et al（eds），IARC Press, p241-253, 2017
2）Rajkumar SV et al: Lancet Oncol **15**: e538, 2014
3）Palumbo A et al: J Clin Oncol **33**: 2863, 2015
4）Kumar S et al: Lancet Oncol **17**: e328, 2016
5）日本血液学会（編）：造血器腫瘍診療ガイドライン2023年版，金原出版，p380，2023
6）Mateos M-V et al: N Engl J Med **378**: 519, 2018
7）Facon T et al: N Engl J Med **380**: 2104, 2019
8）日本骨髄腫学会（編）：多発性骨髄腫診療ガイドライン 第5版，文光堂，p41, 2020
9）Moreau P et al: Lancet Oncol **22**: e105. 2021
10）Munshi NC et al: N Engl J Med **384**: 705, 2021

多発性骨髄腫の類縁疾患（AL アミロイドーシス，POEMS 症候群，Castleman 病，TAFRO 症候群）

到達目標

- 多発性骨髄腫類縁疾患（AL アミロイドーシス，POEMS 症候群，Castleman 病，TAFRO 症候群）の病態と徴候，検査所見について理解する
- 臓器障害の程度を評価し，適切な治療を選択できる

1 AL アミロイドーシス

1）病因・病態・疫学

アミロイドーシスとは，アミロイドと呼ばれる線維性の異常蛋白が特定の臓器または組織の細胞外に沈着してそれらの臓器の機能障害を引き起こす疾患の総称である．トランスサイレチン（TTR）や血清アミロイド A（SAA）など，アミロイド前駆体の種類により病型が異なるが，AL アミロイドーシスは代表的な病型であり，骨髄における異常形質細胞より産生される単クローン性免疫グロブリン（M 蛋白）の軽鎖（L 鎖）に由来する AL アミロイドが沈着して発症する形質細胞異常症である．

まれな疾患であるが，アミロイドーシスのうちわが国で最も頻度が高いのは AL アミロイドーシスであり，年間発生率は約 3 ～ 5 人 /100 万人である．わが国における後方視的解析では，発症年齢中央値は 58.7 ± 9.5 歳である．

AL アミロイドーシスは，明らかな基礎疾患のない原発性と，多発性骨髄腫や原発性マクログロブリン血症に合併する続発性とに分類されていたが，実際には両者の鑑別は困難なこともあり，現在では両者をあわせて原発性 AL アミロイドーシスとしている．また，病変の広がりにより全身性と限局性に分けられる．

2）症候・身体所見

蛋白尿と心不全が二大症候である．心アミロイドーシスではアミロイド線維が心筋の細胞外に沈着し，心室壁の肥厚に伴う拡張不全による心不全をきたす．また刺激伝導障害によりさまざまな不整脈も認められ，突然死の原因となることもある．腎臓においては，アミロイドが主に腎糸球体へ沈着するため，まずネフローゼ症候群をきたし，進行すると慢性腎不全に至る．多発性骨髄腫による腎障害では主に尿細管障害をきたすので，骨髄腫患者で蛋白尿成分のほとんどがアルブミンである場合，アミロイド腎症を疑う．

その他，比較的頻度の高い症状としては肝腫大，手根管症候群，消化管運動障害（嘔気や食欲不振，難治性の便秘または下痢，吸収不良症候群など），巨舌，神経障害（末梢神経障害，起立性低血圧・排尿障害・麻痺性イレウスなどの自律神経障害）がある．

3）診断・検査

原因不明なネフローゼ症候群，肝腫大，拘束性心筋障害，末梢神経障害などがみられた場合は M 蛋白の有無を検索する．血清免疫グロブリン遊離軽鎖（free light chain：FLC）の測定はより高感度であり，88％の患者に κ/λ 比の乖離がみられる．M 蛋白が認められた場合には，腹壁脂肪織吸引生検や消化管粘膜生検などにおいて全身へのアミロイド沈着を証明することで確定診断が得られる．アミロイド沈着病変は Congo Red 染色陽性で，偏光顕微鏡下で黄緑色の複屈折像を呈する．確定診断が得られた後は，アミロイド蛋白に対する抗体を用いた免疫組織学的染色などにより，AL アミロイド蛋白の存在を確認する．

続いて臓器障害の評価を行う．治療方針を決定するうえで重要なのが心臓，腎臓，末梢神経・自律神経の評価である．心アミロイドーシスの評価として，BNP または NT-proBNP，心筋トロポニン T を測定する．心アミロイドーシスでは心電図において肢誘導での低電位と前胸部誘導での QS パターンを呈する．その他，房室ブロック，心房細動，心室頻拍などを認める．心臓超音波では心室中隔の壁肥厚（12 mm 以上），輝度上昇を認める．

4）治療と予後

臓器に沈着したアミロイド蛋白を除去する治療法は

確立していないため，まず各臓器障害に対する支持療法を行いながらM蛋白を減少させアミロイド蛋白の供給を速やかに停止させることが治療の主目的となる．続いて数ヵ月以上かけて臓器障害の改善を期待する．現状では治癒困難な疾患であり，いかに長期にわたり病勢の進行を抑えるかということが重要である．

a）臓器障害に対する支持療法

うっ血性心不全合併例やネフローゼ症候群合併例では，塩分制限や利尿薬投与が行われるが，心アミロイドーシスでは右心不全を呈することが多く，心機能は前負荷に影響を受ける．特に低ナトリウム血症や起立性低血圧のある患者では，血管内容量を減らす治療は避けたほうがよい．頻回に失神発作を繰り返す症例や，心室性不整脈から致死的不整脈になりかねない症例では，除細動器やペースメーカー植え込みの適応となる．

b）形質細胞を標的とした治療

アミロイド前駆体であるM蛋白を産生している異常形質細胞を標的として，多発性骨髄腫に用いられてきた治療法が応用されている．Melpharan（MEL）+ dexamethasone併用療法（MD療法）や，自家末梢血幹細胞移植（autologous stem cell transplantation：ASCT）や新規薬剤の導入により，その予後は改善している．

① ASCT併用大量MEL療法：2004年に米国から報告されたALアミロイドーシスに対するASCTの報告では，血液学的完全奏効（CR）率は40%で，その66%に少なくとも1臓器の障害の改善がみられ，CR達成例での全生存期間は8年以上であった．一方，移植後100日以内の死亡率が13%あり，特に心アミロイドーシスを有する症例で高頻度であった．このためALアミロイドーシスに対する移植適応は年齢，performance status（PS）や臓器障害の程度を含めて慎重に検討しなければならない．また前処置として行う大量MELの投与量も患者の状況によって減量する必要がある．

② MD療法：2007年のJaccardらによるMD療法と自家移植とのランダム化比較試験では生存期間の中央値は56.9ヵ月であり，3年生存率において自家移植と有意差がなかった．2014年PalladiniらはMD療法の奏効率76%，生存期間中央値7.4年，治療関連死なし，との結果を報告しておりMD療法の有用性が確認されている．

③ Dara-CyBorD：最近，抗CD38抗体であるdaratumumabとbortezomib，cyclophosphamide, dexamethasonの4剤併用療法（Dara-CyBorD）療法の有効性が示され（vs CyBorD）[1]，わが国でも2021年に承認された．本試験ではdaratumumabは皮下注製剤が用いられ，血液学的奏効は有意にDara-CyBorD群で高く（53.3% vs. 18.1%），6ヵ月での臓器奏効（心臓，腎臓）はどちらも有意にDara-CyBorD群で高かった（心臓：41.5 % vs 22.2 %，腎臓：53.0 % vs

◆表1　ALアミロイドーシスにおける血液学的奏効基準と臓器奏効基準

血液学的奏効基準	
完全奏効（complete response：CR）	FLC値および比の正常化，血清・尿免疫固定法でM蛋白の消失
最良部分奏効（very good partial response：VGPR）	dFLC＜40 mg/L
部分奏効（partial response：PR）	dFLCの50%以上の減少
無効（no response）	PRに満たない
進行（progression）	・CRからの増悪：M蛋白の検出，またはFLC比の異常 ・PRからの増悪：血清M蛋白が50%以上増加して0.5 g/dLを超えた場合，あるいは尿中M蛋白が50%以上増加して200 mg/日を超えた場合 ・FLCが50%以上増加して100 mg/Lを超えた場合
臓器奏効基準	
心臓	NT-proBNPの改善（ベースライン値が650 pg/mL以上のとき，30%以上かつ300 pg/mL以上の低下）またはNYHA分類で2段階の改善（ベースラインで3度または4度のとき）
腎臓	24時間蛋白尿の50%以上の減少（少なくとも0.5 g/日），かつ血清クレアチニンまたはクレアチニンクリアランスの増悪はベースラインから25%以内
肝臓	ALPの50%以上の低下，画像検査にて肝臓の大きさが少なくとも2 cm以上縮小
神経	筋電図，神経伝導速度の改善

dFLC：κ，λのうち優位の値から劣位の値を引いた差

23.9％）.

c）治療効果判定基準

AL アミロイドーシスはその疾患特性上，血液学的奏効と臓器奏効との2つの基準を用いて効果を判定する（**表1**）．血液学的奏効は主に血清 FLC によりなされる．

d）予　後

以前は無治療の場合，全生存期間中央値が13ヵ月と予後不良な疾患であったが，現在は治療の進歩により予後は改善しつつある．AL アミロイドーシスの予後は心アミロイドーシスによる心機能障害に大きく左右され，かつ前駆蛋白である単クローン性軽鎖産生量に影響を受けるため，NT-proBNP，心筋トロポニンT と FLC を用いたステージングによる予後層別化がなされている．

2 POEMS 症候群

1）病因・病態・疫学

POEMS 症候群（Crow-Fukase 症候群，高月病）は，形質細胞異常症を基盤に，多発神経炎による末梢神経障害，臓器腫大（肝脾腫），内分泌障害，浮腫・胸腹水，皮膚症状（剛毛，色素沈着，血管腫），骨硬化性病変，λ 型 M 蛋白血症などを呈する全身性疾患である．多彩な症状の中で，特に末梢神経障害が患者の日常生活の活動性を著しく障害し，末期には四肢麻痺，多臓器不全にいたる予後不良な疾患である．

POEMS 症候群の病態は十分に解明されていないが，1996年に本症候群患者血液中で血管内皮増殖因子（vascular endothelial growth factor：VEGF）が異常高値であることが報告されて以来，VEGF が多彩な症状を惹起していることが推定されている[2]．単クローン性形質細胞が産生に関与していると考えられるが，直接的に形質細胞が VEGF を産生しているという根拠は示されておらず，本症候群における VEGF 産生の機序はいまだ明らかではない．一方で，VEGF は患者血小板に高濃度に蓄積されて生理的な刺激により局所で放出されることが判明している．

また，本症候群における M 蛋白量は微量であり，正常免疫グロブリンの抑制もきたさない．M 蛋白は IgG 型か IgA 型がほとんどで IgA 型がやや多いが，軽鎖ではほぼ全例でλ型である．このλ型再構成軽鎖は Vλ1 subfamily に属し，しかもわずか2種類の特定の germline 遺伝子に由来することが判明している．

2）症候・身体所見

左右対称性の脱髄性多発末梢神経障害をきたし，慢性炎症性脱髄性多発神経炎（CIDP）との鑑別が重要である．自覚症状としては，進行性の四肢のしびれ，疼痛，脱力であり，杖歩行から車椅子を要するようになる．CIDP と比較すると，POEMS 症候群では，下肢痛，筋萎縮，遠位優位の脱力の頻度が高い．その他，皮膚色素沈着，多毛・剛毛，血管腫，全身浮腫，胸腹水貯留，ばち指，女性化乳房などをきたす．

3）診断・検査

2021年の診断基準（**表2**）では，必須大項目として多発末梢神経障害と単クローン性形質細胞増殖性疾患（ほぼ全例でλ型軽鎖）の2つを満たし，さらに Castleman 病，骨硬化性病変，VEGF 上昇の3つの大項目のうち少なくとも1つと6つの小項目のうち少なくとも1つを満たすこととされている[3]．M 蛋白量は少ない例がほとんどで，骨髄中形質細胞も5％未満の症例が多い．骨 X 線，CT では骨硬化性病変をきたすが，骨破壊性病変を有する形質細胞腫を認めることがある．血清 VEGF が異常高値となり，治療効果を反映するバイオマーカーとなる．神経伝導速度検査では，CIDP と比較すると神経遠位端よりも神経幹での脱髄所見が優位である．

また，治療効果判定基準としては，M 蛋白の評価による血液学的奏効に加え，VEGF の低下に基づく VEGF 奏効，末梢神経障害など臨床症状の改善による臨床奏効，FDG-PET による PET 奏効などを加味した治療効果判定基準が提唱されている．

4）治療と予後

1990年代まではきわめて予後不良な疾患であったが，1990年代以降，多発性骨髄腫に準じて形質細胞を主要標的とする ASCT や thalidomide などの新規薬剤の有効性が報告され，治療成績が著しく改善されており，2015年以降の5年全生存率は90％を超えると報告されている．

a）ASCT

Mayo Clinic からの ASCT の長期成績の報告では[4]，1999年から2011年までに59人の患者が自家移植を受け，年齢中央値は51歳（20～70歳），25人（42％）は無治療で自家移植を受け，残りの34人は移植前に化学療法または放射線療法を受けていた．前処置は59人中58人が大量 MEL であり，41人は200 mg/m^2 であるが，17人は140 mg/m^2 に減量された．生着症候群は高頻度（22例，37％）に認められ，ステロイド治療がなされた．観察期間中央値45ヵ月において，1年と5年の PFS は98％と75％であり，5

年のOSは94％であった．千葉大学における36例のASCTの成績では[5]，M蛋白消失による血液学的奏効は移植前12％から移植後64％に増加し，血清VEGF値は，移植前中央値1490 pg/mLから移植後6ヵ月では395 pg/mLまで低下した．さらに，神経学的所見も有意な改善を示し，末梢神経伝導速度においては，移植後6ヵ月より持続的に改善を示した．移植後5年OSは90.1％であり，5年PFSは63.2％，5年の臨床的再発率は34.0％（95％ CI:16.1–52.9％）であった．

以上から，65歳以下のPOEMS症候群患者において，ASCTは生命予後を改善し，推奨される治療といえる．しかし生着症候群の頻度が高いことに注意が必要である．臨床的改善はほぼ全例に認められるが，血液学的奏功，VEGF奏効において完全奏功が得られていない場合は移植後に再燃する可能性が高いことも示されている．

b）新規薬剤による治療

多発性骨髄腫に準じたthalidomide，lenalidomide，bortezomib等の新規薬剤による治療の有効性が報告されている．わが国においてthalidomideの有効性を示す医師主導型治験が行われ，2021年に承認された[6]．ASCT適応症例においては，多発性骨髄腫と同様に新規薬剤を用いて寛解導入療法を行い，十分に症状の改善やVEGFの低下が得られてから ASCTを行うことで移植に伴う危険性を減少させ，安全に移植を行うことができる．

3 Castleman病

1）病因・病態・疫学

Castleman病は，1950年代にCastlemanらによって最初に記載されたリンパ増殖性疾患である．臨床的，病理組織学的にいくつかの病型が報告されているが，多彩な臨床症状を呈するPOEMS症候群やTAFRO症候群でも，腫大したリンパ節の生検にてCastleman病様の組織像をとることがあり，鑑別が非常に重要である．

Castleman病の最初の報告は胸腺腫に類似した孤発性の縦隔腫瘤で，病理組織学的にリンパ節の濾胞過形成と胚中心に向かって貫通する硝子化した血管が特徴的であり，硝子血管型と呼ばれる．その後リンパ節の濾胞間領域にシート状に形質細胞が増生する形質細胞型の症例が報告された．さらに病変の分布により，病変が1つの解剖学的領域に限局する単中心性（unicentric Castleman disease：UCD）と，病変部位が複数もしくは全身性にみられ，全身性の炎症症状を伴う多中心性（multicentric Castleman disease：MCD）と

◆表2　POEMS症候群の診断基準

大基準（必須）	
1	多神経炎（脱髄性）
2	単クローン性形質細胞増加（ほぼ常にλ型M蛋白）
その他の大基準（1つ以上必要）	
3	Castleman病[a)]
4	骨硬化性病変
5	VEGF上昇
小基準（1つ以上必要）	
6	臓器腫大（脾腫，肝腫，リンパ節腫脹）
7	体液貯留（浮腫，胸水，腹水）
8	内分泌異常（副腎，甲状腺[b)]，下垂体，性腺，副甲状腺，膵[b)]）
9	皮膚変化（色素沈着，多毛，血管腫，四肢先端のチアノーゼ，顔面紅潮，爪床蒼白）
10	乳頭浮腫
11	血小板増多/多血症[c)]
その他の症状・徴候	
	ばち指，体重減少，多汗，肺高血圧/拘束性肺疾患，血栓性素因，下痢，ビタミンB_{12}低値

*2つの必須大基準に加え，その他の大基準1つと小基準1つを満たせばPOEMS症候群と診断．
a)：単クローン性形質細胞の増加を認めないPOEMS症候群のCastleman variantが存在する．
b)：糖尿病と甲状腺機能異常は有病率が高いため，単独では小基準としない．
c)：約50％の症例が単クローン性ガンマグロブリン血症（MGUS）や骨髄腫と鑑別可能な骨髄所見を有する．通常Castleman病の合併がない限り，貧血や血小板減少は伴わない．
（文献3より引用）

に分類された．

1980 年代以降に欧米から，ヒト・ヘルペスウイルス 8 型（HHV-8）関連 MCD が報告され，HHV-8 関連 MCD，POEMS 症候群関連 MCD のいずれにも該当しない MCD は特発性 MCD（idiopathic MCD：iMCD）に分類された．わが国では MCD の大部分は iMCD である．

2）症候・身体所見

自覚症状は，無症状のものから重篤なものまでさまざまである．頻度の高い症状として，発熱，全身倦怠感，易疲労感，体重減少，盗汗，リンパ節腫脹がある．血液検査では，炎症反応（CRP）陽性，血中 IL-6 上昇，小球性貧血，血小板増多，血清 LD 低値，低アルブミン血症，多クローン性高ガンマグロブリン血症を呈する．一部の症例では腎障害，間質性肺病変，肺高血圧症，拡張型心筋症，抗核抗体陽性，血小板減少症，溶血性貧血，内分泌異常などを合併する．

3）診　断

Castleman 病の診断には，腫大したリンパ節組織の病理診断が最も重要である．病変リンパ節は，硝子血管型，過剰血管型，形質細胞型，混合型，形質芽球亜型のいずれかの組織型に合致する．確定診断には，病理診断のほかに鑑別診断により他の疾患が否定されることが必要である．iMCD の国際診断基準を**表 3** に示す[7]．

◆表 3　iMCD の国際診断基準

大基準（両者必要）
1. iMCD に特徴的な病理組織像
a 胚中心の縮小 / 萎縮 / 閉鎖
b 濾胞樹状細胞の増加
c 血管増生
d 濾胞間におけるシート状で多型性の形質細胞増加
e 胚中心の過形成
2. 2 つ以上の領域でのリンパ節腫大（短径 1 cm 以上）
小基準（検査の 1 項目を含む 2 項目以上陽性）
A. 検査
1. CRP 上昇（>1.0 mg/dL）または赤沈亢進（>15 mm/h）
2. 貧血（男性 Hb <12.5 g/dL，女性 Hb <11.5 g/dL）
3. 血小板減少（<15 万 / μL）または血小板増加（>40 万 / μL）
4. 低アルブミン血症（< 3.5 g/dL）
5. 腎障害（eGFR <60 mL/min/1.73 m^2）または蛋白尿（150 mg/24h または 10 mg/100 mL）
6. 多クローン性高ガンマグロブリン血症（総ガンマグロブリンまたは IgG >1700 mg/dL）
B. 臨床
1. 全身症状：寝汗，発熱（>38℃），体重減少，倦怠感
2. 肝脾腫
3. 体液貯留：浮腫，全身浮腫，腹水，胸水貯留
4. 発疹性チェリー血管腫症または紫色丘疹
5. リンパ球性間質性肺炎
除外基準
（1）感染症関連疾患
1. HHV-8 感染症
2. 伝染性単核球症や慢性活動性 EBV 感染症などの臨床的 EBV 関連リンパ増殖性疾患
3. 他の制御されていない感染症による炎症やリンパ節腫大（例：CMV，トキソプラズマ，HIV，活動性結核）
（2）自己免疫疾患 / 自己炎症性疾患（全身性エリテマトーデス，関節リウマチ，成人発症 STILL 病，若年性特発性関節炎，自己免疫性リンパ増殖性疾患）
（3）悪性腫瘍，リンパ増殖性疾患（悪性リンパ腫，多発性骨髄腫，原発性リンパ節形質細胞腫，濾胞樹状細胞肉腫，POEMS 症候群*）
（4）診断には必要ないが，診断を支持する付加的所見
• IL-6，SIL-2R，VEGF，IGA，IGE，LD，B2M の上昇
• 骨髄細網線維化（特に TAFRO 症候群の場合*）
• iMCD と関連する疾患の診断：腫瘍随伴性類天疱瘡，特発性気質化肺炎・閉塞性再気管支炎，自己免疫性血球減少症，多発神経炎（POEMS 症候群除く*），糸球体腎症，炎症性筋線維芽細胞腫

*注：この国際基準では，TAFRO 症候群を iMCD の一亜型と解釈している．POEMS 症候群を合併する MCD は対象としていない．
（文献 7 より引用）

4）治療と予後

UCD においては，外科的摘出術が可能な場合は摘出術を行う．切除不能な UCD 患者に対する推奨すべき治療は存在しない．

iMCD においては軽症例では経過観察もしくはステロイド治療が行われる．中等症以上の症例では，抗 IL-6 受容体抗体である tocilizumab 治療が推奨される[8]．原則として 8 mg/kg を 2 週間ごとに点滴投与する．tocilizumab の投与は CRP の上昇を抑えるので，感染症を見逃さないように十分な注意が必要である．tocilizumab 治療を開始すると血清 IL-6 濃度が跳ね上がるが，これは，IL-6 が受容体に結合できずに血漿中から除去されないためである．重症例では，ステロイド大量療法と tocilizumab の併用を行う．症状改善が不十分である場合は，CRP を指標として tocilizumab の投与間隔を 1 週間隔まで短縮できる．疾患が安定すれば，慎重に tocilizumab の投与間隔を 2 週間からさらに延長することも可能である．

4　TAFRO 症候群

1）病因・病態・疫学

2010 年に高井らは，血小板減少，全身性浮腫，発熱，骨髄巨核球増加と細網線維増生または腎機能障害，臓器腫大を伴い，既知の疾患概念に該当せず，重篤な経過をたどった 3 症例を報告し，これらの症候の頭文字をとって TAFRO 症候群と命名した[9]．これら 3 例のうち 1 例ではリンパ節病理組織が硝子血管型の Castleman 病と類似していた．その後，同様の症候を呈する多くの症例が報告され，リンパ節生検が行われた症例では多くが混合型あるいは硝子血管型の Castleman 病様の所見を認めた．しかし，TAFRO 症候群は，典型的な iMCD とは臨床的にいくつかの点で異なり，多くの場合ガンマグロブリン増加を認めず，血小板は減少し，リンパ節は小さく，生検不能な例も少なくない．胸腹水や浮腫が顕著で，亜急性に発症し進行性の経過をたどる．好発年齢は 40 ～ 50 歳代であるが，10 ～ 70 歳代まであらゆる年齢層で報告されている．発症頻度に性差はみられない．

2）症候・身体所見

発熱，全身浮腫と胸腹水，軽度のリンパ節腫脹と肝脾腫，腎障害をきたす．肝脾腫や表在リンパ節腫脹を触知することはまれである．一般検査所見では，炎症反応陽性（CRP 高値），血小板減少，軽度貧血を認める．蛋白分画では M 蛋白を認めず，免疫グロブリンは正常である．重症度分類は，体液貯留，血小板減少，原因不明の発熱・炎症反応高値，腎障害の 4 項目について各 3 点満点で点数化し，軽症（3 ～ 4 点）から最重症（11 ～ 12 点）まで 5 段階で評価する．

3）診　断

2015 年にわが国にて策定され，2019 年に改訂された診断基準を**表 4** に示す[10]．必須項目は，①体液貯留，②血小板減少，③原因不明の発熱または炎症反応陽性の 3 項目で，さらに小項目 4 項目：①リンパ節生検で Castleman 病様の所見，②骨髄線維化または骨髄巨核球増多，③軽度の臓器腫大，④進行性の腎障害とした．そして，必須項目 3 項目＋小項目 2 項目以上を満たす場合 TAFRO 症候群と診断可能とした．その他，除外すべき疾患と診断にあたり考慮すべき点が述べられている．

4）治療と予後

初期治療としてはステロイドによる治療が行われ，重症例では methylprednisolone のパルス療法が選択される．ステロイド単剤による奏効率は 40 ～ 50％と報告されており，ステロイド治療により発熱は改善し，CRP も低下することが多いが，胸腹水は改善せず，腹部膨満や呼吸困難，さらには乏尿による進行性の腎障害のため，血液透析に至る例が約 1/3 に認められる．ステロイド不応例に対する二次治療としては ciclosporin が推奨される．ただし，腎機能障害などで ciclosporin を投与し難い場合は tocilizumab，rituximab も考慮する．死亡率は 10 ～ 15％程度と報告されており，死因は原疾患の悪化や感染症，多臓器不全などである．

文　献

1）Kastritis E et al : N Engl J Med **385**: 46, 2021
2）Watanabe O et al : Lancet **347**: 702, 1996
3）Dispenzieri A : Am J Hematol **96**: 872, 2021
4）D'Souza A et al : Blood **120**: 56, 2012
5）Ohwada C et al : Blood **131**: 2173, 2018
6）Misawa S et al : Lancet Neurol **15**: 1129, 2016
7）Fajgenbaum DC et al : Blood **129**: 1646, 2017
8）Nishimoto N et al : Blood **106**: 2627, 2005
9）高井和江ほか：臨血 **51**: 320, 2010
10）Masaki Y et al : Int J Hematol **111**: 155, 2020

◆表4 TAFRO 症候群の診断基準

A. 必須項目（すべて必要）
1 体液貯留（胸水，腹水，全身性浮腫を含む）
2 血小板減少（100,000/μL 未満）；骨髄抑制をきたす治療前
3 全身性炎症の存在（原因不明の 37.5℃以上の発熱または血清 CRP 2 mg/dL 以上）
B. 小項目（少なくとも 2 つ必要）
1 リンパ節生検で Castleman 病様の所見
2 骨髄線維化（細網線維化）または骨髄中巨核球の増加
3 軽度の臓器腫大（肝脾腫，リンパ節腫大）
4 進行性の腎障害
C. 除外すべき疾患
1 悪性腫瘍（悪性リンパ腫，多発性骨髄腫，中皮腫ほか）
2 自己免疫疾患（全身性エリテマトーデス，Sjögren 症候群，ANCA 関連血管炎ほか）
3 感染症［抗酸菌感染，リケッチア症，ライム病，重症熱性血小板減少症候群（SFTS）ほか］
4 POEMS 症候群
5 肝硬変
6 血栓性血小板減少性紫斑病（TTP）/ 溶血性尿毒症症候群（HUS）
D. 考慮すべき点
• TAFRO 症候群では IgG 値が 3,000 mg/dL を超えるような著明な多クローン性高ガンマグロブリン血症はまれである．IgG 値 3,000 mg/dL 以上の高ガンマグロブリン血症を有する例は重症 MCD の可能性を考える • 明らかな M 蛋白は認めない．M 蛋白陽性で TAFRO 症候群を疑う患者は POEMS 症候群を除外する必要がある．POEMS 症候群では多発神経炎が主要徴候であるので，多発神経炎の有無が重要な決め手となる • 血清 LD が増加することはまれである．LD 上昇は悪性リンパ腫を示している可能性があり，可溶性 IL-2 受容体などの他の腫瘍マーカーの確認，および画像検査が必要である．特に血管内大細胞型 B 細胞リンパ腫（IVL）の患者は TAFRO 症候群の患者と同じ所見を示すことがあり，そのような例では骨髄穿刺 / 生検およびランダム皮膚生検が推奨される • 血清 ALP は高値を呈する例が多い • 肝脾腫は通常軽度で CT 画像で評価できる程度のものが多く，巨大な肝脾腫の存在は悪性リンパ腫や肝硬変などを疑う所見である • リンパ節腫大は直径 1.5 cm 未満程度の小さなものが多く，大きなリンパ節病変は悪性リンパ腫などを示唆する． • 現時点では Castleman 病と免疫性血小板減少症（ITP）は「除外すべき疾患」とはしない

TAFRO 症候群と診断するためには，3つの必須項目すべてと4つの小項目のうち少なくとも2つを満たす必要がある．
（文献 10 より引用）

26 免疫関連リンパ増殖性疾患

到達目標

- 免疫関連リンパ増殖性疾患の病態的特徴，および診断の要点を理解する
- 免疫関連リンパ増殖性疾患の治療法を選択できる

1 病因・病態・疫学

リンパ増殖性疾患（lymphoproliferative disorders：LPD）とは，リンパ球が正常の反応の範囲を超えて過剰に増殖した結果，リンパ節腫脹，節外病変，末梢血リンパ球増加をきたした状態である．病理学的に腫瘍性が明確な場合と反応性か腫瘍性か十分に判断できない場合，あるいは臨床所見のみで判断されている場合がある．

自己免疫疾患では，リンパ腫の発生率が高いが，疾患によって差があり，原発性Sjögren症候群では，標準化罹患比（standardized incidence ratio：SIR）は18.8［95％信頼区間（CI）9.5～37.3］，全身性エリテマトーデスでは，SIR 7.4［95％信頼区間（CI）3.3～17.3］，関節リウマチ（rheumatoid arthritis：RA）はSIR 3.9［95％信頼区間（CI）2.5～5.93］と一般人口に比して有意に発生率が高かった[1]．日本人では，RA患者の悪性リンパ腫発生率は高く，日本リウマチ学会調査研究委員会で後方視的観察研究では，病理組織学的に診断された悪性リンパ腫のSIRは5.99であった[2]．

WHO分類改訂第4版*（2017年）[3]では免疫不全関連リンパ増殖性疾患は，通常の悪性リンパ腫分類のような腫瘍細胞の特性に基づいた分類とは異なり，病因に基づく分類となっている．

それらは①原発性免疫異常症（inborn errors of immunity：IEI）に関連するリンパ増殖性疾患，②HIV関連リンパ腫，③移植後リンパ増殖異常性疾患（post transplantation lymphoproliferative disorders：PTLD），④その他の医原性免疫不全関連リンパ増殖異常症（other iatrogenic immunodeficiency-associated lymphoproliferative disorders：OIILPD）に分類されている．

IEIに伴うLPDは免疫不全や免疫調節異常を発生基盤とし，多彩な症状を呈する．重症複合免疫不全症やX連鎖リンパ増殖症候群（X-linked lymphoproliferative syndrome：XLP）で高頻度に認めるほか，Nijmegen染色体不安定症候群，毛細血管拡張性運動失調症，自己免疫性リンパ増殖症候群（autoimmune lymphoproliferative syndrome, ALPS），Wiscott-Aldrich症候群，分類不能免疫不全症でLPDの発症が知られている．

HIV関連リンパ腫は，HIV感染患者に発症した悪性リンパ腫の総称である．健常者のリンパ腫と異なり高悪性度リンパ腫の頻度が高く，Burkittリンパ腫の頻度が非常に高いのが特徴である．

移植後リンパ増殖性疾患（post-transplant lymphoproliferative disorders：PTLD）は造血幹細胞移植や臓器移植後に免疫抑制剤の使用の結果として発生するリンパ球ないし形質細胞の増殖と定義されている．多くのPTLDはEBV感染と関連している．PTLDは，①非破壊性PTLD，②多形性PTLD，③単形性PTLD，④古典的Hodgkinリンパ腫PTLDに分類されている．

RAをはじめ自己免疫疾患に対してmethotrexate（MTX）などの免疫抑制薬治療中に発生するLPDはOIILPDに分類されている．最近では，tacrolimus（TAC）などのカルシニューリン阻害薬やJAK阻害薬でもリンパ腫の報告がみられる．

*本書は基本的にWHO分類改訂第4版（2017年）に基づいて記載しているが，必要な場合にはWHO分類第5版（2022年）にも言及している．

2 症候・身体所見

PTLDの発症年齢は，10歳以下で頻度が顕著に高く，EBV初感染に起因する可能性が高い．また60歳以上の高齢者の頻度も高い．PTLDの臨床症状は発症部位によりさまざまであるが，リンパ節腫脹，発熱，発汗，体重減少と通常のリンパ腫と同様の症状がみられる．

MTX治療中のRA患者に発現したLPD（MTX-LPD）の特徴として，診断時年齢は60～70歳が多く，MTX投与開始からLPD発症までは平均5年（2年以上が90％だが1年未満も4.1％）と報告されている．発症時の症状はB症状（発熱，寝汗，体重減少），頸部，腋窩リンパ節腫脹をきたすことが多く，節外病変による症状がみられる．節外病変は肺，口腔，咽頭，消化管，皮膚，肝臓に多く，口腔，咽頭，皮膚，消化管では潰瘍性病変が生じる．B症状は約30％程度，リンパ節腫脹は約55～85％，節外病変は約50～80％の患者に認められる．MTX投与量と投与期間は決まった傾向はなく，LPD発症時8 mg/週以下の症例が78％，投与期間2年以上は90％と報告されている．

MTX-LPDの発症機序は明らかでないが，加齢，自己免疫疾患，MTX使用等によるTリンパ球の機能低下が起こり，抑制性T細胞や細胞傷害性T細胞の機能低下により，活性化されたB細胞を抑制できなくなり，B細胞の不死化からLPDが生じると考えられている．またEBVの再活性化がB細胞活性化に影響すると考えられている．

3 診断・検査

MTX-LPD患者の血液検査では，白血球分画の異常，貧血，血小板減少，高LD血症，RAの活動性と相関しないCRP上昇，sIL-2R上昇などが認められる．超音波検査，造影CT，PET-CTなどの画像診断を行う．表在リンパ節の鑑別診断には超音波検査が有用である．深部リンパ節腫大の検出には，血管との区別をつけるため，造影CTを行う．PET-CTは病期診断（staging）だけでなく，治療効果判定にも有用な検査である．

LPDの確定診断のためには，病変部位の生検が必須である．感染症や膠原病を強く疑った場合は，生検を行わず治療を優先する場合もあるが，リンパ節が短期間に急速に増大する場合や全身症状を伴う場合は，生検の絶対的な適応と考える．RA患者にみられる

◆表1　OIILPDでみられる病理組織

病理分類		病理組織像
reactive follicular hyperplasia（反応性濾胞過形成）		plasmacytic hyperplasia（形質細胞過形成）
		infectious mononucleosis（伝染性単核球症）
		florid follicular hyperplasia（高度濾胞過形成）は非特異的な病変（反応性）
polymorphic LPD（多型性LPD）		polymorphic LPD（多型性LPD）
		Hodgkin-like lision（HLL, Hodgkin様病変）
		EBV-positive monocutaneous ulcer（EBV-MCU, EBV陽性粘膜皮膚潰瘍）
monomorphoc LPD（単形性LPD）	monomorphic B-cell LPD 単形性B細胞LPD	diffuse large B-cell lymphoma（DLBCL, びまん性大細胞型B細胞リンパ腫）
		lymphomatoid granulomatosis（LYG, リンパ腫様肉芽腫症）
		mantle cell lymphoma（MCL, マントル細胞リンパ腫）
		Burkitt lymphoma（Burkittリンパ腫）
	monomorphic B-cell LPD, indolent 単形性B細胞LPD（低悪性度）	follicular lymphoma（FL, 濾胞性リンパ腫）
		marginal zone lymphoma（MZL）/MALTリンパ腫（辺縁帯リンパ腫/MALTリンパ腫）
		lymphoplasmacytic lymphoma（LPL, リンパ形質細胞性リンパ腫）
	monomorphic T/NK-cell LPD 単形性T/NK細胞LPD	peripheral T-cell lymphoma（PTCL, 末梢性T細胞リンパ腫）
		angioimmunoblastic T-cell lymphoma（AITL, 血管免疫芽球性T細胞リンパ腫）
		NK/T-cell lymphoma（extranodal）[NK/T細胞リンパ腫（節外性）]
classic Hodgkin lymphoma-type LPD（古典的Hodgkinリンパ腫型LPD）		classic Hodgkin lymphoma（mixed cellularity, nodular sclerosis）[古典的Hodgkinリンパ腫　（混合細胞型，結節硬化型）]

[Swerdlow SH et al（eds）: WHO Classification of Tumours of Haematopoietic and Lymphoid Tissues, 4th ed, Revised ed, IARC Press, 2017, 直江知樹ほか（編）: WHO血液腫瘍分類 -WHO分類2017をうまく活用するために 改訂版，医薬ジャーナル社，2018および中村栄男ほか（編）: リンパ腫アトラス 第5版，文光堂，2018を参考に作成]
（文献8より許諾を得て転載）

LPDの病理組織で最も多いのが，単形性LPDでその大半がびまん性大細胞型B細胞リンパ腫（diffuse large B-cell lymphoma：DLBCL）であり全体の40～55%を占める．次いで多型性LPD，反応性リンパ濾胞過形成，古典的Hodgkinリンパ腫（classic Hodgkin lymphoma：CHL）が多く，後3者は10～15%程度である[4,5]（**表1**）．生検組織のEBER（EBV-encoded small RNA）の陽性率は，Kuritaらの報告では，DLBCL 55%，CHL 85%，多型性LPDで93%と報告されている[4]．

4 治療と予後

PTLDに対してEBV特異的T細胞の機能回復と増殖による治療効果を目的として診断が確定した時点で免疫抑制薬の減量が推奨されている．PTLD発症時の免疫抑制薬投与量の25～50%減量が勧められている．加えて移植臓器やPTLDの部位，病期，病理診断，患者年齢等を考慮して他療法（手術療法，rituximab療法，R-CHOP療法等）を行う．単形性と古典的Hodgkinリンパ腫では免疫抑制薬の減量には反応しにくく，治療には悪性リンパ腫に準じた化学療法が必要となる．

RAに対して免疫抑制薬治療中にLPD/リンパ腫と診断された患者では，病理結果にかかわらず，可能であればMTX，生物学的製剤，免疫抑制薬を中止する．

診断時に病変増大により臓器圧迫症状をきたしている場合には免疫抑制薬の中止とともに化学療法の開始を検討する．免疫抑制薬中止後，経過観察のみで病変が縮小する症例が，約2/3の患者でみられる．縮小を認めない場合やいったん縮小したが再燃，再発をする場合には化学療法を検討する．Tokuhiraらは MTX-LPDにおける3つの臨床経過パターン（**図1**）を提示しており，免疫抑制薬の中止のみで縮小傾向または完全消退した例でその後再燃・再発しない群（完全消退群），いったん縮小または完全消退後に再燃・再発する群（再燃・再発群），免疫抑制薬の中止により縮小しない群（残存群）の3群に分類している[6]．

RA-LPDの予後について，SaitoらはLPD-WG studyの結果を報告しているが，5年生存率78.2%，発症後経過カテゴリー別の5年生存率は，自然消退後無再発群91.5%，自然消退後再発群70.3%，化学療法群67.2%，化学療法後再発群72.2%であった．病理組織亜型では，5年生存率はCHLが45.3%とDLBCLの76.2%と比較して有意に予後不良であった[7]（**図2**）．Tokuhiraらは発症後経過別に予後を検討しているが，5年生存率は消退群80.7%，非消退群83.7%と差がなかったが，10年生存率は70.8%，45.7%と非消退群で不良であった[6]．

生命予後に影響を及ぼす因子の多変量解析では，Saitoらは①高齢（＞70歳，HR 0.26，p=0.002），②病理所見がCHL（HR 0.30, p=0.047），③初発時に「深部リンパ節病変および/または節外病変2個以上あり」（HR 0.31，p=0.008），④PS ≧ 2（HR 0.31，p=0.004）が抽出されたと報告している[7]．これらの4つの因子のうち3つ以上ある症例では特に生命予後

Group	Pattern
完全消退 (R-G)	MTX / LPD / CR
再燃・ 再発群 (R/R-G)	MTX / LPD / CR near CR / Other ISD / chemo / LPD
残存群 (P-G)	MTX / LPD / Chemo

◆**図1　MTX-LPDの3つの臨床経過パターン**
（文献6より引用）

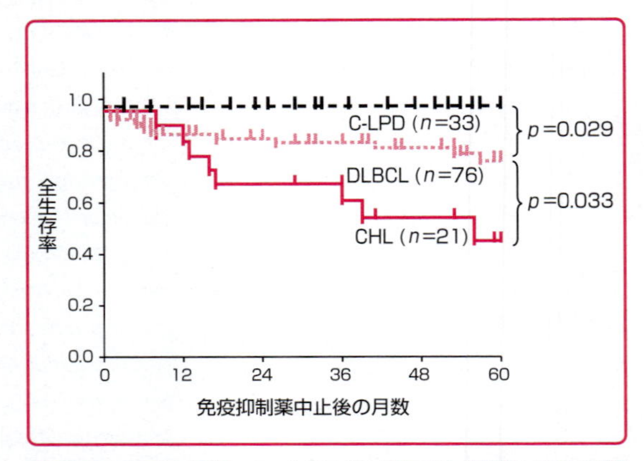

◆**図2　LPD-WG studyにおけるRA関連LPD病理組織型別の全生存曲線**
CHL：古典的Hodgkinリンパ腫
DLBCL：びまん性大細胞型B細胞リンパ腫
C-LPD：clinical LPD；病理診断なしで免疫抑制薬中止により完全消退したLPD
（文献7より引用）

不良であった．また Tokuhira らは，MTX 中止後 6 ヵ月目の ALC が低値（< 1000/μL）の症例は，予後不良であったと報告してる[6]．

化学療法は，DLBCL は初発で限局期（Ⅰ，Ⅱ期）は，R-CHOP 3 コース + involved -field radiotherapy（IFRT）を行うか，R-CHOP 6 ～ 8 コース ± IFRT を行う．腫瘍最大径が 10 cm 以上の bulky mass を有する例は，R-CHOP 6 ～ 8 コース ± IFRT を行う．進行期（Ⅲ，Ⅳ期）は，R-CHOP 6 ～ 8 コース ± IFRT を行う．CHL は限局期（Ⅰ，Ⅱ期）は，予後良好群であれば，ABVD 2 コース + IFRT 20 Gy，予後不良群であれば ABVD 4 コース + IFRT 30 Gy を行う．進行期（Ⅲ，Ⅳ期）は，ABVD 6 ～ 8 コースあるいは brentuximab vedotin（BV）併用 AVD 療法を 6 コース行う[8]．

文　献

1）Zintzaras E et al: Arch Inter Med **165**: 2337, 2005
2）Honda S et al: Mod Rheumatol **32**: 16, 2022
3）Swerdlow SH et al（eds）: WHO Classification of Tumors of Haematopoietic and Lymphoid Tissues, 4th ed, Revised ed, IARC Press, 2017
4）Kurita D et al: Am J Surg Pathol **43**: 869, 2019
5）Satou A et al: Mod Pathol **32**: 1135, 2019
6）Tokuhira M et al: J Clin Exp Hematop **59**:72, 2019
7）Saito R et al: Mod Rheumatol **32**: 50, 2022
8）3 学会合同 RA 関連 LPD ワーキンググループ（日本リウマチ学会，日本血液学会，日本病理学会）（編）: 関節リウマチ関連リンパ増殖性疾患の診断と管理の手引き，羊土社，2022

1 顆粒球減少症

到達目標

- 顆粒球減少症に対して系統的な鑑別を行うことができる

1 病因・病態・疫学

顆粒球減少症の原因は，先天性，後天性に分けることができ，後天性の原因は，感染症，薬剤性，免疫学的機序によるもの，その他に分けることができる．

1）先天性顆粒球減少症

重症先天性好中球減少症（severe congenital neutropenia：SCN）は，生殖細胞系列の遺伝子変異による好中球減少とそれに伴う感染症をきたし通常乳幼児から小児期に診断される．5疾患が知られSCN-1～SCN-5と命名される．SCN-1はそのうち80％を占め*ELANE*遺伝子の遺伝子変異（常染色体顕性）による好中球成熟障害をきたす．SCN-3（Kostmann症候群）は*HAX1*遺伝子の遺伝子変異（常染色体潜性）に起因し，精神運動発達遅延や難治性痙攣を伴う．SCNの約20％を占める．SCNは骨髄性腫瘍の発生確率が高い．その他にも全身性の先天的疾患に顆粒球減少症を伴うことがあり，**軟骨毛髪形成不全症**，**先天性角化不全症**，**糖原病ⅠB型**，**Shwachman-Diamond症候群**などにみられる．**周期性好中球減少症**は約21日周期で好中球が増減を繰り返す疾患で，小児期に発症し，家族性を有する口内炎，咽頭炎などの口腔内感染症を起こす．SCN-1と同じく*ELANE*遺伝子の生殖細胞系列の遺伝子変異を伴うものが多いが，*ELANE*の変異を認めない症例も存在する．診断のために計画的な採血計画を立てることが重要である．感染を繰り返す場合には，好中球の減少期を予測して計画的にG-CSFの投与を行う．

2）後天性顆粒球減少症

a）感染症

感染症は顆粒球の急激な消費の亢進をきたし，顆粒球減少症をきたす．加えて直接的な顆粒球の産生障害や免疫性の好中球破壊の関与もあると考えられる．

①ウイルス：顆粒球減少をきたす感染性微生物としては最も多い．**麻疹**ではカタル期から発疹期にかけて顆粒球減少をきたす．好中球の遊走能や殺菌能の低下もきたす．麻疹の生ワクチンも顆粒球減少の原因となりうる．**風疹**でも約半数の症例で顆粒球減少をきたす．**水痘**も比較的まれであるが顆粒球減少をきたすことがある．**Epstein-Barrウイルス（EBV）**が原因となる伝染性単核症は，末梢血中に異型リンパ球が増加することが特徴であるが，特に小児例で顆粒球減少を伴うことがある．慢性の**B型肝炎ウイルス（HBV）**，**C型肝炎ウイルス（HCV）**感染症の患者ではしばしば顆粒球減少がみられるが，ウイルスそのものの影響というよりは，脾腫やinterferon（IFN）の副作用による二次性の機序が考えられている．**ヒト免疫不全ウイルス（HIV）**感染症では，$CD4^{+}$Tリンパ球の減少以外にも，貧血，血小板減少，顆粒球減少などのさまざまな血球の異常をきたす．顆粒球減少はAIDSの40％にみられる．機序として，顆粒球の産生障害，抗体による自己免疫学的機序に加え，抗ウイルス薬の副作用としても生じる．

②細菌：細菌感染症では一般的に左方移動を伴う白血球増多を生じるが，いくつかの細菌の感染症では顆粒球減少をきたす．また，病原体によらず重症敗血症では顆粒球の消費の亢進が高度であるために減少をきたす．**腸チフス**では病初期に好中球減少をきたす．血小板減少症や貧血をきたすこともある．赤痢では白血球は増加することも減少することもある．著明な左方移動を伴う．**粟粒結核**や**重症結核**の際に，顆粒球減少をきたすことがある．**ブルセラ**や**野兎病（ツラレミア）**の感染症も顆粒球減少をきたすが，わが国ではまれである．

③原虫：原虫では**マラリア**や***Leishmania***が顆粒球減少をきたす．

b）薬剤性

顆粒球減少症の原因として感染症の次によくみられる．特に無顆粒球症にいたる高度の顆粒球減少症の原因としては，頻度が最も高い．高齢，女性，腎機能低下，自己免疫疾患の合併が危険因子として知られているが，これは**抗甲状腺薬**など顆粒球減少の原因となる薬剤を頻用する患者層を反映しているものと思われる．どの薬剤でも原因となりうるが，頻度が高いものを**表1**に示す．機序としては，薬剤もしくはその代謝物が，骨髄造血前駆細胞に対して傷害性を持つ場合（中毒性）と，薬剤がhaptenとして機能することで顆粒球に対する免疫反応を誘導する場合（アレルギー性）がある．中毒性の場合，発症までに数週間を要する．クロルプロマジン塩酸塩，プロカインアミド塩酸塩，β－ラクタム系抗菌薬などが原因薬剤として挙げられる．アレルギー性の場合は，感作されている場合1時間〜1日で抗体が産生されるが中毒性の場合は発症までに数週間を要することが多い．併用薬剤としてACE阻害薬やIFNが加わることで顆粒球減少症の頻度が高くなる．抗がん薬や放射線療法の際の顆粒球減少は当然予想されるものであり，治療の際に厳密な管理計画を立てておく必要がある．分子標的薬は従来の抗がん薬と比べて骨髄抑制は一般に軽度であるが，やはり注意が必要である．特にCDK4/6阻害薬のpalbociclibによる好中球減少の報告が多い．その他，免疫抑制薬やganciclovirなどの血液疾患領域で頻用される薬剤のなかにも顆粒球減少をきたすものがある．

c）免疫学的機序

①自己免疫性疾患：顆粒球減少症をきたす自己免疫性疾患としては，**甲状腺機能亢進症**，**多発血管炎性肉芽腫症（Wegener肉芽腫）**，**関節リウマチ**，**全身性エリテマトーデス（SLE）**が挙げられる．これらの疾患では抗好中球抗体が検出されることがある．Felty症候群では血清中にG-CSFに対する抗体が認められる．

②免疫性好中球減少症：**同種免疫性新生児好中球減少症**は，父親由来の白血球表面抗原に対する母体由来の抗体が，胎盤を通過し好中球を破壊することで生じる．通常，治療は不要である．**慢性良性好中球減少症**は4歳未満の小児にみられる自己免疫性の好中球減少症である．成熟した好中球は少ないものの骨髄中に後骨髄球までの前駆細胞は保たれており，成熟障害をきたしている．好中球数の割に重篤な感染症は少ない．成長とともに抗体が消失し自然寛解することが多い．

d）T細胞クローンを伴う慢性好中球減少症

成人の慢性好中球減少症ではT細胞クローンの増加を10〜60％に認める．一方，T細胞大顆粒リンパ球性白血病は慢性的な好中球減少を認め，本疾患と連続したスペクトラムを形成していると考えられる．T細胞受容体再構成などを利用してクローナリティを証明する．

e）慢性特発性好中球減少症

慢性特発性好中球減少症は明らかな原因がなく他の病型分類にあてはめることができないものを指す．わが国の『成人慢性好中球減少症診療の参照ガイド（2018年）』では家族歴の有無によって2つのカテゴリーに分類する．年長児や成人にみられ，やはり重篤な感染症は少ないが，自然寛解はまれである．

f）その他の原因

何らかの原因で**脾腫**が存在すると顆粒球の捕捉が亢進して減少する．しかし，これだけの原因で重篤な感染症につながることは少ない．**栄養障害**も好中球減少をきたす．**ビタミンB_{12}欠乏**，**葉酸欠乏**，**銅欠乏**も原因となる．

◆表1　顆粒球減少症をきたす薬剤

- clozapine
- フェノチアジン系薬
- 三環系・四環系抗うつ薬
- 抗甲状腺薬（MMI, PTU）
- penicillamine
- サルファ剤，ST合剤
- ticlopidine
- ACE阻害薬
- H_2阻害薬
- 非ステロイド系抗炎症薬
- 抗不整脈薬（procainamide，flecainide）

2　症候・身体所見

顆粒球減少症は検査値異常であるため，それ自体による症候や身体所見はみられない．脾腫の有無を調べ，認められる場合は脾腫をきたす原因を検索する．発熱性好中球減少症をきたしている場合は，感染に伴う所見がみられる．好中球減少症がまれな先天性疾患に伴うことがあり，その場合は顆粒球減少に由来しない検査異常・所見を合併する．例としては，軟骨毛髪形成不全症（短肢性低身長），先天性角化不全症（口腔白板症，爪形成異常，皮膚色素沈着），糖原病ⅠB型（低血糖，低身長，肝脾腫，人形様顔貌），Shwachman-Diamond症候群（脂肪便，長管骨端の異形成による低身長）などが挙げられる．

ADVANCED

■良性民族性好中球減少症（BEN）■

良性民族性好中球減少症（benign ethnical neutropenia：BEN）という概念があり，アフリカ系民族にみられる生理的好中球減少症を指す[1]．アフリカ系民族は白人と比べると20％ほど好中球が少なく，好中球減少症の定義（1,500/μL以下）を満たす人が10％程度存在する（ただし年齢とともにその割合は減少する）．*ACKR1*や*DARC*などの遺伝子多型が関連していることが報告されている．これが臨床試験の基準に抵触し，アフリカ系民族の登録が進まない原因になるばかりでなく，化学療法が不必要に減弱され，がん治療成績の低下原因になっている可能性が指摘されている．BENの人は，骨髄中の顆粒球前駆細胞数も少ないが，成熟能に問題はなく，BENを有する患者が抗がん薬治療中に感染症に罹患する割合が高いというデータもない．したがって，BENにおいては単に生理的に顆粒球が低値なだけであると考えられている．BENの存在は，欧米人のデータで一律に基準作りをする難しさを表している．

■文　献■

1）Matthew MH et al: J Clin Oncol **28**: 1633, 2010

3 診断・検査

一般に顆粒球数が1,500/μL以下となった場合を**顆粒球減少症**と呼び，特に500/μL以下となった場合を**無顆粒球症**と呼ぶ．厳密には，顆粒球のなかには好中球のほかに好酸球や好塩基球を含むが，顆粒球減少症と好中球減少症はほぼ同義として使用される．ちなみに顆粒球数の基準値は民族によって異なり，アフリカ系民族は生理的な顆粒球減少症が10％程度にみられる［ADVANCED「良性民族性好中球減少症（BEN）」参照］．

まずは他の血球系の異常の有無を調べ，赤血球や血小板など他の系統にも異常がみられた場合は，造血器疾患を疑い骨髄穿刺を行う．白血球系のみの減少であっても，期間と重症度に応じて骨髄穿刺を行う．好中球減少の発症年齢や家族歴から先天性好中球減少症を疑う場合は，その他の検査異常や身体的奇形などの有無を調べる．成人発症の好中球減少の場合は，感染徴候の有無や最近の感染症を疑わせる症状の有無を聴取する．合併症，服薬歴，海外渡航歴も調べておく．感染徴候がある場合は，血液培養，尿培養など各種培養を提出し，胸部X線などの感染巣の検索と感染性病原体の同定を行う．

4 治療と予後

発熱性好中球減少症をきたしている場合は，全身の診察と各種培養の提出，X線やCTなどを用いて感染性病原体の検出と感染巣の特定に努めつつ，広域抗菌薬投与を開始する．広域抗菌薬に不応性の発熱の場合には，真菌症やウイルス感染症の可能性も考慮する（XIII-3「感染症の予防と治療」も参照）．好中球減少症の原因として抗がん薬以外の薬剤性を疑う場合は，原因薬剤を中止し，G-CSFを投与して血球回復を促す．**自己免疫性好中球減少症**や，**T細胞クローンを伴う慢性好中球減少症**ではciclosporinの投与が検討される．予後は原因によって大きく異なるがSCNでG-CSFに反応しない例では急性骨髄性白血病（acute myeloid leukemia：AML）や骨髄異形成症候群（myelodysplastic syndromes：MDS）への進展が高率にみられる．

2 原発性免疫不全症

到達目標

- 主な原発性（先天性）免疫不全症を診断し，治療できる

1 病因・病態・疫学

ヒトの生体防御機構は多くの病原体に対応できるように非常に複雑に構成されている．化学療法に伴う免疫不全状態やHIV感染症によって起こる免疫不全状態を続発性免疫不全と呼ぶが，それと対照的に，生体防御機構を担う細胞や分子の先天的な欠損など，内因的な機能異常によって起こる免疫不全を原発性免疫不全症と呼ぶ．原発性免疫不全症の多くは単一遺伝子病であり，免疫能に関連する分子をコードする遺伝子の生殖細胞系列遺伝子変異によって起こり，先天性免疫不全症［原発性免疫異常症（inborn errors of immunity：IEI）］とも呼ばれる．

原発性免疫不全症には450種類以上の疾患が含まれるが[1]，疾患の特徴によって大きく10のカテゴリー（疾患群）に分類されている（①複合免疫不全症，②他の徴候あるいは症候群を呈する複合免疫不全症，③抗体産生不全症，④免疫調節障害，⑤食細胞の数・機能の異常症，⑥自然免疫異常，⑦自己炎症性疾患，⑧補体欠損症，⑨骨髄不全症，⑩原発性免疫不全症に類似した病態による疾患）．主な原発性免疫不全症とその原因遺伝子を**表1**に示す．

原発性免疫不全症は，出生10万あたり2～3人の発生頻度である．X連鎖無ガンマグロブリン血症，分類不能型免疫不全症，慢性肉芽腫症が比較的多くみられる．

2 症候・身体所見

免疫不全症の臨床像は易感染性であることが多い[2]．易感染性とは，感染症が①反復して起こる，②重症化する，③難治性である，④持続する，⑤日和見感染症である，の少なくとも1つに該当する場合であり，免疫能が正常な場合には起こりにくい感染症の状態を指す．免疫不全症の原因と，起こりうる感染症の病原体の種類とはある程度対応する．T細胞の機能の低下は細胞性免疫能と液性免疫能の両方が障害されることから複合免疫不全症と呼ばれ，T細胞機能が完全に欠損している場合は重症複合免疫不全症（SCID）と呼ばれる．細胞性免疫能の低下によって，ヘルペスウイルス科ウイルスをはじめとした多くのウイルス，真菌，*Pneumocystis jirovecii* などに易感染性を呈する．液性免疫不全症では一般細菌（ブドウ球菌，肺炎球菌など）による気道感染症が起こりやすく，エンテロウイルスによる感染症も重症化しやすい．NK細胞の異常では，ヘルペスウイルス科ウイルスに対して易感染性を呈する．好中球異常では一般細菌に対する易感染性がみられる．

白血球の活性酸素産生能が欠損する慢性肉芽腫症では，ブドウ球菌や大腸菌などのカタラーゼ産生菌や真菌に易感染性がみられ，肝膿瘍など深部感染症が起こりやすい．また，慢性肉芽腫症ではマクロファージの活性酸素産生能の欠損のために抗酸菌にも易感染性を呈する．細胞内寄生菌（結核菌，非結核性抗酸菌，サルモネラ菌など）に対しては，T helper 1（Th1）細胞から産生されたinterferon-γ（IFN-γ）によって活性化したマクロファージが感染防御に重要な役割を果たしている．この経路の異常であるMendel遺伝型マイコバクテリア易感染症では，細胞内寄生菌などに易感染性を呈する．Neisseria属による感染は補体欠損症で起こりやすく重症化する．

3 診断・検査

診断には詳細な病歴聴取が重要である．これまでの感染症の種類や起炎菌，治療経過を確認し，血族結婚，免疫不全症の家族歴，アレルギー，自己炎症を示唆する周期的あるいは持続性の発熱，自己免疫疾患を

◆表1　主な原発性免疫不全症と原因遺伝子

カテゴリー	代表的疾患	原因遺伝子（遺伝形式）
複合免疫不全症	重症複合免疫不全症 CD40 リガンド欠損症	*IL2RG*（XL）など *CD40LG*（XL）
他の徴候あるいは症候群を呈する複合免疫不全症	Wiskott-Aldrich 症候群 毛細血管拡張性運動失調症 DiGeorge 症候群 高 IgE 症候群	*WASP*（XL）など *ATM*（AR） 染色体 22q11.2 欠失（AD） *STAT3*（AD）など
抗体産生不全症	X 連鎖無ガンマグロブリン血症 IgG2 欠損症 分類不能型免疫不全症 Good 症候群	*BTK*（XL） 不明 不明 不明
免疫調節障害	家族性血球貪食性リンパ組織球症 X 連鎖リンパ増殖症候群 Chédiak-Higashi 症候群	*PRF1*（XL）など *SH2D1A*（XL）など *LYST*（AR）
食細胞の数・機能の異常症	慢性肉芽腫症 重症先天性好中球減少症	*CYBB*（XL）など *ELANE*（AD）など
自然免疫異常	Mendel 遺伝型マイコバクテリア易感染症 IRAK4 欠損症	*IFNGR1*（AD）など *IRAK4*（AR）
自己炎症性疾患	家族性地中海熱 TNF 受容体関連周期性症候群 クリオピリン関連周期熱症候群	*MEFV*（AR） *TNFRSF1A*（AD） *NLRP3*（AD）
補体欠損症	C9 欠損症	*C9*（AR）

XL：X 連鎖性遺伝，AR：常染色体潜性遺伝（劣性遺伝），AD：常染色体顕性遺伝（優性遺伝）

示唆する病歴，ワクチン接種後の副反応などの有無を問診する．理学的所見で重要な点は，感染症の有無やその評価だけではない．体重減少，皮疹や疣贅，出血傾向，顔貌の異常，リンパ節腫大あるいはリンパ節発育不良，眼球結膜の血管拡張，口内炎や鵞口瘡（口腔内カンジダ症），口蓋扁桃の発育不良，歯の異常や歯周囲炎，爪カンジダ症，心奇形，関節炎，視力障害，難聴，小脳失調，精神運動発達遅滞，悪性腫瘍などの有無を確認する．また，眼科的 / 耳鼻科的診察も必要である．

検査では，まず，リンパ球減少や好中球減少の有無を確認する．IgG 値の評価では，年齢の影響を十分に考慮しておく．病歴や理学的所見から，異常な免疫機構を推定し，リンパ球サブセット，好中球殺菌能，IgG サブクラス，血清補体価など必要に応じて検査を進める．T 細胞の機能評価では，PHA（phytohemagglutinin）刺激に対するリンパ球増殖反応が，B 細胞の機能評価には血清免疫グロブリン値だけでなく，既感染の病原体やすでに接種しているワクチン（麻疹，インフルエンザ，B 型肝炎など）に対する抗体価の測定が重要である．

病歴と上記の検査により，生体防御機構のどこに異常があるのか，ある程度推定することが可能であるが，特徴的な症状と発症年齢より臨床診断可能な疾患も存在する（**表2**）．たとえば易感染性に加えて血小板減少と難治性湿疹を伴った男児例では Wiskott-Aldrich 症候群が考えられ，進行性の小脳性運動失調，眼球結膜などの毛細血管拡張を伴う場合には毛細血管拡張性運動失調症が考えられる．特定の病原体に対して易感染性を示す場合に想定すべき疾患もある．たとえば，BCG 感染症を含む抗酸菌感染症などの細胞内寄生菌のみに易感染性を呈する場合には Mendel 遺伝型マイコバクテリア易感染症を，単純ヘルペス脳炎では Toll 様受容体 3 の欠損症などを，急激に進行した肺炎球菌性髄膜炎では IRAK4（interleukin-1 receptor-associated kinase 4）欠損症を疑う．Western blot やフローサイトメトリーで蛋白発現の欠損を証明できる場合も少なくないが，遺伝子変異によって正常に機能しない蛋白が発現する場合もあるため，確定診断には遺伝子解析が必要である．エクソーム解析を行った場合，臨床像からは推定しにくい疾患が診断される場合もある[3]．

4　治療と予後

原発性免疫不全症では感染症が致死的となることがあるため，感染症ならびに起因微生物を迅速かつ正確に診断し，適切な抗微生物薬を投与する．慢性肉芽腫

◆表2　原発性免疫不全症における特徴的な臨床所見

所　見	疾　患
1. 新生児期～乳児期後半（生後0～6ヵ月）	
・慢性咳嗽，間質性肺炎，鵞口瘡，慢性下痢	重症複合免疫不全症
・紅皮症，肝脾腫，抗酸菌増多，高 IgE 血症	Omenn 症候群
・低カルシウム血症，心奇形，顔貌異常	DiGeorge 症候群
・血小板減少（皮下出血 / 血便），アトピー様皮疹	Wiskott-Aldrich 症候群
・臍帯脱落遅延，白血球増多	白血球接着不全症
・重症 / 難治性下痢，皮膚炎，糖尿病	IPEX 症候群
2. 乳児期後半～幼児期（生後6ヵ月～5歳）	
・肛門周囲膿瘍，BCG 感染症，肝膿瘍	慢性肉芽腫症
・反復性下気道感染症，リンパ節 / 扁桃欠損	X 連鎖無ガンマグロブリン血症
・反復性ブドウ球菌 / 真菌感染症，粗な顔貌	高 IgE 症候群
・遷延性鵞口瘡，爪カンジダ	慢性皮膚粘膜カンジダ症
・白子症，白血球巨大顆粒	Chédiak-Higashi 症候群
・致死性伝染性単核症	X 連鎖リンパ増殖症候群
3. 年長児以降（5歳～成人）	
・慢性気道感染症，小脳失調，毛細血管拡張	毛細血管拡張性運動失調症
・髄膜炎菌性髄膜炎	C7 欠損症，C9 欠損症
・気道感染症，脾腫，IgG 低値，自己免疫疾患	分類不能型免疫不全症
・胸腺腫，IgG 低値	Good 症候群

[Stiehm ER et al: Immunodeficiency Disorders; General Considerations. Immunologic Disorders in Infants & Children, Stiehm ER et al（eds）, Elsevier, p289-355, 2004 を参考に著者作成]

症や重症先天性好中球減少症では細菌感染予防のためST合剤や抗真菌薬が用いられることが多い．慢性肉芽腫症では遺伝子型によってはIFN-γの定期的投与によって感染症の頻度が低下する．重症先天性好中球減少症に対してはG-CSF製剤投与が有効であるが，大量を長期的に投与した場合には白血病発症のリスクが高くなるので注意を要する．抗体産生不全症や複合免疫不全症では定期的な免疫グロブリン補充療法を行う．具体的には静注用免疫グロブリン製剤200～600 mg/kgを3～4週ごとに投与するか，あるいは皮下注用免疫グロブリン製剤50～200 mg/kgを週1回皮下注射する．投与前のIgG値（トラフ値）を700 mg/dL以上に維持することが重要であるが，感染症のコントロール状態に応じてIgGトラフ値および投与量を適宜調整する．重症の細胞性免疫不全症では造血幹細胞移植の適応となる疾患もある．特に重症複合免疫不全症は，免疫能を回復させない限り感染症により乳児期に死亡するため，造血幹細胞移植の絶対的適応であり早期に造血幹細胞移植を行う必要がある．重症複合免疫不全症は，今後新生児スクリーニングでより早期に診断される可能性がある[4]．造血幹細胞移植の方法，特に移植前処置は原発性免疫不全症の疾患ごとに異なる点にも注意が必要である．遺伝子治療法はまだ国内では限定的であるが，海外ではベクターの改良によって治療成績が向上しており，ベクター組み込みによる発がんの問題も改善されてきている．

近年は原発性免疫不全症も早期診断され，積極的な治療が行われており，生命予後が改善し，成人にキャリーオーバーする例も増えてきた．成人例では慢性呼吸器感染症，自己免疫疾患や悪性腫瘍の合併が問題であり，長期的な生活の質（quality of life：QOL）の維持のための適切な診療が必要である．

以下，具体的に代表的な疾患について概説する．

1）BTK 欠損症

Bruton型無ガンマグロブリン血症，X連鎖無ガンマグロブリン血症（XLA）とも呼ばれ，X連鎖潜性遺伝形式をとる．米国の小児科医Brutonによって報告された．BTK（Bruton's tyrosine kinase）蛋白が欠損することにより，B細胞の分化が障害され，すべてのクラスの免疫グロブリンが欠損する．乳児期後半頃から細菌感染症を繰り返すことが多い．まれに学童期以降に発症することもある．細菌による気道感染症が多いが，エンテロウイルス感染症が重症化することもある．免疫グロブリン値の欠損・低値，末梢血B細胞の欠損，フローサイトメトリーやWestern blot法による BTK 蛋白発現解析，*BTK* 遺伝子検査によって診断する．Igκ 鎖遺伝子再構成断片（KREC）を用いた新生児スクリーニングで早期診断が可能である．免疫グロブリン製剤の定期補充による治療を行う．

2）高 IgE 症候群

乳児期早期から始まる難治性湿疹，反復性ブドウ球菌感染症，皮膚粘膜カンジダ症および高 IgE 血症を呈する疾患である．ほとんどは *STAT3* 遺伝子の異常が原因であり，常染色体顕性遺伝形式をとる．学童期以降，幅広い鼻，落ちくぼんだ目，突き出た顎，突き出た額，厚みのある皮膚などの身体的特徴が明確になってくる．湿疹や，ブドウ球菌・真菌による気管支炎 / 肺炎以外に，寒冷膿瘍，肺嚢胞，易骨折，乳歯脱落遅延およびそれによる歯列不正，側弯，関節過伸展などの症状がみられることが多い．これらの特徴的な臨床像，Th17 細胞の欠損および遺伝子検査によって診断する．抗菌薬や抗真菌薬などによって感染予防を行う．

■文　献■

1）Tangye SG et al: J Clin Immunol **42**: 1473, 2022
2）Rezaei N et al: Common presentation and diagnostic approaches. Stiem's Immune Deficiencies. Inborn Errors of Immunity, 2nd ed, Elsevier, p7–25, 2020
3）Stray–Pedersen A et al: J J Allergy Clin Immunol **139**: 232, 2017
4）Wakamatsu M et al: J Clin Immunol **42**: 1696, 2022

ADVANCED

■重症複合免疫不全症と TREC■

T 細胞の欠損を特徴とし，重症の細胞性免疫不全症を呈する．また T 細胞のヘルパー機能が欠損するため，液性免疫も欠損する．生後間もなくから種々の微生物による感染症に罹患し，慢性の咳嗽，難治性下痢，頑固な鵞口瘡を呈し，体重増加不良がみられることが多い．特に *Pneumocystis jirovecii* やサイトメガロウイルス，カンジダなどによる肺炎は致死的となりうる．重症複合免疫不全症（severe combined immunodeficiency：SCID）は T リンパ球の分化増殖にかかわる遺伝子異常によって起きる．これまで少なくとも 19 種類の責任遺伝子が同定されている．約半数は X 連鎖重症複合免疫不全症（X-SCID）であり，その原因は IL-2，IL-4，IL-7，IL-9，IL-15，IL-21 の受容体に共通する γc 鎖をコードする *IL2RG* 遺伝子の異常である．SCID は，早期に診断し，早期に造血幹細胞移植を行って免疫能を回復させなければ，乳児期に死亡する．

TREC（T-cell receptor excision circles）とは，胸腺で T 細胞が分化する過程で T 細胞受容体の遺伝子再構成が起こる際に，ゲノム DNA から切り出されて細胞内に残存する環状 DNA である（図 A）．胸腺で成熟したすべての αβT 細胞は TREC を有しているが，T 細胞が分裂増殖すると，TREC は，1 つの T 細胞から分裂増殖したなかのただ 1 つの細胞のみにしか維持されず，他の細胞は TREC を有さないことになる．したがって SCID のように成熟 T 細胞が産生されない疾患では TREC は検出されない．また SCID でみられる maternal engraftment（母の T 細胞が児に移行している状態）では，T 細胞は児の胸腺で分化したものではなく，母由来の少数の T 細胞が児の体内で分裂増殖したものであるので，TREC は検出されなくなる[4]．

全血中の TREC をリアルタイム PCR 法で定量することによって，T 細胞の新生能を評価することができる．いずれの SCID でも TREC は低値を示すため，新生児濾紙血を用いた SCID のマススクリーニングがすでに米国などで行われているが，わが国でもここ数年で拡大新生児スクリーニング検査が可能な地域が拡がっている．

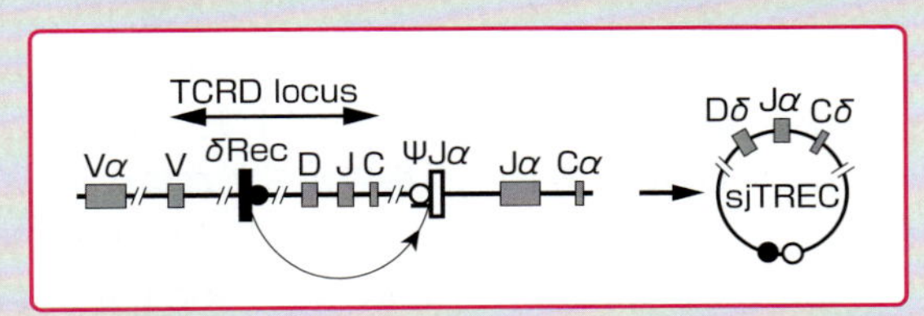

◆図 A　TREC 測定による SCID のスクリーニングの原理

3 HIV 感染症

到達目標

- HIV 感染症の病期・病態と AIDS の種類を理解し，診断上疑うべき症候・身体症状と，病期ごとに行うべき検査を的確に判断できる
- HIV 感染症に合併する血液疾患を適切に診断・治療できる

1 病因・病態・疫学

1）病　因

レトロウイルスである**ヒト免疫不全ウイルス**［human immunodeficiency virus：HIV（HIV-1 または HIV-2）］が，リンパ球（主として **CD4 陽性 T 細胞**）と単球 / マクロファージ系の細胞に感染して破壊することにより，徐々に免疫不全が進行する．HIV 感染症は，HIV に感染した状態であり，AIDS（acquired immunodeficiency syndrome，**後天性免疫不全症候群**）は，日和見感染症や悪性腫瘍など AIDS 指標疾患（**表 1**）を発症した状態と定義される．米国疾病予防管理センター（Centers for Disease Control and Prevention：CDC）の診断基準では，症状の有無にかかわらず CD4 陽性 T 細胞数が 200/μL 未満の例も AIDS と診断される．

2）病　態

HIV 感染症においては，CD4 陽性 T 細胞の量的および質的欠損が次第に進行し，細胞性免疫のみならず液性免疫も徐々に減弱する．HIV 感染症は，大きく①急性期，②無症候期，③ AIDS 発症期の 3 つの病期に分けられる（**図 1**）．

a）急性期

HIV は感染成立後，リンパ系組織中で急激に増殖する．感染 1 ～ 2 週後には 100 万コピー /mL を超えるウイルス血症を呈し，他のリンパ組織や脳，その他の臓器へ急速に播種される．この際，単球 / マクロファージ系の感染細胞が伝播のうえで中心的な役割を果たす．

b）無症候期

HIV に対して**細胞傷害性 T 細胞**（cytotoxic T lymphocyte：CTL）を中心とした特異的な免疫応答が誘導される一方，HIV は種々の機序によって感染者の免疫反応を逃れ，活発に増殖を続ける．そのため，ウイルスは減少するが完全には排除されることはない．やがてウイルスの増殖と免疫反応が拮抗し，慢性感染状態となり，血中の **HIV RNA 量**は各人で比較的安定した一定レベル（**セットポイント**）に保たれ，無症候期へ移行する．この間，HIV はリンパ組織で増殖を続け，血中の CD4 陽性 T 細胞は徐々に持続的に減少する．CD4 陽性 T 細胞数の減少速度は HIV RNA 量と緩やかな逆相関関係を示し，初感染から AIDS 期にいたるまでの HIV 感染症の進行速度と関連するが，患者ごとのばらつきが大きい．一方，広範囲の免疫機構が慢性的に賦活化されるため，リンパ節の過形成，高ガンマグロブリン血症や自己免疫反応などがみられる．

c）AIDS 発症期

CD4 陽性 T 細胞数が 200/μL 以下になると細胞性免疫不全の状態を呈し，HIV の増殖が加速し，CD8 陽性 T 細胞も質的・量的に減少する．また，血中免疫グロブリンは高値を示すが非特異的であるため，液性免疫も低下する．その結果，種々の日和見感染症，日和見悪性腫瘍（AIDS 指標疾患）を併発しやすくなる（AIDS 発症期）．AIDS 発症の約 9 割が，また関連合併症による死亡のほとんどがこの時期である．

抗 HIV 薬を併用した**抗レトロウイルス療法**（anti-retroviral therapy：ART）によって HIV の増殖が十分に抑制されると，ウイルス量の減少とは逆に，胸腺から新たにナイーブ T リンパ球が供給されて CD4 陽性 T 細胞数が増加し，単球，マクロファージ，NK 細胞の機能も回復し，AIDS による死亡者数の減少につながる．しかし，HIV の一部は寿命の長い細胞（メモリー T 細胞）に潜伏感染するため，ウイル

◆表1 AIDS指標疾患

A. 真菌症	1. カンジダ症（食道，気管，気管支，肺） 2. クリプトコッカス症（肺以外） 3. コクシジオイデス症 （全身播種，あるいは肺，頸部，肺門リンパ節以外） 4. ヒストプラズマ症 （全身播種，あるいは肺，頸部，肺門リンパ節以外） 5. ニューモシスチス肺炎
B. 原虫感染症	6. トキソプラズマ脳症（生後1ヵ月以後） 7. クリプトスポリジウム症（1ヵ月以上続く下痢を伴ったもの） 8. イソスポラ症（1ヵ月以上続く下痢を伴ったもの）
C. 細菌感染症	9. 化膿性細菌感染症*1 10. サルモネラ菌血症（再発を繰り返すもので，チフス菌によるものを除く） 11. 活動性結核（肺結核または肺外結核）*2 12. 非結核性抗酸菌症（全身播種あるいは肺，頸部，肺門リンパ節以外）
D. ウイルス感染症	13. サイトメガロウイルス感染症（生後1ヵ月以後で，肝，脾，リンパ節以外） 14. 単純ヘルペスウイルス感染症（1ヵ月以上持続する粘膜・皮膚の潰瘍を呈するもの，または生後1ヵ月以後で気管支炎，肺炎，食道炎を併発するもの） 15. 進行性多巣性白質脳症
E. 腫 瘍	16. Kaposi肉腫 17. 原発性脳リンパ腫 18. 非Hodgkinリンパ腫（a. 大細胞型，免疫芽球型，b. Burkitt型） 19. 浸潤性子宮頸がん*2
F. その他	20. 反復性肺炎 21. リンパ性間質性肺炎／肺リンパ過形成（LIP/PLH complex）（13歳未満） 22. HIV脳症（痴呆または亜急性脳炎） 23. HIV消耗性症候群（全身衰弱またはスリム病）

*1：13歳未満で，ヘモフィルス，連鎖球菌などの化膿性細菌により，以下のいずれかが2年以内に2つ以上多発あるいは繰り返して起こったもの（a. 敗血症，b. 肺炎，c. 髄膜炎，d. 骨関節炎，e. 中耳・皮膚粘膜以外の部位や深在臓器の膿瘍）．
*2：HIVによる免疫不全を示唆する症状または所見がみられる場合に限る．
（文献5を参考に著者作成）

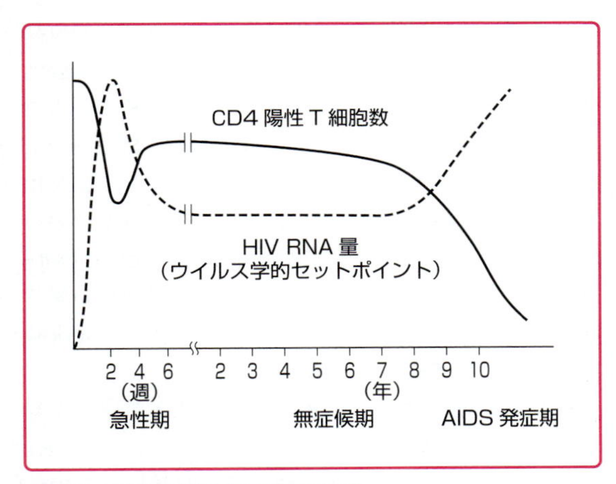

◆図1 HIV感染症の臨床経過
（文献5を参考に著者作成）

スの侵入・複製の酵素学的な機序を阻害する現存の抗HIV薬のみでは，体内からウイルスを駆逐することは事実上困難である．

3）疫 学

AIDS患者の合併日和見感染症としては，**ニューモシスチス肺炎**（*Pneumocystis* pneumonia：PCP）が多く，重要な死因でもある．また，**悪性腫瘍**の罹患率が高く，AIDS患者の約3割に悪性腫瘍が合併する．AIDS指標悪性腫瘍（非Hodgkinリンパ腫，Kaposi肉腫，子宮頸がん）のみならず，肺がん，大腸がん，肛門がん，膣がん，肝がん，Hodgkinリンパ腫などの非AIDS関連腫瘍とされてきた悪性腫瘍の頻度が増加傾向にある．特にART導入例では，長期投与に伴う合併症として，①動脈硬化性疾患（虚血性心疾患，脳血管障害），②慢性腎疾患，③Hodgkinリンパ腫などのいわゆる非AIDS関連疾患の発生頻度が増加している．

a）HIVに合併する血液疾患

HIV感染症では全系統の血球減少を合併する可能性があり，病期の進行に従ってその頻度は高くなる．なかでも**血小板減少症**はHIV感染症の約4割に合併し，感染初期の所見としても比較的頻度が高い．

HIV感染症に合併する悪性リンパ腫（HIV関連悪

性リンパ腫）は，HIV 感染による免疫抑制，遺伝子変異，サイトカインの過剰産生，Epstein-Barr ウイルス（EBV）や Kaposi 肉腫関連ヘルペスウイルス（ヒトヘルペスウイルス 8 型：HHV-8）の重複感染など複合的な要因が発症機序に関与し，多様性が高い[1]．AIDS 指標疾患である全身性の非 Hodgkin リンパ腫，**原発性滲出液リンパ腫（primary effusion lymphoma：PEL）**，原発性脳リンパ腫と非 AIDS 指標疾患である Hodgkin リンパ腫に大別される．

AIDS 関連非 Hodgkin リンパ腫（AIDS related non-Hodgkin lymphoma：ARNHL）は，非感染者よりも合併率が高く，AIDS 関連悪性疾患のなかでも最も頻度が高い．発症は，①高齢，② CD4 陽性 T 細胞数＜200/μL あるいは ART 未導入と関係が深い．非 HIV 感染例に比べ進行の速いタイプが多いのが特徴で，診断時に病期が進行していることが多い．**びまん性大細胞型 B 細胞リンパ腫（diffuse large B-cell lymphoma：DLBCL）**が最も多く，Burkitt リンパ腫がそれに次ぐ[2]．リンパ組織の炎症を伴うことが多いため，しばしば病理診断には困難を伴う．

頻度は少ないが AIDS に比較的特異的なリンパ腫として，**原発性脳リンパ腫**，**PEL**，形質芽球性リンパ腫の 3 つが挙げられる．原発性脳リンパ腫は，トキソプラズマ脳症との鑑別が必要である．本症は ART により近年は減少し，予後も改善されている．PEL は AIDS リンパ腫の 5％未満にみられるまれな B 細胞リンパ腫で，リンパ節や節外臓器に明らかな腫瘤を形成せず，体腔内に腫瘍細胞が浮遊した状態で発症する．胸膜＞腹膜＞心外膜の順に多く，大腸，皮膚，肺，リンパ節など体腔外に病変がみられることもある．HHV-8 および EBV の共感染と関連し，無治療では 2 ～ 3 ヵ月以内に死亡する．形質芽球性リンパ腫は，口腔内（歯肉）腫瘍浸潤を主症状とし，EBV が関連する **ARNHL** であるが，口腔外（肛門，副鼻腔，皮膚，精巣，骨）などに病変を生じることもある．予後は悪いが，ART により治療成績は改善傾向にある．

Hodgkin リンパ腫は ARNHL ではないが頻度は非 HIV 感染者に比べ 10 ～ 20 倍高く近年増加傾向にあるとされる[1]．75 ～ 100％に EBV 感染が合併する．診断時に骨髄浸潤などの節外病変があることが多いが，ART 導入以降予後は改善している．

2 症候・身体所見

1）急性期

HIV 感染後 2 ～ 6 週の急性期には，50 ～ 90％に発熱，咽頭炎，リンパ節腫脹，発疹，無菌性髄膜炎などの急性感染症状がみられる．多くは数週間以内に消失するが，まれに長期間持続したり重症化する場合がある．

2）AIDS

AIDS 指標疾患として最も頻度の高い PCP は進行が比較的緩徐で亜急性の進行を示し，抗菌薬不応性の肺炎や特発性間質肺炎として誤診されやすい．AIDS 指標疾患以外でも，性感染症（梅毒，アメーバ赤痢，A 型肝炎や B 型肝炎で性感染症が疑われる場合，難治性の陰部ヘルペス感染症，クラミジア症）の現病歴・既往歴，細胞性免疫不全症状（繰り返す帯状疱疹や口腔内カンジダ症），脂漏性皮膚炎，伝染性軟属腫，乾癬，瘙痒性丘疹などの皮膚症状，不明熱・下痢などの HIV 感染に合致する身体所見がみられる場合には，併存疾患としての HIV 感染症を積極的に疑い検査を行う．

また，原因不明の血小板減少症をみた場合，鑑別疾患として HIV 感染症も念頭におくべきである．ARNHL を初発症状として来院する場合もある．

3 診断・検査

HIV 感染の診断は，基本的に**スクリーニング検査**（抗原・抗体同時検査）と**確認検査**の 2 段階の検査により行われる．一般に，酵素免疫抗体（EIA）法などのスクリーニング検査は感度は高いが，妊婦，膠原病患者，血液腫瘍患者，ワクチン接種者などでは偽陽性になりやすい．そのため，スクリーニング検査のみで患者に陽性であると告知してはならない．確認検査としてはウエスタンブロット法やイムノクロマト法を用いた抗体確認検査と核酸増幅法との同時検査が用いられている．以上の検査は，感染初期の数週間（window period）は偽陰性となりうるので注意が必要である．その場合は HIV RNA 検査を行い，window period 後に抗体検査で確認する．

HIV 感染症では，CD4 陽性 T 細胞数と血中ウイルス量（HIV RNA 量）が最も重要な指標であり，ART 開始の基準にもなる．CD4 陽性 T 細胞数は宿主の免疫力を反映し，200/μL 未満になると免疫不全状態となり，種々の日和見疾患を発症しやすくなる．血中 HIV RNA 量は HIV 感染の進行速度と相関しており，抗 HIV 薬の治療効果判定の最も重要な指標となる．また，HIV RNA 量が 200 コピー /mL 未満になれば，性的パートナー間での伝播も予防される．

わが国の『HIV 関連悪性リンパ腫治療の手引き

Ver3.0』[3] において提示されている ARNHL の際に行うべき検査を**表 2** に示す.

4 治療と予後

1）治　療

a）治療開始の適応基準

ART は CD4 数にかかわらずすべての HIV 感染者に推奨される．ただし，AIDS 指標疾患が重篤な場合や免疫再構築症候群が危惧される場合は，その治療を優先する必要のある場合がある．また，抗 HIV 療法は健康保険の適用のみでは自己負担が高額で，医療費助成制度（身体障害者手帳）を利用する場合が多いため，治療開始前にソーシャルワーカーに相談するなど，服薬継続のための十分な準備が必要となる．

b）治療レジメンの選択

抗ウイルス効果，副作用，内服しやすさ，服薬タイミング制限の有無を考慮して選択する．**服薬アドヒアランス**の維持がきわめて重要で，そのためには 1 日 1 回投与の処方が有利であり，新規に治療を開始する場合には積極的に選択する．初回治療は 2 剤あるいは 3 剤以上からなる ART で開始する．長期作用型注射薬も開発され，新たな治療選択肢として期待されている．初回治療に推奨される併用療法の内容は年々変化しており，必ず最新のガイドラインを参照し，その時点で個々の患者に最も適した治療レジメンを選択する．

治療導入例においても，旧来の薬剤の中には近年の薬剤に比較して抗ウイルス効果が劣るものがあり，副作用の有無や患者背景を確認のうえ，状況によっては変更を検討する．

HIV と B 型肝炎ウイルス（HBV）の共感染がある場合，双方の疾患の病態を把握せず，不用意に双方に対して抗ウイルス効果を示す単一薬剤による治療を開始すると，耐性株を招来する可能性がある．したがって，抗 HIV 療法を開始する際には，HBs 抗原，HBs 抗体，HBc 抗体をチェックし B 型肝炎の合併の有無・既往を確かめ，HBc 抗体のみが陽性の場合には，HBV DNA 量を測定する．HBV 治療の適応がある場合には HBV，HIV 双方に効果を有する 2 剤を含む 3 剤以上の薬剤による抗 HIV 療法を開始する．

c）治療目標

血中ウイルス量（HIV RNA 量）を検出限界以下に抑え続けることが目標となる．ART 開始後に血中 HIV RNA 量のコントロールが不十分な場合（十分に低下しない場合や再上昇する場合）は，薬剤耐性検査

◆表 2　ARNHL の際に行うべき検査

	検査項目	意　義
NHL 関連	CBC	
	生化学	
	sIL-2R	
	HBsAg, HBsAb, HBcAb, HCV	HBV の合併が多い
	頸部から骨盤 CT	PCP や MAC 症の鑑別にも必要
	頭部造影 MRI	トキソプラズマや中枢神経系のリンパ腫の鑑別にも必要
	FDG-PET	
ARNHL 関連	髄液検査	ARNHL では中枢浸潤が高率
	骨髄検査	ARNHL では骨髄浸潤が高率
HIV 関連	CD4 陽性 T 細胞数	必須検査
	HIV RNA 量	必須検査
	梅毒	合併が多い
	クリプトコッカス抗原	日和見感染症の検索として
	トキソプラズマ IgG	日和見感染症の検索として
	サイトメガロウイルス抗原	日和見感染症の検索として
	発熱時抗酸菌血液培養	日和見感染症の検索として
	ガリウムシンチグラフィ	PCP や MAC 症を疑う際にも有用
	眼科	サイトメガロウイルス網膜炎などの検索

MAC：*Mycobacterium avium* complex
（文献 3 より引用）

を実施するとともに，服薬の実態を正確に把握する．血中 HIV RNA 量が＜200 コピー/mL に到達・維持できない場合や再上昇する場合には治療失敗である可能性がある[4]．ただし，間欠的な低レベル（20～1,000 コピー/mL）の増加（Blip）が，治療失敗であるか否かについては結論が出ていない．治療の中止や一時的な中断は，急激なウイルス量の増加および CD4 陽性 T 細胞数の減少を招く可能性があり，治療をいったん開始した後はいかなる場合でもすべきでない．

d）日和見感染症合併時の治療

AIDS の発症で感染がみつかった場合は，指標疾患である日和見感染症治療と，抗 HIV 薬による抗ウイルス治療が必要である．抗 HIV 療法を開始すると，免疫系の再構築に伴い体内に存在する病原体などの抗原に対する免疫応答が誘導される．その結果，それまで臨床的に明らかでなかった感染症の発症（**免疫再構築症候群**，immune reconstitution inflammatory syndrome：IRIS）が認められることがある．わが国で IRIS の頻度が比較的高い疾患は，帯状疱疹，非結核性抗酸菌症，サイトメガロウイルス感染症，PCP，結核症，Kaposi 肉腫，B 型肝炎である．IRIS を考慮した場合，日和見感染症と抗 HIV 療法のどちらを開始するかは，患者の状態，病原体の種類，感染部位によって個々に十分な検討を行う．合併症の経過が急性の場合は，通常，合併症の治療を優先する．特に CD4 陽性 T 細胞数が 50/μL 未満の免疫不全が進行した症例では，抗 HIV 療法の開始前に眼底検査，胸部 X 線検査，血液検査（β-D グルカン，クリプトコッカス抗原，サイトメガロウイルス抗原など），また可能であれば脳 MRI 検査などを行い，日和見合併症の有無を評価するとともに，CD4 陽性 T 細胞数 50/μL 未満の症例には非結核性抗酸菌症，200/μL 未満の症例には PCP に対する予防を開始する．

IRIS への対処法には，抗微生物薬の継続・開始・追加・変更，非ステロイド抗炎症薬（NSAIDs）や副腎皮質ステロイドの投与がある．生命を脅かす場合や副腎皮質ステロイドが無効な場合などには，抗 HIV 治療の中止を考慮する．

e）AIDS 関連非 Hodgkin リンパ腫（ARNHL）の治療

DLBCL に対しては，CHOP，CDE，EPOCH が推奨される．現在では，ARNHL に抗 CD20 抗体 rituximab を併用することが一般的なコンセンサスとなっている[1]が，CD4 陽性 T 細胞数が 50/μL 以下の場合には，致死性感染症の合併率が増えるため使用は慎重に検討する．Burkitt リンパ腫に対する最適治療は定まっていないが，CHOP は推奨されない．リンパ腫などの化学療法を ART なしで行うと，HIV 感染症が悪化することが多いため，原則として化学療法と同時に ART を開始する．インテグラーゼ阻害薬（コビシスタットを含有しないもの）など ARNHL の治療薬と薬物相互作用の少ない薬剤が好ましい．なお，CD4 陽性 T 細胞数が 350/μL 以上の場合には，原則として非 HIV 例で施行される化学療法が適用可能である．

B 型肝炎合併 HIV 例では，抗 HBV 作用を有する tenofovir alafenamide/emtricitabine（TAF/FTC）が有効である．

ARNHL 化学療法施行時に行われるべき日和見感染症の予防投薬を**表 3** に示す．表記以外の薬剤でも，帯状疱疹予防に aciclovir，カンジダなどの真菌感染予防に fluconazole，好中球減少が予測される例では G-CSF の投与を考慮する．

2）予　後

ART により HIV 感染症の生命予後は劇的に改善し，HIV 感染症が不治の病であった時代は過去のものとなり，今や糖尿病などの慢性疾患と同様に長期管

◆表 3　ARNHL 化学療法時における日和見感染症の予防

日和見感染症	適　応	予防法	付　記
PCP	全例（CD4 陽性 T 細胞数＞200/μL でも行う）	ST 合剤，pentamidine 吸入など	ST 合剤は高率にアレルギーが生じる
播種性 MAC 症	CD4 陽性 T 細胞数＜100/μL で行う	azithromycin，clarithromycin	HIV 感染症のみでは CD4 陽性 T 細胞数＜50/μL
トキソプラズマ症	トキソプラズマ IgG 抗体陽性であれば行う	ST 合剤	ST 合剤は高率にアレルギーが生じる
サイトメガロウイルス症	血液疾患，移植などと異なり，サイトメガロウイルス血症陽性のみでは治療しない		ART 未施行の HIV 感染者では，骨髄障害により化学療法が継続できなくなる可能性あり

（文献 3 より引用）

理する疾患となった．実際，AIDS 発症前の無症候性キャリアの段階で発見され適切に管理されれば，日和見疾患で死亡する例はまれで生命予後への影響はない．それに対し，虚血性心疾患，悪性腫瘍，慢性腎臓病などによる死亡例は増加している．一方，ARNHL は ART 導入により，治療後の生存率は上昇したが，非 AIDS 患者と同レベルには達していない．

■文　献■

1）Carbone A, et al: Blood **139:**995, 2022
2）Hagiwara S et al: Int J Hematol **110:**244, 2019
3）味澤　篤ほか：日エイズ会誌 **18**：92, 2016
4）日本エイズ学会　HIV 感染症治療委員会：HIV 感染症「治療の手引き」第 26 版，2022 年 11 月発行
5）令和 3 年度厚生労働科学研究費補助金エイズ対策研究事業 HIV 感染症および血友病におけるチーム医療の構築と医療水準の向上を目指した研究班（四本美保子ほか）：抗 HIV 治療ガイドライン，2022

4 伝染性単核症

到達目標

- 伝染性単核症（IM）の病態・治療を理解する

1 病因・病態・疫学

伝染性単核症（infectious mononucleosis:IM）とは，Epstein-Barr virus（EBV）初感染に伴って起こる，急性疾患である．発熱，リンパ節炎に伴って，末梢血中に異形リンパ球の出現を認める．サイトメガロウイルスなど，いくつかのウイルス感染により同様の症状はみられるが，これらは伝染性単核症様疾患として区別する．

近年EBV初感染年齢は上昇しており，20歳代以上で発症する例もみられる．IMの多くは自然治癒するが，重症化する例，腫瘍性疾患との鑑別が困難な例がある．適切な診断と治療のため，この点をきちんと押さえておくべきである．

EBVは，ヘルペスウイルス科に属する2本鎖DNAウイルスである．英国の研究者Anthony Epstein卿およびYvonne Barr博士により，1964年にBurkitt lymphomaの培養細胞内で発見された[1]．ヒトのがんの原因ウイルス第一号であるが，その後の研究でEBVは全世界に広く分布するウイルスであることが明らかになった．1968年，米国の研究者，Gertrude Henle，Werner Henle夫妻により，IM発症後に抗体価が上昇することが報告され，IMの原因ウイルスであることが明らかになった[2]．

IMは，EBVの初感染に対する免疫反応が引き起こす全身の炎症性疾患である．EBVの初感染が幼少時であると十分な免疫応答が起こらず，IM発症には至らない．発症のピーク年齢は思春期以降の17～25歳である．患者の届け出義務がないため，わが国の正確な患者発生数は不明であるが，国立感染症研究所のホームページによると，米国の報告では人口10万人あたり年間約50人の患者発生が認められている．

EBVの感染者（抗EBV抗体陽性者）は20歳以上では90％を超えることが，英国，台湾，中国から報告されている．一方で，初感染年齢は上昇しているという報告もある．わが国でも，5～7歳の抗EBV抗体（抗VCA-IgG抗体）保有率は，1990年代初めには80％以上であったが，1997～1999年には59％に低下したと報告されている[3]．初感染年齢の上昇とともに，IM患者数も増え，かつ発症年齢も上がる傾向にある[3]．

EBVは唾液を介して感染する．そのため，欧米ではkissing diseaseといわれる．潜伏期は6週間前後である．

EBVはヒトに侵入後，上気道の上皮細胞やB細胞に感染する．EBVに感染したB細胞はウイルス粒子を産生，分泌しながら増殖する．この感染形式を溶解感染といい，それによりウイルスの全身への拡散が起こる．溶解感染では，感染細胞は多くのウイルス由来蛋白質（主にウイルスの産生を制御する蛋白質）を発現している．感染後，患者の体内では，これらの蛋白質を認識するCTLが反応性に増加し，これらはIM患者の末梢血に異形リンパ球として観察される．CTLはリンパ節，肝臓，脾臓にも浸潤し，それら臓器の腫大をもたらす．さらに，細胞傷害性分子や炎症性サイトカインを分泌し，発熱やこれら浸潤臓器の傷害をもたらす．CTLにより溶解感染状態の感染細胞が排除されるとIMは終息する．しかしEBVは一部のメモリーB細胞に感染した状態で一生体内に潜む．これらはウイルス粒子を産生せず，この感染方式を潜伏感染という．咽頭上皮細胞にもウイルスは潜伏感染するが，その一部は溶解感染の形式をとり，ウイルスを産生する．唾液中のウイルスは後者由来と考えられている．

IMでは感染細胞からのウイルス粒子の産生と放出が起こるため，末梢血中のEBV DNA量は増加する．後述するようにこれは慢性活動性EBV病（chronic active EBV disease：CAEBV）など，EBV関連腫瘍でも認められるため，鑑別に注意する．

2 症候・身体所見

IMの主な症状は，発熱，口蓋扁桃腺，咽頭の炎症，頸部リンパ節腫脹である．それに先立ち，食欲低下と悪心が数日から数週間，みられることもある．15～25％の症例で圧痛を伴う肝腫大，50～60％の症例で脾腫を生じる[4]．以上が典型的な症状であるが，眼瞼浮腫，結膜炎などの眼症状や，頭痛，項部硬直，羞明など，髄膜炎様の症状をみることがある．アンピシリン系抗菌薬内服後に皮膚の紅斑を伴うこともあり，薬剤に対する抗体が生じることによる血管炎と考えられている．

検査所見では，末梢血白血球数は上昇することが多く，その多くを異形リンパ球が占める（**図1**）．リンパ球は主にCD8陽性の細胞傷害性T細胞（cytotoxic T-lymphocyte：CTL）である．白血球数は減少することもある．加えて赤血球，血小板の減少が出現した場合，血球貪食性リンパ組織球症（hemophagocytic lymphohistiocytosis: HLH）を発症し重症化する可能性があるので注意する．肝酵素の上昇を伴う肝機能障害を40～100％の症例で認める[4]．脳脊髄液検査がなされると，圧の上昇に加え，髄液中の細胞数の増加や蛋白質の増加を認める．臨床経過を**図2**に示す．

IMでは3％の症例で溶血性貧血を認める．抗体の多くは常温式抗体でCoombs試験が陽性となるがDonath-Landsteiner抗体の出現を伴うcold hemolysisも存在する．また溶血発作を伴わなくても70％の症例で赤血球i抗原に対する抗体の出現を伴う[4]．その他，抗核抗体，抗カルジオリピン抗体，平滑筋，甲状腺などに対するさまざまな自己抗体が出現する．

重篤な合併症として脾破裂，神経障害，そしてHLHがある．脾破裂は1％未満とまれであるが，発見が遅れると致死的となり得る[4]．誘因なく発症することもあるので，左側腹部痛のみならず急な血圧低下をみたら疑うべきである．神経合併症は1～2％に認められる．Guillain-Barré症候群，脳炎，髄膜炎，Rye症候群などを合併することもある．

HLHとは，炎症性サイトカインにより活性化されたマクロファージが骨髄やリンパ節などの網内系組織において血球を貪食することにより起こる病態である．汎血球減少に加え播種性血管内凝固症候群（disseminated intravascular coagulation：DIC），多臓器不全を生じ，しばしば致死的となる．HLHには，遺伝子異常を背景に生じる原発性（家族性）HLHと，基礎疾患に伴う二次性（続発性）HLHがある．二次性HLHの基礎疾患は，悪性腫瘍，感染症，自己免疫性疾患が多いが，約半数はEBV関連疾患によるとされ，EBVの初感染（IM）に伴うもの，既感染に伴うものに分けられる[5]．前者の一部には，先天性の免疫異常症が存在することがある．末梢血中にEBV-DNAが陽性であるHLHを見た場合，初感染か，既感染を鑑別し，前者であれば，免疫異常症の有無を，後者であれば，EBV関連腫瘍を除外する．

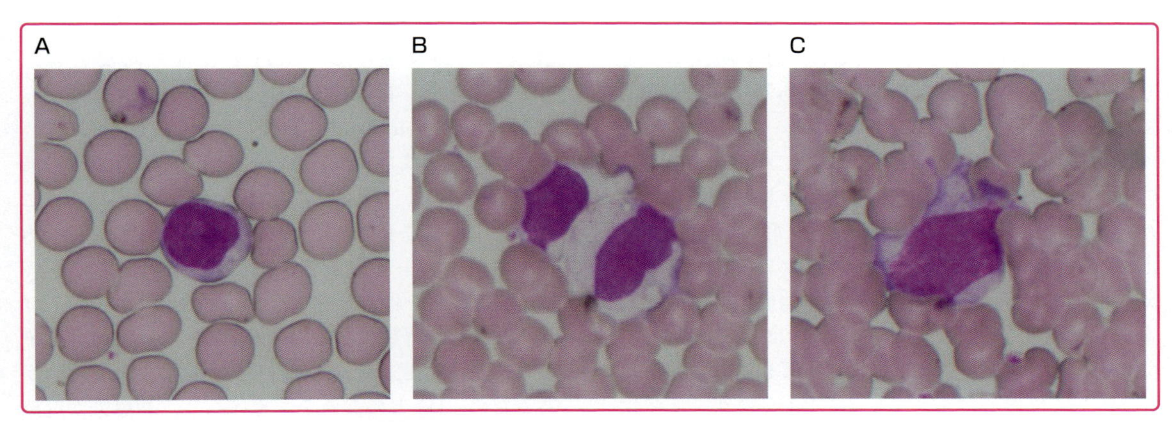

◆図1　EBV感染による伝染性単核症患者の異形リンパ球
大きさはさまざまで，核は円形（A），腎臓様（B），軽度分葉を認めるなど多彩な形状を示すことが特徴である．細胞質には顆粒は認めず，空胞を有することが多い（B, C）．Wright-Giemsa染色．
（著者経験例）

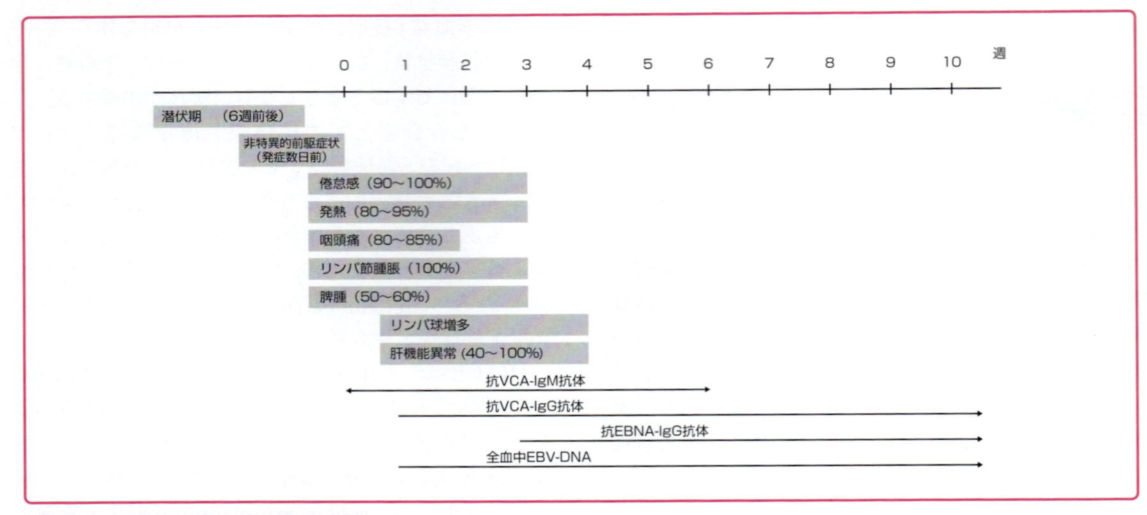

◆図２　伝染性単核症の臨床経過
症状などの期間はピークの時期を示し，頻度は%で示した．
［鈴宮淳司：伝染性単核症．血液専門医テキスト，第３版，日本血液学会（編），南江堂，p400，2019 および文献４を参考に著者作成］

3　診断・検査

前述の臨床所見に加え，初感染に特徴的な EBV 抗体である，抗 VCA-IgM 抗体，抗 EA 抗体，および抗 VCA-IgG 抗体（急性期では陰性のことがある）の検出と，既感染例で認められる抗 EBNA-1 抗体が陰性であることで診断される．以上に加え，異性との接触など，唾液の接触エピソードがあれば，診断は確定する．

IM 病変部の病理所見はリンパ節構造の破壊と異型性をもつリンパ球，特に，EBV 陽性 CD8 陽性細胞の浸潤を認める．これらはクローナルな増殖を認めることがあり，病理検査を行った場合，EBV 陽性 T 細胞リンパ腫と病理診断をされる場合があり，注意が必要である．

IM との鑑別が難しい疾患として，CAEBV がある．CAEBV は遷延する IM として 1978 年に最初に報告された疾患で，発熱，リンパ節腫脹，肝障害といった IM 様の炎症症状の遷延に加え，EBV に感染した T，NK 細胞の単クローン性の増殖を末梢血中に認める．進行し致死的となることから，現在は EBV 陽性 T，NK リンパ増殖症とされ，T もしくは NK 細胞腫瘍の１つとして位置づけられている．IM が遷延，重症化した場合，CAEBV との区別は難しい．特に，IM 急性期では，病変部への CD8 陽性細胞の浸潤と，その単クローン性の増殖，さらには CD8 陽性細胞への EBV の感染も認めることがある．CAEBV は進行する致死的疾患であり，免疫化学療法で病勢を抑えたのちに根治療法として造血幹細胞移植が行われる．臨床経過がまったく異なるため，慎重な診断が必要である．EBV は初感染か，既感染かが，鑑別に重要な点である．

4　治療と予後

EBV に有効な抗ウイルス薬はないため，治療の基本は安静と対症療法である．急性期には安静が望ましい．また，脾破裂の回避のため，脾腫が改善するまで激しい運動は避ける．HLH を合併した場合は，HLH-94 もしくは HLH-2004 プロトコールに準じ，ステロイド，etoposide，ciclosporin を使用する[6]．データの改善をみたら，etoposide，ステロイドの順に減量していく．明らかな免疫不全症のない場合，これらを中止しても再燃なく改善することが多い．一方で，コントロールの困難な HLH に末梢血中の EBV DNA の増加を伴う場合，免疫不全症，CAEBV，リンパ系腫瘍が背景にある場合がある．これらは化学療法の継続に加え，造血幹細胞移植が必要となる場合があるため，IM との診断を慎重に行う．初感染か既感染か，既感染の場合，感染細胞の種類が何かが，鑑別のポイントになる．

上記の重篤な合併症がなければ，ほとんどの症例は

2ヵ月以内に熱，肝障害は改善する．しかし，症状の改善後も疲労感，倦怠感が持続する例がある．IMは全身の炎症を伴う疾患であり，余裕をもった社会復帰が必要である．

■文 献■

1) Epstein MA et al: Lancet **1**:702, 1964
2) Henle G et al: Proc Natl Acad Sci USA **59**:94, 1968
3) Takeuchi K et al: Pathol Int **56**:112, 2006
4) Gross TG: Infectious Mononucleosis and Other Epstein-Barr Virus–Related Disorders, Wintrobe's Clinical Hematology, 12th ed, Lippincott Williams & Wilkins, 2009
5) Ishii E Front Pediatr. **4**:47, 2016
6) Bergsten E, et al: Blood **130**: 2728, 2017

5 血球貪食症候群

到達目標

- 血球貪食症候群（HPS）の症候・検査所見・分類・病態を理解し，適切な治療を選択できる

1 病因・病態・疫学

血球貪食症候群（hemophagocytic syndrome：HPS）は，血球貪食性リンパ組織球症（hemophagocytic lymphohistiocytosis：HLH）とも呼ばれる全身炎症性疾患である[1]．HPS/HLHの半数は1歳未満に発症し，1歳から29歳が25％を占める（胎児期を含め全年齢で生じうる）．小児例の男女比は1：1，成人例は男性がやや多い．遺伝性または遺伝子異常が証明できれば一次性（遺伝性）HPS/HLH，それ以外は二次性（散発性，後天性）HPS/HLHと診断される（**表1**）．

HPS/HLHの発症には通常「トリガー」がある．EBウイルスなどの感染症は，一次性，二次性を問わずHPS/HLHのトリガーになる．二次性は，HPS/HLHの原因自体がトリガーになりえる．一次性HPS/HLHでは，細胞傷害性T細胞（CTL）・NK細胞の細胞傷害活性に関連する遺伝子が多く同定されている．主に常染色体潜性遺伝（劣性遺伝）様式の家族性血球貪食症候群（familial HPS/HLH：FHL）では，機能不明の*FHL1*遺伝子異常など一部を除き，パーフォリン機能に関連した遺伝子異常が同定されている（**表1**）．一次性HPS/HLHは小児（多くは3ヵ月未満）に多い（**図1**）．成人HPS/HLHの多くは二次性（散発性，後天性）である．ただし，成人HPS/HLHの1割にパーフォリン機能に関連する遺伝子異常がみられたとの報告[2]があり，一次性HPS/HLHは過小評価されている可能性がある．

HPS/HLSでは，マクロファージ・CTL・NK細胞の異常活性化による高サイトカイン血症が，組織傷害・血球減少・凝固異常をきたすと考えられている．特にFHL（**図2**）では，微生物感染などがトリガーとなり活性化したマクロファージが，CTLとNK細胞を活性化する．その後，CTLとNK細胞は生体内の恒常性を保つためにマクロファージの細胞融解を試みるが，パーフォリン機能異常のため不完全に終わる．同時に，微生物などのトリガーも排除できない．活性化したマクロファージが血球など自己（宿主）細胞を貪食・融解し，**高サイトカイン血症**を助長，さらに感染症の悪化により，組織・臓器障害，血球減少，凝固障害が生じると推測されている．二次性HPS/HLHの一部でも，CTL・NK細胞の機能異常がみられ，同様の機序が推測される．若年性特発性関節炎など自己免疫疾患に関連するHPS/HLHは，**マクロファージ活性化症候群**（macrophage activation syndrome：MAS）と呼ばれ，Toll様受容体（toll-like receptor：TLR）刺激を介したマクロファージの活性化が報告されている．HPS/HLHにかかわる代表的サイトカインは，IFN-γ，TNF-α，IL-1，IL-2，IL-6，IL-8，IL-10，IL-12，IL-16，IL-18，M-CSF，sIL-2Rである．一部のサイトカインはHPS/HLH抑制的に作用すると考えられるが，よくわかっていない．なお，以前悪性組織球症（malignant histiocytosis：MH）と呼ばれていた疾患は，ほぼすべて悪性リンパ腫関連HPS/HLH（lymphoma-associated HPS/HLH：LAHS）であったと考えられている．

2 症候・身体所見

HPS/HLHの一般的な症候・身体所見は，発熱（>90％），肝腫大（>90％），脾腫（>90％），血球減少（>80％），リンパ節腫大（約30％），神経学症状（約30％）（痙攣，失調，髄膜刺激症状，興奮，筋緊張亢進または低下，脳神経麻痺，意識障害など），皮疹（約30％）である．さらに，高トリグリセライド血症，低フィブリノゲン血症を伴う凝固異常，トランスアミナーゼ上昇，LD上昇，高フェリチン血症，sIL-2R（soluble CD25）高値，急性呼吸促迫症候群（acute

◆表 1　HPS/HLH の分類

1.1　一次性（遺伝性）
　1.1.1　FHL：パーフォリン関連遺伝子異常　主に常染色体潜性遺伝（劣性遺伝）
　　1.1.1.1　*PRF1/FHL2* 異常
　　1.1.1.2　*UNC13D/Munc13-4/FHL3* 異常
　　1.1.1.3　*STX11/FHL4* 異常
　　1.1.1.4　*STXBP2/Munc18-2/FHL5* 異常
　　1.1.1.5　その他（機能不明の *FHL1* 異常など）
　1.1.2　免疫不全症候群
　　1.1.2.1　X 連鎖リンパ増殖性疾患（X-linked lymphoproliferative disorder: XLP）　伴性遺伝
　　1.1.2.2　2 型 Griscelli 症候群　*Rab27A* 異常
　　1.1.2.3　Chédiak-Higashi 症候群　*CHS1/LYST1* 異常
　　1.1.2.4　II 型 Hermansky-Pudlak 症候群　*AP3B1* 異常
　　1.1.2.5　XMEN 疾患　*MAGT1* 異常
　　1.1.2.6　インターロイキン 2 誘導性 T 細胞キナーゼ欠損症　*ITK* 異常
　　1.1.2.7　CD27 欠損症　*CD27*（*TNFRSF7*）異常
　　1.1.2.8　Lysinuric 蛋白質不耐症　*SLC7A7* 異常
　　1.1.2.9　慢性肉芽腫性疾患　NADPH 関連遺伝子異常
　　1.1.2.10　その他
1.2　二次性（散発性，後天性）
　1.2.1　感染症関連 HPS/HLH（IAHS）
　　1.2.1.1　ウイルス性（virus-associated HPS/HLH: VAHS）
　　　1.2.1.1.1　EBV（EBVAHS）
　　　1.2.1.1.2　HSV
　　　1.2.1.1.3　コクサッキー B
　　　1.2.1.1.4　HHV6
　　　1.2.1.1.5　CMV
　　　1.2.1.1.6　Adenovirus
　　　1.2.1.1.7　Parvovirus
　　　1.2.1.1.8　VZV
　　　1.2.1.1.9　Hepatitis A
　　　1.2.1.1.10　HIV
　　　1.2.1.1.11　Measles
　　　1.2.1.1.12　Influenza
　　　1.2.1.1.13　SARS-CoV-2
　　　1.2.1.1.14　その他
　　1.2.1.2　細菌性（bacterial-associated HPS/HLH: BAHS）（大腸菌，結核，ヒストプラズマなど）
　　1.2.1.3　真菌性（*Pneumocystis jirovecii* など）
　　1.2.1.4　その他（リケッチア，マラリアなど）
　1.2.2　基礎疾患を有する HPS/HLH
　　1.2.2.1　悪性腫瘍関連（malignancy-associated HPS/HLH: MAHS）
　　　1.2.2.1.1　悪性リンパ腫（lymphoma-associated HPS/HLH: LAHS）
　　　1.2.2.1.2　その他
　　1.2.2.2　自己免疫疾患関連（autoimmune-associated HPS/HLH: AAHS）/ マクロファージ活性化症候群（macrophage activation syndrome: MAS）
　　　1.2.2.2.1　若年性特発性関節リウマチ
　　　1.2.2.2.2　皮膚筋炎
　　　1.2.2.2.3　全身性硬化症
　　　1.2.2.2.4　混合性結合織疾患
　　　1.2.2.2.5　抗リン脂質抗体症候群
　　　1.2.2.2.6　Sjögren 症候群
　　　1.2.2.2.7　強直性脊椎炎
　　　1.2.2.2.8　血管炎（川崎病を含む）
　　　1.2.2.2.9　サルコイドーシス
　　　1.2.2.2.10　抗リン脂質抗体症候群
　　　1.2.2.2.11　その他
　　1.2.2.3　薬剤性
　　1.2.2.4　造血幹細胞移植後（post-HSCT）HPS/HLH
　　1.2.2.5　CAR-T 細胞療法後 HPS/HLH
　　1.2.2.6　その他

（文献 1，11 を参考に著者作成）

respiratory distress syndrome：ARDS)，皮疹，黄疸，浮腫，低ナトリウム血症，低アルブミン血症，NK細胞活性の低下または消失などがある．特にフェリチン値は診断価値が高く，HLH-94試験結果[3]によると，HPS/HLH患者の93％はフェリチン500以上，42％は5,000以上であった．特にフェリチン10,000以上は診断価値が高く，HPS/HLH診断の感受性90％，特異性96％と報告されている（小児）[4]．二次性HPS/HLSはこれに原疾患によるものが加わる．組織所見では，骨髄，肝臓，脾臓，リンパ節に，血球貪食像を伴う成熟組織球増加やリンパ球，およびマクロファージの増加がみられる．肝生検では，慢性持続性肝炎に類似した組織像（門脈周囲リンパ球浸潤を伴う肝炎像）がみられる．

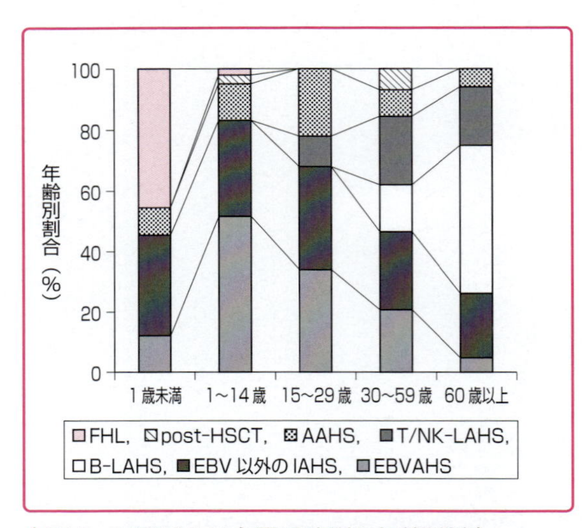

◆図1　HPS/HLH主要7病型の年齢別割合
（文献1より引用）

3 診断・検査

1）診断基準

HPS/HLHの診断基準はHistiocyte Society（https://histiocytesociety.org/）のHLH-2004[5]（**表2**）が汎用されてきたが，小児HPS/HLH診断を主眼にしているため，悪性腫瘍関連HPS/HLHを想定していない，高トリグリセライド血症・低フィブリノゲン血症は成人例で少ない，必要な項目数が多いといった問題があった．そこで，2009年にHLH-2004の改訂案[6]が発表された（**表3**）．この改訂案はHPS/HLHを速やかに診断できるので，臨床上の利便性が高い．なお，HPS/HLH発症直後は診断項目がそろわず，発症後晩期に診断基準を満たす場合もある．診断の遅れによる治療失敗を避けるため，臨床所見上HPS/HLHが強く疑われれば，診断基準を満たさずとも治療開始を検討してよい[5]．主な鑑別診断と除外のポイント（括弧内）を以下に示す：敗血症（フェリチンの持続上昇がない），自己免疫性リンパ増殖性疾患・血栓性血小板減少性紫斑病・溶血性尿毒症症候群（高フェリチン血症や重症肝障害は少ない），好酸球増多症と全身症状（DRESS症候群）（高フェリチン血症や血球減少は少ない）．

2）一次性・二次性の診断

臨床像や組織所見だけでは一次性・二次性HPS/HLHの区別は難しい．家族歴があれば一次性を疑う

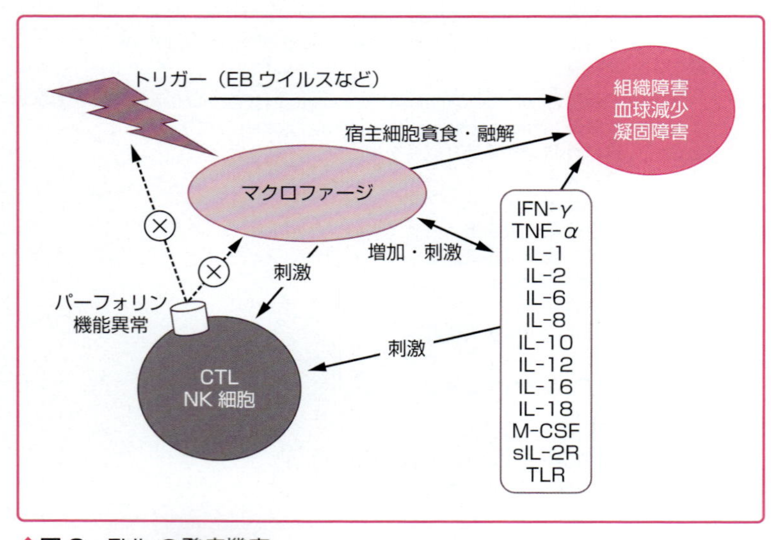

◆図2　FHLの発症機序

◆表2 HPS/HLH 診断基準（HLH-2004）

以下のいずれかを満たせば HPS/HLH と診断される
1.1 HPS/HLH に一致する分子診断が得られる
1.2 以下の8項目中5項目以上を満たす
1.2.1 発熱
1.2.2 脾腫
1.2.3 2系統以上の血球減少
1.2.3.1 ヘモグロビン 9 g/dL 未満（4週未満の乳児は 10 g/dL 未満）
1.2.3.2 血小板数 10万/μL 未満
1.2.3.3 好中球数 1,000/μL 未満
1.2.4 高トリグリセライド血症または/および低フィブリノゲン血症
1.2.4.1 空腹時トリグリセライド 265 mg/dL 以上
1.2.4.2 フィブリノゲン 150 mg/dL 以下
1.2.5 骨髄または脾臓またはリンパ節における血球貪食像，悪性腫瘍がない
1.2.6 NK 細胞活性の低下または消失
1.2.7 フェリチン 500 μg/L 以上
1.2.8 可溶性 IL-2 レセプター 2,400 U/mL 以上
付　記
1.1 発症時に血球貪食が明らかでなければ，さらに検索を進める．骨髄所見陰性の場合，他臓器の生検や経時的な骨髄穿刺検査を考慮する．
1.2 以下の所見は診断を強く支持する：髄液細胞増加（単核球）および/または髄液蛋白増加，肝生検上慢持続性肝炎に類似した組織所見
1.3 以下の所見は診断を支持する：脳・髄膜症状，リンパ節腫脹，黄疸，浮腫，皮疹，肝酵素異常，低蛋白血症，低ナトリウム血症，VLDL 増加，HDL 低下

VLDL：超低密度リポ蛋白，HDL：高密度リポ蛋白
（文献5を参考に著者作成）

◆表3 HPS/HLH 診断基準（HLH-2004 改訂案）（2009年）

以下のいずれかを満たせば HPS/HLH と診断される
1.1 HPS/HLH または XLP の分子診断が得られる
1.2 Aの4項目中3項目以上，Bの4項目中1項目以上を満たす．C項目は HPS/HLH 診断を支持する
1.2.1 A項目
1.2.1.1 発熱
1.2.1.2 脾腫
1.2.1.3 2系統以上の血球減少
1.2.1.4 肝炎様所見
1.2.2 B項目
1.2.2.1 血球貪食像
1.2.2.2 フェリチン上昇
1.2.2.3 可溶性 IL-2R 上昇
1.2.2.4 NK 細胞活性の低下または消失
1.2.3 C項目
1.2.3.1 高トリグリセライド血症
1.2.3.2 低フィブリノゲン血症
1.2.3.3 低ナトリウム血症

（文献6を参考に著者作成）

が，FHL は常染色体劣性遺伝が多く，家族歴が不明の場合も多い．また，遺伝子検査は時間を要する．そこで，発症年齢からある程度原疾患を推定する．全国調査[1]では，1歳未満の HPS/HLH は FHL と感染症関連 HPS/HLH（infection-associated HPS/HLH：IAHS）が多かった（**図1**）．若年例は EBV 感染を中心に IAHS が多く，年齢が高まるにつれ LAHS 割合が増加する．

3）一次性 HPS/HLH

FHL ではパーフォリン関連異常がみられ［機能不明の *FHL1* 遺伝子（9q21.3-q22）異常を除く］，結果として CTL・NK 細胞の細胞傷害活性が欠失する（**表1**）．代表的な変異遺伝子は，*PRF1*（10q21），*UNC13D/MUNC13-4* 遺伝子（17q25），*STXBP2/MUNC18-2* 遺伝子である（**表1**）．X 連鎖リンパ増殖症（X-linked lymphoproliferative disease：XLP）や

2型Griscelli症候群，Chédiak-Higashi症候群などの免疫不全症候群も一次性HPS/HLHをきたす．

4）EBV関連HPS/HLH（EBVAHS）

EBV関連HPS/HLH（EBV-associated HPS/HLH：EBVAHS）は全年齢層でみられる（**図1**）．EBVAHSの一部は自然軽快するが，急激に致死的経過をたどることもある．EBVAHSに対しては，*in situ* hybridization法やPCR法，サザンブロット法（クローナリティの決定）などのEBVゲノムの検索を可能な限り早めに行う．

5）悪性リンパ腫関連HPS/HLH（LAHS）

成人HPS/HLHの多くは血液がんを基礎疾患として発症する[7,8]．特にLAHSが半分以上を占める．中でも，血管内リンパ腫（アジア亜型）などB細胞リンパ腫はリンパ節腫脹がない場合も多く，診断に苦慮することが多い．骨髄や採取組織は，免疫グロブリン・T細胞レセプター遺伝子再構成，フローサイトメトリー解析などのクローナリティの検索を積極的に行い，診断の補助とする．診断のため，ランダム皮膚生検[9]や経気管支肺生検を考慮する．

6）HPS/HLHの中枢神経病変

HPS/HLHでは，痙攣や意識障害，髄膜刺激症状といった神経症状が唯一の症状のこともある．HPS/HLH発症直後は脳脊髄液検査や頭部MRI検査が陰性所見を示すことも多く，検査正常でも中枢神経病変は否定できない．さらに，HPS/HLHは凝固異常を伴いやすく，脳脊髄液採取が実施困難な場合も多い．無症候性の中枢神経病変を念頭に，症状の有無にかかわらず頭部MRI検査は急性散在性脳脊髄炎や血管炎との鑑別に有用性である．ただし，成人HPS/HLHと中枢神経病変との関連に関してまとまった報告は少ない．

4 治療と予後

1）小児HPS/HLHの治療

HPS/HLH治療は，活性化マクロファージ・組織球対策（etoposide，副腎皮質ステロイド，免疫グロブリン大量）と，活性化T細胞対策（副腎皮質ステロイド，ciclosporine，抗胸腺細胞グロブリン）からなる．二次性HPS/HLHの場合，感染症などの原疾患の治療も必要である．中枢神経病変を有する場合，methotrexateの髄注を考慮する．特に中枢神経症状を有する場合，ステロイドとともに，中枢神経症状と脳脊髄液所見が改善するまで週に1回の髄注が推奨される．その際，高血圧の合併やciclosporineの使用で可逆性後頭葉白質脳症が起こりやすくなるので注意する．血圧の管理は特に重要である．なお，潜在的な中枢神経病変が常に否定できないので，HPS/HLHでは，血液脳関門の通過を考慮し，prednisoloneよりdexamethasoneが推奨される[1]．化学療法不応か再発，またはFHLの場合，化学療法だけで長期生存は期待できないので，引き続き同種造血幹細胞移植を計画する（ドナーソース，血縁・非血縁は問わない）．以前，FHLの平均生存期間は2ヵ月に満たなかった[5]が，同種造血幹細胞移植を積極的に行うことで改善している[1,3,10]．大規模国際試験（HLH-94プロトコール：etoposide ＋ ciclosporine ＋ dexamethasone ＋ methotrexateの髄注，症例によってはその後同種造血幹細胞移植）の結果[3]，全体の5年生存率は54％（同種造血幹細胞移植例は66％）であった．HLH-94よりciclosporineの導入を早め，髄注にdexamethasoneを加えたHLH-2004[10]では，5年生存率61％（同種造血幹細胞移植例は66％）と良好であったが，HLH-94の成績を凌駕するには至らなかった．全身性若年性特発性関節炎（systemic form of juvenile idiopathic arthritis：sJIA）など自己免疫疾患に関連して起こるHPS/HLH/MASは，ステロイド単独療法で改善する場合も多い．

2）成人HPS/HLHの治療

成人HPS/HLHは通常二次性に起こるため，原因疾患の診断・治療がより重要となる．薬剤性が疑われる場合は原因薬剤を中止する．悪性腫瘍関連血球貪食症候群（malignancy-associated HPS/HLH：MAHS）は原疾患の治療を優先する．急激に進行する場合（特にEBVAHS）などでは，小児HPS/HLHに準じた化学療法を行ってもよい．EBV以外の感染症や自己免疫疾患などの非腫瘍性の場合は，全身状態が落ち着いていれば，原因疾患の治療のみで改善することも多い．高サイトカイン血症による臓器障害予防に，副腎皮質ステロイドの先行投与や血漿交換などが試みられているが，有効性は不明である．T/NK細胞性は比較的若年層に多く（**図1**），全体に予後不良である[1]．LAHSが疑われ全身状態が急激に悪化する場合は，組織診が得られる前に，臨床診断だけで抗がん薬治療を開始してよい．

文　献

1）Ishii E et al: Int J Hematol **86**:58, 2007
2）Zhang K et al: Blood **118**:5794, 2011
3）Trottestam H et al: Blood **118**:4577, 2011
4）Allen CE et al: Pediatr Blood Cancer **50**:1227, 2008

ADVANCED

■Optimized HLH inflammatory（OHI）index■

悪性腫瘍関連 HPS/HLH に関して，わが国を含む国際研究により，sIL-2R（>3,900 U/mL）とフェリチン（>1,000 ng/mL）からなる OHI index が診断と予後予測に有用と報告された[8]．2 項目陽性の診断感度 84％，診断特異度 81％であった．

5）Henter JI et al: Blood Cancer **48**:124, 2007
6）Filipovich AH: Hematology Am Soc Hematol Educ Program **2009**:127, 2009
7）Setiadi A et al: Lancet Haematol **9**:e217, 2022
8）Zoref-Lorenz A et al: Blood **139**:1098, 2022
9）Asada N et al: Mayo Clin Proc **82**:1525, 2007
10）Bergsten E et al: Blood **130**:2728, 2017

1 血管障害による出血性疾患：血管性紫斑病

到達目標

- 血管障害に起因する紫斑の鑑別診断ができる

1 血管性紫斑病の分類

紫斑は赤血球が血管外に漏出してできる．紫斑は大きさにより，点状出血（petechia；1～5 mm），斑状出血（ecchymosis；数cm以内），などに分けられる．紫斑と鑑別すべきものとして，紅斑，毛細血管拡張，血管腫などが挙げられる．視診のみでは鑑別が困難であるが，透明なスライドガラスで圧迫することにより紅斑，毛細血管拡張は退色するが紫斑は退色しないことから鑑別が可能である．

血管性紫斑病は血小板や凝固系の異常を伴わず血管壁の障害により紫斑を生じるもので，種々の原因が知られている（**表1**）．紫斑がみられ，血小板数および凝固系のスクリーニング検査で異常がない場合に血管性紫斑病が疑われる．

2 血管構造の奇形による血管性紫斑病

1）遺伝性出血性毛細血管拡張症（Osler-Weber-Rendu症候群）[1]

鼻出血，舌・口腔粘膜・指・鼻の末梢血管拡張，内臓病変（胃腸末梢血管拡張，肺，肝，脳，脊髄動静脈奇形），などがみられる常染色体顕性遺伝（優性遺伝）の疾患である．

現在までに，責任遺伝子として*ENG*（*Endoglin*），*ACVRL1*（*ALK1*），*SMAD4*の3つが確認されており，その他の責任遺伝子の存在も推定されている．

鼻出血に対しては圧迫法，レーザー焼灼療法，鼻粘膜皮膚置換術が行われ，肝臓以外の臓器の血管奇形に対しては血管塞栓術が行われる．

2）Kasabach-Merritt症候群

出生時から存在する，あるいは乳児，幼児時期に増大するKaposi型血管内皮腫あるいは房状血管腫の病

◆表1 血管性紫斑病の分類

1. 血管構造の奇形
   - a. 遺伝性出血性毛細血管拡張症（Osler-Weber-Rendu症候群）
   - b. Kasabach-Merritt症候群
   - c. 種々の血管奇形（動静脈奇形を含む）
2. 血管周囲結合織の異常
   - a. Ehlers-Danlos症候群
   - b. Marfan症候群
   - c. 骨形成不全症
   - d. 壊血病
   - e. 老人性紫斑
3. 血管炎
   - a. ANCA関連血管炎
     - 顕微鏡的多発血管炎
     - 多発性血管炎性肉芽腫症
     - 好酸球性多発血管炎性肉芽腫症
   - b. 免疫複合体性小型血管炎
     - クリオグロブリン血症性血管炎
     - IgA血管炎
   - c. 単一臓器血管炎
     - 皮膚白血球破砕性血管炎

変部において，凝固系が亢進，局所の播種性血管内凝固を起こす．その結果，血小板や凝固因子が局所で消費されて低下し，全身性の出血傾向や血液凝固障害が出現して斑状出血がみられる．四肢に好発し，頭頸部や体幹，内臓にも発症する．遺伝性はない．

3 血管周囲結合組織の異常による血管性紫斑病

1）Ehlers-Danlos 症候群[2)]

Ehlers-Danlos 症候群（Ehlers-Danlos syndrome：EDS）は，全身的な結合組織の脆弱性を示す遺伝性疾患である．6つの主病型（古典型，関節型，血管型，後側弯型，多発関節弛緩型，皮膚脆弱型）に分類されている．コラーゲン分子またはコラーゲン成熟過程に関与する酵素の遺伝子変異に起因する疾患であり，古典型ではV型コラーゲン（*COL5A1*，*COL5A2*），血管型 EDS ではⅢ型コラーゲン（*COL3A1*），後側弯型 EDS ではコラーゲン修飾酵素リジルヒドロキシラーゼ（*PLOD*），多発関節弛緩型 EDS ではⅠ型コラーゲン（*COL1A1*，*COL1A2*），皮膚脆弱型はプロコラーゲンⅠ N-プロテイナーゼ（*ADAMTS2*）の遺伝子変異がみられる．病型により皮膚の過進展，多発性斑状出血，関節の過進展，などの症状がみられる．血管型では動脈，腸管，子宮の脆弱性がみられ，動脈瘤や動脈解離が先行することもある．血管型では若年で死亡することも多く予後は不良であるが，その他の病型の予後は良好である．

2）Marfan 症候群

大動脈，骨格，眼，肺，皮膚，硬膜など全身の結合組織が脆弱になる常染色体顕性遺伝の疾患である．原因遺伝子としてはフィブリン1，TGFβ 受容体1，2が判明している．主な症状は，大動脈弁不全症，大動脈解離などの循環器症状，側弯等の骨格変異，水晶体亜脱臼，自然気胸などであり，易出血性もみられる．長身で四肢が長く，くも状指を伴う．

3）壊血病

ビタミンC欠乏によりコラーゲンの脆弱化および三重らせん構造の異常を生じ，血管の脆弱化や創傷治癒の遅延をきたす．

4）老人性紫斑

前腕の伸側，手背などに誘因なく紫斑が出現する．年齢に伴う皮膚の菲薄化皮下脂肪の減少，コラーゲン線維の変化などが原因と考えられている．特に治療は必要としない．

4 血管炎に伴う血管性紫斑病

1）血管炎の分類

血管炎には，罹患する血管の大きさに基づいて大型血管炎（高安病など），中型血管炎（結節性多発動脈炎など），小型血管炎（IgA 血管炎など），さらに多様な血管を侵す血管炎（Behçet 病など），単一臓器血管炎，全身性疾患関連血管炎，推定病因を有する血管炎がある．紫斑の原因となるのは主に小型血管炎であり，小型血管炎は ANCA（抗好中球細胞質抗体）が陽性となる ANCA 関連血管炎と，免疫複合体性小型血管炎に分類される[3,4)]．

2）ANCA 関連血管炎

a）顕微鏡的多発血管炎（MPA）

MPA では主に毛細血管，細静脈，細動脈などの小血管に壊死性血管炎がみられる．他の ANCA 関連血管炎と異なり，肉芽種性炎症はみられない．患者の平均年齢は約 70 歳と高齢者に多い疾患であり，女性にやや多い．発熱，全身倦怠感，体重減少などの全身症状がみられ，皮膚症状では紫斑，皮下結節などがみられる．その他の臓器症状としては壊死性糸球体腎炎，肺胞出血，梗塞や出血に伴う中枢神経症状などがみられる．症状，組織所見，MPO-ANCA（ミエロペルオキシダーゼに対する ANCA）陽性などの検査所見から診断する．治療は副腎皮質ステロイド，rituximab を含む免疫抑制薬などである．

b）多発性血管炎性肉芽腫症（GPA）

GPA は，かつては Wegener 肉芽腫症と呼ばれていた．上気道および肺の壊死性肉芽腫病変，腎臓の巣状分節性壊死性糸球体腎炎，全身の中・小型動脈の壊死性血管炎を特徴とする疾患である．好発年齢は 40～60 歳であり，女性にやや多い．C-ANCA（細胞質型抗好中球細胞質抗体）が高率に陽性になる．全身症状，鼻咽頭症状，血痰など肺症状，血尿など腎症状に加え，紫斑，関節炎などの症状もみられる．治療は副腎皮質ステロイド，cyclophosphamide などである．

c）好酸球性多発血管炎性肉芽腫症（EGPA）

EGPA は，かつては Churg-Strauss 症候群と呼ばれていた．気管支喘息，末梢血中の好酸球増加，おもに中・小型動脈の壊死性および壊死性肉芽腫性血管炎または血管外肉芽腫がみられる疾患である．好発年齢は 40～60 歳であり，女性にやや多い．MPO-ANCA が 40～50％で陽性となる．気管支喘息などのアレルギー症状が先行した後に全身症状，多発神経炎症状，紫斑などの血管炎症状が出現する．さらに腎症状，循環器症状，消化器症状など多彩な症状がみられる．副腎皮質ステロイドが治療の主体であり，免疫抑制薬も用いられる．

3）免疫複合体性小型血管炎

免疫複合体性小型血管炎には，抗糸球体基底膜病（抗GBM病），クリオグロブリン血症性血管炎，Ig A血管炎（Henoch-Schönlein紫斑病），低補体血症性蕁麻疹様血管炎（抗C1q血管炎）が含まれる．本稿では皮膚症状として紫斑を呈することの多いクリオグロブリン血症性血管炎，Ig A血管炎について解説する．

a）クリオグロブリン血症性血管炎

クリオグロブリンは，免疫グロブリンと補体成分で構成されており，低温では沈降，37℃で溶解する蛋白質である．クリオグロブリンには，リンパ増殖性疾患でみられる単クローンの免疫グロブリンで構成されるⅠ型，本態性クリオグロブリン血症，C型肝炎，膠原病，ウイルス感染などでみられる単クローン（多くはIgM）のリウマトイド因子と多クローンの免疫グロブリンで構成されるⅡ型，多クローンのリウマトイド因子と多クローンの免疫グロブリンで構成されるⅢ型がある．Ⅰ型は微小血栓を形成する．Ⅱ型，Ⅲ型は血管壁に沈着して壊死性血管炎を起こす．患者の平均年齢は50歳，皮疹はほぼ全例でみられ，関節痛，腎症状を呈することもある．寒冷暴露に関連して発症する血管炎症状をみたらクリオグロブリンを測定するとともに，原因疾患の検索を行う．治療は寒冷暴露を避けて保温をする．臓器障害が進行する症例では原因疾患にかかわらず，副腎皮質ステロイド，免疫抑制薬投与を行うとともに，続発性の場合には原病の治療も行う．

b）Ig A血管炎（Henoch-Schönlein紫斑病）

IgA血管炎は，かつてはHenoch-Schönlein紫斑病と呼ばれていた．主に小児にみられる疾患であり好発年齢は3～10歳，男児に多い傾向がある．小児では半数程度で上気道感染が先行するが，成人発症例では感染が先行することは少ない．紫斑などの皮膚症状，関節症状，腹痛・下血などの腹部症状，腎症などの症状がみられる．発症機序は明らかではないが，血清IgA高値，IgA型免疫複合体，抗IgA自己抗体の存在からIgAの関与する自己免疫疾患と考えられている．組織所見では小血管周囲の多核白血球を中心とした炎症性細胞浸潤，および血管壁へのIgAを中心とした免疫複合体の沈着がみられる．腎生検の組織では糸球体メサンギウム領域にIgA，C3の沈着がみられるとともに，糸球体形蹄壁へのIgA沈着がみられることもある．紫斑は90％以上の症例でみられ，左右対称的で，下腹部，殿部，四肢伸側部にみられる．関節症状は75％，腹部症状は半数以上でみられる．一過性の顕微鏡的血尿が40％の症例でみられ，血尿，蛋白尿を伴う症例はそのうち2/3，小児の約5％，成人の13～14％で慢性糸球体腎炎から腎不全に移行する．腎外症状に対しては特別な治療法はなく安静，対症療法を行う．腹部症状が強い症例では第ⅩⅢ因子が低下していることがあり，第ⅩⅢ因子補充療法が行われることもある．中等度以上の腎障害を呈する症例では腎生検を施行，重症度に応じてmethylprednisoloneのパルス療法を含む副腎皮質ステロイド治療，免疫抑制薬投与が行われる．

4）単一臓器血管炎

単一臓器血管炎は，単一臓器に血管炎がみられる疾患であり，皮膚白血球破砕性血管炎，皮膚動脈炎，原発性中枢神経系血管炎，限局性大動脈炎が含まれる．本稿では皮膚症状として紫斑がみられる皮膚白血球破砕性血管炎について解説する．

a）皮膚白血球破砕性血管炎

小型血管炎のいずれでも下腿を中心に「触知できる紫斑」が出現する．病理学的にはいずれも真皮の細動脈，毛細血管の血管炎である．生検により小型血管炎の所見がみられて，他に腎症状，全身の血管炎症状などがみられず皮膚に限局して紫斑などの症状がみられるものを皮膚白血球破砕性血管炎と診断する．特別な治療は行わず，経過を観察する．

■文　献■

1）難病情報センター：オスラー病（指定難病227）（https://www.nanbyou.or.jp/entry/4352）（最終確認：2023年3月16日）
2）難病情報センター：エーラス・ダンロス症候群（指定難病168）（https://www.nanbyou.or.jp/entry/4802）（最終確認：2023年3月16日）
3）Jennette JC et al: Arthritis Rheum **65**: 1, 2013
4）磯部光章ほか：血管炎症候群の診療ガイドライン 2017年改訂版，2018

2 免疫性血小板減少症（特発性血小板減少性紫斑病）

到達目標

- 免疫性血小板減少症の病態を理解し，適切な治療を選択できる
- 観血的処置・手術時に推奨される血小板数を理解する
- ITP 合併妊娠と周産期管理に対応することができる

1 病因・病態・疫学

1）病　因

免疫性血小板減少症（immune thrombocytopenia：ITP）は国の指定難病であり，これまで特発性血小板減少性紫斑病と呼ばれてきた[1]．後天性の自己免疫性疾患であり，血小板に対する自己抗体が原因で血小板数が10万 /μL 未満に減少する．海外では原因が不明のものを特発性（primary ITP），基礎疾患があれば二次性 ITP として扱う[2]．

2）病　態

血小板に対する自己抗体が脾臓の網内系細胞による血小板の破壊を亢進する．なお，補体と細胞傷害性 T 細胞も血小板の減少に関与する．血小板に対する自己抗体は巨核球の増殖と分化を阻害し，血小板数が減少する．抗血小板抗体は主に血小板表面にある CD41/CD61（フィブリノゲン受容体），一部は CD42b（von Willebrand 因子受容体）抗原を標的とする．二次性 ITP の原因として，薬剤性，膠原病（全身性エリテマトーデス，抗リン脂質抗体症候群など），リンパ系腫瘍，ウイルス感染症（HIV，肝炎ウイルス，サイトメガロウイルスなど）がある．

3）疫　学

指定難病の医療受給者証の発行数から国内の患者は約 25,000 人とされる[1,3]．年間に新規患者は人口 10 万人あたり約 2 人と推計される．6 歳以下の小児，20 ～ 34 歳の女性と高齢者に好発する．成人 ITP は女性が男性より約 3 倍多い．

診断された時期により，新規診断（診断から 3 ヵ月以内），持続性（3 ～ 12 ヵ月），慢性（12 ヵ月以上）に分類される．

2 症候・身体所見

血小板数が 10 万 /μL 未満に低下するが，軽症であれば皮下出血を認めないことがある[1,3]．血小板 5 万 /μL 以下になると，手足に打撲後の紫斑を認める．血小板が 3 万 /μL 以下になると，紫斑，点状出血が出やすくなる．血小板数が 1 万 /μL 以下になると，口腔内出血，不正性器出血，全身の皮下出血を認め，まれに致死的になりえる深部出血（脳，肺，消化管）を合併する．ITP 患者における致死的な脳出血の頻度は成人の約 1%，小児の約 0.4% とされる[1,3]．なお，月経がある女性は子宮筋腫や子宮内膜症があると月経過多による鉄欠乏性貧血が悪化しやすい．血小板関連 IgG（platelet-associated IgG：PAIgG）の感度は高いが，他の疾患でも陽性になることが多く，特異度は低い．

3 診断・検査

ITP の診断は除外診断に基づく．血小板数が 10 万 /μL 未満に低下し，原則として白血球と赤血球に異常を認めない．なお，女性では血小板減少による過多月経による鉄欠乏性貧血を合併することがある．小児では先天性血小板減少症を否定するため，家族歴を丁寧に聴取し，聴力障害，骨格異常などの所見がないか診察をする．

末梢血の塗抹標本を丁寧に観察し，血小板の凝集塊があれば偽性血小板減少症を疑う．抗凝固剤を EDTA からクエン酸に変更して，血小板数が正常になれば，偽性血小板減少症と診断する．巨大血小板を認める場合は MYH9 異常症（別名：May-Hegglin 異常）や Bernard-Soulier 症候群を疑う．破砕赤血球があれば，

血栓性血小板減少性紫斑病と播種性血管内凝固（DIC）を鑑別診断に挙げる．

骨髄検査は全例に行う必要はない[1,3]．小児患者の場合，急性白血病を否定するために骨髄検査を行うことが多い．成人患者の場合，高齢で骨髄異形成症候群，急性白血病などの造血器悪性腫瘍，再生不良性貧血を否定する必要がある場合に行う．標準的治療である副腎皮質ステロイドなどが無効で，侵襲性が高い脾臓摘出術を検討する場合にも行う．

網状血小板比率（reticulated platelet）と自動血球測定装置で測れる幼弱血小板分画比率（immature platelet fraction：IPF）は，ITP患者で高値を示すことが多いが，国際的に標準化されていないため補助診断として用いる[1]．なお，血漿トロンボポエチン濃度は再生不良性貧血で高値を示し，ITPでは正常または軽度高値となり，鑑別診断に有効とされるが，体外診断薬は薬事承認されていない（令和5年5月現在）．

4 治療と予後

慢性ITP患者に対する治療の目標は血小板数を正常化することではなく，重篤な出血を予防する血小板数（通常，3万/μL以上）を維持することである[1,3]．血小板数の正常化を目標に副腎皮質ステロイドを長期に大量に投与して，多彩な副作用により生活の質（quality of life：QOL）が低下することは避けるべきである．

小児患者の9割は約半年以内に自然軽快することが多い[3]．一方，成人患者の9割は慢性となる．成人ITPと診断された場合，*Helicobacter pylori*（*H.pylori*）の除菌療法と，一次治療として副腎皮質ステロイドが推奨される．副腎皮質ステロイドが無効，または副作用が強い場合，二次治療としてトロンボポエチン受容体作動薬，抗CD20抗体rituximab，脾臓摘出術，脾臓チロシンキナーゼ阻害薬がある（**図1**）．また，緊急時の治療として免疫グロブリン大量療法，血小板輸血，ステロイドパルス療法がある[1,2]．

1）*H.pylori* 除菌療法

H.pylori に感染している成人患者の除菌療法が成功すると約60％に血小板数の増加を期待できる．患者は血小板数が減少しているため侵襲性がある胃内視鏡検査を避け，代わりに尿素呼気試験，便中 *H.pylori* 抗原検査，血中 *H.pylori* IgG抗体検査を用いる．一次除菌が無効でも二次除菌に成功すれば血小板が増えることが知られている．除菌療法の効果判定には尿素呼気試験を用いる．なお，小児患者に対する *H.pylori* 除菌療法の有効性は確立していない．

2）副腎皮質ステロイド

初回治療としてはprednisolone 1 mg/kg/日を2～4週間かけて血小板数が増加するまで内服する．その後，8～12週かけてprednisolone を10 mg/日以下に漸減する．米国血液学会のガイドラインでは6週

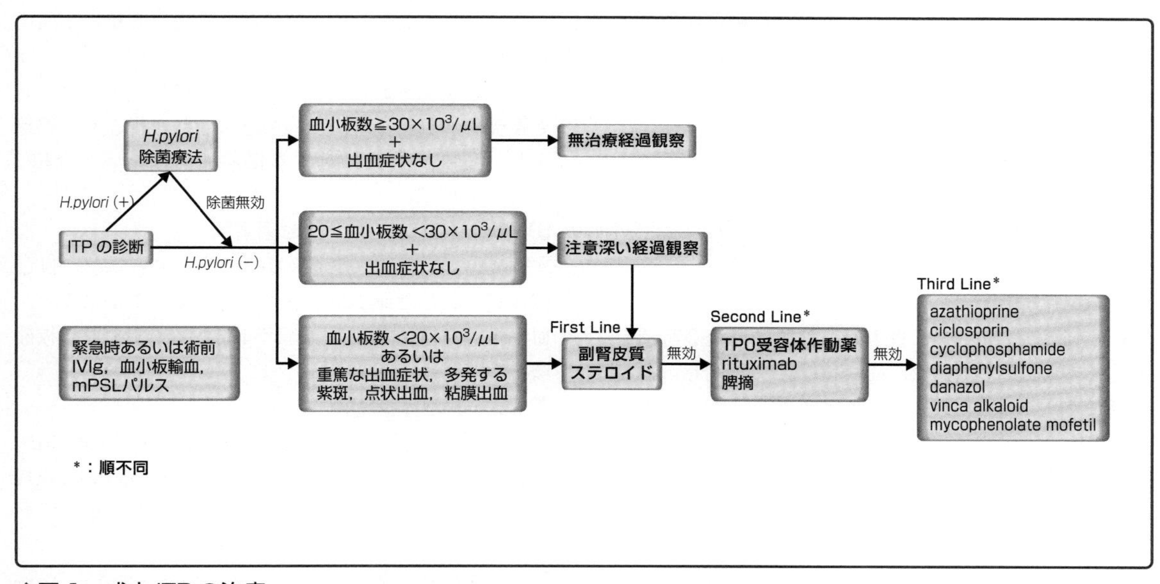

◆図1 成人ITPの治療
（文献1の図1より許諾を得て改変し転載）

以内に prednisolone を漸減中止することが推奨されている．なお，高齢者，もしくは糖尿病の合併がある場合，副作用を減らすため prednisolone の開始用量を 0.5 mg/kg/ 日に半減する．副腎皮質ステロイドを長期に大量に投与すると，高血圧，糖尿病，不眠症，気分障害，体重増加，胃潰瘍，感染症，骨粗鬆症など，多彩な副作用を合併する．

Dexamethasone によるパルス療法（1 日 40 mg，4 日間の内服．適応外）の有効性は prednisolone より早期に血小板数が増加するとの報告もあるが，prednisolone より有効とするエビデンスは乏しいため，国内のガイドラインでは prednisolone が推奨されている．

副腎皮質ステロイド投与による日和見感染症（ニューモシスチス肺炎，細菌感染，真菌感染），帯状疱疹，B 型肝炎の再活性化にも留意する．

3）トロンボポエチン受容体作動薬

巨核球造血因子トロンボポエチンの受容体は造血幹細胞，巨核球と血小板に発現する．トロンボポエチン受容体作動薬を投与すると約 2 週間後に血小板数が増加する．内服薬 eltrombopag と注射薬 romiplostim の 2 種類があり，どちらも有効性は約 8 割と高い．トロンボポエチン受容体作動薬は血小板数 5 万～ 20 万 /μL を目標に用量を調整する．トロンボポエチン受容体作動薬を中止すると約 2 週間後に血小板が急激に減少するため，注意を要する．なお，血栓症の既往あるいは抗リン脂質抗体陽性の患者はトロンボポエチン受容体作動薬による血栓症を合併するリスクが高いため，可能であれば rituximab など免疫抑制療法を優先する．欧米では 1 歳以上の患者に eltrombopag と romiplostim が承認されているが，国内では成人患者のみに適応がある．

a）romiplostim

1 回 1 ～ 10 μg/kg，週 1 回，皮下注射．初回は 1 μg/kg から開始して，血小板数に応じて投与量を適宜増減する．

b）eltrombopag

1 回 12.5 ～ 50 mg，1 日 1 回，食事の前後 2 時間を避けて空腹時に内服する．12.5 mg から開始し，血小板数に応じて最高 50 mg まで増量する．鉄，カルシウム，マグネシウム，亜鉛など 2 価のイオンを含む製剤と併用すると薬効が減弱する．

4）rituximab

抗 CD20 モノクローナル抗体製剤 rituximab は日本人の再発・難治性の慢性 ITP 成人患者を対象にした Phase 2 医師主導治験により薬事承認された[4]．Rituximab は 1 回 375 mg/m^2 を週 1 回，4 週間にわたり点滴静注する．系統的レビューと複数の臨床試験によると有効性は約 6 割と高いが，約 2 年以内に半数が再発する．再発時に rituximab を再投与しても血小板の増加を期待できる．

Rituximab の主な副作用としてインフュージョン・リアクションがある．前投薬として抗ヒスタミン薬と解熱鎮痛薬，必要に応じて副腎皮質ステロイドを併用する．HBV キャリアまたは HBV 既感染の患者に rituximab を投与すると HBV の再活性化が起きて劇症化する恐れがある．Rituximab を投与する前に HBs 抗原，HBc 抗体などを調べて陽性であれば HBV PCR 検査を行い，「免疫抑制・化学療法により発症する B 型肝炎対策ガイドライン」を参考に HBV ウイルス治療薬の予防投与を行う．なお，rituximab 投与から半年間，ニューモシスチス肺炎の予防として，ST 合剤を投与する．

5）脾臓摘出術

ITP 患者の血小板の破壊は主に脾臓で行われる．脾臓摘出術により血小板破壊と自己抗体の産生が抑制され血小板が増加する．小児患者の約 9 割は自然寛解するため，侵襲性が高い脾臓摘出術を行うことは重症例を除き，きわめてまれである[3]．成人患者の約 1 割も自然寛解することがあるため，手術を行う場合は診断から少なくとも半年または 1 年以降が多い．脾摘の有効率は約 7 割と高いが，周術期の合併症として発熱，腹痛，感染症と出血などがある．術後の長期合併症として，門脈血栓症，肺炎球菌感染症による劇症化が知られている．このため，脾摘前と術後は 5 年に 1 回，肺炎球菌ワクチンを定期投与することが望ましい．海外では髄膜炎菌とインフルエンザ菌に対するワクチンも推奨されているが，国内の感染者数が少なく，脾摘を受ける ITP 患者に対する保険適用はない（令和 5 年 5 月現在）．

6）脾臓チロシンキナーゼ阻害薬

Fostamatinib は，脾臓のマクロファージが，自己抗体が付着した血小板の貪食を抑制することにより，血小板数を増加させる．経口可能な初めての血小板破壊抑制薬．

7）サードライン治療

免疫抑制作用のある azathioprine，ciclosporin，cyclophosphamide，danazol，mycophenolate mofetil などがあるが，国内ではすべて適応外である[1,3]．

8）緊急時の治療

血小板数が 1 万 /μL 以下に低下して，消化管出血，脳出血など生命を脅かす出血の危険性がある患者，または手術を行う必要がある場合，止血のために血小板を速やかに増やす必要がある．治療法として，免疫グロブリン大量療法，ステロイドパルス療法と血小板輸血がある[1-3]．

a）免疫グロブリン大量療法

成人には1回0.4 g/kgを1日1回，5日間投与する．小児には1回1 g，1日1回，1～2日間を投与する（適応外の用法・用量）．投与開始から数日で血小板が増加し有効性は約8割と高いが，治療効果は約2週間と短い．なお，投与中にアナフィラキシーショックを起こすことがあり注意を要する．

b）ステロイドパルス療法

成人にはmethylprednisolone 1回1 gを1日1回，3日間，点滴静注する．約8割の患者において，投与開始から数日後に血小板数が増加する．高齢または基礎疾患がある場合，多彩な副作用に注意する．

c）血小板輸血

1回10～20単位の濃厚血小板製剤を投与する．患者には抗血小板抗体があり，輸注された血小板の寿命は短い．免疫グロブリン大量療法と併用すると血小板が増加しやすい．

9）妊娠と分娩の管理

妊婦と妊娠していないITP患者を特別に区別する必要はない[5]．妊娠中の血小板数は3万/μL以上を維持し，自然分娩時には5万/μL以上を目標とする．ITP合併妊娠の予後は基本的に良好であるが，新生児の約1割が胎盤を通過した抗血小板抗体による一過性の血小板減少を示す[5]．分娩時に新生児の採血を行い，血小板数を測定する必要がある．1990年代まで新生児の脳出血を回避するため帝王切開が広く行われてきたが，新生児の脳出血がきわめてまれであることがわかり，分娩様式は産科的適応で決定する[5]．なお，副腎皮質ステロイドを内服していても母乳移行は少量であり，授乳制限を必要としない[5]．

10）観血的処置，手術時に推奨される血小板数（表1）

観血的処置と手術時に推奨される血小板数に関する無作為化比較試験はないが，各学会で目安が推奨されている．簡単な抜歯は3万/μL以上，大手術は8万/μL，中枢神経手術は10万/μLとする[1]．あくまでも推奨される目安であり，患者の病状，出血傾向，合併症などを参考に，麻酔科医，外科医との相談が必要である．

◆表1 観血的処置，手術時に推奨される血小板数

処置	推奨血小板数
予防歯科的処置（歯石除去等）	2～3万//μL以上
簡単な抜歯	3万//μL以上
複雑な抜歯	5万//μL以上
局所歯科麻酔	3万//μL以上
中心静脈カテーテル挿入	2万/μL以上
腰椎穿刺	5万/μL以上
小手術	5万/μL以上
大手術	8万/μL以上
中枢神経手術	10万/μL以上
脾摘	5万/μL以上
分娩	5万/μL以上
硬膜外麻酔	8万/μL以上

（文献1の表3より許諾を得て転載）

■文　献■

1）柏木浩和ほか：成人特発性血小板減少性紫斑病治療の参照ガイド2019改訂版．臨血 **60**: 877, 2019
2）Neunert C et al: American Society of Hematology 2019 guidelines for immune thrombocytopenia. Blood Adv **3**: 3829, 2019
3）石黒　精ほか：日本小児血液・がん学会2022年小児免疫血小板減少症診療ガイドライン．日本小児血液・がん学会誌 **59**: 50, 2022
4）Miyakawa Y et al: Int J Hematol **102**: 654, 2015
5）宮川義隆ほか：妊娠合併特発性血小板減少性紫斑病診療の参照ガイド．臨血 **55**: 934, 2014

3 播種性血管内凝固

到達目標

- 播種性血管内凝固（DIC）の病態・診断・治療の概略を理解する
- DIC の病態および臨床症状の多様性を理解する
- DIC の治療選択ができるようになる

1 病因・病態・疫学[1, 2)]

播種性血管内凝固（disseminated intravascular coagulation：DIC）は，さまざまな基礎疾患の存在下に獲得された，局所制御あるいは代償制御を外れた全身性の血管内凝固活性化をきたしたものと定義される．主として細小血管内に微小血栓が多発し，細小血管内皮細胞障害を呈したものは重症化すると臓器障害をきたし，その程度が高いと患者の死亡リスクは上昇する．DIC では凝固活性化とともに線溶活性化が認められ，その程度は基礎疾患により異なる．血管内凝固の進行により，血小板や凝固因子が消費性に低下していく．

DIC では出血症状と虚血性臓器症状が認められ，臨床症状が出現すると予後はきわめて不良となる．高頻度に DIC を併発する基礎疾患として急性白血病，固形がん，敗血症が知られている（後述）．

急性白血病や固形がんなどの悪性腫瘍においては，腫瘍細胞中の組織因子が血中に流入して外因系凝固が活性化されることが DIC 発症の原因と考えられている．生じた血栓上では組織プラスミノゲンアクチベーター（t-PA）によりプラスミンが効率よく生成され，これによる**二次線溶亢進**がみられる．

敗血症においてはリポ多糖（lipopolysaccharide：LPS）や tumor necrosis factor，interleukin-1 などの炎症性サイトカインの作用により単球およびマクロファージや血管内皮で大量の組織因子（tissue factor：TF）が産生され，著しい凝固活性化を生じる．また，血管内皮上に存在するトロンボモジュリン（thrombomodulin：TM）の発現が抑制され，凝固活性化の制御がはずれる．一方，血管内皮で線溶阻止因子であるプラスミノゲンアクチベーターインヒビター（plasminogen activator inhibitor：PAI）-1 が過剰に産生されるために，生じた血栓は溶解されにくくなる[1)]．

日本血栓止血学会の全国規模疫学調査（平成 21 年度）によると，1 施設あたりの年間 DIC 症例数は 10.7 人 / 年，入院患者あたりの DIC 発症頻度は 1.31%，死亡率は 40.0%であった[1)]．

発症頻度（絶対数ではない）の高い基礎疾患は，内科領域では急性前骨髄球性白血病（acute promyelocytic leukemia：APL），劇症肝炎，敗血症，乳がん，急性骨髄性白血病（acute myelogenous leukemia：AML），外科領域では急性膵炎，腹膜炎，敗血症，ショック，急性呼吸窮迫症候群（acute respiratory distress syndrome：ARDS），小児科領域では AML，急性リンパ性白血病（acute lymphoblastic leukemia：ALL），敗血症，新生児死亡，呼吸器感染症，産婦人科領域では前置胎盤，常位胎盤早期剝離，羊水塞栓，弛緩性出血，敗血症，尿路感染症，救急部領域では劇症肝炎，外傷性出血，肝細胞がん，ショック，敗血症などである[3)]．

2 病型分類と症候・身体所見[1, 2)]

DIC は「播種性」が示す通りとおり，全身にわたる著しい凝固活性化をきたす病態である．活性化の引き金を引く因子の血中への流入の仕方から以下のような分類が考えられている．

1）病因からの分類

a）血中に組織因子が存在あるいは流入する型

白血病や悪性腫瘍のように腫瘍細胞崩壊に伴い細胞に含まれる組織因子が血中に存在あるいは流出する場合，あるいは羊水塞栓などのように直接血中へ組織因子が流入する場合などがある．急性白血病の寛解導入療法中のDICは治療開始後4日以内に発症しやすいとの報告がある．組織因子量が少なく流入速度が遅いと，血栓症状が前面に出る（慢性DIC）．一方，組織因子量が多く流入速度が速いと，凝血因子の消費性低下と著しい二次線溶亢進による出血症状が主になる．特に後者ではFDP（fibrinogen/fibrin degradation products）あるいはD-ダイマー（crosslinked fibrin degradation products, D-dimer）が増加する．この場合はプラスミン産生量はトロンビン産生量と相関する．

b）重症細菌感染に伴うサイトカインストームによる血管内皮や単球における組織因子産生亢進型

敗血症時あるいはキメラ抗原受容体（chimeric antigen receptor：CAR）-T療法や二重特異性T細胞誘導（BiTE®）作用を持つblinatumomab使用時のサイトカイン放出症候群（cytokine release syndrome：CRS）では，単球・マクロファージや好中球からの炎症性サイトカインにより，抗凝固活性を持つ血管内皮細胞からのTM産生低下と同時にPAI-1の著しい産生亢進が惹起される．結果，線溶活性抑制による難溶性血栓が多発し，虚血性臓器障害が顕著になる．D-ダイマー濃度は軽度上昇にとどまり，トロンビン産生量と相関しない．すなわち，重症例のなかでD-ダイマーが著増しない症例を認めるので注意が必要である．

c）抗血栓活性を持つ血管内皮細胞の慢性炎症や奇形による血流動態変化により，持続性の血栓形成が認められる型

膠原病に伴う血管炎や，Kasabach-Merritt症候群に代表される血管腫，大動脈瘤などで認められる．

2）線溶活性化からの分類

DICにおける線溶活性化の程度は基礎疾患によりかなり異なっている．以下の分類は治療選択の観点から有用である．あくまでも亢進した凝固活性に対する相対的線溶活性を表現した分類なので誤解なきように理解していただきたい．

a）線溶抑制型

PAI-1の上昇により二次線溶亢進が抑制され，トロンビン・アンチトロンビン複合体（thrombin-antithrombin complex：TAT）レベルの上昇に見合ったプラスミン・α_2プラスミンインヒビター複合体（plasmin-α_2 plasmin inhibitor complex：PIC）レベルの上昇が認められず，生じた血栓は溶け難い．主に重症敗血症のDICで認められる．

b）線溶亢進型，線溶均衡型

トロンビンによりフィブリン血栓が生じると，生体防御機能の一環として血栓上で二次線溶反応が亢進する．フィブリン生成による二次線溶亢進が著しく，線溶活性化［PICで反映］が凝固活性化［TATで反映］に比しても十分に存在する．いわゆる慢性DICの経過を示す固形がんに合併したDICでは，凝固活性化と線溶活性化のバランスがとれていることが多く，線溶均衡型DICと呼称する．

c）特殊型DIC（線溶異常亢進）

基礎疾患そのものに一次線溶活性亢進がみられる場合，たとえばアネキシンⅡが腫瘍細胞表面に高発現するAPLや特殊な悪性腫瘍が知られている．アネキシンⅡはt-PAとプラスミノゲン（plasminogen: Plg）の膜表面の共受容体で，効率よくプラスミン生成を誘導する[4]．この場合，DICが発症すると，過剰なプラスミンによる一次線溶活性がDICによる二次線溶亢進に加わるため，線溶亢進型DICの病態を呈する（TATレベルと比較してPICレベルが著増する）．この型では，抗凝固療法に加え注意深く抗線溶療法を加えることで出血症状を改善させる場合がある．ただし，APLに対してtretinoin（ATRA）が投与されている場合には，ATRAによる線溶抑制作用があるため抗線溶療法は禁忌である[5]．

3 診断・検査

さまざまな診療科で広く使用されてきた診断基準として旧厚生省DIC診断基準（旧基準）があり，基礎疾患，臨床症状（出血症状，臓器症状）と血小板数やFDPなどの凝血マーカーをスコアリングして診断する．ほかに国際血栓止血学会（International Society on Thrombosis and Haemostasis：ISTH）のDIC診断基準（ISTH基準），日本救急医学会急性期DIC診断基準（急性期基準）（**表1**），日本血栓止血学会DIC診断基準2017年版（JSTH DIC基準）（**表2**），などがある．急性期基準は敗血症や救急領域のDICを高感度で診断できるが，すべての基礎疾患に対して［特に全身性炎症反応症候群（SIRS）以外の疾患］は適応できない．現時点では旧基準が最も広く認知され，使用されている．旧基準の感度・特異度を改善するために作成されたものがJSTH DIC基準である．基礎疾患ごとに必要な検査項目が異なっており，より鋭敏な分子マーカーが採用されているのが特徴である．造血器悪性腫瘍によるDIC診断においては，旧基準もしくはJSTH DIC基準で診断するのが良いと思われる．単

◆表１　DIC 診断基準

	旧厚生省 DIC 診断基準	ISTH overt-DIC 診断基準	急性期 DIC 診断基準
基礎疾患，臨床症状	• 基礎疾患あり：1 点 • 出血症状あり：1 点 • 臓器症状あり：1 点	• 基礎疾患は必須項目 • 臨床症状は考慮されていない	• 基礎疾患は必須項目 • 要除外診断 • SIRS（3 項目以上）：1 点
血小板数（× $10^4/\mu$L）	＞8，≦12：1 点 ＞5，≦8：2 点 ≦5：3 点	5～10：1 点 ＜5：2 点	≧8，＜12 or 30%以上減少 /24 時間：1 点 ＜8 or 50%以上減少 /24 時間：3 点
フィブリン分解産物	FDP（μg/mL）： ≧10，＜20：1 点 ≧20，＜40：2 点 ≧40：3 点	FDP，D-ダイマー，SF： 中等度増加：2 点 著明増加：3 点	FDP（μg/mL）： ≧10，＜25：1 点 ≧25：3 点 D-ダイマーも FDP との換算表により使用可能
フィブリノゲン（mg/dL）	＞100，≦150：1 点 ≦100：2 点	＜100：1 点	—
PT	PT 比： ≧1.25，＜1.67：1 点 ≧1.67：2 点	PT 秒： 3～6 秒延長：1 点 6 秒以上延長：2 点	PT 比： ≧1.2：1 点
DIC 診断	7 点以上 （白血病群では，出血症状と血小板数を除いて 4 点以上）	5 点以上 （白血病群には適応できない）	4 点以上 （白血病群には適応できない）

ISTH：国際血栓止血学会，overt-DIC：顕性播種性血管内凝固，SIRS：全身性炎症反応症候群，FDP：フィブリン・フィブリノゲン分解産物，PT：プロトロンビン時間

◆表２　日本血栓止血学会 DIC 診断基準 2017 年度版

項　目		基本型		造血障害型		感染症型	
一般止血検査	血小板数（× $10^4/\mu$L）	12＜ 8＜　≦12 5＜　≦8 ≦5 24 時間以内に 30%以上の減少	0 点 1 点 2 点 3 点 ＋1 点			12＜ 8＜　≦12 5＜　≦8 ≦5 24 時間以内に 30%以上の減少	0 点 1 点 2 点 3 点 ＋1 点
	FDP（μg/mL）	＜10 10≦　＜20 20≦　＜40 40≦	0 点 1 点 2 点 3 点	＜10 10≦　＜20 20≦　＜40 40≦	0 点 1 点 2 点 3 点	＜10 10≦　＜20 20≦　＜40 40≦	0 点 1 点 2 点 3 点
	フィブリノゲン（mg/dL）	150＜ 100＜　≦150 ≦100	0 点 1 点 2 点	150＜ 100＜　≦150 ≦100	0 点 1 点 2 点		
	プロトロンビン時間比	＜1.25 1.25≦　＜1.67 1.67≦	0 点 1 点 2 点	＜1.25 1.25≦　＜1.67 1.67≦	0 点 1 点 2 点	＜1.25 1.25≦　＜1.67 1.67≦	0 点 1 点 2 点
分子マーカー	アンチトロンビン（%）	70＜ ≦70	0 点 1 点	70＜ ≦70	0 点 1 点	70＜ ≦70	0 点 1 点
	TAT，SF または F1+2	基準範囲上限の 2 倍未満 2 倍以上	0 点 1 点	基準範囲上限の 2 倍未満 2 倍以上	0 点 1 点	基準範囲上限の 2 倍未満 2 倍以上	0 点 1 点
肝不全		なし あり	0 点 －3 点	なし あり	0 点 －3 点	なし あり	0 点 －3 点
DIC 診断		6 点以上		4 点以上		5 点以上	

詳細は日本血栓止血学会ホームページ診療ガイドライン参照
（日本血栓止血学会『DIC 診断基準 2017 年度版』より許諾を得て改変し転載）

一のマーカーでなく，診断基準の凝血学的マーカーを総合的に評価してDICを診断していくことが重要である．

4 治療と予後[2,5)]

血小板減少を伴う出血症状や臓器症状を認めたときはDICの可能性を常に疑う．

1）基礎疾患の治療

すべての症例において，基礎疾患の治療は最重要でまず第一に考える．急性白血病や進行がんに対する化学療法や敗血症に対する抗菌薬治療などがこれに相当する．この間に致死的出血を防ぐために過剰な凝固活性化を制御する必要がある．さらに化学療法により悪性腫瘍細胞崩壊に伴ってTFが大量に血中に流入するため，DICが一時的に増悪することも少なくないので注意が必要である．

2）抗凝固療法

2022年現在，わが国でDICの保険適用を受けている治療薬には以下のものがある．

a）ヘパリン類

いずれもATの存在下で抗凝固活性を発揮する．

①未分画ヘパリン（unfractionated heparin：UFH）：DICでのUFH使用は比較的炎症症状が軽く，出血症状がなく，重篤な肝および腎障害のない症例に限定される．静脈血栓症合併の前記のようなDICでは使用をまず考慮するが，造血器悪性腫瘍由来，特にAPLのような出血傾向の強いDICでは推奨されていない．

②低分子ヘパリン（low molecular weight heparin：LMWH）：UFHに比し，抗トロンビン活性に比し抗Xa活性が強いので，血液悪性腫瘍に対し出血が少なく，転帰も優れている傾向にあった．

③ヘパラン硫酸（danaparoid sodium：DSの主成分）：UFHに比し，抗トロンビン活性に比し抗Xa活性が著しく強く半減期が約21時間と長い．出血などはDSで優れる傾向にあったが，転帰はUFHと同等と考えられている．

b）合成プロテアーゼ阻害薬（synthetic protease inhibitor：SPI）

AT非依存性に抗凝固活性および抗線溶活性を発揮する．

①メシル酸ガベキサート（gabexate mesilate：GM），メシル酸ナファモスタット（nafamostat mesilate：NM）：凝血学的改善効果，予後はUFHとほぼ同等であり，メジャーな出血症状のある症例に出血症状を悪化させない目的で使用される．NMは抗線溶活性も強く線溶異常亢進の白血病などにも使用される．いずれも半減期が短く（特にGM），持続投与する場合が多い．GMの静脈炎対策として中心静脈投与，NMの高カリウム血症に注意が必要である．

c）アンチトロンビン（antithrombin：AT）製剤

造血器悪性腫瘍に合併したDICは感染症あるいは肝疾患の合併がなければAT活性は低下しない．したがって造血器悪性腫瘍に伴うDICでは適用にならない場合が多い．敗血症を合併したDICにおいては，AT活性が正常の70%以下に低下した場合，ヘパリンの持続点滴静注のもとに投与する．

d）リコンビナントトロンボモジュリン（rh-sTM）

抗トロンビン作用とプロテインC活性化作用によるVaやⅧaの失活あるいは血小板活性化抑制作用などにより過剰な凝固反応を制御する．Thrombin activatable fibrinolysis inhibitor（TAFI）の活性化による抗線溶作用を有し，HMGB-1やLPSと結合することで抗炎症作用が期待される薬剤である．

3）補充療法

血小板や凝固因子の著しい低下（消費性凝固障害）のために出血傾向が認められる場合には，濃厚血小板あるいは新鮮凍結血漿の補充療法を行う．特に造血器悪性腫瘍に伴うDICでは，脳出血，肺胞出血，消化管出血が致命傷となる場合が多いので補充は必要時には躊躇なく十分に行う．

4）抗線溶療法

突然の致死的出血の予知は困難な場合が多い．各種診断基準には採用されていないものの，Plg活性やAML，特にAPLで低下しやすいα_2PI活性のモニターを行い，線溶活性のバランスを評価しながら致死的出血の予知と抗線溶療法，補充療法等を進めていくことが重要である．

DICにおける線溶活性化は微小血栓を溶解しようとする生体の防御反応の側面もあるので，トラネキサム酸（tranexamic acid：TA）などによる抗線溶療法は原則禁忌になっている．特に，敗血症に合併したDICでは絶対禁忌である．

また，基礎疾患そのものに線溶亢進がみられるAPL症例にATRAによる分化誘導療法を行っている場合も，TA投与で致死的血栓症を併発した報告が多数認められているため絶対禁忌である．

線溶活性化が著しく，止血困難な漏出型出血が続く症例では，抗凝固薬併用下にTAを投与することで出血傾向が改善する場合がある．ただし，致死的血栓症のリスクが増大することがあるために，必ず専門家にコンサルトしたうえで行う．

5）予　後

さまざまな基礎疾患からなるDICの予後を一概に述べることはできないが，造血器悪性腫瘍に伴うDICでは，二次感染症や臓器障害の合併，低アンチトロンビン血症が予後を悪くするとの報告がある．

■文　献■

1）朝倉英策：播種性血管内凝固症候群．臨床に直結する血栓止血学，第2版，朝倉英策（編），中外医学社，p286-299，2018

2）関　義信：臨血 **63**: 441, 2022

3）中川雅夫：本邦における播種性血管内凝固（DIC）の発症頻度・原因疾患に関する調査報告．厚生省特定疾患血液系疾患調査研究班血液凝固異常症分科会，平成10年研究業績報告書，p.57, 1999

4）Menell JS et al: N Engl J Med: **34013**: 994, 1999

5）日本血栓止血学会学術標準化委員会DIC部会（丸山征郎ほか）：科学的根拠に基づいた感染症に伴うDIC治療のエキスパートコンセンサス．日血栓止血会誌 **20**: 77, 2009

4 血栓性微小血管症 / 赤血球破砕症候群

到達目標

- 血栓性微小血管症（TMA）を疑う徴候を説明できる
- 血栓性血小板減少性紫斑病（TTP）の病態を理解し，診断と治療を説明できる
- 溶血性尿毒症症候群（HUS）の病因を理解し，診断と治療法を説明できる
- 赤血球破砕症候群の原因と病態を説明できる

1 病因・病態・疫学

血栓性微小血管症（thrombotic microangiopathy：TMA）は，血小板減少と溶血性貧血に腎障害や脳神経障害などの臓器障害を合併する疾患群である[1]．TMAは全身の微小血管に血小板を中心とした血栓が形成されることで発症する．TMAに含まれる代表的な疾患として**血栓性血小板減少性紫斑病**（thrombotic thrombocytopenic purpura：TTP）と**溶血性尿毒症症候群**（hemolytic uremic syndrome：HUS）があり，TTPは古典的5徴候（血小板減少，溶血性貧血，腎機能障害，発熱，精神神経症状），HUSはGasserの3徴候（血小板減少，溶血性貧血，急性腎不全）がよく知られている．

TMAは**表1**に示すように病因によって分類され[2]，TTPはvon Willebrand因子（VWF）切断酵素であるADAMTS13が著減する症例のみを指す．感染に伴うTMAとして，O157などの**志賀毒素産生性大腸菌**（Shiga toxin-producing *Escherichia coli*：STEC）によるものと肺炎球菌によるものが知られている．STEC感染によるTMAはSTEC-HUSと呼ばれ，HUSの90％以上を占める[3]．しかし，一部にSTEC感染を認めず，家族性にHUS症状を呈する例があり，**非典型**［atypical（a）］HUSと呼ばれていた．このような患者で補体関連因子の遺伝子異常が報告されるに至り，現在では補体関連のTMAをaHUSと呼ぶようになった[4]．なお，TTPとaHUSは，国の医療費助成の対象となる指定難病に含まれる．

それ以外の自己免疫疾患，造血幹細胞移植，悪性腫瘍などの基礎疾患に伴って発症する二次性TMAは病因が明らかでなく，それぞれの基礎疾患関連のTMAと分類されている．以下，病因ごとにその特徴を示す．

1）ADAMTS13活性著減

TTPは年間100万人あたり約4人が発症すると推計されている希少疾患である．TTPの診断基準はADAMTS13活性の10％未満への低下であり，*ADAMTS13*遺伝子に異常がある先天性TTPとIgG型などの自己抗体（インヒビター）による後天性TTPが存在する[2]．TTPの95％以上が後天性であり，先天性は5％未満といわれている．ADAMTS13活性が著減すると，血管内皮細胞から分泌直後の超高分子量VWF重合体（unusually large VWF multimer：UL-VWFM）が切断されずに血液中に存在することになる．VWFの主たる機能は血小板と血小板を結合させる分子糊の役割であり，その機能はVWFの分子量に比例する．そのため，UL-VWFMが血液中に残存すると血小板血栓を形成しやすい状態となる．また，VWFは低ずり応力下の大動脈では活性化していないが，高ずり応力下の微小血管において活性化する．ADAMTS13活性が著減すると，このような機序によって微小血管に血小板血栓が形成され，虚血による末梢の臓器障害（中枢神経障害，腎障害など）が発生する．

2）感　染

STEC感染症例は国内で年間3,000～4,000例程度あり，そのうち80～120例がHUSを発症する．HUSの発症は下痢や発熱が出現してから4～10日後に認められる．STEC感染におけるTMAの発症機序については不明な部分が多いが，Shiga toxin（Stx）が中心的な役割を果たしていることは明らかである．Stxの受容体であるglobotriaosylceramide（Gb3）が，腎血管内皮細胞や尿細管上皮細胞に強く発現している

◆表 1　病因による TMA の分類と臨床診断

病因による分類	病　因	原　因	臨床診断	臨床診断に重要な所見
ADAMTS13 欠損 TMA	ADAMTS13 活性著減	*ADAMTS13* 遺伝子異常	先天性 TTP（Upshaw-Schulman 症候群）	*ADAMTS13* 遺伝子異常
		ADAMTS13 に対する自己抗体	後天性 TTP	ADAMTS13 活性著減，ADAMTS13 自己抗体あり
感染症合併 TMA	感染症	志賀毒素産生大腸菌（STEC）（O157 大腸菌など）	STEC-HUS	血液や便検査で STEC 感染を証明
		肺炎球菌（ノイラミニダーゼ分泌）	肺炎球菌 HUS	肺炎球菌感染の証明
補体介在性 TMA	補体系の障害	遺伝的な補体因子異常（H 因子，I 因子，MCP，C3，B 因子）	Atypical HUS	補体因子遺伝子異常 C3 低値，C4 正常（これらは全例で認める訳ではない）
		抗 H 因子抗体		抗 H 因子抗体の証明
凝固関連 TMA	凝固系の異常	Diacylglycerol kinase ε（DGKE），THBD 遺伝子異常	Atypical HUS?	遺伝子異常の証明
二次性 TMA	病因不明	自己免疫疾患	膠原病関連 TMA など	SLE，強皮症などの膠原病が多い
		造血幹細胞移植	造血幹細胞移植後 TMA	血小板輸血不応，溶血の存在（ハプトグロビン低値など）
		臓器移植（腎臓移植，肝臓移植など）	臓器移植後 TMA	原因不明の血小板減少と溶血の存在（ハプトグロビン低値など）
		悪性腫瘍	悪性腫瘍関連 TMA	悪性リンパ腫，胃がん，膵がんなどに多い
		妊娠	妊娠関連 TMA，HELLP 症候群	HELLP 症候群は妊娠 30 週以降に発症し，高血圧を合併することが多い
		薬剤（mitomycin など）	薬剤性 TMA	薬剤使用歴
その他の TMA	病因不明	その他	TTP 類縁疾患，ほか	TTP の古典的 5 徴候の存在，など

SLE：全身性エリテマトーデス，MCP：membrane cofactor protein，THBD：thrombomodulin，HELLP 症候群：hemolysis, elevated liver enzymes, and low platelets 症候群
（文献 2 の表 3 より許諾を得て転載）

ため，腎臓を中心とした障害が発生すると考えられている．

3）補体系の障害

補体の活性化には，古典経路，レクチン経路，そして第二経路の 3 つの経路が知られているが，その中でも補体関連 TMA では第二経路の過剰な活性化が関与する．第二経路は他の 2 つと異なり，恒常的に活性化されており，C3 が直接分解されることで活性化が始まる．しかし，H 因子，membrane cofactor protein（MCP），I 因子などの制御因子が存在し，その過剰な活性化は通常は抑制される．補体関連 TMA の発症機序として，これらの制御因子（ブレーキ）または，活性化因子（アクセル）である B 因子や補体 C3 の先天的な異常によって第二経路が過剰に活性化することが知られている．欧米においては，H 因子の異常が多くみられるが，わが国の症例では C3 の異常が最も多い．また，後天的に H 因子に対する抗体が産生されている症例も存在する．

4）二次性 TMA

自己免疫疾患に関連した TMA や造血幹細胞移植後の TMA がよく知られる．自己免疫疾患の中でも全身性エリテマトーデス（SLE）に合併する症例の約 20%は，ADAMTS13 活性が 10%未満に著減しており，TTP と診断される．このような基礎疾患を有するも

のは二次性TTPと呼ばれ，基礎疾患のないものは原発性TTPに分類される．一方で，造血幹細胞移植後TMAではADAMTS13活性が著減している症例はまれである．

2 症候・検査所見

TMAの診断時に最も重視すべきものとして，血小板減少と溶血性貧血の2徴候がある．血小板減少は血栓形成に血小板が消費されることによって生じる．血小板減少とは血小板数10万/μL未満を指すことが多いが，aHUSの一部では10万/μL以上の場合がある．TTPでは一般的に血小板数がかなり低く，1万/μL未満の症例も多い．溶血性貧血は赤血球の機械的破壊によって生じ，ヘモグロビンが12 g/dL未満（8～10 g/dLの症例が多い）で溶血所見が明らかなこと，かつ直接Coombs試験陰性で判断する．溶血所見とは破砕赤血球の出現，間接ビリルビン，LD，網状赤血球の上昇，ハプトグロビンの著減などを指す．

TMAの腎機能障害としては尿潜血や尿蛋白陽性，血清クレアチニン上昇といったさまざまな程度のものが認められるが，血液透析を必要とする急性腎不全はTTPでは少なく，HUSと診断されることが多い．TTPでは動揺性精神神経症状が特徴的であり，頭痛など軽度のものから，せん妄，錯乱などの精神障害，人格の変化，意識レベルの低下，四肢麻痺や痙攣といった多彩な症状を認める．ただし，HUSでも重症例では意識障害などの中枢神経障害を認めることがある．また，TTPにおいて，古典的5徴候には含まれないが，虚血性心筋障害を認める例が一部に存在し，心筋トロポニン高値と入院早期死亡との関連が報告されている．

STEC-HUSではSTEC感染による腹痛，水様性下痢，血便を呈するが，aHUSでも虚血性腸炎などの消化器症状を呈する例や消化器感染症を契機に発症する例など，下痢を伴うものが存在することに留意すべきである．

3 診　断

TMAは原因不明の溶血性貧血と血小板減少を認めた場合に疑うことが重要である[2]（**図1**）．まず，STEC感染の精査とADAMTS13活性の測定を行う．便培養や志賀毒素直接検出法，血清O157リポポリサッカライド（LPS）抗体などによってSTEC感染を証明できれば，STEC-HUSと診断する．ADAMTS13活性が10％未満に著減する症例はTTPと診断し，**ADAMTS13インヒビター**が陽性であれば後天性TTPと診断される．ADAMTS13インヒビターとはADAMTS13活性を阻害する自己抗体であるが，ADAMTS13に結合してクリアランスを増大させる非阻害抗体を有する症例も少数ながら存在する[2]．抗ADAMTS13自己抗体陰性であれば先天性TTPが疑われ，確定診断として*ADAMTS13*遺伝子解析を行う．

STEC陰性でADAMTS13活性が著減していない症例では，自己免疫疾患や造血幹細胞移植などの基礎疾患があれば二次性TMAに分類する．aHUSは特異的な診断マーカーは存在せず，TTPとSTEC-HUS，二次性TMAの除外を行った上で，確定診断として遺伝学的検査および抗H因子抗体検査を要する．しかし，既知の遺伝子異常が同定されない例も存在し，遺伝子変異が認められないからといってaHUSを否定できない[4]．なお，自己免疫疾患や造血幹細胞移植後などの二次性TMAの中にも補体関連TMAが存在する可能性はあるが，非常にまれでありaHUSとは区別して考えるべきである．

4 治療と予後

後天性TTPの第一選択の治療は新鮮凍結血漿（fresh frozen plasma：FFP）を置換液とした**血漿交換**である（**図1**）．血漿交換はADAMTS13を補充し，ADAMTS13に対する自己抗体とUL-VWFMを血漿中から除去することによって有効性を示す．血漿交換開始の遅れによって予後が悪化するとの報告があり，TTPが疑われる場合には早期に治療を開始する必要がある．血漿交換の実施回数は，保険による制限が撤廃されており，血小板数が15万/μL以上に正常化して2日後まで1日1回連日実施することが推奨される．後天性TTPは血漿交換を実施しないと致死率が90％以上に達する予後不良な疾患であるが，血漿交換によって致死率は15～20％程度に低下する．さらに，多くの場合，ステロイド治療が併用され，自己抗体の産生抑制による効果が期待できる．しかし，一部には従来の治療に対する不応例や早期再発例が存在し，CD20に対するモノクローナル抗体rituximabが有効であることが報告されている．わが国でも2020年2月にrituximabは再発または難治性後天性TTPに対して保険適用となった．これらの治療によって寛解となった後も再発の可能性があり，特に寛解期にADAMTS13活性が低下した患者において再発率が高いことが指摘されていることから，寛解後も定期的な

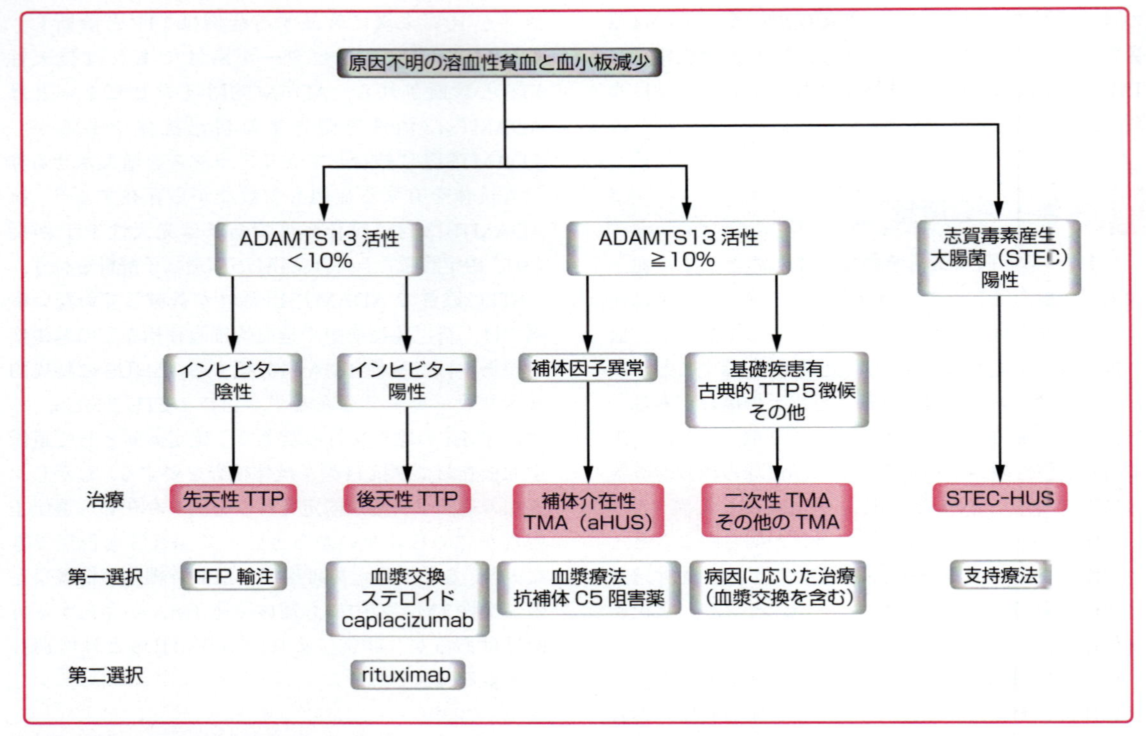

◆図 1　TMA の診断と治療
原因不明の溶血性貧血と血小板減少を認めた場合，STEC を検査するとともに，ADAMTS13 活性測定を行う．治療の遅れが予後の悪化を招くことから，早期診断が重要である．ADAMTS13 活性が 10% 未満に著減していれば TTP と診断する．ADAMTS13 インヒビターが存在しなければ先天性 TTP を疑い，FFP 輸注を考える．インヒビターが陽性であれば血漿交換を実施する．STEC が陽性の場合は STEC-HUS であり，支持療法を行う．ADAMTS13 活性 10% 以上，STEC 陰性で基礎疾患があれば二次性 TMA である．それ以外の症例はすぐに診断することは難しいが，血漿交換を実施しながら aHUS などの鑑別を実施する．
（文献 2 の図 1 より許諾を得て転載）

フォローアップが望ましい．一方，先天性 TTP では自己抗体が存在しないため，FFP の輸注による ADAMTS13 の補充のみで効果が認められる．

HUS については，STEC-HUS では輸液や血圧管理といった支持療法が主体となり，特異的な治療は通常行われない．重度の急性腎障害を呈する症例では腎代替療法が適応となる．それに対して aHUS では血漿療法（血漿輸注や血漿交換）が行われることが多いがきわめて予後不良で，半数の症例で血液透析を必要とする高度な腎不全となり，致死率も 26% と報告されている．aHUS に対して補体 C5 に対するモノクローナル抗体 eculizumab の有効性が報告され，わが国でも 2013 年 9 月に保険適用となった．同剤は C5 の分解を抑制し，C5a と膜侵襲複合体の生成を抑制する．使用に際しては髄膜炎菌ワクチンの接種が必要であることに留意する．さらに近年では長時間作用型の抗 C5 モノクローナル抗体製剤である ravulizumab も保険適用となっている．しかし，aHUS の特異的な診断マーカーが存在しない現状ではこれらの高額な薬剤の使用に関して慎重な判断が必要である．

また，これらの疾患に共通して，血小板輸血は血栓症を増悪させる危険性があり，致死的な出血を合併している場合を除いて原則禁忌とされる．

5 赤血球破砕症候群

赤血球破砕症候群は赤血球が血管内で物理的な損傷を受けて生じる破砕赤血球と溶血を特徴とする．その原因は多岐にわたるが，赤血球が損傷を受ける部位によって心臓および大血管の異常と細血管の異常とに大別される[5)]（**表 2**）．前者としては，人工弁置換術後の溶血性貧血がよく知られており，弁周囲逆流などに伴って生じる乱流によって赤血球が剪断応力を受け，機械的に損傷される．特に大動脈弁置換術後に多くみられるが，僧帽弁置換術や腱索断裂の修復術後にも認められる．人工弁の中では，生体弁と比較して機械弁

◆表２　赤血球破砕症候群の分類

1．心臓，大血管の異常
- a．心疾患術後（人工弁置換術，腱索断裂修復術，心内パッチ修復術など）
- b．心臓弁膜症（特に大動脈弁狭窄症）
- c．その他（大動脈縮窄，心室中隔欠損など）

2．細血管の異常―細血管障害性溶血性貧血（MAHA）
- a．血栓性微小血管症（TMA）
  - 血栓性血小板減少性紫斑病（TTP）
  - 志賀毒素産生性大腸菌感染による溶血性尿毒症症候群（STEC-HUS）
  - 非典型溶血性尿毒症症候群（atypical HUS）
  - 二次性 TMA
  - その他の TMA
- b．播種性血管内凝固（DIC）
- c．悪性高血圧
- d．血管腫（Kasabach-Merritt 症候群など）
- e．行軍ヘモグロビン尿症

MAHA: microangiopathic hemolytic anemia, TMA: thrombotic microangiopathy, TTP: thrombotic thrombocytopenic purpura, HUS: hemolytic uremic syndrome, STEC: Shiga toxin-producing *Escherichia coli*, DIC: disseminated intravascular coagulation
（文献５を参考に著者作成）

において発症頻度が高い．さらには心房中隔欠損症に対するパッチ修復後や，術後だけでなく重度の大動脈弁狭窄症でも溶血が生じることが報告されている．一方で，細血管の異常によって生じる赤血球破砕症候群は**細血管障害性溶血性貧血（microangiopathic hemolytic anemia：MAHA）**とも呼ばれ，その代表が上述の TTP や HUS といった TMA である．TMA 以外には，悪性高血圧，播種性血管内凝固，Kasabach-Merritt 症候群などの血管腫，行軍ヘモグロビン尿症などが分類される．行軍ヘモグロビン尿症はマラソン走者などのスポーツ選手において運動後に生じる一過性のヘモグロビン尿を特徴とする．病態としては，身体と固い地面との強い接触といった機械的刺激によって赤血球が破壊された結果生じるものと考えられている．

赤血球破砕症候群に共通した検査所見としては，溶血を反映して間接ビリルビン，LD，網状赤血球の上昇，ハプトグロビンの低下が認められる．血管内溶血によって血漿中に遊離したヘモグロビンが増加し，尿中にもヘモグロビンが検出される（ヘモグロビン尿症）．また，**破砕赤血球（schistocyte）**は特徴的な所見であり，正常な赤血球よりも小さく，鋭角で直線的な辺縁を有し，ヘルメット型，三角型，三日月型などの形状がみられる．末梢血中の破砕赤血球の存在は特に TMA において重要な所見であり，赤血球全体の 1% 以上に認められ，他の赤血球形態異常に乏しい場合には TMA が示唆される．しかし，破砕赤血球を認めない例や，経過中に遅れて認められる例なども一部に存在するため，重要視しすぎてはならない．

赤血球破砕症候群に対する治療は，基本的にその原因となる疾患，病態に基づいて行われる．TMA については上述の通りである．心疾患術後に合併した赤血球破砕症候群では重度の場合に，再度外科治療を要することがある．また，貧血に対する赤血球輸血に加えて，一部の症例では腎保護を目的とした輸液やハプトグロビン製剤が使用される．

■文　献■

1）George JN et al: N Engl J Med **371**: 654, 2014
2）松本雅則ほか：血栓性血小板減少性紫斑病（TTP）診療ガイド 2023．臨血 **64**：445, 2023
3）五十嵐隆ほか：溶血性尿毒症症候群の診断・治療ガイドライン，東京医学社，2014
4）香美祥二ほか：非典型溶血性尿毒症症候群（aHUS）診療ガイド 2015．日腎会誌 **58**：62, 2016
5）Greer JP et al（eds）: Wintrobe's Clinical Hematology, 14th ed, Wolters Kluwer, 2019

ADVANCED

■後天性 TTP に対する新規治療薬—caplacizumab■

Caplacizumab は VWF の A1 ドメインを標的とし，VWF の血小板への結合を阻害することによって血小板血栓の産生を抑制する．同剤は従来の抗体製剤とは異なり，重鎖のみから成る抗体を応用した単一の可変領域から構成される nanobody である．後天性 TTP を対象とした第Ⅲ相治験（HERCULES trial）の結果，caplacizumab 群ではプラセボと比較して，血小板数正常化までの期間が有意に短縮すること，TTP 関連死亡，再発，血栓塞栓症といった事象が有意に減少することが示された[1]．

後天性 TTP に対する従来の治療の問題点として，免疫抑制療法による自己抗体産生抑制効果が発現するまでに一定の期間を要することが指摘されている．しかし，治療早期に caplacizumab を用いることで，その期間に問題となる血小板血栓の形成を抑制することが可能となり，結果として，虚血による臓器障害，致死的な血栓症を回避し，生存率の改善が期待される．実際，上述の治験において，caplacizumab 群では LD やトロポニン I，血清クレアチニンといった臓器障害を反映するマーカーの早期改善がみられている．同剤は 2022 年 12 月よりわが国でも使用可能となった．

■文　献■

1）Scully M et al: N Engl J Med **380**: 335, 2019

5 heparin 起因性血小板減少症

到達目標

- heparin 起因性血小板減少症（HIT）の特殊な病態を理解する
- 臨床的診断（4Ts スコア），血清学的診断（HIT 抗体の免疫学的測定法・機能的測定法）を用いて，HIT を診断できる
- HIT 治療を実践できる（heparin 中止，血栓塞栓症合併の有無にかかわらず non-heparin 抗凝固薬を開始）

1 病因・病態・疫学

1）病因・病態

Heparin 起因性血小板減少症（heparin-induced thrombocytopenia：HIT）は抗凝固薬として投与された heparin により血小板減少および血栓塞栓症を発症する病態である．血栓症に対し heparin が投与されている状況下で，手術や外傷，感染症などで血小板が活性化されると，血小板 α 顆粒から血小板第 4 因子（platelet factor 4：PF4）が放出され PF4/heparin 複合体が生じる．PF4 と heparin が適度な濃度比になると PF4 に構造変化が生じ，その抗原に対して**抗 PF4/heparin 複合体抗体**（**HIT 抗体**と呼ばれる）が誘導される．多重合体となった HIT 抗体と PF4/heparin の免疫複合体は HIT 抗体の IgG の Fc 部分を介して血小板膜上の Fc 受容体である FcγRⅡa（CD32）に結合して clustering することで，さらなる血小板活性化を惹起する[1]．活性化血小板から procoagulant 活性の高い **microparticle** が放出されるほか，HIT 抗体は好中球や単球，血管内皮細胞を活性化して組織因子を介したトロンビンの過剰産生を生じる．この結果，過剰な血小板活性化による消耗性血小板減少症とトロンビン過剰産生による血栓塞栓症を発症する．

この HIT 抗体誘導は通常の外部抗原刺激に対する獲得免疫とは異なっている．Heparin 初回投与であっても，通常の一次免疫応答と異なり二次免疫応答のように早期から HIT-IgG が産生され，heparin 投与開始後 4 日目以降に HIT-IgM, IgA とほぼ同時に出現[2]するため，heparin 投与開始後 5 ～ 14 日に好発する．そして，HIT-IgG のみが Fc 受容体を介した血小板 / 好中球 / 単球活性化能がある．また，感染症やワクチン接種で数ヵ月～数年間持続する一般的な抗体とは異なり，3 ヵ月程度（中央値）で消失するため，HIT 抗体陰転化後に **heparin 再投与**は検討可能である．

HIT 抗体の産生・動態に特異性があるのは，自然免疫の誤誘導のためとされている．陽性荷電を帯びた PF4 は，さまざまな陰性荷電を帯びた polyanion と結合する．Heparin も polyanion の 1 つであり，他にも細菌壁成分や DNA/RNA，ポリリン酸，高硫酸化コンドロイチン硫酸，アデノウイルスベクターワクチンなどが知られている．手術や外傷，感染によって生じた polyanion と PF4 が結合して **PF4/polyanion 複合体**が生じ，生体防御の最前線である自然免疫がいち早く病原体を感知して抗体の産生を促し，HIT 抗体に類似した抗体が誘導される．つまりほぼすべての人は polyanion に曝露した経験を有するため，ヘパリン初回投与でも既往免疫のように IgG, IgA, IgM が同時に産生される．そして，HIT 抗体は marginal zone B cell から産生され，この免疫応答は T 細胞非依存性に，いわゆるメモリー B 細胞による免疫学的記憶を欠くために，抗体は生涯にわたって保持されることはない．

Heparin 投与歴がないのに血小板活性化能の強い HIT 抗体を保持している**自己免疫性 HIT（autoimmune HIT：aHIT）**が知られている[3]．aHIT は前述したように細菌壁成分や DNA/RNA などの polyanion が誘導していると推測され，heparin 非存在下においても，血小板を強力に活性化できる抗 PF4/polyanion 複合体抗体（aHIT 抗体）が原因である．aHIT はいくつかに分類される．Heparin 中止後数日

から3週間後までに発症する遅延発症型HIT，数週間症状が遷延し治療抵抗性の持続型HIT，播種性血管内凝固を伴う重度のHIT，heparinフラッシュやfondaparinuxで発症するHIT，そしてheparin投与歴がなく自然発症するHIT（spontaneous HIT syndrome）である．

2）疫　学

HITの発症頻度はheparinの種類（未分画/低分子），heparin投与期間，および患者集団（外科・透析など）により異なるが0.2～3%程度とされる．わが国での発症頻度は，脳梗塞ならびに心臓血管外科手術においてheparin治療を受けた症例の0.1～1%程度であり，海外と比較して同程度もしくは若干低い．

2 症候・身体所見

HITの症候は血小板減少症と血栓塞栓症であるが，血小板減少症のみで気づかれることが多く，血栓塞栓症を伴う場合をHIT-T（HIT with thrombosis）とも呼ぶ．HITの診断の鍵となるのが血小板数と血小板減少率，heparin投与から発症までの期間（**表1**）であるが，血栓症発症が先行する場合には診断に難渋する．HITが疑われた際に適切な対応，治療が行われなければ，約50%の患者で血栓塞栓症を合併し，死亡率は10%に及ぶ．血栓塞栓症合併症は静脈血栓症（深部静脈血栓症および肺塞栓症）が動脈血栓症（末梢動脈血栓症，脳梗塞）より多い．HIT発症が疑われる場合には無症候性深部静脈血栓症スクリーニングのための下肢超音波検査が推奨される．Heparin皮下注射では皮膚壊死の有無を観察することが必要で，副腎静脈血栓症に続発する副腎出血なども発症しうる．

HIT発症タイミングは，heparin投与を受けてからHIT抗体が産生されるまで4～10日かかるため，通常，heparin投与開始後5～14日（通常発症型）が典型例である．ただし，heparin投与中止後も強いHIT抗体が存在する可能性もあり，約1ヵ月間は血栓塞栓症発症のハイリスク期間である．

3 診断・検査

1）臨床的診断

Heparin投与中あるいは投与後に血小板減少や血栓塞栓症が生じた場合にはHITの可能性を考慮する．ただし，HIT発症時には重篤な病態が背景にあることが多く，血小板減少が併存している可能性があることや血栓塞栓症予防・治療のためのheparinが血栓塞栓症を増悪するという矛盾した病態であることから，積極的にHITを疑う必要がある．

診断は臨床的診断と血清学的診断の総合判定が基本となり，臨床的診断には4Tsスコアが使われる（**表1**）[4]．4Tsスコアを用いてHITの可能性を推定することが推奨されているが，情報の欠落や不正確なデータ

◆表1　4Tsスコア

	2点	1点	0点
血小板減少 Thrombocytopenia	>50%の低下（最低値は2万/μL以上）	30～50%減少（または手術に伴い>50%の減少），または最低値が1万～1.9万/μL	<30%の減少または最低値が1万/μL未満
血小板減少の時期 Timing of platelet count fall （投与開始日=0日）	投与後5～10日の明確な発症，もしくは過去30日以内のheparin投与歴がある場合の1日以内の血小板減少	投与後5～10日の血小板低下だが明確でない（たとえば血小板数不明），または，10日以降の発症，もしくは過去31日から100日以内にheparinの投与歴がある場合の1日以内の血小板低下，または10日以降の血小板減少	最近のheparin投与歴がなく4日以内の血小板減少
血栓症や続発症 Thrombosis or other sequelae	新たな血栓症の発症，皮膚壊死，heparin急速投与時の急性全身反応	血栓症の進行や再発，heparin投与部位の皮膚発赤，血栓症の疑い（まだ証明されていない），無症候性深部静脈血栓症	なし
血小板減少の他の原因 oTher cause for thrombocytopenia	HIT以外に明らかな原因がない	他に疑わしい原因がある	明確な原因が他にある

検査前確率スコア：6～8＝high，4～5＝intermediate，0～3＝low
（Warkentin TE et al: J Thromb Haemost **8**: 1483, 2010より引用）

では臨床判断が不適切となる．Heparin 投与が必要な症例には，あらかじめ HIT リスクの想定，heparin 投与期間について把握，血小板数モニタリングを実施しておくことが望ましい．前述した HIT 発症リスクに高リスク（手術・未分画 heparin 投与）では，血小板数のこまめなモニタリングが推奨されており，血小板数の変動を考慮した臨床評価を繰り返し実施する．そのなかで低スコア（0～3 点）では HIT をほぼ否定してよいとされ，2021 年にわが国から発表されたヘパリン起因性血小板減少症の診断・治療ガイドライン[4]でも HIT 抗体検査を推奨していない．中スコア以上（4 点以上）では後述する血清学的診断と組み合わせて診断を行うことが過剰診断を防ぐのに重要である．

2）血清学的診断（HIT 抗体検査）

HIT 抗体を測定する**免疫学的測定法**は簡便に検査できることから広く普及しており，ラテックス凝集法，化学発光免疫測定法（chemiluminescent immunoassay：CLIA），酵素結合免疫測定法（enzyme-linked immune-sorbent assay：ELISA）が行われており，前 2 法がわが国で保険収載されている．免疫学的測定法は高感度だが特異度が低く，偽陽性が多くなることから過剰診断につながるが，陰性であればほぼ HIT を否定できる．わが国のガイドラインでも 4Ts スコアが中スコア以上であっても陰性であれば HIT を除外する（**図 1**）．ただし，検体不良や反応性の差異も考慮して，4Ts スコアでの再評価，免疫学的測定法の再検（他の検査法も含む）および / または**機能的測定法**を考慮する．免疫学的測定法は抗体の存在のみを検査するものであるが，HIT 抗体が血小板を強く活性化させる生理的活性を持つかどうかを測定する機能的測定法が HIT 診断に有用である．患者血清または血漿検体を用いて，健常者の洗浄血小板を活性化させる検査で，血小板からのセロトニン放出試験（serotonin release assay：SRA）がゴールドスタンダードであるが，血小板凝集を評価する方法や血小板由来 microparticle をフローサイトメトリーで定量化する方法もある[5]．機能的測定法は特異度に優れており，臨床的に HIT が疑われ免疫学的測定法が陽性であれば，機能的測定法で血小板活性化抗体の確認検査が推奨される．ただし，非常に高い検査精度管理が必要であるため，施行できる施設が限定されている．機能的測定法が利用できない場合，4Ts スコアと免疫測定法の結果に基づいて診断しなければならない．一般的に，4Ts スコアで高スコアおよび免疫学的測定法で高い抗体価であれば HIT の可能性が高く，これらの症例では機能的測定法は必要ないかもしれない．

4 治療と予後

1）HIT の急性期の管理

4Ts スコアが 4 点以上の中スコアで臨床的に HIT が疑わしければ，治療で使用している heparin，点滴ラインの閉塞予防で用いる heparin 生理食塩液，heparin コーティングカテーテルや回路の使用を中止する．HIT 診断後に heparin 中止のみで **non-heparin 抗凝固薬**が開始されないと，1 日あたり約 6% の割合で血栓塞栓症を発症し，30 日以内に 50% が血栓塞栓症を発症する可能性がある．臨床的に疑わしければ，血栓塞栓症症の合併の有無にかかわらず速やかに non-heparin 抗凝固薬を開始する．適切な対応であれば，通常は数日で血小板減少は改善傾向となるが，血小板減少が継続する場合には他の原因を検索する．急性期 HIT での warfarin 単独治療は，血栓傾向のなかでの protein C の低下を招き**四肢壊疽**を起こすリスクがあり禁忌である．

また血小板輸血に関しては予防的な血小板輸血は禁忌であるが，出血傾向が強い症例や外科的な介入が必要な場合には，血小板輸血は考慮される．近年では高用量免疫グロブリン製剤や血漿交換も注目されており，治療抵抗性の症例，出血傾向が強い症例，脳静脈血栓症を合併している症例などでは考慮されるがいずれの治療も HIT においては保険適用外である．

2）HIT の慢性期の管理

内服への切り替えは血小板数が十分に回復した後に non-heparin 抗凝固薬と併用しながら開始する．一般的には warfarin へと切り替え，わが国のガイドラインでは PT-INR が安定するまで短くても 5 日間以上は併用して切り替える．近年では**直接経口抗凝固薬（direct oral anticoagulant：DOAC）**の有用性が高まっており，ガイドラインでも推奨されている．ただし，HIT においては保険適用外であり，血栓症を合併している HIT-T であれば使用できるが，血小板減少のみの症例ではその使用は限られている．

抗凝固療法期間は HIT 診断後の血栓症リスクが高い時期を考慮して，HIT 抗体が陰性化する 3 ヵ月程度を目安とする．HIT 抗体は機能的測定法では 50 日程度で半数が陰性化し，免疫学的測定法では 85 日程度で半数が陰性化する．

3）治療薬

わが国で保険適用があり，使用可能な薬剤は**抗トロンビン薬である argatroban** のみである．欧米ではそ

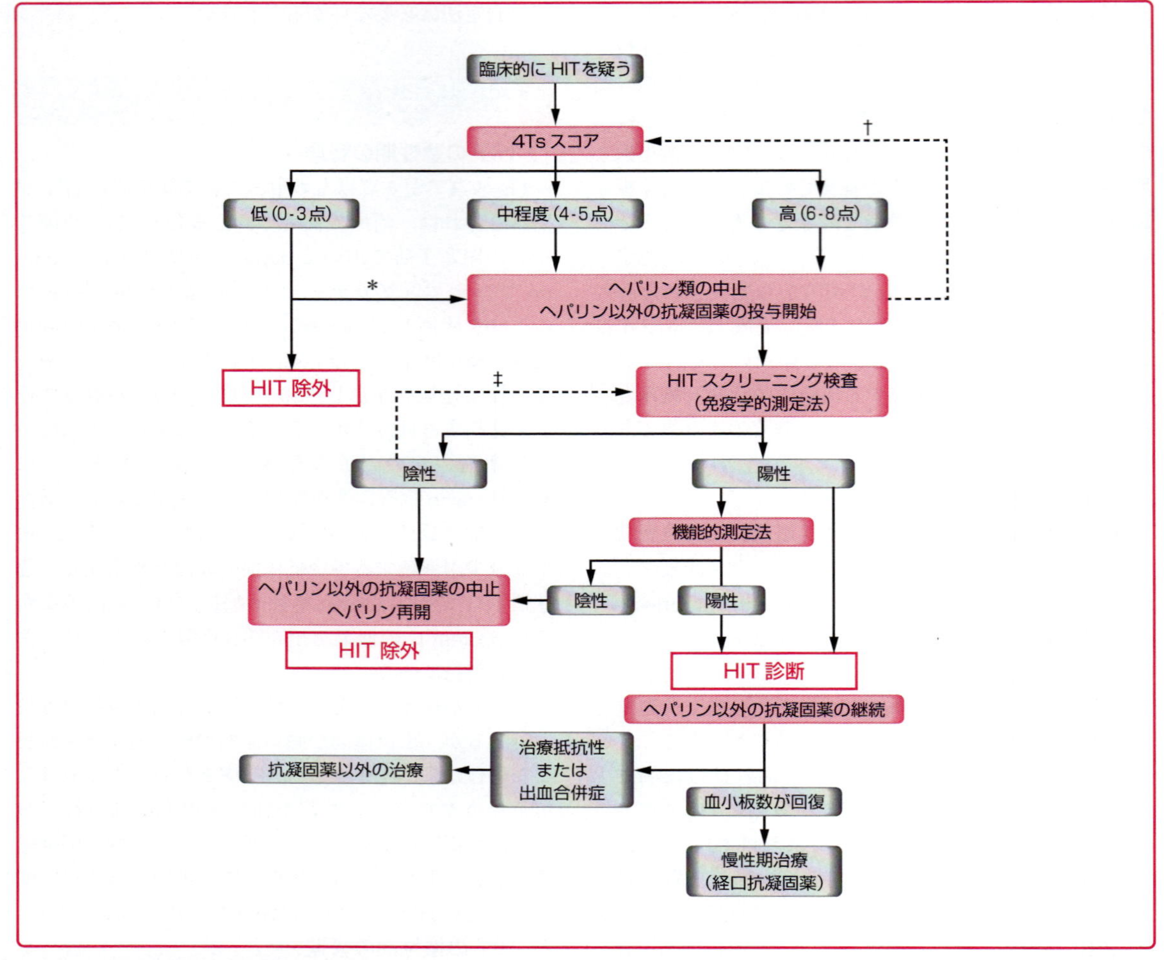

◆**図 1　HIT 診断・治療フローチャート**

＊：欠測データまたは信頼できない臨床情報の場合，または自然発生型 HIT 症候群や遅延発症型 HIT では，4Ts スコアで低値傾向を示すことがある．
†：HIT を否定できなければ繰り返し 4Ts スコアで評価する．
‡：まれに偽陰性のことがあり再検査や異なる測定法で検査を行う．
（文献 4 より許諾を得て転載）

の他にも Xa 阻害薬である danaparoid や fondaparinux，DOAC も使用されている．Argatroban の投与量は，日本人では米国の投与量より少なく，開始用量を 0.7 μg/kg/ 分（肝機能障害患者 0.2 μg/kg/ 分）で活性化部分トロンボプラスチン時間（activated partial thromboplastin time：aPTT）を指標として基準値（投与前値）の 1.5 ～ 3.0 倍（100 秒以下）に投与量を調節する（出血リスクがあれば 1.5 ～ 2.0 倍）．

4）HIT 既往患者への heparin 再投与

HIT 発症既往例では heparin の再投与は禁忌とされていた．しかし，最近の研究により heparin 再投与は可能であることが示唆されている．HIT 抗体の陰性化もしくは最低でも機能的測定法での陰性化が確認できれば，heparin は再投与可能である．HIT 抗体が血小板活性化能を有している HIT 発症直後または血小板の回復はあるが機能的測定法で HIT 抗体が陽性である時期までは，heparin を使用した心血管手術は可能な限り HIT 抗体が陰転化するまで延期する．HIT 抗体が陰性化した寛解期では，術中に限定して heparin を用いて，手術の前後は non-heparin 抗凝固薬を使用した方がよい．この術中 heparin 再投与の 5 ～ 10 日後にも HIT 発症の報告があり，術後に heparin 投与がなくても血小板数をモニタリングする．

■文　献■

1）Greinacher A: N Engl J Med **373**: 252, 2015
2）Warkentin TE et al: Blood **113**: 4963, 2009
3）Greinacher A et al: J Thromb Haemost **15**: 2099, 2017
4）矢冨　裕ほか：ヘパリン起因性血小板減少症の診断・治療ガイドライン．日血栓止血会誌 **32**: 737, 2021
5）Maeda T et al: Thromb Haemost **117**: 127, 2017

6 抗リン脂質抗体症候群

到達目標

- 抗リン脂質抗体症候群（APS）の症状・診断・治療を理解する

1 病因・病態・疫学

抗リン脂質抗体症候群（antiphospholipid syndrome：APS）は自己免疫が関与する血栓性病態であり，代表的な後天性血栓性素因である．APS の診断には，ELISA 法などで検出される抗カルジオリピン抗体（aCL），抗β_2グリコプロテインⅠ抗体（aβ_2GPⅠ）およびリン脂質依存性凝固時間で検出されるループスアンチコアグラント（LA）検査が不可欠である．これらの検査がすべて行われないと見逃す可能性がある．

APS の血栓傾向の機序については多くの報告がみられ，単一の機序ではないものと思われる．たとえば，抗リン脂質抗体（aPL）が，①凝固活性化に対して抑制的に作用するβ_2グリコプロテインⅠ（β_2GPⅠ）を阻害する，②プロテイン C 活性化を抑制する，③血管内皮細胞に存在する抗凝固性物質トロンボモジュリンやヘパラン硫酸を抑制する，④プロスタサイクリン産生を抑制する，⑤血管内皮細胞における組織因子，線溶阻止因子［プラスミノゲンアクチベータインヒビター（PAI）］，接着因子の産生を亢進させる，⑥血小板を活性化する，⑦補体活性化や炎症を惹起する，などの報告がある．

APS は明らかな基礎疾患や誘因がなく aPL が検出され原因不明の血栓症や妊娠合併症をきたす**原発性 APS（primary APS：PAPS）**と，主に全身性エリテマトーデス（SLE）などの膠原病を基礎疾患として aPL が検出され，動静脈血栓症や妊娠合併症をきたす**二次性 APS（secondary APS：SAPS）**に分類される．また，まれな病態ではあるが，腎臓を含む 3 臓器以上の広範囲な血栓症で発症し，急激な経過をとり，きわめて予後不良な特殊型として**劇症型 APS（catastrophic APS：CAPS）**がある．

わが国の APS 患者は約 2 万人と推定されるが，実際に登録されている患者数は少ない．厚生労働省研究班の疫学調査によると，発症比は PAPS：SAPS＝44.4％：55.6％である[1]．平均年齢は，PAPS では 40.5±13.9 歳（7～87 歳），SAPS では 41.9±13.6 歳（11～97 歳）で，男：女比は PAPS では 19％：81％，SAPS では 10％：90％である．SAPS の基礎疾患は，SLE 78％，SLE と他の疾患の合併 3％，混合性結合組織病（mixed connective tissue disease：MCTD）5％，Sjögren 症候群 4％，関節リウマチ 1％，その他 9％であった．

APS は小児から高齢者までいずれの年齢層の血栓症の基礎疾患にもなるが，若年者の血栓症（特に脳梗塞に代表される動脈血栓症）の症例では，最初に疑うべき病態の 1 つである．

2 症候・身体所見

APS の臨床症状は多彩である．血栓症は動脈および静脈のいずれにもみられ，大血管から毛細血管レベルまですべての血管に発症する（**表 1**）．ただし，血管炎による血栓症は除外される．APS の臨床症状で最も多いのは深部静脈血栓症（deep vein thrombosis：DVT）で，次いで虚血性脳梗塞（一過性脳虚血発作も含む），血小板減少症，妊娠合併症である．虚血性心疾患は比較的少ない．

APS に伴う妊娠合併症は胎児の不育症が主症状であり，妊娠 10 週以降の胎児死亡や 34 週未満の早産を認める．子宮異常や染色体異常による流産が妊娠前期に多いのに対して，APS 症例における流産は妊娠中期や後期にも少なくないのが特徴である．

血栓症と妊娠合併症以外に，心臓弁膜症，網状皮斑，血小板減少症，微小血栓による腎障害，舞踏病なども aPL 関連症状として知られている．なお，（表在性）血栓性静脈炎（superficial thrombophlebitis）は

DVTとは異なり，APSやその他の凝固異常とは無関係と考えるのが一般的である．

3 診断・検査

APS分類基準（2006年；**表2**）によると，臨床症状1項目以上と，aCL，aβ_2GPⅠ，LAのうち1項目以上が，12週間以上の間隔をあけて2回以上検出された場合に，APSと診断する．

aCLはAPSのスクリーニング検査として有用である．aβ_2GPⅠはAPS症状に関連性が高くAPSの診断的価値が高い．aCL，aβ_2GPⅠのIgG，IgMクラス抗体は近年保険収載された．なお，わが国ではβ_2GPⅠ依存性aCL（β_2GPⅠ-aCL）IgGクラスが保険収載されておりAPS症状との関連性も高いが，aβ_2GPⅠとは測定原理も結果も若干異なる．

LAは血栓症との関連性が最も高いと報告されている[2]．その測定法は，まず希釈ラッセル蛇毒時間（dilute Russell's viper venom time：dRVVT），および活性化部分トロンボプラスチン時間（activated partial thromboplastin time：APTT）でスクリーニングする．凝固時間の延長を認めた場合にはリン脂質添加試験や交差混合試験（cross mixing test）でLAパターンを確認する．なお，aPLが陽性であっても，臨床症状がない場合はAPSとは診断せず，**「抗リン脂質抗体陽性症例」**として対処する．

ただし，aPL陽性症例ではすでに無症候性の血栓症を発症していることも少なくなく，発症頻度の高さや重要性も考慮して，脳MRI，下肢静脈超音波，眼底検査，皮膚科診察，心臓超音波などの検査を行っておくのが望ましい．

◆**表1　APSにみられる症状**

1. **動脈血栓症**
   - 脳梗塞，一過性脳虚血発作，末梢動脈血栓症，皮膚潰瘍，網膜中心（分枝）動脈閉塞症，狭心症，心筋梗塞，腎梗塞，肝梗塞，腸間動脈血栓症，など
2. **静脈血栓症**
   - 深部静脈血栓症，肺血栓塞栓症，網膜中心（分枝）静脈閉塞症，脳静脈洞血栓症，肝静脈血栓症（Budd-Chiari症候群），副腎静脈血栓症，腸間膜静脈血栓症，など
3. **妊娠合併症**
   - 習慣流産，不育症，妊娠高血圧症，子癇，など
4. **その他**
   - 網状皮斑，血小板減少症，舞踏病，てんかん，心臓弁膜症，など

4 治　療

APSは自己免疫血栓症および妊娠合併症とも呼ばれるが，ステロイドや免疫抑制薬は劇症型APSなどの特殊な病態を除いて治療には用いられない．

1）動静脈血栓症に対する治療

血栓症急性期は通常の血栓症の治療に準じて組織プラスミノゲンアクチベータなどによる血栓溶解療法（線溶療法），およびheparin類による抗凝固療法が行われる．慢性期はwarfarinや抗血小板薬による再発予防が中心となる．静脈血栓症ではPT-INR 2.0～3.0を目標としてwarfarin療法を行う．動脈血栓症でもPT-INR 2.0～3.0を目標としたwarfarin療法を行う[3]か，aspirinやclopidogrelなどの抗血小板薬を単独ま

◆**表2　APS分類基準（2006年）**

■**臨床所見**
1. 血栓：画像検査や病理検査で確認できる1つ以上の動静脈血栓症（血管炎は除く）
2. 妊娠合併症
   a. 妊娠10週以降の胎児奇形のない，1回以上の子宮内胎児死亡
   b. 妊娠高血圧症，子癇もしくは胎盤機能不全などによる，1回以上の妊娠34週未満の早産
   c. 妊娠10週未満の3回以上連続する原因不明の習慣性流産

■**検査所見**
1. LA陽性*：国際血栓止血学会のガイドラインに従う
2. aCL（IgGまたはIgM型）：中等度以上の力価または健常者の99パーセンタイル以上
3. aβ_2GPⅠ（IgGまたはIgM型）：健常者の99パーセンタイル以上

上記の臨床所見の1項目以上が存在し，かつ検査所見の1項目以上が12週間以上の間隔をあけて2回以上検出された場合をAPSと診断する

*以下の所見がみられた場合はLA陽性とする：
1）リン脂質依存性凝固反応（APTT，希釈Russell蛇毒時間）の延長がみられる．
2）混合試験で凝固時間の延長が是正されない．
3）高濃度のリン脂質の添加により，凝固時間の延長が是正される．
4）他の凝固異常（第Ⅷ因子インヒビターなど）が除外できる．
（Miyakis S et al: J Thromb Haemost **4**: 295, 2006を参考に著者作成）

ADVANCED

■劇症型 APS（catastrophic APS：CAPS）■

CAPS は APS 全体の 1％に発症するとされ，SLE などに続発して発症する例が多い．補体活性化の関与した多臓器の激しい炎症と多発する微小血栓（血栓性微小血管症 thrombotic microangiopathy：TMA））からの組織壊死を特徴とし，aPL が持続的に陽性となる症候群と定義される．臨床症状は多彩であり，腎障害，呼吸器症状（ARDS、肺血栓塞栓症），脳血管障害（脳梗塞），心血管障害（心筋梗塞、心臓弁膜症）などが認められる．CAPS の治療としては，①未分画 heparin による抗凝固療法，②血漿交換を単独または免疫グロブリン大量療法と併用，③ステロイドパルス療法が推奨される．重症例では，すべての併用療法（triple therapy）にて CAPS の生存率改善が報告されている．

たは 2 剤で投与する[4]．脳動脈血栓症においては抗血小板薬の積極的使用を推奨する報告[5]もある．動脈および静脈血栓を同時にきたす場合には warfarin と aspirin を併用する場合もあるが，出血性の副作用も多く慎重な抗血栓療法が必要である．

再発例ではより強い抗凝固療法が必要となる．未分画 heparin および fondaparinux の静脈注射や PT-INR をやや高めに設定した warfarin 療法，warfarin と抗血小板薬の併用が用いられる．

2）不育症（習慣流産を含む）に対する治療

少量 aspirin と heparin calcium の皮下注射（1 回 5,000 単位を 1 日 2 ～ 3 回）の併用が，妊娠から出産までの成功率が最も高い．しかし，heparin calcium の皮下注射は患者にとって負担となること，この治療でも成功率は 100％でないこと，少量 aspirin のみでもそれなりの成功を見込めることなどから，患者の年齢，流産回数および妊娠週数なども考慮して，少量 aspirin 単独で治療することも選択肢になる．ただし，aspirin は妊娠 28 週を目安に中止する．

3）無症状の抗リン脂質抗体陽性症例に対する予防

aPL 陽性例でも臨床症状を伴わない場合は，原則として経過観察である．aPL 陽性の妊婦または手術後患者においては，heparin calcium の皮下注射が考慮される．また，triple positive aPL（aCL，aβ_2GPI，LA のすべてが陽性）および aPL 陽性が 12 週間以上継続するなどの high risk aPL 陽性者には長期の aspirin 100 mg/日の服用などの抗血栓療法を行うことが勧められる[6,7]．

■文　献■

1）秋元智博ほか：リウマチ科 **23**：441, 2000
2）Galli M et al: Blood **101**: 1827, 2003
3）Crowther MA et al: N Engl J Med **349**: 1133, 2003
4）Fujieda Y et al: Lupus **21**: 1506, 2012
5）Okuma H et al: Int J Med Sci **7**: 15, 2009
6）Erkan D et al: Lupus **20**: 219, 2011
7）家子正裕：臨血 **62**：445, 2021

7 先天性血小板減少症・機能異常症

到達目標

- 先天性血小板減少症の系統的な診断方法を理解する
- 代表的疾患の遺伝学的背景と病態を理解する

1 先天性血小板減少症・機能異常症の系統診断[1-4)]

先天性血小板減少症・機能異常症は，造血幹細胞から巨核球への分化およびその後の血小板産生において必要不可欠な役割をもつ遺伝子群の変異に起因する疾患群である．臨床的には免疫性血小板減少症（ITP）との鑑別診断とその後の適切な治療方針決定のために重要である．

表1に先天性血小板減少症を疑う時の要点と，血小板サイズの定義をまとめた．発症以前の検査で血小板数が正常であれば後天性要因を考慮する．はじめに先天性血小板減少症を疑う場合，特に家族歴，出血傾向の程度やその他の臨床症状を問診することが重要である．血小板サイズや塗抹標本所見に異常がある場合や，ITPの治療に不応性である場合には本症を鑑別する必要がある．

先天性血小板減少症は，遺伝形式と原因遺伝子によって各疾患が定義されているが，臨床上は，血小板の大きさによって疾患が分類されている．**表2**に血小板サイズにより，小型血小板，正常大血小板，大型あるいは巨大血小板を伴う先天性血小板減少症に分類した代表的疾患名の一覧を示す．確定診断は責任遺伝子の変異を同定することが必要であり，パネル遺伝子検査が有用である．

2 Wiskott-Aldrich 症候群および X 連鎖血小板減少症[5)]

1）病因・病態・疫学

X連鎖原発性免疫不全症であるWiskott-Aldrich症候群（WAS）は，小型血小板を特徴とする血小板減少症，易感染性，湿疹を3主徴とし，その原因遺伝子は*WAS*である．*WAS*異常症の中で，血小板減少症のみを呈するX連鎖血小板減少症（X-linked thrombocytopenia：XLT）があり，ITPとの鑑別に重要である．わが国では60例以上の症例登録がなされている．

2）症候・身体所見

男児で出生時から血小板減少があり，血便や出血斑

◆表1　先天性血小板減少症を疑う時の要点と，血小板サイズの定義

先天性血小板減少症を疑う時の要点
• 血小板減少症の家族歴がある • 血小板減少症と出血傾向以外の臨床症状がある • 血小板サイズ，塗抹標本所見に異常がある • ITP の治療に不応性である
血小板サイズの定義
MPV（mean platelet volume：正常値 7 ～ 12 fL．ただし施設基準による）と目視による評価を行う
巨大血小板：正常 MPV 以上で赤血球大（直径 8 μm）以上 大型血小板：正常 MPV 以上で正常血小板の 2 倍程度（直径 4 μm） 正常大血小板：正常 MPV 域内あるいは正常人血小板サイズと同等 小型血小板：正常 MPV 以下あるいは正常大血小板サイズ以下

◆表 2　血小板サイズによる代表的な先天性血小板減少症・機能異常症

疾患名	遺伝形式	責任遺伝子	臨床的特徴
小型血小板性			
Wiskott-Aldrich 症候群（WAS）	X，AR	*WAS, WIPF1, ARPC1B*	免疫不全，湿疹，血小板減少
X 連鎖血小板減少症（XLT）	X	*WAS*	血小板減少のみ
正常大血小板性			
先天性無巨核球性血小板減少症（CAMT）	AR	*MPL*	巨核球著減，骨髄不全へ移行
橈骨尺骨癒合を伴う血小板減少症（RUSAT）	AD	*HOXA11, MECOM*	橈骨尺骨癒合，骨髄不全へ移行
橈骨欠損を伴う血小板減少症（TAR）	AR	*RBM8A*	橈骨欠損，年齢とともに血小板数正常化
骨髄悪性腫瘍傾向を伴った家族性血小板減少症（FPD-AML）	AD	*RUNX1*	AML/MDS へ移行
常染色体顕性遺伝性血小板減少症（THC2）	AD	*ANKRD26*	GPIa と α 顆粒減少，AML/MDS へ移行
ETV6 関連常染色体顕性遺伝性血小板減少症（THC5）	AD	*ETV6*	血液悪性腫瘍へ移行
大型あるいは巨大血小板性			
MYH9 異常症 May-Hegglin 異常 Sebastian 症候群 Fechtner 症候群 Epstein 症候群	AD	*MYH9*	 明瞭な顆粒球封入体 不明瞭な顆粒球封入体 Alport 症状を合併 Alport 症状を合併，顆粒球封入体不明瞭
Bernard-Soulier 症候群	AR, AD	*GP1BA, GP1BB GP9*	リストセチン凝集欠如，血小板 GPIb/IX 発現欠損
GP IIb/IIIa 異常症	AR, AD	*ITGA2B, ITGB3*	GPIIb/IIIa 受容体の欠損あるいは恒常的活性化
α-actinin-1 異常症	AD	*ACTN1*	血小板数低下は軽度
2B 型 von Willebrand 病	AD	*vWF*	リストセチン凝集亢進
X 連鎖大型血小板減少症	X	*GATA1*	赤血球造血異常を合併
Gray platelet 症候群	AR	*NBEAL2*	低染色性（灰色）血小板
β1tubulin 異常症	AD	*TUBB1*	微小管形成異常

注）X：X 連鎖，AD：常染色体顕性，AR：常染色体潜性
WAS: Wiskott-Aldrich syndrome，XLT: X-linked thrombocytopenia，CAMT: congenital amegakaryocytic thrombocytopenia，RUSAT: congenital thrombocytopenia with radio-ulnar synostosis，TAR: thrombocytopenia with absent radii，FPD-AML：familial platelet disorder with propensity to myeloid malignancy，THC2: autosomal dominant thrombocytopenia, thrombocytopenia 2，THC5: ETV6-related thrombocytopenia, autosomal dominant thrombocytopenia, thrombocytopenia 5

を初発症状とすることが多い．血小板は基本的に小型で，骨髄では巨核球の増加がない．ITP と比較し，血小板凝集能の低下から頭蓋内出血の頻度が高い．自己免疫疾患や悪性腫瘍を合併する例がある．

3）診断・検査

本症が疑われる場合，*WAS* 遺伝子変異の同定が必要である．

4）治療と予後

重症例では根治療法として同種造血幹細胞移植が適応となる．軽症例では悪性腫瘍や自己免疫疾患の合併が経時的に増加するため，移植適応を検討する必要があり，5 歳以降では移植成績が低下する．

3 先天性無巨核球性血小板減少症（congenital amegakaryocytic thrombocytopenia：CAMT）

1）病因・病態・疫学

常染色体潜性遺伝形式をとり，トロンボポエチン受容体である *MPL* 遺伝子異常が原因である．新生児期より血小板減少があり，巨核球が著減している．その後，3 系統の骨髄造血不全が徐々に進行し再生不良性貧血様の病態となる．世界で約 60 例の報告がある．

2）症候・身体所見

出生時からの血小板減少による出血傾向を認める．

一部の症例で中枢神経系の奇形，眼球異常などが報告されている．

3）診断・検査

確定診断には*MPL*遺伝子異常を同定する．血清トロンボポエチン値は高値となる．

4）治療と予後

保存療法は血小板輸血が唯一の治療である．根治療法としては造血幹細胞移植が必要である．

4 橈骨尺骨癒合を伴う血小板減少症(congenital thrombocytopenia with radio-ulnar synostosis：RUSAT)

1）病因・病態・疫学

常染色体顕性遺伝形式をとり，*HOXA11*遺伝子異常が原因である．新生児期から血小板減少があり，骨髄巨核球は減少する．世界で約10例の報告がある．

近年，常染色体顕性遺伝形式をとり，*MECOM*遺伝子異常を認める症例が報告されている．橈骨尺骨融合を伴い，骨髄巨核球は減少し，経過とともに汎血球減少が進行する．骨異常を伴わない症例も存在することから，*MECOM*遺伝子関連症候群という広い疾患概念が提唱されている．

2）症候・身体所見

新生児期から血小板減少があり，X線検査で近位側の橈骨尺骨融合を伴う．

3）診断・検査

上記の責任遺伝子検査を行い，有意な変異を同定する．

4）治療と予後

*MECOM*遺伝子関連症候群では汎血球減少が進行するため，同種造血幹細胞移植が適応となる．

5 骨髄悪性腫瘍傾向を伴った家族性血小板減少症(familial platelet disorder with propensity to myeloid malignancy：FPD-AML)

1）病因・病態・疫学

常染色体顕性遺伝形式をとり，*RUNX1*遺伝子変異による．中等度あるいは軽度の血小板減少を呈し，一部の症例でAML/MDSに移行する．血小板減少の発症年齢は7歳から45歳であり，慢性ITPとして経過観察された後に，成人期にAML/MDSを発症する例がある．世界で約20家系の報告がある．

2）症候・身体所見

出血傾向は軽度のことが多いが，長期的にMDS/AMLを合併する可能性があるため，経過観察が必須である．

3）診断・検査

*RUNX1*遺伝子検査を行い，変異を同定する．

4）治療と予後

血小板減少のみでは治療を要しない例が多いが，AML合併例では化学療法後に同種造血幹細胞移植を検討する必要がある．

6 *MYH9*異常症

1）病因・病態・疫学

May-Hegglin異常に代表される*MYH9*異常症は，常染色体顕性遺伝形式をとり，*MYH9*遺伝子異常が原因である．巨大血小板を伴う血小板減少および顆粒球封入体を特徴とする．類縁疾患と考えられていたSebastian症候群，Alport症状（腎炎・難聴・白内障）を合併するFechtner症候群，封入体を認めないEpstein症候群も*MYH9*異常症に包括される．

2）症候・身体所見

巨大血小板を伴う血小板減少の他に，Alport症状（腎炎・難聴・白内障）を合併する症例がある．

3）診断・検査

*MYH9*異常症の最大の特徴は顆粒球細胞質内にみられるDöhle小体様封入体であるが，通常のMay-Giemsa染色標本では不明瞭な場合もある．

*MYH9*遺伝子検査は有用であり，*MYH9*頭部変異は高頻度に腎炎・難聴を合併するが，*MYH9*尾部変異ではその合併頻度が低いなど，*MYH9*遺伝子の変異の部位により臨床経過に違いがある．

4）治療と予後

血小板輸血は最小限に止める．長期的な経過観察を行い，腎専門医と連携してACE阻害薬などによる腎保護のための治療介入および進行例での腎移植の適応を検討する，耳鼻科医と連携して難聴の評価と管理を行う．

7 Bernard-Soulier症候群(Bernald-Soulier syndrome：BSS)

1）病因・病態・疫学

BSSは常染色体潜性遺伝性疾患で，GPⅠb/Ⅸ/Ⅴ複合体の先天的欠損あるいは機能異常が原因である．GPⅠb複合体は，von Willebrand因子を介した血小板粘着に重要である．ホモ接合性およびヘテロ接合性BSSは，慢性ITPとして経過観察されている可能性がある．

2）症候，身体所見

上記病態による血小板機能異常を伴うため，血小板減少の割合に比較して強い出血症状を示す．

3）診断・検査

巨大血小板を伴う血小板減少と出血時間の延長，リストセチンによる血小板凝集の欠如を特徴とするが，ADP凝集とコラーゲン凝集は保たれる．ヘテロ接合性保因者では出血症状を示さないが，大型血小板を有することが多い．

4）治療と予後

出血傾向が強い場合は，血小板輸血が唯一の治療法である．

8 GP Ⅱb/Ⅲa異常症 (*ITGA2B/ITGB3* mutations)

1）病因・病態・疫学

GPⅡb/Ⅲa複合体（インテグリン$\alpha_{IIb}\beta_3$）の量的・質的異常による．常染色体潜性形式による先天性欠損は，血小板無力症（Glanzmann thrombasthenia）の原因となる．

最近，常染色体性顕性遺伝形式をとり，GPⅡb/Ⅲa受容体の恒常的活性化を引き起こす*ITGA2B/ITGB3*遺伝子変異が原因となることも判明した．GPⅡb/Ⅲa複合体は血小板活性化に伴いそのリガンドであるフィブリノゲンと結合し，血小板凝集を引き起こす．

2）症候・身体所見

血小板無力症では重篤な出血傾向を示す．

恒常的活性化を引き起こす*ITGA2B/ITGB3*遺伝子変異例では出血症状は軽度である．

3）診断・検査

一般に血小板数は正常である．血小板無力症では出血時間の延長，ADPやコラーゲンによる血小板凝集が欠如し，リストセチン凝集が保たれることが特徴である．

恒常的活性化を引き起こす*ITGA2B/ITGB3*遺伝子変異例では血小板凝集能はやや低下するが，出血時間は正常範囲内である．血小板のGPⅡb/Ⅲa発現は低下する．

4）治療と予後

出血傾向が強い場合には対症的に血小板輸血を行うが，輸血後にGPⅡb/Ⅲaに対する抗体が出現し，血小板輸血不応となることがある．

■文　献■

1）笹原洋二ほか：日小児血がん会誌 **58**: 253 2021
2）笹原洋二ほか：臨血 **62**: 437, 2021
3）國島伸治 : 臨血 **55**: 882, 2014
4）石黒 精ほか : 日小児血がん会誌 **57**: 227, 2020
5）Sasahara Y：Pediatr Int **58**: 4, 2016

ADVANCED

■WASの新病型■

WAS関連疾患として，*WIPF1*遺伝子変異により，WASP蛋白質の安定化に重要なWASP結合蛋白質WIPの欠損に起因する常染色体潜性WASがある．また，血管炎などの自己炎症性疾患の合併が重症で，WASPのC末に結合するArp2/3複合体の構成蛋白質ARPC1BをコードするARPC1B遺伝子に変異を認める常染色体潜性遺伝形式の新病型もある．

8 血友病

到達目標

- 血友病の病因・病態を理解して，迅速かつ正確な診断ができる
- 出血症状を観察・評価して，適切な治療計画を立てることができる
- インヒビターの病因・病態を理解して，診断・治療が実践できる

1 病因・病態・疫学

血友病は幼少期から種々の出血症状を反復する最も代表的な先天性凝固障害症である．遺伝形式はX連鎖潜性（劣性）で，通常，男性に発症する．孤発例は約1/3といわれている．ヘテロ接合体の女性は保因者となる．血友病はAおよびBの2病型があり，前者は第Ⅷ因子（FⅧ），後者は第Ⅸ因子の欠乏または低下症である．FⅧはトロンビンにより限定分解を受けて，活性型FⅧ（FⅧa）に変換され，出血部位における血小板膜上のリン脂質表面で活性型第Ⅸ因子（FⅨa）によるFX活性化反応を2×10^5倍以上に増幅する．したがって，FⅧやFⅨが欠乏するとFX活性化反応が低下する結果，トロンビン生成が障害されるために出血傾向を呈することになる．

血友病Aの病態の本態はFⅧ遺伝子（*F8*）の異常である．*F8*は186 kbにも及ぶ巨大な遺伝子でX染色体長腕末端部のXq28に存在する．*F8*は26個のエクソンと介在するイントロンから構成される．血友病Aの代表的な遺伝子異常としては，逆位，点変異（ナンセンス，ミスセンス），欠失，スプライシング異常などがある．なかでも，血友病Aで最も特徴的な遺伝子異常はイントロン22の逆位で，重症型の約4割にみられる．血友病Aの遺伝子異常は国際的にデータベース化されている［EAHAD Factor Ⅷ Gene Variant Database（http://www.factorviii-db.org/）］．一方，第Ⅸ遺伝子（*F9*）は，全長34 kbでXq27.1に存在する．*F9*は8個のエクソンと介在するイントロンから成る．血友病Bの遺伝子異常は血友病Aと異なり，90％以上が点変異である．血友病Bの遺伝子異常はEAHAD Factor Ⅸ Gene Variant Database（http://www.factorix.org/）から検索できる．

一般に，血友病の発生頻度は男子5,000～10,000人に1人である．厚生労働省委託事業「血液凝固異常症全国調査」令和3年度報告書[1)]によると，わが国の血友病生存患者数は6,738人で，血友病Aは5,657人，血友病Bは1,252人である．女性血友病患者は出血症状を有するヘテロ接合体，つまり，有症状保因者，複合ヘテロあるいはホモ接合体である．

2 症候・身体的所見

出血症状の特徴はoozingと表現される深部出血である．皮下出血，関節内出血，筋肉内出血，口腔内出血，血尿などが代表的な出血症状である．

1）皮下出血

血友病の初発出血症状として最も発生頻度が高い．乳幼児後半からみられるようになる．点状出血はみられず，大小さまざまな斑状出血（紫斑）を呈する．しばしば，皮下血腫（皮下硬結）を伴う．軽微な打撲でも出現する．注射後の圧迫が不十分な場合にもみられる．

2）関節内出血

関節内出血は血友病の最も特徴的な症状である．一般的には，歩行を開始する1歳以降から徐々に出現し，膝，足，肘関節に多い．急性期の関節内出血では，関節の違和感や倦怠感などの前兆後に激しい疼痛や熱感を伴う関節の腫脹が出現し，関節の可動域は低下する．乳幼児では疼痛が明確でないときもあるが，当該関節の可動制限で気づかれる．関節内出血を反復すると，関節滑膜にヘモジデリンが沈着し，炎症性のサイトカインも作用することにより滑膜炎を発症し，血管増生を伴う滑膜が増生する．進行すると関節軟骨や骨の変性や破壊も伴うようになる．

3）筋肉内出血

腓腹筋，ヒラメ筋，大腿筋，殿筋，腸腰筋などの下肢筋や前腕屈筋などに発生しやすい．打撲などの外傷，激しい運動後や筋肉注射後に出現するが，原因が明らかでない場合も多い．出血部位では疼痛，腫脹，運動障害がみられる．特に，腸腰筋出血では特徴的な股関節の屈曲位（psoas position）を呈する．また，血腫により血管や神経が圧迫されて，コンパートメント症候群をきたすことがある．

4）血　尿

血尿は年長児や成人の重症患者でよくみられる糸球体あるいは尿細管由来の出血症状である．一般に，明らかな原因はなく，腰部の違和感や疼痛を伴うことが多い．しばしば再発する．

5）口腔内出血

軽微な切傷や咬傷により，歯肉，上口唇小帯，舌小帯，口唇および舌に起こることが多い．しばしば血腫を形成する．歯周囲炎や乳歯や永久歯の萌芽時期も出血をきたしやすい．一般的に口腔内は線溶系が亢進しているため，適切な補充療法を実施しないと出血が遷延しやすい．

6）重篤な出血

a）頭蓋内出血

血友病の出血死の原因として最も多い．外傷が原因であることが多いが，原因不明の自然出血もみられる．鉗子分娩や吸引分娩による出血もみられる．血友病に起因する頭蓋内出血は比較的進展が遅く，受傷から発症までの期間が長い．反復例もまれでない．

b）腹腔内出血

進展は緩徐であるが，しばしば重度の貧血を伴う．腹部に紫斑をみた場合には，常に腹腔内出血を念頭におく．腸管壁内出血もみられる．強い腹痛が主訴であるが，出血の程度によりイレウス症状を呈する．診断にはMRIや腹部超音波検査が有用である．

c）頸部出血

発生頻度はまれであるが，窒息をきたすことがあり，致死率の高い出血症状である．頸部の違和感から始まる有痛性の頸部腫脹で気づかれることが多い．口の中でこもったようなふくみ声もみられる．

3　診断・検査

血友病では，凝固内因系を反映する活性化部分トロンボプラスチン時間（APTT）が延長するが，外因系を反映するプロトロンビン時間（PT）は正常である．凝固一段法あるいは合成発色基質法によりFⅧあるいはFⅨ活性値が低下する．von Willebrand因子（VWF）値は正常あるいは増加する．凝固因子活性が＜1％を重症，1～5％を中等症，＞5～40％を軽症と分類する．一般に，中等症や軽症では出血症状は軽度であるが，症例により重症型と同様の症状を呈する場合もある．

4　血友病の止血治療（インヒビター非保有例）

血友病の治療の基本は欠乏するFⅧあるいはFⅨを欠乏している当該因子製剤で補う補充療法である．急性出血時の止血治療（オンデマンド療法）と定期的に当該因子製剤を投与して出血を予防する定期補充療法に大別される．近年，わが国では欧米先進国と同様に定期補充療法が治療の主体である．

1）補充療法製剤

血漿由来FⅧとFⅨ製剤と，遺伝子組換えFⅧとFⅨ製剤がある．最近，標準型製剤に加えて，ポリエチレングリコール（PEG）化，Fc蛋白融合またはアルブミン融合技術により，半減期の長い遺伝子組換え型製剤も販売されている（**表1**）．

2）製剤の投与方法

一般的にはボーラス投与で行う（3)「急性出血時の止血治療」を参照）が，重篤な出血や外科手術時の止血管理では持続輸注を実施する．持続輸注はあらかじめボーラス投与によりFⅧあるいはFⅨ血中濃度を目的とする値に上昇させたうえで実施する．輸注速度はクリアランス（mL/kg/時）×目標トラフレベル（U/mL）で計算する．クリアランス値は，非出血時はFⅧ製剤では2.4～3.4，FⅨ製剤では3.8～5.1 mL/kg/時であるが，出血時のクリアランスは高くなるため，通常はFⅧ製剤で4.0，血漿由来FⅨ製剤で5 mL/kg/時で開始する．

3）急性出血時の止血治療

目標因子レベルを基本にして，FⅧ製剤必要輸注量（単位）は体重（kg）×目標ピークレベル（％）×0.5で算定する．FⅨ製剤の必要輸注量（単位）＝体重（kg）×目標ピークレベル（％）×Xで，製剤によりX（係数）が異なる．製剤輸注後，10～15分をピークに漸減する．標準型FⅧ製剤の血中半減期は約8～14時間であるが，半減期延長型製剤では14～17時間である．標準型FⅨ製剤は16～24時間，半減期延長型製剤では小児患者では半減期は一般に短い．製剤投与後の活性上昇率や半減期は個人差や年齢差があるので，個別に評価することが望ましい．以下，代表的な出血症状の製剤投与量の目安を記載するが，詳細は日本血栓止血学会が発行している『インヒビターのない血友病患者に対する止血治療ガイドライン 2013 年改訂版』を参照されたい[2]．

① **関節内，筋肉内出血**：目標ピーク因子レベルは軽度で 20 ～ 40%，重度の出血で 40 ～ 80%を目指す．急性期は安静保持を心がける．
② **腸腰筋出血**：目標ピークを 80%以上に，以後はトラフ≧ 30%を維持する．入院加療を原則とする．
③ **口腔内出血**：目標ピークレベルは 20 ～ 40%で，原則 1 回投与であるが，舌，舌小帯，口唇小帯や裂傷時は出血症状が消失するまで≧ 40%を維持する．トラネキサム酸は 15 ～ 25 mg/kg 内服，あるいは 10 mg/kg 3 ～ 4 回 / 日静注する．
④ **消化管出血**：目標ピークレベルは≧ 80%で，≧ 40%を維持する．
⑤ **血尿**：原則止血治療は不要であるが，止血困難なときにのみ，40 ～ 60%を目標に投与する．
⑥ **頭蓋内出血**：目標ピークレベルは≧ 100%を目指し，トラフ≧ 50%を維持する．

4）外科的処置・手術時の止血

① **歯科治療**：抜歯や切開を伴う場合は，50 ～ 80%を目標ピークレベルとし，処置直前に 1 回投与を原則とする．必要に応じて 20～30%を維持する．
② **関節手術**：100%を目標ピークに≧ 80%を 5 ～ 10 日間維持する．以後は≧ 30%を維持する．

5）定期補充療法

FⅧあるいは FⅨ製剤を定期的に投与して出血症状を予防する治療である．重症血友病患者ではわが国では約 90%の患者が定期補充療法を実施している．さらに，早期定期補充療法が関節症の発症を抑制することが報告されてから，初回関節内出血出現後，あるいは，2 歳時までに開始する一次定期補充療法が推奨されている[3]．それ以降に開始する二次定期補充療法も積極的に行われている．標準型 F Ⅷ製剤では一般に 20 ～ 50 単位 /kg 週 3 回，隔日投与，F Ⅸ製剤では 40 ～ 80 U/kg 週 2 回，または 3 日に 1 回投与する．半減期延長型製剤はそれぞれの製剤により薬物動態プロファイルが異なるために定期補充療法のレジメも異なる．

5 インヒビター保有の対応

1）インヒビターの診断

重症血友病 A あるいは B 患者では製剤中の FⅧあるいは FⅨを異物と認識して，抗 F Ⅷあるいは抗 FⅨ同種抗体（インヒビター）が出現することがある．発生率はそれぞれ約 30%，5%である．遺伝子異常により軽症または中等症血友病 A 患者でも発生することがある．インヒビターが出現すると凝固因子製剤の効果は著しく激減または消失するため，止血コントロールがきわめて困難になる．出血回数も増加するために，関節症が急速に進む危険性がある．血友病 B インヒビター症例では，アナフィラキシー反応やネフローゼ症候群を発症することがあるため注意が必要である．インヒビターは凝固一段法に基づく Bethesda 法で測定される．血漿 1 mL 中の FⅧあるいは FⅨ活性を 50%低下するインヒビター力価を 1 Bethesda 単位（BU）と定義される．≧ 5 BU を高力価，< 5 BU を低力価と定義する．さらに常に< 5 BU を維持する場合を low responder（LR），≧ 5 BU に上昇するタイプを high responder（HR）と呼ぶ．HR では FⅧあるいは FⅨ製剤投与 5 ～ 7 日後，インヒビター力価が急上昇する（アナムネスティック反応）．

2）インヒビター保有例の治療

a）止血治療

インヒビターが低力価，LR では凝固因子製剤を高用量使用することが第一選択である．高力価では，バイパス止血治療製剤を使用する（**表 1**）．バイパス止血治療製剤は，血漿由来活性型プロトロンビン複合体製剤（APCC），遺伝子組換え活性型第Ⅶ因子製剤（rF Ⅶ a）および血漿由来 FⅦa/FⅩ複合体製剤（FⅦa/Ⅹ）の 3 製剤が使用できる．インヒビター保有例の急性出血症状に対する止血治療の詳細については『日本血栓止血学会インヒビター保有血友病患者に対する止血治療ガイドライン 2013 年改訂版』を参照されたい[4]．

b）出血予防治療

定期的に APCC を投与して出血回数の減少を図る定期輸注法がある[4]．最近，わが国で開発された FⅧa 代替バイスペシフィック抗体製剤の emicizumab（ヘムライブラ®）がインヒビター保有または非保有血友病 A 患者の出血予防治療製剤として承認された．本製剤は週 1 回，2 週に 1 回，4 週に 1 回の皮下投与で出血回数を激減できる（後述）．

c）免疫寛容導入療法（ITI）

インヒビター保有例の止血管理は，emicizumab の登場で格段に進歩したが，インヒビターを除去する治療も重要である．免疫寛容導入療法（immune tolerance induction：ITI）はインヒビター保有患者に，凝固因子製剤を頻回に投与することでインヒビターの消

◆表1　わが国で使用可能な血友病治療製剤

製剤種類			商品名	製造	規格（単位）
FⅧ製剤	遺伝子組換え	従来型	アドベイト	Takeda	250, 500, 1000, 1500, 2000, 3000
			コバルトリイ	Bayer	250, 500, 1000, 2000, 3000
			ノボエイト	Novo Nordisk	250, 500, 1000, 1500, 2000, 3000
	血漿由来		クロスエイトMC	Japan BPO	250, 500, 1000, 2000
			コンファクトF*	KMバイオロジクス	250, 500, 1000
	遺伝子組換え	半減期延長型	イロクテイト	Sanofi	250, 500, 750, 1000, 1500, 2000, 3000, 4000
			アディノベイト	Takeda	250, 500, 1000, 1500, 2000, 3000
			ジビイ	Bayer	500, 1000, 2000, 3000
			イスパロクト	Novo Nordisk	500, 1000, 1500, 2000, 3000
			エイフスチラ	CSL Behring	250, 500, 1000, 1500, 2000, 2500, 3000
			ヌーイック	藤本製薬	250, 500, 1000, 2000, 2500, 3000, 4000
FⅨ製剤	遺伝子組換え	従来型	ベネフィクス	Pfizer	500, 1000, 2000, 3000
			リクスビス	Takeda	500, 1000, 2000, 3000
	血漿由来		ノバクトM	KMバイオロジクス	500, 1000, 2000
			クリスマシンM	Japan BPO	400, 1000
	遺伝子組換え	半減期延長型	オルプロリクス	Sanofi	250, 500, 1000, 2000, 3000, 4000
			イデルビオン	CSL Behring	250, 500, 1000, 2000, 3500
			レフィキシア	Novo Nordisk	500, 1000, 2000
FⅨ複合体製剤	血漿由来		PPSB-HT「ニチヤク」	日本製薬	200, 500
バイパス止血製剤	遺伝子組換え		ノボセブンHI	Novo Nordisk	1, 2, 5, 8 (mg)
	血漿由来		ファイバ	Takeda	500, 1000
			バイクロット	KMバイオロジクス	FVIIa/FX 1.56/15 mg
非凝固因子製剤	バイスペシフィック抗体		ヘムライブラ	中外製薬	30, 60, 90, 105, 150 mg

*FVIII以外にVWF（40単位/mL）を含有する．

失を図る治療法である．国際的には200単位/kg連日投与する高用量と50単位/kg週3回投与する低用量レジメンがある．ITIの成功までの期間は高用量レジメンのほうが短いが，成功率には両レジメン間で有意差がないことがすでに報告されている[5]．過去のインヒビター力価とITI開始時期のインヒビター力価が低いことがITIの成功率に有意に関係していることが知られている[6]．

6 FⅧa代替バイスペシフィック抗体(emicizumab)[7,8]

FⅧaはリン脂質膜上で，FⅨaとFXが最適な位置関係に保持して内因系FXase複合体を機能させる．バイスペシフィック抗体のemicizumabは，一方の抗原結合部位にFⅨaを，一方の抗原結合部位にFXを結合して，FⅧa補因子機能を代替して凝固反応を促進する．皮下投与で，インヒビター保有，非保有に関係なく長時間作用する．臨床試験では著明な出血抑制効果を示し，現在，先天性血友病A患者の出血予防として使用されている．

本製剤は，従来のFⅧ製剤の出血時補充や定期補充での実臨床における凝血学的な概念や用法がまったく異なる．インヒビター保有患者の出血時でのAPCC製剤併用による血栓症の発症が報告されており，本製剤投与のインヒビター保有患者のバイパス止血製剤併用時は，原則としてrFⅦa製剤を第一選択とする．インヒビター非保有患者は，FⅧ製剤補充による血栓症発症の報告はなく，従来のFⅧ製剤補充ガイドラインに準じて治療を行うが，臨床症状や血栓関連検査の観察は必要である．

実臨床での用法用量から本製剤の凝固能は血友病A

の軽症レベルであると推測される．凝固因子活性を測定すると高値となり，正確な値が測定できない．出血の自覚症状の変化，保存的な対処法についての教育が重要である．出血と非出血の鑑別や凝固因子製剤による止血治療の可否などは，前もって患者と話し合っておく必要がある．APTT は投与中では著しく短縮するため，抗薬物抗体出現の評価に有用であるが，凝血学的止血モニタリングとしては適さない．凝固波形解析やトロンボエラストメトリなどを用いた包括的凝固評価が有用である．

7 血友病医療の医療費助成

血友病治療製剤はいずれも高額であるが，わが国では健康保険に加えて特定疾病療養，小児慢性特定疾患治療研究事業（20 歳未満），先天性血液凝固因子障害等治療研究事業（20 歳以上）などの医療費助成制度を利用することにより，自己負担なく治療を受けることができる．

8 その他の先天性凝固異常症[9)]

血友病および von Willebrand 病以外の先天性凝固因子障害症を希少出血性疾患（rare bleeding disorders：RBDs）と総称する．わが国における RBDs は先天性第Ⅶ因子欠乏・低下 / 異常症が最も多く，次いで先天性フィブリノゲン欠乏・低下 / 異常症である．診断は血友病と同様に，詳細な病歴や家族歴を聴取し，出血症状を把握し，凝固スクリーニング検査と混合補正試験（クロスミキシング試験）を行い，最終的に各凝固因子の活性値や抗原量を測定して診断される．その際に後天性凝固因子インヒビターやループスアンチコアグラントの除外などが必要である．臨床症状は欠損する凝固因子によってさまざまであり，症状

◆表 2　Rare bleeding disorders（RBDs）の臨床的特徴，治療のまとめ

疾患名	頻度	主な出血症状	推奨治療薬	商品名	欠乏因子の半減期（範囲）	止血に必須の凝固因子最小必要量
フィブリノゲン欠乏症・異常症	**欠乏症**　1：100 万人 **異常症**　不明	**欠乏症**　臍出血，頭血腫，頭蓋内・関節内・消化管出血，自然流産（不育症），創傷治癒遅延 **異常症**　無症候～出血，血栓と多様，自然流産，出血症状は軽度	乾燥人フィブリノゲン	フィブリノゲン HT	90 時間（72 ～ 144 時間）	60 ～ 100 mg/dL
FII 欠損症	1:200 万人	皮下・鼻・歯肉出血，関節内・筋肉内出血	プロトロンビン複合体製剤（保険収載なし）	PPSB-HT「ニチヤク」	65 時間（48 ～ 120 時間）	10 ～ 40%
FV 欠乏症	1:100 万人	皮下・鼻・歯肉出血，筋肉内出血，月経過多	新鮮凍結血漿		15 時間（15 ～ 36 時間）	25%
FVII 欠損症	1:10 万～ 50 万人	皮下・鼻・歯肉出血，抜歯・外傷後出血，月経過多，頭蓋内出血	遺伝子組換え FVIIa プロトロンビン複合体製剤（保険収載なし）	ノボセブン PPSB-HT「ニチヤク」	5 時間（2 ～ 7 時間）	10 ～ 25%
FX 欠損症	1:100 万人	皮下・鼻・歯肉出血，外傷後出血，過多月経，筋肉内・関節内出血	プロトロンビン複合体製剤（保険収載なし）	PPSB-HT「ニチヤク」	40 時間（36 ～ 48 時間）	10 ～ 30%
FXI 欠損症	1:100 万人	術後・外傷後出血	新鮮凍結血漿		45 時間（48 ～ 96 時間）	30%
FXII 欠損症	1:400 万人	なし	－	－	－	－
FXIII 欠損症	1:200 万人	臍出血，臍帯脱落遅延，頭蓋内出血，皮下出血，関節内・消化管出血，自然流産（不育症）	ヒト血漿由来 FXIII 製剤 遺伝子組換え FXIII 製剤	フィブロガミンP ノボサーティーン	8.3 日（6 ～ 10 日）	2 ～ 5%

の程度は活性値と相関する凝固因子もあれば，そうでない凝固因子もあることも注意を要する．出血時や観血的手技や手術などの止血管理には，欠乏凝固因子を補充するために血液凝固因子製剤や新鮮凍結血漿による補充療法が行われる．本病態は臨床上きわめてまれではあるが，出血傾向を認める際での診断時には必ず考慮すべきである．RBDsのまとめを**表2**に示す．

■文　献■

1) 厚生労働省委託事業　血液凝固異常症全国調査令和3年度報告書．公益財団法人エイズ予防財団，2022
2) 藤井輝久ほか：インヒビターのない血友病患者に対する止血治療ガイドライン　2013年改訂版．日血栓止血会誌 **24**：619, 2013
3) Manco-Johnson MJ et al：N Engl J Med **357**：535, 2007
4) 酒井道生ほか：インヒビター保有先天性血友病患者に対する止血治療ガイドライン 2013年改訂版．日血栓止血会誌 **24**：640, 2013
5) Hay CR et al：Blood **119**：1335. 2012
6) Nogami K et al：Haemophilia **24**：e328, 2018
7) 徳川多津子ほか：血友病患者に対する止血治療ガイドライン：2019年補遺版　ヘムライブラ®（エミシズマブ）使用について．日血栓止血会誌 **31**：93, 2020
8) 野上恵嗣：日血栓止血会誌 **32**：3, 2021
9) 野上恵嗣：日血栓止血会誌 **33**：45, 2022

9 von Willebrand 病

到達目標

- von Willebrand 病（VWD）の病態を理解して診断できる
- VWD の治療計画を立て実践できる

1 病因・病態・疫学

von Willebrand 因子（VWF）は血小板粘着作用と，凝固第Ⅷ因子（FⅧ）と結合して安定化させる機能を有する止血蛋白である．von Willebrand 病（VWD）は，この VWF の量的あるいは質的な異常により発症する先天性の出血性疾患で，多くは常染色体顕性（優性）遺伝，一部は常染色体潜性（劣性）遺伝により伝播する．

VWD は遺伝性出血性疾患の中では最も頻度が高い疾患であり，その推定頻度は 1 万人あたり 100 人と報告されているが，症状がほとんどない症例も多いため，出血症状を呈する症例はその中の約 1%（1 万人に 1 人）程度と考えられている．

2 症候・身体所見

VWD は質的に正常な VWF の量的減少症である 1 型（Type 1），完全欠乏症の 3 型（Type 3）と，VWF の質的異常である 2 型（Type 2）に分類される．Type 1 が最も多く全体の 60 ～ 80% を占め，Type 2 が 20 ～ 30%，Type 3 は 5% 以下である．Type 2 には VWF の量的な減少を伴うものと，伴わないものがあり，その質的（機能）異常の内容によって，2A，2B，2M，2N の 4 つの病型が存在する（**表 1**）[1]．

VWD の症状は一般的に粘膜出血を主体とし，鼻出血，口腔内出血，皮下出血，抜歯後や手術後，外傷後の止血困難，血尿などを呈する．出血症状の程度は病型によって大きく異なり，Type 1 は概して軽いが，Type 3 および Type 2（特に Type 2A）は重症の出血をきたしやすい．Type 3 と Type 2N は FⅧの低下が著しいため，血友病 A と類似する関節内出血や筋肉内出血を発症するが，それ以外の VWD においては，これらの出血はまれである．女性では性器出血，過多月経（特に初潮時異常出血）や流産・分娩後の異常出血，黄体出血が認められる．一般的には幼少時から出血症状が認められるが，軽症の場合は年長になってから外傷や手術，分娩時に止血困難をきたして診断される場合も多い．

3 診断・検査

VWD の診断は出血歴，家族歴，および出血の原因薬剤の使用歴の聴取と凝血学的検査によって行う．出血歴については，患者・家族の主観に基づく判断ではなく，出血の重症度とともに頻度もできるだけ定量的に聴取することが必要になる．

有意な出血症状が確認されたら，止血スクリーニング検査として，全血球数，プロトロンビン時間（PT），活性型部分トロンボプラスチン時間（aPTT），フィブリノゲンを測定し，全血球数，PT，フィブリノゲンが正常で aPTT に延長がみられる場合，VWD を疑う．止血スクリーニング検査で VWD が疑われる場合，あるいはすべてが正常範囲でも明確な（主に粘膜，皮下の）出血症状がある場合は，VWF リストセチンコファクター活性（VWF 活性），VWF 抗原量，FⅧ活性を測定し VWD の確定診断・除外診断を行う（**図 1**）[1]．

VWF 活性または VWF 抗原量が 30 IU/dL 未満の場合を VWD と診断する．ただし，有意な出血症状があり VWF 値が 30 ～ 50 IU/dL の場合も，VWD を除外することはできない．

VWF レベルは健常者での変動が大きく，血液型（血液型 O 型は非 O 型よりも VWF 量が約 25% 低い）などのさまざまな要因により容易に増減するうえ，鼻出血や月経過多などは非 VWD 患者にもみられること

◆表 1　von Willebrand 病（VWD）の病型分類と検査結果

	VWD 病型						血小板型 VWD (pseudo VWD)
	1	2A	2B	2M	2N	3	
病態	正常 VWF の量的減少	高分子マルチマーの分泌障害または ADAMTS13 による分解亢進	異常 VWF の血小板膜 GP1b への結合亢進による高分子マルチマーの消費	血小板膜 GPIb への結合能低下	FVIII の結合不全	VWF の完全欠損	異常血小板膜 GP1b の VWF への結合亢進による高分子マルチマーの消費
遺伝	常染色体顕性	常染色体顕性	常染色体顕性	常染色体顕性	常染色体潜性	常染色体潜性	常染色体顕性
PT	正常	正常	正常	正常	正常	正常	正常
APTT	正常～延長	正常～延長	正常～延長	正常～延長	正常～延長	延長	正常～延長
血小板数	正常	正常	正常～減少	正常	正常	正常	減少
出血時間	正常～延長	延長	延長	延長	正常	延長	延長
VWF 抗原量*1	低下～減少	低下～減少	低下～減少	低下～減少	正常～低下	欠如	低下～減少
VWF 活性*1	低下～減少	減少	減少	減少	正常～低下	欠如	減少
VWF 活性 / 抗原量比*2	正常（>0.6）	低下（<0.6）	低下（<0.6）	低下～正常	正常（>0.6）	―	低下（<0.6）
FVIII：C*1	正常～減少	正常～減少	正常～減少	正常～減少	減少	<10%	正常～低下
RIPA	正常～低下	低下	亢進	正常～低下	正常	欠如	亢進
VWF：マルチマーパターン 正常	正常パターン（濃度低下）	高～中分子マルチマーの欠如	高分子マルチマーの欠如	正常	正常	欠如	高分子マルチマーの欠如

*1：VWF 抗原量，VWF 活性，FVIII：C の値は，正常：>50%，低下：30 ～ 50%，減少 <30%，欠如 <5%を目安とする．
*2：表では VWF 活性 /VWF 抗原量比の cut off 値を 0.6 とし，これよりも大きい場合は VWF 活性と VWF 抗原量の乖離がなく，これよりも小さい場合は乖離があるものとして示しているが，実際には cut off 値は各検査機関によって異なり，0.5 ～ 0.7 の範囲となる．
（文献 1 および von Willebrand 病の診療ガイドライン 2021 年度版 修正 2022 年 2 月より許諾を得て転載）

から，診断に際しては VWF 活性，VWF 抗原量の測定を複数回実施するべきである．

VWD の病型は，VWF 活性，VWF 抗原量の減少の程度や，VWF 活性 /VWF 抗原量比によって，ある程度まで推定が可能であるが，正確な病型診断のためには，VWF マルチマー解析やリストセチン惹起性血小板凝集検査が必要になる（VWF マルチマー解析は一部の受託検査機関で実施可能だが，保険未収載）．

4 治療

VWD の治療は，低下した VWF および FⅧ を補正することにより，出血時の止血治療，および観血的処置時の出血予防を行うことである．

現在，わが国において VWF および FⅧ の補正に使用可能な薬剤は，血管内皮細胞から内在性の VWF を放出させる酢酸デスモプレシン（DDAVP）と，経静脈的に VWF を補充する VWF 含有濃縮製剤の 2 種類

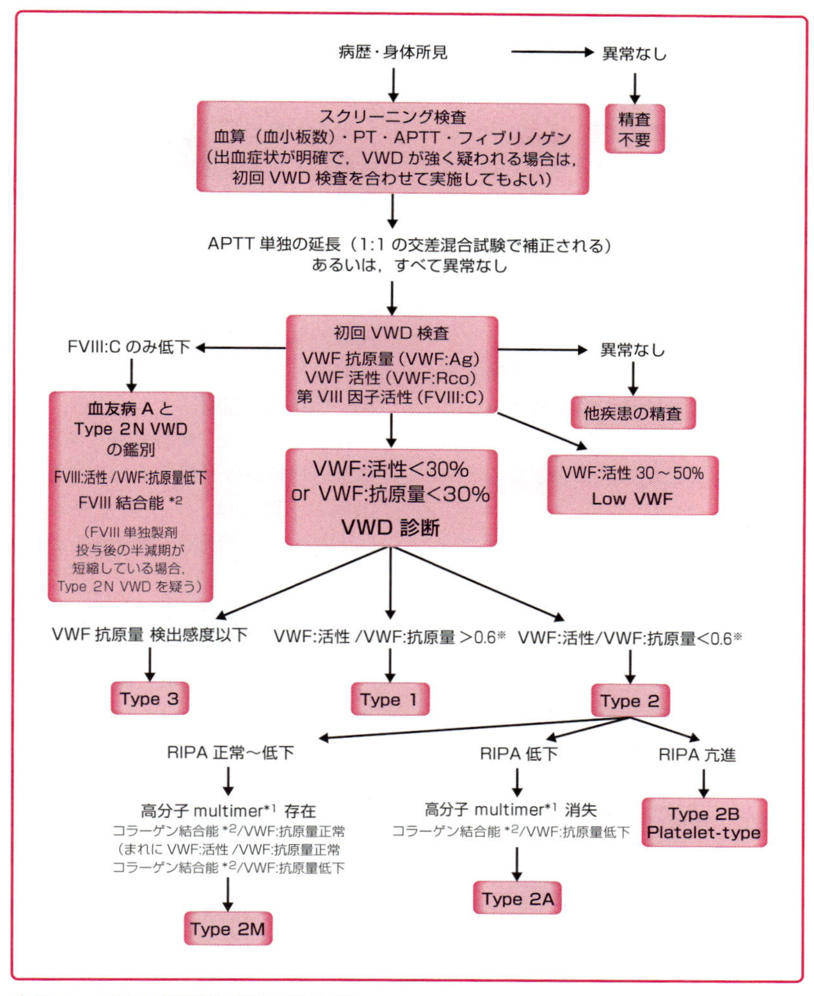

◆図 1 VWD 診断のアルゴリズム

※図では VWF: 活性 /VWF: 抗原量比の cut off 値を 0.6 とし，これよりも大きい場合は VWF:RCo と VWF:Ag の乖離がなく，これよりも小さい場合は乖離があるものとして示しているが，実際には cut off 値は各検査機関によって異なり，0.5～0.7 の範囲となる．

*1 わが国では VWF マルチマー解析が保険適用にはなっていないが，一部の受託検査機関で実施可能である．

*2 コラーゲン結合能や FⅧ結合能などの活性測定は VWD の病型診断には有用であるが，いずれも研究室レベルの検査であり，一般的には行われていない．

（文献 1 および von Willebrand 病の診療ガイドライン 2021 年度版 修正 2022 年 2 月より許諾を得て改変し転載）

である．これら以外に補助療法として抗線溶剤や局所止血剤も使用される．

VWD の治療はしばしば医療費が高額となるため，「小児慢性特定疾患治療研究事業」あるいは「先天性血液凝固因子障害等治療研究事業」等の公的医療補助制度を利用することが望ましい．

1）酢酸デスモプレシン（DDAVP）

DDAVP は中枢性尿崩症の主たる治療薬として使用されているが，血管内皮細胞の Weibel-Palade 小体に貯蔵されている VWF の放出を促進し，血中の VWF および FⅧ活性を上昇させる作用がある．わが国では，注射用の DDAVP が軽症・中等症血友病 A（FⅧ活性が 2% 以上の患者）と Type 1・Type 2A の VWD に適応が認められている．VWD に対する用法・用量は，「0.4 μg/kg を生理食塩液約 20 mL に希釈し，10～20 分かけて緩徐に静脈内投与する」となっているが，欧米では生理食塩液 50 ～ 100 mL で希釈し，30 分かけて点滴投与する方法が報告されている．

DDAVP は，一般的には VWF 活性，FⅧ活性が 10% 以上の Type 1 には効果が期待でき，Type 3 には効果が期待できない．Type 2 においては，Type 2A と Type 2M には比較的効果が期待できるものの，症例によっては十分な効果が得られない場合もある．したがって止血治療に DDAVP を用いる場合は，非出血時に投与試験を行い，あらかじめ効果のピークや持続時間を評価する必要がある．

なお，血小板膜 GPIb に対する VWF の結合能亢進である Type 2B は，DDAVP 投与後に血小板凝集による血小板の減少をきたす症例が多く，出血あるいは血栓症のリスクが想定されることから，禁忌となる．

2）VWF 含有濃縮製剤

DDAVP が無効・効果不十分な症例，あるいは禁忌である症例には，VWF 含有濃縮製剤
が選択される．また，DDAVP は反復投与によって効果が減弱するため，長期間の止血管理が必要な場合にも，VWF 含有濃縮製剤が選択される．わが国で使用可能な VWF 含有濃縮製剤には，ヒト血漿由来 VWF 含有第Ⅷ因子製剤と遺伝子組換え VWF 製剤の 2 種類がある．

VWF 含有濃縮製剤は，軽症～中等症の出血の場合 20 ～ 40 IU/kg，小手術時は，30 ～ 60 IU/kg を投与し，VWF 活性および FⅧ活性を最低 30% 以上，できれば50% 以上に，1 ～ 5 日間維持する．重症出血（例：頭蓋内出血，後腹膜出血）や大手術における出血予防においては，初回に 50 ～ 60 IU/kg を投与し，投与後の VWF 活性および FⅧ活性の目標値を最低 100% とする．その後は，20 ～ 40 IU/kg を 8 ～ 24 時間ごとに投与し，VWF 活性および FⅧ活性を 50% 以上に，7 ～ 10 日間維持するよう投与する．

止血治療中は VWF 活性と FⅧ活性の両方を定期的に測定する必要があるが，VWF 活性を院内で測定できる施設はほとんどないため，基本的なモニタリングには FⅧ活性を用い，VWF 活性を随時参照する．

鼻出血（幼小児期），関節出血，消化管出血など，生命や将来の日常生活動作（activity of daily living：ADL）に影響を及ぼす可能性のある出血を繰り返す症例に対しては，定期補充療法の実施を考慮する．

3）その他の治療

軽症の鼻出血，歯科処置，あるいは過多月経など，線溶活性の高い粘膜からの出血症状の治療，および再出血の予防には，トラネキサム酸を単独，あるいは DDAVP や VWF 含有濃縮製剤との併用で使用する．

5 von Willebrand 病の診療ガイドライン

VWD の診断と治療に関しては，2021 年に日本血栓止血学会から『von Willebrand 病の診療ガイドライン　2021 年版』が発行されている．本ガイドラインには，本稿に記載した VWD の診断と治療以外に，VWD 女性の管理，および後天性 von Willebrand 症候群（aVWS）についても，詳細に記載されている．必要時には適時参照されたい．

文　献

1）日笠　聡ほか：日血栓止血会誌 **32**：413, 2021

10 後天性血友病 A

到達目標

- 後天性血友病 A の病態や疫学などの特徴を理解する
- 後天性血友病 A の診断を適切に行うことができる
- 出血症状を評価して，適切な治療計画（止血管理や免疫学的治療）を立てることができる

1 病因・病態・疫学

後天性血友病 A は，第Ⅷ因子に対する特異的な自己抗体（**インヒビター**）が出現した結果，内因性の第Ⅷ因子が低下～消失するために重篤な出血症状を呈する自己免疫疾患である．第Ⅷ因子遺伝子異常に基づく先天性第Ⅷ因子欠乏症である血友病 A とは異なる疾患である．高齢者に多く，種々の基礎疾患を背景に発症するため，生体免疫調節機序の制御不全や遺伝的要因などの発症要因が推測されているが，詳細は不明である．

発生頻度は100万人あたり1.5人といわれている[1]．つまり，わが国でも年間200人は発症していると推測される．従来きわめてまれと考えられてきたが，最近，わが国でも報告例は増加している．後天性凝固因子インヒビターのなかでは圧倒的に多い．特徴として，高齢者および分娩後女性に多く，20～30歳台を頂点とする小ピークと，70歳台を頂点とする大ピークがみられ，前半のピークは大部分が女性である[2,3]．また，基礎疾患を背景に発症する症例が多いことも特徴であり，半数以上に基礎疾患を有するとされる．なかでも多いのが膠原病と悪性腫瘍であり，両者とも約15%を占める．内訳は前者では関節リウマチ，全身性エリテマトーデス，Sjögren症候群など，後者では胃，大腸，腎，肝などで，それ以外では糖尿病，分娩後，皮膚疾患が多い[3]．したがって，後天性血友病と診断された症例では基礎疾患の検索が必要である．

2 症候・身体所見

本症は第Ⅷ因子の欠乏～低下に起因する出血症状である．出血部位としては皮下や筋肉内が特に多く，関節内はきわめて少ないことから，関節内出血が特徴である先天性血友病とは臨床的にまったく異なっている．その他，消化管や口腔内などの粘膜出血や血尿などの頻度も高い．一般的に皮下出血や筋肉内出血は広範であり，輸血を要するほどの重篤な貧血を合併する場合もしばしば認められる．さらに，広範な筋肉内出血のため血管や神経の圧迫によるコンパートメント症候群の危険性もある．一方，軽度の出血症状も比較的多くみられ，約3割は治療を要さないとされる[2,3]．

3 診断・検査

本症は，第Ⅷ因子活性の低下が必須であるため，活性化部分トロンボプラスチン時間（aPTT）は延長する．血小板数やプロトロンビン時間（PT）は正常である．さらに，延長したaPTTは正常血漿との混合では補正されない（インヒビターパターン：交差混合試験）．交差混合試験でインヒビターパターンを呈する鑑別すべき疾患にループスアンチコアグラント（LA）陽性抗リン脂質抗体症候群がある．後天性血友病インヒビターの反応は時間温度依存性を呈し，LAでの反応は非依存性であるため，LA鑑別には反応直後と2時間後のいずれも実施することが望ましい．初診時の第Ⅷ因子活性値は，7割以上の症例で有意に第Ⅷ因子が検出される．通常，先天性血友病 A は第Ⅷ因子活性値と臨床的出血症状の重症度はよく相関するが，本症では出血症状の重症度と第Ⅷ因子活性値はまったく相関しないことに留意すべきである．

本症の最終確定診断は第Ⅷ因子インヒビターの検出である．先天性血友病での同種抗体と同様にBethesda法にて測定する．インヒビター力価が高い場合，

◆表1　わが国で使用可能なバイパス止血製剤とその主な特徴

製剤	血漿由来活性型プロトロンビン複合体製剤（aPCC）	遺伝子組換え活性型第 VII 因子（rFVIIa）製剤	血漿由来第 X 因子加活性化第 VII 因子（FVIIa/X）製剤
製剤名	ファイバ®	ノボセブン®HI	バイクロット®配合静注用
製造	武田薬品	ノボノルディスクファーマ	KM バイオロジクス
規格	500，1,000 単位	1, 2, 5, 8 mg	rFVIIa/X 1.56/15.6 mg
推奨用法・用量	50～100 単位 /kg 8～12 時間ごと 1～3 回	90～120 μg/kg 2～3 時間ごと 1～3 回	rFVIIa として 60～120 μg/kg　1 回
コメント	1 日最大投与量は 200 単位 /kg を超えない	小児では半減期が短く，2 時間ごとの投与間隔が推奨 出血後可及的早期の投与がより有効	追加投与は 1 回とし，8 時間以上の間隔をあけて行い，初回投与量とあわせ 180 μg/kg を超えない．
	トラネキサム酸との同時使用は避けるべきである	急性出血時や手術，抜歯時にはトラネキサム酸との併用が有効*．しかし腎尿路出血は併用禁	初回投与から 36 時間以内の本剤投与は追加投与として取り扱う 追加投与の後，次に本剤を投与するまでの間隔は 48 時間以上あける

*トラネキサム酸 1 回 15～25 mg/kg を 1 日 2～3 回経口投与や 1 回 10 mg/kg を 1 日 2～3 回静注

測定で用いる欠乏血漿中の第Ⅷ因子も抑制するため，見かけ上は他の内因系凝固因子活性（第Ⅸ，Ⅺ，Ⅻ因子）も低下する場合があるので，その解釈に注意を要する．インヒビターは濃度依存性に直線的に第Ⅷ因子を低下させるパターン（タイプ1）と，濃度非依存性を示すパターン（タイプ2）に分類される．タイプ2インヒビターでは残存する第Ⅷ因子活性値が同時に検出されるのが特徴的である．一般的に，先天性血友病に生じる同種抗体インヒビターではタイプ1パターンを，後天性に生じる自己抗体ではタイプ2パターンを有する症例が多いとされる．したがって，後天性血友病のインヒビター力価は第Ⅷ因子活性値と同様に必ずしも病勢の強さの指標とはならない．また，インヒビター力価と臨床的重症度は関連性がないとされ，たとえ低力価であっても重篤な出血リスクであることは変わらない[3]．

4 治療と予後

1）治　療

後天性血友病の治療は，出血症状に対する止血療法とインヒビターの消失を図る免疫学的治療法に大別される．

a）止血療法の原則

本症の治療はインヒビター消失を図る免疫学的治療が主体であり，止血治療の対象となるのは重度の出血症状である．目安として，ヘモグロビン 3 g/dL 以上の低下，濃厚赤血球輸血が必要な場合，頸部出血や消化管出血，コンパートメント症候群，頭蓋内出血，肺出血，術後出血などが挙げられる．先天性血友病の止血治療と異なり第Ⅷ因子製剤の有効性は乏しく，バイパス止血治療製剤が第一選択となる．

バイパス止血療法として，活性型プロトロンビン複合体製剤（activated prothrombin complex concentrates：aPCC），遺伝子組換え活性型第Ⅶ因子製剤（recombinant FⅦa：rFⅦa），または血漿由来第Ⅹ因子加活性化第Ⅶ因子製剤（FⅦa/Ⅹ）が用いられる．aPCC 製剤は出血時に 50～100 IU/kg を 1～3 回/日，rFⅦa 製剤は 90～120 μg/kg を 2～3 時間ごとに 1～3 回/日，FⅦa/Ⅹ製剤は rFⅦa として 60～120 μg/kg を 1 回投与する（**表1**）．aPCC 製剤と rFⅦa 製剤の止血有効性はともに 90％以上で同程度であるとされるが[4]，どちらの製剤を第一選択にするかは各々の製剤の特性を考慮して選択する必要がある．バイパス止血療法による血栓症発症リスクは，本症は基礎疾患の合併例や動脈硬化リスクが高い高齢者に多いため，インヒビター保有先天性血友病と同様とはいいきれない．ゆえに，動脈硬化の進行例，外傷や敗血症合併例などの組織因子の露出が高い症例では注意を要する．わが国のみで FⅦa/FⅩが使用可能であり，本症での使用症例も増加している．

第Ⅷ因子製剤による中和療法は止血療法の第一選択に勧められていない．インヒビター力価がきわめて低い症例，出血症状が軽度な場合などに限られる．また，軽症～中等症の先天性血友病 A 患者の適応である酢酸デスモプレシンも，後天性血友病に関するエビデンスはなく，第Ⅷ因子製剤と同様に勧められない．

2022 年 6 月に出血抑制（予防）治療として活性型第Ⅷ因子補因子機能代替作用を有する抗 FⅨ/FⅩバイスペシフィック抗体（emicizumab）が保険収載され

た．投与初日に 6 mg/kg（体重），2 日目に 3 mg/kg，8 日目から 1 回 1.5 mg/kg を 1 週間の間隔で皮下投与する．なお，使用についてはヘムライブラ® 皮下注適正使用ガイド（中外製薬）を参照．

b）インヒビター除去を目指した免疫抑制療法

後天性血友病の診断がつき次第，出血症状に対する止血療法と平行して**免疫抑制療法**を開始する必要がある．特に高齢者で特発性の症例や，基礎疾患が自己免疫疾患や悪性腫瘍の場合は免疫抑制療法が効果的なことが多いとされる．日本血栓止血学会の後天性血友病 A 診療ガイドライン作成委員会から『後天性血友病 A 診療ガイドライン 2017 年改訂版』が出され，免疫抑制療法のアルゴリズムが詳細に示された（**図 1**）[5]．

第一選択は，prednisolone（PSL 1 mg/kg/ 日）の単独療法を基本とする．しかし，年齢や基礎疾患，出血症状，インヒビター力価，免疫抑制薬の使用歴などを考慮し，より強力な免疫抑制に必要かつ忍容可能である場合は PSL と cyclophosphamide（CPA 50 ～ 100 mg/ 日）の併用療法も考慮する．また，高齢者など CPA 連日投与での危険性が高いと判断される場合は，CPA パルス療法も考慮する．しかし，妊娠中あるいは妊娠する可能性のある女性に対しては，CPA や他のアルキル化薬の使用は避ける．

免疫抑制療法の効果は，aPTT，第Ⅷ因子活性，インヒビター力価を週 1 回程度測定して判定する．なかでもインヒビター力価の低下の程度を最も重視する．

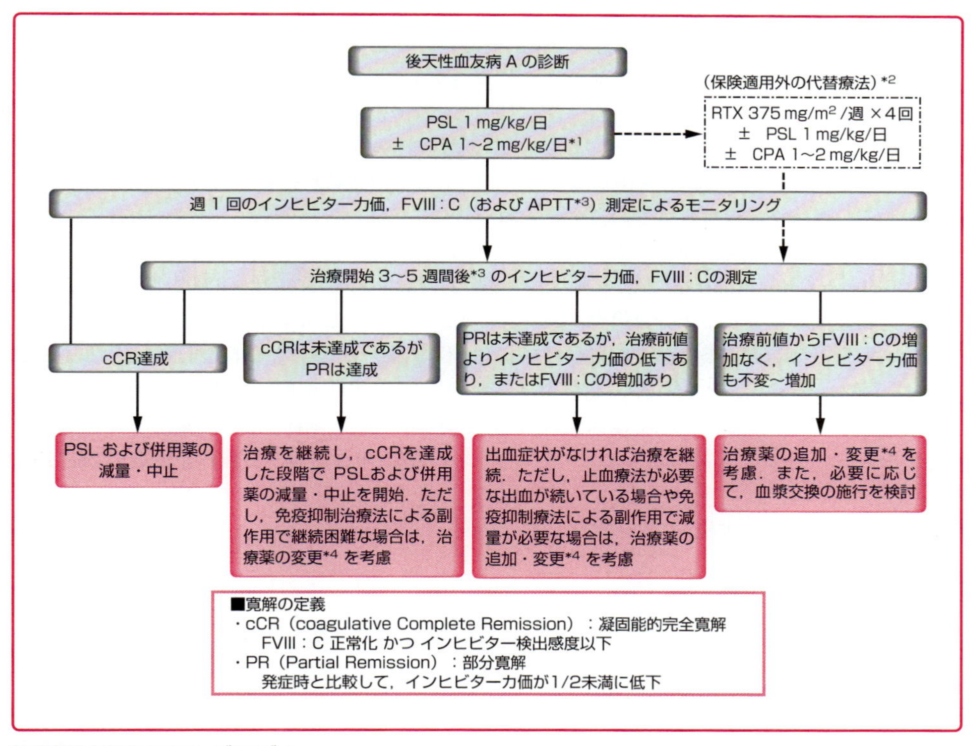

◆**図 1　免疫抑制療法のアルゴリズム**

*1 CPA の併用については，より強い免疫抑制が必要で，かつ忍容可能であると判断される場合に考慮する．また，CPA の連日投与による副作用のリスクが高い（高齢者など）と判断される場合は，CPA パルス療法での代替も考慮する．なお，妊娠中あるいは妊娠する可能性のある女性に対しては，できるだけ CPA の使用を避ける．

*2 より強い免疫抑制が必要である場合や PSL や CPA の投与が禁忌である場合には，RTX を用いた代替療法を考慮する（ただし，第一選択としての RTX 使用はエビデンスが十分ではなく，かつ保険適用外のため臨床試験としての投与が望ましい）．

*3 APTT はさまざまな要因で測定値が変動するため，必ずしも後天性血友病 A の病勢を反映しないことに留意する．また，インヒビター力価も治療開始後すぐには治療効果を反映しないことがあるため，治療開始後 3 週間未満での治療薬変更や追加は避けることが望ましい．ただし，cCR 達成例においてはどの時点においても減量開始は可能である．

*4 追加・変更する薬剤は，CPA（PSL 単剤で開始した場合），RTX，CyA などから選択する．また，基礎疾患を有する場合は，可能であればその治療薬の併用を考慮する．

なお，CPA，RTX，CyA は，本症に対する保険適用は認められていない．

PSL：predonisolone，CPA：cyclophosphamide，RTX：rituximab，FVIII:C：facotor VIII coagulation activity

（文献 5 より許諾を得て転載）

ADVANCED

■本症は第Ⅷ因子（FⅧ）活性が軽症～中等症レベルであるが，なぜ先天性に比し重篤な出血症状を呈するのか？■

凝固波形解析やトロンビン生成試験などの包括的凝固機能検査では，本症の凝固止血能が，FⅧ活性同レベルの軽症～中等症先天性血友病Aはもちろん，真の重症型（< 0.2 U/dL）よりも著明に低下していることが知られている．重篤出血の機序として，①インヒビターIgGはトロンビンによるFⅧ活性化阻害またはFⅧと血小板膜リン脂質との結合阻害と，②内因性FX複合体上でFⅧ/インヒビターIgG複合体が活性型FⅨを間接的阻害する結果，FX活性化を抑制する．両機序により，本症は先天性より活性型FX生成がきわめて少なく，最終的に凝固止血能がより著明に低下する．

インヒビター力価の低下が認められた場合，適宜投与量を漸減するが，開始3～5週経っても低下を認めない場合は薬剤の追加や変更を考慮する．追加する免疫抑制薬として，抗CD20抗体（rituximab：RTX），ciclosporine（CsA）などから選択する（いずれも保険適用外）．一方，高用量ガンマグロブリン製剤の投与は推奨されない．

RTX（抗CD20モノクローナル抗体製剤）による治療は，他の治療と比べ早期の完全寛解や出血コントロールの達成，あるいは感染症合併リスクの減少をもたらすと期待されている．International recommendationやConsensus recommendationでは本剤を，第一選択の免疫抑制療法の効果が不十分な場合，あるいは使用できない場合の第二選択薬として位置づけている．投与量は375 mg/m²/回を1週間ごとに計4回投与する報告が最も多い．なお，現在では保険適用は認められていない．

2）予　後

各種の免疫抑制療法により，本症の70～80%は完全寛解にいたる．一方，再燃率も約20%に認められるため，治療終了後も半年間は1回/月，半年～1年は1回/2ヵ月，1年目以降は1回/6ヵ月にaPTTと第Ⅷ因子活性をモニタリングすることが推奨される．死亡率は10～40%とされ[1~3]，本症は死亡率が高いことに十分留意すべきである．出血死のみならず基礎疾患自体のリスクや免疫抑制薬の使用に起因する重症感染症合併の危険性もあり，本症は重篤な疾患であるとの認識が必要である．

■文　献■

1）Collins PW et al: Blood **109**: 1870, 2007
2）Knoebl P et al: J Thromb Haemost **10**: 622, 2012
3）田中一郎ほか：日血栓止血会誌 **19**: 140, 2008
4）Bando F et al: Blood 120: **39**, 2012
5）酒井道生ほか：後天性血友病A診療ガイドライン2017年改訂版．日血栓止血会誌 **28**: 715, 2017

11 抗凝固因子欠乏症

到達目標

- 先天性抗凝固因子欠乏症の種類，各々の特徴を理解する

1 疫 学

先天性抗凝固因子欠乏症には，**アンチトロンビン(AT)欠乏症，プロテインC(PC)欠乏症，プロテインS(PS)欠乏症**がある．AT欠乏症，PC欠乏症は日本人の0.1～0.15%程度とまれであり，有病率に欧米人との大きな違いはないが，PS欠乏症は欧米人と比較して日本人での頻度が高い．

2 病態・治療

これらの先天性抗凝固因子欠乏症では血栓傾向が生じる．症状としては**静脈血栓塞栓症**(venous thromboembolism：VTE)が多い．①50歳以下の比較的若年者で発症するVTE，②反復して発症するVTE，③近親者にもVTE発症例がある場合，④カテーテル留置などを行っていないにもかかわらずVTEの好発部位である下肢，肺以外の場所に発症するVTE，⑤外科手術，長期臥床，妊娠・出産などの誘因がなく発症するVTEなどは，先天性抗凝固因子欠乏症でみられる所見である．また，習慣性流産，不育症，若年発症の脳梗塞・肺梗塞を起こすこともある(**表1**)．遺伝形式は常染色体顕性(優性)遺伝である．

1) アンチトロンビン(AT)欠乏症

アンチトロンビン(antithrombin：AT)は，トロンビン，活性型第X，第Ⅸ，第Ⅺ，第Ⅻ因子などに対する阻害因子であり，血液凝固反応の制御に重要な役割を果たしている．この阻害作用は通常ゆるやかに進行するが，ヘパリンの存在下では即時型となる．先天性抗凝固因子欠乏症のなかで最も高率にVTEを発症するのはAT欠乏症であり，発症率は健常者の10～20倍といわれている．AT欠乏症は常染色体顕性遺伝形式をとり，患者は通常はヘテロ接合体であってホモ接合体は致死的と考えられているが，後述するⅡ型の一部はホモ接合体として報告されている．

AT欠乏症の妊婦では，PC欠乏症，PS欠乏症の妊婦と比較してもVTEや脳梗塞などを発症する危険性が高いと考えられており，VTEの既往の有無にかかわらずAT欠乏症患者で妊娠が判明した場合には，抗凝固療法としてアンチトロンビン製剤およびヘパリン製剤を投与することが推奨されている[1]．

先天性AT欠乏症は，抗原量，活性がともに約50%に低下するⅠ型と，AT分子の異常により抗原量は正常であるが活性のみ低下するⅡ型とに分類される．Ⅱ型には，活性部位異常(Type Ⅱ RS)，ヘパリン結合部位異常(Type Ⅱ HBS)，反応部位近接領域異常(Type Ⅱ PE)の3種類がある．

2) プロテインC(PC)欠乏症

プロテインC(protein C：PC)は，トロンビン-トロンボモジュリンの複合体により活性化されて活性型PC(activated PC：APC)となる．APCはプロテインSを補酵素として活性型第V，Ⅷ因子を不活化することにより，抗凝固活性を発揮する．PC欠乏症は，抗原量，活性がともに低下するⅠ型と，分子の異常により抗原量は正常であるが活性のみ低下するⅡ型とに分類される．常染色体顕性遺伝であり，日本人での発生頻度は欧米人と同程度の人口10万人あたり1～2人である．複数の日本人家系にみられる遺伝子変異(PC Nagoya, PC Tochigi, PC Osaka10など)が報告されている．PC欠乏症患者のVTE発症率は健常者の

◆表1 先天性抗凝固因子欠乏症でみられる臨床所見

- 若年発症のVTE
- 反復するVTE
- 家族性のVTE
- 下肢，肺などの好発部位以外のVTE
- 手術，長期臥床などの誘因のないVTE
- 習慣性流産，不育症
- 若年発症の脳梗塞・心筋梗塞

10倍程度であるが，きわめてまれ（50万～70万人に1人）にPC活性が5%以下に低下するホモ接合体者がみられ，新生児期に全身の紫斑や出血性壊死，多発性微小血栓による多臓器不全をきたす**電撃性紫斑病**という病態を呈することがある．この病態に対しては，凝固第IX因子複合体製剤であるのにPCを高濃度に含有するPPSB-HTの投与が著効する（保険適用外）．PC欠乏症患者が電撃性紫斑病や肺血栓塞栓症など重症の血栓症を発症した場合には，補充療法として血漿由来APC製剤投与が保険適用となっている．

PCはビタミンK依存性に肝臓で合成されるが，同じく肝臓で合成される他のビタミンK依存性凝固因子（第II，VII，IX，X因子）と比較して，半減期が6時間と短い．したがって，VTEを発症した際にwarfarinをいきなり高用量で投与開始すると，PCが他の凝固因子より先に低下して，一時的に血栓傾向が増悪する．そのため，PC欠乏症患者で新規にwarfarin投与を開始する際には，warfarin投与量を最小量から徐々に増量することが必要である[2]．

3）プロテインS（PS）欠乏症

プロテインS（protein S：PS）は血漿中でその約60%が遊離型と補体系のC4b結合蛋白（C4b-binding protein：C4BP）と結合したC4BP結合型として存在し，残りの40%が遊離型として存在する．遊離型PSのみがAPCの補酵素として働いて抗凝固活性を発揮する．したがって，診断のための血液検査では，総PS抗原量，遊離型PS抗原量，PS活性の評価が必要となる．PSもPCと同様，ビタミンK依存性蛋白であるため，warfarin服用時には抗原，活性ともに低値となる．また，合成活性化X因子阻害薬（fondaparinux）や直接経口抗凝固薬（DOAC）投与時には，凝固時間法によるPS活性測定値が偽高値となることがあるので注意する．

PS欠乏症は，抗原量，活性がともに低下するI型，分子異常により抗原量は正常であるが活性が低下するII型，活性を有する遊離型のPSのみが減少するIII型に分類される．常染色体顕性遺伝であり，欧米人では0.03～0.13%でみられるのに対して，日本人では1.12%程度（大部分はI型）にみられる．日本人の抗凝固因子欠乏症のなかではPS欠乏症が最も多く，特に196番目のLysがGluに置換された変異（PS-Tokushima）は日本人に多い．PS Tokushima変異のヘテロ接合体者は日本人健常者の1.3～1.8%に存在するとされ，APCコファクター活性が野生型の約60%に低下し，VTEのリスクを3.7～8.6倍上昇させるとされている．

PS欠乏症での血栓症発症率は健常者の10倍程度である．血中PS濃度は閉経前女性で低値であり，妊娠中・産褥期，エストロゲン含有経口避妊薬やエストロゲン製剤内服時にはさらに低下するため，血栓傾向に注意する．また，妊娠中にもPS活性が低下することが知られており，妊婦ではPSが低値であってもただちにPS欠乏症とは診断できない．PS欠乏症のホモ接合体者や複合ヘテロ接合体者でPS活性が著しく減少している場合は，PC欠乏症のホモ接合体者と同様，新生児期に電撃性紫斑病を発症することがある．

■文　献■

1）Bates SM et al: Chest **133**: 844, 2008
2）山本晃士：日血栓止血会誌 **12**: 149, 2001

ADVANCED

■血栓傾向をきたす凝固因子異常症－プロテインCレジスタンスとアンチトロンビン・レジスタンス■

第V因子のAPC切断部位である506番目ArgがGlnに置換された変異は“FV Leiden”（第V因子Leiden変異）と呼ばれ，APCの不活化作用を受けない（プロテインCレジスタンス）ため抗凝固作用が発揮されず，血栓傾向を生じる．白人の2～15%はこの変異を有しているが，日本人での報告例はない．しかしわが国では，若年で重篤な下肢静脈血栓症を発症し，プロテインCレジスタンスを示した患者家系において，FV Nara（第V因子Nara変異：1,920番目TrpがArgに置換）が報告されている．一方，プロトロンビン（FII）のアンチトロンビン結合部位である596番目ArgがLeuに置換された変異は“Prothrombin Yukuhashi”と呼ばれ，アンチトロンビンとの結合が障害される（アンチトロンビン・レジスタンス）ため抗凝固作用が発揮されず，血栓傾向をきたす．この変異は11歳の日本人女児にてはじめて同定されたが，その後，欧米人の患者も報告されている．

12 COVID-19 関連の凝固系異常

到達目標

- COVID-19 関連凝固異常の症状・検査所見・治療を理解する

1 病因・病態・疫学

COVID-19 では，しばしば凝固検査異常，血栓塞栓症，血管内凝固活性化，微小血管内血栓症を伴うことが知られており，COVID-19 関連凝固異常（COVID-19 associated coagulopathy：CAC）と呼ばれている．COVID-19 入院患者の 20 ～ 50％に CAC を認める．CAC の病態は**サイトカインストーム**と**血管炎**である[1]．

気道より侵入した新型コロナウイルス（SARS-CoV-2）は，外膜上のスパイクプロテインがアンギオテンシン変換酵素 2（ACE2）に高い親和性があり，Ⅱ型肺胞上皮細胞上の ACE2 に結合して機能障害をもたらし，急性呼吸窮迫症候群を形成する．SARS-CoV-2 は肺胞マクロファージ上の ACE2 にも結合し，組織因子（TF）の発現や IL-1β，IL-6，TNF-α などの炎症性サイトカイン産生を促す．炎症性サイトカインはリンパ球の細胞死を惹起し，好中球を刺激して好中球細胞外トラップ（NETs）放出を誘導する．また，炎症性サイトカインにより血管内皮細胞上の ICAM-1，P セレクチン，E セレクチンの発現が増加するため白血球や血小板が接着し，補体も活性化され，immunothrombosis（免疫学的血栓形成）が進行する．

さらに，SARS-CoV-2 が ACE2 を介して直接血管内皮細胞を攻撃する機序が想定される．血管内皮細胞に SARS-CoV-2 が感染すると，内皮細胞の Weibel-Palade body に貯蔵されている von Willebrand factor（VWF）が血中に放出され VWF への血小板の粘着・凝集が促進される．また，スパイクプロテインが ACE2 に結合すると ACE2 の発現あるいは活性が低下し，アンジオテンシン 1-7 への変換が阻害され，アンジオテンシンⅡ（Ang Ⅱ）が増加し，レニン-アルドステロン-アンジオテンシン系が活性化されて，血管収縮作用や血管透過性亢進を惹起させる（**図 1**）[2]．このように，SARS-CoV-2 特有の内皮細胞傷害をもたらす機序も加わり，他のウイルス感染よりも血栓症が重篤化しやすいと考えられている．

COVID-19 関連死亡例の主たる肺病理像は，高度のびまん性肺胞傷害と肺動脈から細静脈にかけての微小血栓である．そして，好中球-血小板浸潤を伴う NETs 含有微小血栓が確認されることが報告されており，NETs が血栓形成において重要な役割を果たしていることが示唆される．

2 症候・身体所見

COVID-19 の血栓症はきわめて多彩であり，静脈，動脈，微小血管内などいずれにも発症する[3]．最近のメタ解析によると，ICU 入室患者（重症）では静脈血栓塞栓症（VTE）発症率は 27.9％，ICU 以外の入院患者（軽・中等症）では 7.1％と報告されている．しかし血栓症合併率は報告間でばらつきが大きく，特に全身造影 CT 検査や下肢静脈エコー検査の有無によって，血栓症合併率は大きく変動する．VTE は，肺血栓塞栓症（PE）が最も多いが，深部静脈血栓症（DVT）から PE を発症する以外にも肺胞毛細血管内に生じた微小血栓が増大しつつ，中枢に進展することで PE を発症する *in situ* thrombosis が多いことも COVID-19 の特徴である．動脈血栓の中では脳梗塞が最も多く，動脈硬化リスク因子のない 30 歳代でも発症し，COVID-19 の脳梗塞発症リスクはインフルエンザ感染に比べてはるかに高い．そのほか，急性冠症候群，大動脈・腎臓・脾臓の動脈血栓，末梢動脈閉塞なども合併し，全身の動脈に血栓症を発症する．

CAC では，血栓症ばかりではなく時に出血をきたすことにも注意が必要である[3]．特に体外式膜型人工肺（ECMO）装着例は重大な出血をきたしやすい．

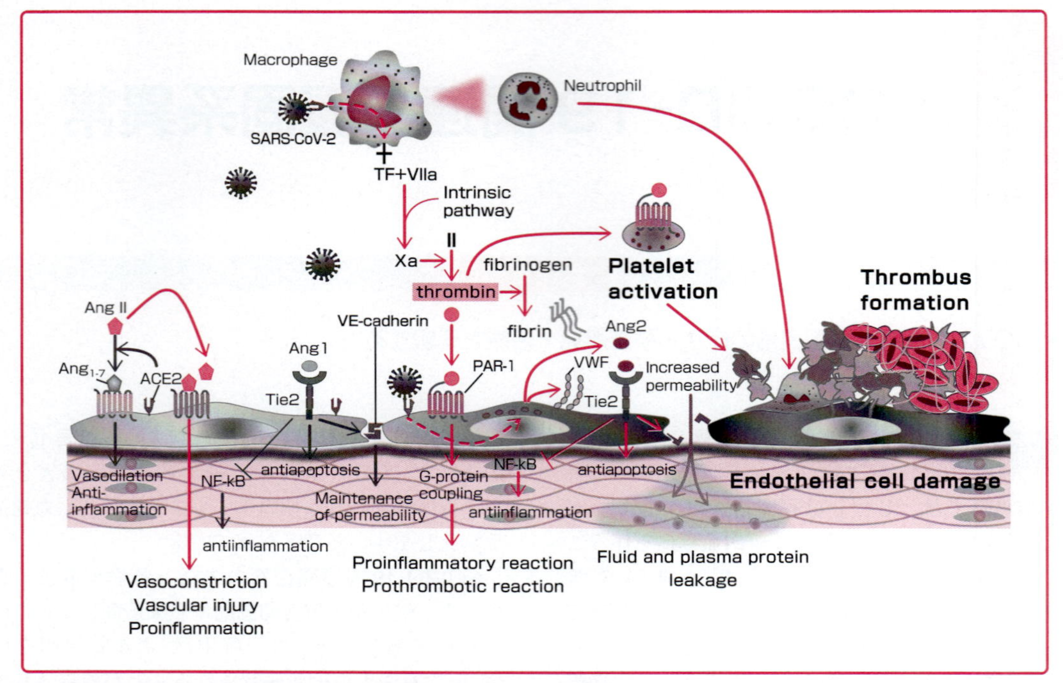

◆**図 1　COVID-19-associated coagulopathy の病態生理**
COVID-19 ではマクロファージの SARS-CoV-2 感染による組織因子（TF）発現に端を発する外因凝固の活性化が向血栓性変化の主因となっている．凝固活性化の結果として生じたトロンビンは血管内皮の protease activated receptor 1（PAR-1）を介して内皮細胞の抗血栓性を低下させ，炎症を増強させる．さらに血小板を活性化して血栓形成に寄与することになる．これに加えて angiotensin converting enzyme 2（ACE2）を介して血管内皮細胞に感染した SARS-CoV-2 は細胞内の Weibel-Palade body からの von Willebrand factor（VWF）や angiopoietin 2 の放出を刺激し，angiopoietin 2 はその受容体である Tie2 との結合を介して炎症の増強や内皮細胞のアポトーシス，血管透過性の亢進を誘導する．また感染に伴う ACE2 のダウンレギュレーションは angiotensin II（Ang II）の angiotensin 1-7（Ang 1-7）への変換を抑制し，血管収縮，内皮障害などの変化をもたらすことになる．
（文献 2 より許諾を得て転載）

出血は消化管や頭蓋内出血の頻度が高いとの報告があり，脳出血は致死率が高くきわめて予後が悪い．

3 診断・検査

血栓症や出血の診断は一般的には造影 CT やエコー検査を用いるが，COVID-19 患者では実際には感染防止の観点から画像学的検査を実施するのは難しく，臨床所見や血液検査所見から診断する場合が多い．COVID-19 の凝血学的検査所見の特徴[3]は，細菌性感染症が起因となり発症する敗血症性凝固異常や播種性血管内凝固（DIC）とは若干異なる．

COVID-19 患者の多くは D-ダイマーが上昇しており，重症化や予後不良のマーカーと考えられている．感染初期より D-ダイマー，フィブリノゲン（Fib）が高値を示すが，プロトロンビン時間（PT），活性化部分トロンボプラスチン時間（APTT），アンチトロンビン，血小板数などはおおむね正常である．予後不良例は経過とともに D-ダイマー・FDP が増加し，PT が延長，血小板数も低下する．さらに，一部の重症例では Fib が急激な低下をきたしプラスミン・α_2 アンチプラスミン複合体が著増して，いわゆる線溶抑制型の凝固線溶異常から線溶亢進型へと変化する場合がある[4]．このような症例では血栓傾向より，むしろ出血傾向をきたしやすい点に注意が必要である．

4 治療と予後

CAC は新しい疾患概念であり，確立した治療法は現時点ではないが，2022 年 7 月に国際血栓止血学会（ISTH）が抗血栓治療に関するガイドライン[5]を公表したので，その内容を簡単に紹介する．わが国では low molecular weight heparin（LMWH）はまだ未承認であるため，unfactionated heparin（UFH）を用いる点に注意が必要である.

① 症候性 COVID-19 の外来患者に対して,抗血小板剤あるいは経口抗凝固薬(DOAC)の処方は,動脈・静脈血栓症の発症,入院や死亡のリスクを減少させる効果は現時点では明らかでない.

② 非重症入院患者に対しては,血栓塞栓症リスクを軽減するために予防量(低用量)の LMWH または UFH(5,000 単位を 1 日 2 ~ 3 回皮下注)の投与を強く推奨する.一部の患者では,治療用量(APTT が 1.5 ~ 2 倍程度になるようにコントロール)の LMWH/UFH 投与が血栓塞栓症と臓器不全リスクの低減に有効である.

③ 重症入院患者に対しては,治療量の LMWH/UFH 投与は出血合併症が増加するため推奨されず,予防量を投与する.

④ 退院時に D-ダイマーや CRP 高値が持続している患者では,退院後の VTE リスクを減らすために DOAC の予防投与を考慮する.

文 献

1) Vincent J-L et al: Lancet Respir Med **10**: 214, 2022
2) 射場敏明ほか:日血栓止血会誌 **31**: 600, 2020
3) Gerberet GF et al: Hematology Am Soc Hematol Educ Program **1**: 614, 2021
4) Tang N et al: J Thromb Haemost **18**: 844, 2020
5) Schulman S, et al: J Thromb Haemost **20**: 2214, 2022

1 若年性骨髄単球性白血病

到達目標

- 若年性骨髄単球性白血病（JMML）の病態と診断基準を理解する
- JMML の治療法と予後を理解する

1 病因・病態・疫学

若年性骨髄単球性白血病（juvenile myelomonocytic leukemia：JMML）は，乳幼児期に発症するきわめてまれなクローン性造血疾患であり，骨髄異形成症候群と骨髄増殖性疾患の両方の特徴を併せ持つ．発症率は 100 万人あたり年間 1 ～ 2 例とまれで，日本小児血液・がん学会のセントラルレビューによると，診断時年齢の中央値は 20 ヵ月（1 ～ 85 ヵ月）である．**顆粒球マクロファージコロニー刺激因子（GM-CSF）に対する高感受性**が特徴的な病態であり，約 90％の症例で GM-CSF 受容体-RAS/MAP キナーゼシグナル伝達系に関連する遺伝子（*NF1*，*NRAS*，*KRAS*，*PTPN11*，*CBL*）の変異が認められ，これらの遺伝子変異は診断基準にも含まれている．

2 症候・身体所見

JMML に特徴的な臨床所見としては，初期症状として顔色不良，発熱，出血症状がみられ，臨床所見としては骨髄単球系細胞の浸潤による肝脾腫，特に著明な脾腫が診断時にみられることが多い．その他発熱，リンパ節腫脹，出血傾向，皮疹も比較的みられることが多い．神経線維腫症（neurofibromatosis type 1：NF1）合併例ではカフェオレ斑がみられる．

3 診断・検査

1）臨床検査

JMML の診断には血算・末梢血白血球分画の所見が重要である．血算では著明な白血球増多（5 万～ 10 万 /μL），血小板数の減少，貧血がみられ，白血球分画では好中球と単球が増加する．芽球は認められても 5％未満のことが多く，20％を超えることはまれである．骨髄検査は，急性白血病の除外のためには必須であるものの，特異的な所見に乏しい．骨髄は過形成ないし正形成で，顆粒球系の細胞増多を認めるが，芽球は 20％を超えない．染色体検査では 1/3 の症例で monosomy 7 などの染色体異常が認められる．慢性骨髄性白血病の除外のため，t(9;22) 転座，*BCR::ABL1* 融合遺伝子の有無の確認が必須である．

2）診断基準

表 1 に WHO 分類改訂第 4 版（2017 年）による JMML の診断基準を示す．Category 1 は，末梢血中の単球数の増加，芽球の増加が 20％未満，脾腫の存在と，*BCR::ABL1* 融合遺伝子の除外という 4 項目からなり，従来からの診断基準と大きく変わらないが，Category 2 では，JMML に特異的な細胞遺伝学的特徴についての項目が入っており，これらの細胞遺伝学的特徴がある症例では，Category 1 を満たさなくても JMML と診断することが可能である．

3）分子生物学的な特徴

JMML の約 90％の症例で，RAS 経路に関与する遺伝子（*PTPN11*，*NRAS*，*KRAS*，*CBL*，*NF1*）の変異が指摘され，これらの遺伝子の変異によって，RAS 経路の恒常的活性化がもたらされる．JMML の診断基準の 1 つである **GM-CSF に対する高感受性**も，この RAS 経路の恒常的活性化に起因している．*PTPN11* 遺伝子はチロシンホスファターゼの SHP-2（Src homology 2 domain-containing protein tyrosine phosphatase）をコードしており，*PTPN11* 遺伝子の体細胞変異は JMML のおよそ 35％の症例でみつかる．また，この *PTPN11* の生殖細胞系列変異が約半数の症例でみつかる Noonan 症候群において JMML に似た骨髄

◆表1 JMMLの診断基準［WHO分類改訂第4版(2017年)］

Category 1 すべてを満たす 末梢血単球数 ＞1,000/μL 末梢血芽球・骨髄芽球ともに＜20% 脾腫 t(9;22) *BCR::ABL1* 融合遺伝子を認めない
Category 2 少なくとも1項目を満たす *PTPN11*, *KRAS*, *NRAS* のいずれかの体細胞変異 臨床的にNF1と診断されている or *NF1* の生殖細胞変異 *CBL* 生殖細胞変異と *CBL* 遺伝子のLOH monosomy 7
Category 3 少なくとも2項目を満たす monosomy 7を除くクローナルな染色体異常 白血球数 ＞10,000/μL HbFの上昇（年齢基準値と比較して） 末梢血中の骨髄球系前駆細胞の存在 GM-CSF高感受性

Category 1を満たす患者で，Category 2を1項目満たせば，JMMLと診断できる．Category 2で一致項目がない場合，Category 3を満たせばJMMLと診断できる．
LOH：loss of heterozygosity
（Arber DA et al: Blood **127**: 2391, 2016を参考に著者作成）

増殖性疾患（NS-MPD）を合併することは，よく知られている．次世代シークエンサーによる網羅的遺伝子解析により，*SETBP1* 遺伝子，*JAK3* 遺伝子変異等のセカンドヒット遺伝子変異が予後不良群で同定されている[1]．また，RAS経路の変異のないJMML症例において，*ALK* および *ROS1* 融合遺伝子が同定され，このような症例に対するALK阻害薬の有効性が示された[2]．

米国・欧州・日本の3グループから独立して行われたメチル化アレイを用いたJMMLにおけるゲノムワイドなメチル化解析の結果に基づき，国際分類が提唱されている[3]．

4 予後と治療

予後は，分子生物学的な特徴により規定される．*PTPN11* 遺伝子変異例では，その他の遺伝子変異群と比較し予後不良であることが報告されている．また，*SETBP1* 遺伝子変異についても変異例では変異陰性例と比較し有意に生存率が低く予後不良である．一方，*CBL* 遺伝子変異例や *RAS* 遺伝子変異例の一部では，mercaptopurine（6-MP）など低用量の化学療法もしくは無治療経過観察のみで血液状態が軽快した例も報告されており，予後良好群と考えられる．高メチル化群は有意に予後不良であり，*PTPN11* 遺伝子変異，*LIN28* 高発現，AMLタイプの遺伝子発現プロファイリングなど，従来知られていた予後不良因子と強く相関している[2]．

治療については，標準的な治療法は確立していないが，化学療法および造血幹細胞移植が行われることが一般的である．化学療法は，JMMLの腫瘍細胞浸潤による臓器腫大など臨床症状の改善と移植前の腫瘍量減量を目的としている．6-MPや少量のcytarabine投与が行われることが多いが，治療効果は一過性であり，染色体異常を伴う薬剤耐性のクローンの出現を認めることがある．また，欧州より，azacitidineの有用性が報告されており[4]，今後の多数例での評価が期待されている．

現在のところJMMLに対する根治的な治療は造血幹細胞移植のみであるが，*CBL* と一部の *RAS* 遺伝子変異例では，無治療もしくは軽度の化学療法のみで長期生存している例もあるため，慎重な経過観察を行い，必要に応じて移植の適応が検討される．JMMLに対する造血幹細胞移植では，生着不全と移植後再発が大きな問題となっている．Yabeら[5]は，fludarabine + busulfan + melphalanによる前処置を用いて造血幹細胞移植を行われた30症例において，5年生存率72.4%と良好な成績を報告している．しかし，*PTPN11* 遺伝子変異例の全生存率は58.3%と低く，非血縁ドナー22例中5例で生着不全を認めるなど，課題もまだ残る．JMMLに対しては移植片対白血病効果が期待できるため，移植後キメリズム解析もしくは測定可能残存病変のモニタリングを頻回に行い，GVHDを考慮しつつ速やかな免疫抑制薬の減量を行うことが推奨される．また，ドナーリンパ球輸注については明らかなエビデンスはないものの，再移植については有用性が示されており，再発例の治療として検討される．

■文　献■

1）Sakaguchi H et al: Nat Genet **45**: 937, 2013
2）Murakami N et al: Blood **131**: 1576, 2018
3）Schönung M et al: Clin Cancer Res **27**: 158, 2021
4）Niemeyer CM et al: Blood Adv **5**: 2901, 2021
5）Yabe M et al: Int J Hematol **101**: 184, 2015

2 小児の骨髄異形成症候群

到達目標

- 成人と比較しながら小児の骨髄異形成症候群（MDS），特に小児不応性血球減少症（RCC）の病態を理解する
- 治療法の選択と予後について議論できる

1 病因・病態・疫学

小児の骨髄異形成症候群（myelodysplastic syndromes：MDS）は，小児白血病の8％前後を占めるまれな疾患群で，国内では1年間に50～100例が発症する[1]．成人MDSでみられる特徴の多くは小児でも同様に認められるが，相違点も多い．たとえば鉄芽球性貧血やdel（5q）を伴うMDSは小児ではきわめてまれである．小児のMDSは遺伝性骨髄不全症候群（inherited bone marrow failure syndrome：iBMFS）などの先天性疾患や，悪性腫瘍に対する化学・放射線療法，再生不良性貧血（aplastic anemia：AA）に対する免疫抑制療法などにしばしば続発し，このような二次性MDSは予後や治療法の選択が異なるため，一次性MDSと区別される．

小児における芽球増加を伴わないMDSの特徴として，①貧血単独ではなく多系統の血球減少をきたすことが多い，②骨髄はしばしば低形成を呈する，③異形成が多系統に及ぶことの意義が明らかではない，などが挙げられる．これらを踏まえて欧州小児MDSワーキンググループ（European Working Group of MDS in Childhood：EWOG-MDS）は，2003年に提唱した分類において，小児の芽球増加を伴わないMDSに対する診断名としては，成人で用いられている「不応性貧血」（refractory anemia：RA）よりも「不応性血球減少症」（refractory cytopenia：RC）がより適切であると主張した[2]．WHO分類第4版（2008年）は，小児MDSを独立した章で扱い，**「小児不応性血球減少症」（refractory cytopenia of childhood：RCC）**という診断名が暫定的に用いられたが，それはWHO分類改訂第4版（2017年）でも変わらなかった．ところが，2022年に発表された第5版ではRCCという診断名は削除され，Childhood MDS with low blastsという用語が登場し，それをhypocellularとNot otherwise specifiedに分けることが提案された[3]．一方，同時期に発表されたInternational Consensus Classification（ICC）of myeloid neoplasms and acute leukemiaではRCCの病名は残っている[4]．いずれのグループも形態学に加えて遺伝学的な所見を重視している点は共通しており，今後の展開が注目される．なおこの動きと並行して，国内の多数例の病理学的検討と予後の解析によると，後天性の骨髄不全を呈した小児252例中，再生不良性貧血は63例，多系統の異形成を認めないRCCは131例，多系統の異形成を認めたRCCは58例であり，この58例は核型異常が多く，また移植後の生着不全が多かった．小児でも成人のRCMDに相当する患者が相当数存在することが示唆された[5]．

芽球増加を伴うMDSについては，成人と同様にMDS with excess blasts（MDS-EB）の診断基準が用いられるが，小児においてMDS-EB1とMDS-EB2に分ける意義を示すデータはない．小児のMDS-EBは数ヵ月にわたり末梢血球数が安定していることが多い．末梢血や骨髄で芽球が20～29％を占め急性骨髄性白血病（AML）と診断される小児の一部に，異形成を有し，MDSに特徴的な染色体異常を示し，病勢が緩徐な例がある．これらの一群はAMLよりもMDSの性質を有する可能性があるので，末梢血および骨髄検査を繰り返して判断するべきである．なお，t(8;21)(*RUNX1::RUNX1T1*)，inv(16)(p13.1;q22)，t(16;16)(p13.1;q22)(*CBFB::MYH11*)，t(15;17)(*PML::RARA*)，t(9:11)(p22;q23)，t(1;22)(p13;q13) などが検出された場合は，芽球割合にかかわらずAMLとして扱う．

小児MDSの分子遺伝学的ランドスケープは成人とは異なり，成人に多い*TET2*遺伝子や*DNMT3A*遺伝子の変異はまれで，RAS経路や転写因子，エピジェネティック修飾因子などの変異を有することが多い．

以降，本項ではRCCを中心に述べる．

2 症候・身体所見

RCCに特異的な身体所見はない．主な病変部位は末梢血と骨髄で，AAと同様，汎血球減少による所見がみられる．すなわち，倦怠感，出血，発熱などを呈することが多いが，約20%は無症状のまま発見される．また，肝脾腫やリンパ節腫脹は少ない．

3 診断・検査

RCCは，遷延する血球減少を呈し，芽球比率が骨髄にて5%未満，末梢血にて2%未満の小児MDSを指す．異形成は骨髄塗抹標本において2系統以上の細胞に認めるか，1系統のみであれば10%以上の細胞に認めることが必要とされているが，感染症や代謝性疾患などの異形成をきたす他の疾患の除外が重要である．前述したように貧血のみのRAは小児では少なく，ヘモグロビン（Hb）が正常である例も10%ほど認められる．500/μL未満の高度な好中球減少を約25%に，血小板数の低下を75%に認めており，多くの例で多系統に及ぶ血球減少を呈する．しばしば骨髄が低形成となるため，診断に際してはAA，iBMFSを中心とした他疾患との鑑別が重要であるが，厳密な線引きは困難であり，その意義も明らかではない（**図1**）．

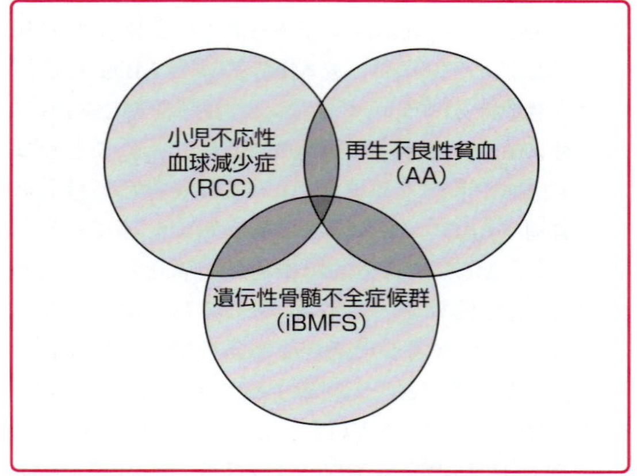

◆図1　小児不応性血球減少症と再生不良性貧血，遺伝性骨髄不全症候群との関係

RCCとAA，iBMFSは時に鑑別が困難で，一部は重複しているものと考えられる．

EWOG-MDSの後方視的解析ではmonosomy 7（−7）が最も頻度の高い核型異常で，約半数に認められた．trisomy 8（+8）と正常核型の頻度はそれぞれ約10%と約30%であった．なお，核型異常は病期進行と相関し，−7は有意に病期進行をきたしやすく，+8や正常核型は比較的安定した経過をとる．

4 治療と予後

RCCのなかでも−7や複雑核型異常を有する例に対しては，病期が進行する前に造血幹細胞移植（HSCT）を行うことが推奨される．EWOG-MDSの治療研究では，芽球増加を伴う不応性貧血（RAEB），若年性骨髄単球性白血病（JMML）も含め，小児MDSの移植前処置としてbusulfan（BUS），cyclophosphamide（CPA），melphalan（L-PAM）を用いているが，RCCではBUS＋CPA＋L-PAMレジメンによる移植関連死亡が多発したため，L-PAMを除いたBUS＋CPAレジメンのほうが成績は良好であった（5年生存率はそれぞれ76%，92%）．正常核型で低形成骨髄を呈するRCCに対しては，前処置関連毒性のさらなる軽減を目指し前処置強度減弱移植（RIST）が試みられ，19例に対してthiotepa＋fludarabine＋抗胸腺細胞グロブリン（ATG）を前処置としてRISTを行ったところ，16例で生着が得られ，3例は移植関連合併症で死亡した．3年無イベント生存（EFS）率は74%と骨髄破壊的前処置を用いた移植と同等であった．

免疫抑制療法（IST）を用いた治療も導入されている．EWOG-MDSで病期進行のリスクが低い正常核型または+8を有するRCC 31例に対してATGとciclosporin（CsA）によるISTを行ったところ，6ヵ月後の奏効率は71%，3年EFS率は57%であった[6]．しかしながら，一度ISTにより造血回復が得られた例も長期観察期間中に再発・病期進行をきたし，5年EFS率は44%まで低下したため，EWOG-MDSはHLA一致同胞が得られる場合にはHSCTを推奨している．

RCCの治療アルゴリズムについて，Niemeyerは以下のように提案している．①−7と複雑核型異常を有しておらず，好中球減少と輸血依存もなければ定期的骨髄検査を行いながらの経過観察も許容される（「最終的にHSCTが必要になることが多いが」とNiemeyerは付け加えている），②−7または複雑核型異常を有している例はできるだけ早期にHSCTを行う，③好中球減少ないしは輸血依存を呈し，HLA 一致血縁ドナーまたは非血縁ドナーが得られる場合，HSCT を行う，④③のうち低形成骨髄かつ正常核型または +8 を有する例では RIST が推奨される，⑤好中球減少ないしは輸血依存を呈しながら適合ドナーが得られない場合は，正常核型ないし +8 を有していれば IST を行う．−7，+8，複雑核型異常以外の染色体異常を有し，好中球減少ないしは輸血依存を呈しながら適合ドナーが得られない例に対しては，推奨される治療法が定まっておらず，1 例ずつ検討する必要がある．国内から RCC の 65 例の予後が報告された[7]．全体の 1/4 が治療介入なしに長期間血液学的安定を維持する一方で，約 10%において病期の進行を認めた．今後，前方視的研究による検討が必要であろう．

文　献

1) Sasaki H et al: Leukemia **15**: 1713, 2001
2) Hasle H et al: Leukemia **17**: 277, 2003
3) Khoury JD et al: Leukemia **36**: 1703, 2022
4) Arber DA et al: Blood **140**: 1200, 2022
5) Hama A et al: Br J Haematol **196**: 1031, 2022
6) Yoshimi A et al: Haematologica **92**: 397, 2007
7) Hasegawa D et al: Br J Haematol **166**: 758, 2014

ADVANCED

■Leukemia-predisposition condition■

小児MDSは遺伝性骨髄不全症候群（inherited bone marrow failure syndrome：iBMFS）などの先天性疾患，悪性腫瘍に対する化学療法/放射線治療，AAに対する免疫抑制療法などに続発することがあり，これら二次性MDSは予後や治療法の選択が異なるため一次性MDSと区別するべきである．また，一次性MDSと診断された症例の中にも未知の遺伝的素因が関与している可能性は否定できず，実際に小児の一次性MDSの7%に*GATA2*遺伝子の生殖細胞系列変異を認められ，-7が多い．同様に，*SAMD9/9L*遺伝子の生殖細胞系列変異も-7を伴うMDSを引き起こす．このような生殖細胞系列の遺伝子変異に起因する“leukemia-predisposing condition”の頻度は従来はまれと考えられてきたが，近年の遺伝子解析技術の進歩に伴い多くの原因遺伝子が同定されており，注目が集まっている（表A）[1]．

◆表A　骨髄不全/骨髄異形成症候群および急性白血病をきたしうる小児期発症の症候群

遺伝子	起こりうること
TP53	Li-Fraumeni syndrome（LFS）
PAX5	ALL3
CEBPA	AML
ETV6	thrombocytopenia, type 5
RUNX1	FPD/AMM*
MLH1, MSH2, MSH6, PMS2, EPCAM	mismatch repair cancer syndrome
Down syndrome	TAM/AML
BLM	Bloom syndrome
NBS	Nijmegen breakage syndrome
ATM	ataxia telangiectasia
NF1, PTPN11, CBL	RAS-activating syndromes
FANCA-E, BRCA, RAD51D	Fanconi anemia
TERT, TERC, DKC1	dyskeratosis congenita
ELANE, HAX1	severe congenital neutropenia
RPS19, RPL5, RPL11	Diamond-Blackfan anemia
SBDS	Shwachman-Diamond syndrome
GATA2	MDS with monosomy 7
SAMD9	MIRAGE syndrome
SAMD9L	ataxia-pancytopenia syndrome

*FPD/AMM：familial platelet disorder with propensity to myeloid malignancy
（文献1より引用）

■文　献■

1）Porter CC et al: Clin Cancer Res **23**: e14, 2017

3 小児の急性骨髄性白血病

到達目標

- 小児の急性骨髄性白血病（AML）の病態を理解し，的確な病型分類およびリスク分類を行う
- 病型分類とリスク分類に基づいた適切な治療を行う

1 病因・病態・疫学

小児の急性骨髄性白血病（acute myeloid leukemia：AML）発症の環境要因としてトポイソメラーゼⅡ阻害薬やベンゼンなどへの曝露，放射線被曝など，また遺伝的要因としてDown症候群（DS），Fanconi貧血，Bloom症候群，神経線維腫症，Noonan症候群，Kostmann症候群，Diamond-Blackfan貧血などが知られている．

2020（令和2）年度の日本小児血液・がん学会疾患登録集計報告では，20歳未満のAML132例が登録されている．これは腫瘍性血液疾患登録例912例の14.5％にあたり，急性リンパ性白血病（acute lymphoblastic leukemia：ALL）の438例に次ぐ第2位の頻度である．

発症には細胞増殖（class I）と細胞分化（class II）に関与する遺伝子変異が必要十分条件とされてきたが，次世代シーケンサーをはじめとするゲノム解析技術の進歩により，成人領域を中心に8カテゴリーのclass分類提唱がなされた．具体的にはシグナル伝達，RNAスプライシング，DNAメチル化，転写因子，ヒストン修飾，コヒーシン複合体，がん抑制，*NPM1*である．エピゲノム関連遺伝子変異が多く見出されたが，成人で高頻度に認められる*DNMT3A*や*TET2*変異をはじめとするクローン造血を小児では認めず，一部を除き発症過程が異なる．エクソン変異の総数も成人AMLは平均10個が同定されるのに対して小児は5個程度である．

2 症候・身体所見

初発症状は，発熱，貧血，出血傾向，臓器腫大などである．小児においては「何となく元気がない」「機嫌が悪い」など，いわゆる「いつもと違う」という親からの訴えが診断の端緒となる場合も多い．髄外浸潤の症状として肝脾腫，リンパ節腫大，腫瘤形成（皮下結節，歯肉腫脹，眼窩腫瘤など），中枢神経症状（外転神経や顔面神経の麻痺など），骨・関節痛などが比較的多い．腫瘤形成は，FAB（French-American-British）分類-M2/M4/M5の症例に多い．

初診時に緊急治療を必要とするoncologic emergencyとして，播種性血管内凝固（disseminated intravascular coagulation：DIC），白血球塞栓，腫瘍崩壊症候群（tumor lysis syndrome：TLS）に注意が必要である．DICはFAB-M3の急性前骨髄球性白血病（acute promyelocytic leukemia：APL）で顕著であり，診断後速やかに**全トランス型レチノイン酸（all trans retinoic acid：ATRA）**投与を開始する必要がある．白血球塞栓は初診時白血球数が20万/μL以上で起きやすく，意識障害，痙攣，脳出血，呼吸障害，肺出血などの症候が認められる．TLSは白血球数高値（5万/μL以上），FAB-M4/M5，著しい臓器腫大を有する例に多く，大量輸液，尿酸オキシダーゼ製剤などの投与が必要である．白血球数の多い症例に対しては白血球除去療法あるいは交換輸血を行うこともある．

3 診断・検査

症状，血液検査の結果から白血病を疑う場合は骨髄穿刺を行う．骨髄血の吸引が困難な場合は骨髄生検を行うべきである．骨髄塗抹標本のWright-GiemsaあるいはMay-Giemsa染色と**ペルオキシダーゼ（peroxidase：POX）染色**による形態診断を行う．POX染色が陽性であればAMLの診断は比較的容易であるが，

FAB-M0/M5a/M6/M7では陰性であり，特異的エステラーゼ，非特異的エステラーゼ，PASなどの特殊染色が有用である（**表1**）．

小児AMLは，Down症候群関連骨髄性白血病（myeloid leukemia associated with Down syndrome：ML-DS），APL（FAB-M3），それ以外のAMLに分けて病型別に治療されるため，その診断にあたっては患児がDSか否かを確認し，APLを確実に診断することが重要である．APLは小児では頻度が少ないため，凝固検査異常やファゴット細胞などの特徴的形態の見落としに注意が必要で，以下に述べる細胞表面マーカー，キメラmRNAの検索結果が診断に役立つ．

細胞表面マーカーであるCD13/CD33/細胞質内ミエロペルオキシダーゼ発現はFAB-M0，CD36/CD235a（グリコフォリンA）発現はFAB-M6，CD41/CD42b/CD61発現はFAB-M7の各診断に有用である．APLはCD13/CD33陽性，CD34/HLA-DR陰性で，他のAMLとは異なるパターンを示す．

染色体・遺伝子検査はWHO分類に基づく診断に必須であり，リスク分類のためにも重要な検査である．日本小児白血病リンパ腫研究グループ（Japanese Pediatric Leukemia/Lymphoma Study Group：JPLSG）AML-05登録443例のうちt(8；21)が122例，inv(16)が32例で，core-binding factor（CBF）AMLが約35％を占めていた[1]．*KMT2A*（*MLL*）再構成陽性白血病は72例で約16％であった．白血病細胞の核型解析の結果判明までに数週間を要することから，診断を急ぐAPLの場合は*PML::RARA*キメラmRNAの検索が有用である．またfluorescence in situ hybridization（FISH）法は染色体とキメラmRNAの結果に乖離がみられた場合に有用である．ML-DSにおいては21トリソミーに加えて*GATA1*遺伝子変異が認められることが特徴である．

4 治療と予後

小児白血病・リンパ腫診療ガイドライン2016年版の小児AMLの診療アルゴリズムを**図1**に示す．APL，ML-DS，*de novo* AML（APL，ML-DS以外）は別プロトコールで治療され，*de novo* AMLはさらに3群に分かれて治療される．

1）ML-DS

ML-DSは，薬剤感受性が高く治療反応性は良好であるが，毒性も強く出現することから，治療強度を弱めた**アントラサイクリン系薬**（ATC）とcytarabine（Ara-C）の2剤を中心とする化学療法が標準的である．

小児AML共同治療研究会が行ったAML99-DSは，中等量のAra-C 1時間点滴とetoposide（VP-16），pirarubicinを組み合わせた7日間の化学療法を5回繰り返すわが国独自の治療法である．髄注などの中枢神経系再発予防や第一寛解（1CR）での造血幹細胞移植（hematopoietic stem cell transplantation：HSCT）は行わない．Ara-Cの総投与量が少ないにもかかわらず，寛解導入率97.2％，4年無イベント生存率（event-free survival：EFS）83.3％，4年全生存率（overall survival：OS）83.7％と欧米に遜色ない成績であった．JPLSGでは，本研究を受けて2008年からAML-D05研究を行い，寛解導入療法で完全寛解（CR）を得られなかった群を高リスク群とし，持続静注（Cont）Ara-C，大量（HD）Ara-Cを含むサルベージ治療を設定する一方で，それ以外の標準リスク群に対しさらなる治療減弱を行った．高リスク群は全登録72例中2例と少なく形態学的治療反応性だけでは予後不良群を抽出できなかったが，全体の治療成績は3年EFS 83.3％，3年OS 87.5％と治療減弱にもかかわらず担保されていた．2012年より開始したAML-D11はAML-D05と同一の治療内容で，フローサイトメトリー（flowcytometry：FCM），*GATA1*変異，

◆**表1　各種染色によるFAB分類別の典型的反応**

	M0	M1	M2	M3	M4	M5	M6	M7
ペルオキシダーゼ	−	＋	＋	＋	＋	−/＋*1	−	−
特異的エステラーゼ (naphthol AS-D chloroacetate)	−	＋	＋	＋	＋	−	−	−
非特異的エステラーゼ (α-naphthyl butyrate/α-naphthyl acetate)	−	−	−	−	＋*2	＋*2	−	−
PAS	−	−	−	−	−	−	＋	−

FAB: French-American-British, PAS: periodic acid-Schiff
*1：M5a陰性，M5b陽性
*2：フッ化ナトリウムにより阻害

WT1 mRNA による測定可能残存病変（measurable residual disease：MRD）が層別化指標に有用か検証した研究で，3 年間で 78 例の登録があったが，やはり高リスク群は少なく 1 例のみであった．3 年 EFS 87.2％，3 年 OS 89.7％で，FCM と *GATA1* 変異による MRD 陽性群の治療成績が不良で層別化因子として有用であることが判明した[2]．現行の AML-D16 研究では迅速に判断可能な FCM-MRD による治療介入が行われており，従来の標準リスク群と高リスク群に加えて，FCM-MRD 結果を採用し，さらに治療減弱した MRD 陰性低リスク群と治療強化した MRD 陽性高リスク群が追加され，4 群で 87 例に達し，2022 年 6 月に登録が終了し解析待ちである．

2）APL

APL は ATRA を使用することで，安全な治療が可能となり，寛解導入率は約 90％，EFS は 80％以上と良好な成績が確立している．

わが国の AML99-M3 研究は，ATRA と抗がん薬併用による寛解導入療法と強化療法，ATRA 単独の維持療法を行い，3 年 EFS 90.5％，3 年 OS 92.1％と良好な成績を報告している．1CR で HSCT は行っていない．JPLSG では本研究を発展させた AML-P05 を 2006 年から 5 年間行い，43 例の登録があった．①寛解導入療法中の致死的 DIC を防止すべく ATRA 単独投与の期間を延長する，②寛解導入療法中の APL 分化症候群の予防目的に，白血球数に応じて dexamethasone の投与を行う，③強化療法の回数を減らす，などの変更を行い，3 年 EFS 83.6％，3 年 OS 90.7％と AML99-M3 と比較して遜色ない有効性を示し，DIC の治療としてトロンボモデュリン併用の安全性も確認された[3]．2014 年から行われた AML-P13 研究では，① AML-P05 研究の安全な寛解導入療法を踏襲する，②血液学的 CR が得られた症例は強化療法に ATRA と三酸化ヒ素（arsenic trioxide：ATO）を用いる，③ *PML::RARA* キメラ mRNA を測定して MRD による層別化を行う，④血液学的 CR が得られない場合や MRD 残存症例に対して CD33 モノクローナル抗体にカリケアマイシンを結合させた gemtuzumab ozogamicin（GO）を導入するなどの変更を行い，現在解析中である．

欧米では診断時の白血球数 1 万 /μL 以下の標準リスク群では，ATRA と ATO 併用により 2 年 EFS 97％，2 年 OS 99％ときわめて良好な治療成績で合併症も少ないことが報告された[4]．今後は小児においても ATRA/ATO が基本骨格となる可能性が高い．

3）ML-DS，APL 以外の AML

ML-DS，APL 以外の AML には，染色体・遺伝子解析結果，および初期治療反応性に基づくリスク分類を用いた層別化治療を行う．まず，Cont Ara-C と ATC の併用を基本とした寛解導入療法後，HD Ara-C を含む複数回の多剤併用強化療法を行い，高リスク群に対してのみ 1CR で HSCT を行うのが標準的である．現在は EFS が約 60％，OS が約 70％である．

a）わが国における臨床研究とその成績

小児 AML 共同治療研究会による AML99 では，染色体・遺伝子解析結果と治療反応性に基づく層別化が

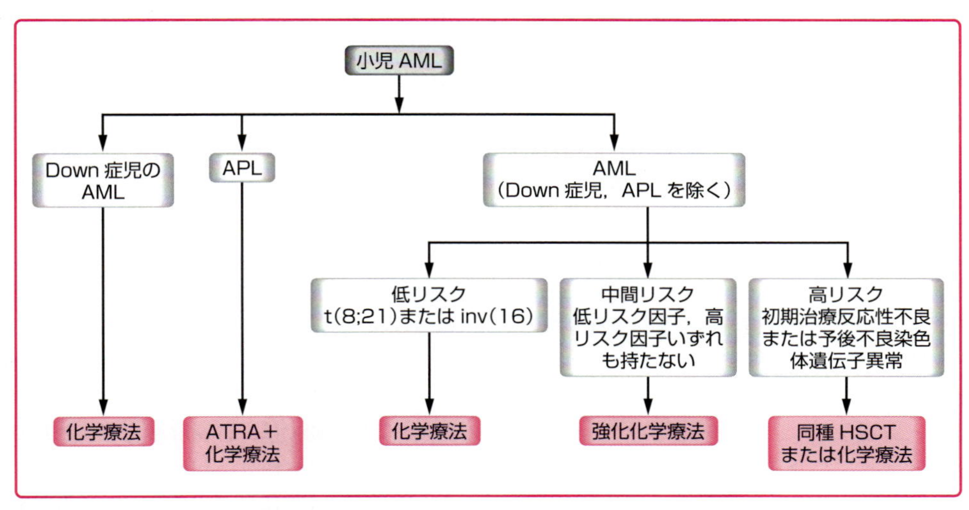

◆図 1　小児 AML の診療アルゴリズム
[日本小児血液・がん学会（編）：小児白血病・リンパ腫診療ガイドライン 2016 年版，金原出版，2016 より許諾を得て改変し転載]

行われ，低リスク群および家族内にHLA一致ドナーを有さない中間リスク群に対しては寛解導入療法を含めて計6コースの化学療法が行われた．家族内ドナーを有する中間リスク群および高リスク群に対しては，1CRでのHSCTが行われた．この結果，寛解導入率94.6%，5年EFS 61.6%，5年OS 75.6%と世界でもトップレベルの治療成績が得られた．JPLSGが2006年から行ったAML-05では，AML99におけるリスク分類に加えて，予後不良なFMS-likeチロシンキナーゼ3のinternal tandem duplication（*FLT3*-ITD）陽性例を高リスク群に加えて1CRにおけるHSCTの適応とした．一方，低リスク群と中間リスク群に対しては，総治療コースをAML99の6コースから5コースへ減らし，特に低リスク群では心毒性を有するATCおよび二次性白血病のリスクを有するVP-16の総投与量を減じた．中間リスク群に対しては，1CRにおけるHSCT適応を外した．すなわち，AML99で得られた良好な治療成績を保ちつつ，治療後の晩期合併症リスクを減らすことを試みた．有効登録443例の3年EFSは54.2%，3年OSは73.1%であり，AML99と遜色のない治療成績が得られた．詳細な統計解析から①低リスクであるCBF群のEFSがAML99より有意に低下し過度な治療減弱が原因と考えられた[1]，②乳児例では寛解導入療法中の合併症が多く，投薬量減量が必要であった，③MDS関連の異常を有するAMLは予後不良であった，④非CBF群ではAML99より治療コース数および移植適応を減らしても同等の治療成績が得られた[5]，⑤*FLT3*-ITD陽性AMLでは1CRにおけるHSCT例の予後は良好であったが，CR率自体が不良であったため全体の治療成績向上は得られなかった，などの知見が得られた．

b）リスク分類に基づく治療の層別化

一律に治療を強化することは治療関連死を増加させるため，病型・リスク分類に基づいた適切な治療を行うことが重要である．また，HSCTと化学療法の成績差が縮まったことから，晩期合併症などを考慮し，HSCTの適応を制限していくことが重要である．

現行のJPLSG AML-20研究のリスク分類を**表2**に示す．予後不良因子としての染色体・遺伝子異常項目が臨床研究グループにより異なるが，3群に分けるリスク分類が成人領域も含めて世界的な標準である．

c）寛解導入療法

標準治療は“3 + 7”，ATC 3日間 + Ara-C中等量持続静注の7日間，寛解導入率は約90%である．VP-16の併用効果，どのATCが優れているかについて結論は出ていない．AML-12研究では，初回寛解導入療法において，Cont Ara-Cとmitoxantrone，VP-16を組み合わせた標準的レジメン（ECM）に対して，HD Ara-Cとmitoxantrone，VP-16を組み合わせた試験レジメン（HD-ECM）のランダム化比較試験（RCT）を実施し，さらにFCM法を用いたMRD検査システムを整備し，その臨床的意義についても検証する．2018年に登録終了し，現在，359例の解析中である．

d）寛解導入後の強化療法

ATCの心毒性を考慮すると，HD Ara-Cを強化療法の中心におくのがよい．AML-05では治療コース数を5コースに減弱したが，予後良好のCBF-AML群を除いた群での治療成績の低下はみられていない．化学療法を何回繰り返すかについては，英国MRC（Medical Research Council）-AML12研究で4コースと5コースのRCTが行われ，その治療成績に差がなかった．仏国LAME89/91研究では維持療法の有無によるRCTが行われ，維持療法の有用性は否定されている．現行のAML-20研究では寛解導入療法2コース後の強化療法を3コース，計5コースに統一し，中間リスクと高リスク群にGOのRCTを行い，その有用性を検証する．

e）HSCTの適応

小児AMLに対する1CRでのHSCTの有効性は明白であるが，急性期および慢性期の毒性を無視することはできない．英国MRCはAML10/12研究から，すべてのリスク群において1CRでのHSCTの優位性はないと報告し，独国を中心としたBFM（Berlin-Frankfurt-Münster）も87/93研究から，HSCT群と非HSCT群の5年OSに差がないと報告している．わが国においてもAML99研究のIR群においても，HLA一致ドナーの有無で5年OSに差がなかった．以上のように，化学療法による治療成績が向上した結果，欧州，わが国においてHSCTの適応を高リスク群に限る方向になっている．

f）再発AML

標準治療後に約30%の再発を認める．AML99研究に登録された240例中73例が再発し，再寛解導入率は50.0%，再発後の5年OSは36.6%であった．予後不良因子はCR後1年以内の再発と*FLT3*-ITDとされた．AML-05研究の再発例を後方視的に観察したAML-05R研究では，再寛解導入療法として多くの症例でFLAG療法（fludarabine, Ara-C, G-CSF ± ATC）もしくはECM療法が選択され60.4%の寛解導入率，5年OSは36.1%であった[6]．予後不良因子は，初発診断後1年以内の再発，再発後非寛解，非CBF-AML，

◆表２ Japanese Pediatric Leukemia/Lymphoma Study Group（JPLSG）AML-20 研究におけるリスク分類

<table>
<tr><th>低リスク</th><th>中間リスク</th><th>高リスク</th></tr>
<tr><td rowspan="3">CBF-AML
かつ
寛解導入療法 1 コース後 MRD<0.1％
かつ
FLT3-ITD なし</td><td>① CBF-AML
かつ
FLT3-ITD 陽性</td><td>①寛解導入療法 1 コース後の形態学的非寛解</td></tr>
<tr><td>② CBF-AML
かつ
寛解導入療法 1 コース後 MRD ≧ 0.1％</td><td>②非 CBF-AML
かつ
細胞遺伝学的高リスク因子なし
かつ
寛解導入療法 1 コース後 MRD ≧ 0.1％</td></tr>
<tr><td>③非 CBF-AML
かつ
細胞遺伝学的高リスク因子なし
かつ
寛解導入療法 1 コース後 MRD<0.1％</td><td>③以下の細胞遺伝学的高リスク
モノソミー 7
モノソミー 5/5q-
inv(3) or t(3;3)/GATA2::MECOM
t(16；21)/FUS::ERG
t(9；22)/BCR::ABL1
t(6；11)/KMT2A::AFDN
t(4;11)/KMT2A::AFF1
t(10;11)/KMT2A::MLLT10
FLT3-ITD（CBF-AML は除く）
t(5;11)/NUP98::NSD1
t(7;11)/NUP98::HOXA9
t(11;12)/NUP98::KDM5A
t(6;9)/DEK::NUP214
inv(16)/CBFA2T3::GLIS2
t(7;12)/MNX1::ETV6
t(10;11)/PICALM::MLLT10
inv(3) or t(3;3)/TBL1XR1::RARB</td></tr>
</table>

CBF-AML: core-binding factor-acute myeloid leukemia [t(8；21)/*RUNX1::RUNX1T1*, inv(16)/*CBFB::MYH11*], MRD: measurable residual disease

FLT3-ITD であった．

■文　献■

1）Tomizawa D et al: Leukemia **27**: 2413, 2013

2）Taga T et al: Leukemia **35**: 2508, 2021

3）Takahashi H et al: Br J Haematol **174**: 437, 2016

4）Lo-Coco F et al: New Engl J Med **369**: 111, 2013

5）Hasegawa D et al: Pediatr Blood Cancer **67**:e28692, 2020

6）Moritake H et al: Pediatr Blood Cancer **68**:e28736, 2021

4 小児の急性リンパ性白血病

到達目標

- 小児の急性リンパ性白血病（ALL）の生物学的特徴と臨床的特徴を理解する
- 小児 ALL の治療方針と治療合併症を理解する

1 病因・病態・疫学

白血病は小児悪性腫瘍のなかで最も多い疾患であり，小児の急性リンパ性白血病（acute lymphoblastic leukemia：ALL）は，小児期に発症する白血病の約70％を占める最も多い病型である．小児 ALL はわが国で年間約 450 ～ 500 例が発症しており，そのうち B 前駆細胞性 ALL（B-cell precursor ALL：BCP-ALL）は年間約 400 ～ 450 例，T 細胞性 ALL（T-ALL）は年間約 50 例前後（ALL の 10 ～ 15％）が発症すると推定される．ALL の病型分類は表面マーカーで行われ，個々の症例における分化発生段階は詳細に検討可能であるが，臨床的に重要となるのは T 細胞性か，成熟 B 細胞性か，B 前駆細胞性であり，大部分の ALL 症例がこの 3 群のいずれかに分類され，約半数の症例に認められる骨髄性抗原の共発現は臨床的には問題とされない．

小児 ALL の正確な発症機序は現時点で不明である[1]．Down 症候群，Bloom 症候群，毛細血管拡張性運動失調症，Nijmegen breakage syndrome などの遺伝性・先天性疾患や，放射線被曝や特定の化学療法薬の影響で発症することは知られているが，このような症例は 5％未満である．Guthrie 試験紙に残された血液の解析から ALL の胎児期発症が推測されるとともに，出生後の何らかのセカンドヒットなしには ALL は発症しないことなどもわかってきている．また最近，一部の抗がん薬の薬物代謝における遺伝子多型の役割が明らかとなり，臨床に応用されるようになった[2]．

2 症候・身体所見

病態生理からみた臨床徴候として，白血病細胞の増殖による徴候と，正常造血の低下による徴候とに分けられることと，染色体・遺伝子異常は臨床徴候と密接に関連することが知られている．

1）白血病細胞の増殖による徴候

a）発　熱

白血病細胞が産生するサイトカインによるもので，ALL の初発症状としては最も頻度が高い．

b）骨　痛

小児 ALL に特徴的な徴候であり，X 線検査では明らかな骨浸潤を認めないことが多い．

c）出血傾向

白血病細胞が産生する組織因子による播種性血管内凝固（disseminated intravascular coagulation：DIC）が関与する．

d）肝脾腫，リンパ節腫脹，皮疹，睾丸腫大

骨髄外臓器への白血病細胞の浸潤による．

e）呼吸困難（前縦隔症候群），上大静脈症候群

年長児の T-ALL に多く，白血病細胞浸潤による縦隔腫大で生じる．気道圧迫による呼吸困難（前縦隔症候群）は，上大静脈の圧排による脳浮腫を伴うことが多く，緊急性が高い．

f）中枢神経症状（頭痛，嘔吐，脳神経麻痺など）

中枢神経への白血病細胞浸潤による．初発時には少ないが，再発の症状として重要である．

2）正常造血の低下による徴候

a）貧　血

赤血球造血低下により生じ，動悸・易疲労感などのほか，重篤な場合は心不全徴候を呈することがある．

b）出血傾向

血小板産生の低下により生じる．

c）発熱，感染徴候

好中球の減少やリンパ球機能の低下によって生じる．

3）染色体・遺伝子異常に特異的な臨床徴候

以前よりALLにおける染色体・遺伝子異常は，臨床徴候と密接に関連することが知られているが，最近，次世代シークエンサーなどによる詳細な解析により，小児ALLにおける染色体・遺伝子異常を基盤とした詳細なサブタイプが明らかとなった[3]（**表1**）．BCP-ALLで多く認められる染色体異常に，染色体数51以上の**高2倍体**，t(12;21)(p13;q22）により生じる*ETV6::RUNX1*（*TEL::AML1*），4番，10番，17番染色体のtrisomyがあり，これらはいずれも1～10歳に多く，代謝拮抗薬を基本にした化学療法で5年無イベント生存（EFS）率が85～90%と推定される予後良好群である．また，t(1;19)(q23;p13）により生じる*TCF3::PBX1*はpre-B ALLでみられ，中枢神経系（CNS）浸潤を起こしやすいことが知られていたが，最近の強化された化学療法を行うことで，現在，小児では予後良好群に含まれる．しかし，成人ALLでは依然として予後不良である．小児ALLの約2%に蛍光in situ hybridization（FISH）法で認められる21番染色体内の*RUNX1*遺伝子の増幅（intrachromosomal amplification）もpre-B ALLに多く，予後不良であることが報告されている[4]．t(17;19)(q22;p13.3）により生じる*TCF3::HLF*は，BCP-ALLの1%未満で認められるまれな転座であるが，約半数の症例がDICや高カルシウム血症を伴うオンコロジー・エマージェンシーで発生し，半年以内の早期再発が多く，再発後は造血幹細胞移植で救命できず，予後はきわめて不良である[5]．一方，t(4;11)(q21;q23）および他の11q23転座による*KMT2A（MLL）*は，乳児・若年成人に認められた場合に予後不良となり，t(9;22)(q34;q11）により生じる*BCR::ABL1*は白血球5万/μL以上または10歳以上のNCI分類のハイ

◆表1　ALLでのサブタイプと遺伝子異常

サブタイプ	頻度	基準
ETV6::RUNX1	25～30%	*ETV::RUNX1* 融合遺伝子
KMT2A	乳児例の75%	*KMT2A* 再構成，主に *AFF1*，*MLLT1*，*MLLT3*，*MLLT10* と
Ph	3～5%	*BCR::ABL1* 融合遺伝子
DUX4	7～10%	*DUX4* 再構成，主に IGH region と
TCF3::PBX1	5～10%	*TCF3::PBX1* 融合遺伝子
ZNF384	4%	*ZNF384* 再構成，主に *EP300*，*TCF3*，*TAF15* と
MEF2D	4%	*MEF2D* 再構成，主に *BCL9*，*HNRNPUL1*，*DAZAP1*，*SS18* と
BCL2/MYC	0.3～2%	*BCL2*，*MYC* または *BCL6* 再構成，主に IGH region と
NUTM1	2%	*NUTM1* 再構成，主に *ACIN1*，*CUX1*，*BRD9* と
HLF	1%	*HLF* 再構成，主に *TCF3*
High hyperdiploid	25～40%	染色体数≧51
Low hyperdiploid	6%	染色体数 47～50
Low hypodiploid	1.5%	染色体数 31～39
Near haploid	4%	染色体数 24～30
iAMP21	5%	マイクロアレイ染色体検査で検出する21番染色体の染色体内増幅
Ph-like	10～25%	Ph PAM score≧0.85; 非 *BCR::ABL1* 融合遺伝子
PAX5 異常	12%	階層的発現クラスタリングで *PAX5* 異常群に分類される
PAX5 P80R	1.3%	*PAX5* p.Pro80Arg（P80R）変異あり，もしくは階層的発現クラスタリングで *PAX5* P80R subtype に分類される
IKZF1 N159Y	0.6%	*IKZF1* p.Asn159Tyr（N159Y）変異あり
ETV6::RUNK1-like	7%	*ETV6::RUNX1* PAM score≧0.98
KMT2A-like	0.6%	*KMT2A* PAM score≧0.95
ZNF384-like	AYA世代で1%	*ZNF384* PAM score≧0.98
CRLF2	2%	*CRLF2* 融合遺伝子；Ph PAM score<0.85
Other	10%	

PAM: prediction analysis of microarrays（マイクロアレイによる発現量の定量化法）
（文献3を参考に著者作成）

リスク（NCI-HR）群に認められ，予後不良となる．染色体数45本未満の低2倍体の予後もきわめて不良で，染色体・遺伝子異常に伴う予後と年齢との関係が認められている[6]．

またほかに，予後に影響する遺伝子異常として，B細胞分化関連遺伝子である*IKZF1*欠失，*MEF2D*再構成や，サイトカイン受容体遺伝子である*CRLF2*高発現が注目されている[7]．

3 診断・検査

2003年に結成された**日本小児白血病リンパ腫研究グループ（Japanese Pediatric Leukemia/Lymphoma Study Group：JPLSG）（現日本小児がん研究グループ：JCCG　血液腫瘍分科会）**は，わが国の小児がんの主要な研究グループであるCCLSG/TCCSG/KYCCSG/JACLSがすべて参加する形で構成され，活発な活動を展開してきている．JPLSGにおけるALL研究においては，骨髄においてリンパ芽球が全有核細胞数の25％以上を占める場合をALLと診断し，リンパ芽球は特殊染色でエステラーゼ陰性かつペルオキシダーゼ陰性（3％未満）である．ALLのFAB分類を示す（**表2**）．

ALLの免疫学的分類は細胞表面マーカー所見により行われる（**表3**）．急性白血病診断パネルでCD3（または細胞質内CD3：cCD3）陽性，かつCD2，CD5，CD7，CD8のうち1つ以上陽性であるものをT-ALLとし，CD19，CD79a，CD20，CD22のうち2つ以上が陽性であるものをB細胞系ALL，さらに，細胞質内μ鎖，Igκ，Igλがすべて陰性のものをBCP-ALL，細胞質内μ鎖陽性でIgκ，Igλがともに陰性のものをpre-B ALL，IgκまたはIgλ陽性のものを成熟B細胞性ALLと定義した．Mixed lineage leukemiaについては，骨髄系抗原陽性B細胞系ALL，骨髄系抗原陽性T-ALL，リンパ系抗原陽性急性骨髄性白血病，およびtrue mixed lineage leukemiaに分類する．

ALL診断には染色体分析，RT-PCR法によるキメラ遺伝子スクリーニング，FISH法による個々の細胞における表面抗原の発現確認，および前述の表面マーカー解析は必須であるが，いまだ研究段階であるgene expression profileもALLの正確な分類に役立つだけでなく，治療予後判定に結びつく情報源として重要である．

4 治療と予後

国内においてはCCLSG/TCCSG/KYCCSG/JACLSの4グループを中心に多施設共同治療研究が施行されてきており，国内外の臨床研究において小児ALLは年代とともに治療成績の改善傾向が認められ，90年代の臨床研究においては80％近い無病生存（DFS）率が達成されている[6]．しかし，依然として20％以上の患児において寛解導入不能，再発，二次がん，死亡といったイベントが生じ，一部の症例では多剤耐性から治療抵抗性となっている．この背景には20年以上にわたって新しい抗白血病薬が開発されなかったことが1つの要因として考えられる．

BCP-ALLとT-ALLを比較すると，両系統に共通している点として測定可能残存病変（measurable residual disease：MRD）が最も強く予後を規定する因子となっていることが挙げられるが[8]，異なる点として，MRDに加えてBCP-ALLでは年齢，白血球数，

◆表2　ALLのFAB分類

芽球のペルオキシダーゼ陽性率は3％未満	
L1：小細胞型	均一な大きさで核細胞質比（N/C比）大．核小体は不明瞭．小児に多い
L2：大細胞型	大小不同．N/C比はL1より小さい．核小体は明瞭．成人に多い
L3：Burkitt型	芽球はL1より大きい．細胞質は広く好塩基性．空胞が目立つ．核小体明瞭．成熟B細胞腫瘍である

◆表3　ALLの免疫学的分類

T-ALL	CD3または細胞質内CD3（cCD3）陽性，かつCD2，CD5，CD7，CD8のうち1つ以上が陽性
B細胞系ALL	CD19，CD79a（または細胞質内CD79a），CD20，CD22のうち2つ以上が陽性
B前駆細胞性（BCP-ALL）	B細胞系，かつ細胞質内μ鎖，Igκ，Igλがすべて陰性
pre-B ALL	B細胞系，かつ細胞質内μ鎖陽性で，Igκ，Igλは陰性
成熟B細胞性（成熟B細胞ALL）	B細胞系，かつIgκまたはIgλが陽性

中枢神経浸潤，細胞遺伝学予後因子が予後不良因子となることが挙げられる（**表 4**）．このような生物学的特徴に違いがあることと，難治性 T-ALL に nelarabine[8] が認可されたことを受けて，JPLSG では T-ALL と BCP-ALL に対しそれぞれ別個の治療プロトコールを作成することとし，T-ALL の全国共通臨床試験（T19）と BCP-ALL の全国共通臨床試験（B19）が 2021 年にそれぞれ開始され，現在登録中である．

ALL 治療の基本的な治療骨格は，①寛解導入療法，②再寛解導入療法を含む強化療法，③ CNS 再発予防療法，④維持療法の 4 相から構成される．

一方，CD19 と CD3 の二重特異的モノクローナル抗体 blinatumomab が再発難治性 BCP-ALL に対する新薬として保険収載された．また患者から採取した T 細胞に標的能をもつキメラ抗原受容体（CAR）を発現させる遺伝子改変技術を施した後，体内に戻す CAR-T 細胞療法も，再発・非寛解の BCP-ALL に有効であることが明らかとなり[9]，現在，保険収載されている．CAR-T 療法では，重篤なサイトカイン放出症候群（cytokine release syndrome：CRS）が問題となっており，その対応には集中治療部や血液腫瘍の診療に経験豊富な医療スタッフの連携が重要である．

1）治療選択アルゴリズム

小児 ALL の病型分類による治療選択のアルゴリズムを**図 1** に示す．まず，成熟 B 細胞性 ALL には成熟 B 細胞性リンパ腫（Burkitt リンパ腫）型の化学療法が行われる．次に，Philadelphia 染色体（Ph）陽性 ALL ではチロシンキナーゼ阻害薬（TKI）を併用した化学療法を行う．Ph 陰性 ALL に対して，JPLSG では BCP-ALL と T-ALL に分けて別個の治療研究を行っており，T-ALL では早期治療反応性が良好な標準リスク群を除いて nelarabine を併用した化学療法を行う．1 歳未満の BCP-ALL においては，*KMT2A*（*MLL*）遺伝子再構成陰性例では標準的化学療法，陽性例では強力な化学療法が行われる（後述）．1 歳以上の BCP-ALL に対しては予後因子と治療反応性に基づいた層別化治療が行われる．いずれの病型でも，予後不良群に対しては同種造血幹細胞移植を行う．

2）寛解導入療法

副腎皮質ステロイド + vincristine + L-asparaginase（L-Asp）+アントラサイクリン系薬の 4 剤の組合せによる寛解導入療法が世界的標準であり，95 ～ 98%の寛解導入率が期待できるが，骨髄中の正常細胞が著減している状態で行われる多剤併用化学療法であり，後述する治療合併症が最も生じやすい時期である．

寛解導入におけるステロイドについては，prednisolone（PSL）と dexamethasone（DEX）の優劣を比較する複数の比較試験が行われているが，従来使用されてきた PSL に比べ，近年使用が試みられている DEX は抗白血病効果に優れている一方で，精神症状や骨頭壊死，感染症といった合併症頻度が高くなる傾向があり，両者の優劣にはさらなる研究が必要とされている．

3）強化療法

強化療法は寛解導入療法で用いた薬剤と交差耐性のない薬剤による治療と，寛解導入療法と同様の薬剤を再び用いる再寛解導入療法からなる．現在では世界のほぼすべてのグループが何らかの指標に基づく治療反応性を予後因子として採用しており，①早期 PSL 反応性（day 8 の末梢血の芽球数 1,000/μL 未満で予後良好）[10]，② day 7/14 の骨髄芽球割合（25%未満で予後良好）[11]，③ 33 日目の骨髄芽球割合（5%以上で予後不良），④早期強化療法終了後の微小腫瘍残存（10^{-3}

表 4　T-ALL と BCP-ALL の臨床的特徴と予後因子

分類	割合	臨床的特徴	予後良好因子	予後不良因子
T 細胞性（T-ALL）	10 ～ 15%	• 年長児に多い • 白血球数増多，縦隔腫瘤が多い • 中枢神経浸潤が多い	• MRD の反応性良好	• MRD の反応性不良
B 前駆細胞性（BCP-ALL）	約 85%	• 最も高頻度 • 2 ～ 6 歳に好発し，CD10 陽性が典型	• MRD の反応性良好 • 1 歳以上，10 歳未満 • 白血球数 5 万/μL 未満 • *ETV6::RUNX1* • 高 2 倍体 • 4，10，17 番染色体のトリソミー • 中枢神経浸潤なし	• MRD の反応性不良 • 1 歳未満，10 歳以上 • 白血球数 5 万 / μL 以上 • *BCR::ABL1* • *KMT2A*（*MLL*）再構成 • *E2A::HLF* • 低 2 倍体 • 中枢神経浸潤あり

MRD：measurable residual disease

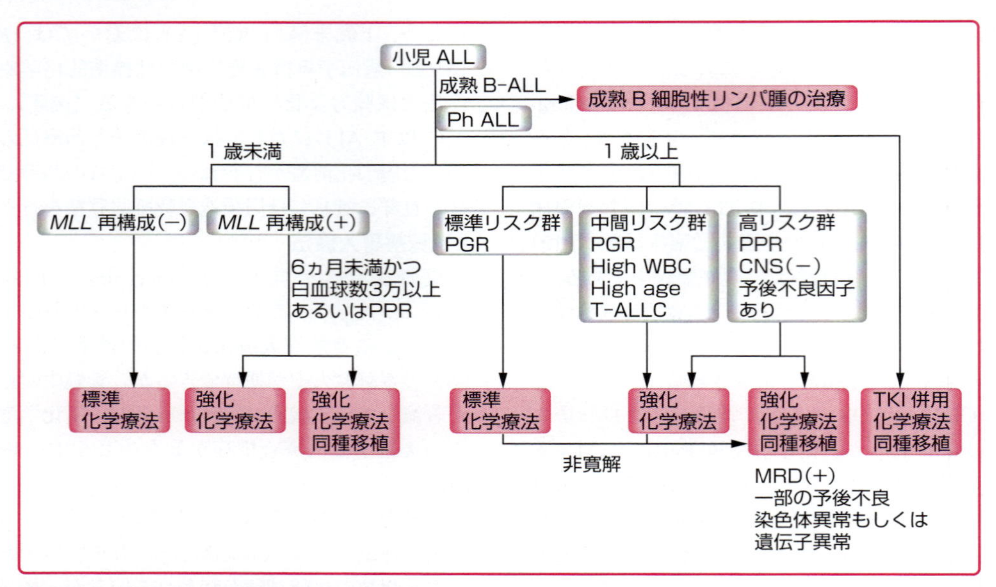

◆図 1　小児 ALL の治療のアルゴリズム
(文献 12 を参考に著者作成)

未満で予後良好) の 4 点で判定されることが多く，予後良好例における治療軽減，予防的頭蓋照射 (presymptomatic cranial radiotherapy：pCRT) の全廃，再発例を含んだ予後不良例における新規薬剤導入と同種造血幹細胞移植の回避などが課題となっている.

4) 中枢神経系 (CNS) 再発予防療法

CNS，眼球，性腺には血液関門が存在し，薬剤が到達しにくくなっているため，**CNS 再発予防療法**を行わなければ，50%以上に CNS 再発が生じる. 1971 年に St. Jude 小児病院から，多剤併用化学療法に pCRT を導入することで小児 ALL に長期寛解をもたらしうることが世界ではじめて報告されて以来，最も確実な CNS 再発予防療法として pCRT は広く行われてきていたが，pCRT は成長障害，内分泌障害，二次がんなどの重篤な晩期合併症を高頻度にもたらすことが明らかになってきており，多くのグループ研究で髄注や methotrexate (MTX) 大量療法を導入することによって pCRT の対象症例を 0 ～ 20%に減少させてきている.

5) 後期強化療法および維持療法

CNS 再発予防相に続いて後期強化療法が行われ，それに続く維持療法では経口の MTX と 6-mercaptopurine (6-MP) の組合せ，およびそれらに何らかの静注薬剤 (MTX，vincristine) と短期ステロイドを付加することが試みられてきており，総治療期間として 2 ～ 3 年が必要である. 最近，チオプリン製剤の代謝に関連する *NUDT15* の遺伝子多型と 6-MP の治療毒性が関連することが明らかとなり，遺伝子多型検査が保険収載され，臨床応用されている [2].

6) 晩期合併症 (図 2)

ALL の治癒率が高まるなかで，後期合併症に関するデータがより重要となってきている [12].

頭蓋照射後には白質脳症，脳内石灰化が生じる可能性があり，髄注回数と照射時の年齢が低いことが危険因子となる. 頭蓋および脊髄照射後の成長障害は，女児における思春期早発と軽度の甲状腺機能低下との関連も含めて検討する必要がある. また，幼少時 (特に 5 歳未満) の頭蓋および脊髄照射後には歯牙形成不全を認めることがある.

アントラサイクリン系薬の総投与量は 240 mg/m^2 未満に抑えることで心筋症の発症は回避されるとされているが，① 4 歳未満，②女児，③総投与量の 3 つが心筋症発症の危険因子となることを念頭に，フォローアップ期間が長いほど心筋障害が検出される頻度が高まることを考慮して，終生のフォローアップが必要となる. 突然の心筋症発症の報告には，出産，ウイルス感染，等尺性運動 (自然分娩におけるいきみ，重量挙げなど)，アルコールまたはコカイン摂取などがある.

ALL の治療に副腎皮質ステロイドは必須であるが，PSL に加えて DEX が多用されるようになり，骨密度低下，成長障害，肥満との関連が指摘されている.

また，ALL の治療終了後に認める液性および細胞

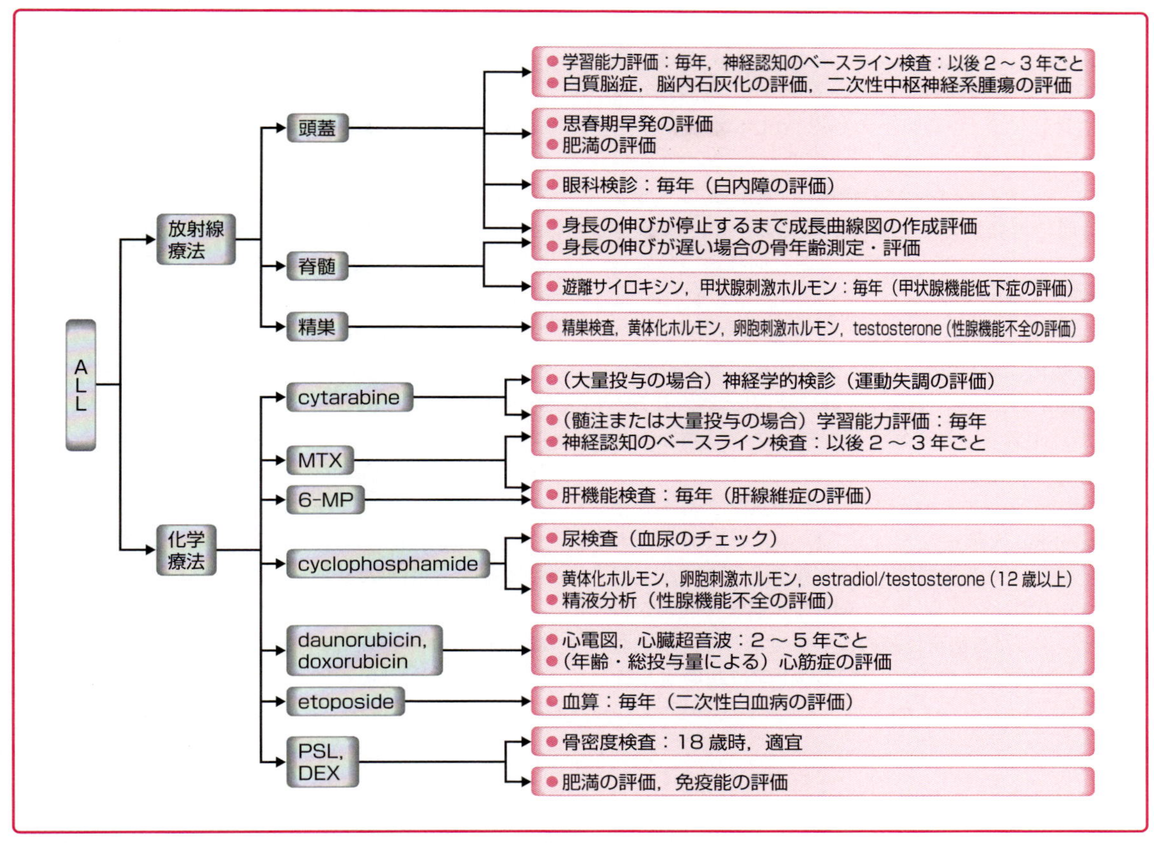

◆**図２　ALL 治療別の晩期合併症に対する診断および治療方法とその手段**
（文献 12 を参考に著者作成）

性免疫能の低下は通常半年～1 年で正常に復するとされていたが，治療終了後 5 年までは免疫能の低下を認めるという報告もみられ，予防接種後の抗体価上昇不良に対するワクチン再投与の必要性が指摘されている．

小児では，ALL を治癒させた後 60 年以上の余生があり，その生活の質（quality of life：QOL）は今後も問われ続けていくことになる．よりよい治療とよりよい治癒はすべての患児・家族の望みであり，旧来の治療薬の組合せによる QOL 向上には限界があることを踏まえ，新薬の承認を含めた治療法のさらなる改善が期待される．

5 乳児 ALL

1）病因・病態・疫学

1 歳未満に発症する乳児 ALL は，非常にまれであり全小児 ALL の 2～5％を占める．1 歳以上の ALL とは臨床像が異なり，白血球増多，著明な肝脾腫，CNS や皮膚などの髄外浸潤の頻度が高いといった特徴を有する．また染色体 11q23 領域に存在する *KMT2A*（*MLL*）遺伝子の再構成の頻度が高く，約 80％の例に認められる．これまでに *KMT2A* の相手転座遺伝子として約 80 種類の遺伝子が同定されているが，*KMT2A::AFF1*（*AF4*），*KMT2A::MLLT1*（*ENL*），*KMT2A::MLLT3*（*AF9*）の頻度が高い．*KMT2A* 再構成陽性乳児 ALL 症例（*KMT2A*-r ALL）は，$CD10^-$，$CD19^+$ の ProB 細胞型であり，lineage switch を起こすこともあることから，白血病細胞がより未分化な B 細胞 / 骨髄系前駆細胞に由来すると考えられる．一般的に *KMT2A*-r ALL は，1 歳以上の ALL や *KMT2A* 野生型乳児 ALL（*KMT2A*-g ALL）と比べて予後不良である．

2）治療・予後

KMT2A-r ALL 症例は，治療抵抗性であり，強力な化学療法が必要である．ALL 型多剤併用化学療法に

AML 型多剤併用化学療法を組み合わせた「hybrid 治療」が有効であり，さらに高リスク群に対しては，同種造血幹細胞移植が行われている．一方，*KMT2A*-g ALL に対しては，1 歳以上の小児 ALL に準じた多剤併用化学療法を行うことで，90%以上の長期生存が得られている．*KMT2A*-r ALL 症例は，寛解後，4～5ヵ月と早期に再発することが多いために，JPLSG 臨床試験 MLL03 では，第一寛解期早期に同種造血幹細胞移植を行う戦略をとった．これにより 5 年 DFS は 43.2%，5 年全生存率（OS）は 67.2%であった．MLL10 臨床試験においては，過去症例の多変量解析により抽出した予後不良因子，初発時白血球数 10 万/μL 以上，年齢 6ヵ月未満を用いてリスク分類し，化学療法のみを行う中間リスク群を設定した[13]．化学療法の内容は，COG AALL0631 臨床試験を基本骨格に cytarabine 大量療法を加え，L-Asp を追加したものに変更した．その結果，3 年 DFS は 66.2%と上昇し，特に中間リスク群では，94.4%と顕著な改善が得られた．さらなる治療成績の改善を目指して，現在わが国において，clofarabine 併用の化学療法の有用性を検証する臨床試験（MLL-17）が行われている．

文　献

1) Bhojwani D et al: Pediatr Clin North Am **62**: 47, 2015
2) Moriyama T et al: Nat Genet **48**: 367, 2016
3) Gu Z et al: Nat Genet **51**: 296, 2019
4) Harrison CJ et al: Leukemia **28**: 1015, 2014
5) Fischer U et al: Nat Genet **47**: 1020, 2015
6) Holmfeldt L et al: Nat Genet **45**: 242, 2013
7) Pui CH et al: Blood **120**: 1165, 2012
8) Kadia TM et al: Expert Rev Hematol **10**: 1, 2017
9) Shah NN et al: Nat Rev Clin Oncol **16**: 372, 2019
10) Dunsmore K et al: Blood **108**: A1864, 2006
11) Conter V et al: Blood **115**: 3206, 2010
12) JPLSG 長期フォローアップ委員会 長期フォローアップガイドライン作成ワーキンググループ（編）：小児がん治療後の長期フォローアップガイドライン，医薬ジャーナル社，2013
13) Tomizawa D et al: Blood **136**: 1813, 2020

5 小児のリンパ腫

到達目標

- 小児・若年者におけるリンパ腫の代表的な組織病型を説明できる
- 各組織型の臨床的特徴や年代による違いを理解できる
- 上大静脈症候群を説明できる
- B-NHL（Burkitt, DLBCL），LBL，ALCL の治療の概略と予後を説明できる
- 腫瘍崩壊症候群の病態を理解し，その治療法が説明できる

1 病態・疫学

1）病因・疫学

リンパ腫の正確な発症機序は不明である．リンパ球の分化増殖過程で，生来の遺伝的要因にウイルス感染を含む環境要因が重なり，抗原や細胞増殖，細胞死にかかわる受容体シグナル伝達系，エピジェネティクス機構に何らかの異常を生じ，免疫的監視機構を逃れた細胞が腫瘍性に増殖した結果と考えられている．リンパ腫は，わが国で小児期悪性腫瘍の 7 ～ 8%を占め，白血病，脳脊髄腫瘍に次いで 3 番目に多い．この順位は欧米と同様だが，疾患構成をみると，欧米では **Hodgkin リンパ腫（Hodgkin lymphoma：HL）**と**非 Hodgkin リンパ腫（non-Hodgkin lymphoma：NHL）**の発生頻度がほぼ等しいのに対し，わが国では HL の発生頻度が低い．日本小児血液・がん学会小児腫瘍性疾患全国登録 2014 ～ 2018 年の 5 年間に登録された急性リンパ性白血病（acute lymphoblastic lymphoma：ALL）2,377 例（22%：小児悪性腫瘍全数中の割合）に対して，リンパ腫は NHL が 596 例（5.5%），HL が 105 例（1.0%）であった．HL 発症の男女差は米国からの報告では 5 歳までは男児優位，若年者ではほぼ差がない．わが国の HL 後方視的解析では全体に男児が優位である．NHL では 2 ～ 2.5：1 の比で明らかに男性に多い．HL の発症頻度には，若年と壮年期以後の二峰性がみられるが，NHL ではこのような特徴はみられず，年齢とともに発症は増加，一方で 3 歳未満の発症はまれである．

2）基本病態と組織型

リンパ腫は，組織型ごとに発生母地となる免疫組織や細胞遺伝学的異常，増殖力が異なるので，基本病態も組織分類により大きく異なる．リンパ腫のうち HL と分類されないさまざまなリンパ腫すべてが NHL ということになる．NHL の主な組織型は「未熟な前駆リンパ系腫瘍」に属する**B/T リンパ芽球性リンパ腫（lymphoblastic lymphoma：LBL）**，「成熟 B 細胞腫瘍」に属する**Burkitt リンパ腫（Burkitt lymphoma：BL）**と**びまん性大細胞型 B 細胞リンパ腫（diffuse large B-cell lymphoma：DLBCL）**（本項ではこれらの成熟 B 細胞腫瘍は「B-NHL」とする），および「成熟 T/NK 細胞腫瘍」に属する**未分化大細胞リンパ腫（anaplastic large cell lymphoma：ALCL）**の 4 つの病型が代表的で，小児 NHL の 90%以上がこれらで占められる（**表 1**）[1]．

わが国で，それぞれがリンパ腫に占める割合は BL が 22 %，DLBCL が 15 %，LBL が 25 %，ALCL が 12%で，欧米に比べて BL が少なく，LBL が多い．この他に**濾胞性リンパ腫（follicular lymphoma：FL）**，**末梢性 T 細胞リンパ腫（peripheral T-cell lymphoma：PTCL）**，**原発性縦隔（胸腺）大細胞型 B 細胞リンパ腫（primary mediastinal large B-cell lymphoma：PMLBCL）**などもみられるが，いずれも小児ではまれである．

HL は B 細胞由来の腫瘍で，その病理組織型は，**CD30 陽性の Reed-Sternberg 細胞**（RS 細胞）を認める古典的 HL と，CD30 陰性で，類円形あるいは分葉状の核を有する細胞が特徴の結節性リンパ球優勢型 HL に大別される．古典的 HL はさらに RS 細胞の増多，炎症細胞，線維化の状態により，リンパ球豊富型，結節性硬化型，混合細胞型，リンパ球減少型の 4

つに細分類される.

2 症 状

NHLの原発部位は大きくリンパ節（nodal）とリンパ節外（extranodal）に区別され，小児では節外性発生が過半数を占める．NHLは全身のリンパ組織のどこからでも発生するが，B細胞が腸管原基，T細胞が胸腺由来であることより，BLとDLBCLは腹部に，LBLは縦隔に好発する．B細胞型はWaldeyer輪（扁桃，アデノイド，舌根，鼻咽腔，上顎洞）にも発生する．頭頸部などの表層部位にはどの組織型も出現する．その他，中枢神経系（central nervous system：CNS），生殖器，骨髄，骨，皮膚などにも発生する．

B-NHLは，腹部腫瘤以外に腹痛，腹腔・消化管出血，腸重積，腹水などで発見されることも多い．腎，膵などの後腹膜臓器への浸潤もあるが，肝や脾への浸潤はまれである．卵巣や骨（単発性）への浸潤も認められる．骨髄浸潤はDLBCLでは少ないが，BLでは約10～30％に認められる．従来，BLで骨髄腫瘍細胞浸潤が25％以上の場合にはmature B-ALLとしてALL（FAB分類のL3）に含まれてきたが，WHO分類第4版（2008年）では成熟B細胞リンパ腫に分類されるようになった．CNSに発生する場合は，髄膜浸潤による症状，脊髄神経の圧迫によるさまざまな麻痺症状，顔面神経麻痺などで気づかれることが多い．

B-LBLはB前駆細胞，T-LBLはT前駆細胞に由来し，急性リンパ性白血病と免疫学的に違いがないことから，WHO分類改訂第4版（2017年）は，それぞれlymphoblastic leukemia/lymphomaとして同一の範疇で扱っている．だが，LBLとALLでは臨床的経過，遺伝子変異等，生物学的違いがあり，同一視はできない[2)]．LBLの70～80％はT細胞マーカーを示し，胸郭内発生が多く，過半数の症例で縦隔腫瘤を伴い，腫瘤の圧迫による呼吸困難，上大静脈症候群，胸水が出現することもまれではない．肝脾腫は認められるが腹部での腫瘤形成はまれである．全身の末梢リンパ節腫脹を伴う症例も少なからずある．残り20～30％は未熟B細胞マーカーを示す．多くは骨，皮膚，軟部組織，単一リンパ節などの局所浸潤のみであり，骨髄浸潤などの全身症状が強いときはALLとの鑑別が必要になる．B-NHLと異なり，LBLの骨髄浸潤は25％を超えるとALLとして扱う．初発時のCNS浸潤は10％以下である[2)]．

ALCLは上記の組織病型と異なり，その進展速度は比較的緩徐だが，進行期で見つかることが多い．HLにみられるB症状（発熱，顕著な寝汗，体重減少）のような全身症状を伴う特徴がある．発生部位は節性，節外性さまざまであり隣接臓器浸潤性を示し，皮膚浸潤や多発性骨病変がみられることがある[2)]．

HLは鎖骨上窩や頸部における無痛性リンパ節腫大が特徴である．若年成人は縦隔病変がその75％にみられるが，小児では35％である．気道を圧迫する縦隔腫瘤があっても上大静脈症候群を呈するものは少ない．疲労感，食思不振，体重減少，瘙痒症，寝汗，発熱といった非特異症状が25％にみられる．B症状を呈するものは予後が悪い．

◆表1　小児非Hodgkinリンパ腫の主な組織型とその特徴

組織分類	免疫表現型	染色体異常	遺伝子異常	主な発症部位
Burkittおよび Burkitt様リンパ腫	成熟B細胞	t(8;14)(q24;q32), t(2;8)(p11;q24), t(8;22)(q24;q11)	*MYC, IGH, IGK, IGL, TCF3, ID3, CCND3*	腹腔内，頭頸部，骨髄，中枢神経
びまん性大細胞型B細胞性リンパ腫	成熟B細胞	特定所見なし	特定所見なし	節性，腹腔，骨，縦隔，中枢神経
縦隔大細胞型B細胞性リンパ腫	成熟B細胞，しばしばCD30陽性	9p gain, 2p gain	*CIITA, TNFAIP3, SOCS1, PTPN11, STAT6*	縦隔中心，他の節性，節外性病変含む
前駆T細胞性リンパ芽球性リンパ腫	前駆T細胞（TdT, CD2, CD3, CD7, CD4, CD8）	MTS1/p16INK4a deletion, TAL1 t(1;14)(p13;q11), LOH at 6q	*TAL1, TCRAO, RHOMB1, HOX11, NOTCH1*	縦隔，骨髄
前駆B細胞性リンパ芽球性リンパ腫	前駆B細胞（TdT, CD10, CD19, CD79a, CD22）	特定所見なし	特定所見なし	皮膚，骨，頭頸部
未分化大細胞型リンパ腫	T細胞，null細胞 $CD30^+$	t(2;5)(p23;q35)，その他*ALK*関連転座	*ALK, NPM*	さまざま

3 診断・検査

NHLの診断で最も大切なことは，正確な病理組織診断，画像診断による病変の広がり（病期）の確定である．生検にあたり多数のリンパ節の腫大があるときは，周辺部の小型のものでは反応性リンパ節炎と間違う可能性があるので，できる限り最大のものを摘出する．吸引生検は組織構造がわからず，また針生検は必要十分量の組織が採取できないので行わない．リンパ腫を疑って生検する場合は，免疫学的検索，染色体分析，遺伝子検索のために分割して検査に供し，一部は凍結保存する．病理診断は施設ごとに適切な判断をするとともにその診断を確認するための中央病理診断システムが必要である．**日本小児がん研究グループ**では，研究登録症例すべてに中央病理診断の検体提出が義務づけられ中央病理診断が実施されている．病理学的にリンパ腫と鑑別すべき小型円形細胞腫瘍にはEwing肉腫，横紋筋肉腫，神経芽腫などがあり，造血細胞やリンパ系細胞に特有な免疫組織学的染色（CD45やTdTなど）や，肉腫に特有の融合遺伝子のPCR法による証明が除外診断のために有用となる．診断時の患者の状態で，組織生検が困難な場合は，胸水，腹水，骨髄，髄液からの腫瘍細胞での診断も可能である．Null-cell型のALCLではCD30，EMA，ALK1の染色結果が参考になる．長期にわたり観察される頸部リンパ節腫大などの良性リンパ増殖性病変との鑑別には，免疫グロブリン（Ig）やT細胞受容体（TCR）などの遺伝子再構成によるモノクローナリティや特異的染色体転座の証明が参考になる．NHLの診断に有用な血清学的マーカーはないが，尿中クレアチニン比でみたバニリルマンデル酸（VMA），ホモバニリン酸（HVA），また血中αフェトプロテイン（AFP），がん胎児性抗原（CEA）などは除外診断に有用である．

病理診断の手順を踏むとともに，ただちに病期分類のための検査を行う．通常NHLでは**Murphy分類を基調とした国際小児NHL病期分類（表2）**が，HLでは**Ann Arbor分類（表3）**が用いられ，限局型（病期Ⅰ／Ⅱ）と進行型（病期Ⅲ／Ⅳ）とを決定する．これらの分類は病変の広がりと腫瘍量に基づいて作成されている．検査内容は一般血液生化学検査と検尿に加えて，骨髄（原則両側後腸骨稜）と髄液検査，胸部X線，腹部超音波，頭部CTおよび腹部CT/MRIは必須である．ガリウムシンチグラフィ，骨シンチグラフィ，全身骨X線，頭部と脊髄のMRIは臨床症状に応じて行う．FDG-PET（fluorodeoxyglucose-positron emission tomography）やPET-CTは近年リンパ腫の浸潤病変の新たな確認手段となってきているが，反応性リンパ節炎症や褐色脂肪細胞でも取り込みがみられることから，慎重に判断する．強度の高い化学療法を安全に実施するために心機能検査と腎機能検査は必須である．

4 治療と予後

いずれの病型も7～8割以上の長期生存が得られ標準治療が確立してきているが，残り2～3割の治療抵

◆表2　小児非Hodgkinリンパ腫の国際病期分類［国際小児NHL分類（Murphy分類）］

Stage	
Stage Ⅰ	1）単一の節外性病変または単一のリンパ節領域内に局在した病変 （骨病変，皮膚病変を含む．ただし縦隔と腹部原発例は除く）
Stage Ⅱ	1）単一の節外性病変で領域リンパ節の浸潤を伴うもの 2）横隔膜を境に同一側にある2ヵ所以上のリンパ節領域の病変 3）肉眼的に全摘された消化管原発病変 （通常回盲部，隣接する腸間膜リンパ節への浸潤の有無は問わない） （隣接する臓器への浸潤や腹水中に腫瘍細胞がみられるときはStage Ⅲ）
Stage Ⅲ	1）横隔膜の両側か片側でも2ヵ所以上の節外性病変（節外性骨病変や節外性皮膚病変を含む） 2）横隔膜の両側にある2ヵ所以上のリンパ節領域の病変 3）胸郭内（縦隔，肺門部，肺，胸膜，胸腺）の病変 4）腹腔内，後腹膜原発で肝，脾，腎や卵巣におよぶ病変（切除の程度は問わない） ［全摘できた消化器病変（浸潤のある腸間膜リンパ節を含め）を除く］ 5）傍脊髄または硬膜外の病変（他の病変部位の有無は問わない） 6）節外性病変や領域外の節性病変の合併を伴う単一骨病変
Stage Ⅳ	1）発症時に中枢神経または骨髄（腫瘍細胞が25％未満）もしくはその両方に浸潤があるもの （原発巣は上記のいずれでもよい）

・Stage Ⅳ　骨髄浸潤の基準は骨髄吸引穿刺で形態学的に5％以上のリンパ腫細胞とする．
・中枢神経浸潤：画像上CNS腫瘤の存在．硬膜外の病変で説明不能の脳神経麻痺．脳脊髄液内の腫瘍細胞．
・いずれのStageでも骨髄と中枢神経系への浸潤の有無はその検査法とともに詳細を明確にする．
（Rosolen A: J Clin Oncol 33: 2112, 2015を参考に著者作成）

◆表3　小児 Hodgkin リンパ腫の病期分類（Ann Arbor 分類）

Stage I	病変が1ヵ所のみのリンパ節領域（I期），または1個のリンパ節外臓器の限局性病変（IE期）のみの場合（脾臓，胸腺，Waldeyer 輪）
Stage II	病変は横隔膜を境界にして一方の側に限局していて，なおかつ，病変が2ヵ所以上のリンパ節領域に存在する場合（II期），または病変リンパ節とそれに関連した1つのリンパ節外臓器（または部位）への限局性の浸潤がある場合（横隔膜の同側にある他のリンパ節外領域の有無は問わない：II E期）
Stage III	病変が横隔膜を境界にして両側のリンパ節領域に進展している場合（III期）．病変リンパ節領域に関連するリンパ節外臓器（または部位）への限局性浸潤を伴っている場合はIIIE期とする．脾臓浸潤があるときはIII Sと記載し，両者を認めるときはIII E+Sと記載
Stage IV	病変がリンパ節外臓器へびまん性（多発性）に浸潤している場合（領域リンパ節の浸潤の有無は問わない）．または，リンパ節病変とそれに関連しない遠隔リンパ節外臓器に病変があるもの

・リンパ節以外の病変の扱いについては，病変がリンパ節外臓器のみに限局している場合やリンパ節病変に近接したリンパ節臓器に限局性に浸潤している場合にはリンパ節病変と同様に扱い（E）という記号を付記する．
・肝臓などリンパ節外臓器にびまん性に進展した場合はIV期として扱う．リンパ節外の臓器浸潤が病理学的に証明された場合には，浸潤部位の記号に続けて（+）と記載する．浸潤部位は下記の表記に従う．N=nodes, H=liver, M=bone marrow, S=spleen, P=pleura, O=bone, D=skin
・全身症状随伴の有無によりさらにAとBに分ける．
　A：全身症状を伴っていない場合．
　B：全身症状を伴っている場合．（全身症状とは6ヵ月以内の体重減少や Hodgkin リンパ腫による発熱や夜間の多量の発汗．）
・縦隔の巨大腫瘤病変は，胸部X線像において腫瘍の最大横径のT5/6の高さでの内胸郭の長さに占める割合が3分の1以上と定義されている．もしくはCTで腫瘍の最大径が10 cm以上のもの．
（Lister A: J Clin Oncol 7: 1630, 1989 を参考に著者作成）

抗・再発のリンパ腫の治療成績は不良であり，未整備である．各種分子標的薬，チェックポイント阻害薬，各種抗体薬が得られてきており，初発例含め新しい治療法が考えられるが，疾患の稀少性と真の意味での標準治療を確立するために，新しい試みについては多施設共同臨床試験の枠内で行われるべきである．**図1**に現時点の知見に基づく推奨治療アルゴリズムを示す．

1）非 Hodgkin リンパ腫（NHL）

小児 NHL 初発例に対する外科的手術と放射線治療はいずれも有効性が期待できず，化学療法のみで治療する．巨大な腹部腫瘍を伴う進行例でも，最近の強力な化学療法のみで良好な予後が期待でき，むしろ手術や放射線治療実施による化学療法開始の遅れは治療の失敗につながる危険性が高い．造血幹細胞移植は化学療法反応例には適応はなく，初期治療不応例や再発例でのみ考慮する．化学療法は，① B-NHL を対象とした**短期パルス型治療法**，② LBL を対象とした多剤併用の ALL 型治療法，③ ALCL を対象とした治療法の3種類のなかから病理診断に合致した治療プロトコールを使用する（**図1**）．治療にあたっては，以下の点に留意する．

①腫瘍崩壊症候群（tumor lysis syndrome：TLS）：小児 NHL は進展が速いため TLS をきたしやすく，治療開始時の予防が重要である（XIII-1「化学療法時の支持療法」参照）．

②治療間隔：NHL は大部分の腫瘍細胞が増殖相にあり，かつ細胞回転時間が速いため，早期から繰り返し強力な治療を行い，腫瘍細胞に回復する隙を与えずに根絶する必要がある．治療コース間隔の安易な延長は治療中の抵抗性クローンの出現につながるため，治療コース終了後に骨髄の回復が認められたら，ただちに次の治療を開始する．

③治療開始基準：具体的な検査値は，初診時を除き，多くの治療相で好中球数 500/μL 以上および血小板数5万 /μL 以上であるが，これに加えて骨髄が回復傾向にあることを確認する必要があり，これは血小板数，網状赤血球比率および末梢血単球比率の増加などを参考にする．治療間隔が開きすぎる恐れがある場合には G-CSF 投与も考慮する．

④大量 methotrexate（MTX）療法：MTX は核酸合成に必要な葉酸の代謝拮抗薬で，葉酸欠乏が48時間以上になると骨髄や粘膜の正常細胞に重大な障害が発生するため，1 g/m^2 以上の大量 MTX を投与する場合は葉酸製剤（leucovorin：LV）を投与することにより正常細胞をレスキューする必要がある．逆に早すぎるレスキューは腫瘍細胞まで救済し抗腫瘍効果が低下する．大量 MTX 療法は血中 MTX 濃度が測定可能で十分な治療経験のある施設で実施する．血中 MTX 濃度は投与開始後48時間，72時間の2回は必ず測定する．血中 MTX 濃度が危

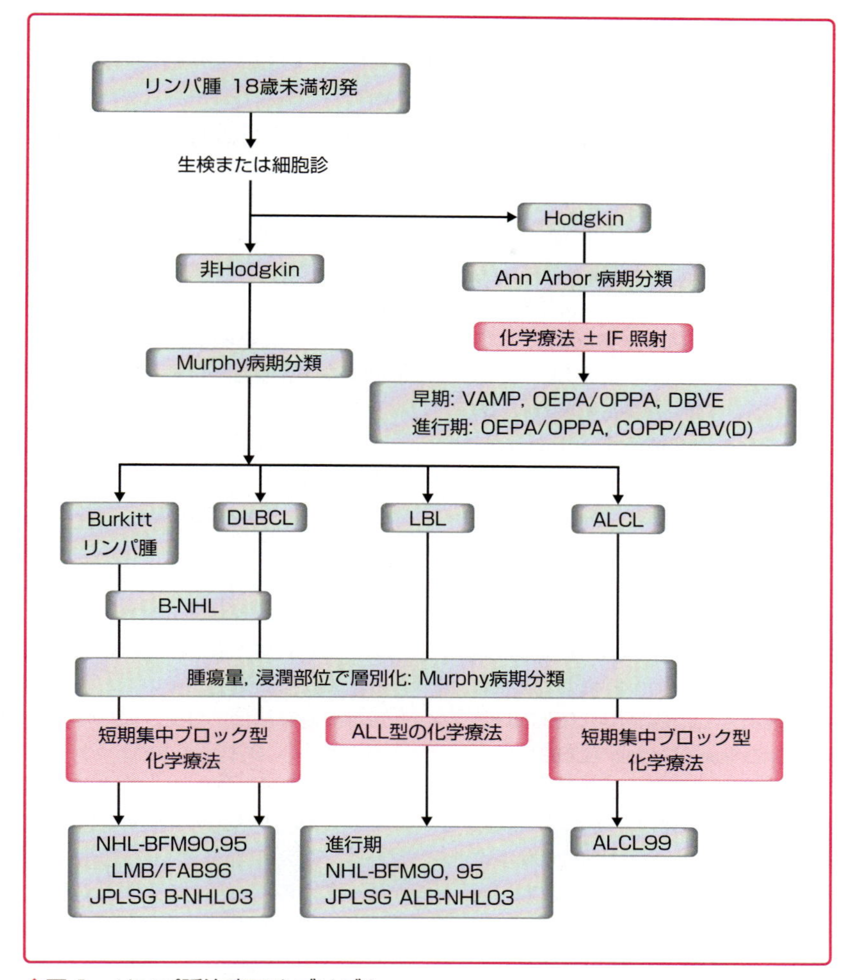

◆**図 1　リンパ腫治療アルゴリズム**
[日本小児血液・がん学会（編）：小児白血病・リンパ腫の診療ガイドライン 2016 年版，金原出版，p80-83，2016 を参考に著者作成]

険基準値以上（48 時間値で 1 μM）であるときには，葉酸を追加または増量するとともに，MTX が 0.2 ～ 0.1 μM 未満になるまで 24 時間ごとに血中濃度を測定する．

a）成熟 B 細胞腫瘍（B-NHL）

①治療：B-NHL の治療は，BL を対象としてフランス（Lymphome Malin de Burkitt：LMB）とドイツ・米国の研究グループ（French American British：FAB）によって開発されてきた短期パルス型治療が標準的治療法として確立している．また，DLBCL も BL と同一の治療法で良好な成績が得られるので，同じプロトコールの対象とする[2]．使用する薬剤は，中等量 cyclophosphamide（CPA）と大量 MTX が中心で，これに vincristine（VCR），prednisolone（PSL），doxorubicin（DXR）を加えた 5 剤が基本である．CPA の代わりに ifosfamide（IFM），DXR の代わりに pirarubicin（THP）が使用されることもある．骨髄や CNS 浸潤例には，cytarabine（Ara-C）や etoposide（VP-16）を加える．治療期間は 5 ～ 7 日間を 1 コースとし，限局例は全摘の可否に応じて 2 ～ 4 コース，進行例は 4 ～ 6 コース実施する．進行例では初回コース治療開始前に pre-phase として急激な体内腫瘍量減少に伴う TLS の発症を防ぐために，PSL と VCR を主体とした 5 ～ 7 日間程度の治療強度の低い前治療を実施する．標準治療期間は，限局例で 2 ～ 4 ヵ月間，進行例で 4 ～ 6 ヵ月間である．CNS 予防は大量 MTX と髄注のみで，頭蓋放射線照射は行わない．また，近年で

は初診時CNS浸潤例にも頭蓋照射は行わない傾向にある．JPLSGで実施されたB-NHL03プロトコールは治療強度が高く，造血障害や肝障害，重症感染症，敗血症性ショックなど有害事象を引き起こしうるが，その半面，進行例でも90％前後の症例に治癒が期待できる[3]．

②予後：わが国におけるB-NHL標準治療の確立を目指したB-NHL03治療研究では，全321例の4年全生存率（OS）とEFSは92.7％と87.4％，治療グループ別4年EFSは1群（Ⅰ，Ⅱ期，全摘）94％，2群（Ⅰ，Ⅱ期，非全摘）98％，3群（Ⅲ期，Ⅳ期CNS−，BM＜25％）84％，4群（Ⅳ期，CNS＋，B-ALL）78％で，治療関連死亡は3例（0.9％）であった．また，本試験では初発時CNS浸潤例も含めて頭蓋照射を全廃し，CNS治療はMTXの髄注と大量投与のみで行い，CNS浸潤例のCNS再発は3/38（7.9％）と低値に抑えることが可能であった[3]．

限局例における抗CD20モノクローナル抗体rituximab投与の優位性を報告した研究はないが，進行期例については，欧州のEuropean Intergroup for Childhood Non-Hodgkin's Lymphoma（EICNHL）と米国のChildren's Oncology Group（COG）による国際共同研究として，FAB/LMB96を標準アームとしてこれにrituximabを加えた試験アームによる比較割付試験によりrituximab追加の優位性が2020年に報告された（3年無イベント生存率93.9％）[4]．わが国でもこの試験と同じ構造で追加群のパラレル研究（B-NHL14）が行われ，有効性と安全性の確認をしている．

b）リンパ芽球性リンパ腫（LBL）

①治療：LBLの治療はALL類似の治療を行う．両者は生物学的に近縁であり，まったく同一のプロトコールが使用されることも多い．LBLの標準的治療は確立されていないが，これまでに最も良好な治療成績を示したBFM90プロトコール[5]を基調とした治療法が使用されることが多い．

限局例の治療は寛解導入相，強化治療相，CNS予防相，維持療法相から構成され，進行例ではさらに再寛解導入相，後期強化相追加を考慮する．寛解導入療法はVCR，PSL，L-asparaginase（L-ASP）の3剤を基本に，アルキル化薬およびアントラサイクリン系薬を加える．その後は寛解導入に使用していない薬剤を用いての強化療法，CNS予防療法を行った後，維持療法へと移行する．維持療法は6-mercaptopurineとMTXの経口投与のみで行うことが多い．標準治療期間は24ヵ月間である．

②予後：LBLに対する治療は，1977年に実施された米国のCCG551でALLと同様の多剤併用型治療法が有効であることが明らかにされた．これまでに実施された国内外の主要な臨床試験のなかではBFM90プロトコールの成績が最も優れており，進行例の5年EFSは90％である．わが国での標準治療探索を目的にBFM90プロトコールを基盤として行われたALB-NHL03の5年EFSは77.9％であった[6]．

c）未分化大細胞リンパ腫（ALCL）

①治療：皮膚原発型に対しては無治療経過観察が原則である．経過観察中に皮膚以外の部位に病変が出現してくるようであれば，以下に示す全身型としての治療を行う．

全身型ではCPA/IFM，MTX，dexamethasone（DEX）/PSL，Ara-Cを中心とし，これにDXRやVP-16を組み合わせる．治療コースは，病期Ⅰおよび全摘された病期Ⅱでは3コース，それ以外は6コースが適切である．放射線療法は，原発巣と異なる部位からの再発が多いことから推奨されない．造血幹細胞移植は，自家，同種含め第一寛解期には行われない．ドイツのBFM，フランスのSFOP，英国のUKCCSGはいずれもB-NHLに対するのと同様の短期パルス型の化学療法，米国POGはDXR，PSL，VCRを骨格として短期パルス型化学療法を行っている．これらのいずれが最善であるかは明らかではない．これまでに行われた最大規模のALCLへの臨床試験はEICNHLによるALCL99[7]であり，現時点ではこの治療が推奨される．

②予後：1999年から開始されたALCL99は，2003年からわが国も参加した最大規模のALCL国際共同研究第Ⅲ相試験である．本試験では，まれな皮膚限局例，病期Ⅰ全摘例，CNS浸潤陽性例を除く大多数の例に対して，BFM方式の短期パルス型化学療法の有効性を確認，2年EFSは74.1％であった．また患者血液中の抗ALK抗体や残存腫瘍量としてのALK-PCR測定量の予後因子としての意義が報告されている．最近COGからbrentuximab vedotin（BV）をALCL99の化学療法と組み合わせる臨床試験（ANHL12P1）の報告が行われ，2年のEFSは79.1％とBVの上乗せ効果が示唆された[8]．

2）Hodgkinリンパ腫（HL）

a）治　療

小児HLに対しては，小児に特有の問題である抗がん薬と放射線照射による性腺障害，二次がん，心機能障害，肺障害などの重篤な晩期合併症軽減のために欧米を中心に種々のレジメンが試みられてきた．大量の放射線照射による成長障害と照射部位の変形に対しては，照射野の縮小［マントル照射などの広範囲（extended field：EF）照射から局所（involved field：IF）照射］と線量の低減（40 Gy 以上から 15 ～ 25 Gy）が行われ，最近では初期治療反応性に応じ照射の省略も試みられている．なお，HL においては組織型により治療を変更することはしない．

①早期例（病期Ⅰ/ⅡA かつ巨大腫瘤なし）：多剤併用化学療法 VAMP（VCR，DXR，MTX，PSL），COPP/ABV（CPA，VCR，PSL，PCZ/ DXR，BLM，VCR），OEPA（VCR，VP-16，PSL，DXR，CPA，PCZ），OPPA（VCR，PSL，PCZ，DXR，CPA）など 2 ～ 4 コースと低線量 IF 照射 15 ～ 25 Gy の併用療法が標準的である[9]．

②進行期例（病期ⅡB～Ⅳ，あるいは巨大腫瘤を有する症例）：多剤併用化学療法 4 ～ 6 コースと IF 低線量照射 20 Gy 前後の併用療法が標準的である．ただし，化学療法で効果が不十分な場合には，照射の追加を行う．最近の代表的なレジメンとして，① OEPA（男）/OPPA（女）× 2 + COPP × 2 ～ 4 + 局所照射 20/25 Gy，② COPP/ABV × 6 ± IF 照射 21 Gy，③高用量の BEACOPP × 4 +［反応良好群には COPP/ABV × 4（女）あるいは ABVD × 2 + IF 照射（男）を追加，反応不良群には BEACOPP × 4 + IF 照射を追加］，などの報告がある[9]．

b）今後の治療

現在小児 HL に対し，化学療法 2 コース後の FDG-PET 陰性例を全例非照射とする治療の効果を検討する臨床試験 HL-14 を実施中である．再発難治例で CD30 陽性の HL については前述の BV の有効性が報告され，初発の高リスク患者の初期治療で小児でも有効性の報告がなされている[10]．

3）思春期以降若年成人のリンパ腫

15 ～ 39 歳とされている思春期・若年成人に発生するリンパ腫は，15 歳未満の小児や，後期成人とは，疾患の特徴や腫瘍生物学的に異なる対象として考えられるようになってきている．治療としては，まとまった治療成績の報告はないが，多くの成人グループの試験では，30 歳未満の若年成人は小児型レジメンで特別な有害事象の増加はなく，十分に治療可能であると報告されている．LBL では，1984 ～ 2001 年に登録治療された 15 ～ 20 歳の NHL 341 例を対象にしたフランスの後方視的研究で，成人グループ（GELA）のプロトコールで治療された LBL の 3 年 EFS 38％に対して，小児グループ（LMB）プロトコール治療群の 3 年 EFS は 78％と有意に優れていた（$p = 0.004$）．BL では，LMB や BFM 治療を用いた治療成績と，成人グループが独自に開発したプロトコール（CODOX-M/IVAC 療法や R-hyper-CVAD 療法など）それぞれによる治療成績の間には大きな差異は認めず，ともに 70 ～ 80％の 3 年前後の EFS とされる．Rituximab の併用効果は一部良好な結果が報告されてきている．小児の DLBCL は BL に対して開発された短期パルス型治療で長期 EFS が 90％を超える良好な成績が得られるが，この理由の 1 つとして，15 歳未満の小児 DLBCL の半数以上はその分子病理学的特徴が BL に近い事実が報告されている[2]．15 ～ 21 歳の 102 人で小児型の治療 LMB96（COPADM）を行った試験で 4 年の EFS は 93％と報告されている．成人では R-CHOP 療法が開発されある程度予後の改善が示されている．若年者を含んだ成人（18 ～ 60 歳）の MabThera International Trial（MInT）は 3 年 EFS が 79％と報告されている．18 ～ 59 歳の 196 人対象の R-ACVBP（rituximab，DXR，CPA，VDS，bleomycin，PSL）3 年の無増悪生存率は 87％だった．

このように両者の予後の差は小さくなってきているが，治療薬剤の種類と投与量を比較すると成人型プロトコールは，小児型に比べて晩期合併症が懸念されるアルキル化薬とアントラサイクリン系薬の累積投与量が 1.5 ～ 3 倍と多く，晩期合併症が少ない代謝拮抗薬である大量 MTX が使用されていない．

■文　献■

1）National Cancer Institute PDQ statement: Childhood Non-Hodgkin Lymphoma Treatment（PDQ®）-Health Professional Version, 2022 年 4 月
2）Gross TG et al: Pizzo & Poplack's Pediatric Oncology, 8th ed, Wolters Kluwer, p538, 2021
3）Tsurusawa M et al: Pediat Blood Cancer **61**:1215, 2014
4）Minard-Colin V et al: NEJM **383**:2207, 2020
5）Reiter A, et al: Blood **15**:416, 2000
6）Sunami S et al: Pediat Blood Cancer **63**:451, 2016
7）Brugières L et al: J Clin Oncol **27**:897, 2009
8）Lowe EJ et al: Blood **137**:3595, 2021
9）日本小児血液・がん学会（編）：小児白血病・リンパ腫診療ガイドライン 2016 年版，金原出版，p79, 2016
10）Cairo MS et al: Brit J Haematol **185**:1021, 2019

6 Epstein-Barr ウイルス関連 T/NK リンパ増殖性疾患

到達目標

- Epstein-Barr ウイルス（EBV）関連 T/NK リンパ増殖性疾患の病態を理解する
- 診断に必要な検査を選択して，適切な治療を検討できる

1 病因・病態・疫学

Epstein-Barr ウイルス（EBV）は，通常，CD21 および HLA class II をレセプターとし成熟 B 細胞を標的としてヒトに感染する．初感染小児の多くは不顕性感染であるが，ときに伝染性単核球症を発症する．EBV は初感染後に潜伏感染となり通常臨床症状を呈することはないが，臓器移植後などの免疫抑制状態では EBV 感染 B 細胞が増殖し，リンパ増殖性疾患（LPD）を呈する．一方で，慢性活動性 EB ウイルス感染症（chronic active EB virus infection/disease：CAEBV）は，T 細胞または NK 細胞に EBV が持続的に感染し，伝染性単核症様症状を呈するが，どのようにして T/NK 細胞に EBV が感染するかは明らかではない．CAEBV およびその類縁疾患は，2008 年の世界保健機関（WHO）による造血器 / リンパ組織腫瘍分類にはじめて掲載され，WHO 分類の改訂第 4 版（2017 年）においては，成熟 T/NK 細胞腫瘍の中で EBV 関連 T/NK リンパ増殖性疾患として分類され，全身型の T/NK 細胞型 CAEBV と，皮膚型の種痘様水疱症様リンパ増殖症性疾患および重症蚊刺過敏症を含む疾患概念として拡張された[1]．2022 ～ 2023 年に改訂予定の第 5 版では，systemic chronic active EBV disease, hydroa vacciniforme lymphoproliferative disorder, severe mosquito bite allergy と呼称変更が予定され[2]，わが国の 2023 年改訂ガイドラインおいても慢性活動性 EB ウイルス病，種痘様水疱症リンパ増殖異常症，重症蚊刺アレルギーへと疾患名が変更された[4]．

CAEBV は，わが国をはじめとする東アジアの小児・若年成人に多く発症し，欧米ではほとんどみられない．何らかの遺伝的背景が存在すると考えられるが，その素因は明らかとなっていない．わが国における年間発症は 50 ～ 100 名 / 年と推計されている．WHO 分類改訂第 4 版（2017 年）にあわせた全身型 CAEBV の全国疫学調査では年齢中央値は 21 歳（1 ～ 78 歳）であり，9 歳未満の小児発症例は 78％が男性だったが，45 歳より高齢での発症例は 85％が女性で，思春期 / 成人発症例に性差はみられなかった[3]．

2 症候・身体所見

EBV 感染 T/NK 細胞には clonality があり，免疫による排除を免れて増殖する．全身型 CAEBV では，LPD や血球貪食性リンパ組織球症（HLH）を起こし，典型的には発熱，血球減少，肝脾腫およびリンパ節腫脹を呈する．NK 細胞や γδT 細胞感染型では，特徴的な皮膚症状である蚊刺過敏症（重症蚊刺アレルギー）や種痘様水疱症を呈するが，発熱等の全身症状が目立たないことも多い．種痘様水疱症では日光暴露により水疱性丘疹が出現する．その他の重篤な合併症として消化性潰瘍，冠動脈瘤，間質性肺炎，心膜炎・心筋炎，間質性腎炎，ぶどう膜炎，中枢神経病変などがある．

3 診断・検査

2023 年の CAEBV 診療ガイドラインおよび 2022 年の厚生労働省研究班による CAEBV の診断基準は，①伝染性単核症様症状が 3 ヵ月以上持続（連続的または断続的），②末梢血または病変組織における EBV ゲノム量の増加，③ T 細胞あるいは NK 細胞に EBV 感染を認める，④既知の疾患とは異なることの 4 項目を満たすこととされている[4]．CAEBV の診療フローチャートを**図 1** に示す．CAEBV を疑った場合は，まず白血病・悪性リンパ腫の鑑別のため，末梢血スメ

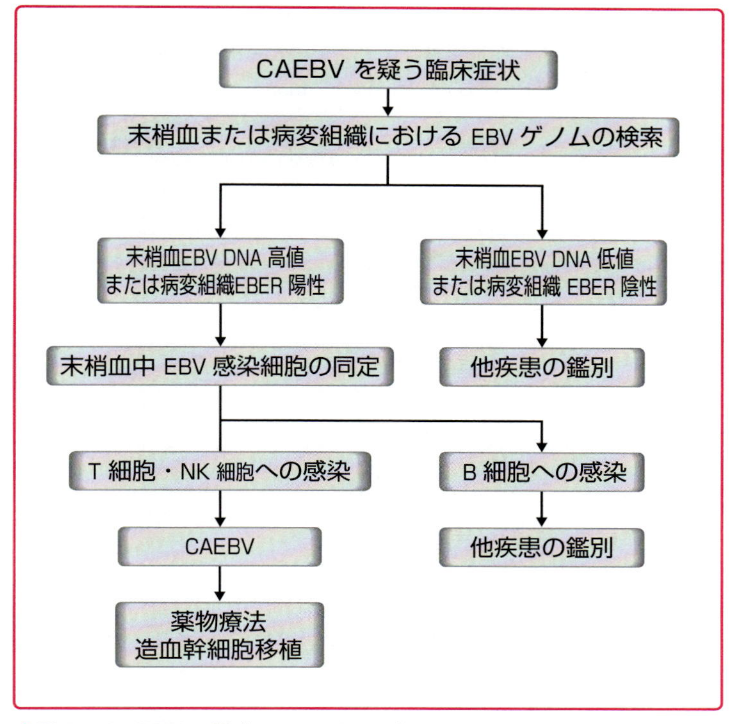

◆図 1　CAEBV の診療フローチャート
（文献 4，p.x より許諾を得て転載）

ア，リンパ球サブセット解析および骨髄検査，画像評価（エコー，造影 CT，PET-CT など）を行うとともに，EBV 関連抗体価測定を行う．蛍光抗体（FA）法で VCA-IgG 640 倍以上，EA-IgG 160 倍以上となり，VCA-IgA，VCA-IgM および EA-IgA がしばしば陽性となるなど，通常の既感染ではみられない抗体価異常を呈するが，疾患活動性が低い場合には低値であることも多い．次いで，2018 年度より保険適用となった，末梢血での定量 PCR による EBV ゲノムコピー数評価を行う．リンパ組織診断においては EBER を染色し，EBV 感染細胞の有無の評価を行う．EBV が検出された場合，引き続き末梢血で T 細胞（CD4/CD8/TCRγδ）・NK 細胞・B 細胞を分離し，それぞれの EBV ゲノムコピー数評価を行う．組織であれば免疫組織染色と EBER 染色などを組み合わせて感染細胞同定を行う．T/NK 細胞に感染を認めれば CAEBV を強く疑う所見として，EBV の terminal repeat（TR）probe を用いた Southern blotting や，TCR の遺伝子再構成検索により感染細胞のクローナリティ評価を行う．EBV 感染細胞が B 細胞であれば基礎疾患として X 連鎖性リンパ増殖症候群や細胞性免疫不全症などの先天性免疫異常症の検索を行う必要がある．

4 治療と予後

CAEBV は，ほとんど無症状のものから急速に進行するものまでさまざまである．造血幹細胞移植を受けない場合，5 年生存率は 50%，15 年生存率は 25% 程度である．NK 細胞型および γδT 細胞型の方が $CD4^+$ または $CD8^+$T 細胞型より比較的長期予後はよい．全国疫学調査では，小児発症例の予後は他と比較し良好であった[3]．発熱などの全身症状や臓器障害，LPD 病変を呈する疾患活動性を認める場合は prednisolone/ciclosporin により過剰炎症を抑制するとともに，VP-16＋CHOP 療法など，悪性リンパ腫に準じた化学療法により感染細胞破壊を行うことで病勢を制御する[4]．最終的には造血幹細胞移植を行わなければ根治することはできない．移植前処置に関しては，骨髄非破壊的前処置が骨髄破壊的前処置より予後がすぐれている[5]．化学療法を行っていても経過中に治療抵抗性を示し致死的になることがある．移植源は EBV 特異的細胞傷害性 T 細胞のない臍帯血を用いても骨髄と同様に根治することが可能であり，速やかな造血幹細胞移植が望ましいと考えられる[5]．無症状患者においても急に病勢が変化し LPD あるいはリンパ腫を発症することもあるため，臨床症状とともにEBVコピー数の慎重なフォローアップが必要である．疾患活動性を認めない場合の造血幹細胞移植の必要性は明らかではない．

■文　献■

1）Swerdlow SH et al（eds）: WHO Classification of Tumours of Haematopoietic and Lymphoid Tissues, 4th ed, Revised ed, IARC Press, 2017

2）Alaggio R et al: The 5th edition of the World Health Organization Classification of Haematolymphoid Tumours: Lymphoid Neoplasms Leukemia **36**:1720, 2022

3）Yonese I et al: Blood Adv **4**:2918, 2020

4）日本小児感染症学会（監）: 慢性活動性 EB ウイルス病とその類縁疾患の診療ガイドライン 2023，診断と治療社，2023

5）Sawada A et al: Int J Hematol **105**:406, 2017

7 小児の血球貪食性リンパ組織球症（HLH）とLangerhans 細胞組織球症（LCH）

到達目標

- 小児の組織球系疾患のうち，血球貪食性リンパ組織球症（HLH）とLangerhans細胞組織球症（LCH）の臨床像と病態を理解する
- HLHとLCHの病態に応じた適切な治療について理解し，選択する

1 組織球系疾患とは

組織球系疾患は，樹状細胞（dendritic cell）に由来するLangerhans細胞組織球症（Langerhans cell histiocytosis：LCH）とマクロファージに由来する血球貪食性リンパ組織球症（hemophagocytic lymphohistiocytosis：HLH）が代表的疾患である．Histiocyte Societyでは，組織球系疾患をL Group（LCHとErdheim-Chester disease，全身型のxanthogranuloma），C Group（皮膚のみのxanthogranuloma），R Group（Rosai-Dorfman disease），M Group（組織球由来の悪性腫瘍），H Group（HLH）に分類している．

LCHは腫瘍細胞においてmitogen-activated protein kinase（MAPK）経路の遺伝子に発がん性変異がみいだされ，「炎症性骨髄腫瘍」と位置づけられている．一方，HLHはリンパ球機能異常を背景とすることから，Epstein-Barrウイルス（EBV）が関与する病型を除いて，免疫異常と考えるほうが妥当である．

2 HLHの病因・病態・疫学

1）種類と頻度

HLHは大きく一次性と二次性に分類される．一次性HLHは生殖細胞系列の遺伝子変異が明らかな疾患で，家族性HLH（familial HLH：FHL）のほか，さまざまな免疫疾患が含まれる．FHLは現在までに**perforin異常（原因遺伝子：*PRF1*）**によるFHL2，MUNC13-4（*UNC13D*）異常によるFHL3，syntaxin 11（*STX11*）異常によるFHL4，MUNC18-2（*STXBP2*）異常によるFHL5が同定されている．いずれも常染色体潜性（劣性）遺伝である．わが国で頻度が高いのはFHL2とFHL3で，欧米ではFHL5が多い．その他，顆粒放出異常症（Griscelli症候群type 2，Hermansky-Pudlak症候群type 2，Chediak-Higashi症候群）や，X連鎖リンパ増殖症候群（XLP）などの免疫異常もHLHを合併する．一方，二次性HLHは，ウイルスや細菌感染症，悪性腫瘍，膠原病，造血幹細胞移植などさまざまな疾患に続発する．わが国における原因別頻度を**図1**に示す[1]．EBV感染症に関連する**EBV-HLH**，EBV以外の感染症に続発するHLH，悪性リンパ腫によるlymphoma-associated HLH（LAHS）の頻度が高い．HLHの年齢分布は原疾患により異なる．FHLのほとんどは1歳未満の乳児期，EBV-HLHと膠原病に続発するHLHは15歳未満の小児期に認められる．一方，LAHSなどの悪性腫瘍に続発するHLHは，小児よりも30歳以上の成人，特に60歳以上の老年に多い．

2）病　態

T細胞の異常活性化とそれに続発するマクロファージの活性化および**高サイトカイン血症**が基本病態である．殺細胞であるNK細胞や細胞傷害性T細胞は，殺細胞顆粒（perforin）を放出し標的細胞を破壊する．perforinまたはその細胞内輸送や放出にかかわる分子（MUNC13-4など）の異常により細胞傷害活性が低下すると，殺細胞は標的細胞を排除できないだけでなく，活性化した殺細胞自身も抑制できず，免疫制御機構が破綻する．その結果，殺細胞は，過剰に活性化しインターフェロン-γ（IFN-γ）をはじめ多くのサイトカインを放出する．これらサイトカインは，殺細胞とマクロファージを活性化し，サイトカインがさらに過剰産生され，血管内皮障害が生じ，**多臓器不全**が引き起こされる．二次性HLHの遺伝子異常は同定されていないが，多くの場合，同様に殺細胞による標的細胞の排除機構の破綻がその発症に関与していると推

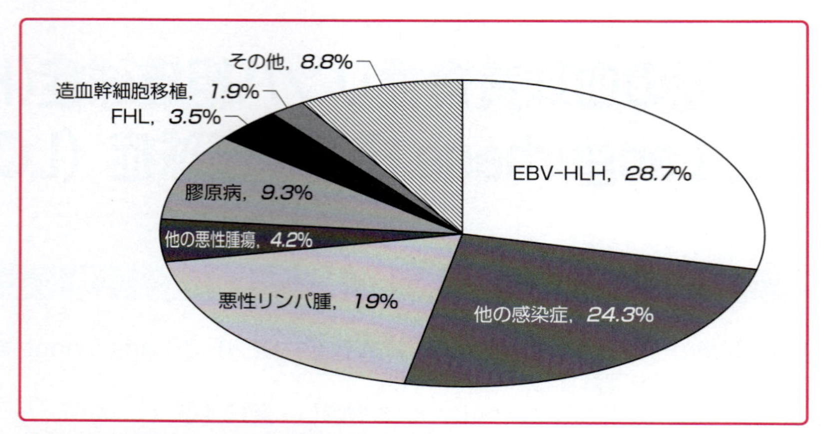

◆図 1　わが国における HLH の疾患別頻度
（文献 1 より引用）

測される．

3 HLH の症候・身体所見・検査所見

1）症候・身体所見

頻度の高いものとして持続する発熱，皮疹，肝脾腫，リンパ節腫張，出血症状などがある．その他，黄疸，痙攣，呼吸障害，腎障害，下痢，浮腫，胸腹水貯留などを認める症例もある．

2）検査所見

高 LD 血症を伴う肝逸脱酵素上昇，凝固異常，低蛋白血症，低ナトリウム血症，高トリグリセライド血症，高フェリチン血症，高可溶性インターロイキン 2 レセプター（sIL-2R）血症，尿中 β_2 ミクログロブリン上昇などを認める．フェリチン値が 10,000 μg/L を超える場合は HLH である可能性が非常に高い．進行すると播種性血管内凝固（DIC）をきたす．骨髄造血は抑制され，血球を貪食するマクロファージが増加し，好中球や血小板の減少，貧血をきたす．FHL は**中枢神経へ浸潤**することが多く，髄液の細胞数増加や蛋白の上昇，MRI での脳室周囲の左右対称性の T2/FLAIR 高信号といった所見を認める．

4 HLH の診断

表 1 に HLH-2004 診断基準を示す．まず，*PRF1*，*UNC13D*，*STX11*，*STXBP2* などの遺伝子異常があれば，症状や所見の有無にかかわらず FHL と診断される．遺伝子異常がない場合，発熱，脾腫，血球減少，高トリグリセライド血症または低フィブリノゲン血症，NK 細胞活性低下または欠損，高フェリチン血症，高 sIL-2R 血症，血球貪食像，のうち 5 つ以上を満たすものを HLH と診断する．FHL の 1/3 は発症時には血球貪食像を認めず，血球貪食像は HLH の診断に必須ではない．また，初診時には HLH の診断基準を満たさないが，経過中に症状が揃う症例は多く認めるため，HLH を疑った場合には注意深いフォローアップが重要である．

家族歴や血族結婚，NK 活性や CTL 活性の低下がある場合は，一次性 HLH が考えられ遺伝子解析が必要である．ただし NK 活性は末梢血中の NK 細胞が著明に減少しているような場合，二次性 HLH でも低値を示すため，結果の解釈に注意が必要である．異常グロブリン血症を伴う男児では XLP type1 の可能性がある．

二次性 HLH の診断にも HLH-2004 診断基準が用いられることが多いが，全身型若年性特発性関節炎に伴う HLH［マクロファージ活性化症候群（macrophage activation syndrome：MAS］では，フェリチンや sIL-2R はもともと高値で MAS を発症していなくても診断基準値以上の可能性がある一方で，血小板や好中球数・フィブリノゲンはもともと高値で MAS を発症しても診断基準値以上の可能性があり，注意を要する．EBV 抗体価測定や EBV コピー数定量は EBV-HLH の診断上重要である[2]．

5 HLH の治療と予後

1）一次性 HLH の治療と予後

免疫抑制薬と化学療法を併用（免疫化学療法）し，

◆表 1　HLH の診断基準（HLH-2004 治療研究より）

以下の 1. または 2. のいずれかを満たせば HLH と診断する
1. FHL に一致した遺伝子異常（*PRF1*，*UNC13D*，*STX11*，*STXBP2*）を有するか，家族歴あり
2. 以下の 8 項目のうち 5 つ以上を満たす
■臨床所見基準
①発熱≧ 38.5℃
②脾腫あり
■検査所見基準
③血球減少（末梢血の 3 系統のうち少なくとも 2 系統に以下に示す異常があること）：ヘモグロビン（＜ 9.0 g/dL），血小板（＜ 10 万/μL），好中球（＜ 1,000/μL）
④高トリグリセライド血症または低フィブリノゲン血症：空腹時トリグリセライド≧ 265 mg/dL，フィブリノゲン≦ 150 mg/dL
⑤ NK 細胞活性低値または欠損
⑥フェリチン≧ 500 ng/mL
⑦ sIL-2R ≧ 2,400 U/mL
■組織学的基準
⑧骨髄，脾臓，またはリンパ節に血球貪食像あり，悪性所見なし

病勢を安定化させたのち同種造血幹細胞移植（Allo-HSCT）を行う．Histiocyte Society による HLH-94 治療研究では，etoposide（VP-16）と副腎皮質ステロイド（CS）(dexamethasone：DEX）からなる初期治療に続いて，Allo-HSCT までの間，VP-16 と DEX に ciclosporine(CsA）を併用した継続療法を行った．それに続き行われた HLH-2004 治療研究では，CsA を治療初期から使用し，DEX，VP-16，CsA 3 剤の初期治療の後，早期に Allo-HSCT を行った．HLH-94 と HLH-2004 では全生存率（OS）に差は認めず，Histiocyte Society では HLH-94 治療を現時点における標準治療と位置づけており，CsA 投与は DEX 減量後の 3 週目以降に使用開始することを推奨している（図 2）[3]．また，支持療法として二次感染予防，DIC の治療などは重要である．その他の薬剤として，海外で抗胸腺細胞グロブリン（ATG）を用いた治療や，抗 IFN-γ 抗体（emapalumab），JAK 阻害薬（ruxolitinib）を中心に新規薬剤の開発が進んでいる．

2）二次性 HLH の治療と予後

LAHS 以外は，FHL に比較して予後は良好である．EBV-HLH の約 1/3 は CS や免疫グロブリン製剤のみで寛解に至る．これらに反応不良でも，HLH-94/2004 治療研究に準じた治療法により 90%以上が寛解する．しかし，急性期を乗り切った場合でも，再燃することがあり，再燃例や治療抵抗例では Allo-HSCT を考慮する．EBV-HLH では通常，主に EBV に感染した CD8 陽性 T 細胞が増殖しているが，EBV に感染している B 細胞が T 細胞への EBV の供給源になっているという説があり，抗 CD20 抗体が有効との報告がある[4]．初期治療として CS を使用し，反応不良例に対して免疫化学療法を行い，EBV コピー数が残存する例には抗 CD20 抗体を用いる臨床試験が日本小児がん研究グループ（JCCG）により現在進行中である．

EBV に次いで頻度の高い原因ウイルスはサイトメガロウイルス（CMV），単純ヘルペスウイルス（HSV），アデノウイルスである．HSV-HLH は新生児期早期に突然の著しい肝機能障害として発症し予後はきわめて悪い．HSV 感染が判明する前にただちに大量 aciclovir と CS の投与を行わないと救命できない[5]．CMV-HLH に対しては，ganciclovir と CS を投与し，反応不良例には免疫化学療法を行う．

MAS では，CS パルス療法を行う．LAHS では，腫瘍に対する治療と HLH に対する治療を並行して行う必要があるが，予後は不良である．Allo-HSCT 後の HLH では，移植片の喪失を招くことが多いが，少量の VP-16 が奏功することがある．

6 LCH の病因・病態・疫学

1）種類と頻度

古くは，臨床像がまったく異なる好酸球性肉芽腫症，Hand-Schüller-Christian 病，Letterer-Siwe 病の 3 つの疾患と考えられていたが，病理組織学的にはいずれも組織球が集簇していることが判明し Histiocytosis X に統一され，集簇する組織球が皮膚に常在する Langerhans 細胞の特徴や性質を示すことから LCH と命名された．わが国における年間発症数は成人を含め 100 例前後と推計される．

LCH は病変臓器の部位数により，単一臓器（single-system：SS）型と多臓器（multi-system：MS）型に分類される．MS 型は**リスク臓器**（risk organ：

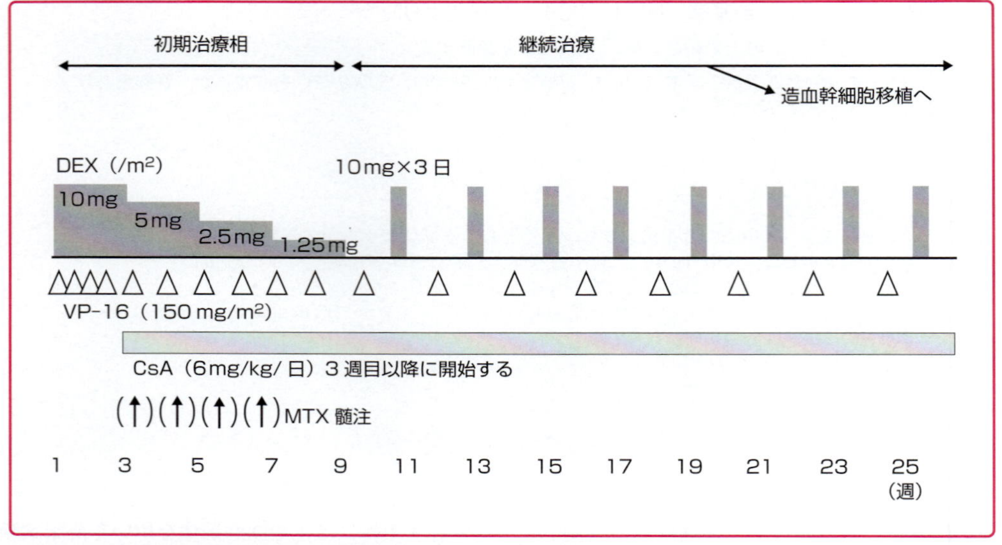

◆図2　Histiocyte Society が推奨する HLH の治療方針

RO）病変（肝臓，脾臓，造血器浸潤）の有無で，MS-RO（-）型と MS-RO（+）型に分けられる．以前は，肺も RO に含まれていたが，他の RO 病変を伴わない場合には予後良好であることが判明し，RO から除外されている．小児の SS 型のほとんどは骨病変であり，多発骨病変を有する症例は多発骨型（multi-focal-bone：MFB）とされ，その他には皮膚やリンパ節病変も少数みられる．MS 型では，皮膚と骨病変が高頻度であるが，肝臓，脾臓，肺，胸腺，造血器，下垂体など全身に病変がみられる．MS 型は 2 歳未満の発症が多く SS 型は年長児に多いが，あらゆる年齢に発症し LCH の 20 ～ 30%は成人発症例である．

2）病　態

病変部に集簇している LCH 細胞は，骨髄由来の未熟樹状細胞を起源とし，MAPK 経路の遺伝子に相互排他的な発がん性変異を認める[6]．*BRAF*^{V600E} 変異が最も多く約 1/2，次いで *MAP2K1* 変異が約 1/4 を占め，ほとんどの症例で MAPK 経路の活性化が認められる．LCH 細胞は，これら MAPK 経路の遺伝子変異獲得により oncogene-induced senescence（OIS）が誘導され，senescence-associated secretory phenotype（SASP）の性質を獲得する．この性質により LCH 細胞は，遊走不全とアポトーシス耐性を獲得して組織に留まり集簇し，病変を形成する．さらに，炎症細胞の動員も同時に引き起こすため病変部には T 細胞やマクロファージ・好酸球などの炎症細胞が多数浸潤する．これらは IL-1，IL-6，IL-17，IL-18，オステオポンチンなどの炎症性サイトカインやケモカインを多量に分泌し，互いに刺激し活性化し合い著しい炎症を惹起し組織を破壊する．このように，LCH の病態は，「腫瘍」と「炎症」の 2 つの側面により形成される（**図 3**）[7]．

7 LCH の症候・身体所見・検査所見

LCH 細胞はその細胞起源から「血液腫瘍」に分類されることが多いが，「固形腫瘍」としての特徴を有しており，骨をはじめとする全身臓器に腫瘤を形成する．

1）症候・身体所見

LCH は全身臓器に浸潤するため，初発症状は，発熱，皮疹，耳漏，頸部リンパ節腫脹といった乳幼児によくみられる非特異的な症状のほか，骨痛，腫瘤触知，肝脾腫，中枢神経障害，内分泌障害，蛋白漏出性胃腸症，間脳症候群など多岐にわたる．これらは，経過とともに順次出現し，軽快と再発を繰り返すことがある．

骨病変は，溶骨性で，疼痛を伴うことがあるが無症状のことも多い．骨病変部から生じた軟部腫瘤をしばしば認める．単純 X 線で円形の打ち抜き像を呈する．小児では頭蓋骨病変が半数を占め，椎体や長管骨，骨盤骨にも多い．眼窩浸潤により眼球突出や視覚障害，乳突洞から中耳への浸潤により難治性中耳炎や伝音性難聴，顎骨浸潤により歯牙欠損，椎体浸潤により扁平

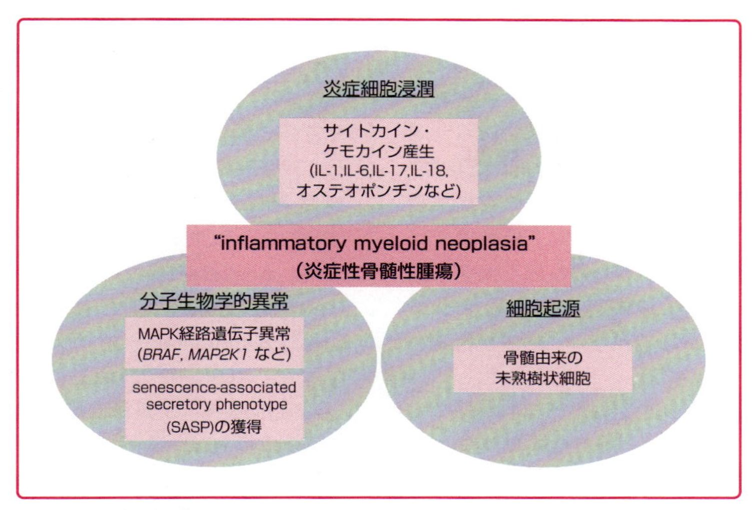

◆図 3 LCH の基本病態

椎や側弯・脊髄圧迫症状をきたすことがある．骨病変のうち，側頭骨や眼窩，乳突洞，頬骨，上顎骨，副鼻腔，頭蓋底（前・中頭蓋窩）などの頭蓋顔面骨に病変のある例は，**中枢性尿崩症**（CDI）や**中枢神経変性症**（ND）を併発しやすく，口腔や耳の病変とあわせ，**中枢神経（CNS）リスク病変**と呼ばれる．

皮膚病変は，出血性丘疹，紫斑，小水疱，膿疱，脂漏性皮膚炎様皮疹，皮膚結節，潰瘍形成など多彩で，体幹や頭部，外陰部に多い．

肝臓と脾臓の病変は，合併することが多く，肝脾腫や腹水，肝逸脱酵素やビリルビン上昇，アルブミン低下を示す．進行すると硬化性胆管炎や肝硬変となり肝不全にいたる．

肺病変は，多呼吸や乾性咳嗽で発症し，結節性陰影や間質性肺炎の像を呈する．進行すると肺線維症や多発性肺嚢胞（蜂窩肺）に進展し，反復性気胸をきたし，呼吸不全に陥る．成人では喫煙と強く関連し肺単独の SS 型もあるが，小児ではほとんどが MS 型の一部としてみられる．

造血器病変は，骨髄への LCH 細胞の浸潤を問わず，2 系統以上の血球減少により定義される．HLH の所見を呈し，可溶性 IL-2 受容体が著明高値となる例も存在する．

頭蓋内の腫瘤性病変は，脳実質のほか，脈絡叢や硬膜にもみられることがあるが，下垂体茎の腫大を中心とした視床下部・下垂体病変による下垂体後葉の障害，すなわち CDI が最も高頻度に認められる．MRI T1 強調像の下垂体後葉高輝度スポットは消失し，通常は不可逆的である．CDI は LCH 診断時に認めることもあるが，多くは LCH 診断後に経過とともに増加し，LCH 診断後 10 年すると MS 型の 25%，多発骨病変 SS 型でも 5%に認める．CDI を発症した例では，その後，下垂体前葉ホルモン分泌不全や ND を発症するリスクが高いとされる．

ND は，通常 LCH 発症から数年後に出現する最も重篤な LCH に伴う**不可逆性病変**である．まず MRI T2 強調や FLAIR 像で小脳白質や大脳基底核に左右対称性の高信号病変が現れ，その頻度は LCH 発症 15 年後には MS 型・多発骨病変 SS 型とも約 10%に達する．その後，小脳失調や振戦，構音障害，嚥下障害，腱反射亢進，性格変化，認知機能障害などの神経症状が出現し，不可逆的に進行する．ほとんどは $BRAF^{V600E}$ 変異陽性の症例に発症するが，その発症機序については議論が続いている[8]．

2）血液検査

LCH に特異的なマーカーはなく，炎症を反映して赤沈亢進や CRP 上昇を認めることが多い．造血器浸潤を認める症例では血球減少を，HLH を合併する症例では sIL2-R やフェリチンの上昇を認める．

3）画像検査

骨病変の評価には，全身骨 X 線，CT，骨シンチグラフィが有用である．骨融解像を反映して，X 線では punched out lesion，CT では beveled edge と呼ばれる特徴的な所見を呈する．肺病変は CT で結節性病変や嚢胞性病変として認められる．また，中枢神経病変の評価のためには頭部 MRI が必要である．

8 LCHの診断

確定診断はLCH病変部位の病理組織学的評価によってなされる．腎形でくびれや切れ込みの入った明るい核を有し，免疫染色でCD1aまたはCD207（langerin）陽性の組織球の集族と，種々の炎症細胞の浸潤を認めれば診断は確定する．電子顕微鏡ではBirbeck顆粒を認める．発症から時間を経た病変や退縮傾向のある病変では，LCH細胞が減少しマクロファージや線維化が目立つようになり，診断が困難なことがある．

9 LCHの治療と予後

小児LCHに対する病型別の治療方針の概略を**表2**に示す．

1）SS型の治療と予後

SS型の生命予後はきわめて良好である．単独骨病変SS型（SS-s型）では自然治癒も多く，生検のみで無治療経過観察とされるほか，小病変の切除や掻爬，ときにステロイド局所注射が行われる．しかし，CNSリスク病変や軸椎，病変に伴う疼痛や圧迫症状を有する症例は積極的に化学療法を選択することもある．多発骨病変型（MFB型）ではMS型に準じた化学療法が必要であり，わが国では半年間の化学療法を行う日本ランゲルハンス細胞組織球症研究グループ（JLSG）-96治療が推奨される．広範な骨病変でも，化学療法が奏功すると骨は再生するため，完全切除を目指した拡大手術は不要である．乳児の皮膚SS型の半数は数ヵ月以内に自然消退するが，MS型に移行し急速に増悪することがあるため注意が必要である．

2）MS型の治療と予後

MS型の中でも，リスク臓器浸潤の有無により生命予後は異なる．MS-RO（+）型の生命予後は不良であり，約10％が死亡し，初期治療に抵抗する症例も存在する．一方，MS-RO（-）型の生命予後はきわめて良好であるが，後述する再発や晩期合併症が課題として残されている．

欧米ではvinblastine（VBL）を軸としたDAL-HX83/90，LCH-Ⅰ，LCH-Ⅱ，LCH-Ⅲ（VBL-based chemotherapy）が，わが国ではcytarabine（Ara-C）を軸としたJLSG-96，JLSG-02（Ara-C-based chemotherapy）が行われてきた．現在のわが国では，JLSG-02による1年間の“Ara-C-based chemotherapy”が標準治療とされ，これを骨格として治療成績向上を目指した臨床試験がJCCGにより行われている（LCH-12終了後，LCH-19-MSMFB実施中）．また欧米では，Histiocyte SocietyによるLCH-IVが進行中である．

3）初期治療反応不良例の治療と予後

死亡例のほとんどは，MS-RO（+）型の初期治療反応不良例であり，その死亡率は30％にのぼる．このような難治例に対して，cladribine（2-CdA）とAra-Cの併用療法や，clofarabineによる化学療法が選択される．強度減弱前処置によるAllo-HSCTは有効な治療法であるが，Allo-HSCT前に病勢を鎮静化させておくことが重要である．また，海外から難治性の$BRAF^{V600E}$変異例に対するBRAF阻害薬（vemurafenib）単剤療法の高い有効性が報告されている．しかし，海外を含めLCHに対する承認は得られていない．奏功するものの投与中止によってほとんどが再発する事が明らかとなっており，投与方法について今後のさらなる検討が必要である．

4）再発例の治療と予後

わが国におけるデータでは，MFB型で30％，MS型で40％程度の症例で再発を認め，複数回の再発を

◆**表2　小児LCHの治療方針の概略**

病型		推奨される治療
単一臓器（SS）型	単独骨病変	無治療経過観察，掻爬術またはステロイド局所注射 CNSリスク病変，軸椎，神経圧迫症状や疼痛がある場合には化学療法
	多発骨病変（MFB）	VCR/Ara-C/PSLを含む半年間の多剤併用化学療法（JLSG-96を推奨）
	皮膚病変	ステロイド局所療法 ただし，乳児例では多臓器型に移行する可能性があり注意深い経過観察を要する
	肺病変	成人では禁煙，進行する場合には化学療法（小児では肺単独はきわめてまれ）
多臓器（MS）型		VCR/Ara-C/PSLを含む1年間の多剤併用化学療法（JLSG-02を推奨）

SS：single-system，MS：multi-system，MFB：multifocal-bone，CNS：central nervous system，VCR：vincristine，Ara-C：cytarabine，PSL：prednisolone，JLSG：Japan LCH study group（日本ランゲルハンス細胞組織球症研究グループ）

きたす症例も存在する．最も多い再発部位は骨であり，多臓器に再発することはまれである．再発例のほとんどは，初回に行った治療に反応し生命予後は悪くない．再発骨病変に対して，ビスフォスフォネートやインドメタシンやハイドロキシウレアの有効性も報告されている．多臓器への再発や頭蓋内への再発には前述の 2-CdA 療法が期待されるが，造血障害に注意を要する．

5）不可逆性病変

LCH においては晩期合併症として多彩な不可逆性病変（permanent consequence：PC）を認める．LCH に伴う PC は，CDI，ND などの中枢神経関連の PC と，整形外科的障害，難聴，肺障害などの非中枢神経関連の PC に大別される．欧米のデータでは MS 型では 10 年間の経過のなかで，70％以上の例に 1 つ以上の PC を有していると報告されている．わが国では CNS 移行のある Ara-C を軸とした治療を行っており，欧米よりも PC の発症頻度は低く，最も頻度の高い CDI の発症のリスク因子としては，MS 型，再発例，特に CNS リスク部位への再発が抽出されている[8]．

6）他の診療科との連携と長期フォローアップ

LCH は，整形外科や脳神経外科の扱う骨腫瘍や脳腫瘍など「固形腫瘍」として治療対応が必要な場合や，皮膚科や耳鼻科，さらに内分泌や神経専門医等による診療を要する例もあり，多くの診療科との連携が必要な疾患である．また，10 年ぶりの再発や，成人になってから別の組織球症を併発・続発することがあるほか，上記の PC は，LCH の発症から 10 年以上経過後にも新たに生ずるため，長期フォローアップが必須である．MS 型や CNS リスク病変例，再発例では ND の心配があり，年に 1 回の頭部 MRI 評価が推奨されている．

文　献

1）Ishii E et al: Int J Hematol **86**: 58, 2007
2）日本小児血液・がん学会 組織球症委員会（監）：小児 HLH 診療ガイドライン 2020, 2020
3）Ehl S et al: J Allergy Clin Immunol Pract **6**: 1508, 2018
4）Chellapandian D et al: Br J Haematol **162**: 376, 2013
5）Suzuki N et al: J Pediatr **155**: 235, 2009
6）Badalian-Very G et al: Blood **116**: 1919, 2010
7）森本 哲 ほか：臨血 **63**: 373, 2022
8）坂本 謙一 ほか：日本小児科学会雑誌 **125**: 1524, 2021

1 化学療法時の支持療法

到達目標

- 化学療法時に必要な支持療法について，その意義と予防策，対応策を理解する

一般的に，悪性腫瘍に対する化学療法は，腫瘍細胞だけでなく正常細胞にも影響を与える．骨髄，粘膜，毛包を構成する細胞など，細胞分裂の頻度が高い正常細胞が障害を受けやすく，骨髄抑制，消化管粘膜障害，脱毛などの有害事象が出現する．また，神経毒性や心筋毒性のように，細胞周期には依存せず薬物の蓄積投与量依存的に出現する有害事象もある．化学療法による有害事象は，急性または慢性，短期的あるいは永続的，軽度から生命にかかわるものまでさまざまであり，重篤な場合には治療の耐容性，継続可能性，生活の質（quality of life：QOL）を損なう結果をもたらす．そのため，出現する可能性のある有害事象に対して予防策，対応策を講じておくことは，安全で効果的な化学療法の遂行とQOLの維持に非常に重要である．ここでは，悪心・嘔吐，口腔粘膜障害，下痢・便秘，腫瘍崩壊症候群，抗腫瘍薬の血管外漏出，免疫関連有害事象について概説する．

1 悪心・嘔吐

がん薬物療法に伴う悪心・嘔吐（chemotherapy induced nausea and vomiting：CINV）は，患者のQOLを著しく損なうのみならず，次サイクル以降のがん薬物療法を継続困難にする．CINVの発症頻度・重症度は，抗がん薬の種類と量，投与経路，治療スケジュールなど治療に関連した要因に加えて，女性および50歳未満の若年者，乗り物やアルコールに酔いやすい，過去の治療で悪心・嘔吐が出現した，全身状態が悪いなど患者側の要因が影響する．適正な制吐薬を予防投与することで，CINVを軽減することができる[1,2]．

抗がん薬やその代謝産物により第4脳室最後野の化学受容体誘発帯（chemoreceptor trigger zone：CTZ）や消化管に多数存在する神経伝達物質受容体が活性化され，求心性に延髄に位置する嘔吐中枢が刺激され，悪心・嘔吐が誘発される．また過去に経験した悪心・嘔吐による不快な感情などにより大脳皮質を介して嘔吐中枢が刺激される．嘔吐中枢から遠心性刺激が唾液分泌中枢，腹筋，呼吸中枢および脳神経に送られると，嘔吐が起こる．悪心・嘔吐反応に関与する主な神経受容体は，セロトニン（$5\text{-}HT_3$）受容体およびドパミン受容体である．その他に嘔吐に関与している神経受容体として，アセチルコリン，コルチコステロイド，ヒスタミン，カンナビノイド，オピエート，ニューロキニン-1（NK-1）受容体がある．

発症時期により急性，遅発性，予測性に分類される．急性の悪心・嘔吐は抗がん薬投与から数分ないし数時間以内に現れ，5～6時間後にピークに達し，24時間以内に消失する．遅発性の悪心・嘔吐は抗がん薬投与後24時間以上経って出現し，数日間続く．予測性の悪心・嘔吐とは，がん薬物療法を受ける前に悪心・嘔吐が発生することである．条件反射で，過去にCINVを経験した患者に生じる．抗がん薬の催吐性は，制吐薬の予防を行わずに治療した場合に予測される急性嘔吐の発症頻度に基づいて高度（>90%），中等度（30～90%），軽度（10～30%），最小度（<10%）に分類される（**表1**）．この分類にしたがってCINVの予防法が推奨されている[1,2]．

$5\text{-}HT_3$受容体拮抗薬はgranisetrone，ondansetroneなどがあり，どの薬剤を用いても同等の安全性と有効性が得られる．第二世代$5\text{-}HT_3$受容体拮抗薬であるpalonosetronは，血漿中消失半減期が約40時間と長く，$5\text{-}HT_3$受容体への親和性が約100倍高い．そのため急性期の悪心・嘔吐の予防効果は他の薬剤と同等で，遅発期の悪心・嘔吐の予防に優れている．

サブスタンスPの受容体であるNK_1受容体拮抗薬aprepitantは，遅発性の悪心・嘔吐の予防薬として承認されているが，急性の悪心・嘔吐にも有効である．aprepitantは経口薬で，第1日目の抗がん薬投与前に

◆表 1　血液疾患で使用する抗腫瘍薬の嘔吐リスク

高度（催吐性）リスク（催吐頻度　＞90%）	中等度（催吐性）リスク（催吐頻度　30～90%）	軽度（催吐性）リスク（催吐頻度　10～30%）	最小度（催吐性）リスク（催吐頻度　＜10%）
■静脈内投与抗腫瘍薬			
AC（doxorubicin＋cyclophosphamide）療法 EC（epirubicin＋cyclophosphamide）療法 ifosfamide（≧2 g/m^2/回） epirubicin（≧90 mg/m^2） cyclophosphamide（≧1,500 mg/m^2） cisplatin dacarbazine doxorubicin（≧60 mg/m^2）	carboplatin（HEC に準じた扱い）※ azacitidine idarubicin inotuzumab ozogamicin ifosfamide（＜2 g/m^2/回） irinotecan enocitabine epirubicin（＜90 mg/m^2） clofarabine 三酸化ヒ素 cyclophosphamide（＜1,500 mg/m^2） cytarabine（＞200 mg/m^2） daunorubicin doxorubicin（＜60 mg/m^2） pirarubicin busulfan bendamustine methotrexate（≧250 mg/m^2） melphalan	etoposide elotuzumab carfilzomib gemcitabine cytarabine（100～200 mg/m^2） daratumumab nimustine brentuximab pentostatin mitoxantrone methotrexate（50～250 mg/m^2 未満） ranimustine romidepsin blinatumomab	L-asparaginase alemtuzumab ofatumumab cladribine gemtuzumab ozogamicin cytarabine（＜100 mg/m^2） nivolumab nelarabine vincristine vindesine vinblastine pralatrexate fludarabine bleomycin peplomycin pembrolizumab bortezomib methotrexate（≦50 mg/m^2） rituximab denileukin diftitox
■経口投与抗腫瘍薬			
procarbazine	imatinib cyclophosphamide panobinostat busulfan（≧4 mg/日） bosutinib	alectinib ixazomib ibrutinib etoposide thalidomide nilotinib busulfan（＜4mg/日） fludarabine ponatinib vorinostat lenalidomide	dasatinib tretinoin hydroxycarbamide（ヒドロキシ尿素） forodesine bexarotene pomalidomide methotrexate mercaptopurine melphalan ruxolitinib

※カルボプラチン療法では，$5\text{-}HT_3$ 受容体拮抗薬，NK_1 受容体拮抗薬，副腎皮質ステロイドの 3 剤を併用投与することが推奨される．
（Hesketh PJ et al: J Clin Oncol **35**: 3240，2017 および文献 2 を参考に著者作成）

125 mg，第 2 日目と第 3 日目には 80 mg を服用する．fosaprepitant は aprepitant のプロドラッグの静注製剤で，抗がん薬投与 30 分前に単回投与する．aprepitant と同様の有効性が得られるが，副作用として注射部位に疼痛や発赤，血栓性静脈炎が起こることがある．新たな NK_1 受容体拮抗薬として fosnetupitant が保険承認された．NK_1 受容体に対する親和性が強く，fosaprepitant に比べて半減期が長い．高度リスクの化学療法を行う患者を対象に，palonosetron，dexamethasone と併用して fosaprepitant と fosnetupitant とを比較する第Ⅲ相試験が行われ，制吐効果に関して fosnetupitant の非劣性が証明された．注射部位反応は fosnetupitant の方が軽度であった．

多受容体作用抗精神病薬の olanzapine も優れた制吐効果をもつ．高度リスクの化学療法を行う場合に，palonosetron，dexamethasone 併用下で，olanzapine は aprepitant と同等の効果が示された．また aprepitant，palonosetron，dexamethasone に olanzapine を併用すると，制吐効果が増強する．副作用として眠気があり，わが国で行われた臨床試験で 1 日 1 回 5mg の経口投与で効果が得られることが報告されている．糖尿病患者には禁忌であることに注意を要する．

副腎皮質ステロイドは，悪心・嘔吐に対する制吐薬として有効である．dexamethasone が推奨されているが，methylprednisolone も使用可能である．CYP3A4 阻害作用をもつ NK_1 受容体拮抗薬を併用する際は，dexamethasone の代謝が阻害されることを考慮して dexamethasone を減量する．がん薬物療法レジメン自体に副腎皮質ステロイドを含む場合は，制吐薬としての dexamethasone は追加しない．

治療効果がより低い制吐薬として，ドパミン受容体拮抗薬（metoclopramide，domperidone），ブチルフェノン系薬剤（haloperidol など），フェノチアジン系薬剤（chlorpromazine，prochlorperazine など）が用いられるが，高度嘔吐リスク化学療法の場合，これらの薬剤を第一選択とするのは適切ではなく，効果が高い制吐薬に忍容性がないまたは不応性の場合に使用する．ベンゾジアゼピン系薬剤（lorazepam，alprazolam など），抗ヒスタミン薬（diphenhydramine，*d*-chlorpheniramine など）は制吐薬の補助薬として有用であるが，単独投与としては推奨しない．

予測性悪心・嘔吐は，精神的な要因が大きく，抗腫瘍薬の投与前から発現する．その予防としては，ベンゾジアゼピン系などの抗不安薬が有効とされているが，前回の化学療法施行時に最適な制吐薬治療を行い，急性および遅発性悪心・嘔吐の誘発を制御することが最も有効な予防策である．

2 口腔粘膜障害

口腔粘膜も細胞回転が速いため，化学療法の影響を受けやすく，使用される抗腫瘍薬とその投与量，投与スケジュールに依存してさまざまな**口腔粘膜障害**が発症する[3]．口腔粘膜障害は疼痛や浮腫による摂食の障害をもたらし，治療中の患者の QOL 低下の大きな要因となる．経口摂取が著しく低下した場合には，中心静脈カテーテルを挿入した高カロリー輸液が必要になることもある．

口腔粘膜障害を始めとする化学療法関連口腔内合併症の予防には，化学療法を行う前から口腔内の衛生状態を良好に保つことが重要である．口腔粘膜障害発症後も口腔内の良好な衛生状態の保持が重要であり，歯科口腔外科との連携のもとで**口腔ケア**を行う．口腔ケアでは，清浄薬（0.9％生理食塩水などの含嗽薬），潤滑薬（人口唾液など），鎮痛薬（局所麻酔薬としての lidocaine など）を組み合わせて用いる．鎮痛薬は局所使用が無効な場合には，全身投与（オピオイド薬など）を行う．なお，日本国内では薬事承認を受けていないが，造血幹細胞移植前治療後の重症口内炎予防に成長因子（ケラチノサイト成長因子-1）である palifermin の有効性が報告されている．

なお，口腔粘膜障害は，感染によって難治化しやすい特徴があるため，口腔内の二次感染の治療は可能な限り速やかに適正に行う．細菌感染だけでなく，真菌感染（特に口腔カンジダ症）やウイルス感染（単純ヘルペスウイルス感染症）に留意する．

3 下痢・便秘

化学療法後の下痢の機序は大きく２つ考えられる．化学療法当日に出現する**早発性下痢**は，抗腫瘍薬によって自律神経が刺激され，蠕動が亢進する結果起こるコリン作動性の下痢である．化学療法後数日～２週間程度で起こる**遅発性下痢**は，消化管粘膜障害による．この場合は好中球減少の時期と重なるため，下部消化管の感染症に伴う下痢の鑑別に注意が必要である．下痢がひどい場合，循環血液量の減少，電解質異常に対し，輸液が必要になる．下痢に関しては loperamide を用いることが多いが，感染症併発時には感染症増悪の危険もあるため，培養検査などを行い，感染症を除外診断してから使用する必要がある．

便秘は，大腸内の便の動きが遅い状態で，不快感または疼痛をきたすこともある．活動不良，長期臥床または身体的，社会的障害（特にトイレが利用しにくいこと），麻薬の使用などが便秘の原因となる．さらに，神経毒性を有する抗腫瘍薬（ビンカアルカロイド，etoposide，cisplatin など）の使用時には，自律神経機能の失調によって便秘をきたす．便秘薬には，浸透圧性下剤，刺激性下剤，上皮機能変容薬，胆汁酸トランスポーター阻害薬などがある．浸透圧性下剤は，腸管内の水分量を増やし，便を軟化して排便を促す．硬い便を伴う便秘に有効である．酸化マグネシウムがよく使用されるが，他剤との相互作用に注意が必要で，高齢者や腎機能障害のある患者では高マグネシウム血症をきたすおそれがある．ポリエチレングリコール製剤やラクツロース製剤も同様の作用を持つ．刺激性下剤は，大腸に到達して蠕動を促す．作用が強力で発現までの時間が短いのが特徴である．センナや大黄などの生薬，bisacodyl や picosulfate などがある．上皮機能変容薬は，腸管内腔や腸粘膜に作用し腸液の分泌を促す．lubiprostone は小腸上皮に存在するクロライドチャネル-2 を活性化し，腸管内への水分分泌を促進することで便を軟らかくする．linaclotide は粘膜上皮細胞上に存在する C 型グアニル酸シクラーゼ受容体のアゴニストで，腸管内に水分を分泌する働きをもつ．胆汁酸トランスポーター阻害薬 elobixibat は，回腸末端部の胆汁酸トランスポーターを阻害し，大腸管腔内に流入する胆汁酸を増加させることで大腸管腔内に水分を分泌させ，消化管運動を促進させる．オピオイド鎮痛薬による便秘には，naldemedine を投与する．消化管の末梢 μ オピオイド受容体に結合してオピオイド鎮痛薬と拮抗することにより，蠕動運動の抑制や腸液分泌の抑制，水分吸収の亢進を改善する．

naldemedine で効果が不十分な場合に，下剤の併用を考慮する．

4 腫瘍崩壊症候群

腫瘍崩壊症候群（tumor lysis syndrome：TLS）は，抗腫瘍薬治療や放射線療法などで腫瘍細胞が短時間に大量に死滅することで起こる症候群で，主に腫瘍細胞が壊れる際に核酸からヒポキサンチンが発生し，キサンチン酸化酵素により尿酸へ代謝されることで起こる[4,5]．主な所見は高カリウム血症，高リン酸血症，高尿酸血症，低カルシウム血症であり，急性腎不全の合併が多い．TLS は検査所見による TLS（laboratory TLS）と臨床的 TLS（clinical TLS）に分類される．Cairo-Bishop による laboratory TLS の定義は，尿酸値 8 mg/dL 以上，カリウム 6 mmol/L 以上，リン 1.45mmol/L（成人）以上，カルシウム 1.75mmol/L 以下または，25％以上の変化（尿酸・カリウム・リンは増加，カルシウムは減少）の 2 項目以上で，clinical TLS は laboratory TLS に，腎機能低下（血清クレアチニン値≧ 1.5 ×基準値上限），不整脈，突然死，痙攣などの合併を認めたものである．2010 年の TLS panel consensus では，低カルシウム血症は項目から外されている．TLS のリスクが高いのは，増殖の速い腫瘍，腫瘍量が多い（巨大腫瘤があること，LD 高値，白血球高値），治療前から腎疾患合併，治療前から血清尿酸高値（＞ 7.5 mg/dL），抗腫瘍効果の高い化学療法などである．TLS のリスク評価が必要であり，検査所見による TLS の有無，疾患による TLS リスク分類（発症率が 1％未満を低リスク，1 ～ 5％を中間リスク，5％以上を高リスク），腎機能・腎浸潤によるリスク調整（固形がんと多発性骨髄腫の場合には必要なし）を行い，最終的にリスクを決定する．定期的に診断基準を再検して繰り返し判定しながら，リスクに応じた対応を行う[4,5]．TLS の低リスク症例ではモニタリング（尿酸，リン酸，カリウム，クレアチニン，カルシウム，LD などの血清検査項目と水分のインアウトバランス）と通常量の輸液，中間リスク群では頻回のモニタリングに加え，大量輸液による利尿と尿酸合成酵素阻害薬，小児では rasuburicase，高リスクでは大量補液による利尿と rasburicase による初期対応が推奨されている．予防と治療の第一歩は，輸液による十分な体液量の確保と利尿である．尿酸合成酵素阻害薬はキサンチンオキシダーゼの活性阻害を行うことにより，人体内での尿酸産生を抑制し，血中・尿中の尿酸値を低下させるため，TLS の予防と治療に有効であり，治療開始の 1 ～ 2 日前から，終了後 3 ～ 7 日後まで継続する．rasburicase は，尿酸を水溶性のアラントインに変換する酵素である．臨床的に必要な場合には，最大 7 日間まで投与を繰り返す．なお，尿のアルカリ化および尿酸の可溶化を増加させる目的での $NaHCO_3$ 静注は，有効性は不明瞭で，高リン酸血症患者においてリン酸カルシウム沈着を促進するため，推奨されない．

5 抗腫瘍薬の血管外漏出

Cytarabine，methotrexate，bortezomib，L-asparaginase など一部の薬剤を除く多くの抗腫瘍薬の血管外漏出は組織壊死を生じる（**表 2**）．特に，アントラサイクリン系薬剤やビンカアルカロイドなど壊死作用の強い薬剤の持続点滴静注を行う場合は，末梢刺入型を含む中心静脈カテーテルからの投与が必要である．血管外漏出を起こした場合は，投与中止し漏出液を穿刺吸引しステロイドを皮下注射して 24 時間冷却圧迫することが多く行われているが，ステロイドの意義については確立していない．Dexrazoxane は，トポイソメラーゼⅡの作用を阻害することにより，アントラサイクリン系抗悪性腫瘍薬が血管外漏出した際の細胞傷害を抑制する．Etoposide や vincritine などの場合は対処が異なり，hyaluronidase を皮下注射し，温熱圧迫する．

6 免疫関連有害事象

免疫チェックポイント阻害薬は，PD-1 と PD-L1 との結合，もしくは CTLA4 と CD80/CD86 との結合を阻害して T 細胞活性を増強することで，抗腫瘍効果をもたらす．古典的 Hodgkin リンパ腫をはじめさまざまな悪性腫瘍に適応をもつ．一方，自己の細胞・臓器に対する免疫反応も増強されるため，呼吸器症状，消化器症状，皮膚症状，内分泌障害，糖尿病，肝機能異常，神経症状など多岐にわたる副作用が起こり，免疫関連有害事象（immune-related adverse events：irAE）と呼ばれる[6]．呼吸器症状として間質性肺炎が起こることがある．咳嗽や息切れ，発熱などの症状，聴診で fine crackles，SpO_2 低下などの診察所見が出現した場合は，胸部 CT 検査を行う．好発時期については開始直後から 1 年以上経過した後までさまざまだが，投与から 3 ヵ月前後に発症することが多い．リスク因子として，既存の肺病変（間質性肺炎），肺野の放射線照射歴，喫煙歴，高齢者などがある．消

◆表2 抗腫瘍薬の漏出時組織侵襲に基づく分類

分類	組織壊死性抗腫瘍薬	炎症性抗腫瘍薬	非炎症性抗腫瘍薬
抗腫瘍薬	actinomycin D	aclarubicin	enocitabine
	amrubicin	ifosfamide	L-asparaginase
	idarubicin	irrinotecan	cytarabine
	epirubicin	etoposide	nimustine
	daunorubicin	oxaliplatin	eribulin mesilate
	doxorubicin	carboplatin	fludarabine
	docetaxel	cladribine	bleomycin
	三酸化ヒ素	gemcitabine	peplomycin
	paclitaxel	cyclophosphamide	pemetrexed sodium
	vinorelbine	cisplatin	methotrexate
	pirarubicin	dacarbazine	melphalan
	vincristine	temozolomide	
	vindesine	doxorubicin	
	vinblastine	nedaplatin	
	mitomycin C	nogitecan	
	gemtuzumab ozogamicin	bendamustine	
	mitoxantrone	fluorouracil	
	ranimustine		

化器症状として下痢・大腸炎が現れる．下痢の回数がベースラインと比べて1日4回以上増加した場合，腹痛や腹膜刺激症状，血便がみられる場合は，投与を中止して輸液管理を行うとともに，下部消化管内視鏡検査や腹部造影CT（腸管壁肥厚を確認する）を行う．皮膚に紅斑が出現することがある．紅斑が体表面積の30%以上に広がった場合，水疱やびらん，粘膜疹がみられる場合は，投与を中止して皮膚科にコンサルトする．内分泌代謝障害として甲状腺機能異常，副腎皮質機能異常を起こすことがある．TSH，FT4，ACTH，コルチゾール，コレステロール，電解質などを定期的に測定する．また1型糖尿病を発症することがある．劇症1型糖尿病は，発症直後に治療を開始しなければ致死的な転帰に至る．口渇，多飲，多尿，体重減少，全身倦怠感，腹痛，意識障害などの症状を確認するとともに，血糖値，HbA1c，尿糖，尿ケトン体を定期的に測定する．肝機能異常は，肝トランスアミナーゼが上昇する肝細胞障害型，胆道系酵素が上昇する胆汁うっ滞型，両者の混合型などさまざまで，血清AST，ALT，ALP，γ-GTP，総ビリルビンなどの測定を定期的に行う．神経症状として，脳炎，髄膜炎が急性もしくは亜急性に起こり，頭痛，発熱，意識変容，失見当識，傾眠，歩行失調，振戦，痙攣，幻覚などの症状が現れる．筋炎や重症筋無力症，横紋筋融解症が起こることがあり，血清CKを測定する．頻度は低いが，四肢，体幹の運動障害や嚥下困難，呼吸困難を呈するGuillain-Barré症候群や慢性脱髄性多発神経根炎が発症することがある．症状が起こった場合は，筋電図や髄液検査を行う．免疫関連有害事象が重症化した場合は，治療の中止に加えて副腎皮質ステロイドなどの治療を行う．症状が現れた臓器や重症度により治療法が異なるため，専門診療科にコンサルトをして検査，治療を行う．

新たな免疫療法として，キメラ抗原受容体を用いた遺伝子改変T細胞（CAR-T）療法や二重特異性抗体薬が開発されている．CAR-T療法はB細胞リンパ腫や小児のB細胞性急性リンパ芽球性白血病に対するCD19を標的としたtisagenlecleucel，lisocabtagene maraleucel，axicabtagene ciloleucel，多発性骨髄腫に対するBCMAを標的としたidecabtagene vicleucel，二重特異性抗体薬はB細胞性急性リンパ性白血病に対してCD19とCD3を標的としたblinatumomabが保険承認された．これらの免疫療法に特徴的な副作用として，サイトカイン放出症候群（cytokine release syndrome：CRS）が起こる．発熱，低血圧，頻脈，低酸素血症，悪寒，心・肝・腎機能障害などが治療2～3日後から起こり，7～8日間持続する．過剰に活性化された免疫細胞が産生する炎症性サイトカインがcapillary leakを起こすことが原因で，特にIL-6が主因と考えられている．重症化して致死的になる危険があり，適切な対応が重要である．米国移植細胞治療学会（ASTCT）から発熱，低血圧，低酸素血症の3項目を評価する重症度分類が提唱されている[7]．CRSの症状改善に抗IL-6受容体抗体薬tocilizumabが有効で，重症度に応じて治療を行う．また脳神経障害，脳症，痙攣発作，錯乱状態などの神経学的事象が現れることがあり，immune effector cell-associated neurotoxicity syndrome（ICANS）と呼ばれる．失語や見当識障害，失名詞などが特徴的で，治療開始4～10日後に発生し，14～17日間持続する．CRSが沈静化した後に起こることも多い．ASTCTから重症度分類が提唱されているが，CRSと異なりtocilizumabの治療効果が乏しいく，有効な治療法は確立していない．重症度に応じて，副腎皮質ステロイド治療が行われている．

文　献

1）Antiemesis. NCCN Clinical Practice Guidelines in Oncology. Version 2.2022 - March 23, 2022
2）日本癌治療学会（編）：制吐薬適正使用ガイドライン第2版，一部改訂版ver.2.2，2018年10月
3）Elad S et al: Cancer **126**: 4423, 2020
4）Cairo MS et al: Br J Haematol **149**: 578, 2010
5）日本臨床腫瘍学会（編）：腫瘍崩壊症候群（TLS）診療ガイダンス，第2版，金原出版，2021
6）Management of Immunotherapy-Related Toxicities. NCCN Clinical Practice Guidelines in Oncology. Version 1.2022 - February 28, 2022
7）Lee DW et al: Biol Blood Marrow Transplant **25**: 625, 2019

2 サイトカイン(EPO製剤を含む)

到達目標

- 化学療法の支持療法として用いるサイトカインの特性と適応・使用法を理解する

サイトカインは，細胞が産生する蛋白で，それに対するレセプターを持つ細胞に働き，細胞の増殖・分化・機能発現を行う．1つのサイトカインがさまざまな生物学的機能を持つ一方，異なったサイトカインが重複して同じ機能を持つ場合も多い．また，レセプターも同一のものが多種の細胞に存在するとともに，同一の細胞が複数の異なるサイトカインレセプターを持っているため，サイトカインの標的や機能は複雑である．サイトカインのうち，特に血液細胞の分化・増殖を制御するサイトカインを**造血因子**と呼んでいる．種々の因子がクローニングされ，その一部が**造血因子製剤**として血液疾患の治療，特に化学療法時の支持療法に使用されている．臨床応用されているのは分化の方向づけがなされた造血前駆細胞の増殖と成熟（最終分化）を支持する系統特異的造血因子が多い．顆粒球コロニー刺激因子（granulocyte colony-stimulating factor：G-CSF），エリスロポエチン（erythropoietin：EPO），トロンボポエチン（thrombopoietin：TPO）などが含まれる．

1 顆粒球コロニー刺激因子（G-CSF）

G-CSFは，単球・マクロファージ・線維芽細胞・内皮細胞などによって産生される分子量約20,000の糖蛋白質である．好中球系前駆細胞に特異的に作用し，分化・増殖を促進するとともに，成熟好中球の生存期間を延長し，さまざまな好中球機能（血管内皮への付着，血管内から組織内への流出，感染巣への移動，細菌や真菌の貪食・殺菌能）を亢進させる作用を持つ．G-CSFは標的細胞表面に存在するG-CSF受容体に特異的に結合し，G-CSFが結合したG-CSF受容体2分子が会合することによって，細胞内にシグナルが伝達される．わが国ではG-CSF製剤としてfilgrastim，lenograstim，およびそのバイオシミラーが使用されている．ポリエチレングリコールを結合させたG-CSF（pegfilgrastim）は，半減期がfilgrastimより10～20倍長く，filgrastimは連日投与する必要があるのに対し，pegfilgrastimは化学療法1サイクルあたり1回の投与を要するのみである．

G-CSFの副作用としては，骨痛や発熱，倦怠感などの軽微なものが多く，重篤なものとしてはアナフィラキシーショックや間質性肺炎などが報告されているが，きわめて稀である．G-CSFは骨髄性白血病や骨髄異形成症候群においてはG-CSF受容体を有する白血病細胞を増殖させることが危惧されたが，少なくとも寛解期の投与では，臨床上の悪影響は示されていない．

化学療法後の好中球減少に対するG-CSFの適正な使用法については，国内外からガイドラインが公表されている[1,2]．わが国では化学療法による好中球減少全般に対して，G-CSFの保険適用が認められている．個々の患者に対するG-CSF使用の得失については，エビデンスに基づく適正な使用基準を十分に考慮しながら総合的な判断をすることが必要である．

1）G-CSFの一次予防的投与

がん薬物療法終了後早期（好中球減少が出現する前）からG-CSFを投与することで骨髄抑制を最小限にとどめ，重篤な発熱性好中球減少症（febrile neutropenia：FN）を予防することができる．1コース目治療時から計画的にG-CSFを投与することを一次予防的投与と呼ぶ．固形がんおよび悪性リンパ腫に対して行われたランダム化比較試験のメタ解析で，G-CSFを一次予防的投与するとFNの発症頻度，感染症関連死亡率，すべての原因による早期死亡率が減少することが示されている．そのためFNの発症頻度が20％以上のがん薬物療法を行う患者に対して，G-CSFの一次予防が推奨される．FN発症頻度が10～20％のレジメン治療を行う場合は，患者のFNリスクを検討してG-CSF一次予防を行う．FN発症リスク因子は，米国臨床腫瘍学会（American Society of Clinical Oncology：ASCO），European Organization for Research and Treatment of Cancer（EORTC），National Comprehensive Cancer Network（NCCN）のガイドラインで示されており，共通するものとして65歳以上の高齢者，performance status（PS）不良，放射線治療施行歴または同時併用などが挙げられる．FN発症率が10％未満のレジメン治療を行う時には推奨されない．

2）G-CSFの二次予防的投与

先行する化学療法時にFNや高度の好中球減少を発症した場合に，次のコースで発症リスクを低下させるためにG-CSFを計画的に投与する方法を二次予防的投与という．治癒を目指した治療を行う場合，あるいは抗がん薬の減量を行うことが望ましくない場合は，二次予防的にG-CSFを投与することで，FNの発症や好中球回復までの期間，抗菌薬投与のために入院する期間を有意に減少させることができる．一方，緩和的化学療法では，前コースにおいてFNを認めた場合，抗腫瘍薬の減量もしくはスケジュール変更を検討する．

3）末梢血幹細胞の動員

G-CSFには，骨髄に存在する造血幹細胞を末梢血中に動員する作用がある．骨髄から移植に必要な造血幹細胞を採取する場合，全身麻酔下で後腸骨稜を数十回穿刺して骨髄液を吸引する必要があり，全身麻酔に伴う合併症や，穿刺部の出血・感染症を起こす危険がある．G-CSFを4～6日間投与してアフェレーシスを行うと，末梢静脈から造血幹細胞を採取することができる．移植後速やかな生着を得るためには，一般に 2×10^6/kg（レシピエント体重）のCD34陽性細胞数が必要とされている．1日のアフェレーシスで十分数のCD34陽性細胞を採取できない場合は，翌日もアフェレーシスを行う．CXCR4ケモカイン受容体拮抗薬plerixaforを併用すると，末梢血への造血幹細胞動員が促進され，採取できるCD34陽性細胞数が増加する．

2 エリスロポエチン

EPOは分子量34,000～46,000の糖蛋白質であり，主に赤芽球系前駆細胞に発現するEPO受容体に作用し，赤血球の産生を特異的に促進する．EPOの刺激伝達経路は良く明らかにされており，EPOが結合したEPO受容体がホモ二量体を形成することにより，JAK-STAT経路（JAK2-STAT5），phosphatidylinositol-3 -kinase（PI3K）-Akt経路，Ras-ERKカスケードが活性化される．

赤血球産生とEPOの間には巧妙なフィードバック機能が存在し，EPOは赤血球のホメオスタシスを保つ最も重要な因子である．他の多くの造血因子が骨髄内で作られるのに対し，EPOは主に胎児期には肝臓で，成体では腎臓で作られる．EPOの産生には組織特異性と低酸素誘導性が認められ，赤血球系前駆細胞特異的に作用し，赤血球への分化・成熟を促進するし，出血や溶血で赤血球数が減少すると腎臓でのEPO産生が亢進し，赤血球産生が増加する．遺伝子組換えEPO製剤にはepoetin alfaとepoetin betaがあり，効果は同等で，静注時の半減期は3～7時間である．Darbepoietinとepoetin beta pegolはその持続型製剤で，静注時の半減期はそれぞれ32～48時間，168～217時間と長い．臨床的には主に慢性腎不全に伴う貧血（腎性貧血）の治療に頻用されている．

海外ではがん化学療法後の貧血に対してEPO製剤が使用されており，ヘモグロビン値が上昇する効果が示されている．しかし，血液凝固系の異常が潜在的に存在する担がん患者において静脈血栓塞栓症の頻度を高める可能性や，腫瘍細胞を増殖させるリスクが指摘されている[1,3]．わが国ではがん化学療法後の貧血に対して承認されていない．低リスクの骨髄異形成症候群で，血清EPO濃度が低く（200～500 mU/mL未満），輸血を必要とする貧血がある患者では，EPO製剤を投与すると貧血が改善する．わが国ではdarbepoietinが骨髄異形成症候群に保険承認されている．

3 トロンボポエチン

TPOは主に肝臓・腎臓で産生される分子量60,000～70,000の糖蛋白であり，主に巨核球系細胞の増殖と分化成熟を促進し，血小板増加作用を発揮する．巨核球系細胞分化の複数の段階に作用しており，血小板増加作用を持つ他の多くのサイトカインはいずれかの段階でこのTPOを介してその作用を発揮していると考えられている．遺伝子組換えTPO製剤を投与すると中和抗体が出現し血小板減少が起こることが確認され，受容体c-Mplに結合するTPO受容体作動薬が開発された．

難治性の特発性血小板減少性紫斑病に対して，eltrombopag，romiplostimの有効性が確認されており，使用可能である．eltrombopagは経口，romiplostimは皮下注投与する．また観血的手技を予定している慢性肝疾患患者に対し lusutrombopag を経口投与すると，血小板減少が改善する効果が得られる．

TPO 受容体である c-MPL は，巨核球系細胞のみならず造血幹細胞や多能性造血前駆細胞にも発現しており，c-MPL の遺伝的変異を有する先天性無巨核球性血小板減少症（congenital amegakaryocytic thrombocytopenia：CAMT）例では複数系統の造血不全がみられることから，TPO は造血幹細胞の増殖維持にも関与すると考えられている．再生不良性貧血に対する初回治療として，eltrombopag を抗胸腺細胞免疫グロブリン，ciclosporin と併用すると，奏効率が高くなることが示された[1,4]．既治療で効果が不十分な再生不良性貧血に対して，eltrombopag，romiplostim が使用可能である．

文　献

1）Hematopoietic Growth Factors. NCCN Clinical Practice Guidelines in Oncology（Version 1.2022），2022
2）日本癌治療学会（編）：G-CSF 適正使用ガイドライン 2022 年 10 月改訂 第 2 版，金原出版，2022
3）Rizzo JD et al: Blood **116**: 4045, 2010
4）Townsley DM et al: N Engl J Med **376**: 1540, 2017

3 感染症の予防と治療

到達目標

- 造血器腫瘍に合併する感染症の病態・治療法を理解する

造血器腫瘍の治療中には疾患そのものによる好中球減少や細胞性・液性免疫不全に加え，化学療法の副作用としての好中球減少や免疫抑制作用が高度にかつ長期間持続することになる．そのため，重篤な生命を脅かす感染症を合併することが多く，治療成績に大きな影響を与えている．好中球減少時に発熱を認めた場合の**発熱性好中球減少症**（febrile neutropenia：FN）は「感染症」として扱い，速やかに治療を開始する．感染症としては肺炎や菌血症といった重篤なものが多いため，起因菌が同定されるのを待つことなく，**経験的治療**（empiric therapy）を開始する．好中球減少以外にも，疾患や治療内容によって細胞性免疫や液性免疫が障害される場合にはウイルス感染症や特定の真菌症を想定した管理が必要となる．また，中心静脈カテーテル留置や造血幹細胞移植前処置を含めたdose intensityの高い化学療法を施行された場合には，皮膚や粘膜といった生理的バリアも障害される．このように複雑な免疫不全下での感染症対策が求められる．

1 血液疾患に伴う免疫機構の破綻

ヒトの免疫機構としては，①生理的バリア（皮膚，粘膜など），②食細胞（主に好中球），③液性免疫，④細胞性免疫がある．原疾患およびそれに対する治療により，患者毎に障害される程度は異なっており，それを理解することが適切な予防法および治療法を決定するうえで重要である．食細胞の障害は，主に化学療法による好中球数の低下であるが，ステロイドを投与した場合や骨髄異形成症候群における好中球の機能異常も念頭におく必要がある．液性免疫および細胞性免疫の障害は，リンパ系腫瘍に対する治療中および造血幹細胞移植，特に同種造血幹細胞移植後にみられる．原因病原体としては好中球減少時には細菌，真菌，液性免疫では主に細菌，細胞性免疫不全ではウイルス，真菌（*Pneumocystis jirovecii* を含む）が主に問題となる．

2 感染症予防

1）感染予防策とケア全般

免疫不全患者のケアにおいて基本的かつ最も重要なことは手指衛生による接触予防策である．患者，医療スタッフが適切な方法とタイミングで実施する必要がある．またインフルエンザやCOVID-19の流行期には，飛沫感染予防のために医療スタッフはマスクを着用する．皮膚や肛門，陰部の感染症予防のために定期的なシャワーや入浴は推奨される．また歯科による口腔内感染症のスクリーニングと口腔衛生管理も重要である．好中球減少期は生肉，生魚などは控えた加熱食が望ましいが，適切に洗浄・消毒された生野菜や果物などの安全性は高いと考えられる．

2）細菌感染症

急性白血病を中心とした造血器腫瘍に対して化学療法を行った後の好中球減少時に細菌感染症の発症予防効果に関しては，メタアナリシスの結果にて，ニューキノロン系抗菌薬の予防投与により感染症発症頻度の低下に加え，生存率が改善することが示されている．また，空調整備と並んで，抗菌薬の予防的投与は化学療法後の短期および長期死亡率を低下させることが報告されている[1]．なお最近の報告では発熱，血流感染症の頻度は低下するが，死亡率低下の効果は示されていない[2]．7日以上の好中球減少が想定される場合にはニューキノロン系抗菌薬の予防投与を検討する．

3）真菌感染症

真菌感染症の起因菌として最も重要なものは**Aspergillus属**と**Candida属**である．Aspergillus属は，空気中の同菌を吸入し，肺，副鼻腔に定着・感染する．Candida属は，口腔や消化管の常在菌として存在する同菌が，粘膜障害部位の感染症や抗菌薬の使用による菌交代現象として感染症を引き起こす内因感染症の場合と，中心静脈カテーテルからの侵入による外因性の菌血症がある．

アスペルギルス症対策として最も重要なのは空調管理であり，HEPAフィルターやlaminar air flowの整備された防護環境での治療は，侵襲性アスペルギルス症の発症頻度を減少させる．アスペルギルス症およびカンジダ症も標的として予防投与の有効性がitraconazole（内用液）で検証されており，好中球減少時にitraconazoleによりアスペルギルス症を含めた侵襲性真菌症が有意に減少することが示されている．急性骨髄性白血病・骨髄異形成症候群の寛解導入療法を対象とした試験ではfluconazole/itraconazoleと比較してposaconazoleが有意に低下した[3]．これらのことから長期に好中球が減少する治療では防護環境で治療しない場合はposaconazoleまたはitraconazoleの予防投与が推奨される．

カンジダ症予防を目的とした薬剤として最も検討されているものはfluconazoleである．造血幹細胞移植患者を対象とした比較試験ではfluconazoleの予防的投与を行うことで，真菌感染症の発症頻度は低下し，生存率も向上した[4,5]．しかしメタアナリシスでは，造血幹細胞移植患者以外ではその効果は限定的であることが示されている．

なお，化学療法患者にアゾール系薬（特にitraconazole，voriconazole，posaconazole）を投与する場合には，ビンカアルカロイド，venetoclax，ibrutinib，三酸化ヒ素などとの併用は毒性を強める可能性があり，注意が必要である．

4）ウイルス感染症

造血幹細胞移植以外でウイルス感染症の予防やモニタリングが必要になることは少ない．ただし，細胞性免疫低下が高度となる成人T細胞白血病/リンパ腫などでは，サイトメガロウイルス（CMV）抗原血症による定期的なモニタリングを行う．また，多発性骨髄腫に対してbortezomibなどのプロテアソーム阻害薬を投与する場合に帯状疱疹の発症頻度が高いことが報告されており，aciclovirの予防投与を行う．B型肝炎ウイルス（HBV）キャリアに対して化学療法を行う場合には，ウイルス量をモニタリングしながら，entecavirなどの抗ウイルス薬を投与する．また，HBs抗体やHBc抗体陽性（既感染）患者では，化学療法（特にrituximabを含む場合）後にHBVが再活性化し，*de novo* 肝炎を発症する可能性があり，治療前にウイルス量を測定し，陰性の場合であっても定期的なモニタリングが必要である（詳細は日本肝臓学会の『B型肝炎治療ガイドライン』参照）．

5）ニューモシスチス肺炎

リンパ系腫瘍に対する化学療法後，造血幹細胞移植後，長期ステロイド投与時には，ニューモシスチス肺炎予防のためにST合剤を投与する（バクタ®を連日1錠，あるいは4錠/日で週2日など）．ST合剤が副作用などで投与できない場合にはatovaquoneの投与あるいは3～4週に1回のpentamidineの吸入で代用する．

3 発熱性好中球減少症（FN）に対する対策

1）初期対処

FNの定義は好中球減少（500/μL未満，あるいは1,000/μL未満で48時間以内に500/μL未満に低下することが予測される場合）の状態にあり，体温が腋窩で37.5℃あるいは口腔で38℃以上である．しかし，これはあくまで定義であり，臨床の現場において厳密に従う必要はない．FNは抗菌薬投与や好中球の回復により軽快することが多いことから，その多くが感染症であると考えられている．そのため，FNは感染症であるという前提で対処する．

FNに対する対応を**表1**に記載した．問診と身体所見が感染巣特定に有用なこともあり，詳細に行う．菌血症は頻度も高く，致死率も高い最も重要な感染症であり，血液培養は2セット提出する．また明らかな呼吸器症状や胸部症状（胸痛など）がある場合には，X線所見に異常がなくとも積極的に胸部CTを施行する．

2）抗菌薬による経験的治療

前述したようにFNは感染症，特に細菌感染症である頻度が高いため，早期の抗菌薬投与が必要となる．低リスク患者は経口抗菌薬（ニューキノロン系薬単剤，あるいはamoxicillin/clavulanic acidとの併用）での治療を選択肢とすることも可能である．しかし，低リスクとされても重篤な感染症に進展する可能性もあり，リスク判定に悩む症例では静注の抗菌薬を投与することが望ましい．静注抗菌薬は，抗緑膿菌作用を有する第4世代セフェム系抗菌薬（cefepine），βラクタマーゼ阻害薬配合剤（tazobactam/piperacillin），カルバペネム系抗菌薬，のいずれかを選択する．アミノグリコシド系抗菌薬との併用も検討されるが，単剤療法と併用療法はメタアナリシスでその優劣は明らかにされていない．ただし，循環動態や意識レベルが不

◆**表1　FN に対する対応**

- 問診［悪寒・戦慄，疼痛部位（口腔，耳，咽頭，胸部，腹部・背部，肛門など），咳嗽・喀痰，消化器症状，薬物アレルギー］
- 診察（口腔，咽頭，表在リンパ節，胸部・腹部，皮膚，末梢・中心静脈カテーテル刺入部）
- 血液検査（血算，生化学，CRP など）
- 血液培養 2 セット
- 胸部 X 線（呼吸器症状・胸痛があれば積極的に CT）
- 感染巣を示唆する所見があれば，同部位からの培養（喀痰・尿など）
- 速やかな抗菌薬投与の開始

安定な重症例や，βラクタム系薬への耐性株の頻度が高い施設では，初期治療としてアミノグリコシド系抗菌薬の併用を検討する．また，メチシリン耐性黄色ブドウ球菌（MRSA）の感染症の既往あるいは定着がある，カテーテル感染が強く疑われる場合には，初期治療にグリコペプチド系抗菌薬（vancomycin，teicoplanin）の併用も検討する．

発熱時の培養により起因菌が判明した場合には，速やかに薬剤感受性に従い有効な薬剤に変更する．仮に初期治療で選択した薬剤が感受性のある薬剤であったとしても，より適切なスペクトラムの薬剤に変更する（de-escalation）．起因菌は特定されないが，解熱が得られ有効と判断される場合には，同じ薬剤を好中球が回復するまで，あるいは投与期間 1 週間程度までは継続する．

解熱が得られず，初期対応が無効と判断された場合には，**表1** に示す一連の検査などによる再評価を行い，抗菌薬を変更あるいは追加する（**図1**）．具体的にはβラクタム系抗菌薬の変更，グリコペプチド系抗菌薬やアミノグリコシド系抗菌薬の追加を行う．低ガンマグロブリン血症がある場合にはガンマグロブリン製剤の投与を検討する．真菌感染症の可能性も考え，血清学的検査［アスペルギルス抗原，(1→3)-β-D グルカン］を提出し，必要に応じて副鼻腔・胸部 CT を施行する．真菌感染症が疑われ，fluconazole 予防投与下であれば caspofungin/micafungin，voriconazole，posaconazole，isavuconazole，amphotericin B（リポソーム製剤）に変更する．施設での糸状菌感染症の発生頻度が高い場合には，検査などで疑う所見がなくても，これらの抗真菌薬による経験的治療を開始する．D-index を考慮した早期介入も有効な選択肢である[6]．

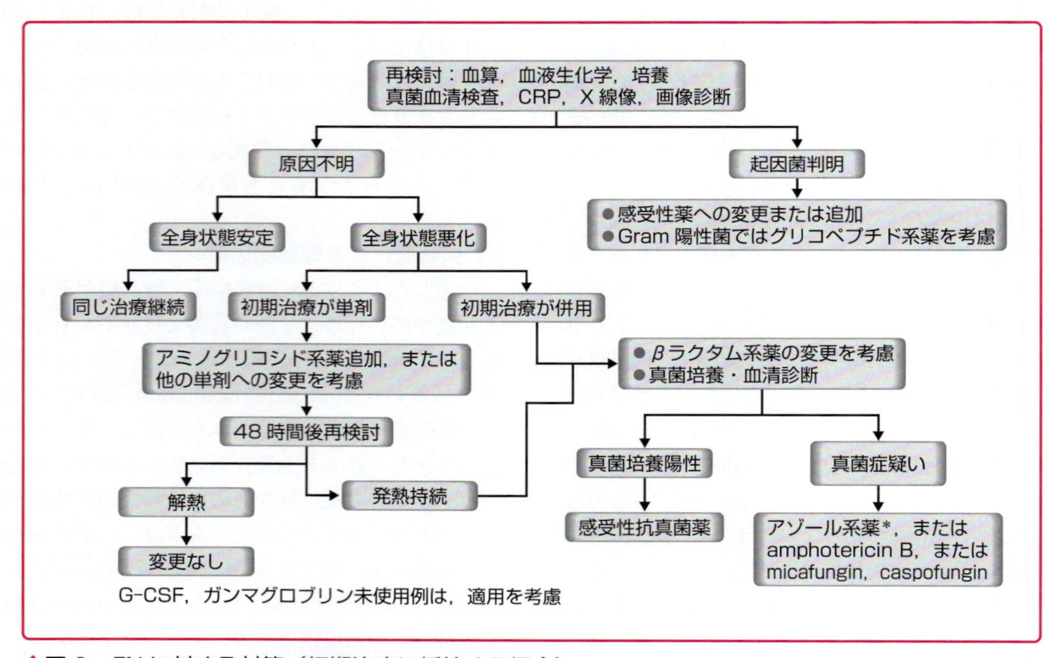

◆**図1　FN に対する対策（初期治療に抵抗する場合）**
*予防的投与で使用していないとき
［田村和夫：発熱性好中球減少症（FN）の治療（ガイドライン）．血液疾患合併感染症，第 2 版，最新医学別冊 新しい診断と治療の ABC，正岡　徹（編），最新医学社，p153-161，2008 より引用］

4 特定の起因菌による感染症

1）耐性 Gram 陽性球菌感染症

ニューキノロン系抗菌薬の予防投与下では好中球減少期の感染症の起因菌として Gram 陽性球菌が増加する．MRSA，表皮ブドウ球菌を中心とするコアグラーゼ陰性ブドウ球菌，*Enterococcus faecium* などの Gram 陽性球菌による感染症は治療が難渋することがある．グリコペプチド系抗菌薬が第一選択となる．しかしながら，効果が得られない場合や腎機能低下症例，副作用で使用できない場合には linezolid/tedizolide や daptomycin の投与も検討する．ただし linezolid は血球減少（特に血小板）の副作用がみられることがあり，注意が必要である．

2）深在性真菌感染症

a）カンジダ症

カンジダ症で最も重要なのはカンジダ血症である．カンジダ血症の確定診断は血液培養にて Candida が検出されることでなされる．敗血症性ショック，肺炎や皮膚病変，眼内炎を合併することがある．特に眼内炎を合併した場合は長期の抗真菌薬投与が必要となるため，カンジダ血症を診断した際には眼科医による検査が必須である．中心静脈カテーテルがその侵入路として重要である．播種性カンジダ症（肝脾膿瘍）は急性白血病の治療中に発症し，好中球回復期に顕性化することが多く，組織検査あるいは培養で Candida を検出すれば確定診断となる．しかし，血液培養陽性で，CT にて肝臓や脾臓に多発小膿瘍を認めれば，確定診断する．なお，Candida による深在性感染症では（1 → 3）-β-D グルカンは高頻度に陽性となる．治療としては caspofungin，micafungin，fluconazole，amphotericin B（リポソーム製剤）が選択肢となるが，*Candida albicans* 以外の菌種では fluconazole は避ける．

b）アスペルギルス症・ムーコル症

血液疾患におけるアスペルギルス症・ムーコル症は肺が感染巣になることが多いが，副鼻腔，中枢神経も感染巣となる．欧州がん治療研究機構 / 米国真菌症研究グループ（EORTC/MSG）の診断基準では，宿主因子，臨床的基準，真菌学的基準に基づき proven，probable，possible と診断を分けている．Proven には糸状菌の証明が必須であり，血液疾患を対象とした場合には組織検体の採取が困難なことが多いため，実際は probable，possible となることが多い．そのため，臨床的基準としては CT による特徴的な画像所見，真菌学的基準としてはアスペルギルス症では血清学的検査の（1 → 3）-β-D グルカンやガラクトマンナンが重要となる．糸状菌感染症が疑われ，これらが陰性であればムーコル症を疑う．Voriconazole（アスペルギルス症），posaconazole，isavuconazole，amphotericin B（リポソーム製剤）を選択する．

c）ニューモシスチス肺炎

リンパ系腫瘍の治療中あるいは造血幹細胞移植後で ST 合剤による予防（前述）がなされていない場合に発症する可能性がある．高熱，高度な低酸素血症，間質性肺炎を特徴とする．血清（1 → 3）-β-D グルカンが高値となることが多い．治療は ST 合剤（バクタ®を 1 回 4 錠，1 日 3 回内服，あるいは静注で trimethoprim として 15 mg/kg，6 ～ 8 時間ごとに分割して点滴静注）を投与する．その他，pentamidine（静注），atovaquone も有用である．低酸素血症が高度な場合は prednisolone を併用する．

3）CMV 感染症

細胞性免疫不全例で発症する［前述 2 − 4）参照］．肺炎，胃腸炎，網膜炎が主な感染症である．Ganciclovir，foscarnet を選択する．Ganciclovir の経口プロドラッグ製剤である valganciclovir も選択可能である．

文　献

1）Schlesinger A et al: Lancet Infect Dis **9**: 97, 2009
2）Mikulska M et al: J Infect **76**: 20, 2018
3）Cornely OA et al: N Engl J Med **356**: 348, 2007
4）Goodman JL et al: N Engl J Med **326**: 845, 1992
5）Slavin MA et al: J Infect Dis **171**: 1545, 1995
6）Kanda Y et al: J Clin Oncol **38**: 815, 2020

4 鉄キレート療法

到達目標

- 鉄過剰症の病態を理解する
- 鉄キレート療法の意義，および鉄過剰症の管理について理解する

1 鉄過剰症の病態

ヒトには鉄の積極的排出機構が備わっておらず，出血や溶血によるヘモグロビンの喪失がない限り，その排出量は成人男性の場合，1日約1mgで一定である．わが国の赤血球輸血製剤には1単位あたり約100mgの鉄が含まれるため，頻回の赤血球輸血は最終的に鉄過剰症に結びつく．鉄過剰症の原因としては，輸血のほかに，鉄代謝制御分子の異常による遺伝性ヘモクロマトーシスがあるが，わが国ではきわめてまれであり，ほとんどの症例は再生不良性貧血や骨髄異形成症候群（myelodysplastic syndromes：MDS）を基礎疾患とした輸血後鉄過剰症である[1]．

鉄過剰症で問題となる鉄イオン（遊離鉄）は，生体内でスーパーオキサイド（・O_2^-）や過酸化水素（H_2O_2）と反応することにより，きわめて毒性の強い**水酸基ラジカル（・OH）**を生成し，これが細胞内の脂質・蛋白・核酸を傷害し，またTGF-β産生を介して組織の線維化を促進することで臓器障害をきたすと考えられている．

このため，生体には遊離鉄を最小限に抑える仕組みが備わっており，細胞内ではフェリチン，血液中ではトランスフェリンが鉄と結合することで遊離鉄の発生を抑えている．鉄過剰症ではトランスフェリンに結合しきれない遊離鉄（**非トランスフェリン結合鉄，non-transferrin bound iron：NTBI**）が発生し，これが毒性を示すと考えられている．一般に，鉄結合トランスフェリン（検査値における血清鉄と同義）の全トランスフェリン［総鉄結合能（TIBC）と同義］に対する割合（**トランスフェリン飽和度**）が70～75％を超過すると，NTBIが発生する．

鉄過剰症の影響を受けやすい臓器としては，①皮膚，②肝臓，③心臓，④内分泌腺が挙げられ，それぞれ，①色素沈着，②肝障害，肝硬変，③心不全，④糖尿病，下垂体機能低下などの臨床所見を呈する．最近の研究で，鉄過剰症が予後に影響することも示唆されており，低リスクMDSではフェリチン高値あるいは総輸血量の多い患者ほど予後が短縮することが知られている．

2 鉄キレート療法の意義

鉄過剰症による臓器障害の予防や治療のためには除鉄を行う必要があるが，輸血後鉄過剰症の除鉄には**鉄キレート薬**が用いられる．現在わが国で承認されている鉄キレート薬はdeferoxamine（DFO）とdeferasirox（DFX）の2剤であるが，DFOは注射薬であるうえに半減期が5分ときわめて短く，効果発現には長時間の持続注射が必要であるため，外来患者での継続使用は困難である．一方，DFXは内服薬であり，半減期が20時間ときわめて長いため1日1回の内服でよく，現在ではDFXが事実上の標準治療薬になっている．メタ解析および最近行われたプラセボ対照試験において，低リスクMDS［国際予後スコアリングシステム（IPSS）のLow～Int-1］では，十分な鉄キレート療法を行うと生命・臓器障害予後が改善することが報告されており[2,3]，鉄キレート療法が単なる臓器障害の改善にとどまらず，生存・臓器障害イベント予後の改善にもつながることが明らかになった．また，鉄過剰症（血清フェリチン高値）が造血幹細胞移植後の経過に悪影響を与えることも報告されており，MDS診療の国際ガイドライン[4]では，移植予定患者に鉄キレート療法を行うことが推奨されている．さらに鉄キレート薬による造血回復が一部症例でみられることも報告されている[5]．

3 鉄過剰症の管理：鉄キレート療法の実際

体内鉄量は，本来肝臓生検組織中の鉄含有量をもとに評価されるが（乾燥肝重量1gあたり7mg以上で鉄による臓器障害が生じるとされる），骨髄不全患者において肝生検の施行は現実的ではない．感染や腫瘍，自己免疫疾患などの慢性疾患が存在しない場合，血清フェリチン値は体内総鉄量や輸血総量と相関するため，鉄過剰症の評価には**血清フェリチン値**が用いられる．

一般に，血清フェリチン値が1,000 ng/mLを超過すると臓器障害の頻度が増すため，わが国のガイドライン[6]（**表1，図1**）では血清フェリチン値1,000 ng/

◆表1 輸血後鉄過剰症の診療

対象患者	• 1年以上の予後が見込まれる貧血性造血不全症が最もよい適応である． • 低リスクMDS症例に対しては，生命予後の延長が期待されるため鉄キレート療法を施行する．その他の貧血性造血不全症に対しては，生存期間延長のエビデンスはないが，臓器障害の回避および改善を目的にキレート療法を行う • 造血幹細胞移植を予定する症例では，キレート療法に影響する併存症・併用薬を評価したしたうえで，可能であれば鉄キレート療法を行う
輸血後鉄過剰症診断基準	• 血清フェリチン値500 ng/mL以上，かつ総赤血球輸血量20単位（小児の場合，ヒト赤血球液50 mL/体重kg）以上 • 輸血量が上記に満たない場合でも，血清フェリチン値が500 ng/mL以上であり，輸血量の増大に伴ってフェリチン値が増加するなど，輸血後鉄過剰症を疑う合理性のある症例では，輸血後鉄過剰症と同様の注意を払うのが望ましい
鉄キレート療法開始基準	• 連続する2回以上の測定で血清フェリチン値1,000 ng/mL以上の場合に治療を開始する • 炎症性疾患など血清フェリチン値に影響を与える因子の存在が想定される場合には，総赤血球輸血量40単位（小児の場合，ヒト赤血球液100 mL/体重kg）以上を参考に治療を開始する
鉄キレート療法の継続	• 血清フェリチン値を指標として治療効果を判定し，血清フェリチン値500 ng/mL以下になるまで治療を継続する

（文献6を参考に著者作成）

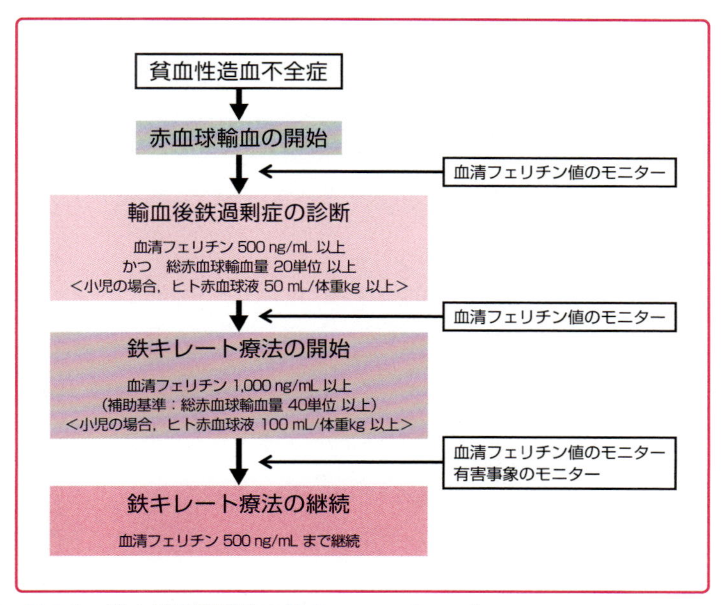

◆図1 輸血後鉄過剰症の診療フローチャート
（文献6を参考に著者作成）

mL を鉄キレート療法開始の目安としている．炎症性疾患などが存在し，血清フェリチン値が体内鉄量を必ずしも反映しない場合は，総輸血量 40 単位以上が判断の目安である．鉄キレート療法開始後は，定期的に血清フェリチン値を確認し，500 ～ 1,000 ng/mL を目標に治療を継続する．DFX は用量依存性にキレート効果を発揮するため，開始後数ヵ月経過しても血清フェリチンが増加する場合は，増量を考慮する．

DFX の主要な副作用として消化管症状（悪心・嘔吐，下痢），皮疹，肝障害，腎障害が知られている．副作用が認められた場合は，程度に応じて適宜薬剤を減量，あるいは中止する．なお，腎障害は ciclosporin 併用中に発生しやすいことが知られており，ciclosporin 投与患者では投与開始後 1 ヵ月間は毎週腎機能をチェックすることが望ましい．

文　献

1）Ikuta K et al: Int J Hematol **105**: 353, 2017
2）Abraham I et al: Leuk Res **57**: 104, 2017
3）Angelucci E et al: Ann Intern Med **172**: 513, 2020
4）Bennett JM et al: Am J Hematol **83**: 858, 2008
5）Angelucci E et al: Eur J Haematol **92**: 527, 2014
6）厚生労働省　特発性造血障害に関する調査研究班（研究代表者：三谷絹子）：輸血後鉄過剰症診療の参照ガイド　令和 4 年度改訂版，2023（http://zoketsushogaihan.umin.jp/office.html）（最終確認：2023 年 8 月 25 日）

1 オンコロジー・エマージェンシー

到達目標

- オンコロジー・エマージェンシーの初期対応を理解する

オンコロジー・エマージェンシー（oncology emergency）とは，担がん患者における，急速に全身状態の悪化をきたし生命を脅かす，時間・日の単位で緊急の治療を要する状態である．造血器悪性腫瘍は，固形臓器悪性腫瘍に比して進行が急速な場合が多く，適切な初期対応が要求される．

1 急性白血病初発

急性骨髄性白血病（acute myeloid leukemia：AML）および急性リンパ性白血病（acute lymphoblastic leukemia：ALL）初発時は，体内に10^{12}レベルで白血病細胞が存在し急速に増殖しているため，診断後可及的速やかに寛解導入療法を開始する必要がある．特に，初診時白血球数5万/μL以上で白血病細胞数が多い場合，早急な治療を要するとされる．急性白血病において，キメラ遺伝子スクリーニング検査には1週間程度，染色体検査には，結果判明までに2～3週間を要する．ALLでは，ステロイド投与を1週間行い，その期間中に，*BCR::ABL1*キメラ遺伝子の有無により，チロシンキナーゼを使用する否かを決定することが行われる．AMLにおいても，venetoclax（VEN）+azacytidine（AZA）が，使用されるようになり，キメラ遺伝子や染色体検査の結果が，従来型寛解導入療法を行うのか，VEN+AZAを行うのかの，選択に重要な意味を持つようになった．白血球数が多い場合，ヒドロキシウレア（hydroxyurea：HU）を投与して，白血球数をコントロールしながら，検査結果判明後に使用薬剤を決定することが行われることが多くなりつつある．比較的高齢者で白血病細胞の増殖が緩やかな場合，早急に寛解導入療法を開始する必要があるかは疑問のある点である．M.D. Anderson Cancer Centerからの報告では[1]，初診時白血球数5万/μL以下のAML患者において，60歳未満では診断から寛解導入療法開始まで6日以上かかると全生存率が悪化するが，60歳以上では全生存率に有意差がなかった．腫瘍細胞が多く，その増殖スピードの速い若年急性白血病患者に対しては，可及的速やかに寛解導入療法を開始することは現在でも重要である．

2 腫瘍崩壊症候群

腫瘍崩壊症候群（tumor lysis syndrome：TLS）では，腫瘍細胞の急激な崩壊に伴い，分解産物が高尿酸血症，高カリウム血症，高リン血症などを起こし（laboratory TLS），進行すると，腎機能低下（血清クレアチニン上昇），不整脈または突然死，痙攣を惹起する（clinical TLS）．腫瘍量が多く治療反応性が高い造血器悪性腫瘍の初期治療に合併することが多く，TLS Expert Panelのガイドラインによると，Burkittリンパ腫/白血病，白血球数10万/μL以上のAMLおよびALLがTLSの高リスク群とされている[2,3]．新規薬剤の導入により多発性骨髄腫（multiple myeloma：MM）治療でもTLSを起こすことがあり，注意が必要である．VENはAMLおよび慢性リンパ性白血病（chronic lymphocytic leukemia：CLL）で使用されるが，TLSを起こしやすく，少量からの漸増を行う必要があり，AMLにおいては，VEN+AZAによる寛解導入療法を行う場合，HUなどを使用して，白血球数2.5万/μL未満に減少させる必要がある．

TLSの治療で最も重要なことは，疾患によるリスクと，治療開始前検査での腎障害や尿酸値上昇などにより，高リスク群を同定し，予防策を講じることである．化学療法開始後，TLSのリスクがなくなるまで連日の血液生化学検査と心電図モニタリングが必要である．TLS徴候を示す例，Burkittリンパ腫/白血病で巨大腫瘤を呈する例では，4～6時間ごとの血液生化学検査が必要になることがある．2,000～3,000 mL/

m²/日以上の十分な輸液，allopurinol もしくは febuxostat 投与による高尿酸血症の予防が必要である．これらは化学療法開始前日から開始する必要がある．Allopurinol は腎障害の程度に応じて減量が必要であり，クレアチニンクリアランス＞50 mL/分以上では 75％，50～10 mL/分では 50％に減量する．Febuxostat は，非プリン型のキサンチンオキシダーゼ阻害薬であり，腎臓で代謝されることが少ないため軽度～中等度の腎障害でも減量が不要であり，TLS に対する治療薬として期待されている．Alloprinol は，TLS に対する保険適用はないが，febuxostat は，がん化学療法に伴う高尿酸血症（60 mg/日）の保険適用がある．Febuxostat は，6-mercaptopurine（6-MP）との併用禁忌であり，alloprinol は 6-MP の減量が必要である．尿酸を水溶性の高いアラントインに変換する尿酸分解酵素製剤である rasburicase の投与が高尿酸血症のコントロールにきわめて有用である．本薬はがん化学療法に伴う高尿酸血症に対して保険適用があり，alloprinol・febuxostat に抵抗性の尿酸値上昇，診断時に高尿酸血症がある場合は，積極的に投与する．ただし，本薬は G6PD 欠損患者には禁忌である．Rasburicase により，高尿酸血症の管理は容易になり，相対的に高リン血症の治療が重要となったため，炭酸水素ナトリウム投与による尿アルカリ化は，推奨されなくなった．TLS が発症してしまった場合は，高リン血症，低カルシウム血症，および高カリウム血症に対する対応が必要となり，重症例では腎機能代行療法を含めた積極的な支持療法が必要である（XIII-1「化学療法時の支持療法」も参照）．

3 高カルシウム血症

高カルシウム血症（hypercalcemia）は，担がん患者に発生する電解質異常で最も頻度が高い．その発現機序として，①液性因子：副甲状腺ホルモン関連蛋白（parathyroid hormone-related peptide：PTH-rP）を腫瘍が産生する，②広範囲な骨転移などにより骨形成を上回る骨吸収が起こることにより生じるなどがある[4]．

PTH-rP に刺激された骨芽細胞は receptor activator of nuclear factor κ B ligand（RANKL）を発現し，破骨細胞前駆細胞/破骨細胞上の receptor activator of nuclear factor κ B（RANK）に RANKL を介して結合することで，破骨細胞の分化・活性化・生存を促進し，骨吸収が増強される．

これらの病態には，さらに interleukin-6（IL-6），tumor necrosis factor-α（TNF-α）などの骨吸収サイトカインの関与が報告されている．高カルシウム血症は，MM，成人 T 細胞白血病/リンパ腫（adult T-cell leukemia/lymphoma：ATL），乳がん，肺がんなどに合併しやすい．倦怠感，悪心・嘔吐，意識障害などの症状を呈する．治療は，脱水の補正，ビスホスホネート製剤やカルシトニンの投与，原疾患に対する治療である．高カルシウム血症を合併すると脱水が起きるので，生理食塩液の投与（1,500～2,000 mL/m²/日）は治療の基礎となる．心疾患などの合併がある場合は，生理食塩液投与によるうっ血性心不全の惹起に注意する．ビスホスホネート製剤は破骨細胞による骨吸収を阻害することで持続する効果を発揮する．ビスホスホネート製剤の効果発現に 24 時間以上要するので，即効性を期待する場合はカルシトニンを併用することがある．リンパ系腫瘍では，副腎皮質ステロイドの投与も有効である．高カルシウム血症の治療では，原疾患に対する適切な抗がん薬治療が重要である．ATL に合併する高カルシウム血症では，支持療法だけでなく抗がん薬治療が，カルシウムコントロールに必要となることが多い．治療抵抗性の高カルシウム血症に対する短期的に最も有効な治療は，血液透析を行うことである．

4 上大静脈症候群

上大静脈症候群（superior vena cava syndrome：SVC 症候群）は，肺および縦隔病変による SVC の直接圧迫や，SVC 内の血栓などによる，頭頸部，上肢，および上部胸郭を還流する血流の障害により生じる[5]．原因としては，小細胞がんなどの肺がんが最も多いが，悪性リンパ腫（malignant lymphoma：ML）による SVC 症候群も頻度が高い．

部位的診断は造影 CT を行うことにより可能だが，治療方針を決定するためには何らかの組織診断を行う必要がある．原疾患に対する治療としては，化学療法に対する感受性の高い場合は抗がん薬治療単独，感受性の低い場合は放射線療法が選択される．対症療法としては，閉塞した SVC 内にステントを留置して静脈還流を確保することで，即効性の症状緩和が期待できる．特に原疾患が治療抵抗性の場合は，有効な症状緩和療法である．

5 脊髄圧迫

脊髄圧迫（spinal cord compression）の原因は，椎

体への転移が最も多いが，ほかにも硬膜下および髄腔内への直接浸潤などにより脊髄が圧迫され，高度の疼痛と脊髄麻痺が生じる．原因疾患としては肺がん，前立腺がん，乳がんが多いが，MM，ML によるものも経験する[6]．

診断は，神経学的所見と MRI が最も有用である．治療の目的は，歩行能の維持と疼痛コントロールによる患者 QOL の維持である．神経病変であるためゴールデンタイムが存在し，神経症状が出現した場合，可及的速やかに（数時間以内に）dexamethasone 8.25 mg 静注を行い，その後 6 時間ごとに 3.3 mg 静注を行う．その後，疼痛コントロールと神経学的所見の改善を目的として局所放射線療法が行われることが多い．3ヵ月以上の予後が期待される全身状態が良好な，転移性悪性腫瘍による脊髄圧迫患者では，圧迫箇所が 1ヵ所の場合，手術による減圧と放射線療法を併用することが，歩行に関して放射線療法単独よりも優れた結果を示すことが報告されているが[7]，この臨床試験では，放射線療法に対する感受性が高い ML，白血病，MM は対象疾患から除外されている．脊髄圧迫が疑われる場合，神経学的所見から画像診断の必要性を考慮する．画像診断の結果により治療を開始することが望ましいが，それが不可能な場合は副腎皮質ステロイドの投与を先行させることもある．MRI などの画像診断，放射線療法，整形外科手術と集学的な治療を 48 時間以内という短時間内に必要とする病態であり，病院内の協力体制の確立が重要である．

■文　献■

1）Sekeres MA et al: Blood **113**: 28, 2009
2）Cairo MS et al: Br J Haematol **149**: 578, 2010
3）日本臨床腫瘍学会（編）：腫瘍崩壊症候群（TLS）診療ガイドライン，第 2 版，金原出版，2021
4）Minisola S et al: BMJ **350**: h2723, 2015
5）Wilson LD et al: N Engl J Med **356**: 1862, 2007
6）George R et al: Cochrane Database Syst Rev **2015**: CD006716, 2015
7）Patchell RA et al: Lancet **366**: 643, 2005

2 がん性疼痛

到達目標

- 血液腫瘍疾患患者のがん性疼痛治療ができる

1 全人的苦痛

血液腫瘍疾患を持つ患者の痛みは身体的な痛みだけでなく，社会的苦痛（仕事，経済状況，家庭内の問題），精神的苦痛（不安，いらだち，うつ），スピリチュアルな苦痛（人生への意味の問い，罪の意識，存在価値や自立性の喪失）が存在する．それらが複雑に影響し合うため，それらの苦痛の理解が大切である．

2 痛みの評価

- 痛みの始まりと経時的パターン，痛みを増強させる因子，体位，体動との関連などを評価する．
- 痛みの部位について正確に指し示すよう患者に求め，痛みが他の部位に広がるか，放散の有無について尋ねる．必ず触診しながら患者の皮膚感覚に変化があるか，圧痛の有無，組織の硬さなどを確認する．
- 痛みの性質：どのような感じの痛みかについて，患者自身の言葉に注目する．「焼けるような」「ちりちりするような」などの表現は神経障害性疼痛の推測に役立つ．
- 痛みの強さ：現在の痛みだけでなく，24 時間以内で最悪のときの痛みと最も緩和されているときの痛みの強さについて numerical rating scale（NRS）などを用いて評価する．
- 生活への影響：痛みが身体機能や社会機能，日常生活や精神状態にどのように影響しているかを明らかにする．

3 WHO 方式がん疼痛治療法[1)]

- がん疼痛治療の前に詳しい問診と丁寧な診察とともに患者の心理的，社会的，スピリチュアルな側面への配慮を行い，痛みの原因や性状を十分把握することが大切である．
- 個々の患者の症状や病態に応じた治療法を選択し，治療を開始する前には十分な説明を行い患者の理解と同意を得る．
- がん性疼痛の際には段階的な目標を設定する．
- ・第一目標：痛みに妨げられない夜間の睡眠時間の確保
- ・第二目標：安静時の痛みの消失
- ・第三目標：体動時の痛みの消失
- 鎮痛薬使用の 5 原則に従う

①**経口投与を基本とする**：経口投与の利点は器具の使用なしに簡便に投与でき，どの場所でも継続した鎮痛が得られることにあり，患者は他人の手を借りずに自立した生活ができることにある．

②**時刻を決めて投与する**：がん疼痛は持続的であり，鎮痛薬の効果が切れ始めると再び痛みが生じる．痛みが出てから鎮痛薬を投与する頓用方式は絶対に行ってはならない．

③**図 1** に示した WHO 3 段階除痛ラダーで鎮痛薬を選択する．第一段階では非ステロイド抗炎症薬（NSAIDs）の使い慣れたものを使用する．第二段階の弱オピオイドはリン酸コデインがあるが有効限界があり，oxycodone 少量から始めることが多い．ただし頑固な咳には有効である．リン酸コデイン 600 mg までが有効限界で，痛みが取れない場合は第三段階の有効限界のないモルヒネなどに変更する．いずれの場合でも NSAIDs や鎮痛補助薬を適切に使用する．ただし，急激に強い痛みが生じたときには，第二，第三段階から開始してもよい．

④**患者ごとの適量を決める**：1 日のオピオイドを定時に内服し，痛みの出現には臨時の頓服（レスキュー）を投与する．通常は 1 日量の 1/6 ～ 1/10 量を頓服とする．レスキューの回数をみて 1 日量を調節する．

段階	痛み	治療
3	中等度から高度の痛み	オピオイド ±NSAIDs± 鎮痛補助薬
2	軽度から中等度の痛み	弱オピオイド ±NSAIDs± 鎮痛補助薬
1	軽度の痛み	NSAIDs± 鎮痛補助薬

◆図 1　WHO 3 段階除痛ラダー

⑤ 1 つの痛みがとれると他の部位の痛みが増強したり，新たな痛みが発生したりすることがある．痛みが同じ機序で起きているとは限らないので，痛みの性状や原因を見極め強い痛みから 1 つずつ対応することが大切である．痛みの処方について患者に十分説明するとともに，予想される副作用に十分対処することが服薬コンプライアンスからも重要である．肝機能，腎機能障害は効果，副作用に影響する．胸水，腹水などにもオピオイドが移行するため，third space の増大あるいは穿刺排液による減少では量の調節を要することがある．

⑥ **患者の心理状態の把握**：患者の心理状態によっては痛みの閾値を低下させオピオイドの大量投与となることもある．不安，医療者や家族などとのコミュニケーション不足，家族などの支えになるべき人との関係のこじれや欠如，医療への不満，抑うつ状態などは痛みを増強させる．痛みの評価とともに適切に患者・家族関係，社会背景などを含め心理状態を適切に把握し対処することで痛みが軽くなることもある．

4 がん性疼痛治療の実際[2)]

1）疼痛の種類

がん性疼痛の分類として「Ⅰ 侵害受容体性疼痛」，「Ⅱ 神経障害性疼痛」に分けられ，Ⅰはさらに体性痛と内臓痛に分類される．侵害受容線維は Aδ 線維（有髄）と C 線維（無髄）があり，内臓では 1：10，骨では 1：2 の比率で伝達しているため，以下に述べるような特徴がある．

a）体性痛

疼痛局在がはっきりしており，“うずく痛み”，“差し込む痛み”と表現される．骨転移の痛みが代表的．叩打痛が病変に一致してみられ，体動により増強する．

b）内臓痛

疼痛の局在が明確でなく，“締めつけられる痛み”，“鈍い痛み”，“深い痛み”と表現される．圧痛や関連痛（放散痛）がみられ，悪心，嘔吐，発汗を随伴することがある．オピオイドがよく効く痛みで，肝や膵腫瘍が代表的である．

c）神経障害性疼痛

損傷された神経の支配領域の感覚低下や，しびれ感がみられ，その部位が痛んだり，アロディニア（普通は痛みを起こさない刺激で痛みが引き起こされる状態）がみられたりする．“灼熱痛”，“刺すような痛み”，“電撃痛”と表現される性質の痛みが，神経の支配領域に一致して表在性に放散する．骨盤内腫瘍や Pancoast 腫瘍が代表的である．モルヒネに反応しにくい痛みであり，鎮痛補助薬を適切に使用する．

2）突出痛

痛みの発現様式として，慢性に持続する疼痛と急激に増悪する突出痛がある．薬物により持続する痛みはコントロールされているにもかかわらず，急激に痛みが増悪することがよく経験される．骨転移などは体動時に増悪し内臓平滑筋では間欠的に発現する．対処法として速効性のオピオイドを投与する（レスキュー）が，内服よりも吸収，効果発現の速い ROD（rapid onset opioid）である口腔粘膜投与剤が上市され選択肢が広がった．

3）疼痛の診断と評価

入念な病歴聴取，診察，必要に応じて採血，画像診断を行い，総合的に病態，疼痛の原因を把握する．神経障害性疼痛は痛みの性質と身体所見で大部分が診断できる．たとえば，Pancoast 腫瘍の場合，患側の Horner 症候群と神経支配領域の感覚異常を捉えれば神経障害性疼痛と診断でき，鎮痛補助薬を使うという具合である．患者に痛みの原因について説明し対処可能であることを告げる．また，脊髄障害，イレウスでは薬物で是正困難な病態の場合があり，放射線治療，イレウス管挿入，人工肛門の医学的適応を検討する．医学的適応なしと考える施設もあるが，患者の生活の質（quality of life：QOL）を高める可能性があれば検討すべきである．ときに患者が痛みとも不安とも区別が困難で，痛みの原因が不明確なことがある．このようなときの安易なプラセボ投与を控える．なぜ患者が訴えるのか，疼痛であるのか，疼痛以外の不快な症状を疼痛と感じているのかを検討し，原因と思われるものについて対処する．痛みの背景に不安があるなら，その不安を取り除く努力をする．終末期ではもともとの臓器機能低下から薬物動態が不安定となりやすく，鎮痛薬を処方した場合繰り返しその効果と副作用について評価を行う．

4）鎮痛薬使用法の実際

a）非オピオイド

① acetaminophen：抗炎症作用がなく，副作用が少ないが大量の使用で肝障害あり．投与開始量は500 mg/ 回．6 時間ごと．1,000 mg/ 回が有効限界量で 1 日 4,000 mg まで可．注射剤は内服薬や他の鎮痛薬で効果不十分な場合に中枢神経への移行を目的に急速投与する．骨転移痛には NSAIDs が望ましい．

② NSAIDs：aspirin，diclofenac，loxoprofen，naproxen などがあり，使い慣れたものを使用する．Diclofenac には座剤がある．Flurbiprofen は唯一の静脈投与製剤で炎症組織に効率よく取り込まれる性質を有する．COX-2 選択的阻害薬の etodolac，meloxicam などは副作用が軽減されているが，骨転移痛の強い痛みには効果が弱い印象がある．骨痛には単独あるいはオピオイドと併用で用いられる．

b）弱オピオイド

①リン酸コデイン：咳に有効．開始量は 20 ～ 30 mg/ 回を 4 ～ 6 時間ごと．120 mg/ 回が有効限界．力価はモルヒネの 1/10 換算．Oxycodone が登場してから使用頻度は減った．

② tramadol：開始量は 25 ～ 50 mg/ 回を 4 ～ 6 時間ごと．1 回 100 mg，1 日 400 mg が有効限界．力価はモルヒネの 1/5 換算．

③ tapentadol：中等度から高度の痛みに用いられる．弱，強オピオイドの中間的薬剤であるが極量あり．1 日 50 mg 分 2 で開始し 400 mg まで増量する．ノルアドレナリン再取込み阻害作用を併せ持つため気分の改善にも効果が期待されるが，セロトニン症候群などの副作用について注意が必要．

c）強オピオイド

①モルヒネの特徴

・反応性には個人差があるが，体内動態が線形であり投与量調節が容易．

・有効限界がないため増量すれば効果が増強するが，神経障害性疼痛，筋痙攣痛には効きにくい．

・高齢者，肝障害，腎障害，低栄養では少量より開始するのが安全である．

②耐性と依存

・適切な投与では耐性の発現は緩徐で，問題となることは少ない．

③経口オピオイドの種類

・速効性製剤：モルヒネ末，錠，水薬，oxycodone 速効散は 10 分ほどで効果が発現し，モルヒネは 4 時間，oxycodone 速効散は 6 時間で効果が切れる．臨時追加（レスキュー）としてよく用いる．Hydromorphone はモルヒネの 5 倍の力価で，半減期 9 時間と長い．モルヒネ末で水薬を調剤するほうが薬価が安いが，使用期限があり小分けがしにくいのが難点．パック製剤は薬価が高いが保存がきき，持ち運びも便利で外来，外泊時のレスキュー用に適している．モルヒネ水薬は苦みがあり，シロップで調剤するが，oxycodone 散は苦みがなく，水に溶けやすい．

・徐放製剤：定時投与で用いられる．1 日 1 回から 2 回．速効性はなく数時間で最高血中濃度に達し，徐々に低下するタイプなので効果に山と谷が出るのが欠点だが，最近の製剤は比較的時間による差が少ないものも出ている．Hydromorphone 徐放錠は 1 日 1 回で可．Oxycodone はモルヒネの 2/3 量と同様の鎮痛効果を持つが，初期通過効果が少なく副作用も軽い．

④経口投与法

・時刻を決めて徐放性 oxycodone 10 mg/ 日，徐放性モルヒネ 20 ～ 30 mg/ 日，hydromorphone 4 mg/ 日より開始することが多い．嚥下困難な患者では水薬を用いて 1：1：1：2 の割合で，毎食後，就寝前に投与する．

・痛みが残って眠気がないなら基本的に 50％増量し，痛みがなく眠気が残る場合は 30 ～ 50％減量する．経口モルヒネ換算 120 mg 以上では 30％が安全である．

・モルヒネ製剤の場合，肝臓で半分代謝され（初期通過効果），その代謝産物 M-6-G が嘔吐やせん妄をきたす．すなわち，腎機能が低下していれば代謝産物排出低下により副作用が出やすい．予測 GFR を算出し腎機能に注意する．肝，腎機能に高度の障害がなければ腎機能に影響を受けにくい oxycodone で開始し，速効散をレスキューで投与する．経験的にレスキューは 1 日量の 1/6 が用いられるが，1 日量 10 mg の場合は oxycodone 速効散 2.5 mg をレスキュー量とする．

・大部分の患者ではモルヒネ換算 30 ～ 240 mg/ 日で痛みが消失するが，ときに大量のオピオイドが必要な場合もある．その原因として骨痛や，神経障害性疼痛が多い．痛みの種類を正確に診断し，最初から NSAIDs，鎮痛補助薬を併用する．モルヒネ換算量が 100 mg/ 日を超えたら痛みの原因の再評価を行い，鎮痛補助薬が適切かを再検討する．

⑤非経口オピオイド製剤

・塩酸モルヒネ坐剤：主にレスキューとして使用する．経口投与量の2/3量を用いる．

・皮下注射，静脈内注射：経口投与量の1/2量を1日量として投与．Haloperidol，scopolamineと混合できるが，点滴液中に入れてしまうとレスキュー投与や量調節が困難であることや，終末期医療では極力輸液を入れないようにするほうがメリットが多いためシリンジポンプを用いて投与する．市販の持続皮下注射専用ポンプで安定した濃度が得られ，血管をとる必要がなくQOLも高い．oxycodoneの注射剤は，皮下投与できるので内服製剤からの変更に用いられる．

・Fentanyl：皮膚貼付剤（fentanylパッチ），注射剤がある．副作用としての悪心，便秘が少ない．Fentanylパッチは徐放剤で24時間ごとと72時間ごとに貼り替えるタイプがある．効果発現まで12時間を要するのでオピオイド必要量が一定している患者に向いている．初回投与やレスキューが頻回でベースの必要量が定まっていない段階では，調節が困難なので使用は避ける．経口投与量が一定していた患者が悪心，イレウスなどで内服が困難となった場合などに使用する．24時間交換が体内濃度の増減が少なく調節がしやすい．歯肉貼付あるいは舌下錠は，速効性に優れるが導入薬剤としての適応はなく，オピオイドの定期投与を開始された患者が対象．投与回数や投与間隔に制約がある．歯肉貼付剤は，義歯がある場合使用が煩雑となる．

⑥副作用対策：悪心，便秘対策を必ず併用する．患者が麻薬に対する抵抗感がある場合もあり，一度副作用で苦しむとその後の服薬継続，増量に支障をきたす．投与開始よりprochlorperazineが推奨される．効果不十分な場合はhaloperidolを用いる．両薬とも保険適用外．腸蠕動低下にmethochlopramideを投与する．以上の薬は抗ドパミン作用があり錐体外路症状に注意する．オピオイドでめまいを伴う悪心を生じる場合はhydroxyzineを使用する．頑固な便秘にはnaldemedineが有効である．Prochlorperazineを2週間以上使用して悪心がなければ中止する．内服剤などの継続投与で鎮痛効果が減弱する現象（耐性）や，悪心，便秘などの副作用でQOLを損なう場合，製剤形態を変更することで鎮痛効果の改善や副作用が軽減されることがある．

5 鎮痛補助薬

1）筋痙攣による痛み

Diazepamを使用する．

2）神経障害性疼痛，持続痛（じりじりする，締めつけられる，つっぱる，しびれる）電撃痛（びりっとする，刺すような）

Pregabalin, mirogabalinは末梢神経障害性疼痛に第一選択である．Pregabalinでは150 mg/日から開始し600 mg/日まで増量可能，mirogabalinは10 mg/日から開始し30 mg/日まで増量するが高齢者や腎機能障害のある患者ではめまい，ふらつきが出やすく，少量から開始する．セロトニン・ノルアドレナリン再取込み阻害薬で糖尿病性神経障害に適応があるduloxetineも有効な場合がある．内服が困難ならlidocaine 3～5 mg/kgを静脈投与する．リンパ系腫瘍の症状緩和の目的でステロイドはよく使用されるが，漫然と使用すると肺炎，カンジダ症や口渇，筋力低下，不眠などQOLを悪化させることもあるため注意する．

■文　献■

1）日本緩和医療学会・がん疼痛治療ガイドライン作成委員会（編）：Evidence-Based Medicineに則ったがん疼痛治療ガイドライン，真興交易医書出版部，2000

2）的場元弘：がん疼痛治療のレシピ2007年版，春秋社，2006

3 サイコオンコロジー

到達目標

- 患者の否認や怒りなど心理的反応を認識し，適切に対応できる
- 抑うつ，せん妄状態について適切に評価し，対応できる
- 必要に応じてリエゾンチームなどの専門家に紹介できる

1 がん罹患後の心理

がん罹患後の患者の心理的推移・変化はどのようなものか，心的外傷後成長モデル（**図1**）をもとに説明する．人はだれしも人生観を持っており，健康に不安を感じずに生きてきた多くの人は，自分の人生が当前これから10年・20年と続いていくという人生観を持っていることが多い（①）．しかし，がんなどの危機を体験すると（②），その前提が大きく崩れ，一時的に心理的混乱に陥る．最初は怒りや悲しみなどの負の感情が生じ，うつ病などの精神症状が出てくることが多い（③）．その後，目の前の現実を受け止め，徐々に受容する心理的段階に至る．そうすると，「病気になった人生をどう生きたらよいのか？」と懸命に考えるようになる（④）．その後，徐々に病気という体験を織り込んだその人なりの人生観ができあがってくる（⑤）．このような変化を，心理学では心的外傷後成長と定義している[1)]．

2 傾聴と共感

傾聴は，医療者が患者にかかわる際の基本的態度である．心的外傷後成長モデルのプロセスを進むのは患者本人であり，医療者は患者が状況を受け止めることができるようになるまで見守るしかないこともある．ただし，医療者が患者に傾聴し，共感することで，そのプロセスを促進しうる．ここでは，医師・患者間のやり取りについて一例を提示し解説する．

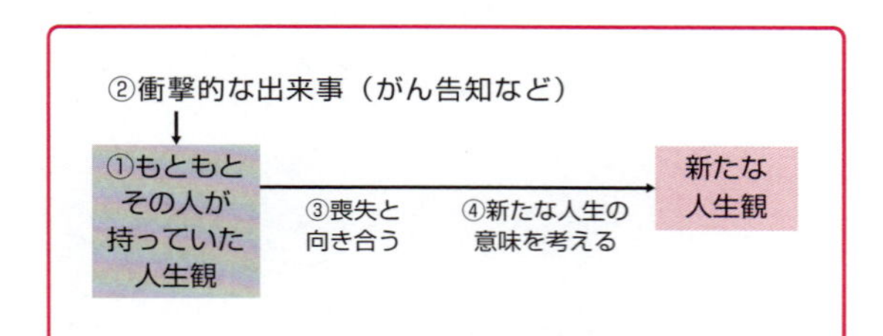

◆**図1　心的外傷後成長モデル**
（文献1より引用）

■ケース
医師が患者に厳しい病状を告知すると，患者は涙ぐみ，沈黙してしまった．
医師は重苦しい空気に居心地の悪さを感じ，「悲しいですよね」と言葉をかけた（このような言葉を，本項では「患者の気持ちを言い当てる言葉」と定義する）．
すると，患者はやや憤慨した様子で，「先生に私の気持ちがわかるんですか？」と言葉を返した．
医師がなんと答えてよいかわからずに当惑していると，患者は「私は悲しいんじゃない，悔しいんです．今まで文句を言わずにつらい治療も受けてきたのに，それが無駄だったと思うと，とても悔しい．私の時間を返してほしい」と言葉を続けた．

米国の臨床心理学者Carl Rogersは共感の定義を「その人が感じている世界を，自分自身がまったく同じように感じ取ること」としている．しかし，ある人が考えていることや感じていることを，人生経験や価値観が異なる他人が同様に体験することはできないため，Rogersが言う意味での共感を達成することは不可能に近い．冒頭のケースで，医師は自分であったらその状況において悲しむだろうという想定の下に，「患者の気持ちを言い当てる言葉」をかけたが，患者の思いとはズレが生じていた．

ただし，完全には共感を達成できないことを認識しつつも，なるべく患者の気持ちに近づこうと努力する姿勢が大切である．患者が医療者に対して，「自分の気持ちがわかってもらえた」と思える時，患者の苦悩

が癒される.

患者が何を感じているかがわからないうちに, 医療者が「悲しいですよね」「悔しいですよね」など, その感情に一方的にラベルを貼ることはリスクを伴う. こちらがラベルを貼った感情と, 患者の感情が異なれば, 冒頭のケースのように憤慨されてしまうこともある. そこで, 患者の感情を理解できないうちは,「患者の気持ちを探るための言葉」をかけるようにするとよい. たとえば冒頭のケースの場合,「今どういうお気持ちですか？」などと尋ねれば, 患者は「今まで文句を言わずにつらい治療も受けてきたのに, それが無駄だったと思うと, とても悔しい」と語る可能性が出てくる. それでもまだ患者の気持ちを掴めなければ,「治療が大変だったのですね. そのときはどんな思いをされていたのでしょうか？」など, さらに質問を重ねてもよい. そして, ある程度理解できたと思えたら, そこで初めて「つらい治療を行った努力が無駄だったと思うと, とても悔しいのですね」など,「患者の気持ちを言い当てる言葉」を投げかける. このような丁寧なやりとりを経ることで, コミュニケーションが円滑に進む確率は高まる.

医師と患者のコミュニケーションにおいて, 患者の言葉をおうむ返しで繰り返したり（反復）, 沈黙することが強調されることから, 聴き手の役割は受け身的なイメージを持たれてしまうことがある. しかし, それは誤解であり,「患者は今, どのように感じているのだろうか？」「何について悩んでいるのだろうか？」など考えを巡らせながら患者の感情に近づこうとすることが真の支持的傾聴といえ, 質問を繰り返すこと（患者の気持ちを探るための言葉＝探索）が重要である.「質問力」という表現があるが, 傾聴とは能動的（アクティブ）な作業であることを理解しておくとよい[2].

3 うつ病

1）評　価

うつ病は告知後のがん患者の 3 ～ 12% に合併し, 一般人口に比べて高い割合になっている[3]. 自殺企図, 抗がん治療に対する意欲低下, 入院期間の長期化, 家族の心理的負担, 身体症状の増強などとも関連するため, 適切に評価して治療を行うことが望まれる.

がん患者ががん告知後に抱く悲しみや怒り, 治療が成功した喜びなどの感情を経験することはよくあり, 通常の反応である. しかしながら, 気持ちの落ち込みが一時的な変化にとどまらずに 2 週間程度持続する場合は, 抑うつ気分が出現していると考えられ, その程度によってうつ病と診断されうる.

2）うつ病に対する薬物療法

うつ病を有する患者においても, 患者の苦悩に傾聴し, 患者のストレス源となる問題を可能な限り取り除くことが対応の基本となる. たとえば, 疼痛が大きなストレスになっている場合, 身体症状緩和を積極的に行うことで, 患者の精神症状が改善することも多い.

ストレス源に対するアプローチを行っても改善が認められない場合は, 抗うつ薬の投与が検討されうる. 現在使用できる抗うつ薬は数多くあるが, 有効性については薬剤間で明らかな差は認めない. mirtazapine は, 睡眠を改善し, 食欲を増進する効果もあるため, 不眠や食思不振を有する患者には積極的に投与を検討するが, 副作用として倦怠感や日中の眠気が生じることがある. セロトニン選択的再取込み阻害薬である escitalopram などは, 抗不安効果を有しており, 眠気などの副作用が生じる可能性は低いが, 嘔気が高頻度で出現し, すでに化学療法で嘔気に苦しんでいる患者には使用しにくい. このように患者一人ひとりの状況を考慮しながら投与する薬剤を選択する.

3）専門家へのコンサルテーション

うつ病の診断基準は精神科医をはじめとした精神保健の専門家が用いるためのものである. そこで一般的に推奨されるのは, 症状の中心 2 項目である「(1) 抑うつ気分」と,「(2) 興味・喜びの喪失」に関して, 定期的に問診する方法である. 前者に関しては,「一日中気持ちが落ち込んでいませんか？」などと尋ね, 後者に関しては「テレビを見たり, 友達と会って話をするなど, 今まで好きだったことが楽しめなくなっていませんか？」といった質問によって明らかにすることができる. 2 つの質問のいずれかに「はい」と答えた場合は, うつ病あるいは適応障害が存在する可能性が示唆され, 可能な状況であれば精神科医などの専門家にコンサルトできることが望ましい.

4 せん妄

1）評　価

せん妄は軽度から中等度の意識混濁に幻覚, 妄想, 興奮などの精神症状を伴う特殊な意識障害である. 全身状態が悪化すると神経のバランスが崩れて出現する精神症状であり, 入院中のがん患者のせん妄発症率は 14 ～ 55% と報告されている. 特に骨髄移植後の患者では 75%, 終末期では 90% 近い患者にせん妄が出現するといわれている[4].

せん妄の診断基準（**表1**）をもとに評価することは経験を積まないと難しいケースも多く存在し，簡便なスクリーニング方法などが開発されている．Nursing Delirium Screening Scale（**表2**）は，定型的な質問をせず，臨床観察にて行うことができる方法である．1項目でも確信をもって存在すると考えられる場合，あるいは2項目が疑わしい場合はせん妄である可能性が高い[5].

2）原　因

がん患者におけるせん妄の原因を示す（**表3**）．原因の同定を行うためには精神症状の推移と身体状態や投与薬剤の相関をみながら因果関係を評価しなければならない[4].

3）治　療

a）原因への介入

せん妄の治療は第一に原因への介入であり，環境介入のほか対症療法である薬物療法も有効である．

たとえば，高カルシウム血症が原因の場合は補正を試みる．Morphineが原因になっている場合は，fentanylへのオピオイドローテーションなどである．全体的な状況をみながら原因への介入が可能かどうかを逐次考慮する必要がある．終末期においてせん妄の原因が多要因の場合や，がん自体の進行に伴ってせん妄が出現している場合，原因への介入が困難で改善が難しいことも多い．

b）環境介入

見当識を保つために時計やカレンダーを置く，夜間も薄明かりをつける，家族や医療スタッフとの接触を頻回にする，家庭で使い慣れたものを置く等を行う．危険回避の観点からは，危険物の撤去，頻回の訪床を行う．窓が大きく開く等，飛び降り事故が起きうる病室の構造は偶発的な自殺行為の危険があり望ましくない．

c）薬物療法

薬物療法としては抗精神病薬が頻繁に用いられる．2011年9月に厚生労働省から，「ハロペリドール，クエチアピン，リスペリドン，ペロスピロンを器質性疾患に伴うせん妄・精神運動興奮状態・易怒性に対して処方した場合，当該使用事例を審査上認める」との通知が出されており，使用可能となっている．これらの薬物のうち，鎮静作用に優れたquetiapineは，特に不眠や興奮が顕著なせん妄に対する有効性が高いと考えられているが，糖尿病患者への投与が禁忌とされているため注意が必要である．そうした場合はrisperidoneやhaloperidolが用いられるが，quetiapineに比べて鎮静効果が弱く，増量しても十分な鎮静効果が得られないことはしばしば経験される．また，ベンゾジアゼピン系薬剤はせん妄を惹起・悪化させたり呼吸抑制を引き起こす可能性があるため単剤での使用は推奨されないが，抗精神病薬だけでは十分効果が得られない場合や，注射や坐剤など投与経路の関係で抗精神病薬との併用を考慮されることがある．

◆表1　せん妄の診断基準

A. 注意の障害（注意の集中や維持の低下）と，意識の障害（環境認識の低下）がある
B. 短期間で出現し（通常数時間から数日），日内変動がある
C. 認知の障害（記憶障害，見当識障害，知覚障害）がある
D. AとCの障害は認知症ではうまく説明できない
E. 身体疾患や物資中毒・離脱などの直接的な生理学的結果により引き起こされたという証拠もある

（米国精神医学会：DSM-5，2013を参考に著者作成）

◆表2　せん妄のスクリーニング－Nursing Delirium Screening Scale

症状	点数
1. 見当障害 時間や場所がわからない，相手を認識できない	
2. 不適切な行動 例）チューブや包帯・ガーゼをひっぱる	
3. 不適切なコミュニケーション 例）つじつまがあわない，コミュニケーションがとれない	
4. 錯覚・幻覚 存在しないものや人が見えたり聞こえたりする	
5. 精神活動や身体活動の鈍さ 反応が遅くなっている，自発的な行動や発言がほとんどない 例）刺激を与えても反応が遅い，覚醒しない，など	

（文献5より引用）

◆表3　がん患者のせん妄の原因

中枢神経系への直接的侵襲	脳転移，脳炎，髄膜炎
臓器不全による代謝性脳症	肝・腎機能障害，呼吸不全
電解質異常	Ca，Na，Kの異常
薬剤性	モルヒネ，ステロイド，抗うつ薬，睡眠薬など
感染症	肺炎など
血液学的異常	貧血
栄養障害	全身性栄養障害（悪液質）
腫瘍随伴症候群	ホルモン産性腫瘍

4）専門家へのコンサルテーション

せん妄の診断に確信が持てない場合，専門家へのコンサルテーションが推奨される．特に病状が悪化して患者の活気がない場合など，うつ状態と評価されているが実際にはせん妄であるケースが散見される．また，薬物療法については初期対応で改善しない場合は，専門家にコンサルテーションできることが望ましい．

■文　献■

1）Lawrence GC ほか（編）：心的外傷後成長ハンドブック―耐え難い体験が人の心にもたらすもの，宅香菜子ほか（監訳），医学書院，2014
2）デイヴ・メアーンズ：パーソンセンタード・カウンセリングの実際―ロジャーズのアプローチの新たな展開，諸富祥彦（監訳），コスモスライブラリー，2000
3）清水研：緩和ケア **19**：241, 2009
4）日本サイコオンコロジー学会，日本がんサポーティブケア学会（監）：がん患者におけるせん妄ガイドライン 2022 年版，金原出版，2022
5）Gaudreau JD, etal: J Pain Symptom Manage **29**: 368, 2005

4 長期的合併症と長期フォローアップ

到達目標

- 血液腫瘍性疾患サバイバーの長期的合併症の主なものを挙げ，リスク因子を列挙できる
- 主な二次がんの特徴（種類，発症割合，発症までの期間）とリスク因子を挙げることができる
- 造血幹細胞移植後の長期的合併症の特徴を挙げることができる
- 長期フォローアップガイドの主なものを知っており，必要なときに活用できる

1 背景

難治性血液疾患の薬物療法と造血幹細胞移植の治療成績向上に伴い，悪性腫瘍を含む難治性血液疾患の**サバイバーの長期的合併症**が問題になってきている．最近の小児血液腫瘍の5年寛解生存率は，急性リンパ性白血病（以下ALL）やリンパ腫では約80～90%以上，急性骨髄性白血病（以下AML）では約60～80%にも及ぶ．成人ALLやAMLでも分子標的療法や造血幹細胞移植，CAR（chimeric antigen receptor）-T療法などの治療進歩に伴いサバイバーが増加している．しかしながら治療終了後の**長期フォローアップ**（follow-up，以下FU）の取り組みは，施設間差が大きく多職種チームで系統だって行われているところは少ない．

日本造血・免疫細胞療法学会では，長期FUの重要性がいち早く認識され，2012年の診療報酬改訂で「造血細胞移植後患者指導管理料」が算定可能となり，定期的に移植後FUのための看護師研修会が開催されている．長期生存が可能と考えられるサバイバーが，治療終了後に十分な社会的自己実現を達成していくためには，治療医だけでなく看護師を含めた医療チーム全員が長期的合併症の可能性を十分に理解し，エビデンスを蓄積しながら移植例を含めて血液疾患患者を支援していく必要がある．造血幹細胞移植以外の項目に関しては，これまでエビデンスの多い小児領域を中心に記述した．

2 長期的合併症の累積割合と累積数の変化

1970年から99年に診断された5年生存小児がん経験者のコホート研究である北米Childhood Cancer Survivor Studyにおいて，何らかの慢性的な健康問題（≒長期的合併症）でCommon Terminology Criteria for Adverse Events（CTCAE）のGrade 3～5の要医療健康問題を有する累積発症割合を，1970～79年，1980～89年，1990～99年の3群に分けて解析した結果から血液腫瘍疾患を**図1**に引用した[1]．ALLにおける年次変化はあまり目立たないが，1990～99年vs 1970～79年において15年累積割合で比較したところHodgkinリンパ腫（17.7% vs 26.4%；$p < 0.0001$）と非Hodgkinリンパ腫（16.9% vs 23.8%；$p = 0.0053$）では有意の減少が認められた．一方，AMLは移植などの治療強化による生存率の向上を反映しているのか，逆に1970～79年が一番低くなっており，新しい年度に診断された症例の方で健康問題累積割合が高かった．このように時代によって長期的合併症の割合には変化が認められる．

St.Jude Lifetime Cohort（SJLIFE）研究の結果[2]では，加齢とともに慢性的健康問題の累積発症割合は増加し，医学的スクリーニングの結果で何らかの慢性的な健康問題（CTCAEのGrade 1～5）を認める割合は，**表1**に示すように30歳で98.7%，40歳で99.7%，50歳時点では99.9%とされ，Grade3～5の割合はそれぞれ30歳で78.4%，40歳で89.8%，50歳時点では96.0%であった．臓器別発症割合としては，心血管，内分泌，筋骨格などが80%以上の高率であり，1人あたりの合併症累積数は17.1（対照同胞では9.2）であった．以上晩期合併症の累積発症割合は40歳以降ほぼ100%に近づくという驚きの結果であった．

小児がんで最も代表的疾患であるALLにおいて，

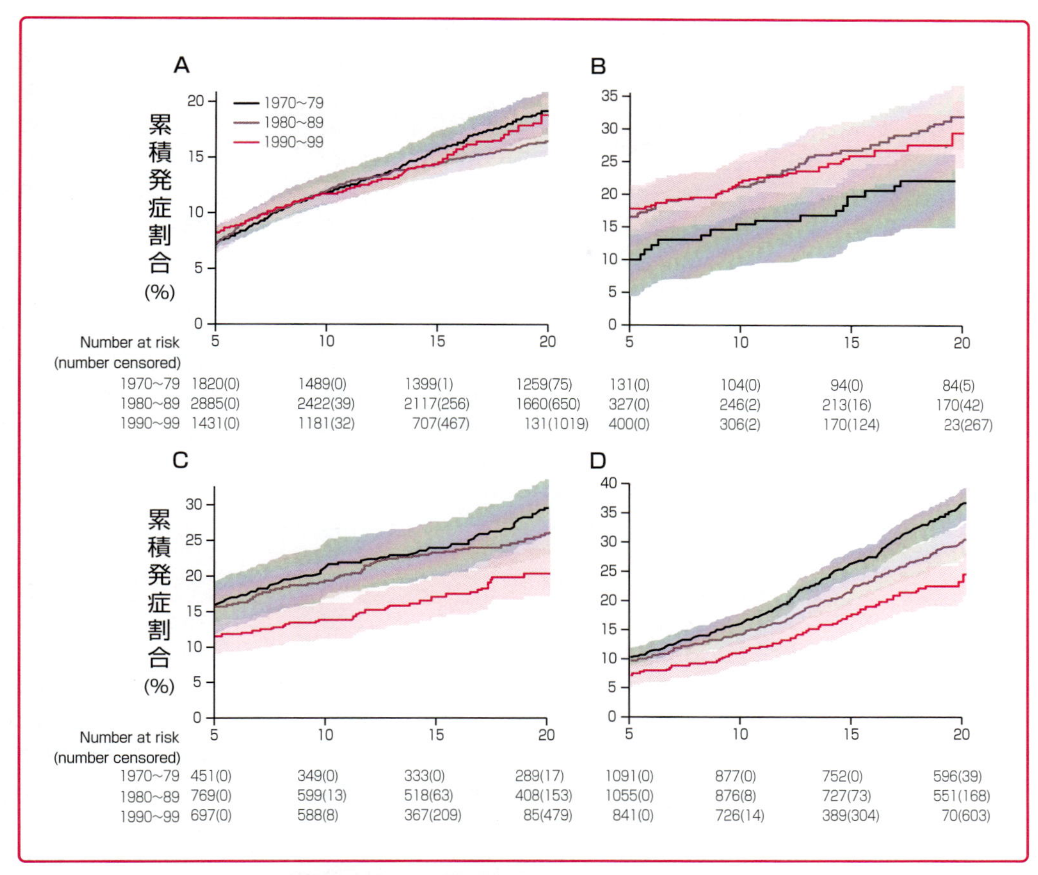

◆図 1　Grade 3 以上の長期的健康問題の年次的推移
A：ALL，B：AML，C：NHL，D：Hodgkin リンパ腫
（文献 1 より引用）

St.Jude 治療プロトコールごとに晩期合併症の種類の割合を比較したものを**図 2** に示した[3]．Dexamethasone を併用し始めた Total XIII以降で筋骨格系合併症（骨壊死など）の割合が急増している反面，予防的頭蓋放射線照射を撤廃することで二次がんの割合が減少していること，Total XVでは内分泌・呼吸器合併症が増えていることがわかる．このように，同じ疾患であっても，治療の内容により晩期合併症にも特徴的なパターンは変化することが明らかになった．

身体的合併症としては，病気自体によって診断後早期に起きるもの，治療に伴い始まりずっと続くもの，治療が終了した時には何も問題がなかったのに治療終了後数十年以上たって，成長・発達・加齢に伴い問題になってくるものもある．この点から治療終了後数年あるいは5年たった時点で合併症がないからといって FU を中止 / 終了することは適切ではなく，長期にわたる FU とリスクに応じた適切なスクリーニングは必須である．またその長期合併症は，原疾患だけでなく時代や治療内容によっても変化しうることから，常にモニターしつつ生存割合だけでなく生存の質（QOL）を改善していくことを目指すことが重要である．

3 代表的な身体的合併症（表 2）

長期的な身体的影響としては，小児と成人の血液がんでも共通して認められるものとして，心血管系，呼吸器系，腎・泌尿器系，消化器系，内分泌系，免疫能，骨・筋肉系の問題に加え，若年成人固型腫瘍や移植例でも特に問題になってきている妊娠・出産など生殖機能に関するものなどに分類される．心理社会面の影響としては，精神症状（抑うつなど），易疲労，就学，社会復帰や就労に関連するものなど幅広い．一方，小児に特有なものとしては，成長発達への影響があるが，これは身体発育以外に知能・認知力，社会心理的

◆表1　30歳，40歳，50歳時点での累積発症割合［%］と累積発症数

	30歳時点		40歳時点		50歳時点	
Grade1～5	累積発症割合（95%信頼区間）	累積発症数	累積発症割合（95%信頼区間）	累積発症数	累積発症割合（95%信頼区間）	累積発症数
合計	98.7(98.5～98.9)	7.72	99.7(99.6～99.7)	11.97	99.9(99.9～100)	17.13
聴覚	26.5(24.6～28.4)	0.27	29.2(27.3～31.1)	0.30	33.6(31.4～35.9)	0.34
心血管系	63.2(61.4～65.0)	1.37	83.3(82.1～84.5)	2.55	93.2(92.4～94.0)	4.01
内分泌系	62.6(60.5～64.8)	1.38	81.9(80.5～83.2)	2.02	91.6(90.6～92.5)	2.61
消化器	35.3(33.1～37.5)	0.55	53.2(50.8～55.6)	0.98	67.6(65.3～70.0)	1.50
免疫／感染	27.7(25.7～29.7)	0.35	32.1(30.2～34.0)	0.42	36.6(34.4～38.8)	0.50
骨格／筋肉	60.7(58.9～62.4)	1.03	73.4(72.0～74.9)	1.36	83.6(82.3～85.0)	1.73
神経系	54.3(52.1～56.6)	1.06	66.8(64.9～68.6)	1.47	78.1(76.3～79.9)	1.92
呼吸器系	28.0(25.8～30.1)	0.42	42.1(40.0～44.4)	0.75	58.5(55.9～61.0)	0.80
腎系	13.4(12.0～14.9)	0.17	21.8(20.1～23.4)	0.29	31.2(28.8～33.6)	0.46
生殖器系	30.5(28.5～32.5)	0.62	41.4(39.4～43.5)	0.93	52.3(49.7～54.9)	1.17
二次がん	10.6(9.3～12.0)	0.18	22.2(20.3～24.1)	0.45	37.3(34.4～40.2)	0.94
Grade3～5	累積発症割合（95%信頼区間）	累積発症数	累積発症割合（95%信頼区間）	累積発症数	累積発症割合（95%信頼区間）	累積発症数
合計	78.4(76.8～79.9)	2.13	89.8(88.9～90.7)	3.28	96.0(95.3～96.8)	4.72
聴覚	17.0(15.2～18.8)	0.17	18.6(16.8～20.4)	0.19	21.4(19.3～23.5)	0.22
心血管系	7.6(6.5～8.7)	0.10	17.4(15.7～19.1)	0.25	34.6(31.7～37.5)	0.63
内分泌系	19.6(18.0～21.2)	0.20	40.4(38.2～42.5)	0.42	58.3(56.0～60.6)	0.62
消化器	15.5(13.9～17.2)	0.23	23.2(21.2～25.1)	0.37	30.4(28.0～32.9)	0.54
免疫／感染	22.1(20.2～24.0)	0.27	26.2(24.3～28.0)	0.33	30.3(28.2～32.5)	0.39
骨格／筋肉	19.5(17.7～21.4)	0.28	22.4(20.4～24.3)	0.34	24.9(22.7～27.1)	0.38
神経系	16.6(15.0～18.2)	0.23	21.5(19.7～23.2)	0.31	27.1(25.0～29.2)	0.40
呼吸器系	7.4(6.3～8.4)	0.09	13.0(11.6～14.5)	0.18	22.4(19.9～25.0)	0.35
腎系	4.8(3.8～5.7)	0.06	6.5(5.5～7.6)	0.09	8.7(7.2～10.1)	0.11
生殖器系	12.9(11.6～14.3)	0.28	19.1(17.5～20.6)	0.45	22.3(20.5～24.1)	0.54
二次がん	8.6(7.3～9.8)	0.10	16.9(15.3～18.4)	0.21	27.7(25.2～30.2)	0.38

*累積発症数は，1人あたりの平均累積数で表現している．
（文献2より引用）

成熟・性的成熟なども含まれる．

4 二次がん

小児がん経験者の治療後の**二次がん**危険率の標準化発症比（standardized incidence ratio：SIR）について，北米Childhood Cancer Survivor Study（CCSS），英国Childhood Cancer Survivor Study（BCCSS），北欧，オランダChildhood Oncology Group（DCOG）のデータを比較して**図3A**に示した[4]．研究グループにより多少の差はあるが，二次がんのSIRは到達年齢によって変化し，0～19歳では約10，20～39歳では5弱，40歳以上では2～4である．**図3B**にはSJLIFE研究から造血器腫瘍ごとの到達年齢による二次がん累積発症負荷を示したが，Hodgkinリンパ腫では50歳で50%に近づく増加をみせており，小児がん全体でも37.3%とされ，三次がん以上もまれではなく深刻な問題である[2]．

小児がんにおいて成人がんに比べ二次がんのリスクが高くなる理由としては，遺伝的な要因が一部存在すること（Li-Fraumeni症候群など好発がん遺伝子変異），発育盛りの時期に発病・治療をすること，治療終了後の生命予後が長いため潜伏期の長い合併症である二次がんが検出されやすいことなどが考えられる．

治療に関連した二次がん発症の特徴を**表3**にまとめた．リスク因子としては，放射線療法が固形腫瘍と白血病の両者の発症と関連し，アルキル化剤，白金製剤，トポイソメラーゼII阻害薬の使用は，白血病の発

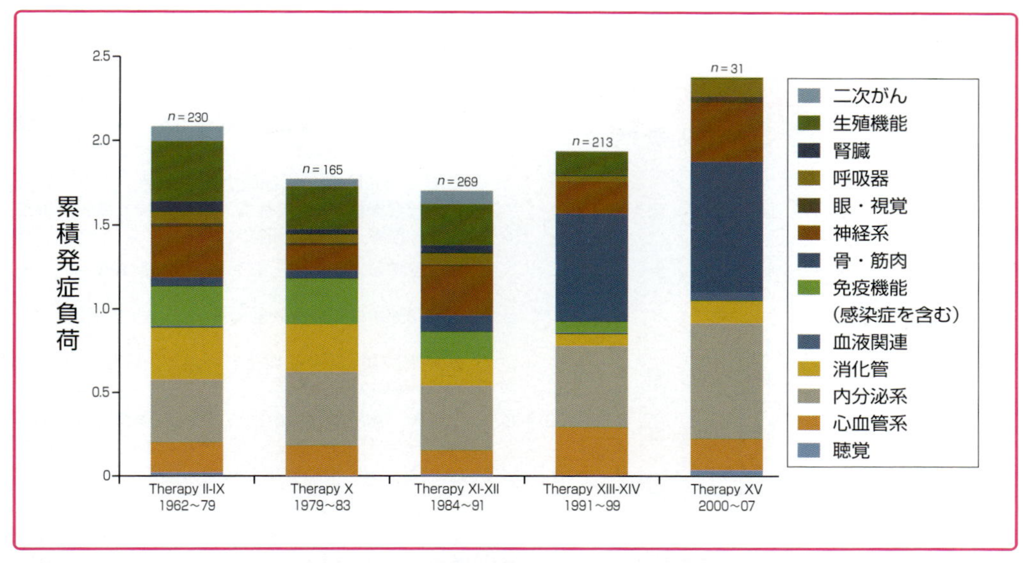

◆図 2　ALL における治療プロトコール別の晩期合併症とその種類
（文献 3 より引用）

症と関連している．二次がん発症までの期間にも特徴があり，AML/MDS は治療曝露後 6 年以内，肉腫は 10 年前後，甲状腺がんや成人型がんは 15 年以降である．脳腫瘍に関しては，悪性度の高いグリオーマ系は 15 年まで，悪性度の低い髄膜腫などは 15 年以降に多い二峰性がみられる．

5 造血幹細胞移植後長期的合併症

移植後の長期的合併症は，全身照射と大量化学療法のいわゆる前処置に伴うものと慢性 graft versus host disease（GVHD）によるものと大きく 2 つの機序に分けられる．肺障害は，移植後に生命予後にかかわる重要な合併症である．また移植後には内分泌系の問題が生じることが多いが，成長障害・甲状腺機能障害が主なものである．骨髄破壊的な通常移植後の不妊率はかなり高い．また移植後は二次的な免疫不全となるためワクチンの再接種は不可欠であり，造血細胞移植学会ガイドライン[5]を参考にして再接種を考慮する必要がある．二次がんとしては，わが国のデータでは移植後 15 年の累積発症割合は 2.9％とされ，慢性 GVHD が存在すると口腔・食道がんの持続的な増加が認められた．また移植後二次性骨髄系腫瘍解析の結果，同種移植後の方が自家移植後よりも累積発症割合が低く（10 年時点で 0.3％ vs. 1.8％，$p < 0.001$），より若い患者で移植後早期に発症する傾向がみられた．同種移植後の二次性骨髄系腫瘍の約半数はドナー由来で，レシピエント由来よりも発生が遅く，多変量解析では，強度低下の前処置と臍帯血移植がリスク増加に関連していた．全生存期間は，同種と自家移植後の患者ともにきわめて予後不良であった（5 年 18％ vs 22％，$p = 0.48$）．

6 最近の長期 FU ガイドラインの動向

現在ではインターネットを通じ欧米の長期 FU のガイドラインや関連情報が入手可能である．最も有名なものは Children's Oncology Group（COG）の長期 FU ガイドラインで，現在は 2018 年第 5 版が公開されている（http://www.survivorshipguidelines.org/）．わが国でも JCCG 長期 FU 委員会から小児がんに関する包括的なガイドが 2021 年に 8 年ぶりに改訂された[6]．2010 年からは国際的なコンセンサスを得る目的でガイドラインのハーモナイゼーションの動きがあり，わが国も適宜参加しエビデンスに基づいたガイドラインが有名雑誌に次々と発表されている[7]．2017 年には日本癌治療学会から「小児思春期，若年がん患者の妊孕性温存に関するガイドライン」が出版され，今後は造血器腫瘍の治療においても妊孕性温存を考慮する必要がある．また造血幹細胞移植後の問題に関しては，2012 年に欧米の主な移植グループ（EBMT/CIBMT/ASBMT）による移植後の長期 FU のスクリー

◆表２　主な身体的晩期合併症

臓器	曝露された治療因子			可能性のある晩期合併症
	薬物療法	放射線	幹細胞移植	
すべて	—	あらゆる領域	慢性 GVHD	二次がん（皮膚，乳房，甲状腺，脳，大腸，骨，軟部組織，口腔，食道，唾液腺など）
中枢神経系 神経認知 運動知覚	MTX，Ara-C（髄注／大量）	頭蓋 and/or 脳	TBI	知能・認知障害（遂行能力，集中力，記憶，処理スピード，統合機能），学習障害，脳神経機能障害，麻痺，小脳失調，痙攣，運動・知覚欠失
中枢血管	—	頭蓋 and/or 脳		脳血管障害（脳卒中，もやもや病，脳梗塞）
末梢神経系	VCR，VLB，CDDP，CBDCA	—		末梢感覚または運動神経障害
聴力	CDDP，CBDCA	頭蓋 and/or 脳		感音性難聴（30Gy 以上），伝音性難聴・耳管機能障害（放射線のみ）
眼／視覚	BU，ステロイド	頭蓋 and/or 脳	慢性 GVHD，TBI	白内障，網膜症（放射線のみ），脳神経麻痺（脳外手術のみ）
視床下垂体	—	頭蓋 and/or 脳	TBI	成長ホルモン分泌不全，思春期早発，ゴナドトロピン分泌不全，中枢性副腎不全，
甲状腺	—	頭頸部，脊髄（頸部，全脊椎）	TBI	甲状腺機能低下，甲状腺機能亢進症，甲状腺種腫瘤（放射線のみ）
心血管系	アントラサイクリン系薬剤	胸部，腹部，脊椎（腰椎，仙椎，全脊椎）	大量 CPM	心筋症，心不全，不整脈，潜在性左心機能低下放射線のみ：弁膜症，動脈硬化，心筋梗塞，心外膜炎，心外膜線維化
呼吸器系	BLM，BU，CCNU/BCNU	胸部，腋窩	慢性 GVHD，TBI	肺線維症，間質性肺炎，拘束性／閉塞性肺疾患，肺機能障害
乳房	—	胸部，腋窩	TBI	乳房発育障害，乳がん
歯	あらゆる抗がん薬	頭頸部，脊髄（頸部，全脊椎）	BU，TBI	歯発育障害（歯／歯根無形性，小歯症，エナメル形成異常），歯周病，う歯，骨壊死（40Gy 以上）
消化器系	—	頸部，胸部，腹部，骨盤，脊椎	急性／慢性 GVHD	食道狭窄，慢性腸炎，消化管狭窄，癒着／閉塞，失禁
肝胆道系	代謝拮抗薬（6-MP，MTX）	腹部	慢性 GVHD	肝機能障害，肝中心静脈閉塞症，肝線維症，肝硬変，胆石症
腎臓	CDDP，CBDCA，IFO，MTX	腹部	急性／慢性 GVHD，TBI	糸球体障害，尿細管障害，腎不全，高血圧
膀胱	CPM，IFO	骨盤（膀胱を含む場合）：腰仙椎体	大量 CPM	出血性膀胱炎，膀胱線維化，尿排出障害，神経因性膀胱，膀胱腫瘍（CPM，放射線）
骨	ステロイド，MTX	—	慢性 GVHD ステロイド	骨塩量減少／骨粗鬆症，骨壊死
骨・筋肉	—	あらゆる領域		成長障害／左右非対称，機能／運動障害，低形成，線維化，骨折，側弯症／後弯症（体幹部位）
性腺／不妊：男性	アルキル化薬（CCNU/BCNU，CPM，PCZ）	精巣	TBI，大量アルキル化薬（BU，CPM，L-PAM）	男性ホルモン分泌低下，思春期遅発／停止，精子形成障害，不妊，勃起／射精障害
性腺／不妊：女性		骨盤，脊髄（腰・仙椎）		女性ホルモン分泌低下，思春期遅発／停止，早発無月経，卵巣予備能減少，不妊，子宮血流低下・膣線維化／狭小化（放射線のみ）
脾臓	—	腹部（40Gy 以上）		致死的な感染，脾機能不全（機能性／解剖学的）
皮膚	—	あらゆる領域	慢性 GVHD	永久的脱毛，皮膚色素沈着，毛細血管拡張，線維化，異形母斑

MTX: methotrexate, CDDP, cis-platinum, CBDCA: carboplatin, CPM: cyclophosphamaide, BLM: bleomycin, IFO: ifosphamide, 6-MP: 6-mercaptoprine;L-PAM: melphalan, PCZ: procarbazine, BU: busulfan, VCR: vincristine, VLB: vinblastine, TBI: total body irradiation, CCNU/BCNU: ニトロソウレア剤
（Children's Oncology Group long-term follow-up guideline および Hudson MM et al: Pediatrics **148**: e2021053127, 2021 を参考にして，造血細胞移植ガイドラインの内容を追加し著者作成）

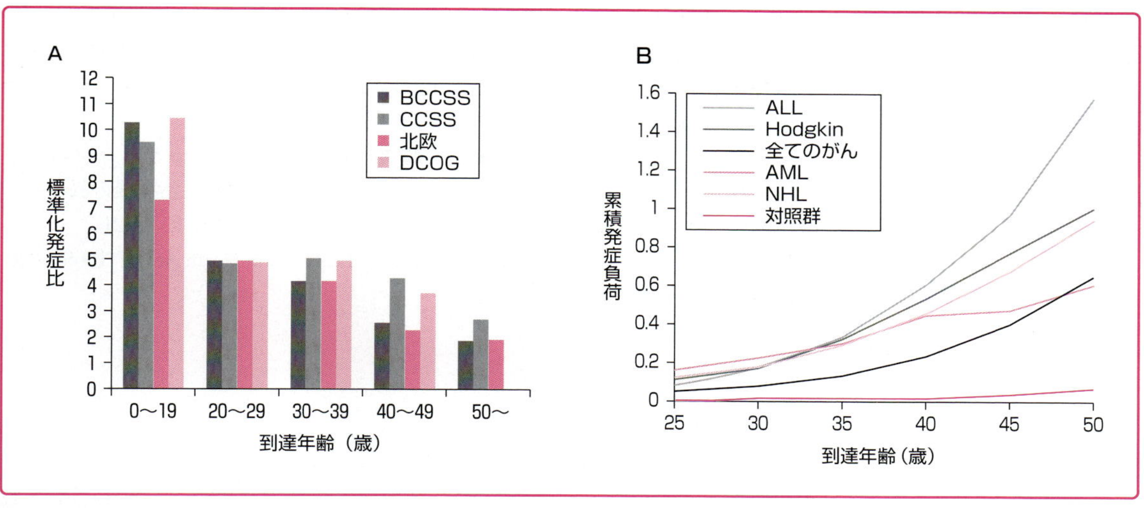

◆図 3 二次がんの発症
A：年齢別の二次がんの標準化発症比（文献 4 より引用）
B：造血器腫瘍別の累積発症負荷（文献 2 を参考に著者作成）

◆表 3 二次がんの特徴

二次がん		発症までの期間	リスク因子	臨床的特徴
MDS・AML		3〜6 年	アルキル化薬	潜伏期はやや長く 3〜20 年，MDS の形で発症することが多い，5 番（-5/del（5q））や 7 番（-7/del（7q））などの染色体異常と関連，典型的には高齢者に多い
			トポイソメラーゼII阻害	潜伏期は短く 0.5〜3 年と短い，突然白血化で発症しやすい，11q23 転座（*KMTA-1* 遺伝子）または 21q22 の転座を伴うことが多い，若年者にも多い
骨腫瘍		9〜10 年	放射線，アルキル化薬	放射線療法と関連して，線形の線量反応関係がみられる．放射線療法について調整した後，アントラサイクリン系薬剤またはアルキル化薬による治療も骨軟部腫瘍と関連しており，累積薬物曝露量に従ってリスクが増加する
軟部組織腫瘍		10〜11 年	放射線，若年，アントラサイクリン系	
甲状腺がん		13〜15 年	放射線（頸部，全身），若年（<5/10 歳），女性	Hodgkin リンパ腫，ALL，脳腫瘍に対する頭頸部放射線療法，神経芽腫に対する ^{131}I-MIBG 療法，造血幹細胞移植のための TBI の後に報告が多い．放射線曝露との間には，線形の線量－反応関係が 29Gy まで認められ，それ以上線量が高くなるとリスクが低下し，殺細胞効果と考えられている
脳腫瘍	グリオーマ	5〜10 年	放射線（頭蓋），若年（<6 歳）	放射線の照射線量との線形の関係が実証され，40〜60 Gy の大量の照射後に 5〜10 年後に発生することが多い
	髄膜腫	20〜40 年	放射線（頭蓋），加齢，MTX 髄注	放射線療法後のリスクは，線量とともに増大するが，たとえ低線量でも発生しうるとされ，髄腔内 MTX の投与量の増加に伴って増大する
	海綿状血管腫		放射線（頭蓋），加齢	照射後に相当な頻度で報告されているが，真の腫瘍形成とは対照的に，血管新生過程により発生すると推定されている
乳がん		15〜20 年	放射線，女性，家族歴，*BRCA* 遺伝子	Hodgkin リンパ腫後に報告が多い．放射線照射によって生じる乳がんは，散発性乳がんの女性と比較すると，エストロゲン受容体陰性，プロゲステロン受容体陰性乳がんのリスクが 2 倍高く，悪性度の高い臨床病理学的特徴がある．最近の報告ではアントラサイクリンの関与も疑われる
成人型がん口腔がん		20〜50 年	放射線，移植後慢性 GVHD，加齢，生活習慣，アルキル化薬，白金製剤	大腸がんは，線量と照射容積によりリスクが増大し，アルキル化薬もリスク因子になる．慢性 GVHD 症例では口腔・食道がんの持続的な増加が認められる．腎がんは腹部照射，肺がんは胸部照射との関連が深い．喫煙など生活習慣もリスクを増加させる
皮膚がん		15〜30 年	放射線，アルキル化薬，紫外線曝露	非メラノーマ皮膚がんはがん生存者に最もよくみられる二次がんの 1 つで，放射線療法と強い相関を示す．悪性メラノーマも報告されているが，発生率ははるかに低い．日本人では比較的まれ

ニングと予防に関する推奨ガイドラインが出されたが，日本造血・免疫細胞療法学会でも成人・小児共同で移植後の長期 FU ガイドラインが作成され 2017 年に出版された[5)].

■文 献■

1）Gibson TM et al: Lancet Oncol **19**: 1590, 2018
2）Bhakta N et al: Lancet **390**: 2569, 2017
3）Mulrooney DA et al: Lancet Haematol **6**: e306, 2019
4）Turcotte LM et al: J Clin Oncol **36**: 2145, 2018
5）日本造血細胞移植学会ガイドライン委員会（編）：造血細胞移植ガイドライン第 4 巻，医薬ジャーナル社，2017
6）JCCG 長期フォローアップガイドライン作成ワーキンググループ（編）：小児がん治療後の長期フォローアップガイド．クリニコ出版，2021
7）Mulder RL et al: Pediatr Clin North Am **67**: 1069, 2020

5 妊孕性温存

到達目標

- 治療法ごとの妊孕性低下リスクと妊孕性温存療法を理解する

1 治療に伴う妊孕性低下リスクの患者への説明

造血器腫瘍は小児・AYA 世代のがんのなかでも頻度が高く，将来挙児を希望する患者が多く存在する．そのため，原疾患治療の緊急性や診断直後の精神的な負担に十分配慮しつつも，治療に伴う妊孕性低下リスクを可能なかぎり治療開始前に説明することが推奨される．(小児患者においては親権者への説明となるが，年齢と判断能力によって，患者自身へのインフォームド・コンセント，アセントが検討される)．そして，挙児希望がある場合には生殖医療の専門医と連携し，**妊孕性温存療法**の可能性や時期の検討を開始する．この段階で，あくまでも原疾患治療が最優先であり，原疾患の状況や全身状態によっては，妊孕性温存療法の実施が不可能となる場合があることを説明し，理解を得ておくことが重要である．

2 治療ごとの妊孕性低下リスク

主な造血器腫瘍治療の妊孕性低下リスクの分類は，米国臨床腫瘍学会（ASCO）のガイドラインとして2006 年に発表された．直近では 2013 年にアップデートされている[1]．わが国においても，癌治療学会より『小児 思春期・若年がん患者の妊孕性温存に関する診療ガイドライン 2017 年度版』として刊行されている．**表 1** に女性患者の治療後無月経リスク，および男性患者における治療後無精子症のリスクを示した．

ほとんどの造血器腫瘍の標準的な化学療法は男女ともに低リスクに分類される．例外は procarbazine を含むレジメンで，Hodgkin リンパ腫に対する BEACOPP 療法は高リスクに分類される．また，cisplatin や carboplatin など白金製剤の使用の有無や総量によって，中間リスクに分類される．一方，造血幹細胞移植の前処置は高リスクに分類される．さらに，腹部骨盤や精巣，頭蓋への放射線照射は線量によってリスクが分類されているので留意が必要である．

慢性骨髄性白血病（CML）に対するチロシンキナーゼ阻害薬（TKI）については，imatinib が妊孕性低下リスクは不明（それ以外の薬剤は記述なし）と位置づけられている．そのことを患者さんに説明したうえで，希望された場合には妊孕性温存療法の実施を検討する．しかし，TKI の妊孕性低下を示唆する最近の報告はなく，実臨床において treatment free remission（TFR）など休薬が可能と判断された場合に妊娠が試みられることは，日本血液学会造血器腫瘍ガイドラインにおいても記載されている．CML については妊孕性よりも催奇形性リスクに注意を払う必要がある．女性患者においては imatinib に加え，第 2 世代 TKI でも児の先天異常や流産が増加することが報告されており，TKI 治療中には妊娠を避けるべきである．男性患者においては，TKI 治療中にパートナーが妊娠した場合にも先天異常や流産リスクの増加がないことという報告が蓄積され，投与を継続したまま挙児を試みてよいと NCCN ガイドラインに記載されている．

3 女性患者の妊孕性温存療法

1）卵子（未受精卵）保存と胚（受精卵）保存

日常臨床で最も検討される妊孕性温存療法である．パートナーがいる場合には，より成功率の高い**胚凍結保存**が，パートナー不在の場合は**卵子凍結保存**が推奨される（パートナーがいても採精できないといったケースもあるので，既婚者でも卵子凍結保存の選択肢は考慮しうる）．時間的に余裕のある場合には排卵周期に合わせて卵巣刺激が開始されるが，血液疾患の場合はランダムスタート法が用いられることが多い．採卵は経腟的に行われ，卵子凍結保存の場合はそのまま

◆表１　治療後の性腺障害リスク

■女性

危険性	治療
高リスク：80％以上に永続性無月経	6 Gy（成人），15 Gy（思春期前女児），10 Gy（思春期後女児）以上の腹部骨盤への放射線照射 移植前処置の全身放射線照射（TBI） 5 g/m² 以上（40 代），7.5g /m² 以上（20 歳未満）の cyclophosphamide アルキル化薬を含む移植前処置（busulfan, cyclophosphamide, melphalan） Procarbazine を含む化学療法（COPP 療法，BEACOPP 療法など） 40 Gy 以上の頭部への放射線照射
中間リスク	5～10 Gy 以上の腹部骨盤への放射線照射（思春期後女児） 25 Gy 以上の脊髄照射
低リスク：20％未満で無月経	アルキル化薬を含まない Hodgkin リンパ腫治療（ABVD など） アルキル化薬を含まない非 Hodgkin リンパ腫治療（CHOP，CVP など） 急性骨髄性白血病に対する anthracycline ＋ cytarabine 急性リンパ性白血病に対する多剤併用療法
非常に低リスクあるいはリスクなし	Vincristine を用いた多剤併用療法 Methotrexete
リスク不明	チロシンキナーゼ阻害薬（imatinib）

■男性

危険性	治療
高リスク：遷延性無精子症	移植前処置の全身放射線照射（TBI） 2.5 Gy（成人），6 Gy（男児）以上の精巣への放射線照射 TBI もしくは骨盤への放射線照射＋アルキル化薬 アルキル化薬を含む移植前処置（busulfan, cyclophosphamide, melphalan） procarbazine を含む化学療法（COPP 療法，BEACOPP 療法など） 総量 7.5 g/m² を超える cyclophosphamide 40 Gy を超える頭蓋照射
中間リスク：遷延性無精子症は通常ないもの	総量 400 mg/m² を超える cisplatin 総量 2 g/m² を超える carboplatin
低リスク：一時的な無精子症	アルキル化薬を含まない Hodgkin リンパ腫治療（ABVD など） アルキル化薬を含まない非 Hodgkin リンパ腫治療（CHOP など） 急性骨髄性白血病に対する anthracycline ＋ cytarabine
非常に低リスクあるいはリスクなし	Vincristine を用いた多剤併用療法
リスク不明	チロシンキナーゼ阻害薬（imatinib）

（2010 年に発表された Levine らのレビュー[2]，および 2013 年の ASCO ガイドライン[1] の Data supplement を参考に著者作成）

凍結へ，胚凍結保存の場合は受精および胚培養のステップを経て凍結し，液体窒素内で保管される．問題点として，ランダムスタートであっても，採卵まで2～4週間を要するため，その期間の治療の遅れを許容できるかどうかの見きわめが重要である．また，卵巣過剰刺激症候群（ovarian hyperstimulation syndrome：OHSS）による胸腹水や血栓症，採卵穿刺時の感染や出血のリスクがある．

2）卵巣組織凍結

卵巣組織凍結は，卵子凍結保存や胚凍結保存の時間的な余裕がない場合や，思春期前の小児に対して検討される．腹腔鏡下で卵巣を摘出し，薄切して液体窒素内に凍結保存される[3]．欧米を中心に症例数の増加が報告されているが，今のところ「研究段階の治療法」と位置づけられている．保存した卵巣内に残存する腫瘍細胞の混入の危険性の点から，一般的には推奨されていない．（特に白血病や Burkitt リンパ腫は高リスクと位置づけられている）．しかし，保存卵巣の移植後には高率に内分泌的な卵巣機能の回復が報告されており，将来的な技術の発展に期待して一部の施設では倫理委員会の審査の下で実施されている．

3）卵巣遮蔽

造血幹細胞移植の前処置に用いられる全身放射線照射（TBI）による不可逆的な卵巣機能障害を回避する目的で実施される．卵巣および周囲組織への照射線量の低下に伴う再発リスクの増加には注意が必要であるが，通常の移植と比べ明らかな再発の増加はなかったことが報告されている[4]．多数例での報告を待つ必要があるが，寛解状態の患者に限定し，造血幹細胞移植前に卵子もしくは胚凍結保存が困難なケースにおいて期待される選択肢である．

4 男性患者の妊孕性温存療法

1）精子保存

精子凍結保存は，男性の妊孕性温存療法として確立した方法である．1日で実施できることから，患者の体調が許せば原疾患に対する化学療法開始前に実施されている．実施できなかった場合には，化学療法の合間や造血幹細胞移植前の実施が試みられるが，その場合には精子の染色体や構造に影響がでている可能性があることが指摘されている．そのため可能であれば治療開始前の実施が推奨される．マスターベーションによる精液採取が一般的であるが，小児など射精できない場合には電気刺激などによる射精により精子を採取する方法もある．凍結精子を用いた妊娠は50～60％の挙児の可能性が報告されており，実績のある方法である[5]．

2）精巣内精子採取術（TESE）

射出精液内に精子を認めない患者に対して検討される．陰嚢内手術で精細管から精子を採取する．術前に精子が回収可能かを予測する因子については，確立されたものが現時点ではないとされている．

以上，血液疾患患者の妊孕性温存に関して臨床医が知っておくべきことを概説した．血液領域で使用される新規薬剤に関してはガイドラインに記載がないものも多く，今後のアップデートが待たれる．

■文　献■

1）Loren AW et al: J Clin Oncol **31**: 2500, 2013
2）Levine J et al: J Clin Oncol **28**: 4831, 2010
3）Donnez J et al: N Engl J Med **26**: 1657, 2017
4）Ashizawa M et al: Biol Blood Marrow Transplant **25**: 2461, 2019
5）van der Kaaij et al: Hum Reprod **29**: 525, 2014

1 骨髄・末梢血スメア標本

到達目標

- 骨髄・末梢血スメア標本を観察し，形態学的評価ができる

1 末梢血の赤血球形態異常

赤血球は疾患や病態によって，さまざまな形態変化をきたす．

A 菲薄赤血球（図 1）

菲薄赤血球は，赤血球中央部の central pallor が拡大したヘモグロビン含有量の少ない赤血球である．菲薄赤血球が認められる代表的疾患は，重症鉄欠乏性貧血，サラセミアである．

B 球状赤血球（図 2）

正常成熟赤血球は円板状の形態を示すが，球状赤血球の形態は球状で，サイズは小さく，central pallor が欠如している．末梢血塗抹標本の引き終わりの部分では，正常の赤血球でも球状となるため，球状赤血球の判定のためには，標本の赤血球同士が互いに近接している部分で観察する．遺伝性球状赤血球症，自己免疫性溶血性貧血，熱傷などでみられる．

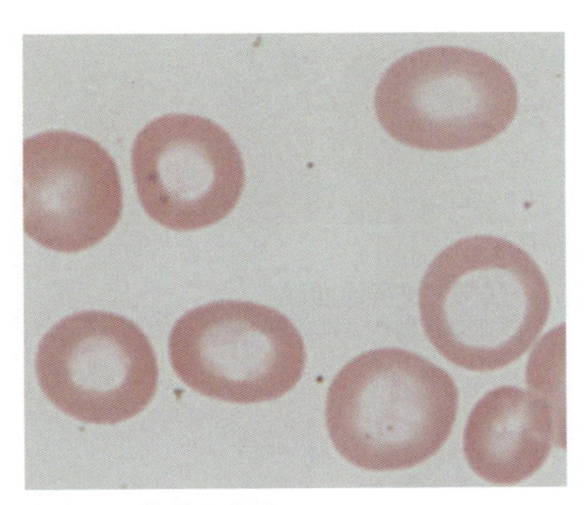

◆図 1　菲薄赤血球
末梢血塗抹標本（May-Giemsa 染色）

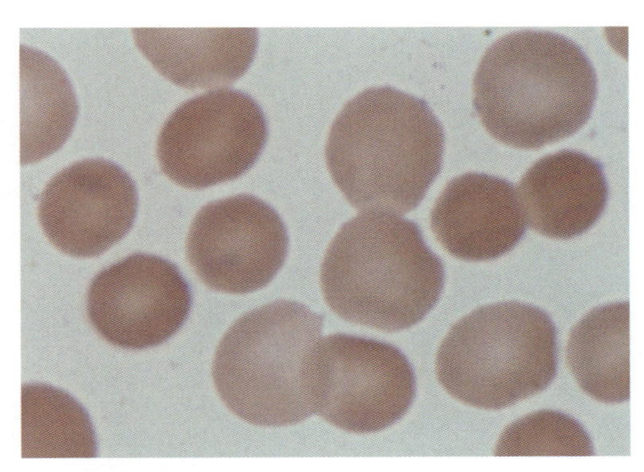

◆図 2　球状赤血球
末梢血塗抹標本（May-Giemsa 染色）

C 標的赤血球（図 3）

塗抹標本では標的赤血球は「標的」のようにみえるため，そう呼ばれるが，実際の形態はメキシカンハット様である．体積に比して細胞膜が過剰な赤血球である．重症鉄欠乏性貧血やサラセミアでは，相対的膜量の増加が原因となり認められる．肝硬変，閉塞性黄疸などの肝疾患でも標的赤血球は認められ，細胞膜の過剰な伸展が原因と考えられている．

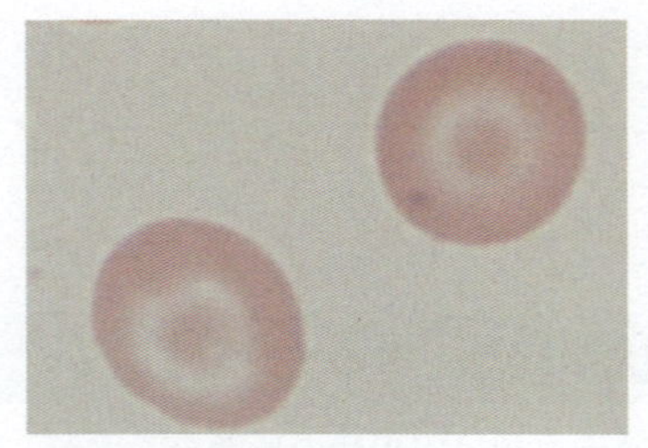

◆図 3　標的赤血球
末梢血塗抹標本（May-Giemsa 染色）

D 涙滴赤血球（図 4）

涙滴赤血球は，涙滴に似て一端が細長く尖っている．骨髄線維症やがんの骨髄転移などで認められる．

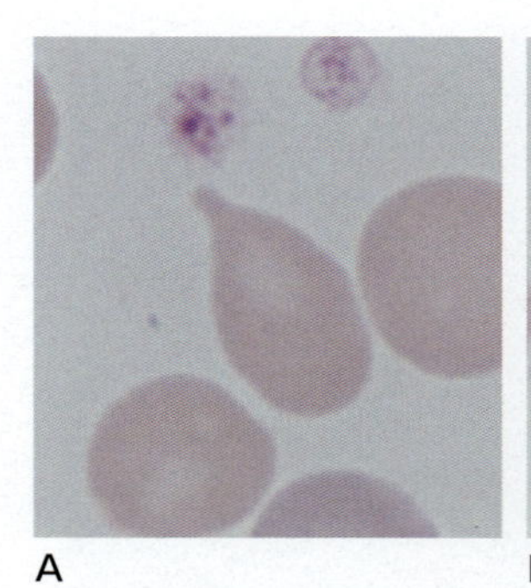

A

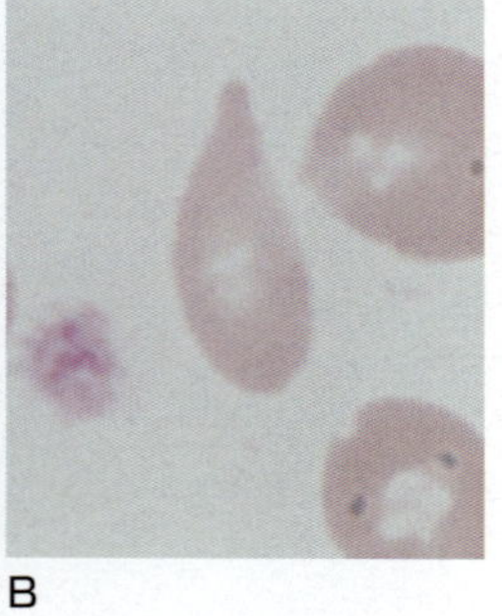

B

◆図 4　涙滴赤血球
末梢血塗抹標本（May-Giemsa 染色）

E 破砕赤血球（図 5）

破砕赤血球は，破壊された赤血球で，その細胞形態は不定型で多彩である．微小血管障害性溶血性貧血（microangiopathic hemolytic anemia：MAHA）ではさまざまな原因疾患を背景に細小血管で微小血栓が形成され赤血球破砕が起こる．血栓性微小血管症（thrombotic microangiopathy：TMA）や播種性血管内凝固（disseminated intravascular coagulation：DIC）は主たる病因である．破砕赤血球は，赤血球が心臓・大血管の異常（人工弁置換術後など）や骨髄異形成症候群（myelodysplastic syndromes：MDS），巨赤芽球性貧血，熱傷などでも認められることがある．

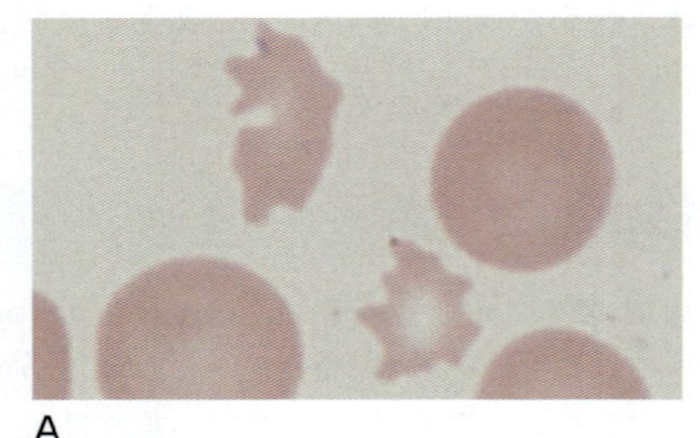

A

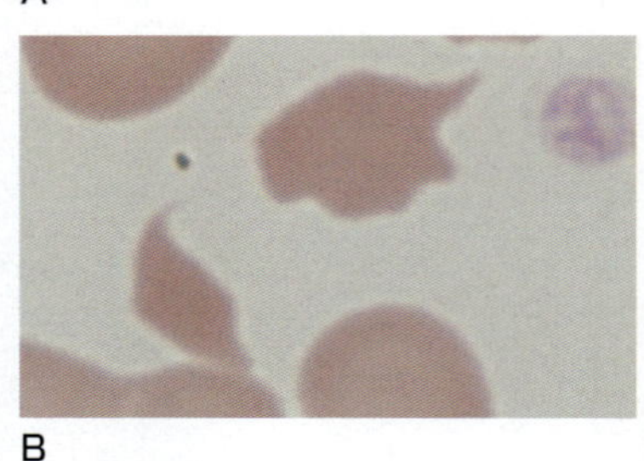

B

◆図 5　破砕赤血球
末梢血塗抹標本（May-Giemsa 染色）

2 代表的な細胞異形成

細胞異形成は非クローン性疾患，薬剤使用，化学物質曝露，栄養素の欠乏などでも認められるため，細胞異形成そのものが必ずしもクローン性造血の証拠とはならないが，低分葉好中球（偽Pelger核異常），無（脱）顆粒好中球，微小巨核球，環状鉄芽球は，MDSや急性骨髄性白血病などの骨髄系腫瘍に特異度が高い．

A 低分葉好中球（偽 Pelger 核異常）（図 6）

典型的な偽Pelger核異常は鼻眼鏡状と表現される核を示す．二分葉はfineまたはthinフィラメントで結合し，粗大な核クロマチン構造を持つ．MDSや急性骨髄性白血病等の骨髄系腫瘍でみられる．

B 無（脱）顆粒好中球（図 7）

無顆粒または80％以上の顆粒の減少がある．2/3以上の顆粒の減少と定義される場合もある．

C 微小巨核球（図 8）

単核，またはときに二核で，サイズは前骨髄球以下である．

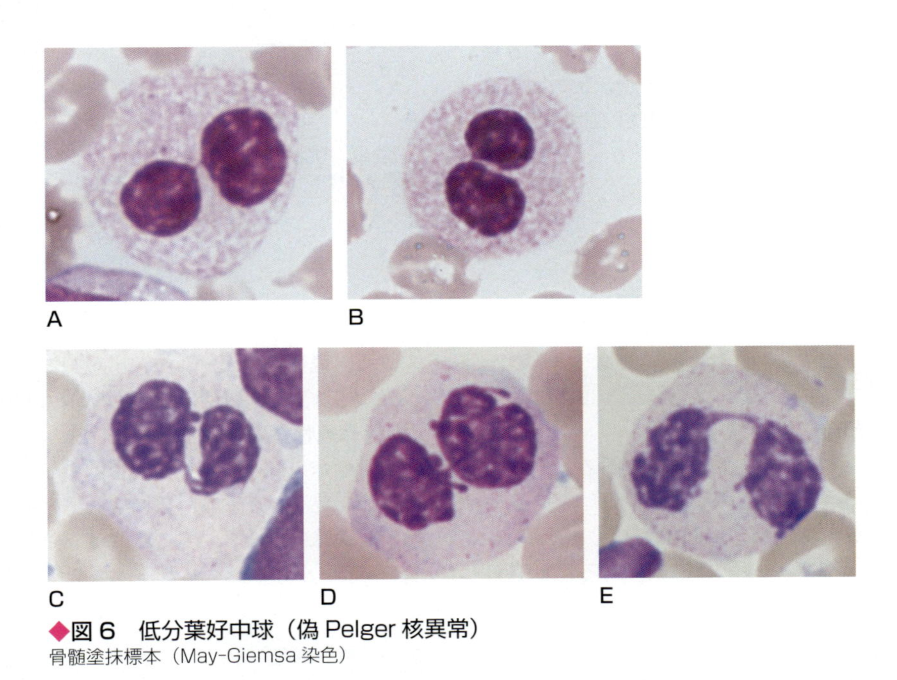

◆図 6　低分葉好中球（偽 Pelger 核異常）
骨髄塗抹標本（May-Giemsa 染色）

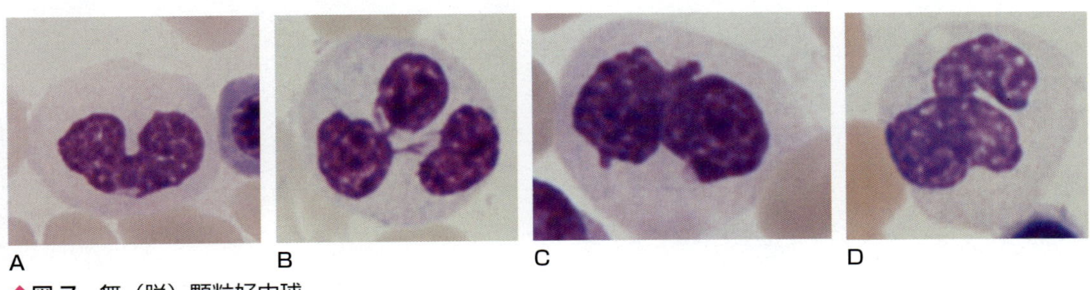

◆図 7　無（脱）顆粒好中球
骨髄塗抹標本（May-Giemsa 染色）

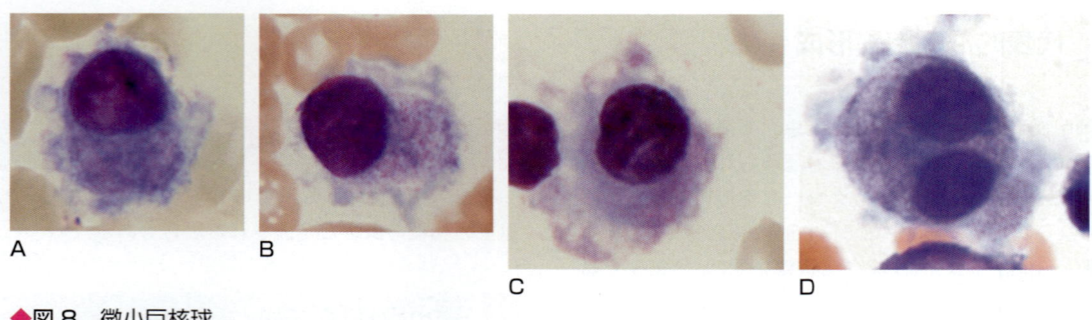

◆図 8 微小巨核球
骨髄塗抹標本（May-Giemsa 染色）

D 環状鉄芽球（図 9）

ポルフィリン環形成不全のため，余剰となった鉄がミトコンドリア内で貯留し，ミトコンドリアは膨張する．鉄顆粒があたかも「指輪」のように核周囲に配列する．通常は，核周の 1/3 以上に，核に沿って 5 個以上の明瞭な鉄顆粒を認める．*SF3B1* 遺伝子の変異は環状鉄芽球を有し芽球増加のない MDS 症例の約 3/4 にみられる．

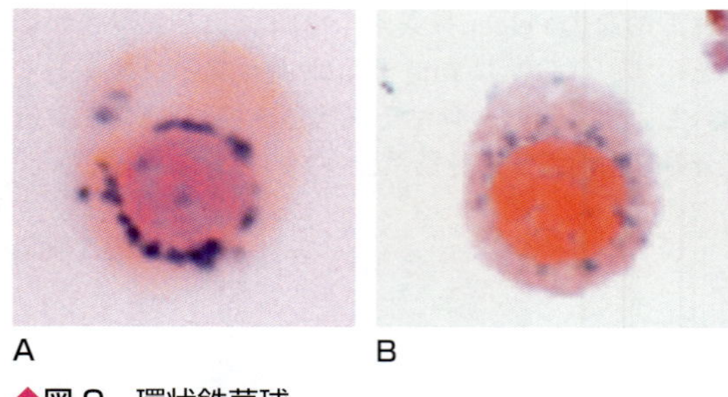

◆図 9 環状鉄芽球
骨髄塗抹標本（プルシアンブルー鉄染色）

3 疾患編

A 急性骨髄性白血病

a）骨髄芽球：顆粒陰性芽球（図 10）

核 / 細胞質比が高く，核網は繊細である．細胞質に顆粒を認めない．

b）骨髄芽球：顆粒陽性芽球（図 11）

核 / 細胞質比が高く，核網は繊細である．細胞質にゴルジ野を認めず，顆粒が出現している．

c）t(8;21)(q22;q22.1);*RUNX1::RUNX1T1* を伴う急性骨髄性白血病（図 12）

前骨髄球以降への分化傾向を示す．芽球は小型から大型まで混在しており，核に切れ込みを有するものもある．芽球のみならず，ときには成熟顆粒球にも細胞質に Auer 小体が認められる．細胞質の辺縁が好塩基

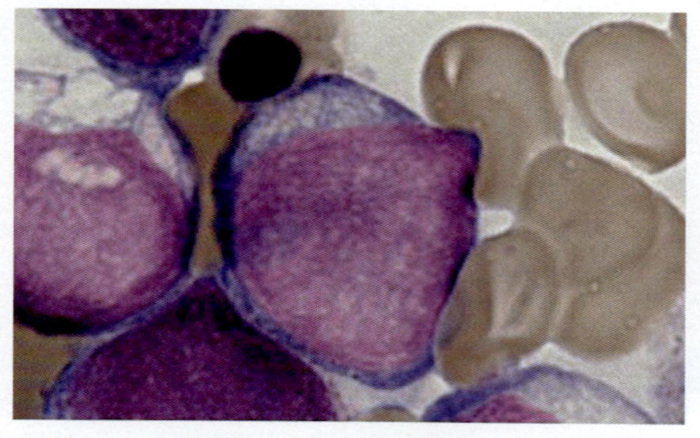

◆図 10 骨髄芽球：顆粒陰性芽球
骨髄塗抹標本（May-Giemsa 染色）

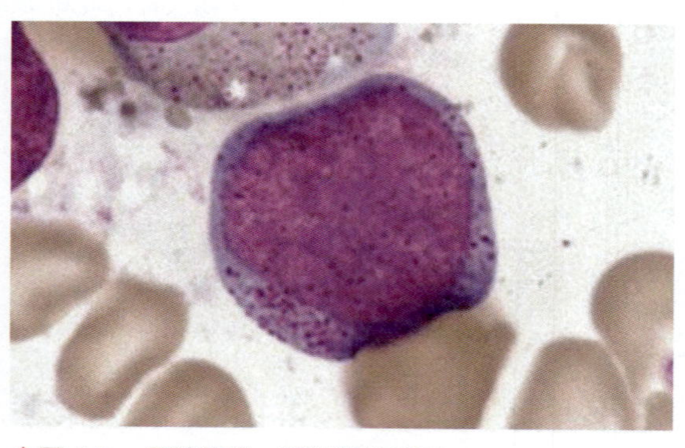

◆図 11 骨髄芽球：顆粒陽性芽球
骨髄塗抹標本（May-Giemsa 染色）

性であるが，内部はサーモンピンクに染まっている成熟顆粒球が特徴である．また，偽 Pelger 核異常を示したり，脱顆粒などの形態異常を有する．好酸球が増加していることも多い．巨核球は減少しており，形態異常も認めない．

d）inv(16)(p13.1q22) あるいは t(16;16)(p13.1;q22);*CBFB::MYH11* を伴う急性骨髄性白血病（図 13）

白血病細胞は，顆粒球系細胞と単球系細胞への分化傾向を認める．好酸性に染まる顆粒と，異染性を示し紫色に染まる粗大な顆粒が混在する好酸球が特徴的であり，好酸球は5%以上に増加している．ただし，成熟好酸球では異染性を示す顆粒は認めない．

e）*PML::RARA* を伴う急性前骨髄球性白血病（図 14）

細胞質はアズール顆粒に富み，核小体を有する前骨髄球様の細胞が増加している．Auer 小体が束になったファゴット細胞を認める．核は切れ込みが深く，二分葉を示す細胞が典型的である（**図 14A**）．ミエロペルオキシダーゼ（MPO）染色は強陽性である（**図 14B**）．顆粒が乏しいか，微細なアズール顆粒を有するタイプを非定型急性前骨髄球性白血病（M3 variant）と呼んでいる（**図 14C**）．Auer 小体を認めることもある．診断が困難な症例もあるが，深い切れ込みがあり，核が二分葉を呈している細胞や MPO 染色が強陽性であることなどは通常の急性前骨髄球性白血病同様に特徴的である（**図 14D**）．

f）急性骨髄性白血病，非特異型：最未分化型（図 15）

核 / 細胞質比が高く，核網は繊細な芽球を認める．MPO 染色は陰性である．しかし，細胞表面マーカーは CD13，CD33 陽性であり，抗 MPO モノクローナル抗体による免疫細胞化学染色（**図 15B**）では陽性であることより，急性骨髄性白血病：最未分化型と診

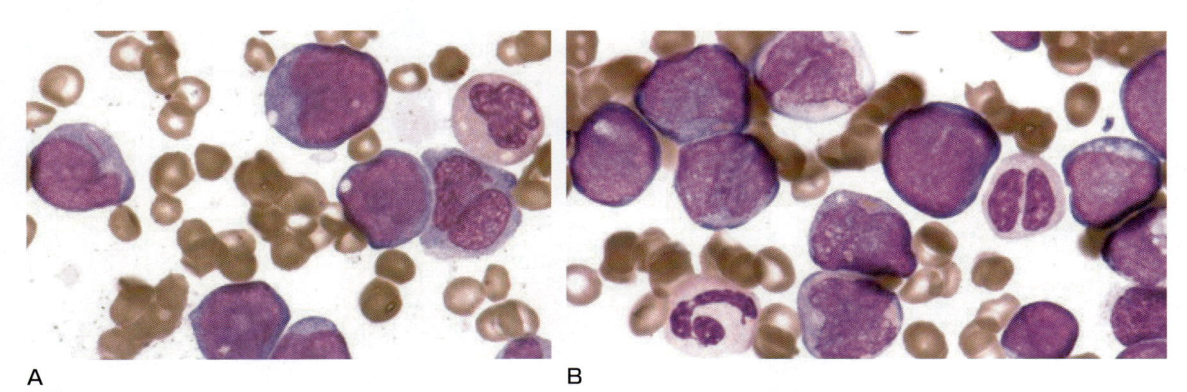

A　B

◆図 12　t(8;21)(q22;q22.1);*RUNX1::RUNX1T1* を伴う急性骨髄性白血病
骨髄塗抹標本（May-Giemsa 染色）

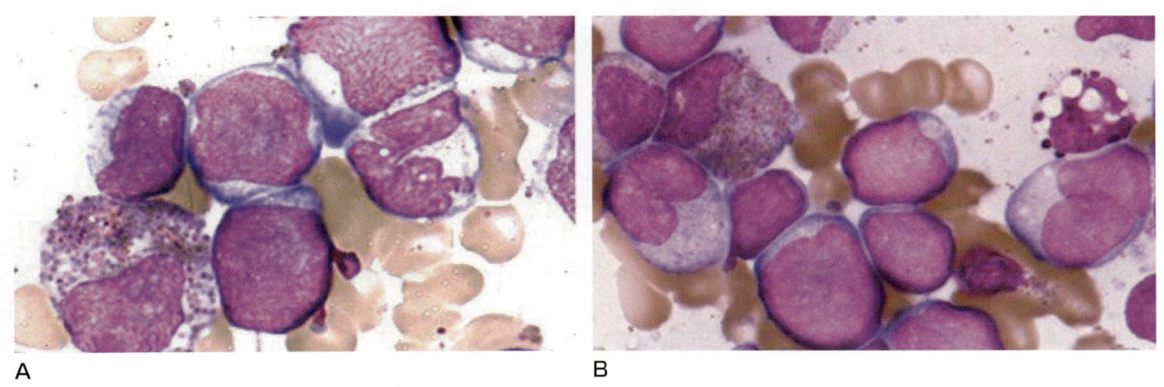

A　B

◆図 13　inv(16)(p13.1q22) あるいは t(16;16)(p13.1;q22);*CBFB::MYH11* を伴う急性骨髄性白血病
骨髄塗抹標本（May-Giemsa 染色）

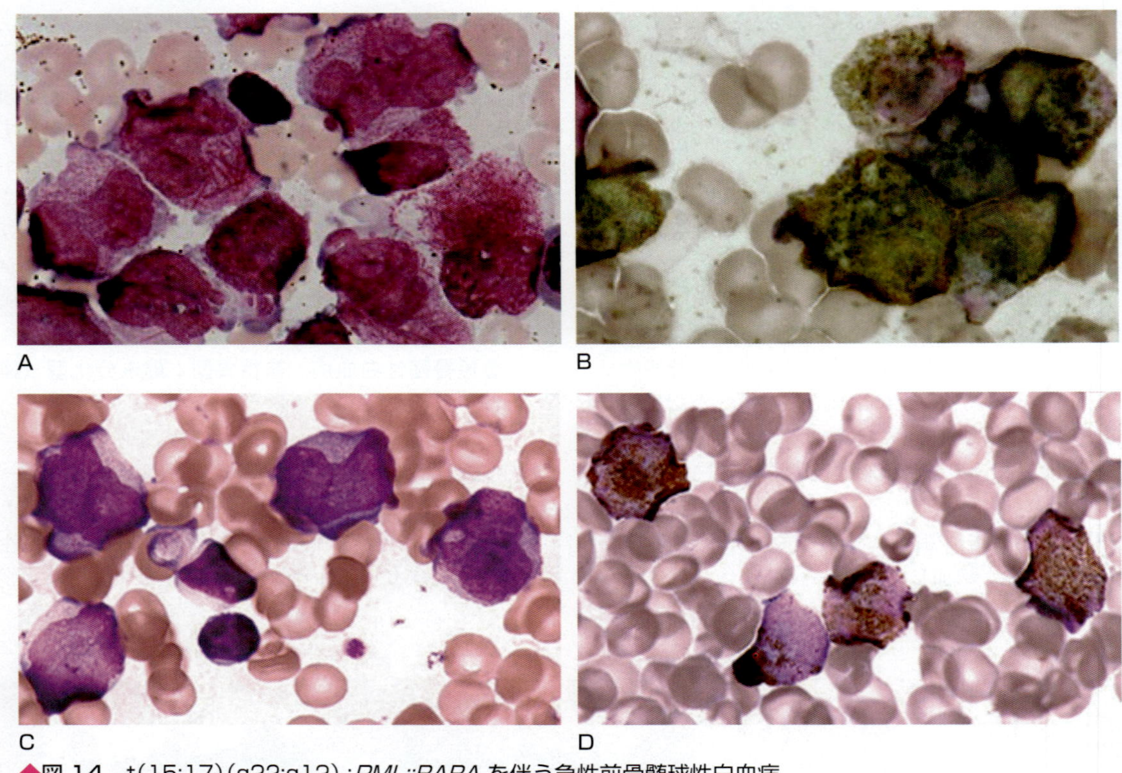

◆**図 14　t(15;17)(q22;q12);*PML::RARA* を伴う急性前骨髄球性白血病**
骨髄塗抹標本．A，C：May-Giemsa 染色，B，D：MPO 染色

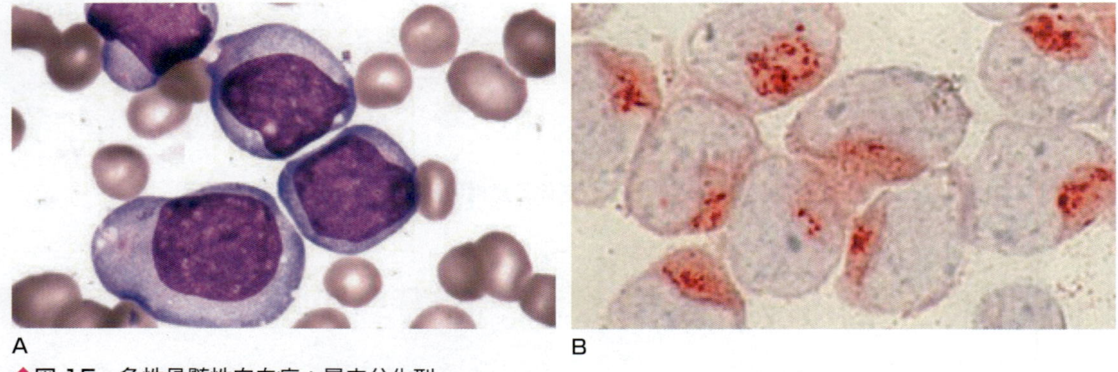

◆**図 15　急性骨髄性白血病：最未分化型**
骨髄塗抹標本．A：May-Giemsa 染色，B：MPO 免疫染色

断できる．

g）急性骨髄性白血病，非特異型：未分化型（図 16）

核 / 細胞質比が大きく，核網が繊細で，核小体を認める細胞（芽球）が主体である．細胞質には顆粒はない（顆粒陽性芽球を認める場合もある）が，一部の細胞は Auer 小体を有する．芽球は MPO 染色陽性であり，成熟顆粒球は 10% 未満である．

h）急性骨髄性白血病，非特異型：分化型（図 17）

核 / 細胞質比が大きく，核網が繊細で，核小体を認める細胞が多く，一部の細胞は Auer 小体を有する．成熟顆粒球は 10% 以上存在し，分化傾向が認められる．

i）急性骨髄性白血病，非特異型：急性骨髄単球性白血病（図 18）

骨髄芽球や成熟顆粒球がある一方，核の変形を認め，単球と思われる細胞も存在する．本例ではエステラーゼ二重染色（**図 18B**）により急性骨髄単球性白血病であることが確認できる．単球の一部は非特異的エステラーゼが染まらないことがある．

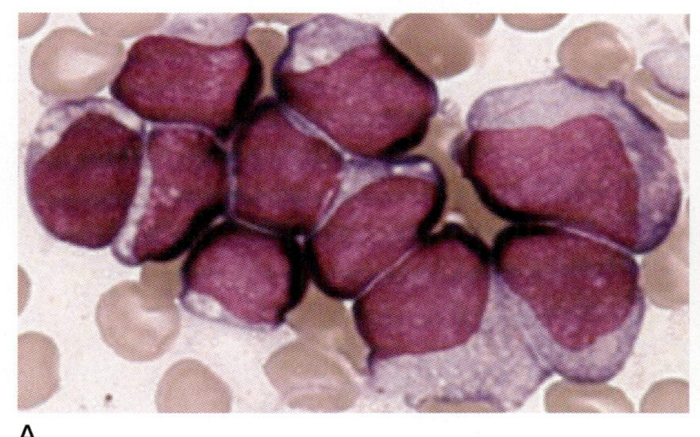

A

B

◆図 16　急性骨髄性白血病：未分化型
骨髄塗抹標本．**A**：May-Giemsa 染色，**B**：MPO 染色

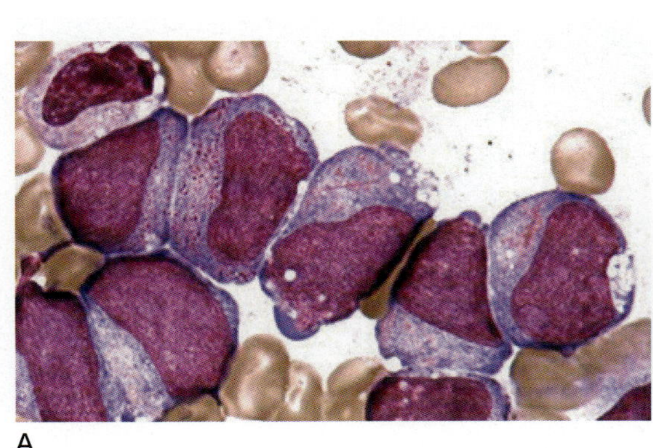

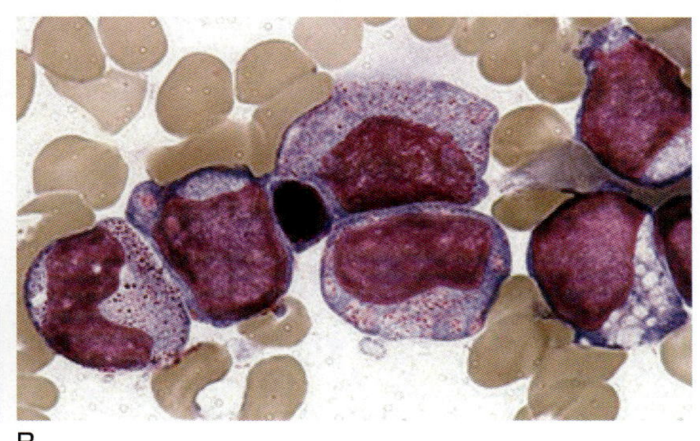

A

B

◆図 17　急性骨髄性白血病：分化型
骨髄塗抹標本（May-Giemsa 染色）

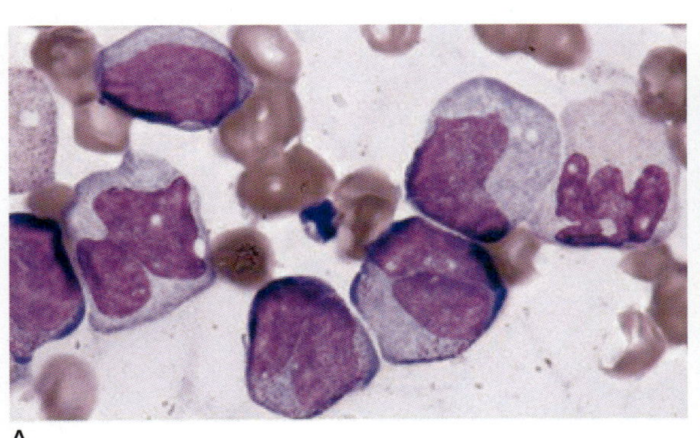

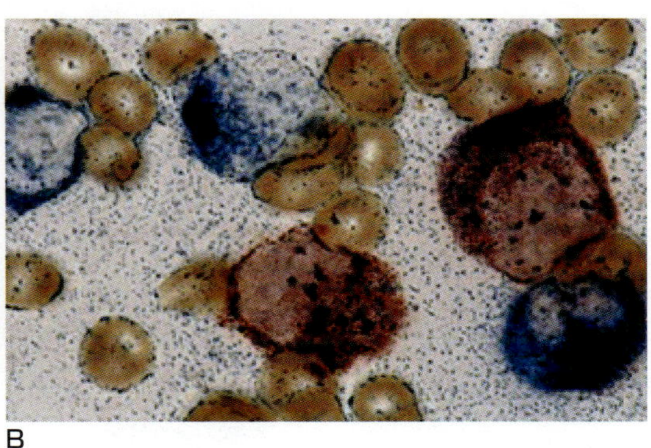

A

B

◆図 18　急性骨髄単球性白血病
骨髄塗抹標本．**A**：May-Giemsa 染色，**B**：エステラーゼ二重染色

j）急性骨髄性白血病，非特異型：急性単芽球性白血病および急性単球性白血病（図 19）

急性単芽球性白血病（図 19A）では，やや広く好塩基性の細胞質を有する細胞（単芽球）が主体である．中央に核小体を認める．急性単球性白血病（図 19B，C）では，一部は細胞質が狭いが，多くは広い細胞質を持ち，細胞質には微細顆粒を有する．核に切れ込みを持つ前単球～単球が主体である．MPO 染色は前者は陰性であり，後者は弱陽性に染色される．これらの細胞は非特異的エステラーゼが陽性であるが，欠損する症例も認められる．

k）急性骨髄性白血病，非特異型：未分化型純粋赤血病（図 20）

細胞は非常に大きく，細胞質は好塩基性で空胞を有する．核網は繊細である．

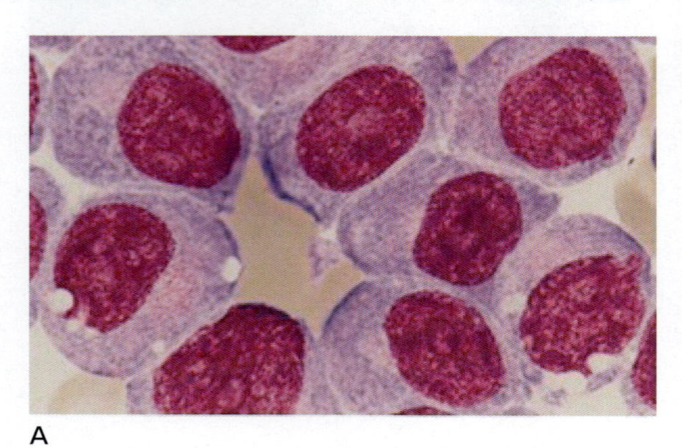

A

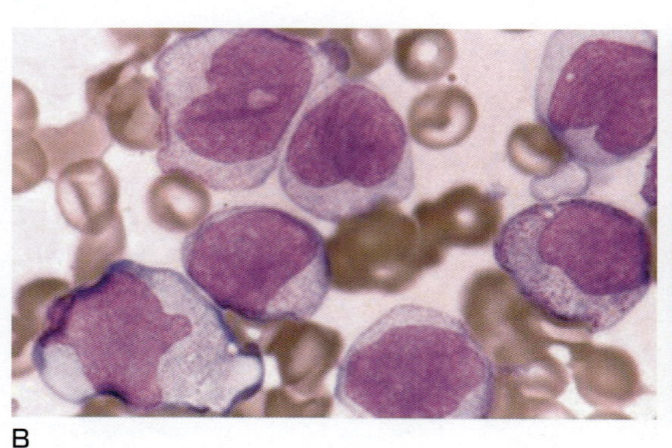

B

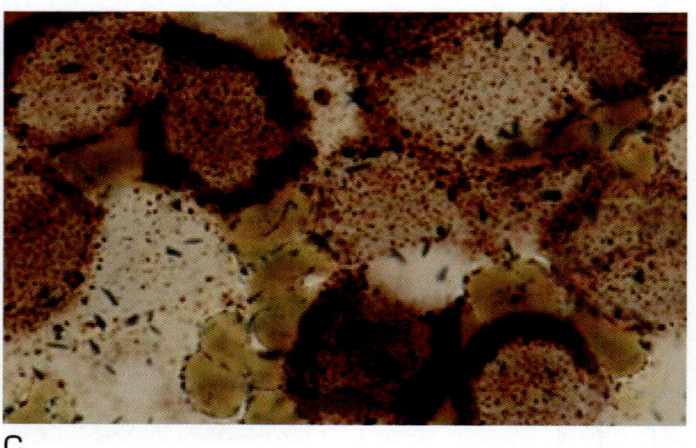

C

◆図 19　急性単芽球性白血病（A）および急性単球性白血病（B，C）
骨髄塗抹標本．A，B：May-Giemsa 染色，C：エステラーゼ二重染色

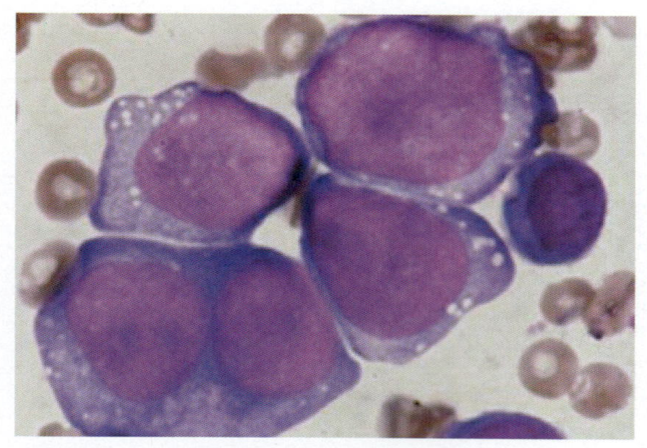

◆図 20　未分化型純粋赤血病
骨髄塗抹標本（May-Giemsa 染色）

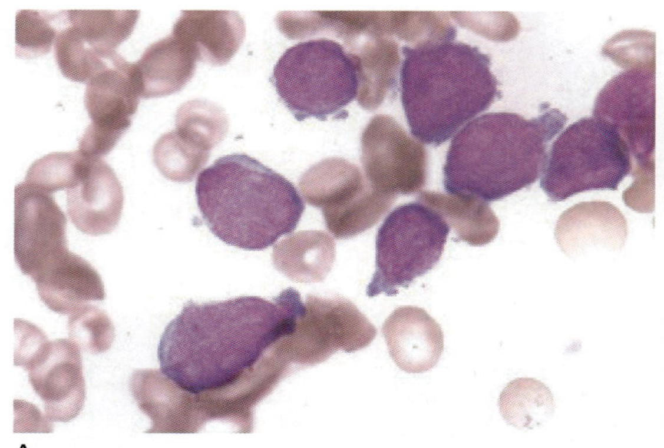

A 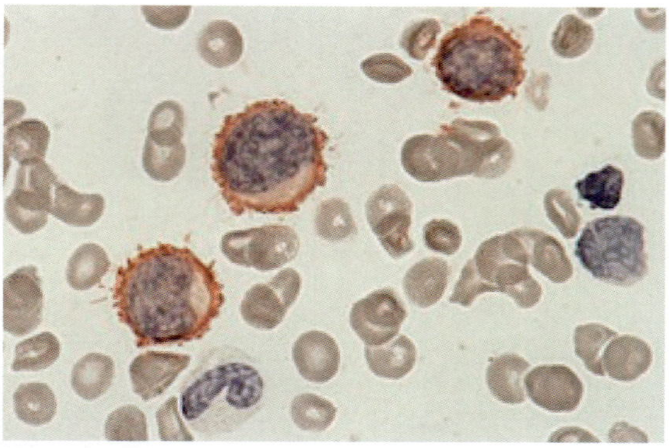　　B

◆図 21　急性巨核芽球性白血病
骨髄塗抹標本．A：May-Giemsa 染色，B：CD41 免疫染色

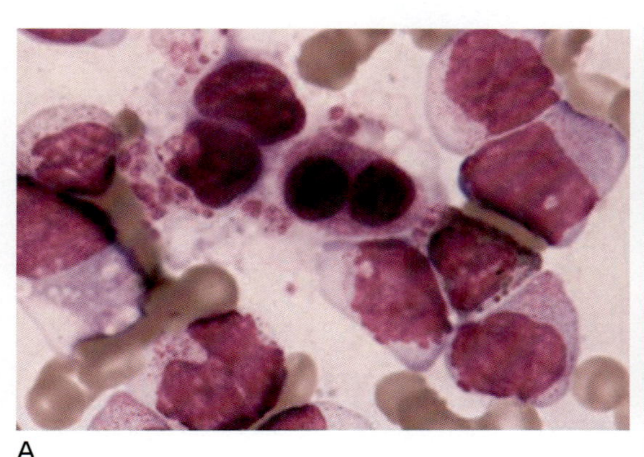

A 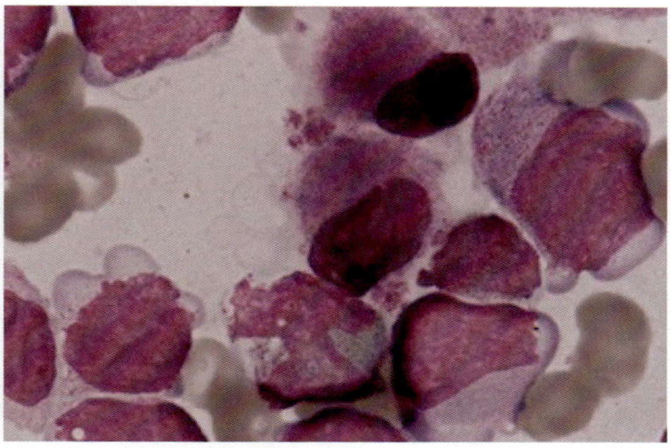　　B

◆図 22　骨髄異形成関連変化を伴う急性骨髄性白血病
骨髄塗抹標本（May-Giemsa 染色）

l）急性骨髄性白血病，非特異型：急性巨核芽球性白血病（図 21）

核のクロマチンはやや粗く，顆粒状であり，細胞表面に budding（蕾）を認める．これらの芽球は MPO 染色が陰性であり，CD41（GP Ⅱ b/ Ⅲ a）が陽性であることより，巨核芽球と判定される．

m）骨髄異形成関連変化を伴う急性骨髄性白血病（図 22）

巨核球は著増しており，単核や二核の微小巨核球（micromegakaryocyte）を多数認める．この症例は単球が多く，FAB 分類では M4 に相当する．2 血球系統以上において 50％以上の細胞に異形成を認める．

B 骨髄異形成症候群（myelodysplastic syndromes：MDS）

MDS は造血幹細胞を起源とする造血器腫瘍であり，血球減少，形態学的異形成，無効造血，急性骨髄性白血病発症リスクを特徴とする．血球の異形成は，それぞれの系統で 10％以上の細胞が異形成を認める場合に陽性とされる．

a）単一血球系統の異形成を有する MDS（MDS with single lineage dysplasia：MDS-SLD）

3 血球系統のうち 1 系統のみに有意な（10％以上）異形成所見があり，血球減少は 1 系統または 2 系統の血球減少を呈する．骨髄の芽球は 5％未満で，末梢血の芽球は 1％未満であり，Auer 小体は認めない．単独 5 番染色体長腕欠失を伴う MDS［MDS with isolated del（5q）］の定義を満たさない．

図 23 に赤芽球，**図 24** に好中球，**図 25** に巨核球の

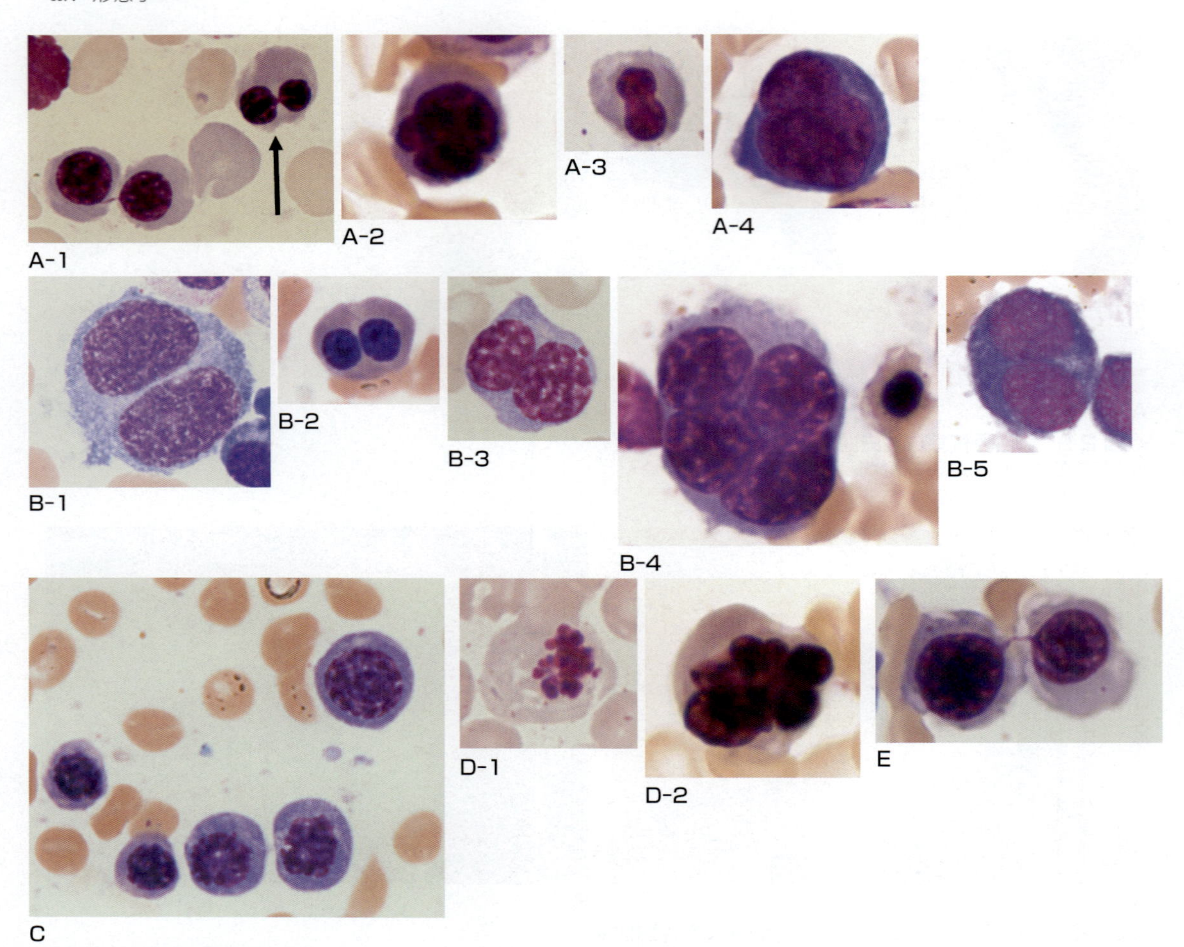

◆図 23　赤芽球の異形成
骨髄塗抹標本（May-Giemsa 染色）. **A**：核が変形した赤芽球，**B**：多核の赤芽球，**C**：ブロック状にクロマチンが凝集し，核の辺縁が不整な赤芽球，**D**：核崩壊像，**E**：核間染色質橋

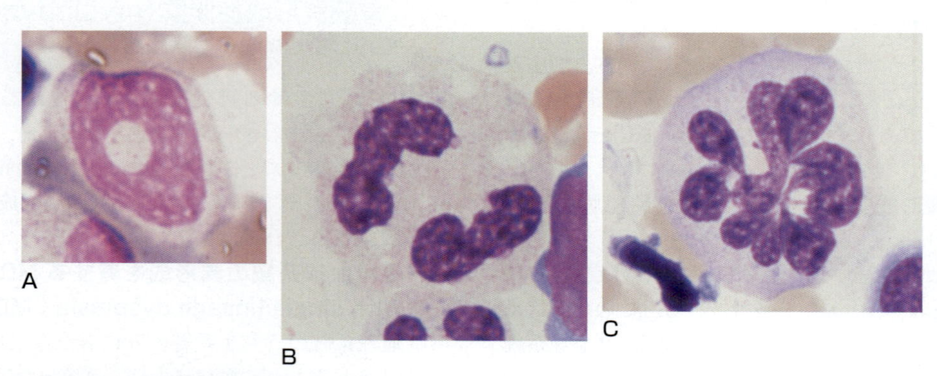

◆図 24　好中球の異形成
骨髄塗抹標本（May-Giemsa 染色）. **A**：輪状核好中球，**B**：2 核の巨大好中球，**C**：過分葉好中球：写真のものは巨大化を伴っている.

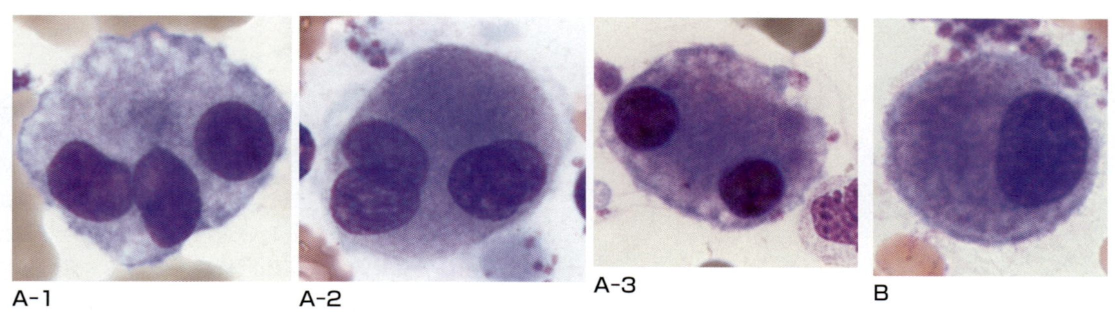

◆**図 25　巨核球の異形成**
骨髄塗抹標本（May-Giemsa 染色）．**A**：分離多核巨核球，**B**：非分葉核巨核球

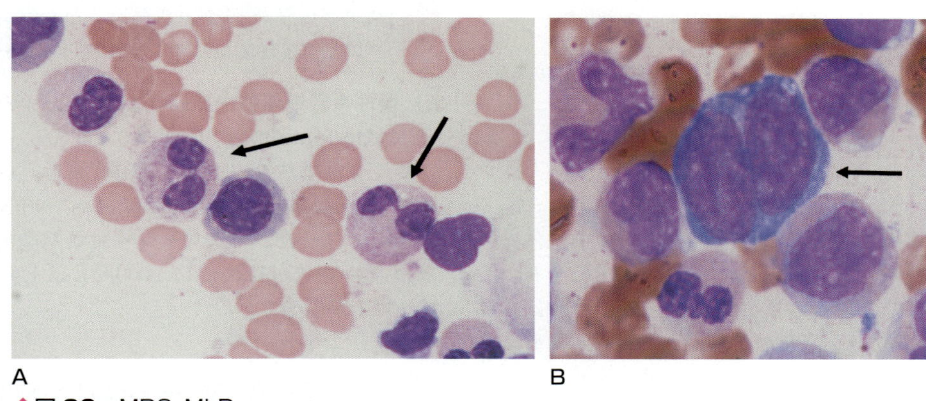

◆**図 26　MDS-MLD**
骨髄塗抹標本（May-Giemsa 染色）．低分葉好中球（**A**：矢印）と二核の赤芽球（**B**：矢印）を認める．本例では 3 系統に 10%を超える異形成を認めた．末梢血の芽球は 1%未満で，骨髄の芽球も 5%未満であった．

種々の異形成を示す．

b）多系統に異形成を有する MDS（MDS with multilineage dysplasia：MDS-MLD）（図 26）

2 系統以上に有意な（10％以上）異形成所見があり，1～3 系統の血球減少を呈する．骨髄の芽球は 5％未満で，末梢血の芽球は 1％未満であり，Auer 小体は認めない．単独 5 番染色体長腕欠失を伴う MDS［MDS with isolated del（5q）］の定義を満たさない．

c）環状鉄芽球を伴う MDS（MDS with ring sideroblasts：MDS-RS）

環状鉄芽球（**図 9**）が有意に（赤芽球の 15％以上）増加している MDS 病型であり，骨髄の芽球は 5％未満で，末梢血の芽球は 1％未満であり，Auer 小体は認めない．*SF3B1* 遺伝子変異が検出された例では環状鉄芽球比率が 5％以上であれば本病型となる．MDS-RS は単一系統に異形成を有する病型（MDS-RS-SLD）と多系統に異形成を有する病型（MDS-RS-MLD）に分けられる．

d）単独 5 番染色体長腕欠失を伴う MDS［MDS with isolated del（5q）］

単独 5 番染色体長腕欠失を伴う MDS［MDS with

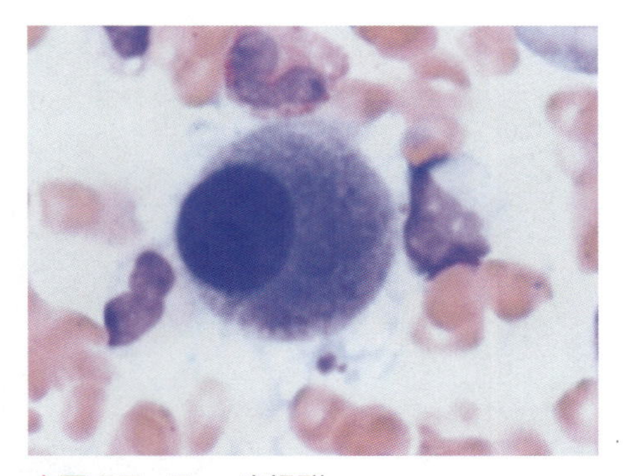

◆**図 27　5q－症候群**
骨髄塗抹標本（May-Giemsa 染色）．巨核球は非分葉核のものが多いのが特徴である．赤芽球は低形成で，赤芽球・顆粒球系の異形成はないか，軽度である．芽球の増加はない．

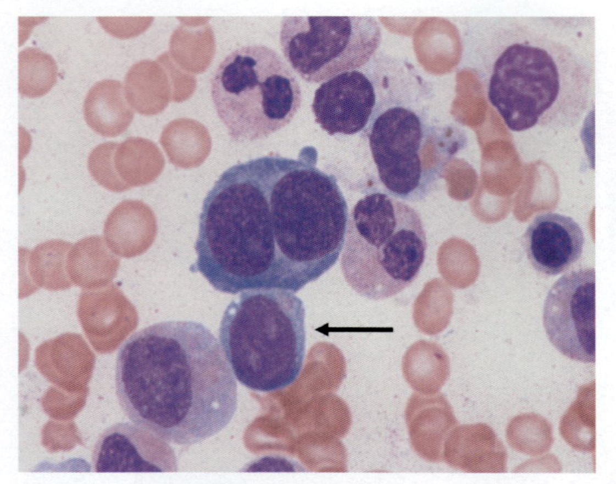

◆図 28　MDS-EB
骨髄塗抹標本（May-Giemsa 染色）．芽球（矢印），二核の赤芽球，低分葉好中球を認める．

isolated del（5q）］は5q-症候群とも呼ばれる（図27）．5q-症候群は芽球増加がなく，単一の染色体異常として5番染色体の長腕の欠失［del（5q）］を有する病型である．7番染色体欠失異常以外であれば，5q-にもう1つ染色体異常の付加があっても本病型に含まれる．大球性貧血で，通常は血小板数が正常，もしくは増加する．芽球は末梢血で1%未満，骨髄で5%未満で，Auer小体は認めない．非分葉核を示す巨核球が増加している．

e）芽球増加を伴うMDS（MDS with excess blasts：MDS-EB）（図28）

骨髄中または末梢血中の芽球の多寡によってMDS-EB-1（骨髄に5～9%，末梢血に2～4%）とMDS-EB-2（骨髄に10～19%，または末梢血に5～19%）に二分される．芽球にAuer小体があると，MDS-EB-2に分類される．

C　慢性骨髄性白血病，*BCR::ABL1* 陽性：慢性期（図29）

末梢血には幼若顆粒球や，好酸球，好塩基球の増加が認められる．骨髄は著しい過形成であり，巨核球は増加し，小型や低分葉核の巨核球も認める．顆粒球の割合が高く，末梢血と同様に好酸球や好塩基球が増加している．

D　骨髄異形成／骨髄増殖性腫瘍（myelodysplastic / myeloproliferative neoplasms：MDS/MPN）

a）慢性骨髄単球性白血病（chronic myelomonocytic leukemia：CMML）（図30）

慢性骨髄単球性白血病（CMML）は，骨髄増殖性腫瘍（myeloproliferative neoplasms：MPN）とMDSの特徴を併せ持つ単クローン性骨髄系腫瘍である．末梢血の単球が持続的に1,000/μL以上で白血球の10%以上が単球である．

E　芽球性形質細胞様樹状細胞腫瘍（BPDCN）（図31）

皮膚腫瘤形成と腫瘍細胞の骨髄やリンパ節浸潤を特徴とする．

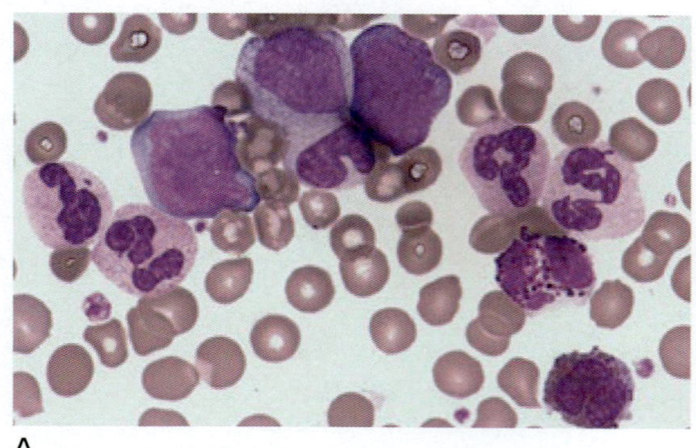

A

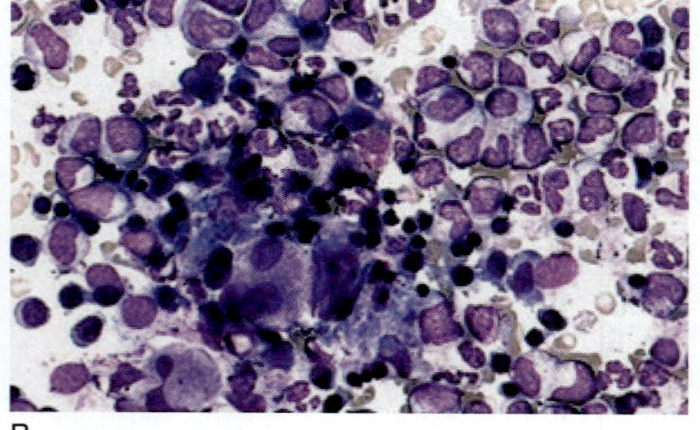

B

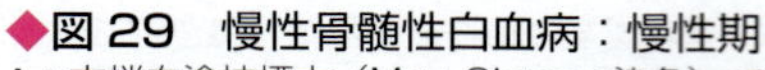

◆図 29　慢性骨髄性白血病：慢性期
A：末梢血塗抹標本（May-Giemsa 染色），B：骨髄塗抹標本（May-Giemsa 染色）

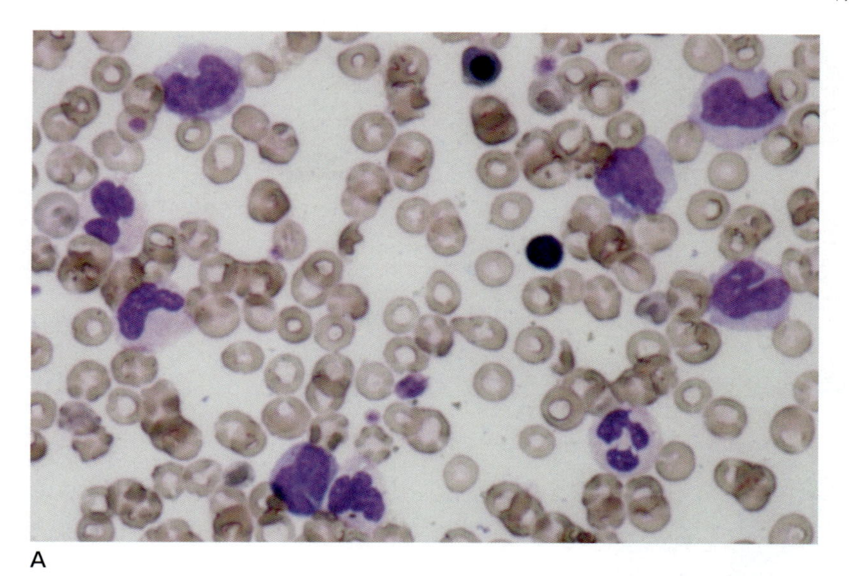

A

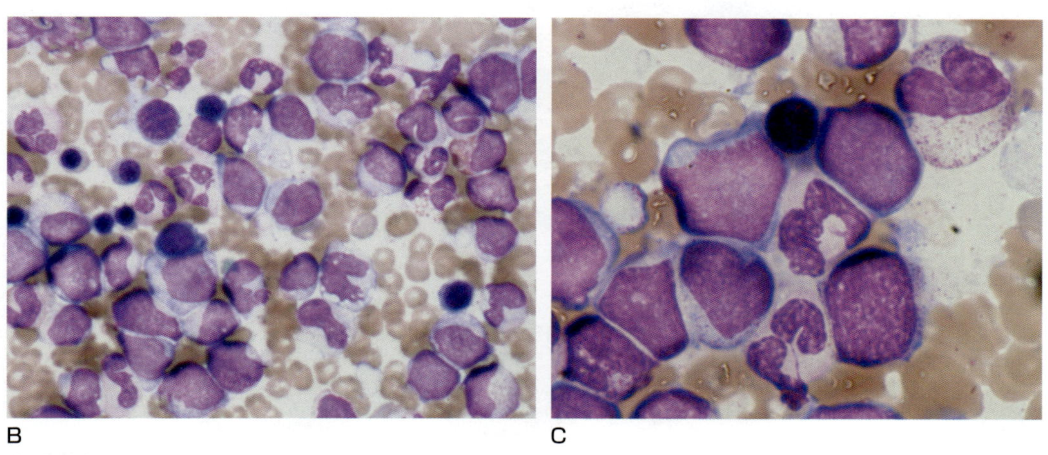

B　　　　C

◆図 30　CMML

A：末梢血塗抹標本（May-Giemsa 染色）．末梢血の単球数が 1×10^9/L 以上である．B，C：骨髄塗抹標本（May-Giemsa 染色）．単球系と顆粒球系の増殖（B）を認める．芽球や前単球の増加（C）もみられるが，両者を併せて 20%を超えない（20%を超えると急性骨髄性白血病となる）．

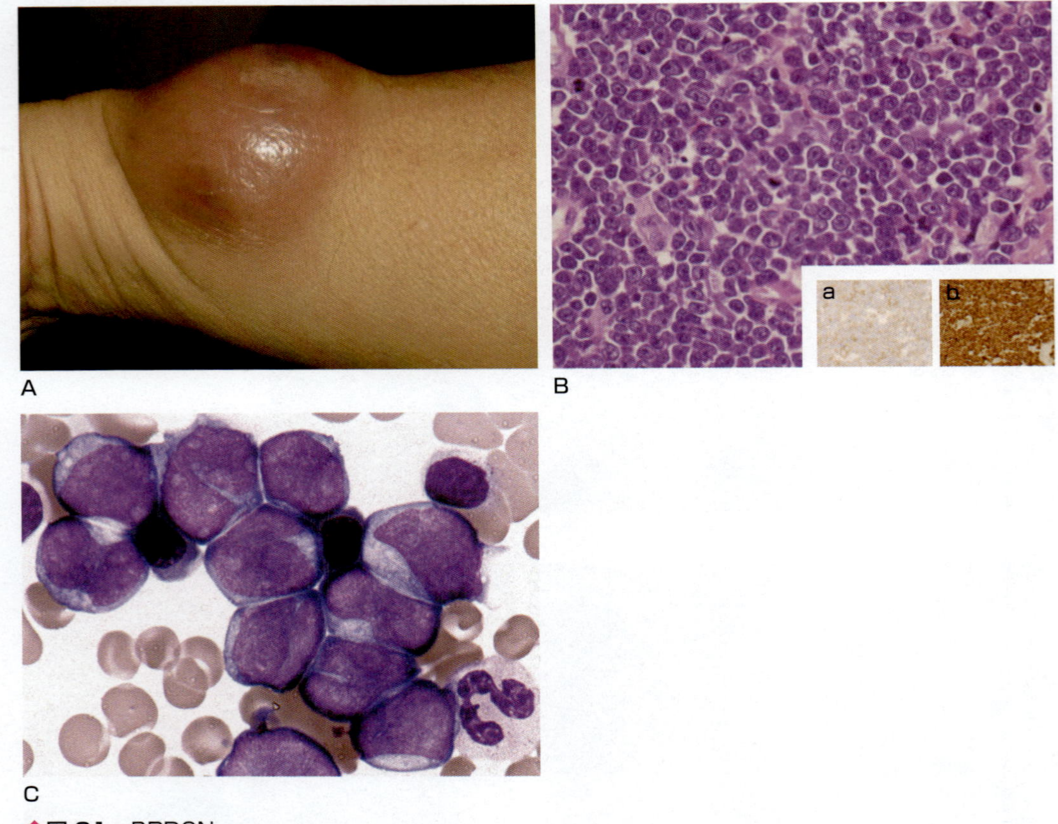

◆**図 31　BPDCN**
A：前腕の腫瘤
B：皮膚腫瘤は immunoblast 様の大型細胞がびまん性に増殖し，CD4 陽性(a)，CD123 陽性（b）であった．
C：骨髄にも芽球様細胞の存在を認めた．

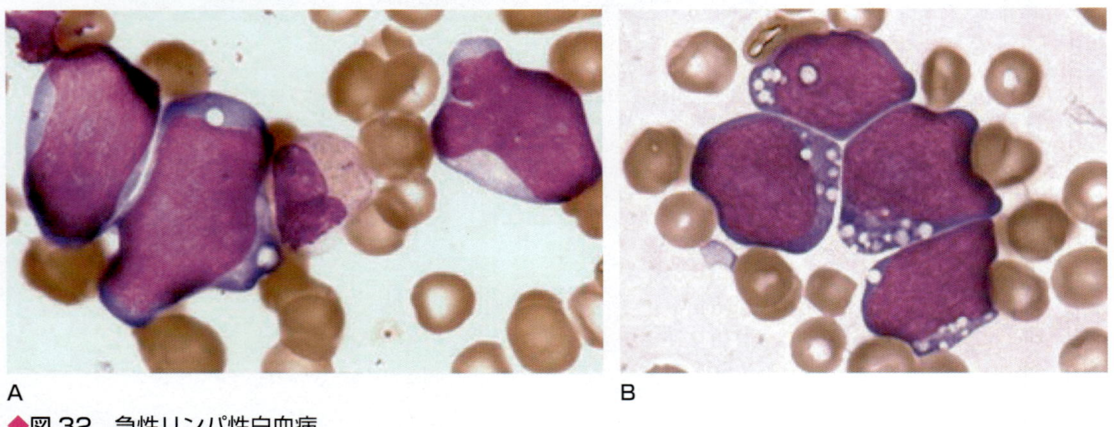

◆**図 32　急性リンパ性白血病**
骨髄塗抹標本（May-Giemsa 染色）

F　リンパ系腫瘍

a）急性リンパ性白血病（図 32）

図 32A は，細胞の大きさに大小不同があり，細胞質は好塩基性である．核はやや均一で，核に切れ込みを有するものもある．FAB 分類では L2 に相当する．**図 32B** は，細胞は大きく，核は類円形で，核小体が明瞭である．細胞質は好塩基性が強く，多数の空胞を

認める．FAB 分類の L3 に相当する．

b）慢性リンパ性白血病（chronic lymphocytic leukemia：CLL）（図 33）

慢性リンパ性白血病（CLL）は，小型で細胞質に乏しい円形・類円形核を有する成熟 B リンパ球がクローン性に増殖する疾患で，成熟 B 細胞腫瘍である．末梢血の腫瘍性リンパ球増加が特徴的である．腫瘍細胞は CD5，CD23 が陽性である．CLL は末梢血中の腫瘍性 B 細胞が 5,000/μL 以上の状態が 3 ヵ月以上持続するものと定義される．

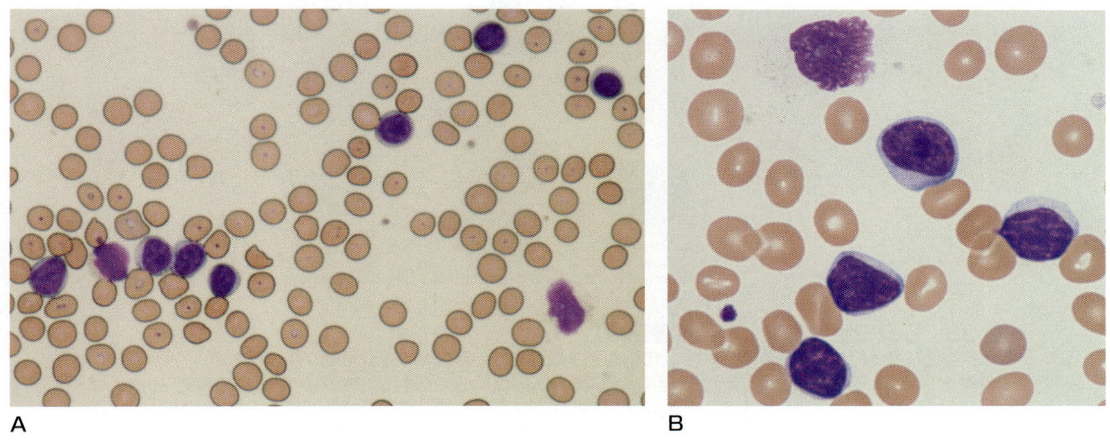

A　B

◆図 33　CLL
末梢血塗抹標本（May-Giemsa 染色）．末梢血では，核影のみになった smudge cell を伴うリンパ球増加がみられる（A）．CLL 細胞は濃縮したクロマチンを持ち，核小体は目立たない．細胞質は乏しく，軽度好塩基性を示す（B）．

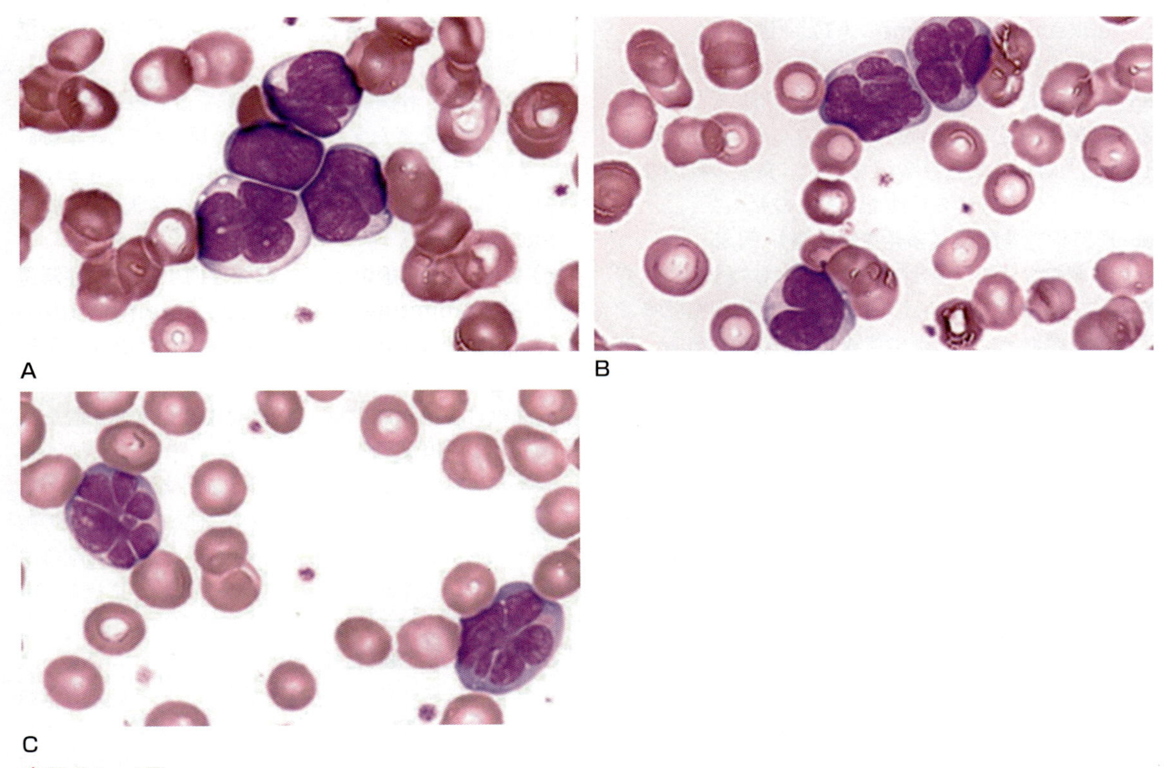

A　B　C

◆図 34　ATL
末梢血塗抹標本（May-Giemsa 染色）

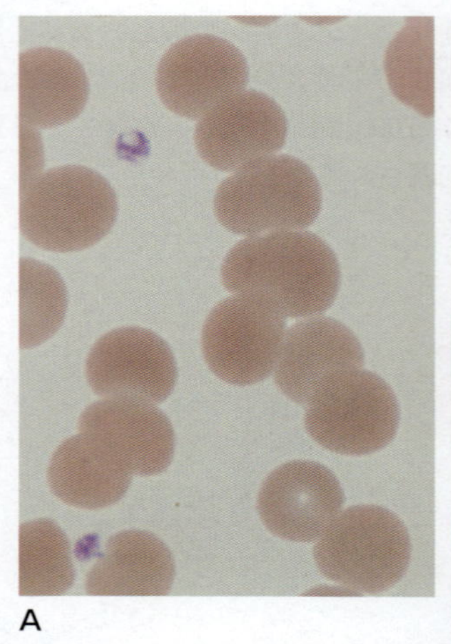

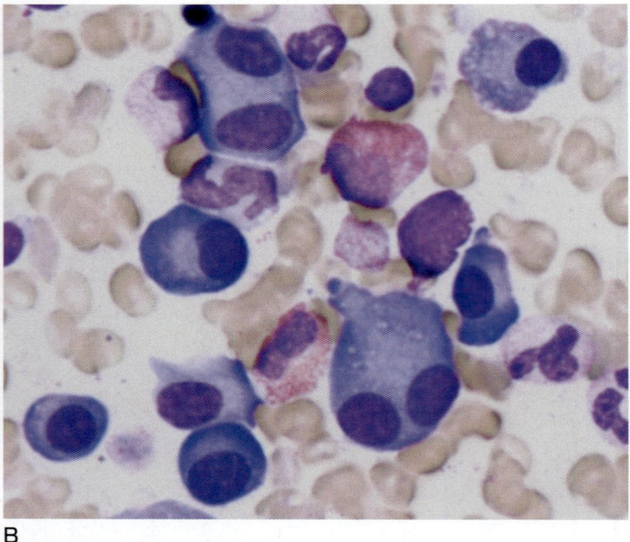

◆**図 35　形質細胞骨髄腫（多発性骨髄腫）**

A：末梢血塗抹標本（May-Giemsa 染色）．末梢血塗抹標本では，赤血球の連銭形成が認められる．

B：骨髄塗抹標本（May-Giemsa 染色）．骨髄腫細胞の形態は，成熟細胞様のものから形質芽細胞（plasmablast）様のものまでさまざまである．成熟骨髄腫細胞は通常楕円形で，核/細胞質比は小さい．核は偏在し，細胞質は好塩基性で核周明庭が明瞭である．本図では成熟骨髄腫細胞と二核の骨髄腫細胞を示す．

c）成人 T 細胞白血病 / リンパ腫（adult T-cell leukemia/lymphoma：ATL）（図 34）

核クロマチンが濃染しており，核は切れ込みを有し flower cell といわれるような花弁状の形態を呈している典型的な細胞で，急性型によくみられる（**図 34**）．しかし，ATL の細胞は多様であり，異型の軽度なものや，リンパ芽球様の形態を示すものもある．

d）形質細胞骨髄腫（多発性骨髄腫）（図 35）

形質細胞骨髄腫（多発性骨髄腫）は骨髄を主たる病変とし，M 蛋白を産生する多発性の形質細胞腫瘍である．末梢血では赤血球の連銭形成が認められる．骨髄は形質細胞が増加し，多核や大型などの形態異常を認めることがある．

G　非腫瘍性疾患，その他

a）悪性貧血（図 36）

悪性貧血は，胃粘膜の萎縮と内因子の分泌欠如あるいは低下により生じるビタミン B_{12} 吸収障害性の巨赤芽球性貧血である．巨赤芽球とは細胞質の成熟がほぼ正常であるのに対し，核のクロマチン凝集が遅延するため，核–細胞質成熟乖離がみられる赤芽球である．この異常赤芽球の多くは，赤芽球の段階で崩壊する（無効造血）．無効造血は顆粒球系や巨核球系の細胞にも起こるため，汎血球減少を呈する．

b）赤芽球癆（pure red cell aplasia：PRCA）（図 37）

PRCA は，骨髄における赤血球系造血の選択的障害により貧血をきたす疾患である．**図 37** では，T 細胞大顆粒リンパ球性白血病（T-cell large granular lymphocytic leukemia：T-LGL）による後天性続発性 PRCA を示す．

c）免疫性血小板減少症（特発性血小板減少性紫斑病）（immune thrombocytopenia, idiopathic thrombocytopenic purpura：ITP）（図 38）

免疫性血小板減少症（ITP）は，他の基礎疾患や薬剤などの原因が明らかでないにもかかわらず，血小板膜蛋白に対する自己抗体が発現し血小板に結合する結果，主として脾臓における網内系細胞での血小板の破壊が亢進する後天性自己免疫性疾患である．発症様式と経過より急性型と慢性型に分類される．正核球が正常ないし増加している．

d）血球貪食症候群（図 39）

骨髄にはマクロファージが増生し，いろいろな細胞を貪食している．血球減少を示すことが多い．ウイルス感染症や成人 Still 病，膠原病，リンパ腫などに随伴してみられる．

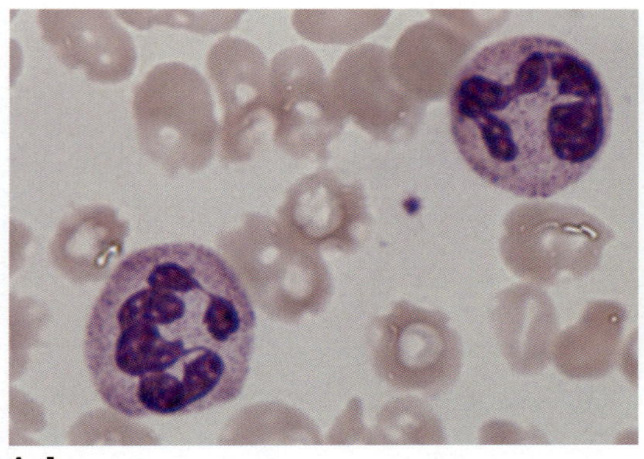

A-1

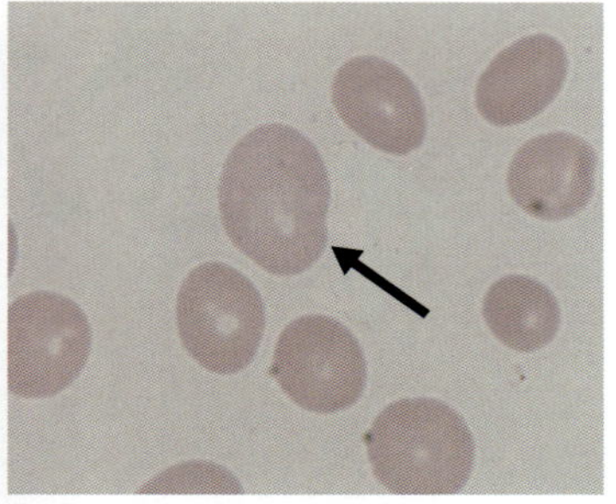

A-2

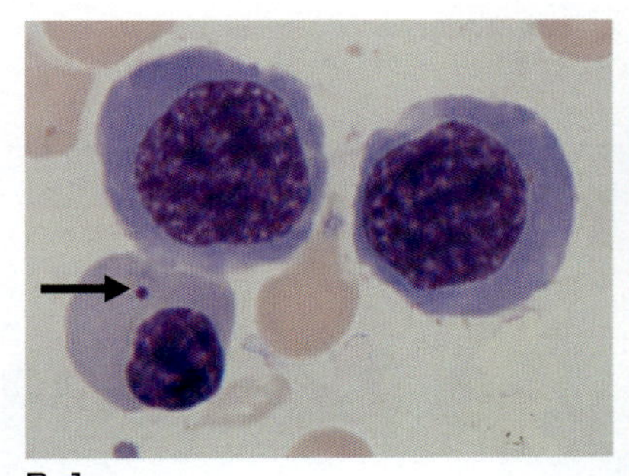

B-1

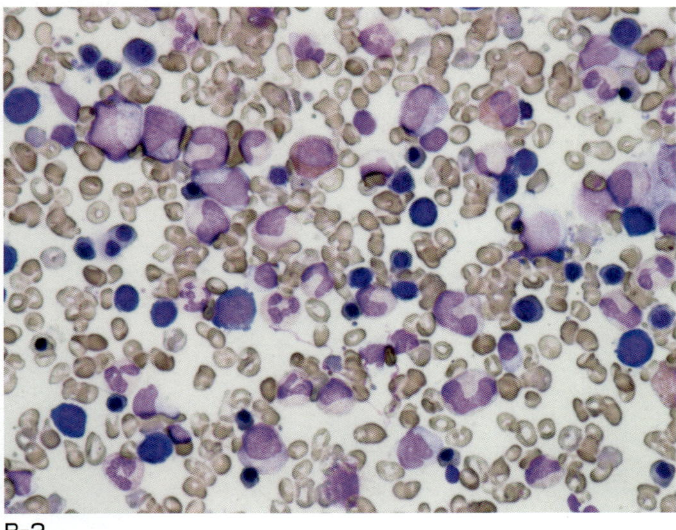

B-2

◆図 36　悪性貧血

A：末梢血塗抹標本（Wright-Giemsa 染色）．六分葉以上に分葉した過分葉好中球（A-1），卵円形の大赤血球（A-2：矢印）が認められる．

B：骨髄塗抹標本（Wright-Giemsa 染色）．巨赤芽球性変化（B-1）を伴う赤芽球過形成（B-2）と，顆粒球の大型化（巨大後骨髄球，巨大桿状球）が特徴的である．巨核球では多核化が認められる．巨赤芽球は細胞質が広く，サイズは正常赤芽球の125%程度に大きい．細胞質のヘモグロビン合成の進行はほぼ正常であるが，核のクロマチン凝集は遅延し，スポンジ状にみえる．B-1 図の左下の赤芽球には Howel-Jolly 小体（矢印）が観察される．

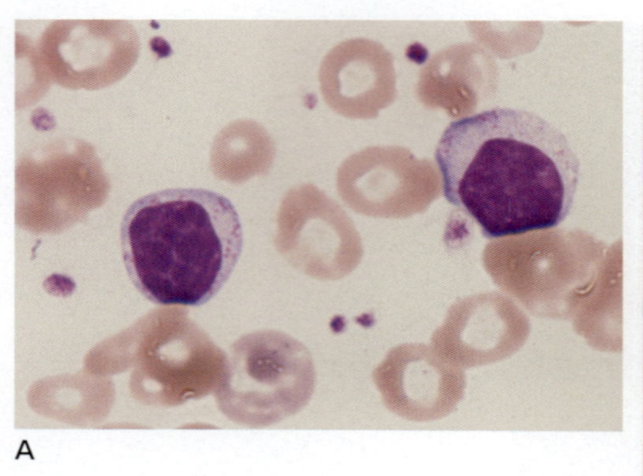

A

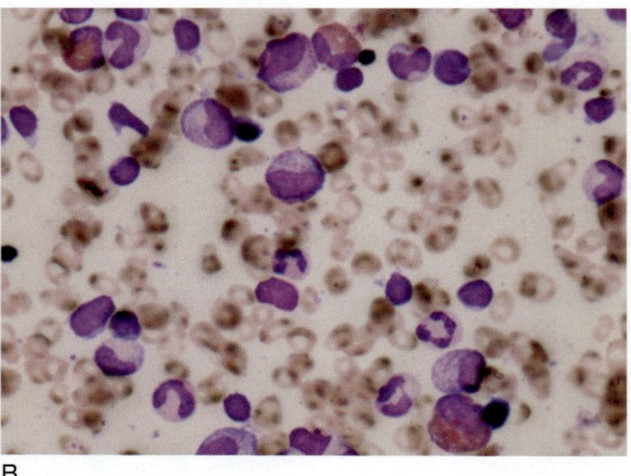

B

◆図 37　T-LGL による PRCA

A：末梢血塗抹標本（May-Giemsa 染色）．大顆粒リンパ球は大型で，細胞質にアズール顆粒を含む．核は円形ないしは卵円形で偏在し，凝集したクロマチンパターンを呈する．本例の CD4/8 比は 0.005 と逆転し，T 細胞受容体遺伝子の再構成が認められた．
B：骨髄塗抹標本（Wright-Giemsa 染色）．骨髄では赤芽球の著減が認められる．

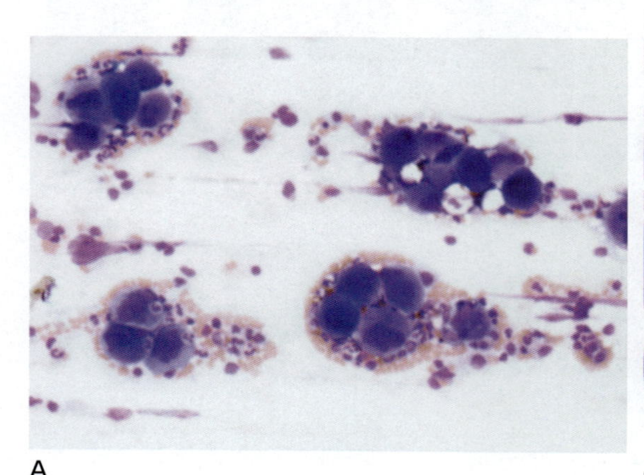

A

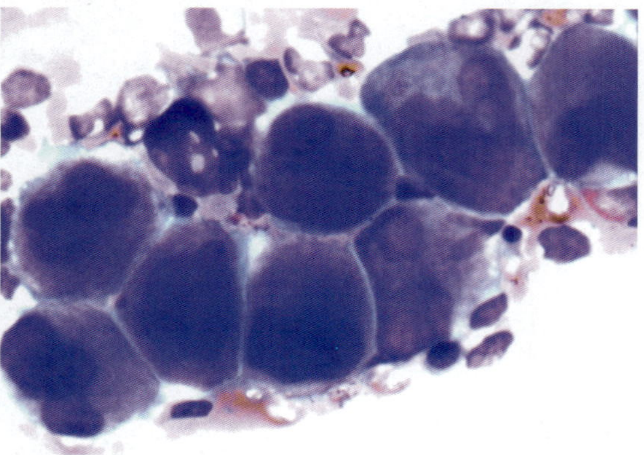

B

◆図 38　ITP

骨髄塗抹標本（May-Giemsa 染色）．A：塗抹標本の引き終わりの部分に，巨核球が多数みられる．このように巨核球が多数みられることは正常ではない．ITP に相応する所見と判断できる．B：巨核球は血小板付着像を欠くが，この所見は ITP に特異的ではない．

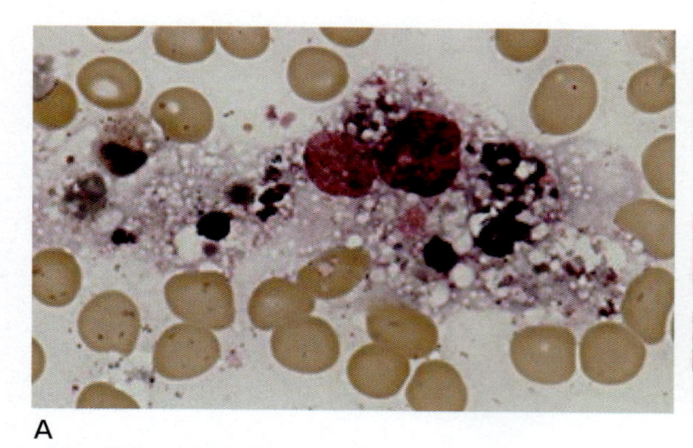

A

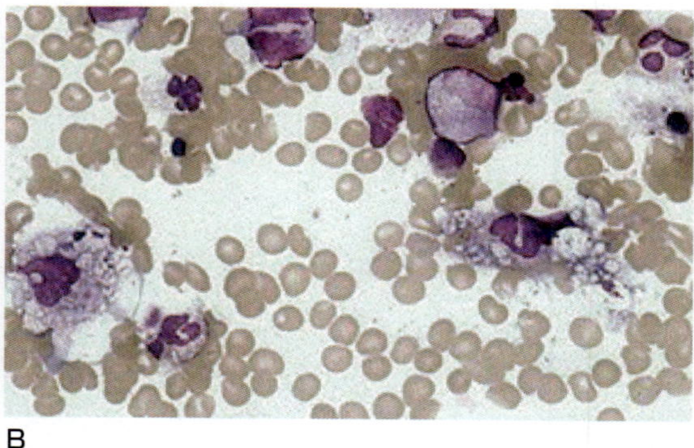

B

◆図 39　血球貪食症候群

骨髄塗抹標本（May-Giemsa 染色）

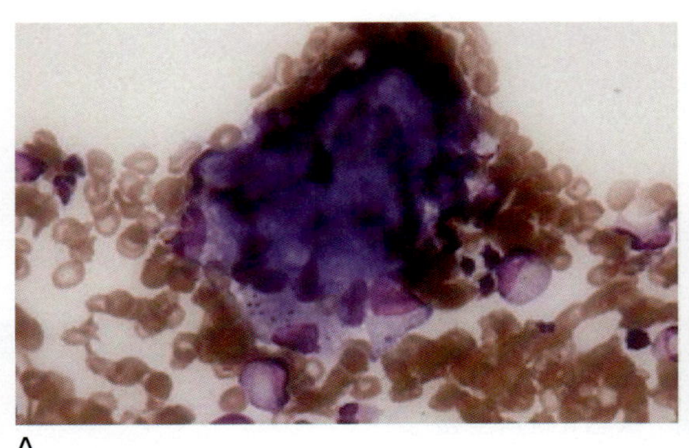
A

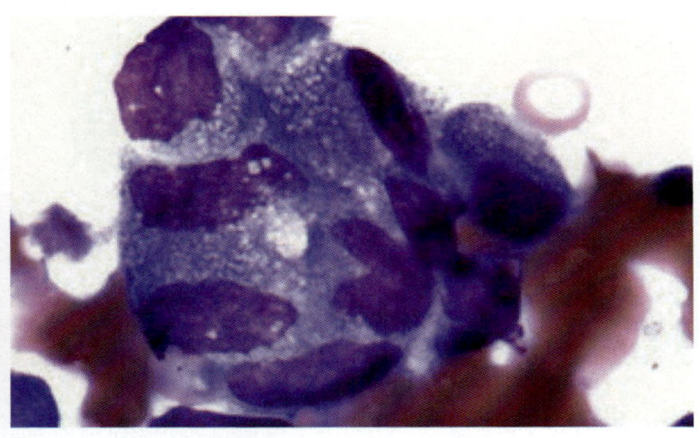
B

◆図 40　がんの骨髄転移
骨髄塗抹標本（May-Giemsa 染色）

e）がんの骨髄転移（図 40）

大型で不整な核を有し，細胞質が好塩基性を示す細胞が集塊をなしている．各細胞の境界がはっきりとしていないことが特徴である．しばしば骨髄は dry tap を呈するが，吹き付け標本の一部にこのような細胞集塊を認めることも多い．クロットセクションの組織学的診断も有用である．

2 骨髄生検像

到達目標

- 骨髄の病理像を理解し，骨髄生検の必要な病態・疾患を理解する

1 骨髄生検の必要性

血液疾患の多くは，骨髄穿刺液塗抹標本（以下，塗抹標本）にて診断可能なことが多いが，骨髄生検の必要な病態・疾患としては，①**骨髄吸引不能（dry tap）**のため骨髄穿刺液が得られなかった場合，②塗抹標本のみでは確定診断にいたらなかった場合，③塗抹標本で臨床診断は絞り込んでおり，それを支持または裏づける組織所見を得たい場合がある．大雑把にいえば，①②ではがん腫・肉腫，骨髄腫・リンパ腫細胞の転移および浸潤の有無，線維化の程度，肉芽腫形成の有無，アミロイド沈着の有無などの検索を，③では血球貪食像の有無，骨髄構成細胞の比率（細胞髄・脂肪髄の割合，細胞密度，特に巨核球の多寡），塗抹標本で指摘された異常細胞の形質（マーカー）などの検索を目的としている場合が多い．

2 骨髄生検の病理像と細胞密度

骨髄は肉眼的には，**赤色骨髄**（造血細胞が主体）と**黄色骨髄**（脂肪が主体）に大別される．年齢が上がるにつれて，四肢末端から黄色骨髄に置換されていく．通常，骨髄系細胞と赤芽球系細胞が3：1の割合でみられ，骨髄巨核球は1 mm^2 に10個前後みられるが，分布は不均一である．組織において，細胞密度は骨髄腔に占める造血細胞の面積比で示され，胎児，新生児ではほぼ100％の細胞髄であるが，年齢とともに減少し，成人では50％前後，70歳を過ぎると30％以下となる．目安として，40～60％を**正形成髄**，40％以下を**低形成髄**，60％以上を**過形成髄**，100％を**細胞髄**と呼ぶ．ほとんど脂肪しかみられない場合を**脂肪髄**と呼ぶ．年齢が高くなると骨直下は脂肪髄になることが多く，骨髄生検の場合2 cmが生検の長さの目安になるのは，このためである．また病的な脂肪髄の原因としては再生不良性貧血が挙げられる．

3 骨髄線維症

骨髄線維症は骨髄に広範な線維化をきたす疾患の総称で，これには，原因不明の特発性のものと，種々の疾患を基礎に持つ二次性のものとがある．**表1**に本疾患の分類を示す．

特発性骨髄線維症（idiopathic myelofibrosis）には急性のものと慢性のものが知られており，急性のものは急性巨核芽球性白血病（acute megakaryoblastic leukemia：AML-M7）との密接な関係が指摘されている．さらに，急性のものには，骨髄異形成症候群（myelodysplastic syndromes：MDS）に随伴するもの，AML-M7に随伴するもの，それ以外の急性骨髄性白血病（AML）に随伴するものがあるが，前二者の割合が高い．慢性のものには，原発性骨髄線維症（primary myelofibrosis）と，その他の骨髄増殖性腫瘍（myeloproliferative neoplasm：MPN）に属する慢性骨髄性白血病（chronic myeloid leukemia：

◆表1　骨髄線維症の分類

A．特発性骨髄線維症
　1．特発性急性骨髄線維症
　　a．AML-M7（acute megakaryoblastic leukemia）with myelofibrosis
　　b．AML-M0 ～ M6 with myelofibrosis
　　c．MDS with myelofibrosis
　2．特発性慢性骨髄線維症
　　a．primary myelofibrosis（chronic idiopathic myelofibrosis）
　　b．MPN with myelofibrosis
B．二次性骨髄線維症
　　a．multiple myeloma
　　b．malignant lymphoma
　　c．Hodgkin lymphoma
　　d．metastatic carcinoma
　　e．drug
　　f．radiation
　　g．infection
　　h．mastocytosis，など

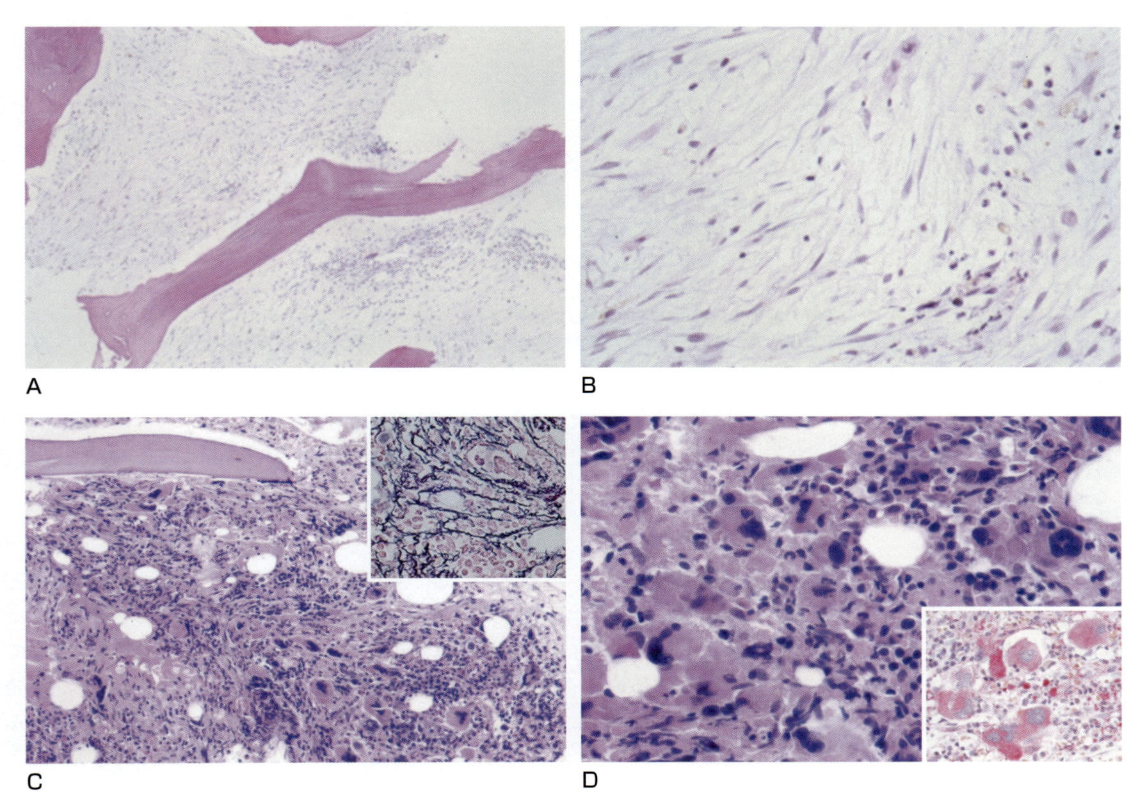

◆図1　骨髄線維症

A：抗がん薬投与後に生じた二次性の骨髄線維症．線維芽細胞の増生，および線維束の増生がみられる．
B：A図の拡大像．拡大すると線維芽細胞の増生がみられ，造血細胞はほとんどみられない．C，D図の原発性骨髄線維症と異なり，巨核球の反応がまったくみられない．
C：特発性慢性骨髄線維症．過形成髄（80%）で，線維化と異型の強い巨核球の増加が著明である．銀染色にて，びまん性の密度線維化で交叉が強く，グレード2（MF2）となる（右上挿入図）．
D：C図の拡大像．拡大すると，線維化の中に異型の強い核濃染を示す巨核球の増加が著明である．巨核球のマーカーであるFactor 8で免疫染色を行うと，核濃染のみられる異型な巨核球が目立つ（右下挿入図）．

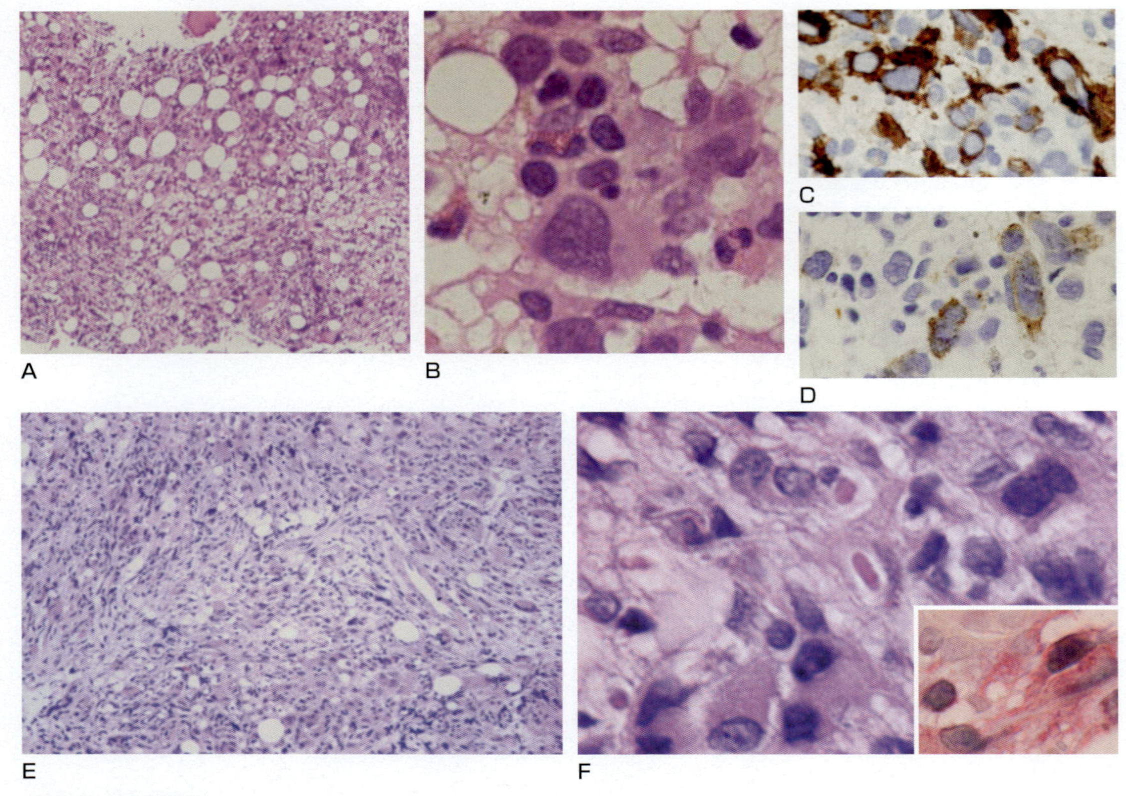

◆図２　AML-M7
A：過形成髄（60～70%）で，軽度の線維化と異型の強い細胞の増加が著明である.
B：A図の拡大像．拡大すると，異型の強い核濃染を示す大小不整な巨核球や巨核芽球を疑わせる芽球の増加が著明である.
C：巨核球・血小板のマーカーであるCD41で免疫染色を行うと，大小不整な巨核球や巨核芽球を疑わせる細胞が陽性である.
D：一部の巨核芽球はCD34陽性である.
E：線維化の強いAML-M7であり，細胞髄（100%）で強い線維化を伴い，異型細胞の増生がみられる.
F：E図の拡大像．拡大すると，異型の強い核濃染を示す巨核芽球を疑わせる芽球の増加が著明である．CD41の免疫染色で陽性を示す（右下挿入図）.

CML），真性赤血球増加症（polycythemia vera：PV），本態性血小板血症（essential thrombocythemia：ET）に随伴するものとがある.

線維にはグレード分類があり，MF-0：散在する直線状の線維で交叉がない，MF-1：緩い網目状の線維化で交叉があり，特に血管周囲にみられる，MF-2：びまん性の密な線維化で交叉が強く，ときに束状の線維化や骨硬化を伴う，MF-3：びまん性の密な線維化で交叉が強く，粗い束状の線維化と骨硬化を伴う，となっている.

二次性骨髄線維症のものは，特定の疾患に反応して二次性に骨髄線維症がみられるもので，MDS，多発性骨髄腫，悪性リンパ腫，Hodgkinリンパ腫，がんの骨髄転移などが含まれ，感染症，肥満細胞増多症，放射線・薬剤（特に抗がん薬）によるものなども知られている（**図1，2**）.

4 悪性リンパ腫の浸潤

悪性リンパ腫の骨髄浸潤の組織像も決して単一でなく，①低悪性度B細胞リンパ腫は高率に骨髄浸潤するが，腫瘍細胞のサイズは小型～中型であるがゆえに造血細胞との区別が容易ではないこと，②骨髄組織への浸潤パターンは，主としてびまん型，巣状非骨梁周辺型，巣状骨梁周辺型および血管内浸潤型の4型に大

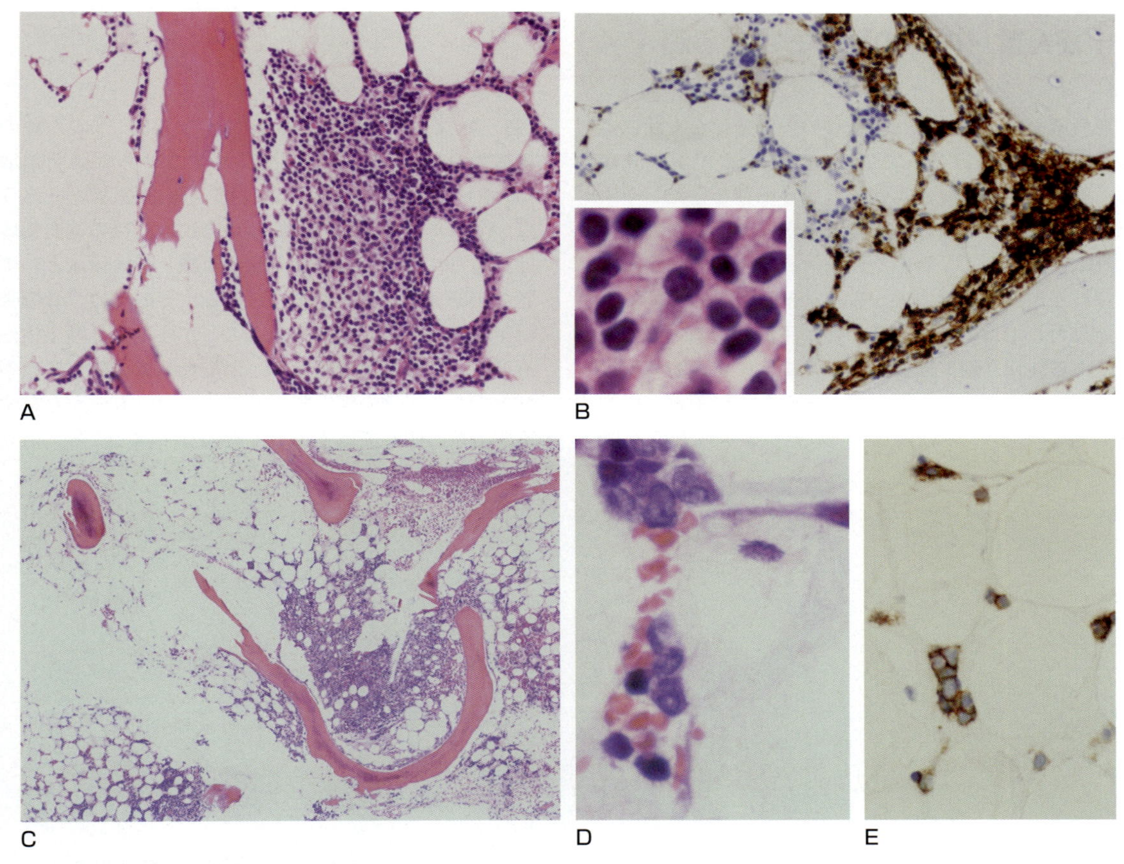

◆**図 3　悪性リンパ腫の骨髄浸潤**
A：濾胞性リンパ腫の骨髄浸潤．巣状に骨梁周辺に細胞浸潤がみられる．骨梁周辺のため，吸引穿刺ではリンパ腫細胞が採取できないことが多い．拡大すると小型から中型のリンパ腫細胞がみられる（B 図内左下挿入図）．
B：A 図の症例の免疫染色．骨梁周辺に CD20 陽性の濾胞性リンパ腫の浸潤が確認できる．
C：血管内リンパ腫（びまん性大細胞リンパ腫の亜型）．正形成髄で脂肪髄も混在する．
D：脂肪髄領域を拡大すると類洞内に大型異型細胞の集塊がみられる．
E：D 図の大型異型細胞．免疫染色で CD20 陽性である．

別されること，③ Hodgkin リンパ腫や T 細胞リンパ腫のうち血管免疫芽球性 T 細胞リンパ腫やリンパ類上皮細胞変異型の末梢性 T 細胞リンパ腫，非特定型（いわゆる Lennert リンパ腫）の骨髄浸潤巣では多彩な反応性細胞群や類上皮細胞集簇巣がみられることなどより，塗抹標本のみの診断では不十分なことが多く，必ず骨髄生検が必要になってくる．特に血管内リンパ腫や低悪性度 B 細胞リンパ腫の骨梁周囲浸潤の診断に，骨髄生検は不可欠である（**図 3**）．骨髄浸潤の評価に際しては，CD3，CD20 などの免疫染色は絶対不可欠であり，Hodgkin リンパ腫などの場合，CD30，CD15 などの追加染色が必要となってくる．

5 炎症性骨髄病変および沈着症

炎症性骨髄病変として，①背景に多彩な細胞浸潤がみられる群（反応性要素に富む群；抗酸菌感染症，真菌感染症），②類上皮細胞肉芽腫または炎症性肉芽組織類似の構造を呈する群（抗酸菌感染症，真菌感染症，サルコイドーシス，伝染性単核症）があり，塗抹標本のみの診断では不十分なことが多い．また，アミロイドーシスなどの沈着症のときも骨髄生検が必要である．

6 がん腫・肉腫の転移および浸潤

悪性腫瘍の骨髄・骨への転移の大部分はがん腫によるもので，肉腫はまれである．そのなかでも，乳がん，肺がん，前立腺がんが骨（髄）転移をきたしやすい．生検例からみると肺がんと乳がんの頻度が高く，これに前立腺がん，腎細胞がん，胃がん，子宮がん，肝細胞がん，甲状腺がんが続く．剖検資料においても原発巣としては気管支・肺がんが圧倒的に多いのが現状である．骨（髄）転移病変をX線像により溶骨型，造骨型，および両者の混合型に分類しているが，いずれの場合も種々の程度に骨破壊像はみられる．骨（髄）転移巣に共通した組織像としては，①がん腫の組織型を問わず，転移・浸潤部すなわち骨梁間領域（骨髄）には多少とも間質反応（線維増生）を伴う点，②多くの場合，当該転移巣内には既存の造血領域は認められない点（つまり腫瘍組織と造血領域との境界が明瞭である点）が挙げられる．そのため，骨髄吸引穿刺では病変が採取不能なことが多く，骨髄生検が不可欠となる．免疫染色は，上皮性腫瘍の確定には不可欠であり，その他，特異性の高いマーカーが存在する組織型に関してはきわめて有力な手段となる．前立

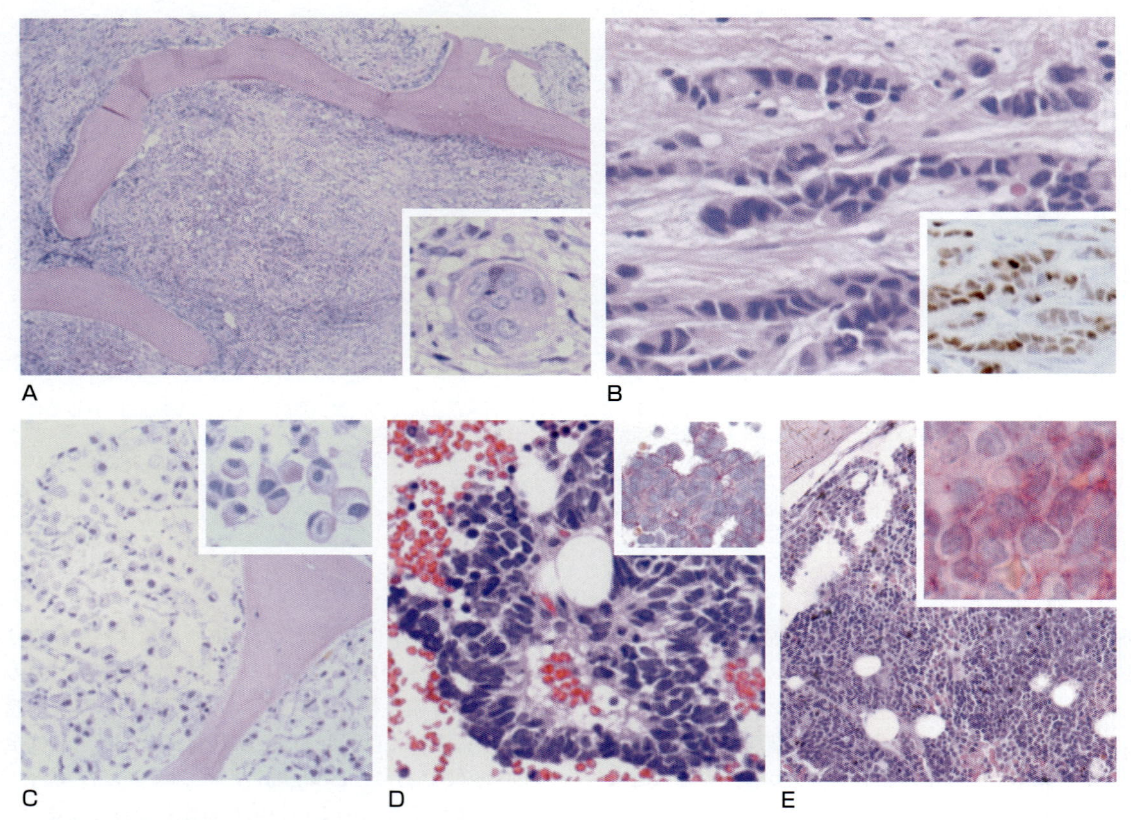

◆図4　がんの転移

A：線維化を伴う腺がんの転移．細胞髄で線維化が著明であり，正常造血は抑制されており，拡大すると腺管構造を呈する腺がんがみられる（右下挿入図）．原発巣は消化管であった．

B：乳がんの転移．線維化を伴い異型上皮細胞が索状に増生している．免疫染色で，異型上皮はエストロゲン受容体が陽性であった（右下挿入図）．

C：印環細胞がんの転移．細胞髄（100%）で組織球状の増生がみられ，正常造血は抑制されている．拡大すると印環細胞がみられる（右上挿入図）．原発巣は胃がんであった．

D：小細胞がんの転移．島状にロゼット形成を伴う異型上皮の集塊をみる．免疫染色で，異型上皮はCD56（N-CAM）が陽性であった（右上挿入図）．

E：横紋筋肉腫の転移．細胞髄で小型の細胞の増生がみられ，正常造血は抑制されている．免疫染色で，小型の細胞は，横紋筋肉腫のマーカーであるDesmin陽性であった（右上挿入図）．

腺がんでは抗 PSA（prostate-specific antigen）抗体，肝細胞がんでは抗ヒト肝細胞抗体，乳がんなどでは抗ホルモン受容体（エストロゲン受容体，プロゲステロン受容体）抗体などの使用価値が高い（**図 4**）.

がん腫・肉腫で小円形細胞性悪性腫瘍と呼ばれる，Ewing 肉腫 / 未熟神経外胚葉性腫瘍，胎児型・胞巣型横紋筋肉腫，線維形成性小細胞腫瘍，小細胞がん，神経芽細胞腫，悪性黒色腫などの転移は，リンパ芽球性リンパ腫 / 白血病との鑑別が重要となり，全体的構造・接着性をみるという観点，また免疫染色を行う必要性からも，骨髄生検が不可欠である（**図 4**）.

3 リンパ節生検像

到達目標

- リンパ節腫脹をきたす疾患のうち，重要な疾患の組織学的特徴を理解する

リンパ組織は免疫反応が行われている臓器であり，薄い結合組織による被膜を有する腎臓に似た形の小器官である．リンパ節には臓器の組織リンパ液がリンパ管を通じて流入しており，それを通して細菌，ウイルス，真菌などの外来抗原および炎症性サイトカインやがんなどの新生物が流入する．

非腫瘍性の病変のなかで原因疾患および微生物などが同定されているものでは，結核性リンパ節炎，伝染性単核症，Piringer リンパ節炎，猫ひっかき病，IgG4 関連リンパ節症などが重要である．原因が同定されていないもののそれぞれの臨床病理学的特徴によって疾患単位として認められているものとして，壊死性リンパ節炎，Castleman 病などがある．腫瘍性疾患としては，リンパ腫が代表的であり，がんの転移もしばしばみられる．

ここでは本書の目的に沿うように，頻度の高いもの，あるいは組織学的特徴が顕著であり，血液専門医としてぜひ知っておく必要のある疾患を取り上げる．なお，悪性リンパ腫の分類などは WHO 分類改訂第 4 版（2017 年）[1] に準拠する．

1 悪性リンパ腫

A 濾胞性リンパ腫

濾胞性リンパ腫はわが国では近年増加傾向がみられ，最近では 15 ～ 20％程度となっており，相対頻度は欧米に徐々に近づきつつある．濾胞性リンパ腫に最もよくみられる染色体異常は t(14;18)(q32;q21) で，相互転座により免疫グロブリン重鎖遺伝子の下流に抗アポトーシスの機能を持つ *BCL2* 遺伝子がくることが発生に深くかかわっている．B 細胞の主たる役割は免疫グロブリンの産生であり免疫グロブリン遺伝子は活性化しているので，t(14;18)(q32;q21) によって *BCL2* 遺伝子も on の状態となり，結果的に BCL2 蛋白の高発現が引き起こされる．

病理組織学的には，弱拡大では腫瘍性濾胞が多数認められる（**図 1**）．拡大を上げると，腫瘍性リンパ球では中型のくびれを有する small cleaved cell（centrocyte）と大型の large non-cleaved cell（centroblast）が混在している．腫瘍性濾胞では反応性濾胞と比して核分裂像が少なく，tingible body macropharge も減少もしくは消失している．免疫組織学的に腫瘍性リンパ球は濾胞中心 B 細胞に陽性である CD10 とともに BCL2 蛋白を高発現し（**図 2，3**），濾胞樹状細胞の meshwork が同定されることが特徴である（**図 4**）．

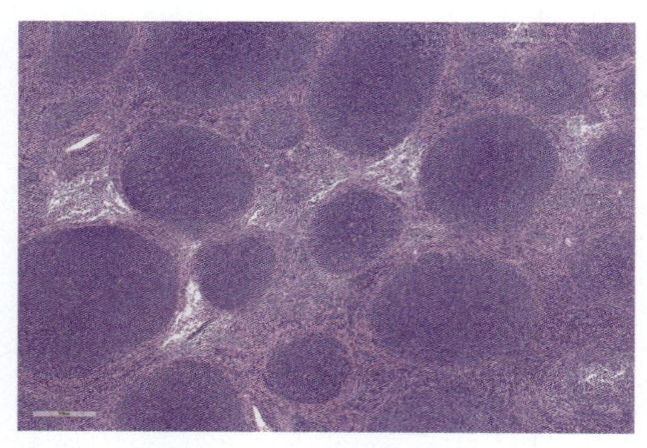

◆図 1　濾胞性リンパ腫の HE 染色
腫瘍性の中型リンパ球によって構成される結節状構造が多数確認される．

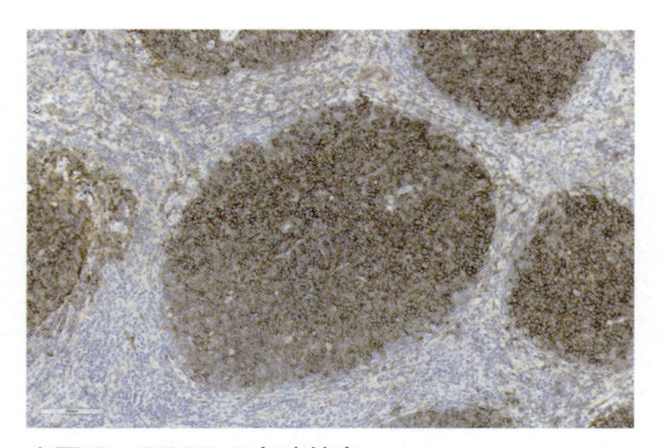

◆図2　CD10の免疫染色
結節状構造を呈する腫瘍性B細胞はCD10陽性であることが確認される.

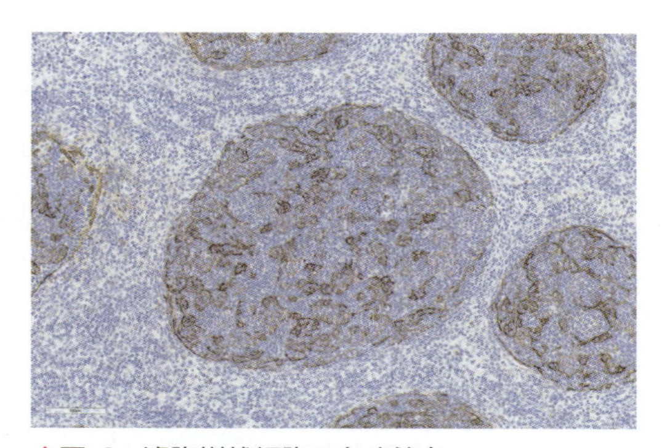

◆図4　濾胞樹状細胞の免疫染色
濾胞性リンパ腫の腫瘍細胞を支持する役割を果たすFDCが時にmeshworkの形で確認される.

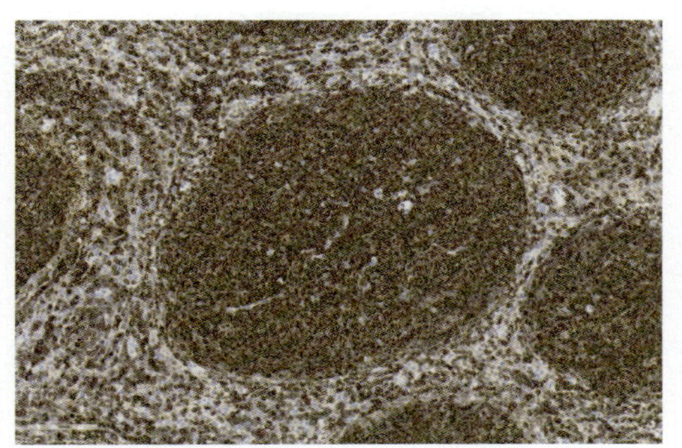

◆図3　BCL2の免疫染色
結節状構造にBCL2が陽性を示す. 反応性胚中心との鑑別点として重要な所見である.

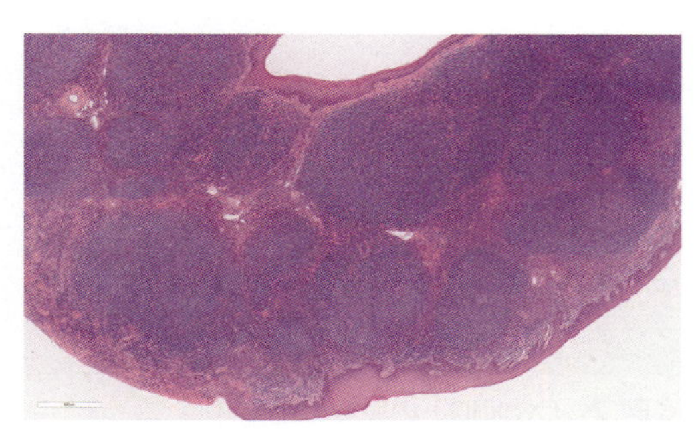

◆図5　マントル細胞リンパ腫のHE染色
マントル細胞リンパ腫では結節状構造が確認され, 腫瘍性の中型リンパ球によって構成されている.

B　マントル細胞リンパ腫

マントル細胞リンパ腫は中高年に好発し男性に多い. わが国では全リンパ腫の2～3%程度で, 相対頻度は欧米の1/3程度である. 染色体転座t(11;14)(q13;q32)が高頻度にみられ, 11番染色体上の*CCND1*遺伝子産物であるcyclin D1蛋白が高発現することが特徴である. 形態的に低悪性度B細胞リンパ腫の細胞形態をとることが多いにもかかわらず, 骨髄浸潤・白血化する頻度が高く治療抵抗性で平均余命約3年程度の難治性である症例が多い. 節外性病変としては特に消化管に病変の主座を持つものがあり, 無数のポリープを形成することも多くmultiple lymphomatous polyposisと呼ばれる.

病理組織学的には, 弱拡大ではクロマチンに富んだ腫瘍性リンパ球が結節を形成し, ときにびまん性に増殖している(**図5**). 強拡大では腫瘍性リンパ球は成熟小型リンパ球よりやや大きく類円形の核を有するが, 胚中心内のリンパ球よりは小さく, 両者の中間にあたる大きさを示すことが多い. 免疫組織学的には, CD5陽性でcyclin D1蛋白が核に一致して高発現することが特徴である(**図6, 7**).

C　粘膜関連リンパ組織(MALT)リンパ腫

MALTリンパ腫は濾胞性リンパ腫と並んでびまん性大細胞リンパ腫に次ぐ頻度でみられる. 代表的な節外性リンパ腫であり慢性炎症を背景に発生する. 胃では*Helicobacter pylori*(*H. pylori*)感染に起因する慢性胃炎, 甲状腺では慢性甲状腺炎(橋本病), 唾液腺では唾液腺炎が背景となる. 染色体異常としては, *API2/MALT1*遺伝子のかかわる融合遺伝子, t(11;18)(q21;q21)が比較的特異性が高い.

病理組織学的には, 腫瘍性リンパ球は中型で切れ込みを有するcentrocyte-like細胞や淡明な胞体を有するmonocytoid B細胞の形態を示す(**図8**). 最も頻度の高い胃の症例では腫瘍性リンパ球がしばしば腺上皮細胞の間に浸潤するlymphoepithelial lesion

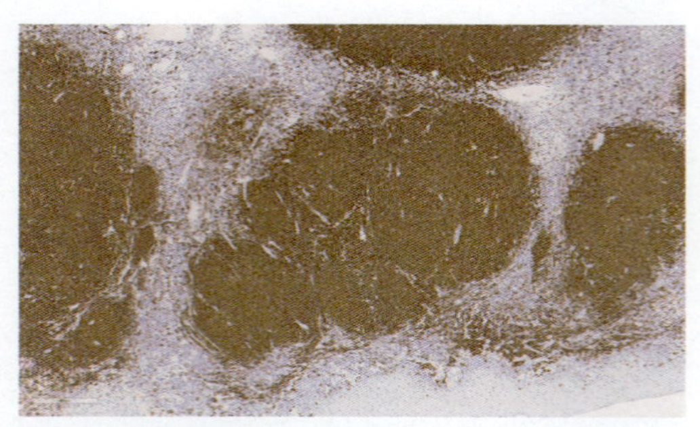

◆図 6　CD5 の免疫染色
マントル細胞リンパ腫の腫瘍細胞は大部分の症例で CD5 蛋白の発現が確認される.

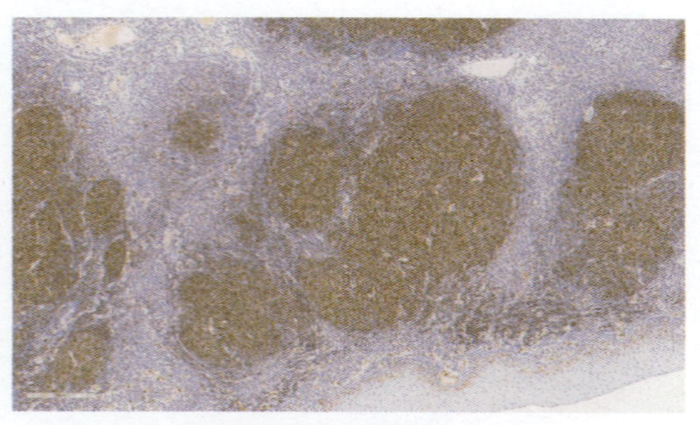

◆図 7　CyclinD1 の免疫染色
CyclinD1 蛋白の過剰発現はマントル細胞リンパ腫に特異的な所見であり，t(11;14)転座を反映している.

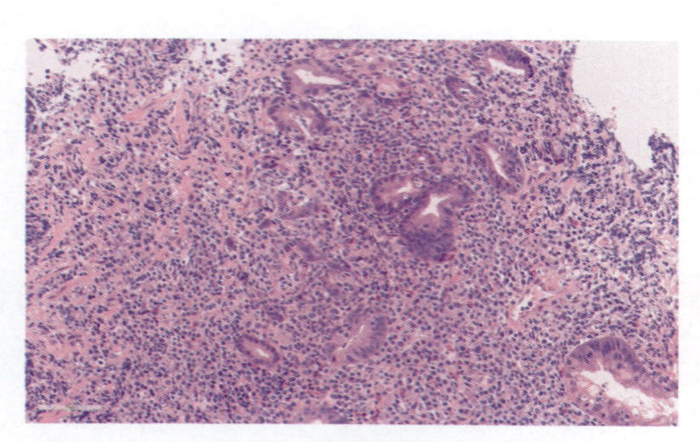

◆図 8　MALT リンパ腫の胃の HE 染色
中型リンパ球の浸潤が確認され，管腔構造を呈する上皮細胞の構造が一部で破壊されている所見が認められる.

(LEL) を形成する (**図 9，10**). MALT リンパ腫は形質細胞への分化を示しやすく，形質細胞分化を示す腫瘍性リンパ球には核内の細胞質陥入像である Dutcher 体がしばしば形成される. 免疫組織学的には特異的なマーカーはない.

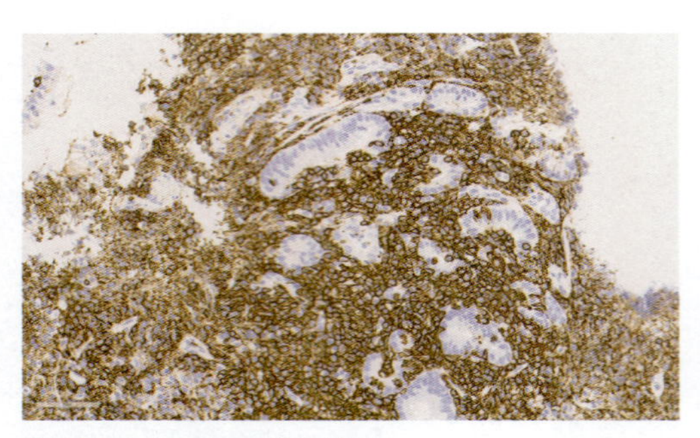

◆図 9　CD20 の免疫染色
CD20 に陽性を示す中型の腫瘍性 B 細胞が管腔構造を呈する上皮間に浸潤している所見 (lymphoepithelial lesion：LEL) が確認される.

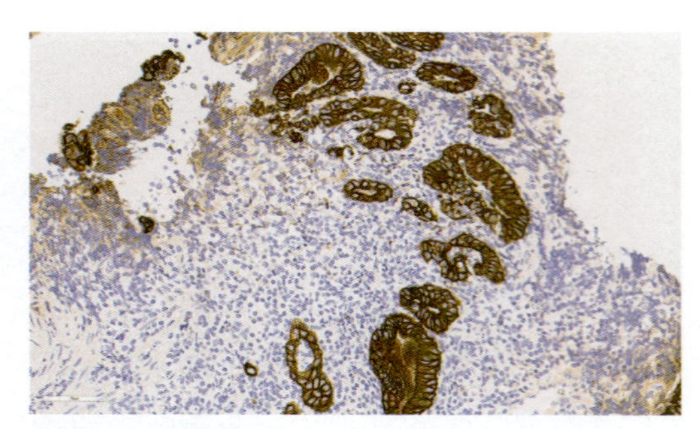

◆図 10　AE1/AE3 の免疫染色
上皮細胞に陽性を示す AE1/AE3 により，破壊された上皮細胞がより明瞭に確認できる.

D　びまん性大細胞型 B 細胞リンパ腫 (DLBCL)

びまん性大細胞型 B 細胞リンパ腫 (diffuse large B-cell lymphoma：DLBCL) は，悪性リンパ腫の約 3～4 割を占めており，最も高頻度にみられるリンパ腫である. DLBCL のなかには最初からこの組織像を示す症例と，低悪性度リンパ腫が高悪性度化した症例が含まれる. *BCL6*，*BCL2*，*MYC* 遺伝子などの異常が関係した症例もみられるが，染色体異常，遺伝子異常も均一ではない.

病理組織学的には，一様に腫瘍性リンパ球がびまん性に増殖している. 強拡大では，腫瘍性リンパ球は大型の類円形核を有している (**図 11，12**). mRNA の発現および免疫染色 (CD10，BCL6，MUM1 など) のパターンにより胚中心細胞由来と非胚中心細胞由来のものに分けられる.

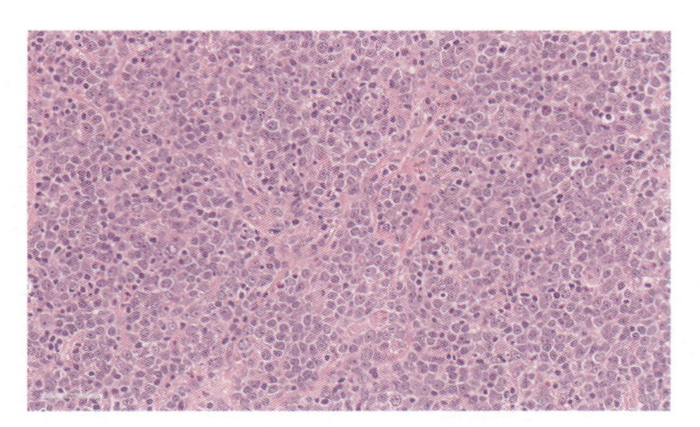

◆**図 11　びまん性大細胞型 B 細胞リンパ腫の HE 染色**
大型で異型を伴うリンパ球がびまん性に増殖している所見が確認される．

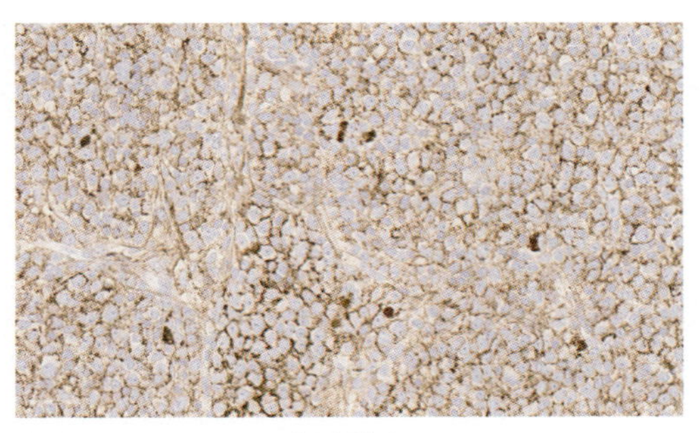

◆**図 12　CD20 の免疫染色**
びまん性に増殖する大型の腫瘍性リンパ球は CD20 に陽性を示し，B 細胞由来であることが確認される．

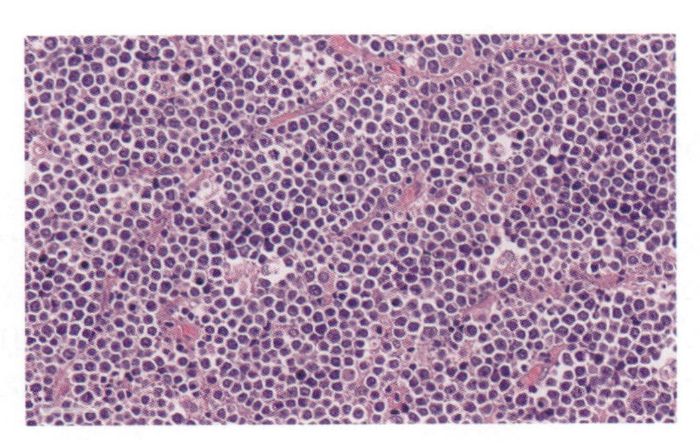

◆**図 13　Burkitt リンパ腫の HE 染色**
中型で異型を伴うリンパ球がびまん性に増殖している．Starry sky 像が確認される．

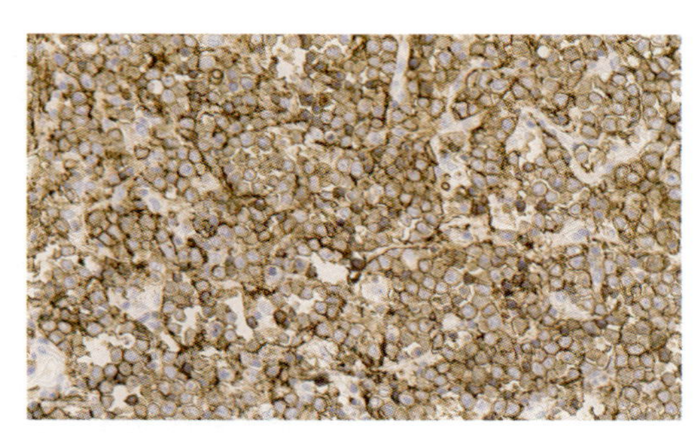

◆**図 14　CD20 の免疫染色**
Burkitt リンパ腫の腫瘍細胞は CD20 に陽性を示し，B 細胞由来の腫瘍であることが確認される．

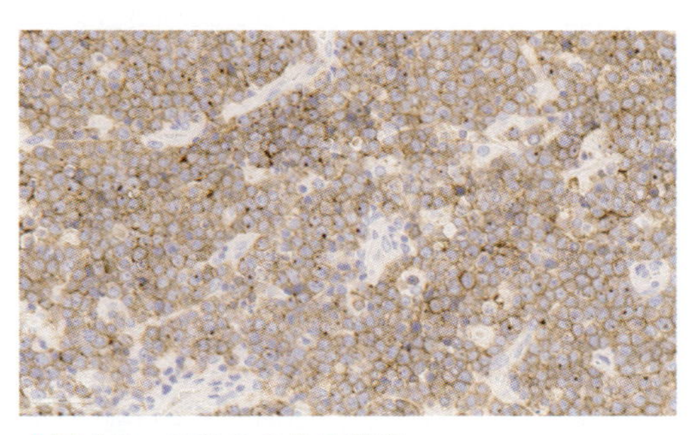

◆**図 15　CD10 の免疫染色**
CD10 に陽性を示す Burkitt リンパ腫の腫瘍細胞は胚中心 B 細胞が由来であると考えられている．

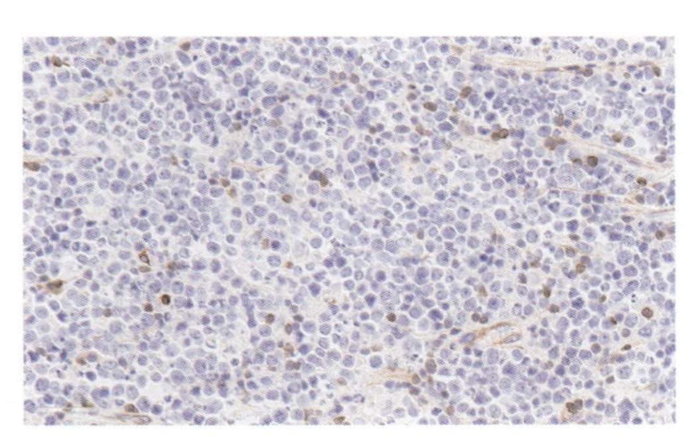

◆**図 16　BCL2 の免疫染色**
Burkitt リンパ腫の腫瘍細胞は Bcl2 が陰性となる．

E　Burkitt リンパ腫

Burkitt リンパ腫は高悪性度リンパ腫である．アフリカに好発する endemic 型，非 endemic 型，HIV に伴う免疫不全関連型の 3 型があり，わが国では非 endemic 型が最も多い．*MYC* 遺伝子を含む染色体異常を有することが基本で t(8;14)(q24;q32) が最も多い．

病理組織学的には，クロマチンに富んだ中型主体の核と好塩基性の胞体を有する腫瘍性リンパ球が，多数の核分裂像を伴ってシート状に増殖する．アポトーシス体を貪食する組織球が多数みられる（starry sky 像）症例が多い（**図 13，14**）．免疫組織学的に，Burkitt リンパ腫に共通した所見として，CD10 陽性，BCL2 陰性，Ki67 陽性率が 90％以上（**図 15，16，17**）が挙げられる．

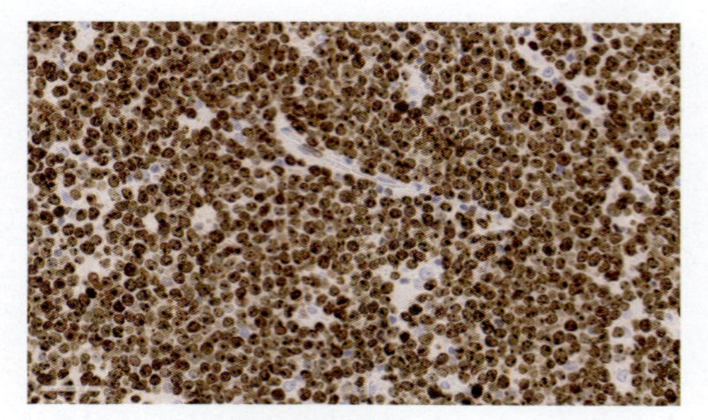

◆図 17 MIB-1 の免疫染色
腫瘍細胞における MIB-1 陽性率が 90%以上となる.

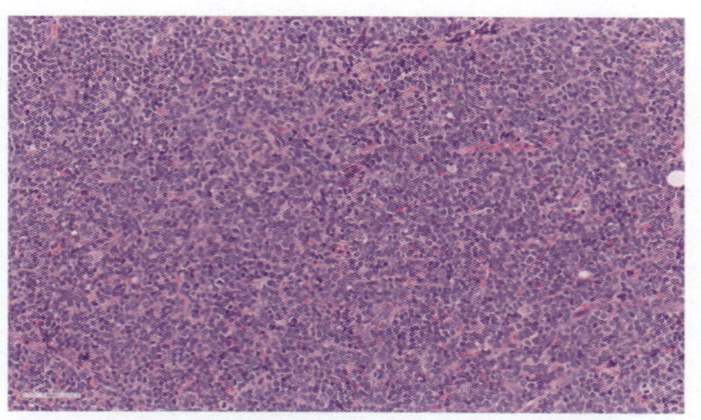

◆図 18 リンパ芽球性白血病 / リンパ腫の HE 染色
リンパ芽球性白血病 / リンパ腫の腫瘍細胞は，中型から一部大型で豊富なクロマチンを有する所見にて特徴づけられる.

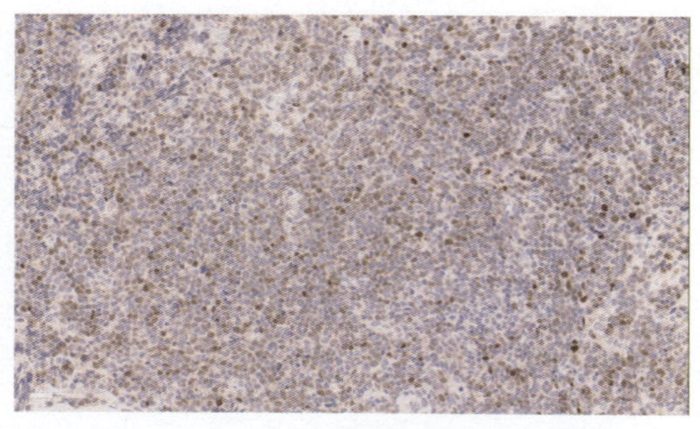

◆図 19 TdT（terminal deoxynucleotidyl-transferase）の免疫染色
リンパ芽球性白血病 / リンパ腫の腫瘍細胞は TdT 発現が核に認められる．幼若な分化段階の腫瘍細胞であることを反映している.

F リンパ芽球性白血病 / リンパ腫

リンパ芽球性リンパ腫と急性リンパ性白血病は本態的に同じ疾患単位に属している．前者が骨髄外での腫瘤形成，後者が骨髄内を増殖の主体とする白血病であり，病変の主座あるいは腫瘍細胞の増殖形態の差により異なった名称が用いられている.

病理組織学的に，腫瘍性リンパ球は中型のクロマチンに富む核を有し均一な形態を呈する（**図 18**）．多数の核分裂像を有し starry sky 像がみられることもある．確定診断上最も有用な検は免疫染色での TdT（terminal deoxynucleotidyltransferase）である（**図 19**）.

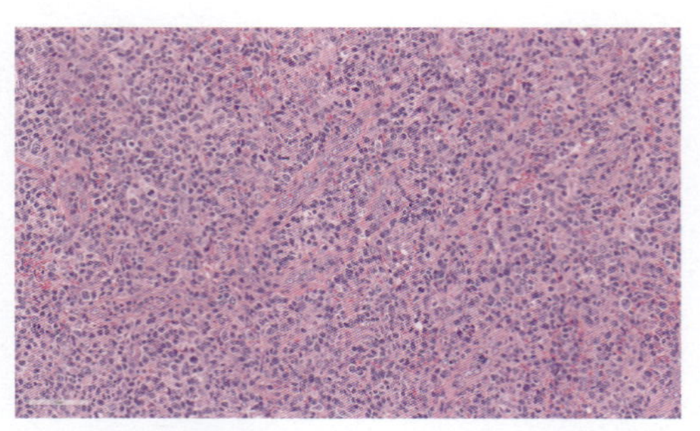

◆図 20 末梢性 T 細胞リンパ腫，非特定型の HE 染色
末梢性 T 細胞リンパ腫，非特定型の症例では，血管増生，多彩な炎症細胞浸潤が種々の程度で確認される.

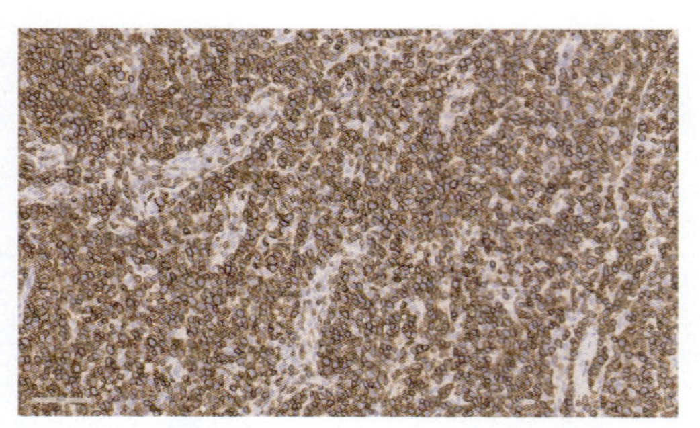

◆図 21 末梢性 T 細胞リンパ腫，非特定型の CD3 の免疫染色
末梢性 T 細胞リンパ腫，非特定型の症例では，腫瘍細胞が T 細胞由来であることを反映して CD3 の免疫染色に陽性を示す.

G 末梢性 T 細胞リンパ腫，非特定型

末梢性 T 細胞リンパ腫，非特定型は除外診断によって診断される疾患単位で，非常に多彩な組織像を呈する．T 細胞リンパ腫では種々の程度に血管増生や好酸球浸潤，あるいは組織球の増生を伴う（**図 20，21**）．このような現象は腫瘍性 T 細胞が豊富な各種サイトカインの産生していることに起因すると考えられる．また，症例によっては濾胞間に，リンパ濾胞を残すように分布することもある．組織球が豊富で類上皮細胞

結節（Lennert lesion）を多数伴う症例もみられる.

H 血管免疫芽球性 T 細胞リンパ腫

このリンパ腫はほとんどがリンパ節原発であり，初診時に臨床病期の進んだ症例が大部分である．中高年に好発し，若年発症はまれである．発熱や多クローン性免疫グロブリン血症，皮疹などを伴うことが多く，腫瘍性 T 細胞由来のサイトカインによる徴候だと考えられている．予後は一般的に不良である．

病理組織学的に，リンパ節はリンパ濾胞が一部で残存することもあるが多くの症例で基本構築が破壊されている．多数の血管増生がみられ，その多くは内皮細胞が腫大する高内皮細静脈の形態を示す．増生する血管の周囲には，核小体の明瞭な大型芽球や形質細胞，あるいは好酸球浸潤など多彩な像がみられる．腫瘍性リンパ球は中型～大型核と淡明な胞体（clear cell または pale cell と呼ばれる）を有する（**図 22**）．これらの所見の背景には，免疫染色で同定される濾胞樹状細胞の meshwork がみられる（**図 23**）．腫瘍性リンパ球は CD4，CD10，PD-1，BCL6，CXCL13 が種々の程度に陽性であり（**図 24，25**），胚中心内の follicular helper T 細胞由来であることを示している．

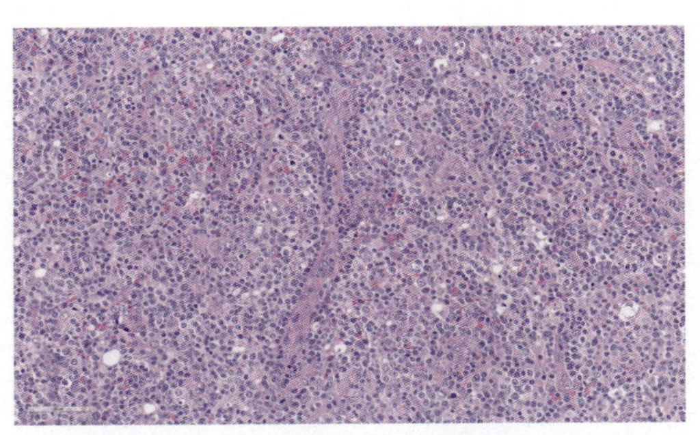

◆図 22　血管免疫芽球性 T 細胞リンパ腫の HE 染色
核が腫大した血管（高内皮細静脈）の周囲に，中型リンパ球，好酸球，形質細胞浸潤を伴いながら増殖する腫瘍細胞が確認される．腫瘍細胞は淡明な胞体を有し，clear cell/pale cell と呼ばれる．

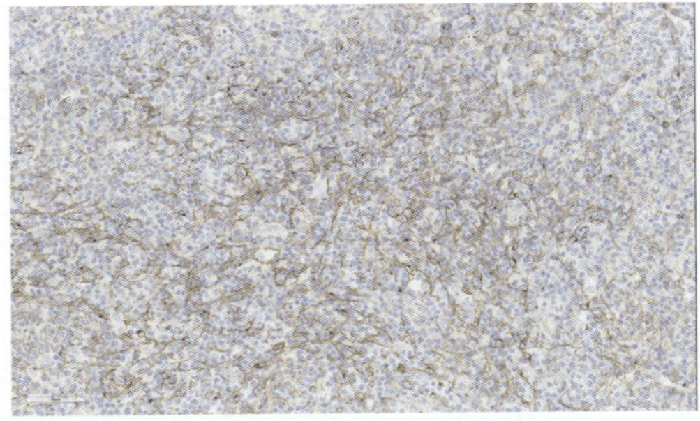

◆図 23　血管免疫芽球性 T 細胞リンパ腫の FDC の免疫染色
血管免疫芽球性 T 細胞リンパ腫では，腫瘍細胞の増殖の背景に FDC meshwork が確認される．

I 成人 T 細胞白血病 / リンパ腫

九州，四国などの南西日本に高率にみられる T 細胞リンパ腫で，RNA ウイルスである HTLV-1 が発症に関連し，proviral DNA が単クローン性に取り込まれている．HTLV-1 は主として母乳を介して伝播する．臨床的にはくすぶり型，慢性型，急性型，リンパ腫型がある．

病理組織学的に，びまん性に腫瘍性リンパ球が増生している．典型例にみられる所見としては腫瘍性リンパ球の異型が非常に強いことが挙げられる．腫瘍性リンパ球の核は大小さまざまでときに切れ込みを有する不整な核形を示す（**図 26，27**）．核小体は明瞭なもの

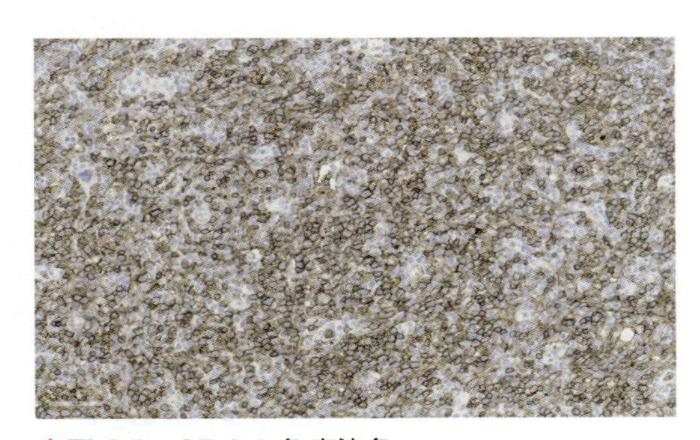

◆図 24　CD4 の免疫染色
血管免疫芽球性 T 細胞リンパ腫の腫瘍細胞は CD4 に陽性を示す．

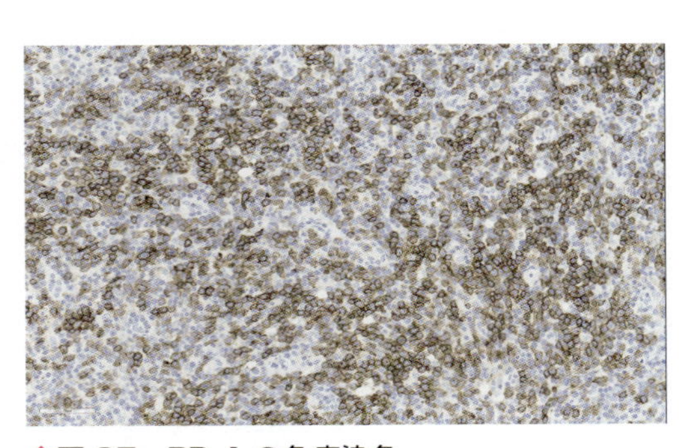

◆図 25　PD-1 の免疫染色
腫瘍細胞に PD-1 が種々の程度で確認される．PD-1 は濾胞ヘルパー T 細胞のマーカーの 1 つである．

も不明瞭なものもあり，同一の病変内でも多彩な細胞形態が確認される．こういった不均一さも典型例の特徴である．脳回様（convoluted）と形容される核表面の切れ込みが著しい核形を有する細胞もときにみられる．

J NK/T 細胞リンパ腫，鼻型

EBV の関与するリンパ腫でアジア地域では多数の症例がみられるが，欧米ではきわめてまれである．鼻腔発生が最も多く，皮膚や消化管，脾臓，睾丸にも発生しうる．

病理組織学的には，血管周囲性に中型から大型の腫瘍性リンパ球が増殖して血管壁を浸潤破壊し，しばしばその周囲に壊死が認められることが特徴である．腫瘍性リンパ球の核は細長く，胡瓜様などとも表現され，胞体は狭小である（図 28）．CD3 が細胞質に陽性，CD56，TIA-1，EBER-1 *in situ* 陽性（図 29, 30, 31, 32）でありEBVの感染が高率に証明される．

K 未分化大細胞リンパ腫（ALCL）

未分化大細胞リンパ腫（anaplastic large cell lymphoma：ALCL）は CD30 抗原陽性の大型腫瘍性リンパ球の増殖により定義づけられている．ALCL は大きく 2 つに大別され，t(2;5)(p23;q35) を主体とする *ALK* 遺伝子の異常を伴い，若年発生が多く，治療反

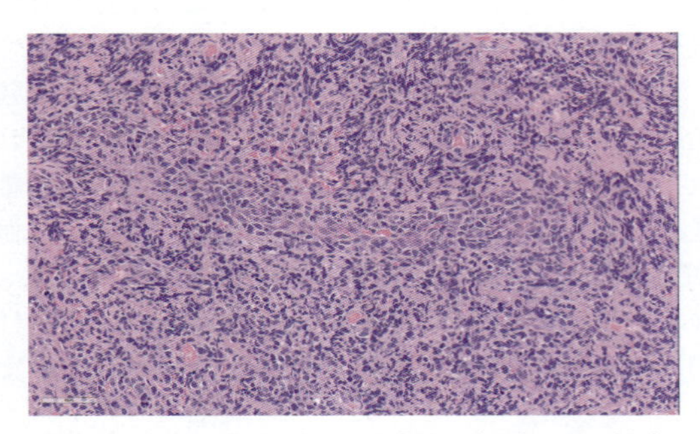

◆図 28　NK/T 細胞リンパ腫，鼻型の HE 染色
血管を取り囲むように腫瘍細胞が増殖している．個々の腫瘍細胞は細胞質に乏しく核が細長い特徴がある．

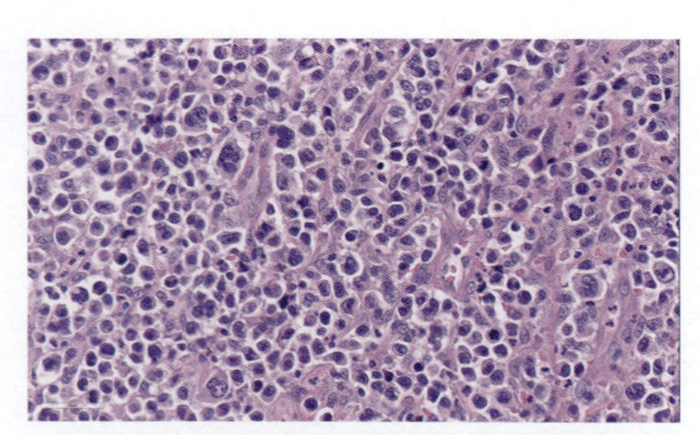

◆図 26　成人 T 細胞白血病 / リンパ腫の HE 染色
中型から大型のリンパ球の増殖が確認されるが，形態異常の強い細胞が多く確認される．

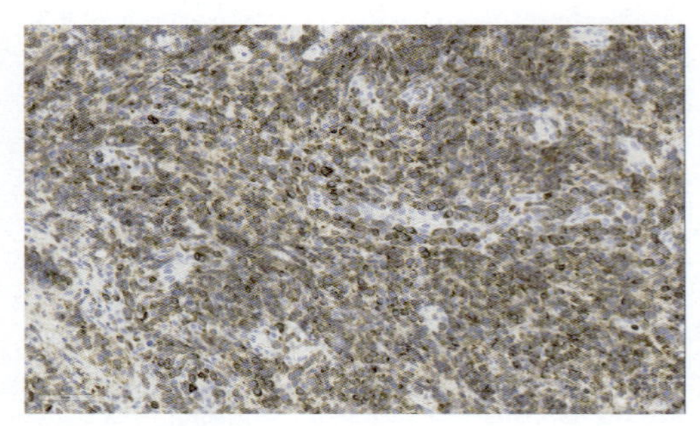

◆図 29　CD3 の免疫染色
NK/T 細胞リンパ腫，鼻型の典型例では，CD3 が細胞質のみに発現が確認される．細胞膜の輪郭が追いづらくなる点が鑑別ポイントとなる．

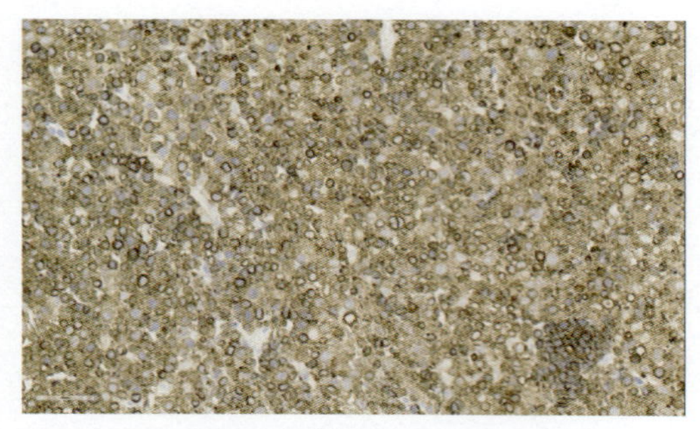

◆図 27　CD3 の免疫染色
T 細胞が起源であることを反映して成人 T 細胞白血病 / リンパ腫の腫瘍細胞は CD3 に陽性を示す．

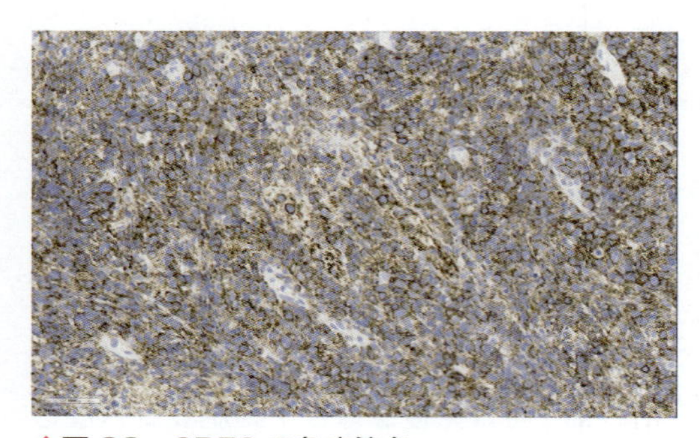

◆図 30　CD56 の免疫染色
NK 細胞由来であることを反映し，典型例では CD56 に陽性を示す．

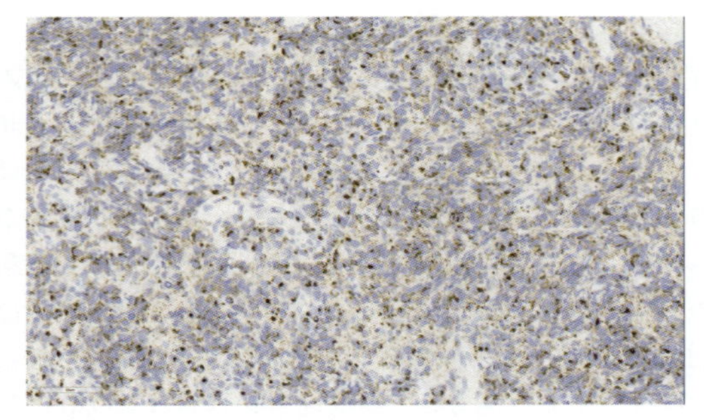

◆**図 31 TIA-1 の免疫染色**
細胞傷害性マーカーの 1 つである TIA-1 の発現は，NK/T 細胞リンパ腫の特徴である．周囲組織を破壊しながら増殖する特徴は細胞傷害性因子の機能を反映していると考えられる．

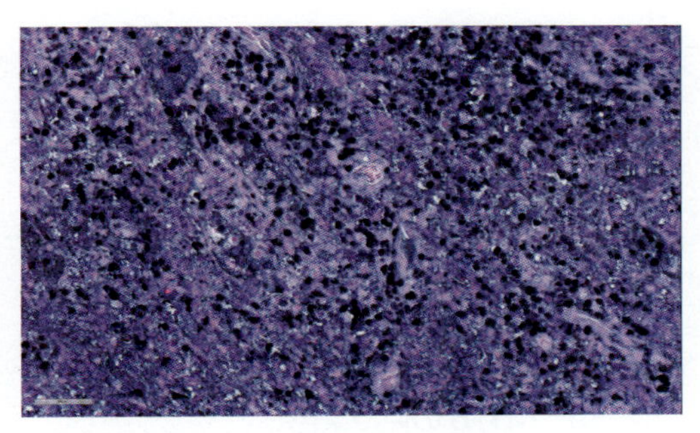

◆**図 32 EBV *in situ* hybridization**
NK/T 細胞リンパ腫，鼻型は EBV が病態に深くかかわっており，高率に陽性を示す．

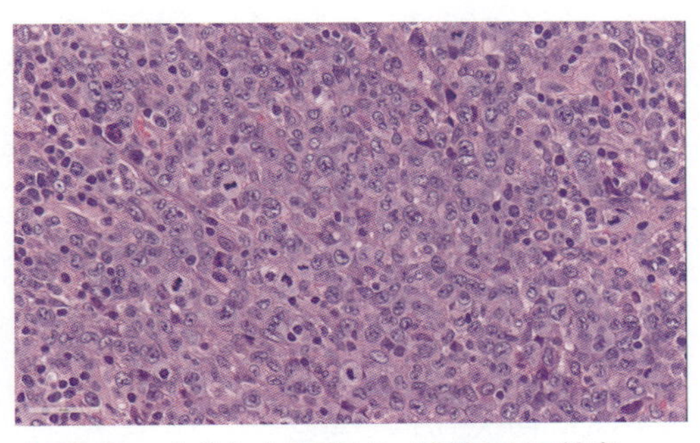

◆**図 33 未分化大細胞リンパ腫の HE 染色**
好酸性で豊富な細胞質および時に馬蹄形を示す大型の核を有する腫瘍細胞がびまん性に増殖している．

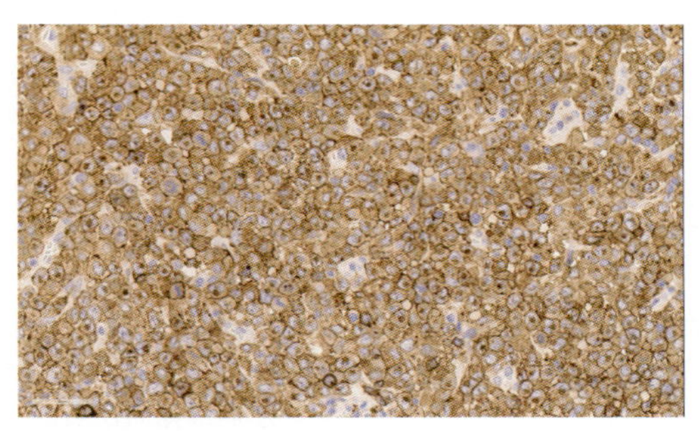

◆**図 34 CD4 の免疫染色**
未分化大細胞リンパ腫の腫瘍細胞は時に T 細胞の表面毛抗原を有する．

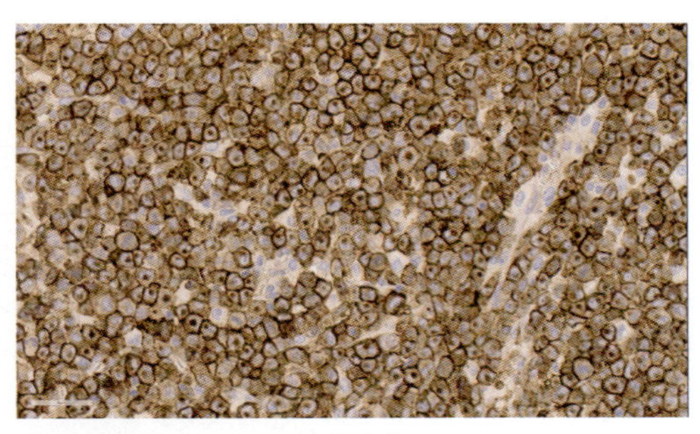

◆**図 35 CD30 の免疫染色**
未分化大細胞リンパ腫の腫瘍細胞は CD30 に陽性を示すことが特徴である．

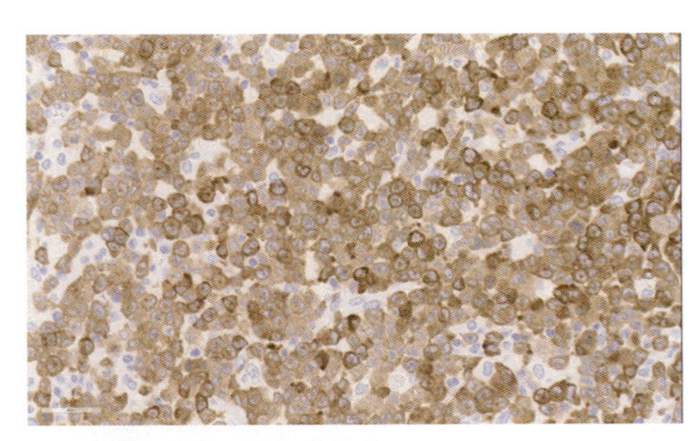

◆**図 36 ALK の免疫染色**
腫瘍細胞の細胞質に ALK が陽性であることが確認される．

応性が一般に良好なリンパ腫（ALK 陽性 ALCL）と，*ALK* 遺伝子の異常を伴わない予後不良なリンパ腫（ALK 陰性 ALCL）が含まれる．前者について以下に示す．

病理組織学的に，ALK 陽性 ALCL の特徴はリンパ洞内を中心として大型で異型の強い核形を示す腫瘍性リンパ球が集簇性に浸潤・増殖することである．胞体は淡好酸性で豊富なことが多く，集簇性を示す（**図 33**）．免疫組織学的には，ときに T 細胞系の形質を示すが（**図 34**），T，B 細胞の形質をともに欠くことがしばしばあり，このような細胞は null cell と表現される．特徴的なのは，CD30 抗原を有することと（**図 35**），ALK 蛋白が細胞質（**図 36**）あるいは核と細胞質に認められることで，核と細胞質に認められる場合には t(2;5)(p23;q35) が存在する．

L Hodgkin リンパ腫

以前はHodgkin病と呼ばれていたが，腫瘍細胞のほとんどがB細胞に由来することからリンパ腫の一型となった．多くは節性で連続伸展する特徴を示す．発症年齢は若年と中高年の二峰性分布をしており，結節硬化型は若年女性優位の縦隔病変，混合細胞型は中高年優位でEBVとの関係が深いという傾向がある．

病理組織学的に，混合細胞型のHodgkin/Reed-Sternberg（HRS）細胞は非常に大型の核と明瞭な核小体を有しており，二核のものでは**ミラーイメージ**と呼ばれる形態を示すことがある（**図37**）．組織球，好酸球，形質細胞浸潤，線維増生という多彩な組織所見がみられ，これらはHRS細胞の作り出す豊富なサイトカインの影響と考えられている．結節硬化型では被膜の肥厚と分画するような線維化，**lacunar細胞**がみられる．結節硬化型でのlacunar細胞はHRS細胞の一型とされる．免疫組織学的に，これらの細胞はCD30が陽性のことが多く（**図38**），CD15もしばしば陽性である（**図39**）．腫瘍性リンパ球はCD20に陰性でPAX5に弱陽性となる（**図40**）．

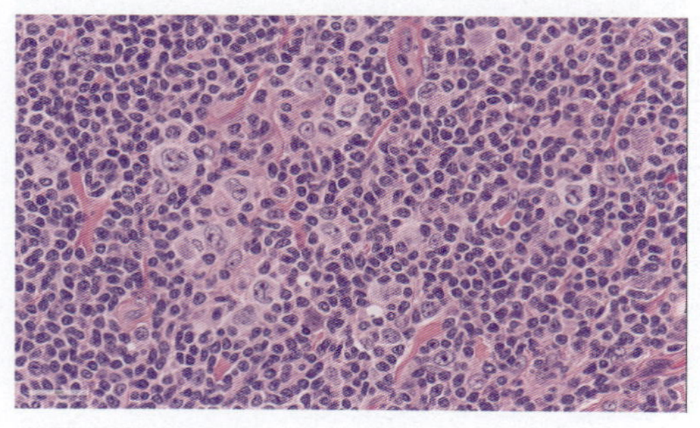

◆図37　Hodgkinリンパ腫のHE染色
中型リンパ球の増殖を背景に，非常に大型で明瞭な核小体を有する細胞（Hodgkin/Reed-Sternberg：HRS）が多数確認される．

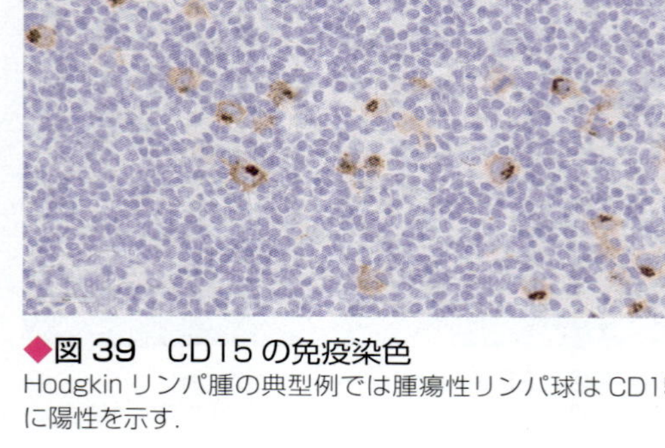

◆図39　CD15の免疫染色
Hodgkinリンパ腫の典型例では腫瘍性リンパ球はCD15に陽性を示す．

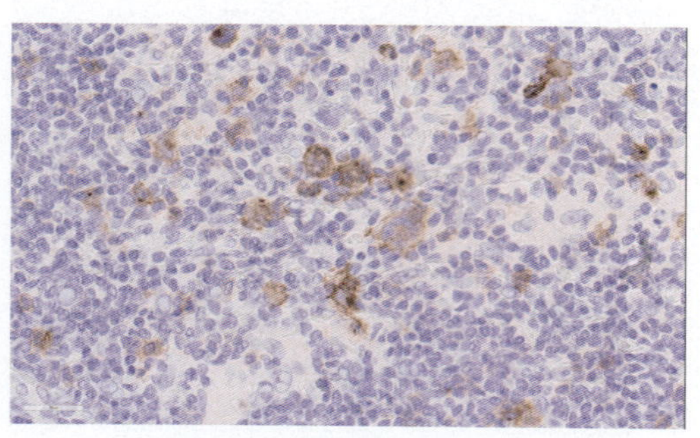

◆図38　CD30の免疫染色
大型の腫瘍性リンパ球はCD30に陽性を示す．

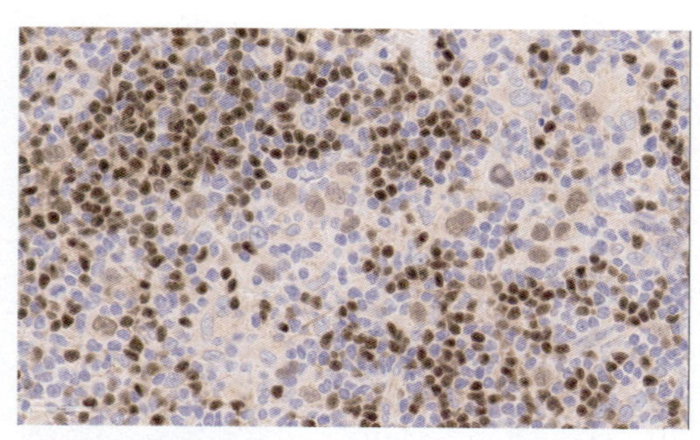

◆図40　PAX5の免疫染色
Hodgkinリンパ腫で確認される腫瘍性リンパ球はPAX5に弱陽性を示し，B細胞由来であることが確認できる．

2 リンパ節における非腫瘍性病変

A サルコイドーシス

サルコイドーシスは両側肺門部のリンパ節腫脹をきたすことが特徴の1つである．原因として，細菌，特にアクネ菌（*Propionibacterium acnes*）との関係が報告されている

病理組織学的に，サルコイドーシスは**類上皮細胞肉芽腫**が出現する点で結核との鑑別が問題になる疾患である．類上皮細胞性肉芽腫は類円形核および淡明で好酸性の胞体を有する組織球の集簇巣により構成される．Langhans 型巨細胞および異物型巨細胞がしばしばみられる．サルコイドーシスでは肉芽腫の大きさが比較的均一で，明瞭な壊死はみられない（**図41**）．

B 結核性リンパ節炎

リンパ節における結核は，病理組織学的には類上皮細胞肉芽腫と中心部の壊死からなる結核結節の出現が基本であり，そのためリンパ節は部分的にもとの構造を失っている．この結核結節は，弱拡大像では淡好酸性にみえる．強拡大にて壊死を縁取るように組織球がみられるが，核が卵円形，淡明で弱好酸性の豊富な胞体を有し，類上皮細胞肉芽腫の形態を呈している．サルコイドーシスと同様に，しばしば組織球は融合しLanghans 型あるいは異物型巨細胞となる（**図42**）．

C 組織球性壊死性リンパ節炎（菊池－藤本病）

本症は若年女性に多く，大部分の症例では，頸部，特に胸鎖乳突筋後縁のリンパ節が侵され，有痛性である．

病理組織学的に，リンパ節は副皮質から皮質にかけて，巣状の壊死巣あるいは芽球化したリンパ球と組織球の集簇巣が認められる（**図43**）．前者は核の染色性を失い淡好酸性で細胞形態のみが推定されるゴースト細胞が主体であるが，そのなかに小型の核破砕物が多数みられ，アポトーシスの機序が働いていることを示している．これらの巣状の病変中には組織球と中型～大型のTリンパ球がみられる．

■文　献■

1）Swerdlow SH et al（eds）: WHO Classification of Tumours of Haematopoietic and Lymphoid Tissues, 4th ed, Revised ed, IARC Press, 2017

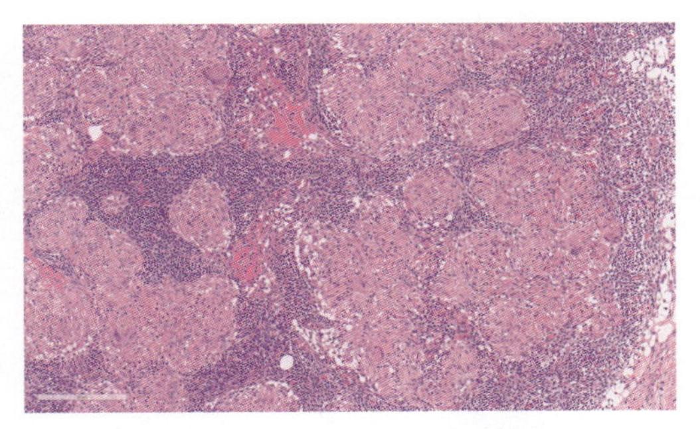

◆**図41　サルコイドーシスのHE染色**
類上皮細胞性肉芽腫により構成される結節状構造が確認される．壊死はみられない．

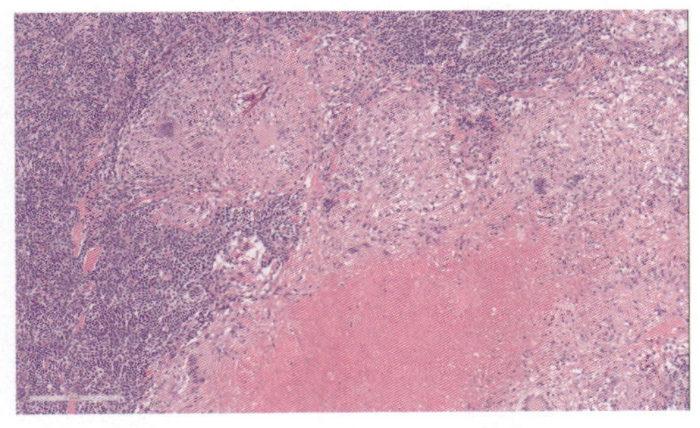

◆**図42　結核性リンパ節炎のHE染色**
乾酪壊死および類上皮細胞性肉芽腫が確認され，多核巨細胞も認められる．

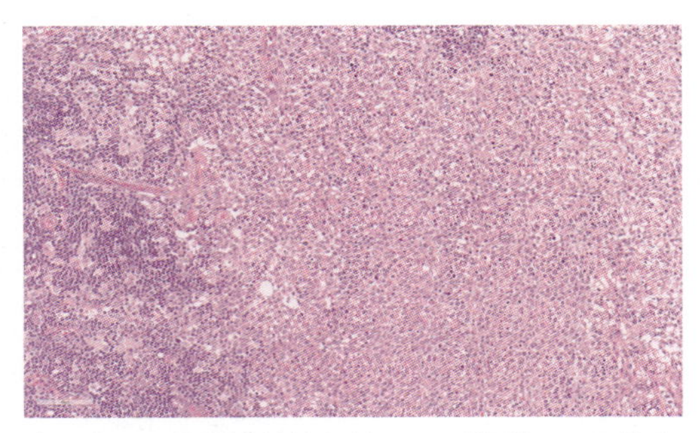

◆**図43　組織球性壊死性リンパ節炎のHE染色**
中型から大型のリンパ球および組織球が増殖し，部分的に核塵が確認される．

1 医学研究と利益相反（COI）

到達目標

- COI 管理の基本的な考え方について理解する

1 利益相反（COI）とは

医学の発展は，多くの医学系研究者・研究機関・学会によるたゆみない研究努力によって支えられてきた．しかしながらその過程ではさまざまな個人・組織がかかわるため，研究者や組織が職務上図るべき社会的責任と利益がしばしば衝突する．これを利益相反（conflicts of interest：COI）と呼んでいる．COI は，いい方を変えれば当事者（この場合は医学系研究者・研究機関・学会など）と第三者（営利企業，社会，患者など）の利害が衝突することであり，しばしば研究や診療を歪め，関係する個人・組織の利益誘導につながる．特にヒトを対象とする医学研究では，被験者の人権ならびに生命と安全を守る観点から高い倫理性が求められており，研究の公正性を保つ上で COI を適正に管理し透明性を担保することはきわめて重要である．また学会・講演会などの科学的，教育的プログラムは，その質と信頼性を確保するために科学性のみならず高い倫理性をもった実施が求められている．

2 COI の基本的な考え方

COI 管理の第一歩は，医学系研究を実施する研究機関ならびに研究者が適切に COI を開示することである．企業や営利を目的とする法人・団体から研究者・研究機関に提供されるさまざまな利益（金銭，地位，株式など）に関する情報を，適切かつタイムリーに開示しなくてはならない．医師や医学系研究者として最も多い COI は，製薬企業からの奨学寄付金や講演会での講演料，共同研究費や受託研究費であろう．このような経済的 COI 状態が研究機関自体や研究者個人に生じることは，産学連携を行っていくうえで自然なことであり，それ自体に問題があるわけではない．重要なことは，研究者や学会・研究機関の長がそれらを適切に管理・公表し，研究の透明性を保つことである．これによって第三者からバイアスが掛かっているとみられかねない状況を修正し，研究者や研究機関に対する誤解を避けるための仕組みを構築し，透明性を担保しながら産学連携を推進していくことが大切である．

COI は，その性質上白黒がはっきりつくものではなく，ある / なしの境界線は曖昧である．COI が存在するか否かの判断は多分に主観的であり，研究者が COI なしと考えても，第三者からみて COI があるのではないかと疑われれば，COI は存在すると考えるべきである．たとえばある薬剤について臨床研究を行っている研究者がその薬剤を販売する製薬企業から研究費を受け取っている場合，その臨床研究とはまったく関係のない基礎研究への支援であったとしても，第三者からみれば臨床研究に影響を与えているのではないかと疑われることがある．あるいは，ある企業から 50 万円の奨学寄付金を受け取っている場合，それを金額が少ないため COI に相当しないとみるか，金額の多寡にかかわらず COI として申告すべきと考えるかは状況によって異なるだろう．事実，COI の申告基準は学会や学術誌により異なるのが実情である．

COI とは，研究者と企業との利益関係が研究を歪めているのではないかと疑われた時に，第三者がその公正性を判断する根拠となるものである．したがって研究者・組織は，研究の公正性に疑念を持たれた場合，それに対応できるよう十分な COI 情報をあらかじめ申告しておかなくてはならず，申告を受けた側（多くの場合，学会組織や学術誌）はそれを適切に管理し，必要があればそれを公表しなくてはならない．

日本血液学会の講演会（学術集会，国際シンポジウム），役員，学術雑誌（臨床血液，IJH）における COI 申告の詳細について**表 1** に示す．詳細はそれぞれのホームページ・論文投稿サイト，ならびに「日本

血液学会 医学系研究の利益相反（COI）に関する共通指針」[1] を参照していただきたい．

3 医学系研究と COI

医学系研究は他分野（工学系など）における共同研究・受託研究などと異なり，次のような特性を持っている．

1) 大学等の研究機関は，政策的に知的財産の活用および産学連携の推進が求められている．
2) 医学系研究者の多くが，企業との関係だけでなく，医師として研究対象者（患者など）とも密接な関係を有することから，研究対象者の人権擁護，生命に係る安全性確保が何よりも求められている．
3) 医学系研究データは，新しい診断・治療法・予防法の開発や薬事審査の基礎になるため，信頼性の確保が強く求められている．
4) 研究成果の発表は聴衆や医療従事者に大きなインパクトを持ち，特に診療ガイドラインの公表は診療に大きな影響を与える．

一方，医学系研究では次のような観点から，何らかの COI 状態にある研究者が当該研究に関与することが多いという特性がある．

1) 最先端の医学系研究では，研究自体が疾病の予防・診断・治療法の開発を目的とすることが多く，その研究を安全に実施できる最適な人物はその研究者自身である場合が多い．
2) 研究者自身が創薬，医療機器開発などのベンチャー企業に関与し，重要な役割を果たすケースも多い．
3) 新薬や医療機器などの臨床開発には基礎研究，医学系研究が必ず必要であり，研究者自身が一切かかわらないということは現実的に困難である．
4) 診療ガイドライン策定に参加できるような知識や経験を有する医師・研究者は，産学連携を通じて企業の関与する研究に参加する機会が多く，また寄付金や講演会収入など企業と密接な経済的関係を持つ場合もしばしばみられ，重大な COI 状態にあることが多い．

このような特性から，医学系研究は研究対象者である患者のみならず一般社会に与える影響が非常に大きく，したがって COI についてはより慎重で厳密な対応が求められている．

4 組織 COI

平成 28 年から施行されたわが国の第 5 期科学技術基本計画では，「企業，大学，公的研究機関の本格的連携とベンチャー企業の創出強化等を通じてイノベーションが生み出されるシステム構築」すなわちオープンイノベーションの推進をうたっており，その一環として医学系研究機関における研究開発を促進するための産学連携活動を強化している．これにより共同研究，受託研究，知的財産や技術の移転，共同研究センターの開設などが積極的に推進されているが，一方でこれにより研究機関が特定の企業から多額の寄付金を受け取っていたり，あるいは特許をその企業へライセンスしていたり，株式を保有していたりするなど，組織 COI（institutional COI）が発生しやすい状況となっている．このような COI を有する組織において，事業活動の決定権や監査権を持っている上級役職者（理事長，学長，病院長，役員など）が自らの研究機関の利益を優先するような判断や意志決定を行うと，研究の公正性や信頼性を歪めることになる．同様のことが医学系学会においても起こりえる．近年は学会主導の臨床研究が多く行われているが，それらには企業の支援を受けて行う研究も多い．また本学会では，企業の寄付金を原資とした研究助成プログラムも行われている．このように企業と学術団体との連携も年々深まっており，これが新たな COI を生み出しているのが現実である．したがって学会や学術機関は組織としての COI 管理をしっかりと行い，社会から誤解や疑念をいだかれないよう，事業活動の透明化を進めていかなければならない．

このような状況に対応して，日本製薬工業協会の加盟企業では「企業活動と医療機関等の透明性ガイドライン」（2011 年 1 月）に従い，医療機関，研究機関，医療関係者などへの金銭的支払いを 2013 年度から公開している．また，日本医療機器産業連合会も「医療機器業界における医療機関等との透明性ガイドライン」（2012 年 1 月）を公表し，会員である医療機器企業は製薬企業と同様の公開を 2014 年度から開始している．

米国では研究機関の客観性・公正性を明確にするため，American Association of Medical College（AAMC），American Association of Universities（AAU）などが組織 COI のガイドラインを定め，また National Science Foundation（NSF），the National Institutes of Health（NIH）は研究者に組織 COI の開示を求めている．さらに世界の約 6000 の医学雑誌が

◆表 1　日本血液学会の COI 申告基準

	項目番号	項目	詳細	申告内容（過去 3 年間について申告）			申告内容
				講演会（筆頭発表者が発表者全員の COI を申告）	役員*（個別に申告）（有の場合，下記の分類を選択）	臨床血液（責任著者が著者全員の COI を文書で申告．また論文の最後に開示項目を個別に記載）	IJH
申告者	1	企業・組織や団体の役員，顧問職	1 つの企業・組織や団体からの報酬額が年間 100 万円以上のものを記載	有・無	① 100 万円以上 ② 500 万円以上 ③ 1000 万円以上	有・無	・全ての著者が，ICMJE の form に記載して投稿時に申告 ・論文中にも COI disclosure を記載 ・論文に関連する COI については，時期を問わず，著者全員と所属組織について申告 ・論文と直接関係のない COI は，過去 3 年間について申告
	2	株式の保有	1 つの企業についての 1 年間の株式による利益［配当，売却の総和］が 100 万円以上のもの，あるいは当該全株式の 5％以上を所有するものを記載	有・無	① 100 万円以上 ② 500 万円以上 ③ 1000 万円以上	有・無	
	3	企業・組織や団体からの特許権使用料	1 つの権利使用料が年間 100 万円以上のものを記載	有・無	① 100 万円以上 ② 500 万円以上 ③ 1000 万円以上	有・無	
	4	企業・組織や団体から，会議の出席（発表，助言など）に対し，研究者を拘束した時間・労力に対して支払われた報酬（日当，講演料など）	1 つの企業・組織や団体からの年間の報酬が合計 50 万円以上のものを記載	有・無	① 50 万円以上 ② 100 万円以上 ③ 200 万円以上	有・無	
	5	企業・組織や団体がパンフレット，座談会記事などの執筆に対して支払った原稿料	1 つの企業・組織や団体からの年間の原稿料が合計 50 万円以上のものを記載	有・無	① 50 万円以上 ② 100 万円以上 ③ 200 万円以上	有・無	
	6	企業・組織や団体が医学系研究（共同研究，受託研究，治験など）に対して提供する研究費	申告者が実質的に使途を決定し得る 1 つの企業・組織や団体からの研究契約金の総額が年間 100 万円以上のものを記載	有・無	① 100 万円以上 ② 1000 万円以上 ③ 2000 万円以上	有・無	
	7	企業・組織や団体が提供する奨学（奨励）寄附金	1 つの企業・組織や団体から，申告者個人または申告者が所属する講座・分野または研究室に対する奨学（奨励）寄附金のうち，申告者が実質的に使途を決定し得る奨学（奨励）寄附金の総額が年間 100 万円以上のものを記載	有・無	① 100 万円以上 ② 500 万円以上 ③ 1000 万円以上	有・無	
	8	企業・組織や団体が提供する寄附講座	企業・組織や団体が提供する寄附講座に申告者が所属しており，かつ，申告者が実質的に使途を決定し得る寄附金の総額が年間 100 万円以上のものを記載	有・無	有・無	有・無	
	9	研究とは直接無関係な旅行，贈答品などの提供	1 つの企業・組織や団体から受けた総額が年間 5 万円以上のものを記載	有・無	① 5 万円以上 ② 20 万円以上	有・無	
	10	企業・法人組織や営利を目的とした団体の被雇用者である		有・無		有・無	
申告者の配偶者，一親等内の親族，または収入・財産的利益を共有する者	1	企業・組織や団体の役員，顧問職	1 つの企業・組織や団体からの報酬額が年間 100 万円以上のものを記載	有・無	① 100 万円以上 ② 500 万円以上 ③ 1000 万円以上		
	2	株式の保有	1 つの企業についての 1 年間の株式による利益［配当，売却の総和］が 100 万円以上のもの，あるいは当該全株式の 5％以上を所有するものを記載	有・無	① 100 万円以上 ② 500 万円以上 ③ 1000 万円以上		
	3	企業・組織や団体からの特許権使用料	1 つの権利使用料が年間 100 万円以上のものを記載	有・無	① 100 万円以上 ② 500 万円以上 ③ 1000 万円以上		

*役員：理事長，副理事長，理事，監事，学術集会会長（今期・次期），国際シンポジウム会長（今期・次期），委員会委員長・副委員長，特定委員会委員，事務局長
（特定委員会：IJH 編集委員会，臨床血液編集委員会，COI 委員会，倫理委員会，賞等選考委員会，造血器腫瘍ガイドライン委員会，診療委員会，ゲノム医療委員会）

準用しているInternational Committee for Medical Journal Editors（ICMJE）が2013年にRecommendations for the Conduct, Reporting, Editing, and Publication of Scholarly Work in Medical Journalsを公表し，論文著者だけでなく所属する研究機関の組織COIの開示も論文発表時に求めている．わが国でも全国医学部長病院長会議が「医学系研究機関における組織COI管理ガイダンス」[2]を2018年に公表し，組織COIの公開と管理の重要性を強調している．また日本医学会も2020年にCOI管理ガイドラインを改訂し，組織COIの詳細について記載を追加している[3]．

組織COIは学術団体自身が開示するだけでなく，近年はICMJEのように研究者個人にも所属組織のCOIについて申告を求める方向にある．2017年から2020年にかけて，日本医学会や日本内科学会は役員と診療ガイドライン作成委員のCOI自己申告書に所属組織のCOI開示を盛り込み，申告者が所属研究機関・部門の長と過去3年間に共同研究者，分担研究者の関係にあったか，あるいは現在ある場合に組織COIの開示を求めている．

5 診療ガイドライン作成におけるCOI管理

現在，数多くの診療ガイドラインや診療指針が学術団体から公表され，わが国の医療の質の向上に大きく役立っている．これらは医療現場で治療選択や薬剤選択を行う際に最も信頼されているもので，影響力はきわめて大きく社会からの関心も高い．このようなことから，診療ガイドライン作成には特定の製薬企業など営利を目的とした団体への恣意的な利益誘導につながらないよう，高度な独立性と客観性，科学的な厳格さが要求される．

ガイドラインや指針の策定には専門的知識や経験豊富な医師が委員として参加するが，実際にはこれらの医師は同時に関連企業との深いCOIを有しているケースが多い．このようなCOIはさまざまな形でガイドラインにバイアスを加える可能性があるため，社会から疑念を持たれることのないよう，学会としてしっかりとしたCOI管理が必要となってくる．日本医学会，日本内科学会，日本血液学会では，一定の基準を超えた重大なCOIを有する医師・研究者について，COI開示だけでなくガイドライン作成にかかわる議決権や委員への就任そのものを制限するよう規定されている．

診療ガイドラインは平易な言葉に翻訳され，パンフレットやウェブ検索で患者や家族の目に触れることも多い．一方で，最近は企業と医師との金銭的関係が簡単にウェブ検索可能な環境となっている．医療側の発信は社会の大きな注目を集める一方で，そのCOIは常に社会の目にさらされており，いつどこで厳しい指摘を受けるかわからない．したがって学術団体は診療ガイドライン策定者のCOI管理はもちろんのこと，申告内容に齟齬があればそれに対する説明責任を求められる時代であるといえる．

6 臨床研究の計画・実施段階におけるCOI管理

医学系研究者が臨床研究を行う際，大学などの研究機関で倫理審査と同時にCOIについての審査も行われる．すなわち研究を発表する際のCOI管理は学会が行うのに対し，研究の計画・実施段階では各研究機関の利益相反委員会の管理となり，こちらでも厳密なCOI管理が要求されることはいうまでもない．倫理委員会に研究計画書を提出する際には，研究代表者と分担者全員が利益相反委員会にCOIを申告し審査を受ける必要がある．

「臨床研究法における利益相反管理ガイダンス2018年11月厚労省通知」では，臨床研究法上の特定臨床研究を行う際，研究に用いる医薬品等の製造販売をしている業者とCOIがある場合には研究責任者から外れることとしている．また研究分担医師も，関連する医薬品製造販売業者とCOIがある場合には，データ管理，効果安全性評価委員会への参画，モニタリング，統計・解析に関与してはならないとしている．

これらに準じて日本血液学会も，COI共通指針[1]において「臨床試験，治験などの医学系研究において，研究代表者は資金提供者や企業と重大なCOI状態にないこと」を求めている．

7 COI開示請求への対応と違反者に対する措置

学会は所属する会員，役員のCOI状態に関する開示請求が外部（マスコミ，市民団体など）からなされた場合，妥当と思われる請求理由であれば，理事長はCOI委員会に諮問し，答申を受けた後速やかに開示請求者へ回答する．また研究成果の公表後，発表論文に関して産学連携にかかる疑義を指摘された場合は，編集委員会とCOI委員会が連携して疑義の解明に努め，学会の長は説明責任を果たさなくてはならない．

一方，本学会のCOI共通指針に違反した者に対しては，理事会は当該違反行為に関して倫理委員会に諮問し，答申を得たうえで理事会で審議する．重大な指針違反があると判断した場合には，理事会はその違反の程度に応じて，講演会での発表禁止，論文の撤回・掲載禁止，学会役員・委員への就任禁止，会員資格停止・除名などの処置を講ずることができる．

8 COIの今後

1980年代から始まったCOI開示の動きは，米国の趨勢に追随する形でわが国でも発展してきた．COIの考え方は時代とともに深化しており，近年の産学連携活発化に伴って，研究者や学会組織がCOI開示を求められる局面は確実に増加している．一方，産業界でもディオバン事件以来COIを含めたコンプライアンス管理は厳しさを増しているが，国内企業とグローバル企業で対応や考え方に少なからず差が認められるのが現状である．基本的にCOI開示は当事者の自助努力に依存しているため，当事者の考え方によって対応に差が出るのはやむを得ないことであり，また時代によりその方法も変遷していく．産業界と学術団体の関係は社会の厳しい監視の目に常にさらされているため，われわれは常に襟を正し，誠実さをもって正しい関係を築きあげていくことが何より重要である．

■文　献■

1）日本血液学会：医学系研究の利益相反（COI）に関する共通指針［http://www.jshem.or.jp/uploads/files/COI/日本血液学会%20医学系研究の利益相反（COI）に関する共通指針%20（2022年5月一部改訂）.pdf］（最終確認：2023年3月31日）

2）一般社団法人 全国医学部長病院長会議 臨床研究・利益相反検討委員会：医学系研究機関における組織COI管理ガイダンス（https://www.ajmc.jp/pdf/20190425_01.pdf）（最終確認：2023年3月31日）

3）日本医学会：日本医学会　COI管理ガイドライン2022（http://jams.med.or.jp/guideline/coi_guidelines_2022.pdf）（最終確認：2023年3月31日）

2 統計学を含む臨床研究

到達目標

- 臨床研究の分類・内容を理解する
- 臨床試験の基本デザインとそのエンドポイントを理解する
- 単変量解析を中心とした生存解析の基礎を理解する

1 臨床研究

臨床（医学）研究は，「基礎医学研究」「社会医学研究」と並ぶ医学研究の1つである．臨床における問題意識に基づき，疾患の予防・診断・治療方法の改善や疾患原因および病態の理解ならびに患者さんの生活の質（quality of life：QOL）向上を目的に実施される．臨床研究は大きく分けて観察研究，介入研究，二次研究に分類される．

2 観察研究

治療介入を行うのではなく，疾患の予防・診断・治療に関する情報を診療記録やアンケートなどから収集し，実施する臨床研究である．患者にリスクを負わすことなく研究が行えるという利点がある．

1）症例報告・症例シリーズ報告

まれな疾患や，特殊な治療を行った，あるいはまれな治療経過をたどった症例に関して報告を行うのが**症例報告**である．また単一施設や少数施設などでそういった症例を複数例集計して報告するのが**症例シリーズ報告**である．少数例であっても，疾患の特徴や，治療と効果や有害事象との相関関係の仮説を示すことが可能である．

2）症例対照研究（ケースコントロール研究）

症例対照研究とは，疾患を発症した集団と，その対照として発症していない集団について，環境要因など曝露要因の有無を調査する研究である．たとえば，悪性リンパ腫を発症した患者と非発症の対照集団を選択し，飲酒や喫煙習慣，あるいはウイルス感染症などの曝露要因を調査し，その影響の有無を研究する場合に用いる．曝露要因と疾患の相関の強さをオッズ比として定量的に評価可能である．すでに疾患を発症した症例を対象とするため，発症頻度が非常に低い疾患を対象とする場合に適している．しかし適切な対象を選択することは難しい．

3）コホート研究

コホート研究とは，ある地域の住人など特定の集団を一定期間追跡し，その集団の観察開始時期の環境要因などと追跡期間中の疾患などのイベント発生割合の関連を検討する研究である．曝露とイベント発生との相関の強さを相対危険度として定量的に評価できる．たとえば，ある町の集団を30年間追跡し，観察開始時の飲酒，喫煙習慣と悪性リンパ腫の発症との関連を調べる場合などに用いる．

3 臨床試験

臨床試験とはヒトを対象とした介入研究である．観察研究を行うものもあるため厳密には同義ではないが，ここでは介入研究として臨床試験の説明を行う．なお，臨床試験のうち薬事法上の製造販売承認申請のための試験が治験である．

1）臨床試験の方法

主要評価項目（プライマリーエンドポイント）を設定し，それに基づく帰無仮説（H_o）と対立仮説（H_a）をまず設定する．H_oが正しいが誤って棄却する確率が**αエラー**で，逆にH_aが正しいがH_oを棄却できない確率が**βエラー**である（**図1**）．1からβエラーを引いたものを**統計学的検出力（パワー）**と呼ぶ．パワーとはH_aが正しいときにH_aが正しいと結論できる確率である．臨床試験で必要症例数を算定する場合には，αエラーは0.05（両側検定，ただし第Ⅱ相試験では片側検定も用いられる），パワーは0.8または0.9が

		真 実	
		違いあり (H_a)	違いなし (H_o)
検定結果	違いあり (Reject H_o)	* パワー or 1-β	αエラー
	違いなし (Do not reject H_a)	βエラー	*

◆図 1 αエラーとβエラー
αエラーとは，帰無仮説（H_o）が正しいときに誤ってそれを棄却する確率である．本当は新規治療 A と標準治療 B の効果が変わらない場合でも，誤って「A と B に差がある」と結論してしまう危険率である．
βエラーは，逆に対立仮説（H_a）が正しいときに H_o を棄却することができない確率である．本当は新規治療 A の効果のほうが優れているのに，「A と B の効果は変わらない」と結論してしまう確率である．
*：正しい結論

用いられることが多い．

2）臨床試験のデザイン

ここでは，基本的なデザインとして，一般的にもよく用いられる第Ⅰ相，第Ⅱ相，第Ⅲ相という表現を用い，それぞれのデザイン，エンドポイント，そして症例数算定に関して解説する．

a）第Ⅰ相試験

この相で行われる試験の目的は薬剤投与量の決定であり，dose-finding study とも呼ばれる．抗がん薬を用いた臨床試験の場合，**用量制限毒性**（dose limiting toxicity：DLT）を基準とした**最大耐用量**（maximum tolerated dose：MTD）が最大限治療効果を発揮できるとする考え方を基本としている．

クラシカルデザインである 3-3-6 方式では，3 症例ごとに症例を区切り，各群に対して段階的にあらかじめ設定した薬剤の投与量を上げていく．薬剤の投与量は Fibonacci 変法で決定し，それぞれの投与量をレベルと呼ぶ．新しいデザインとして，**逐次的再評価法**（continual reassessment method：CRM）が O'Quigly らによって提案されている[1]．この方法では，開始投与量の反応データを基に，次の患者に対する投与量を統計モデルより計算する．利点として，推奨用量付近まで早く到達できることがあるが，比較的早期に投与量が多くなる傾向がある，1 例ごとの場合には判定結果が出るまでに登録を中断する必要があるなどの問題点も挙げられており，これに対する対応策が modified CRM としていくつか考案されている．

b）第Ⅱ相試験

第Ⅱ相試験は新規薬剤・治療の有効性を評価する試験であり，safety and efficacy study とも呼ばれる．第Ⅱ相試験へ進むための挑戦者決定戦の意味合いが強く，奏効率や比較的短期の無病生存率がエンドポイントに用いられる．これらは第Ⅲ相試験における長期生存率の代替エンドポイントと考えられるためである．第Ⅱ相試験では，エンドポイントに対する推定値を用いてサンプルサイズを決定する．最もよく用いられるシングルアームの第Ⅱ相試験のサンプルサイズは，**閾値成功率**，**期待成功率**を設定し，これにαエラー，βエラーの数値を設定したうえで算定を行う．ここでの閾値成功率とは，試験終了後の最終解析でも用いられる基準であり，エンドポイントの 90%（片側）または 95%（両側）信頼区間（CI）の下限が閾値成功率を上回るかどうかで試験の成否を判定する．閾値成功率は，ヒストリカルコントロールのデータか，それより少し低めに設定される．期待成功率は，予備データなどから試験治療で期待できると推定される数値である．

第Ⅱ相試験では，無効な試験はできるかぎり早く中止したいという臨床的にも倫理的にも理にかなった目的のために，**多段階試験**（特に **2 段階試験**）が用いられることが多い．Simon は，2 段階試験において，2 段階を合わせた総症例数を少なくする minimax 法と，第一段階の試験のサンプルサイズを最小にする optimal 法を提案し，広く用いられている[2]．

c）第Ⅲ相試験

この相における試験は，一般的に標準治療と新規治療の**無作為化比較試験**（randomized controlled trial：RCT）である．試験の目的は，該当する対象における標準治療を決定するものであり，血液悪性疾患におけるプライマリーエンドポイントは，基本的には長期生存率である．低悪性度の腫瘍など，長期生存率で比較することが現実的に困難（時間がかかりすぎる）な場合は，治療成功期間（time to treatment failure：TTF）や無イベント生存（event-free survival：EFS）などが指標として用いられる．αエラー，βエラー，H_o，H_a に対応するプライマリーエンドポイントの期待値を基に，サンプルサイズを計算する．試験治療が標準治療に比べて優れていることを検証する試験を**優越性試験**と呼ぶ．最終解析では 2 群における生存解析を実施し，比較検定を行うことにより検証する．新規治療が標準治療に劣らないことを証明するデザインの試験もあり，非劣性試験と呼ばれる．

d）医師主導臨床治験

医師主導臨床治験とは，薬事法に基づく医薬品および医療機器の承認申請を目的に，医師が自ら企画・立案し，実施する治験である．採算性やリスク面の問題のため製薬企業などが開発しない，国内未承認あるいは適応外使用されている医薬品および医療機器は数多く存在する．医師自らが治験を実施することで医療現場で使用可能とするため，2003年に薬事法が改正され，製薬企業などと同様に治験を実施することが可能となった．医師主導臨床治験では医師自らが，治験実施計画書などの作成，治験計画届の提出，治験の実施，モニタリングや監査の管理，総括報告書の作成など，治験のすべての業務の実施および統括を行う必要がある．ただし現実的には医師のみでは実施困難であり，臨床研究支援部門などとともに治験を行う必要がある．なお承認申請を行うのは医薬品・医療機器の製造販売業者であり，医師は承認申請は行えない．

4 二次研究

既報の論文データを再利用・再構築することで，あらたな評価を行う研究である．

1）系統的文献レビュー（システマティック・レビュー）

系統的文献レビューは，臨床における疑問や興味ある事項に関して，可能な限り網羅的に文献を収集し，それらの文献より推定される傾向などを記載したり，次に述べるようなメタアナリシスの手法を用いて統計学的に優劣を検討する方法である．

2）メタアナリシス

メタアナリシスは，RCTなどの比較試験の結果を収集・統合することにより，より高い精度で治療効果などの優劣を判断する方法である．サンプル数が小さく，単一の研究では有意差を検出できない場合でも，複数の結果を統合することで有意差を検出できることがある．

3）臨床決断分析

臨床決断分析は，臨床現場で治療などの選択肢が複数存在するものの最も優れた選択肢が明らかではない状況において，ある選択を行った後のイベントや確率を考慮することで，どの決断が最も優れているかを比較する統計手法である．生死だけでなくQOLを考慮したアウトカムの比較が行えるという利点がある．

5 生存解析に関する統計学的基礎知識

1）生存解析とは

生存解析は，ある基準の日時から，定められたイベントが発生するまでの時間を解析対象とする手法である．**生存時間解析**と呼ばれることもある．

100人中70人生存している場合，時間の要素を考慮せず単純な割合で生存率を算出すると，生存率は70%となる．また，全例3年間経過観察し3年時点で「100人中70人生存」であれば3年生存率は70%でよい．しかし，観察期間が3年未満の症例や3年未満に転居などで経過不明となった症例がいる場合には，単純な割合ではなくそれらを考慮した生存率の算定が必要となる．

2）生存率の算定

Kaplan-Meier法は，生存率の算定，生存曲線の描出によく用いられる方法である．打ち切り例（観察終了，観察中途打ち切り）に関しては，起算日から観察が打ち切りになったときまでの時間が解析対象となる．観察が打ち切りになったとき以降は，イベントを起こす可能性のある対象には含まれなくなる．なお，興味あるイベントと打ち切りが関連するとバイアスが生じるので注意が必要である．たとえば，全身状態が悪いため転院した患者を打ち切り扱いとすると，みかけ上の生存率はよい方向に偏る．

3）生存率の比較

複数群間での生存率の比較には**log-rank検定**が用いられる．この方法は全体での死亡確率から各群での期待死亡数を算出し，実際に観察された死亡数とどれだけ違うかを検討することにより「群間に差なし」という帰無仮説を検定する．視覚的に2群の生存曲線が継続的に離れている場合に有意となりやすい．**一般化Wilcoxon検定**は，各群の各症例の生存期間を総当たりで比較し，長短で点数をつけ，合計得点の差が偶然に観察しうる範囲内かということを検討することにより，「群間に差なし」という帰無仮説を検定する．Log-rank検定より観察開始から初期の差を検出しやすいという特徴がある．

4）生存解析における多変量解析

重回帰分析では打ち切り例を取り扱うことができないため，生存解析における多変量解析には，一般的に**Cox比例ハザードモデル**が用いられる．なお，1つの事象に対して1つの因子の関連を検討することが**単変量解析**であり，因子間相互の関連を考慮してこれを解析するのが**多変量解析**である．複数の因子を用いた回帰分析を行うことで，因子間の関連の影響を補正した

ADVANCED

■累積発症頻度（cumulative incidence）■

同種造血幹細胞移植後の急性移植片対宿主病（graft-versus-host disease：GVHD）発症のように，競合するイベント（たとえば急性 GVHD 発症前の死亡．死亡すると急性 GVHD は決して発症しない）の頻度が多い場合は，この競合イベントを考慮して累積発症頻度を計算する必要がある．なぜなら，急性 GVHD 発症前の死亡を Kaplan-Meier 法により打ち切り例とすると，打ち切り以降は解析から除外されるため，急性 GVHD の発症頻度が実際よりも高く見積もられることになるからである．

この際に用いられるのが cumulative incidence 法である．この方法により，上記では急性 GVHD 発症頻度および競合因子である急性 GVHD 発症前の死亡頻度（その他は急性 GVHD 未発症生存頻度）がそれぞれ算出可能となる．

リスク分析が可能となる．たとえば，A 治療群の予後が B 治療群より良好であったが，年齢分布が有意に若年であった場合，年齢の影響を補正して群間差があるか，多変量解析を用いて検定することができる．ただし，因子の各値の相対的な死亡確率（ハザード比）が時間によらず一定であることを前提としているため，2 群間の生存曲線が交叉するような場合には注意する必要がある．なお，Cox 比例ハザードモデルを用いた多変量解析では，モデルの構築方法，因子の選択，欠損値の取り扱いなど，注意を要する点が多く存在する．

■文　献■

1）O'Quigly J et al: Biometrics **46**: 33, 1990
2）Simon R: Control Clin Trials **10**: 1, 1989

3 遺伝カウンセリング

到達目標

- 遺伝カウンセリングの意義について概説できる
- 生殖細胞系列の遺伝子変異の概念を理解できる
- 家族歴が正しく聴取できる
- 遺伝カウンセリングで必要な情報や遺伝学的検査の意義を理解できる

1 遺伝カウンセリングとは

日本医学会によって策定された初めてのガイドラインである「医療における遺伝学的検査・診断に関するガイドライン」は，2011年2月に発出されたものであるが，2022年3月に改定された[1]．

本ガイドラインには，「遺伝学的検査・診断に際して，必要に応じて適切な時期に遺伝カウンセリングを実施する．遺伝カウンセリングは，情報提供だけではなく，患者・被検者等の自律的選択が可能となるような心理的社会的支援が重要であることから，当該疾患の診療経験が豊富な医師と遺伝カウンセリングに習熟した者が協力し，チーム医療として実施することが望ましい」と記載されている．遺伝カウンセリングの定義を以下に示す．

■遺伝カウンセリングの定義[1]

遺伝カウンセリングは，疾患の遺伝学的関与について，その医学的影響，心理学的影響および家族への影響を人々が理解し，それに適応していくことを助けるプロセスである．このプロセスには，1）疾患の発生および再発の可能性を評価するための家族歴および病歴の解釈，2）遺伝現象，検査，マネージメント，予防，資源および研究についての教育，3）インフォームド・チョイス（十分な情報を得た上での自律的選択），およびリスクや状況への適応を促進するためのカウンセリング，などが含まれる．

遺伝カウンセリングに関する基礎知識・技能については，すべての医師が習得しておくことが望ましい．

また，遺伝学的検査・診断を担当する医師および医療機関は，必要に応じて，専門家による遺伝カウンセリングを提供するか，または紹介する体制を整えておく必要がある．

この定義は，基本的にNSGC（National Society of Genetic Counselors）のタスクフォース（2006年）[2]によって定められたものをそのまま日本語に置き換えたものである．遺伝カウンセリングはプロセスであり，そのプロセスには1)～3）が含まれるとされているが，英語では1）～3）がintegrateされるとなっている．すなわち1)～3）が別々ではなく，統合的に実施されることを意味している．1）は家族歴および病歴の解釈と記載されているが，いわゆるintakeであり，クライアントの考え・思いや疑問，社会的背景などの聞き取ることも含まれる．2）は教育とされているが，フラットな立場で誘導的にならない情報提供であるべきである．3）ではインフォームド・チョイスであり，単なるインフォームド・コンセントではないのは，同意するかどうかだけでなく，複数の選択肢を検討できることを示している．

「遺伝カウンセリングに関する基礎知識・技能については，すべての医師が習得しておくことが望ましい」のは，遺伝カウンセリングで何が行われるのかの基本的なことを理解しておかないと専門的な遺伝カウンセリングを紹介することもできないからである．

しかしながら，定義上だけで，遺伝カウンセリングを知るのは難しく，具体的な現場の課題について取り上げたわが国で初めての本格的な遺伝カウンセリングのテキスト[3]を参照することが望ましい．

2 医療における遺伝学的検査・診断のガイドライン

遺伝カウンセリングを含む総合的な遺伝医療を実施する際に必ず参照する必要があるのが，上述の日本医学会による日本医学会「医療における遺伝学的検査・診断に関するガイドライン」(2022年3月改定）であり，その対象を以下に示す．

■日本医学会「医療における遺伝学的検査・診断に関するガイドライン」(2022年3月改定）の対象[1]

本ガイドラインの主な対象は，遺伝子関連検査のうち，個人の遺伝情報を扱う上で，その特性に基づいた配慮が求められる遺伝学的検査［分子遺伝学的検査(DNA/RNA検査)，染色体検査，遺伝生化学的検査等］と，それを用いて行われる診断である．本ガイドラインにいう遺伝学的検査はヒト生殖細胞系列における遺伝子の病的バリアント（変異）もしくは染色体異常に関する検査，およびそれらに関連する検査を意味している．医療の場において実施される遺伝学的検査には，すでに発症している患者の診断を目的とした検査のみならず，非発症保因者遺伝学的検査，発症前遺伝学的検査，易罹患性遺伝学的検査，出生前遺伝学的検査，着床前遺伝学的検査，先天代謝異常症等に関する新生児マススクリーニング等が含まれる．

一方，がん細胞などで後天的に起こり次世代に受け継がれることのない遺伝子の変化・遺伝子発現の差異・染色体異常を明らかにするための検査・診断においても，生殖細胞系列の遺伝情報が含まれることがあり，その場合には，本ガイドラインを参照する必要がある．

「がん細胞などで後天的に起こり次世代に受け継がれることのない遺伝子の変化・遺伝子発現の差異・染色体異常を明らかにするための検査・診断」については，本ガイドラインの対象外であるが，「生殖細胞系列の遺伝情報が含まれることがある」のは，本ガイドラインが最初に策定された2011年当時は，がんの病理組織を用いて行うMSI（microsatellite instability：マイクロサテライト不安定性検査）から遺伝性腫瘍であるLynch症候群が疑われるということがイメージされていた．しかし，現在では，がんの遺伝子パネル検査における二次的所見（疑い）などの情報につながることが重要である．

3 遺伝子関連検査の分類と定義

医療における遺伝学的検査・診断のガイドラインの対象である「遺伝学的検査」が遺伝子関連検査の中でどのように位置づけられているかが，ガイドラインの注に記載されており，以下に示す．

■遺伝子関連検査の分類と定義[1]

公益社団法人日本臨床検査標準協議会（Japanese Committee for Clinical Laboratory Standards：JCCLS）に設置された「遺伝子関連検査標準化専門委員会」の提言に基づき，これまで一般的に用いられてきた「遺伝子検査」の用語を次のように分類・定義する．

1）病原体核酸検査

ヒトに感染症を引き起こす外来性の病原体（ウイルス，細菌等，微生物）の核酸（DNAあるいはRNA）を検出・解析する検査

2）ヒト体細胞遺伝子検査

がん細胞特有の遺伝子の構造異常等を検出する遺伝子の解析および遺伝子発現解析等，疾患病変部・組織に限局し，病状とともに変化しうる一時的な遺伝子情報を明らかにする検査

3）ヒト遺伝学的検査

単一遺伝子疾患の診断，多因子疾患のリスク評価，薬物等の効果・副作用・代謝の推定，個人識別に関わる遺伝学的検査などを目的とした，核およびミトコンドリアゲノム内の，原則的に生涯変化しない，その個体が生来的に保有する遺伝学的情報（生殖細胞系列の遺伝子解析より明らかにされる情報）を明らかにする検査

1)～3) を総称して「遺伝子関連検査」とし，一般的にはそれぞれ，1) 病原体核酸検査，2) 体細胞遺伝子検査，3) 遺伝学的検査の用語を用いる．

4 遺伝情報の特性

遺伝カウンセリングを含む総合的な遺伝医療を実施する際に留意すべき遺伝情報の特徴もガイドラインにまとめられており，以下の内容を正確に理解する必要がある．

■遺伝学的検査・診断を実施する際に考慮すべき遺伝情報の特性[1]

- 遺伝情報には次のような特性があり，遺伝学的検査およびその結果に基づいてなされる診断を行う際にはこれらの特性を十分考慮する必要がある．
- 生涯変化しないこと

- 血縁者間で一部共有されていること
- 血縁関係にある親族の遺伝型や表現型が比較的正確な確率で予測できること
- 非発症保因者［将来的に病的バリアント（変異）に起因する疾患を発症する可能性はほとんどないが，当該病的バリアント（変異）を有しており，次世代に伝える可能性のある者］の診断ができる場合があること
- 発症する前に将来の発症の可能性についてほぼ確実に予測することができる場合があること
- 出生前遺伝学的検査や着床前遺伝学的検査に利用できる場合があること
- 不適切に扱われた場合には，被検者および被検者の血縁者に社会的不利益がもたらされる可能性があること
- あいまい性が内在していること［あいまい性とは，結果の病的意義の判断が変わりうること，病的バリアント（変異）から予測される，発症の有無，発症時期や症状，重症度に個人差がありうること，医学・医療の進歩とともに臨床的有用性が変わりうること等である.］

5 血液疾患における遺伝カウンセリングにおける留意事項

遺伝カウンセリングの対象となる代表的な血液疾患を**表 1** に示す.

血液疾患において生殖細胞系列の易罹患性遺伝子の病的バリアントが見いだされた場合，同一のバリアントを血縁者が有する可能性がある．浸透率は必ずしも高くないため，どのように情報提供すべきか，バリアント保持者のサーベイランスをどのように行うかについて，血液専門医は，臨床遺伝専門医や認定遺伝カウンセラーなどの臨床遺伝の専門家と十分検討が必要と考えられる．まだまだ，エビデンスが乏しいので，常に最新エビデンス情報の収集が必要である．また，治療のために骨髄移植が必要となる場合においては，血縁者ドナー候補者の HLA の適合と易罹患性遺伝子の病的バリアントの保持・不保持を確認してドナーを決定する必要があるが，これについても慎重な検討と専門的な遺伝カウンセリングが必須となる.

6 がん遺伝子パネル検査における二次的所見への対応

わが国おいても 2019 年より保険収載されたがん遺伝子パネル検査には，T/N pair（腫瘍部と正常部を両方調べるもの）と T-only（腫瘍組織のみを調べるもの）があり，二次的所見（疑い）として，前者では GPV（germline pathogenic variant）が，後者においては PGPV（presumed germline pathogenic variant）が見いだされる．これらの取り扱いについては，ゲノム医療におけるコミュニケーションプロセスに関するガイドライン[4] を参照いただきたい．T/N pair の場合の正常組織とは通常末梢血液検体を指すが，今後普及が見込まれる造血器系腫瘍に対する遺伝子パネル検査においては，末梢血液検体を正常部とすることが必ずしも適切でないこともあることに留意する必要があると思われる.

◆表 1　遺伝カウンセリングの対象となる代表的血液疾患

非腫瘍性疾患	• 遺伝性溶血性貧血 • 異常ヘモグロビン症 • 周期性好中球減少症 • 先天性凝固異常症 など
遺伝性骨髄不全	• Fanconi 貧血 • 角化不全症 • Shwachman-Diamond 症候群 • Diamond-Blackfan 貧血 • 先天性無顆粒球症 など
遺伝性血液腫瘍	• myeloid neoplasms（*CEBPA*, *DDX41*, *RUNX1*, *ANKRD26*, *ETV6*, *GATA2* などの germline pathogenic variant による） • lymphoid neoplasms（*ETV6*, *IKZF1*, *PAX5* などの germline pathogenic variant による）
その他	Li Fraumeni 症候群 など

■文　献■

1）日本医学会：医療における遺伝学的検査・診断に関するガイドライン，2022 年 3 月改定（https://jams.med.or.jp/guideline/genetics-diagnosis_2022.pdf）（最終確認：2023 年 4 月 10 日）
2）Resta R et al. : J Genet Couns **15**:77, 2006
3）小杉眞司（編著）：遺伝カウンセリングのためのコミュニケーション論，メディカルドゥ，2016
4）日本医療研究開発機構：ゲノム医療におけるコミュニケーションプロセスに関するガイドライン（https://www.amed.go.jp/news/seika/kenkyu/20211020-01.html）（最終確認：2023 年 4 月 10 日）

付　録

血液専門医試験 過去問―解答と解説

本書に収載する問題は2017～2019（平成29～令和1）年度，2021（令和3）年度に実施された専門医試験より抜粋したものです（一部問題においては，その後の診療の進歩や新知見を反映して改変しています）.

専門医試験問題の参考として示すものであり，今後実施される試験において同一の出題がなされるわけではありません.

文章問題　共通／一般問題

☞解答／解説：582 ～ 583 ページ

1 赤芽球癆の原因はどれか．2 つ選べ．

a. シクロスポリン
b. *JAK2* V617F 変異
c. *PIG-A* 遺伝子異常
d. パルボウィルス B19
e. 抗エリスロポエチン抗体

2 薬剤と有害事象の組み合わせで誤っているのはどれか．1 つ選べ．

a. モガムリズマブ―末梢神経障害
b. エクリズマブ――髄膜炎菌感染症
c. レナリドミド――深部静脈血栓症
d. リツキシマブ――進行性多巣性白質脳症
e. ダサチニブ―――B 型肝炎ウィルス再活性化

3 ヘパリン起因性血小板減少症（HIT）について正しいのはどれか．2 つ選べ．

a. 低分子量ヘパリンの投与で HIT は発症しない．
b. 病態の主体は血小板減少による出血傾向である．
c. HIT 抗体は一過性に出現し，平均約 3 カ月で消失する．
d. HIT 抗体とはヘパリン／血小板第 4 因子複合体に対する抗体である．
e. HIT 抗体は IgM，IgA，IgG から成るが，活性化能が最も強いのは IgM である．

4 凝固異常症の検査所見の組み合わせに関して，矛盾しないのはどれか．2 つ選べ．

a. 軽症血友病 A――凝固第 VIII 因子活性 3%
b. 先天性血友病 A
――出血時間正常，PT 延長，APTT 正常
c. 先天性血友病 B
――出血時間正常，PT 正常，APTT 延長
d. von Willebrand 病
――出血時間正常，PT 正常，APTT 延長
e. 後天性血友病 A
――凝固第 VIII 因子インヒビター 2 ベセスダ単位 /mL

5 非血縁者間移植について正しいのはどれか．2 つ選べ．

a. 骨髄液採取から 6 時間以内に骨髄液輸注を開始する．
b. 非血縁者間末梢血幹細胞移植は，本邦では認められていない．
c. 患者の血液型が A+，ドナーの血液型が O+ の場合は，骨髄液から血漿除去を行う．
d. 患者の血液型が A+，ドナーの血液型が O+ の場合は，移植後の輸血は，赤血球は A+，血小板は O+ を使用する．
e. ドナーの体調が不良の場合は，患者に対して移植前処置がすでに実施されていた場合でも，骨髄採取は延期あるいは中止する．

6 赤血球抗原に対する不規則抗体について誤っているのはどれか．1 つ選べ．

a. 経産婦に多い．
b. 交差適合試験陽性の原因となる．
c. 遅発性の血管内溶血を発症する．
d. 輸血後，時間の経過とともに抗体価が低下する．
e. 不規則抗体スクリーニングには，輸血予定日 3 日以内に採血した検体を用いる．

7 末梢神経障害をきたしやすい抗がん剤はどれか．1 つ選べ．

a. イマチニブ
b. ゲムシタビン
c. フルダラビン
d. ポマリドミド
e. ブレンツキシマブ ベドチン

8 大量メトトレキサート療法の際，併用を避けるべき薬剤はどれか．2 つ選べ．

a. ST 合剤
b. フロセミド
c. アロプリノール
d. アセタゾラミド
e. 炭酸水素ナトリウム

解　説

【問題 1】

赤芽球癆は，正球性正色素性貧血と網赤血球および骨髄赤芽球の著減を特徴とする貧血である．パルボウイルス B19 は赤血球 P 抗原をウイルス受容体として細胞内にエントリーし，赤芽球系前駆細胞を直接傷害する機序で，初感染時に急性型の赤芽球癆を引き起こす．薬剤性として，エリスロポエチン（erythropoietin）投与後に発生する抗エリスロポエチン抗体によるものがある．*PIG-A* は発作性夜間ヘモグロビン尿症の病因遺伝子であり，*JAK2* V617F 変異は真性多血症などの骨髄増殖性腫瘍の原因である．シクロスポリン（ciclosporin）は赤芽球癆の治療に用いられる免疫抑制薬である．

●正解：d，e

（平成 29 年度文章問題 4 番）

【問題 2】

エクリズマブ（eculizumab）は補体阻害作用を持つ抗体製剤であり，髄膜炎菌感染症の合併に注意が必要である．レナリドミド（lenalidomide）は深部静脈血栓症を起こしやすく，リスクに応じて抗血栓薬や抗凝固薬を併用する．進行性多巣性白質脳症は，リツキシマブ（rituximab）で知られる有害事象である．ダサチニブ（dasatinib）などの Bcr-Abl 阻害薬，イブルチニブ（ibrutinib）などの BTK 阻害薬，ルキソリチニブ（ruxolitinib）などの JAK 阻害薬といったキナーゼ阻害薬はいずれも B 型肝炎ウイルスの再活性化が起こりうる．末梢神経障害はブレンツキシマブ ベドチン（brentuximab vedotin）などの MMAE を含む抗体薬物複合体で頻度の高い副作用であるが，モガムリズマブ(mogamulizumab)では一般的でない(ただし現在の添付文書ではまれな副作用として記載がある)．

●正解：a

（平成 29 年度文章問題 6 番）

【問題 3】

ヘパリン起因性血小板減少症（HIT）発症の原因は HIT 抗体の出現である．HIT 抗体は主に血小板第 4 因子（PF4）とヘパリンとの複合体に対する自己抗体（IgG，IgA，IgM）で，いったん，抗体が形成されると PF4/ ヘパリン複合体と免疫複合体を形成し，血小板の活性化を促す．血小板活性化能は IgG 抗体が最も強い．活性化血小板からはマイクロパーティクルが放出され，凝固系カスケードの亢進，トロンビン過剰産生となる．したがって，血小板減少，ヘパリン投与中においても，出血傾向は示さず，動静脈に血栓が生じる．発症頻度はヘパリン使用患者の 0.5 ～ 5%で，発症リスクは低分子ヘパリンよりも未分画ヘパリンで 10 倍程度高い．HIT 抗体は約 3 ヵ月程度で約半数の症例で消失する．

●正解：c，d

（平成 29 年度文章問題 11 番）

【問題 4】

血友病は凝固因子活性によって 1%未満が重症，1 ～ 5%未満が中等症，5%以上が軽症と分類される．先天性血友病 A は凝固第Ⅷ因子（FⅧ）の欠乏，先天性血友病 B は凝固第Ⅸ因子の欠乏に起因する．いずれも内因系因子であるため，止血検査において APTT 延長（出血時間および PT は正常）をきたす．一方で，von Willebrand 病は FⅧの血中での安定化に寄与する von Willebrand 因子の欠乏のため血友病 A 同様に APTT 延長をきたすが，血小板による止血機能も低下するため出血時間延長もきたす．後天性血友病は FⅧに対する自己抗体（インヒビター）が出現し，FⅧが低下～消失するため重篤な出血症状を呈する自己免疫疾患であり，最終診断は FⅧインヒビター検出である．

●正解：c，e

（平成 30 年度文章問題 17 番）

【問題 5】

骨髄液採取から移植までは 6 時間以上要しても問題なく，骨髄採取後，急いで移植施設に搬送するより，安全な搬送を優先する．

わが国において非血縁者間末梢血幹細胞移植は 2010 年から開始された．

患者の血液型が A+，ドナーの血液型が O+ の場合は，ドナーの骨髄に含まれる抗 A 抗体を除去する必要があるため，骨髄液の血漿除去を行う．移植後の輸血に関しては，次第に患者の血液型は O+ となり抗 A/ 抗 B 抗体を産生するため，赤血球は O+ を使用する．血小板は，抗 A 抗体を含まない A+ を使用する．

ドナーの健康が最優先されるため，ドナー体調不良の場合は骨髄採取を延期あるいは中止する．前処置開始後のドナー採取中止においては，緊急の移植が必要となるため，臍帯血や HLA 不適合血縁者などの代替ドナーの利用を検討する．

●正解：c，e

（平成 30 年度文章問題 19 番）

【問題 6】

妊娠歴のある女性は，妊娠中に胎児血に感作され，ABO 以外の血液型抗原に対する抗体（不規則抗体）を獲得している可能性がある．不規則抗体があると，血液型が同型であっても，不規則抗体に対応する抗原を有する赤血球に結合し凝集を惹起するため，交差適合試験が陽性となる．不規則抗体は，輸血がないと時間の経過とともに抗体価は低下し，輸血前の不規則抗体スクリーニングテストを実施しても検出されなくなることがある．しかし，対応する抗原を有する赤血球輸血を実施すると，輸血後 24 時間から数週間で速やかに IgG 抗体価が上昇し，主に血管外溶血（まれに血管内溶血）をきたすことがあり，遅発性溶血性副作用（副反応）と呼ばれている．このように，輸血前不規則抗体スクリーニングが陰性であっても，抗体価が急速に上昇している場合があり，輸血に先立つ 3 日前以降に採血された検体を用いて，不規則抗体スクリーニングテスト等を行うことが推奨される．

●正解：c

（令和 3 年度文章問題 17 番）

【問題 7】

ブレンツキシマブ ベドチン（brentuximab vedotin）は，微小管阻害薬であるモノメチルアウリスタチン E（MMAE）と結合した抗 CD30 モノクローナル抗体であり，適応症は CD30 陽性の Hodgkin リンパ腫と末梢性 T 細胞リンパ腫である．重大な副作用には末梢神経障害があり（55.6 %），末梢性感覚ニューロパチー（31.5%），末梢性運動ニューロパチー（5.8%），神経痛（0.7%）等が起こりうる．しびれ，筋力低下等が認められた場合は，休薬，減量等の適切な処置を行う必要がある．

●正解：e

（平成 29 年度文章問題 21 番）

【問題 8】

大量メトトレキサート（methotrexate：MTX）療法では，尿が酸性に傾くと，MTX やその代謝産物の結晶が尿細管に沈着することで腎障害を引き起こすことがある．そのため，尿のアルカリ化と十分な水分補給により，MTX の尿への排泄を促す必要がある．

尿のアルカリ化（pH 7.0 以上）と利尿を行う目的で炭酸水素ナトリウムやアセタゾラミド（acetazolamide）の投与を行う．フロセミド（furosemide）による利尿は尿を酸性化するため使用を避ける．ST 合剤は葉酸代謝阻害作用が協力的に作用し，腎障害や骨髄抑制などの副作用を増強させるため使用を避ける．

●正解：a，b

（令和 3 年度文章問題 21 番）

■文章問題　共通／症例問題

☞解答／解説：590 ～ 592 ページ

症　例

次の文を読み，問いに答えよ．

19歳の女性．2週間前から息切れを自覚した．3日前から38°C以上の発熱が続き来院した．眼瞼結膜に高度の貧血を認めたが，眼球結膜の黄染はなかった．腹部は平坦で肝脾腫は触知しない．

血液検査：赤血球206万/μL，Hb 6.1 g/dL，Ht 18.0%，網赤血球10.0‰，白血球600/μL（桿状核球9%，分葉核球20%，単球4%，リンパ球67%，芽球0%），血小板1.6万/μL，AST（GOT）24 U/L，ALT（GPT）35 U/L，LD（LDH）145 U/L，総ビリルビン0.5 mg/dL，直接ビリルビン0.1 mg/dL，フェリチン250 ng/mL．直接および間接クームス試験は陰性．骨髄染色体検査は正常女性核型であった．骨髄生検像を示す（No. 2）．

〈No.2〉

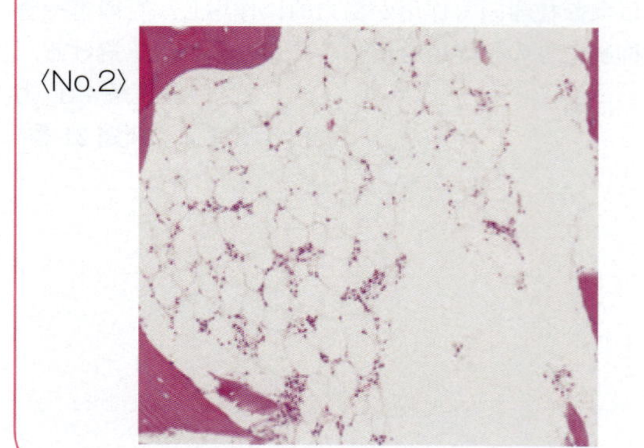

9-1　本症において予想される検査所見はどれか．1つ選べ．

a. 血清鉄上昇
b. 砂糖水試験陽性
c. 血清エリスロポエチン低下
d. パルボウイルスB19 IgM陽性
e. 胸腰椎MRIのT1強調像における低信号

9-2　HLA一致同胞（18歳，弟）がいる．治療として適切なものはどれか．2つ選べ．

a. 赤血球輸血
b. アザシチジン
c. タクロリムス
d. 造血幹細胞移植
e. デフェラシロクス

症　例

次の文を読み，問いに答えよ．

34 歳の女性．微熱と前胸部違和感が続くため，近医受診．胸部エックス線写真にて縦隔の異常陰影を認めたため，精査目的で当院呼吸器内科紹介．CT にて，左前縦隔に長径 4 cm の腫瘤，および左鎖骨下リンパ節領域に最大径 3 cm リンパ節腫脹を数個認めた．リンパ節生検にて，既存のリンパ節構造は破壊され，写真（No. 2）に示すような病理所見を認めた．免疫染色では，大型の異常細胞は CD30 陽性であった．

〈No.2〉

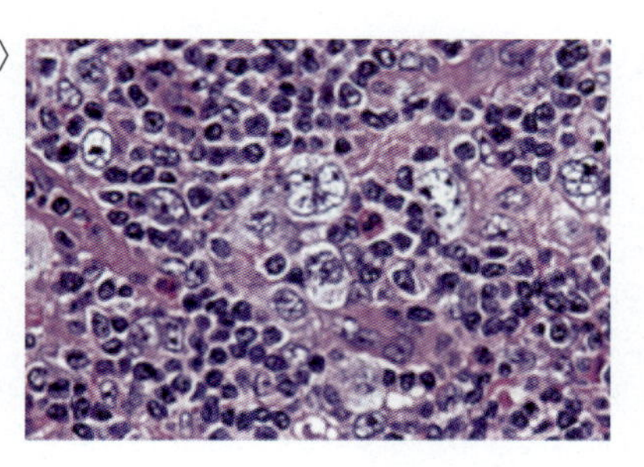

10-1 本患者における病理所見として認められるのはどれか．1 つ選べ．

a. Flower 細胞
b. Starry-sky 像
c. Reed-Sternberg 細胞
d. Megaloblastic change
e. Lymphoepithelial lesion

10-2 本患者では，標準療法として化学療法と放射線照射を施行，治療後約 10 年間再発を認めていない．現時点で特に気をつけるべき晩期合併症はどれか．2 つ選べ．

a. 乳癌
b. 腎障害
c. 鉄過剰症
d. 心血管障害
e. 末梢神経障害

症　例

次の文を読み，問いに答えよ．

45 歳の男性．急性リンパ性白血病に対して HLA 一致非血縁骨髄移植を行った．GVHD 予防はタクロリムスと短期メトトレキサートを用いた．Day 24 に生着を確認．Day 50 頃より抗菌薬，抗ウイルス薬不応性の発熱が持続し，全身リンパ節腫脹を認めた．全血中の EBV-DNA PCR を測定したところ 4×10^6 コピー／μgDNA と高値であった．頸部リンパ節生検を施行した結果，移植後リンパ増殖性疾患（PTLD）の診断となった．

11-1 PTLD の細胞起源として最も多いものはどれか．1 つ選べ．

a. 単球
b. B 細胞
c. T 細胞
d. NK 細胞
e. 樹状細胞

11-2 本症例の治療方針として誤っているのはどれか．2 つ選べ．

a. 化学療法
b. 血漿交換
c. リツキシマブ
d. 免疫抑制剤の強化
e. ドナーリンパ球輸注

症　例

次の文を読み，問いに答えよ.

58歳の男性. 2週間前より歩行時のふらつき，認知機能低下が出現し，家人に連れられ来院した. 頭部造影CTにて図に示す頭蓋内腫瘍を認めた. 同部位の生検により，びまん性大細胞型B細胞リンパ腫と診断した. 頭部造影CT画像を示す（No. 3）. 全身の画像スクリーニングでは他病変を認めなかった.

〈No.3〉
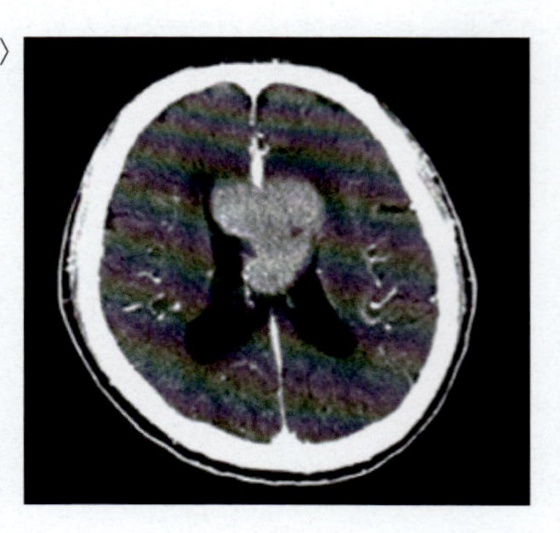

12-1 本疾患に関し，以下の記述で誤っているのはどれか. 2つ選べ.

a. 若年発症が多い.
b. 眼科受診が推奨される.
c. 全脳照射は30 Gyが上限である.
d. 再発時も頭蓋内に病変が出現する.
e. 治療に伴う白質脳症は高齢であるほどリスクが高い.

12-2 本症例ではシタラビンを含むレジメンで化学療法を行うこととなった. シタラビンの副作用として誤っているのはどれか. 1つ選べ.

a. 下痢
b. 皮疹
c. 結膜炎
d. 小脳失調
e. 血管外漏出による壊死

症　例

次の文を読み，問いに答えよ．

33歳の男性．生来健康．健康診断で白血球増多を指摘されたため来院した．

現症：身長172 cm，体重65 kg．体温36.5°C，脈拍65/分 整，血圧118/70 mmHg．

貧血はない．心音と呼吸音に異常を認めない．脾臓を左肋骨弓下に5 cm触知する．

血液所見：赤血球242万/μL，Hb8.4 g/dL，Ht 24.3%，網赤血球22‰，白血球78,560/μL（桿状核好中球7%，分葉核好中球67%，好酸球3%，好塩基球8%，単球3%，リンパ球2%，後骨髄球3%，骨髄球4%，前骨髄球2%，芽球1%），血小板38.1万/μL，Na 145mEq/L，K 5.1mEq/L，Cl 108mEq/L，Ca 9.0 mg/dL，Pi 3.5 mg/dL，AST（GOT）11 U/L，ALT（GPT）21 U/L，LD（LDH）420 U/L，総蛋白7.1 g/dL，アルブミン4.5 g/dL，総ビリルビン0.7 mg/dL，BUN 18.9 mg/dL，クレアチニン0.92 mg/dL，尿酸8.1 mg/dL．

骨髄像は，過形成骨髄で様々な分化段階を示す顆粒球系細胞が増加しており，骨髄芽球は3.8%であった．染色体G-band検査でt(9;22)(q34;q11.2)を20細胞中20細胞に認めた．

初期治療としてダサチニブ100 mg　1日1回投与を開始した．

13-1　**本患者で治療薬の変更を考慮しなければならない効果判定の基準はどれか．1つ選べ．**

a. 治療後3ヶ月で分子遺伝学的大奏効（Major molecular response: MMR）未到達
b. 治療後6ヶ月でMMR未到達
c. 治療後3ヶ月で細胞遺伝学的完全奏効（Complete cytogenetic response: CCyR）未到達
d. 治療後6ヶ月でCCyR未到達
e. 治療後12ヶ月でCCyR未到達

13-2　**ダサチニブ内服24ヶ月後に徐々に効果を喪失し，27ヶ月目に骨髄検査等で移行期への進行を確認した．*BCR::ABL1*遺伝子点突然変異検査にてT315I遺伝子変異を検出した．治療法の変更として適切なのはどれか．2つ選べ．**

a. イマチニブ
b. ニロチニブ
c. ボスチニブ
d. ポナチニブ
e. 同種造血幹細胞移植

症　例

次の文を読み，問いに答えよ.

60 歳の男性．発熱，動悸および皮下出血を主訴に受診した.

血液所見：赤血球 150 万/μL，Hb 4.5 g/dL，Ht 15%，網赤血球 8‰，白血球 65,200/μL（桿状核好中球 1%，分葉核好中球 3%，好酸球 1%，好塩基球 1%，単球 5%，リンパ球 3%，芽球 86%），血小板 1.5 万 /μL．芽球のミエロペルオキシダーゼ染色は陽性．骨髄の染色体 G-band 検査で t(8;21)(q22;q22.1）を認める.

14-1 **併存する可能性が高い遺伝子変異はどれか．1 つ選べ.**

a. *c-kit* 変異
b. *FLT3* 変異
c. *JAK2* 変異
d. *CSF3R* 変異
e. *GATA1* 変異

14-2 **化学療法で完全寛解を得たが治療終了後に血液学的再発をきたした．分子標的薬治療の適応を決定するうえで重要な検査はどれか．2 つ選べ.**

a. 骨髄塗抹染色検査
b. 骨髄染色体分析検査
c. *FLT3* 遺伝子変異検査
d. フローサイトメトリー検査
e. *RUNX1::RUNX1T1* 遺伝子定量検査

症　例

次の文を読み，問いに答えよ.

3 歳 6 ヶ月の男児.

現病歴：8 日前から発熱がみられるようになった．前医の CT 検査で肝脾腫・胸腹水貯留が認められ，入院した.

既往歴および家族歴：特記事項なし.

現症：体温 39.1°C．意識清明．右季肋下に肝臓を 5 cm，左季肋下に脾臓を 4 cm 触知する．鼠径部および腋窩リンパ節の腫脹を認める.

検査所見：赤血球 360 万/μL，Hb 9.5 g/dL，Ht 29.7%，白血球 5,300/μL（桿状核球 25.0%，分葉核球 27.0%，好酸球 0%，好塩基球 0%，単球 8.0%，リンパ球 24.5%，異型リンパ球 1.5%，芽球 3.0%，前骨髄球 1.0%，骨髄球 5.5%，後骨髄球 4.5%），血小板 6.2 万/μL，AST（GOT)625 U/L，ALT（GPT)382 U/L，LD（LDH)3,150 U/L，フェリチン 19,900 ng/mL（20-250)，EBV-DNA PCR 6.0 × 10^5copy/μgDNA，T 細胞レセプターの遺伝子再構成を認める.

15-1 **正しいのはどれか．2 つ選べ.**

a. NK 活性は上昇する.
b. 血清トリグリセリドは上昇する.
c. 血清可溶性 IL-2 レセプターは低下する.
d. EB ウイルスの主な感染細胞は B 細胞である.
e. EB ウイルス感染細胞のクロナリティを認める.

15-2 **治療方針として正しいのはどれか．2 つ選べ.**

a. 血漿交換を行う.
b. エトポシドによる治療を行う.
c. ステロイドによる治療を行う.
d. ガンシクロビルの投与を行う.
e. セフェム系の抗生剤の使用は禁忌である.

症　例

次の文を読み，問いに答えよ．

58 歳の多発性骨髄腫の患者である．ボルテゾミブ，レナリドミド，デキサメタゾンにて治療を開始している．本日の血液生化学データは，赤血球 310 万 /μL，Hb 8.5 g/dL，白血球 2,010/μL（好中球 78%，リンパ球 10%，単球 12%），Plt 8 万 /μL，CD4 陽性リンパ球 49/μL，IgG 値 120 mg/dL（870–1,700），IgA 80 mg/dL（110–410），IgM 21 mg/dL（35–220），CRP 1.2 mg/L（0.3 以下）である．

16-1 患者のデータの中で，易感染性を示唆するデータとして重要なのはどれか．２つ選べ．

a. CRP　1.2 mg/L
b. IgM　21 mg/dL
c. IgG　120 mg/dL
d. 好中球数　1,400/μL
e. CD4＋リンパ球数　49/μL

16-2 現時点で，感染症の予防として適切なのはどれか．２つ選べ．

a. G-CSF
b. 抗真菌剤
c. 抗生物質
d. 免疫グロブリン
e. スルファメトキサゾール・トリメトプリム製剤（ST 合剤）

解　説

【問題 9-1，9-2】

溶血所見を伴わない高度の汎血球減少（正球性貧血，好中球減少，血小板減少）があり，骨髄生検で脂肪髄を認め再生不良性貧血と診断する．好中球 200/μL 未満と血小板 2 万未満から stage 5 の最重症である．

【問題 9-1】

再生不良性貧血では血清鉄が上昇して，不飽和鉄結合能は低下する．砂糖水試験は低イオン溶液内で補体と赤血球膜の結合が増加するため，発作性夜間ヘモグロビン尿症では溶血して陽性となる．再生不良性貧血は赤血球減少に反応して血清エリスロポエチンは増加する．パルボウイルス B19 IgM 陽性は赤芽球癆で認められることがある．典型的な脂肪髄は MRI の T1 強調像では均一な高信号となる．

●正解：a

（令和 3 年度文章問題 26 番）

【問題 9-2】

赤血球輸血は重要な支持療法である．stage 5 の最重症再生不良性貧血であり，20 歳未満で同胞ドナーが存在する場合に骨髄移植が通常は絶対適応となる．移植を希望しない場合には抗胸腺グロブリン（ATG）＋シクロスポリン（CsA）±エルトロンボパグ（EPAG）が選択肢となり得るが，アザシチジン（azacitidine）やタクロリムス（tacrolimus）は適応とならない．フェリチン値が 1,000 ng/mL 未満であり，鉄キレート剤であるデフェラシロクス（deferasirox）は適応とならない．

●正解：a，d

（令和 3 年度文章問題 27 番）

【問題 10-1】【問題 10-2】

古典的 Hodgkin リンパ腫（classical Hodgkin lymphoma：CHL）の多くは，無痛性の頸部・鎖骨上窩・縦隔リンパ節腫脹を契機に診断される．その病理組織像は，多数の炎症性細胞を背景に，少数の単核 Hodgkin（H）細胞や多核 Reed-Sternberg（RS）細胞といった HRS 細胞と総称される大型腫瘍細胞の増生を特徴とする．HRS 細胞は CD30 陽性である．

CHL に対する化学療法の成績は良好で，高い割合で治癒が得られる．さらに，進行期 CHL や再発難治例を中心に，CD30 を標的とする抗体薬剤複合体 ブレンツキシマブ　ベドチン（brentuximab vedotin）や抗 PD-1 抗体 ニボルマブ（nivolumab）・ペムブロリズマブ（pembrolizumab）など，分子標的薬の高い有効性が報告されている．

限局期 CHL に対する化学療法と放射線療法の治療成績は，10 年無増悪生存割合が 90％以上である．一方，放射線療法による晩期毒性，特に肺・乳房の二次がんや心血管系疾患に注意が必要である．限局期 CHL に対して，治療毒性軽減のため，化学療法や放射線照射量を減じる臨床試験が行われている．

［10-1］●正解：c

（平成 29 年度文章問題 31 番）

［10-2］●正解：a，d

（平成 29 年度文章問題 32 番）

【問題 11-1】

移植後リンパ球増殖性疾患（post-transplant lymphoproliferative disorder：PTLD）は移植後の免疫抑制療法により誘発されるリンパ増殖性疾患で，多くは EB ウイルス感染に 関連していると報告されている．PTLD の発症率は移植臓器によって異なるもの，一般に移植後患者の 1 ～ 10％程度に発症する．組織型としてはびまん性大細胞型 B 細胞リンパ腫（DLBCL）が最も多く，そのほかに T 細胞や NK 細胞を起源とする PTLD も報告されている．

●正解：b

（平成 30 年度文章問題 29 番）

【問題 11-2】

PTLD 治療の第一選択肢として，免疫抑制薬の減量・中止が挙げられる．免疫抑制薬減量・中止により病変が縮小した場合には良好な予後が期待できる．免疫抑制薬減量・中止に反応しない場合は，組織型に基づいた化学療法の施行が推奨されるが，抗体製剤（rituximab や CD30 抗体）や外科的切除，放射線照射，ドナーリンパ球輸注（DLI）による免疫細胞療法の併用により治療成績の改善が見込まれる．

●正解：b，d

（平成 30 年度文章問題 30 番）

【問題 12-1】

中枢神経原発悪性リンパ腫（PCNSL）の症例である．高齢者に多い疾患であり，フランスの前向き登録試験では，PCNSL 症例の約 4 割強が 70 歳以上であったことが示されている（Neurology 94:e1027, 2020）．高齢者では治療により白質脳症を生じるリスクが高く，しばしば治療に難渋する．眼内病変から発症する，あるいは眼内病変を経過中に併発する場合があり，眼のスクリーニングが必要である．治療後も中枢神経内に再発を繰り返すのが典型的な臨床経過である．全脳照射は 30 〜 45 Gy 前後で設定されることが多く，さらに病変部位へのブースト照射が追加される場合もある．

●正解：a，c
（平成 30 年度文章問題 31 番）

【問題 12-2】

PCNSL に対しては大量メトトレキサート（methotrexate）療法に加え，大量シタラビン（cytarabine）療法もよく用いられる治療である．大量シタラビン療法に際しては下痢や口内炎などの粘膜障害に注意が必要であり，結膜炎も特徴的に認められる副作用であり，薬剤投与時には結膜炎の予防としてステロイド点眼を行うことが勧められる．また，発熱や筋肉痛，皮疹などを呈するシタラビン症候群と呼ばれる病態を生じることがある．高齢者では特に小脳失調などの中枢神経系有害事象のリスクがあり，薬剤の減量が勧められる．シタラビンは低用量の皮下注射や髄腔内投与を行うこともある薬剤であり，起壊死性抗がん薬には含まれない．

●正解：e
（平成 30 年度文章問題 32 番）

【問題 13-1】

日本血液学会による「造血器腫瘍診療ガイドライン 2018 年版補訂版」において，慢性骨髄性白血病慢性期の治療効果判定は，European LeukemiaNet2013 年版の基準を用いている．その後，European LeukemiaNet の基準は 2020 年版（ELN2020）に改定されている（Leukemia 34:966, 2020）．ELN の効果判定基準では，*BCR::ABL1* mRNA コピー数と ABL などの内部標準遺伝子の mRNA コピー数の比を国際指標（international scale：IS）で補正した *BCR::ABL1*^{IS} で評価しており，わが国でも 2015 年 4 月から保険診療可能となっている．

TKI 開始 3，6，12 ヵ月後における *BCR::ABL1*^{IS} のモニタリングにより治療効果を判定するが，「failure（治療の失敗）」と判定された場合は，現在使用している TKI に抵抗性であると判断されるため他の TKI への変更が推奨される．ELN2013 および 2020 においても TKI 開始 12 ヵ月後の *BCR::ABL1*^{IS} が 1%（CCyR に相当）以下にならない場合は「failure」と判定されるため，TKI の変更が推奨される．

●正解：e
（令和 1 年度文章問題 29 番）

【問題 13-2】

ELN2020 年版の基準で「failure」の場合は，骨髄検査で病期の再評価と付加的染色体異常の有無（染色体 G-band 検査）を確認する．さらに，*BCR::ABL1* 点突然変異解析は，保険適用外であるが，治療方針を決める上で重要なため可能な限り提出する．TKI 治療中に CML 移行期 / 急性転化期へ進行した場合は，感受性のある TKI に変更して，まずは第 2 慢性期への導入を目標とする．このような症例の大部分は第 2 慢性期の維持期間が短いため，年齢や併発疾患の有無，適切なドナーの有無にもよるが，可能な限り同種造血幹細胞移植を行う．PACE 試験において T315I 遺伝子点突然変異を有する慢性骨髄性白血病移行期患者（*n*=18）に対してポナチニブ（ponatinib）45 mg/ 日を投与したところ，観察期間中央値 37.3 ヵ月で CCyR，MMR 到達率がそれぞれ 44%，33% であった．5 年無増悪生存率，全生存率は 29%，52% であった（Blood **132**:393, 2018）．本患者は 33 歳であり，ポナチニブ 45 mg/ 日を投与しながら，同種造血幹細胞移植を予定してドナー検索を開始する方針が推奨される．

●正解：d，e
（令和 1 年度文章問題 30 番）

【問題 14-1】

c-kit 変異は t(8;21)(q22;q22.1) もしくは inv(16)(p13.1;q22) を有する急性骨髄性白血病（AML）に併存することが多く，*FLT3* 変異は正常核型 AML，*NPM1* 変異陽性 AML，および t(6;9)(p23;q34) を有する AML に併存することが多い．いずれの変異も白血球増多や予後不良と関連することが知られている．*JAK2* 変異は慢性骨髄性白血病以外の骨髄増殖性疾患に，*CSF3R* 変異は慢性好中球性白血病に認められる．*GATA1* 変異は Down 症候群に合併する急性巨核芽球性白血病と関連する．

●正解：a
（令和 3 年度文章問題 31 番）

【問題 14-2】

AML における代表的な分子標的薬は FLT3 阻害薬（gilteritinib および quizartinib）と抗 CD33 抗体薬（gemtuzumab ozogamicin）である．前者はコンパニオン診断で*FLT3*変異の存在を確認する必要があり，後者はフローサイトメトリー検査で白血病細胞のCD33陽性を確認する必要がある．*RUNX1::RUNX1T1*遺伝子はt(8;21)(q22;q22.1)により形成される融合遺伝子であり，この測定は測定可能残存病変のモニタリングに有用であるが，治療法の選択とは関連しない．

●正解：c，d

（令和3年度文章問題32番）

【問題15-1】

EBウイルス関連血球貪食性リンパ組織球症（EBV-HLH）の本態は，EBVがT細胞，NK細胞に単クローン性に感染，増殖し，これが炎症性サイトカインを多量に産生することにある．結果として強い全身炎症とマクロファージの活性化，血球貪食が誘導される．EBV-HLH診断基準（厚生労働省研究班，2015年）では，①EBV-DNAが末梢血中に増加していること，②以下の8項目（発熱≧38.5℃，脾腫，二系統以上の血球減少，高トリグリセリド血症または低フィブリノゲン血症，NK細胞活性低値または欠損，血清フェリチン上昇，可溶性IL-2受容体高値，骨髄，脾臓，またはリンパ節の血球貪食像（悪性所見なし））のうち，初診時5つ以上，再燃・再発時に3つ以上を満たすことが診断に必須である．さらに，診断に有用な所見として，髄液の細胞増多（単核球）および/または髄液蛋白増加，肝での慢性持続性肝炎に類似した組織像があげられる．

●正解：b，e

（令和3年度文章問題33番）

【問題15-2】

小児HLH診療ガイドライン2020では，EBV-HLHと診断後，副腎皮質ステロイドで加療を開始し，解熱しない場合はただちにエトポシド（etoposide）を含む免疫化学療法が推奨されている．免疫化学療法に抵抗性の場合は，同種造血幹細胞移植を検討する．

●正解：b，c

（令和3年度文章問題34番）

【問題16-1】【問題16-2】

易感染性とは，感染防御機能のいずれかに障害があり，健常者には感染を起こさない病原性の弱い病原菌による感染（日和見感染）を生じやすい状態をいう．

末梢血中の好中球数は，1,000/μL未満で感染症，500/μL未満で重症感染症を合併しやすくなる．リスクは，好中球減少の速さ，持続時間，基礎疾患により異なる．

一般に，血清IgG値が500 mg/dL以下を低ガンマグロブリン血症といい，肺炎球菌など莢膜保有菌等に対して易感染性となる．CD4陽性Tリンパ球数は，200/μL以下まで低下するとニューモシスチス肺炎，50/μL以下まで低下するとサイトメガロウイルス感染症などの日和見感染症に罹患しやすくなる．

本症例では，IgG値が低下しており免疫グロブリンの補充療法が，CD4陽性Tリンパ球数が減少しておりスルファメトキサゾール・トリメトプリム製剤（ST合剤）投与によるニューモシスチス肺炎予防が適切である．

［16-1］●正解：c，e

（令和3年度文章問題39番）

［16-2］●正解：d，e

（令和3年度文章問題40番）

■文章問題　内科／一般問題

☞解答／解説：594 ページ

1 骨髄異形成症候群の診断に関して正しいのはどれか．2 つ選べ．

a. 網赤血球数が著減する．
b. 芽球は 20% 未満である．
c. 骨髄生検で脂肪髄が認められる．
d. 染色体異常があることが診断に必須である．
e. 骨髄細胞の 10% 以上に異形成が認められる．

2 本態性血小板血症で血栓症発症のリスクが高い症例はどれか．1 つ選べ．

a. *MPL* 遺伝子変異陽性
b. *JAK2* 遺伝子変異陽性
c. *TET2* 遺伝子変異陽性
d. *CALR* 遺伝子変異陽性
e. *FLT3* 遺伝子変異陽性

解　説

【問題 1】

a. 網赤血球の著減は再生不良性貧血や赤芽球癆に認められる．MDS における網赤血球数は減少傾向ながら，症例によるばらつきが大きい．

b. MDS の芽球の比率は，WHO 分類では骨髄で 20％未満とされており正解である．

c. 脂肪髄がみられる場合はまず再生不良性貧血を考える．MDS では骨髄は正形成から過形成を示す．骨髄が低形成を示す MDS の存在が知られているが，病型として分類されていない［WHO 分類改訂第 4 版（2017 年）］.

d. MDS 患者骨髄の染色体異常は約 5 ～ 7 割の症例に検出され，診断の必須項目ではない．

e. 各血球系統で異形成ありと判定する閾値は 10％であるため正しい（WHO 分類改訂第 4 版）．例外的に環状鉄芽球は 15％（*SF3B1* 遺伝子変異無し）を閾値としている点に注意を要する．

●正解：b，e

（平成 29 年度文章問題 41 番）

【問題 2】

本態性血小板血症（ET）では，ドライバー変異として *JAK2*-V617F 変異（60％），*CALR* 変異（15 ～ 20％），*MPL* 変異（3 ～ 5％）が認められる．さらにこれらのドライバー変異に加えて *TET2*，*ASXL1* 変異などの epigenetic 異常がみられる．ET における血栓症予測モデルである IPSET-thrombosis では，*JAK2*-V617F 変異は血栓症の既往と同等に重要視されている．一方，CALR 変異は *JAK2*-V617F 変異例に比して若年男性症例に多く，血小板数は多いが血栓症の頻度は低い．以上のように *JAK2*-V617F 変異の有無の確認は，ET の診断のみならず，心血管リスク評価や血栓症既往の聴取とともに治療方針決定に重要である．

●正解：b

（平成 30 年度文章問題 42 番）

■文章問題　内科／症例問題

☞解答／解説：601 ～ 603 ページ

症　例

次の文を読み，問いに答えよ．

65 歳の男性．貧血の精査依頼目的にて紹介となった．階段を登る時などに疲労感あり．

血液所見：赤血球 222 万/μL，Hb 6.3 g/dL，Ht 20.6%，網赤血球 1 %，白血球 3,500/μL（桿状核好中球 2%，分葉核好中球 50%，好酸球 1%，好塩基球 1%，リンパ球 28%，単球 13%），血小板 20.7 万/μL.

血液生化学所見：AST（GOT）50 U/L，ALT（GPT）45 U/L，LD（LDH）385 U/L（基準 119-229），ALP 296 U/L，総ビリルビン 0.1 mg/dL，BUN 16 mg/dL，クレアチニン 0.9 mg/dL，血清フェリチン 580.9 ng/mL，エリスロポエチン 198 U/L（基準 4.2-23.7），CRP 0.5 mg/dL.

骨髄所見：有核細胞数 11.5 万/μL，M/E 比 0.2，芽球 0%．染色体異常なし．骨髄塗抹標本で図のような赤芽球を認めた（左：May-Giemsa 染色（No. 7），右：ベルリン青染色（No. 8））．

〈No.7〉

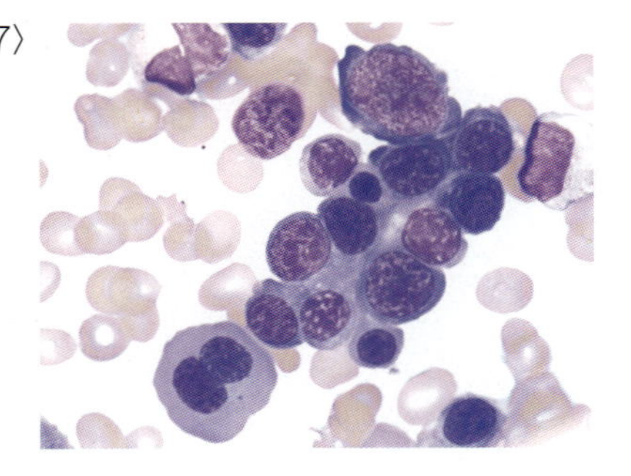

〈No.8〉

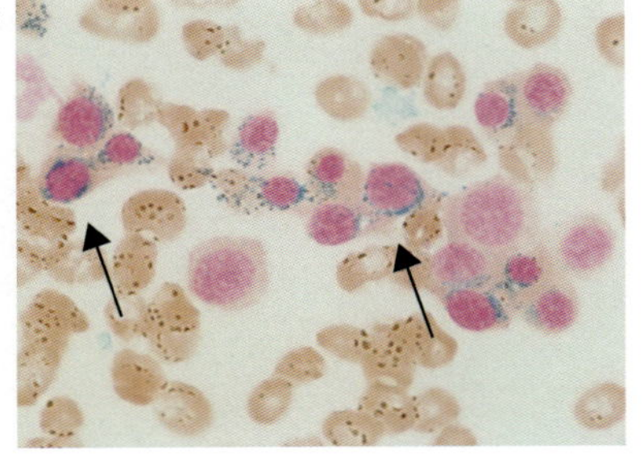

3 図中の矢印で示した赤芽球の形成に深く関わる遺伝子異常はどれか．１つ選べ．

a. *TET2*
b. *JAK2*
c. *SF3B1*
d. *GATA1*
e. *RUNX1*

症　例

次の文を読み，問いに答えよ．

50 歳の女性．全身倦怠感及び赤色尿を主訴に来院した．

血液所見：赤血球 221 万/μL，Hb 7.2 g/dL，Ht 23%，網赤血球 8%，白血球 2,300/μL（分葉核好中球 42%，好酸球 1%，単球 8%，リンパ球 49%），血小板 8.2 万/μL．

血液生化学所見：AST（GOT）40 U/L，ALT（GPT）38 U/L，LD（LDH）985 U/L（基準 119–229），総ビリルビン 2.2 mg/dL，BUN 18 mg/dL，クレアチニン 1.2 mg/dL，CRP 0.5 mg/dL．

末梢血の赤血球表面抗原解析を示す（No. 6）．

〈No.6〉

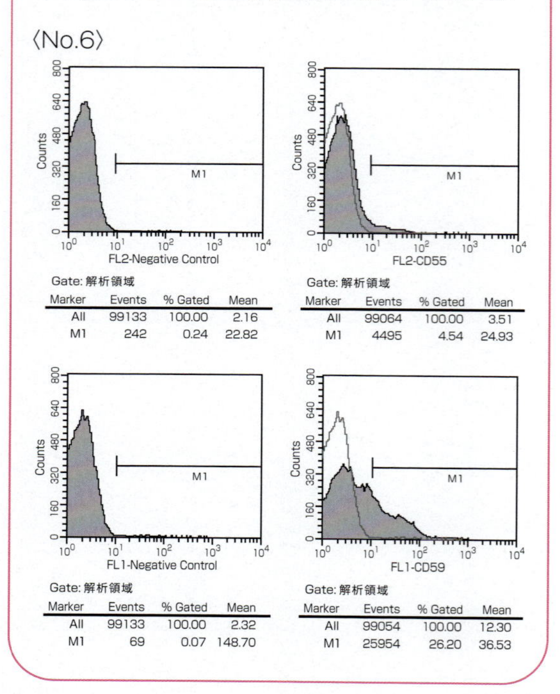

4　本症例において予想される検査所見の組み合わせで正しいのはどれか．2 つ選べ．

a. 赤血球結合 IgG――増加
b. 間接ビリルビン――上昇
c. 直接 Coombs 試験――陽性
d. 好中球アルカリホスファターゼ――低下
e. 赤血球 eosin-5′-maleimide 結合能――低下

症　例

次の文を読み，問いに答えよ．

45 歳の女性．定期健診にて，血液検査の異常を指摘され，血液内科を受診した．

血算：赤血球 380 万/μL，Hb 12.5 g/dL，白血球 4,010/μL（分類：異常なし），血小板 24.6 万/μL，電解質：Na 140mEq/L，K 4.3mEq/L，Ca 9.0 mg/dL，生化学：総蛋白 9.3 g/dL，アルブミン 3.6 g/dL，AST（GOT）20 IU/L，ALT（GPT）14 IU/L，LD（LDH）166 IU/L，UN 13 mg/dL，クレアチニン 0.57 mg/dL，IgG 4,595 mg/dL，IgA 16 mg/dL，IgM 10 mg/dL，β2MG 2.3 mg/L，血清免疫電気泳動検査では IgG，κ に M-bow を認めた．血清フリーライトチェーン κ 鎖 134 mg/L，λ 鎖 2.9 mg/L，検尿：異常なし，全身 MRI にて有意な所見は指摘されず，骨髄穿刺では写真〈No. 6〉に示すような細胞を 16% 認め，FISH 検査にて，t(4;14) の異常を認めた．

〈No.6〉

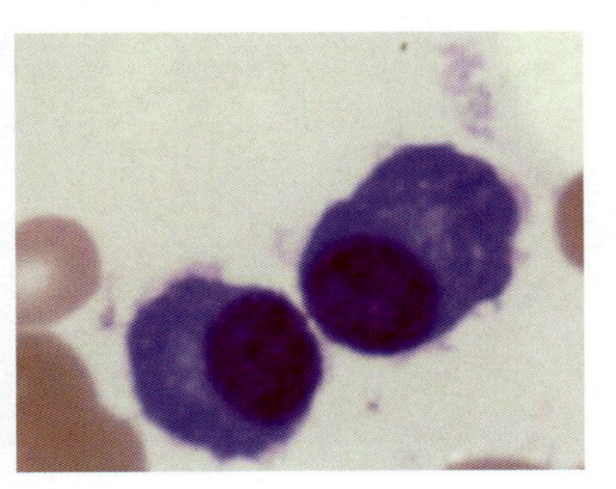

5-1 本症例の診断は何か．１つ選べ．

a. 形質細胞腫
b. 症候性骨髄腫
c. くすぶり型骨髄腫
d. 形質細胞性白血病
e. MGUS（Monoclonal gammmopathy of undetermined significance）

5-2 治療方針として最も適切なのはどれか．１つ選べ．

a. 直ちに化学療法を開始する．
b. 自家移植治療を予定した治療を開始する．
c. 同種移植治療を予定した治療を開始する．
d. 年に数回の頻度で定期受診し検査をおこなう．
e. 自覚症状を認めたら再度受診するように説明する．

症　例

次の文を読み，問いに答えよ．

66歳の男性．高尿酸血症にて近医にて治療中であった．左腋窩にリンパ節腫脹を触知し，造影CTにおいて腋窩および傍大動脈領域にリンパ節腫脹を認め，脾腫も認めた．腋窩リンパ節より生検を行ったところ腫瘍細胞の免疫染色はCD10陽性およびBCL2陽性であった．

診断時血液所見：赤血球464万/μL，Hb 13.9 g/dL，Ht 42.6%，網赤血球14.8‰，白血球4,000/μL（好酸球2%，分葉核球68%，リンパ球21%，単球9%），血小板7.9万/μL．

生化学検査：AST（GOT）23 U/L，ALT（GPT）15 U/L，LD（LDH）196 U/L，CRP 0.05 mg/dL，β2ミクログロブリン2.8 μg/mL，可溶性IL2受容体2,430 U/mL．

6-1 治療方針決定に有用な指標のうち誤っているのはどれか．1つ選べ．

a. 血小板減少
b. 体腔液貯留
c. 腫瘤の最大長径
d. 可溶性IL2受容体値
e. 腫大リンパ節領域数

6-2 初回治療としてベンダムスチンを含むレジメンを選択した．注意すべき合併症として誤っているのはどれか．2つ選べ．

a. 脱毛
b. 発疹
c. 消化器症状
d. リンパ球減少
e. 末梢神経障害

症　例

次の文を読み，問いに答えよ．

62歳の女性．発熱，血尿のため来院．意識はやや混濁していた．下痢はしていない．既往症も特にない．

検査所見：赤血球208万/μL，Hb 6.4 g/dL，Ht 18.2%，白血球7,710/μL（分画は正常），血小板1.1万/μL，PT 12.6秒（対照14.0秒），APTT 37.6秒（対照40.0秒），フィブリノゲン278 mg/dL（200-400），FDP 7.8 μg/mL（5以下），AST（GOT）73 U/L，ALT（GPT）39 U/L，LD（LDH）1,368 U/L（119-229），総ビリルビン4.7 mg/dL，直接ビリルビン0.2 mg/dL，BUN 24.1 mg/dL，クレアチニン0.64 mg/dL，CRP 0.14 mg/dL，C3 85 mg/dL（80-140），C4 15 mg/dL（11-34），CH50 35 U/mL（30-50）．

頭部CT：異常なし．末梢血メイギムザ染色標本を示す（No. 8）．

〈No.8〉

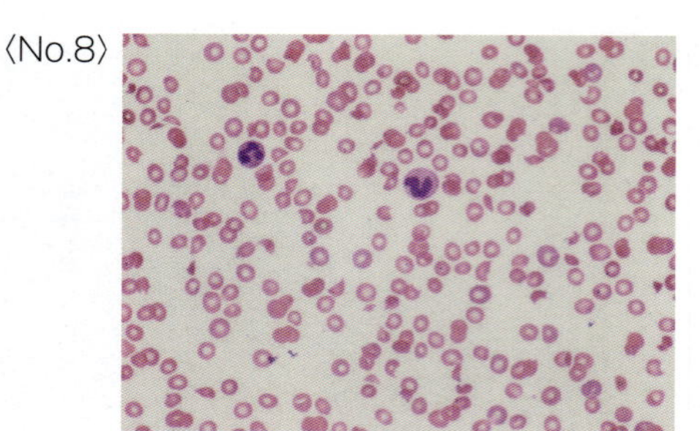

7 本患者に対する初期治療として適切なのはどれか．1つ選べ．

a. 血漿交換
b. 血液透析
c. リツキシマブ投与
d. 副腎皮質ステロイド投与
e. リコンビナントトロンボモジュリン製剤

症　例

次の文を読み，問いに答えよ.

72 歳の女性．左手背のガングリオンの摘出後の止血困難にて紹介受診．左手背から前腕に広範な皮下出血を認める．来院時検査所見は，赤血球 312 万/μL，Hb 10.2 g/dL，Ht 32.4%，血小板 24.4 万/μL，プロトロンビン時間 13.0 秒（10–13 秒），活性化部分トロンボプラスチン時間 62.5 秒（30–45 秒），フィブリノゲン 240 mg/dL（150–400）.

8　この疾患について誤っているのはどれか．2 つ選べ.

a. 高齢者に多い.
b. 関節内出血が多い.
c. 一般に予後は良好で自然軽快する.
d. 20–30 歳代の女性では分娩後に発症する.
e. 活性型凝固第 VII 因子製剤が有効である.

症　例

次の文を読み，問いに答えよ.

62 歳の女性．胃癌に対して胃全摘手術を受け，止血確認後，昼過ぎに病棟へ帰室した．翌日昼に行った創部処置で，縫合部からの大量の出血を確認．術前 13.8 g/dL あったヘモグロビン値が，7.2 g/dL に低下していたため赤血球輸血を行った.

術前の血液検査では，血小板 24 万/μL，PT 100%，APTT 32 秒，フィブリノゲン 320 mg/dL，出血時間 2 分で，ADP 添加による血小板凝集能検査では一次凝集，二次凝集ともに異常は認められなかった.

9　考えられる疾患はどれか．1 つ選べ.

a. 第 IX 因子欠損症
b. 第 XIII 因子欠損症
c. プロテイン S 欠損症
d. アンチトロンビン欠損症
e. シクロオキシゲナーゼ欠損症

症　例

次の文を読み，問いに答えよ.

28 歳の未婚女性．生来健康であり，半年前の会社検診でも異常は指摘されなかった．1 ヶ月ぐらい前から四肢の点状出血斑に気がつき，最近では打った覚えがないにも関わらず皮下出血斑が頻回に認められるようになったため来院.

血液検査所見：赤血球 470 万/μL，Hb 12.0 g/dL，Ht 38.0%，白血球 8,400/μL（分画異常なし），血小板 0.8 万/μL，プロトロンビン時間 12.3 秒（対照 12.0 秒），活性化部分トロンボプラスチン時間 29.6 秒（対照 30.0 秒），フィブリノゲン 300 mg/dL，FDP < 5 μg/mL．家族歴ならびに既往歴に特記すべきことなし.

10　本疾患に対する治療として正しいのはどれか．1 つ選べ.

a. 血小板輸血は禁忌である.
b. 抗血小板薬や抗凝固薬の服用は禁忌である.
c. 血小板数が 10 万/μL になるまで治療を続ける.
d. 出血傾向がなくても血小板数 2 万/μL 未満では治療を考慮する.
e. ピロリ菌陽性例では，ピロリ菌除菌により 80% 以上の症例で血小板数は正常化する.

症　例

次の文を読み，問いに答えよ．

63 歳の女性．同種造血幹細胞移植後再発の急性骨髄性白血病に対して臍帯血移植を施行した．前処置はフルダラビン・メルファランと 4 グレイの全身放射線照射．移植後 9 日目から発熱し，13 日目から血痰を伴う咳嗽が出現した．胸部 CT 画像（No. 10）を示す．

体温 39.2°C，呼吸数 48 回 /min，経皮的酸素飽和度 84%（room air）．血液検査では白血球 600/μL（好中球 20%，単球 20%，リンパ球 60%），CRP 21.5 mg/dL，β-D- グルカン < 0.6 pg/mL，アスペルギルス抗原 < 0.1 mg/dL．サイトメガロウイルス抗原陰性．

移植後 16 日で好中球生着後，速やかに気管支鏡を行ったが，気管支肺胞洗浄液では細菌・真菌・ウイルスとも未検出．セフェピムとミカファンギンを投与中．

〈No.10〉

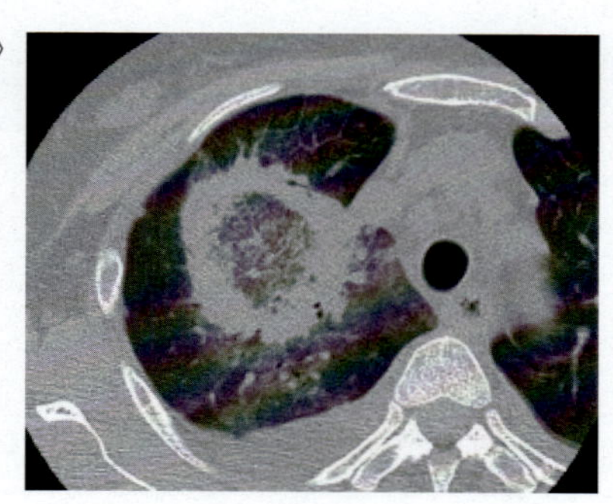

〈No.11〉

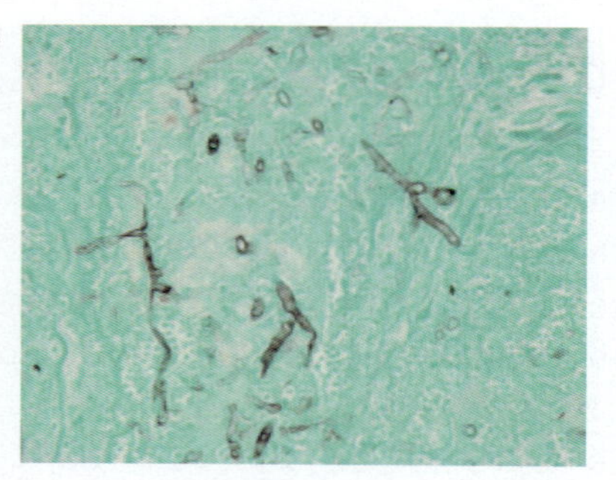

11-1　胸部 CT 所見として正しいものはどれか．1 つ選べ．

a. halo sign
b. coin lesion
c. tree-in-bud
d. air-crescent sign
e. reversed halo sign

11-2　移植後 42 日目の胸腔鏡下肺生検像を示す（No. 11）．診断として最も可能性の高いものはどれか．1 つ選べ．

a. 肺膿瘍
b. 肺結核症
c. 肺接合菌（ムーコル）症
d. サイトメガロウイルス肺炎
e. 侵襲性肺アスペルギルス症

解　説

【問題3】

骨髄塗沫標本のMay-Giemsa染色にて赤芽球系細胞の異形成（巨赤芽球様変化）を認めるとともに，ベルリン青染色（鉄染色）にて環状鉄芽球の増加を認めるため，環状鉄芽球増加を伴う骨髄異形成症候群（MDS-RS：MDS with ring sideroblasts）が疑われる．このMDS-RSにおいては*SF3B1*遺伝子変異が高頻度に認められることが報告された．WHO分類改訂版第4版（2017年）によると，芽球比率が5%以下で全赤芽球に対する環状鉄芽球の比率が15%以上を占めた場合にMDS-RSと診断されるが，さらに*SF3B1*遺伝子変異が確認できた場合は環状鉄芽球の比率が5%以上あればMDS-RSと診断可能となった．

●正解：c

（平成30年度文章問題47番）

【問題4】

汎血球減少，赤色尿，CD55/59陰性赤血球の存在より，発作性夜間ヘモグロビン尿症（PNH）が疑われる．本疾患は*PIG-A*遺伝子の異常に伴うCD55/59を含むGPIアンカーの合成不全が病因であり，補体活性化による血管内溶血に伴う間接ビリルビンの上昇，好中球アルカリホスファターゼ（NAP）スコアの低下を認める（NAPはGPIアンカー蛋白質の1つである）．赤血球結合IgGの増加，直接Coombs試験陽性は自己免疫性溶血性貧血で認められ，赤血球eosin-5′-maleimide結合能の低下は赤血球膜蛋白質の1つであるバンド3の異常に伴う遺伝性球状赤血球症で認める．

●正解：b，d

（令和3年度文章問題49番）

【問題5-1】

IgG，κのM蛋白血症を認めること，骨髄中に写真に示されている形質細胞の増生を認めることから形質細胞腫瘍と診断される．国際骨髄腫作業部会（IMWG）の診断基準によれば，血清中M蛋白≧3g/dL，骨髄中形質細胞が10%以上60%未満，myeloma defining events（CRAB症状）やアミロイドーシスを認めない場合，くすぶり型骨髄腫と診断される．本例の検査データは，上記の診断基準に合致する．

●正解：c

（平成29年度文章問題48番）

【問題5-2】

くすぶり型骨髄腫は，進行の緩やかなものから短期間で症候性骨髄腫に進展するものまで多様な病態を含んでいる．2020年にIMWGから血清中M蛋白＞2g/dL，フリーライトチェーン比＞20，骨髄中形質細胞＞20%をリスク因子として，このうち2～3の因子を有する場合は2年間で症候性骨髄腫に進展する割合が44%になり，さらにハイリスク染色体異常を有する場合は63%になることが報告されている．症候性骨髄腫への進展のハイリスク例に対し，早期治療介入を検証するいくつかの試験が実施されているが，現段階では生存期間の延長を示すエビデンスは得られておらず，くすぶり型骨髄腫に対し，症候性骨髄腫に進展するまで経過観察する方針となっている．本例もハイリスクに該当するが，年に数回の検査でフォローするのが妥当である．

●正解：d

（平成29年度文章問題49番）

【問題6-1】

リンパ節腫脹を左腋窩，傍大動脈領域に認め，脾腫を認めることより，臨床病期はⅢ期以上であり，また，CD10陽性，BCL2陽性の免疫学的形質から胚中心由来の腫瘍である濾胞性リンパ腫やGCB型びまん性大細胞型B細胞リンパ腫であることが考えられる．血小板減少が認められているにもかかわらず，LD値正常範囲内の所見から，緩徐進行性である濾胞性リンパ腫の可能性が高いと推測する．進行期濾胞性リンパ腫の治療開始規準としてGELF規準やBNRI規準が提唱されており，同規準の因子に含まれない可溶性IL2受容体値が正解である．

●正解：d

（令和1年度文章問題54番）

【問題6-2】

未治療低悪性度B細胞性非Hodgkinリンパ腫またはは造血幹細胞移植の適応にならないマントル細胞リンパ腫を対象に行われたリツキシマブ（rituximab）とベンダムスチン（bendamustine）90 mg/m^{2}の国内第Ⅱ相試験の主な毒性は，血液毒性として白血球減少（100%），リンパ球数減少（97.1%），好中球数減少（94.2%），CD4リンパ球数減少（92.8%），血小板数減少（55.1%），非血液毒性として悪心（66.7%），便秘（62.3%），食欲不振（43.5%），発疹（39.1%）などであった．また，脱毛はStiL-1試験では認められなかった．神経障害の頻度も高くないことから，脱毛と末梢神経障害が正解となる．

●正解：a，e

（令和 1 年度文章問題 55 番）

【問題 7】

Hb 低値で，LD 上昇，間接ビリルビン上昇，AST 上昇などの検査所見より，溶血性貧血の存在が疑われる．血小板数低値も顕著であるが，FDP の軽度上昇を認める以外，凝固系はほぼ正常といってもいい程度であり，DIC は否定的である．したがって，溶血性貧血＋血小板減少，意識混濁からは血栓性微小血管症（TMA）の存在を考える必要がある．末梢血塗抹標本では断片化した赤血球（三角形，ヘルメット型など），いわゆる破砕赤血球を認めることができ，TMA が確定される．成人 TMA の鑑別としては血栓性血小板減少性紫斑病（TTP），非典型溶血性尿毒症症候群（aHUS）などがあるが，本症例では腎機能は正常であり，TTP が疑われる．TTP の標準的初期治療は血漿交換である．

●正解：a

（平成 29 年度文章問題 53 番）

【問題 8】

検査所見で血小板減少はなく，プロトロンビン時間（PT）正常，活性化部分トロンボプラスチン時間（APTT）延長があり，高齢者で小手術後の止血困難により広範囲の皮下出血をきたしたことから後天性血友病が疑われる．後天性血友病は凝固第Ⅷ因子に対する自己抗体の産生により，同活性が低下し，主に皮下出血や筋肉内出血を来す疾患であり，60 ～ 70 歳代が最も多く，20 ～ 30 歳代の女性では分娩後に発症する．原因は加齢，自己免疫疾患，悪性腫瘍などによる免疫異常であり，治療はバイパス止血療法と血液凝固第Ⅷ因子機能代替製剤による止血療法と免疫抑制療法としてはプレドニゾロン（prednisolone）（初期量：1 mg/kg/ 日）を併用する．転帰は出血ならびに感染症による早期死亡が多いため予後不良とされている．

●正解：b，c

（平成 29 年度文章問題 55 番）

【問題 9】

術前検査では血小板数・機能，内因系・外因系・共通系凝固経路には問題がなく，手術後一端止血したにもかかわらず翌日に大量に出血する後出血を認めた場合は第XIII因子欠乏症を疑う必要がある．フィブリン安定化因子である第XIII因子は，凝固活性化により産生されたフィブリン分子間の架橋を促進する物質で，フィブリンの安定化や創傷治癒に関与している．欠乏していても PT や APTT は延長しないため術前診断は難しく，後出血や創傷治癒の遅延がみられた場合に測定される．なお，第XIII因子に対する自己抗体による自己免疫性出血病XIII/13 など後天性欠乏症も存在するため，原因不明の出血傾向を引き起こす病態として認識しておく必要がある．

●正解：b

（平成 30 年度文章問題 53 番）

【問題 10】

特発性血小板減少性紫斑病は血小板膜蛋白に対する自己抗体が産生され，骨髄での巨核球の血小板産生抑制と，脾臓での血小板破壊亢進により血小板減少をきたす自己免疫性疾患である．診断は血小板減少をもたらす基礎疾患や原因薬剤の存在を否定する除外診断にて行う．治療の目標は重篤な出血の予防で，血小板数が 3 万/μL 以上で出血傾向がなければ無治療経過観察とし，血小板数が 2 万/μL 未満となれば治療介入を考慮する．治療はピロリ菌陽性例では除菌療法を行い，除菌成功例の 50 ～ 70％に血小板数の増加が認められる．無効例やピロリ菌陰性例ではプレドニゾロン（prednisolone）0.5 ～ 1 mg/kg/ 日で開始し，血小板数を 3 万 /μL 以上を維持するように減量を行う．ステロイド療法が無効もしくは減量にて増悪した場合，さらに副作用や基礎疾患で選択できない時は第二選択としてはリツキシマブ（rituximab），トロンボポエチン受容体作動薬，脾摘が推奨される．

●正解 :d

（平成 30 年度文章問題 56 番）

【問題 11-1】

a は高 CT 値の結節像周囲に淡い高吸収域を伴う画像で，肺アスペルギルス症や器質化肺炎でみられる．b は高 CT 値の結節影で，肺がんなどの固形腫瘍の画像である．c は胸部 CT において肺結核でみられる所見．小葉中心性の粒状影とそれにつながる細気管支において陰影が出現している．比較的境界明瞭な結節影とその周囲に分岐状の細気管支陰影を認め，これらが多数集まると芽吹いた木のようにみえるので tree in bud appearance と表現され，活動性結核を示唆する．DPB（びまん性細気管支炎）でも類似画像が認められる．d は中心部の凝固壊死層の分離により周囲の肺胞組織との間に空気が入り込み三日月状の気腔が生じることをいい，肺アスペルギルス症や他の真菌症，多発血管炎性肉芽腫症（Wegener 肉芽腫症）などでみられる．e はすりガラス影が 2 mm 以上の厚さを持った壁（consolidation）で 3/4 周以上囲まれている像で，元来器質化肺炎に特徴的とされてきたが，肺接合菌症（ムーコル症）でも特徴的とされる．

●正解：e
（平成 30 年度文章問題 57 番）

【問題 11-2】

示されているのは胸腔鏡下肺生検組織のグロコット染色像である．a. 細菌は HE 染色かグラム染色，b. 結核菌は Ziehl-Neelsen 染色，d. サイトメガロウイルス同定には HE 染色での owe's eye か免疫組織染色が診断に有用である．淡緑色の肺組織に，黒色に染色される菌体像を認める．本染色で黒色に染色されるのは真菌であるが，中でも菌体の分枝が直角に折れ曲がる不整形の分枝所見は，c. ムーコルなどの接合菌症の菌体の特徴である．e. アスペルギルスでは増殖方向が一定で多くの隔壁を有し，分枝は鋭角でくびれがなく不整形さがないのが特徴である．

●正解：c
（平成 30 年度文章問題 58 番）

■文章問題　小児科／一般問題

☞解答／解説：605 ページ

1　家族性血球貪食性リンパ組織球症（FHL）で報告されている遺伝子異常はどれか．2 つ選べ．

a. *RAG*
b. *BTK*
c. *PRF1*
d. *STX11*
e. *WASP*

2　T 細胞性急性リンパ性白血病（ALL）の BFM 型治療開始後の各病日において，予後不良と評価されるのはどれか．2 つ選べ．

a. 8 日目の末梢血芽球数が 1,550/μL
b. 15 日目の骨髄芽球比率が目視で 18.5%
c. 15 日目の TCR/Ig 再構成を用いた PCR による微少残存病変が 10^{-2}
d. 33 日目の TCR/Ig 再構成を用いた PCR による微少残存病変が 10^{-2}
e. 12 週目の TCR/Ig 再構成を用いた PCR による微少残存病変が 10^{-2}

3　原発性免疫不全症候群の中で末梢血球の形態に異常を示すのはどれか．1 つ選べ．

a. 慢性肉芽腫症
b. DiGeorge 症候群
c. Ataxia telangiectasia
d. Wiskott-Aldrich 症候群
e. 分類不能型免疫不全症（CVID）

4　重症先天性好中球減少症で見られる遺伝子異常で最も頻度の高いものはどれか．1 つ選べ．

a. *GFI1*
b. *HAX1*
c. *VPS45*
d. *G6PC3*
e. *ELANE*

5　L- アスパラギナーゼの投与中にみられる血液検査値異常を示す．誤っているのはどれか．1 つ選べ．

a. アミラーゼ高値
b. グルタミン高値
c. アンモニア高値
d. フィブリノーゲン低値
e. アンチトロンビン III 低値

解　説

【問題 1】

家族性血球貪食リンパ組織球症（FHL）は，遺伝子異常を背景として血球貪食症候群を発症する疾患である．本疾患では perforin 遺伝子をはじめとする原因遺伝子が同定されており，5つの型に分類される（FHL1: 9番染色体連鎖，FHL2: *PRF1* 異常，FHL3: *UNC13D* 異常，FHL4: *STX11* 異常，FHL5: *STXBP2* 異常）．

RAG1 ／ *RAG2* 遺伝子変異による疾患は，Omenn 症候群が代表的だが，近年，重症複合免疫不全症や自己免疫疾患など多様な疾患の原因となるとされる．*BTK* はX連鎖無ガンマグロブリン血症の，また *WASP* は Wiskott-Aldrich 症候群（WAS）の原因遺伝子である．

●正解：c，d

（令和1年度文章問題 61 番）

【問題 2】

25歳未満の初発T細胞性急性リンパ性白血病（ALL）に対するわが国のみなし標準治療では BFM 型化学療法が採用されており，治療反応性によるリスク層別化が行われる．メトトレキサート（methotrexate）髄注および1週間のプレドニゾロン（prednisolone）投与後の末梢血芽球数が 1,000/mm^3 以上の場合は高リスク群か最高リスク群（＝移植群），12 週目の TCR/Ig 再構成を用いた PCR による測定可能残存病変（PCR-MRD）が 10^{-3} 以上の場合は最高リスク群に振り分ける．15日目の骨髄芽球比率は前駆B細胞性 ALL ではリスク因子として扱う．15日目に PCR-MRD は通常測定しない．33日目の PCR-MRD が高値残存しても単独では予後因子とならない．

●正解：a，e

（令和1年度文章問題 62 番）

【問題 3】

全身性疾患の一症状として血液細胞の形態異常がみられることがあり，小児科領域ではそれが全身性疾患の発見のきっかけとなることもある．原発性免疫不全症候群では，Wiskott-Aldrich 症候群にみられる小型血小板（血小板数の減少を伴う），Chediak-Higashi 症候群でみられる巨大顆粒を有する白血球が有名である．なお，慢性肉芽腫症は，好中球などの食細胞の活性酸素産生低下をきたすが，好中球の形態異常は認めない．

●正解：d

（令和3年度文章問題 61 番）

【問題 4】

重症先天性好中球減少症（severe congenital neutropenia : SCN）には5疾患が知られており，SCN1～5と命名される．そのうち好中球エラスターゼをコードする *ELANE* 遺伝子の異常を有する SCN1 が最も多く，SCN の約 75～80% を占める．次いで *HAX1* 遺伝子異常による SCN3（Kostmann 病）が約 20% でみられる．*GFI1* 遺伝子異常で SCN2，*G6PC3* 遺伝子異常で SCN4，*VPS45* 遺伝子異常で SCN5 が起こるが，頻度は低い．

●正解：e

（令和3年度文章問題 62 番）

【問題 5】

L-アスパラギナーゼ（L-asparaginase）は，急性白血病・悪性リンパ腫に使用される抗がん薬で，がん細胞のアスパラギン高需要性を標的とし，細胞外のアスパラギンをアスパラギン酸とアンモニアとに分解することで抗がん作用を発揮する．大腸菌由来の生物製剤であること，蛋白合成を抑制することなどから，アナフィラキシー，凝固異常，急性膵炎，高アンモニア血症などの重大な副作用を引き起こすことがある．凝固異常では，フィブリノーゲンやアンチトロンビンⅢなどが減少する．急性膵炎合併例では，アミラーゼなどの膵酵素の上昇を認める．本剤は，グルタミン分解酵素活性も有しており，アスパラギンとグルタミンの分解によりアンモニアが発生する．以上より，正解は，b. グルタミン高値となる．L-アスパラギナーゼ投与により血清グルタミン値は低下する．

●正解：b

（令和29年度文章問題 66 番）

■文章問題　小児科／症例問題

☞解答／解説：608 ページ

症　例

次の文を読み，問いに答えよ．

３歳の女児．１ヶ月前から元気がなく，何となく顔色が悪いことに気づかれていた．顔色不良が増悪し，下肢を中心に出血斑も出現したため近医を受診した．高度の貧血を認めたため，紹介受診となった．

血液所見：赤血球 156 万 /μL，Hb 3.8 g/dL，Ht 13.6%，白血球 6,400/μL（芽球 82%），血小板 0.6 万 /μL，LD（LDH）420 U/L，尿酸 7.5 mg/dL，芽球はペルオキシダーゼ陰性であった．

6 この症例で認められる可能性の高い染色体・遺伝子異常はどれか．２つ選べ．

a. 高２倍体
b. *BCR::ABL*
c. *TCF3::PBX1*
d. *ETV6::RUNX1*
e. *MLL* 遺伝子再構成

症　例

次の文を読み，問いに答えよ．

生後４ヶ月の乳児．顔色不良のため近医を受診し，貧血，出血傾向を認めたため紹介され入院となった．

赤血球 320 万/μL，Hb 8.8 g/dL，白血球 600,000/μL（Blast 90%），血小板 1.8 万/μL，AST（GOT）85 U/L，ALT（GPT）54 U/L，LD（LDH）4,500 U/L，アルブミン 4.0 g/dL，BUN20 mg/dL，クレアチニン 0.8 mg/dL，尿酸 11 mg/dL，Na/K/Cl 138/5.4/104mEq/L，Ca 6.5 mg/dL，P 8.3 mg/dL．

骨髄穿刺を行ったところ，ペルオキシダーゼ陰性の芽球が 95% を占め，芽球の表面マーカー解析では CD19，CD34，HLA-DR，細胞質内 CD79a 陽性であった．

7-1 この症例に対する初期対応として適切なのはどれか．２つ選べ．

a. 血小板輸血を行う．
b. 赤血球輸血を行う．
c. カルシウム製剤を投与する．
d. ラスブリカーゼを投与する．
e. プレドニゾロン 60 mg/m^2/ 日を開始する．

7-2 この症例で予想される病型について適切なのはどれか．２つ選べ．

a. 著明な肝脾腫を認める．
b. *TCF3::PBX1* が陽性となる．
c. 骨髄球系マーカーが陽性となる．
d. 表面マーカーは CD10 陽性を示す．
e. 月齢が低い症例は予後が良好である．

症　例

次の文を読み，問いに答えよ．

6ヶ月の男児．数日前から発熱が出現した．受診時，体温38.1°C，血圧102/56 mmHg，脈拍164/分，呼吸数40/分，腹部に肝腫大（3横指），脾腫大（4横指）を認めたが，全身状態は良好だった．赤血球350万/μL，Hb 9.0 g/dL，白血球21,100/μL（芽球1%，前骨髄球0.5%，骨髄球3%，後骨髄球2.5%，桿状核球1%，分節核球23%，単球11%，リンパ球48%），血小板3.5万/μL，HbF 8%，血液生化学でAST（GOT）179 U/L，ALT（GPT）70 U/L，LDH 653 U/L，CRP0.34 mg/dL，サイトメガロウイルス抗原検査陰性．

骨髄像を示す（No. 11）．骨髄染色体検査は46，XY，骨髄細胞のコロニーアッセイでGM-CSFに対する高感受性を認めた．また，骨髄血の遺伝子検査において*N-ras*遺伝子のcodon13にGGT > GATの体細胞変異を認めた．

〈No.11〉

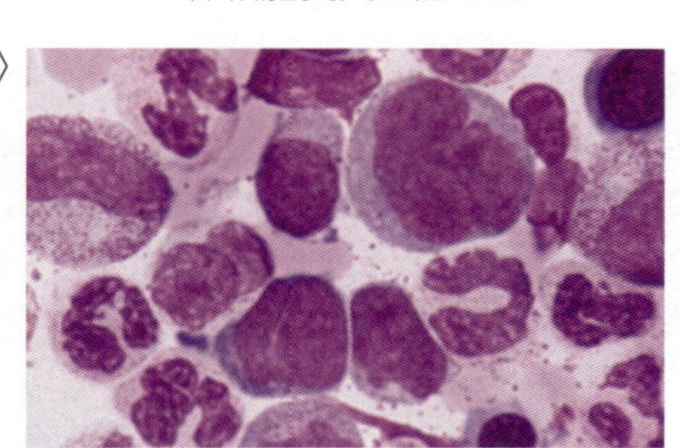

8-1　本症についての説明で<u>誤っている</u>のはどれか．1つ選べ．

a. 男児に多い．
b. 約25%に7モノソミーを認める．
c. ヘモグロビンF増加は予後不良因子である．
d. *BCR::ABL*遺伝子再構成がしばしば陽性となる．
e. *N-ras*遺伝子の体細胞変異例は*PTPN-11*遺伝子の体細胞変異例に比べて予後が良い．

8-2　本症に対して考慮される治療法はどれか．2つ選べ．

a. 同種造血幹細胞移植
b. 脾臓に対する放射線照射
c. チロシンキナーゼ阻害剤の投与
d. シタラビン＋アントラサイクリンによる化学療法
e. メルカプトプリン＋低用量シタラビンによる化学療法

解　説

【問題 6】

急性リンパ性白血病（ALL）では特定の染色体・遺伝子異常を伴うことが多く，重要な予後因子となる．染色体・遺伝子異常の頻度は年齢により異なることが知られており，特に 10 歳未満の小児では染色体本数 52 本以上の高 2 倍体と *ETV6::RUX1* 転座の頻度が高く，20 ～ 25% を占める．*BCR::ABL1* 転座は年齢が高くなるにしたがって頻度が高くなり，小児では 3 ～ 5% 程度である．*TCF3::PBX1* 転座も成人より小児に多いが，その頻度は 5% 前後であり，高 2 倍体と *ETV6::RUX1* 転座と比べれば 1/5 ～ 1/4 である．*MLL* 遺伝子再構成は 1 歳未満の乳児では約 80% と頻度が高いが，1 歳以上では数% と少ない．

●正解：a，d

（令和 1 年度文章問題 68 番）

【問題 7-1】

a. 血小板数は低値であり，出血リスクも高いことから輸血は妥当である．

b. この症例では白血球数が著増しており，血液粘稠度が高いことから，脳血管の梗塞・出血や呼吸障害のリスクが高い．このような場合は，赤血球輸血は血液粘稠度を高めることから，循環不全の徴候がない限り慎重に行うべきである．本症例の Hb は 8.8 g/dL であり，ただちに輸血を行う必要はない．

c. 本症例では血清リンが高値であり，白血球数著増に伴う腫瘍崩壊症候群の徴候である．今後治療を開始すればさらに上昇する可能性が高い．カルシウム製剤を投与すると，Ca × P 値が増加し，リン酸カルシウム結石により，すでに存在する腎障害を悪化させるリスクが高い．カルシウム製剤はテタニー症状を呈する時のみ少量を慎重に投与する．

d. 尿酸 11 mg/dL と高値であり．腫瘍崩壊症候群の高リスク群である．腎障害もきたしており，速やかにラスブルカーゼを投与すべきである．

e. 白血球数が著増しており，腫瘍崩壊症候群のリスクが高いことから，PSL は少量から投与開始すべきである．

●正解：a，d

（平成 30 年度文章問題 69 番）

【問題 7-2】

骨髄穿刺の結果から，診断は急性リンパ性白血病（ALL）である．1 歳未満の乳児 ALL では約 80% の症例で *MLL* 遺伝子再構成を認める．*MLL* 遺伝子再構成陽性乳児 ALL では，白血球数高値，著明な肝脾腫を認めることが多く，表面マーカーでは CD10 陰性が特徴的で，骨髄球系マーカーもしばしば陽性となる．月齢は低い方が予後不良である．

●正解：a，c

（平成 30 年度文章問題 70 番）

【問題 8-1】

若年性骨髄単球性白血病（JMML）は多能性造血幹細胞のクローン性異常により単球と骨髄球系前駆細胞が異常増殖する造血器疾患で，乳幼児に好発する．顆粒球単球コロニー刺激因子（GM-CSF）受容体 β 鎖下流の RAS 経路に関与する遺伝子の変異が約 90% の症例で検出され，JMML の骨髄球系前駆細胞は GM-CSF に対する高感受性を有する．男児は女児の 2 倍以上の頻度で多く，核型は半数以上が正常であるが異常核型では monosomy 7 が多い．フィラデルフィア染色体はみられない．RAS 変異例は病勢が比較的緩徐であるものの，PTPN11 変異を有する例は年長児に多く，病勢が急である．低年齢，血小板数高値，HbF 低値は予後良好因子として知られている．

●正解：d

（令和 1 年度文章問題 77 番）

【問題 8-2】

臨床経過は多様で，臓器腫大，骨髄不全など急激な経過をきたし，早期に死に至る例から，比較的緩やかな経過をたどる例まである．同種造血幹細胞移植は JMML に対する唯一の根治的治療と考えられており，移植を行わない場合の無イベント生存率は 6% と報告されている．HSCT 前の AML 型化学療法や脾摘の有効性は示されておらず，急激な白血球増多や肺浸潤を呈する例に対しては mercaptopurine 経口や低用量 Ara-C が推奨される．

●正解：a，e

（令和 1 年度文章問題 78 番）

共通問題　形態・機能

☞解答／解説：612 ～ 613 ページ

1 52 歳の男性．歯肉出血，腫脹で口腔外科を受診した．また，血液像に異常があり血液内科も併診した．骨髄像を示す．本症例の説明として誤っているのはどれか．2 つ選べ．

a. 巨脾を伴う．
b. 予後は良好である．
c. 特徴的な遺伝子異常がある．
d. 血清リゾチームが増加している．
e. 分子標的薬により予後が改善した．

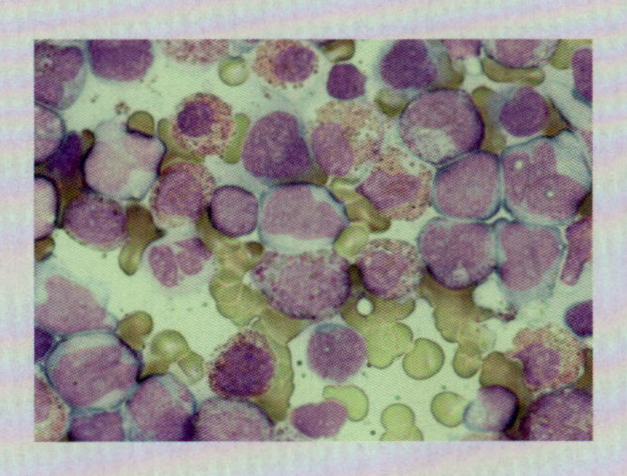

2 42 歳の男性．健診で白血球，血小板の増加を指摘された．骨髄塗沫標本（May-Giemsa 染色）を示す．予想される遺伝子異常はどれか．2 つ選べ．

a. *FLT3*-ITD
b. *BCR::ABL1*
c. *JAK2* V617F
d. *CBFβ::MYH11*
e. *FIP1L1::PDGFRα*

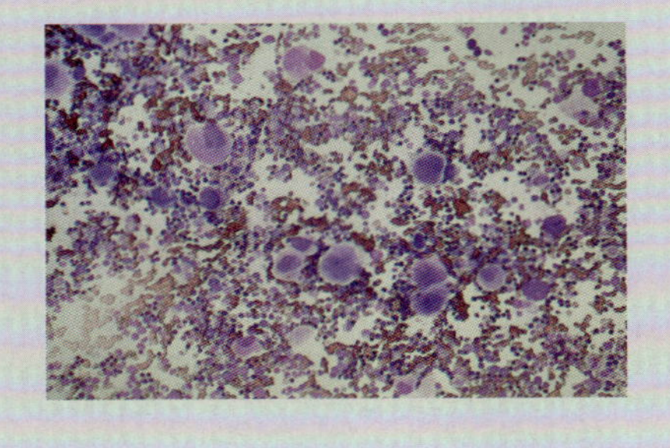

3 一般的に予後良好とされる急性骨髄性白血病の染色体はどれか．2 つ選べ．

a

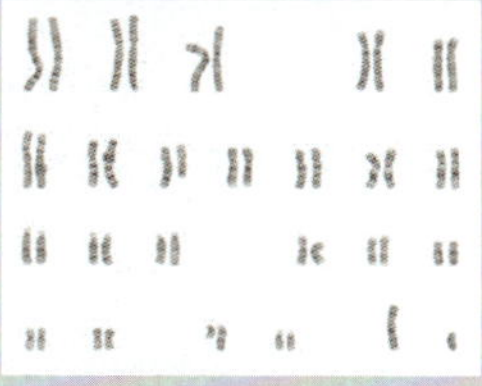

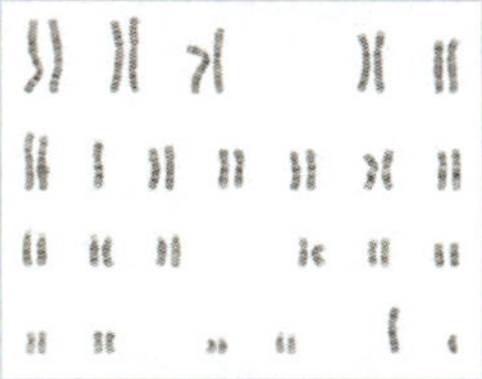

d

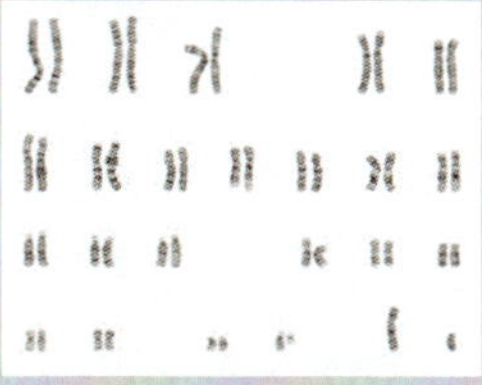

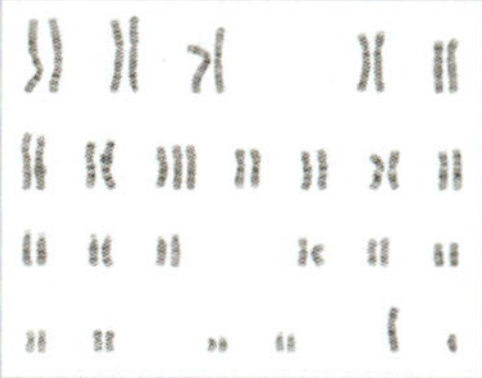

b

e

c

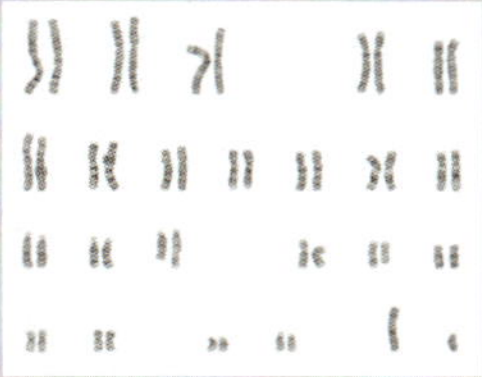

4 45 歳の男性．健康診断で白血球増加を指摘されたため当科受診．赤血球 508 万/μL，Hb 16.5 g/dL，白血球 58,400/μL（好中球 18.5%，単球 2%，リンパ球 3.5%，芽球 73%，骨髄球 1.5%），血小板 12.8 万/μL，LD（LDH）638 U/L（基準 119-229）．骨髄塗抹標本（Wright-Giemsa 染色，peroxidase 染色）およびフローサイトメトリー（FCM）の所見を示す．本疾患の検査所見として適切なのはどれか．2 つ選べ．

a. inv(16)(p13q22)
b. t(5;14)(q31;q32)
c. t(8;21)(q22;q22)
d. t(9;22)(q34;q11.2)
e. t(15;17)(q22;q12)

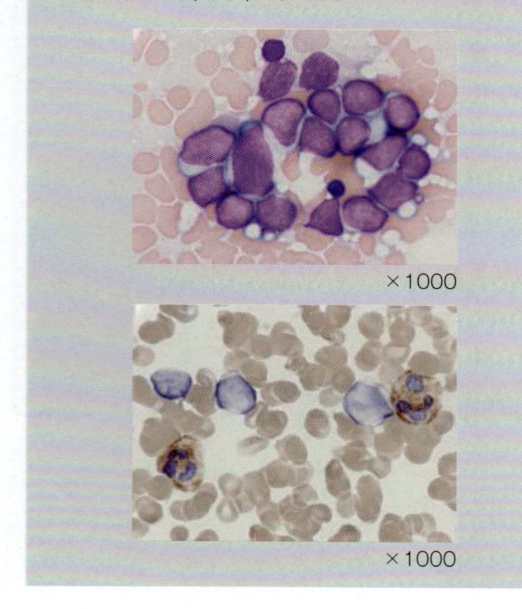

×1000

×1000

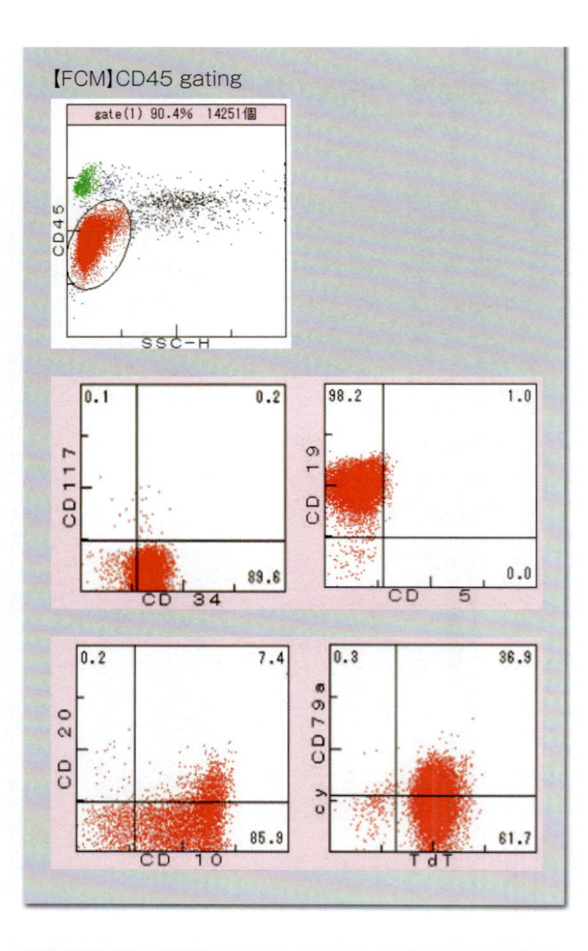

5 以下の疾患と，検査値との関連で<u>誤っている</u>のはどれか．2 つ選べ．

a. 特発性血小板減少性紫斑病──*H. pylori* 陽性
b. 血栓性血小板減少性紫斑病─ADAMTS13 低値
c. 血球貪食症候群────フィブリノゲン高値
d. von Willebrand 病──第Ⅷ因子血中濃度低下
e. 後天性血友病 A─第 IX 因子インヒビター陽性

6 スライド法によるABO型，Rh血液型検査を示す．左より順に抗A試薬，抗B試薬，抗D試薬を滴下後，被検血球浮遊液（No. 31，No. 32）を滴下し撹拌した．この検査結果についての記述で<u>誤っている</u>のはどれか．2つ選べ．

a. 被検血球（No. 32）はA型である．
b. この方法で行う検査はウラ試験である．
c. 被検血球（No. 31）はRh型（+）である．
d. 被検血球（No. 31）は抗A試薬によって凝集した．
e. 被検血球（No. 31）は抗D試薬によって凝集した．

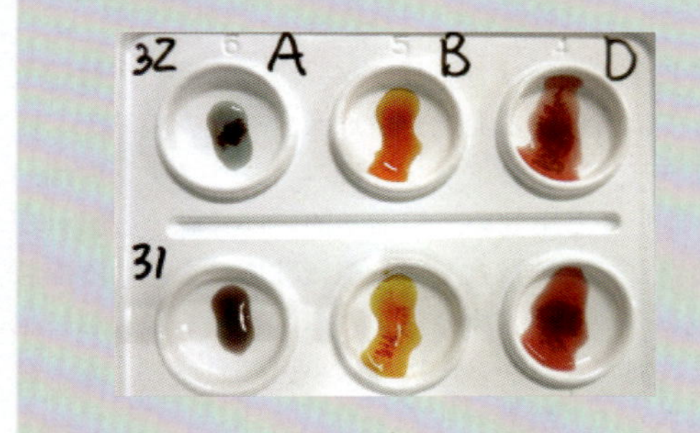

7 67歳の男性が検診異常で来院した．大腸生検のHE染色（上図），cyclinD1の免疫染色（下図）を示す．この疾患に<u>あてはまらない</u>のはどれか．1つ選べ．

a. CD5が陽性である．
b. t(11;14) がみられる．
c. CD23が陰性である．
d. CD103が陽性である．
e. 腫瘍細胞は中型である．

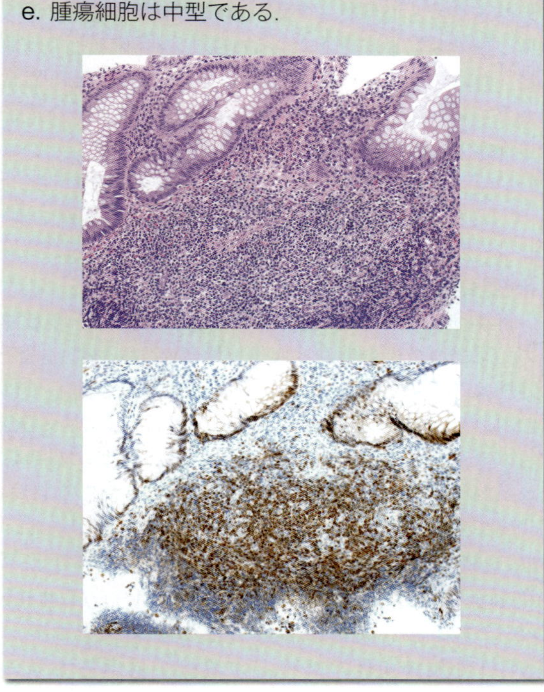

解　説

【問題 1】

本骨髄では，未熟好酸球の増加に加え，骨髄系と単球系の幼若細胞を認める．Acute myeloid leukemia with inv(16)(p13.1q22) or t(16;16)(p13.1;q22)（FAB 分類 M4Eo）でみられる骨髄像である．M4Eo は骨髄中に骨髄性と単球性の白血病細胞に加えて，未熟な好酸球の増加を認め，これらの好酸球顆粒は通常の顆粒より大きく，赤紫色である．また，M4Eo は白血球著増・髄外腫瘤形成をきたしやすく，検査値としては血清 / 尿中リゾチームの増加がみられる．遺伝子異常としては，*CBFβ::MYH11* がみられ，予後良好な遺伝子異常である．

●正解：a，e
（平成 29 年度形態・検査問題 7 番）

【問題 2】

骨髄塗沫標本では成熟傾向を示す巨核球を多数認め，末梢血では白血球，血小板増多があり，骨髄増殖性腫瘍の存在が疑われる．*BCR::ABL1* 融合遺伝子は CML では全例に認められる遺伝子異常である．*JAK2* V617F 遺伝子変異は MPN において高頻度に認められ，PV では約 95 %，ET で約 50 %，PMF では約 60%で陽性となるがこれら 2 疾患の可能性がある．*FLT3*-ITD 変異は AML で比較的多くみられる予後不良を示す遺伝子変異である．*CBFβ::MYH11* は inv(16)，t(16;16) 異常における遺伝子変異であり，WHO 分類第 4 版では特定の遺伝子異常を有する AML として独立した疾患単位として分類されている．*FIP1 L1::PDGFRα* は好酸球増多を伴う骨髄系腫瘍に分類される遺伝子異常である．

●正解：b，c
（平成 30 年度形態・検査問題 6 番）

【問題 3】

急性骨髄性白血病における予後良好染色体異常は，t(15;17)(q22;q21)，t(8;21)(q22;q22.1) および inv(16)(p13.1q22)or t(16;16)(p13.1;q22) が挙げられる．ここに 5 つ提示された染色体異常は，a t(8;21)，b t(9;22)，c −7，d +8，e t(15;17) であり，これらのうち，予後良好な染色体異常は t(8;21) と t(15;17) である．

●正解：a，e
（平成 29 年度形態・検査問題 8 番）

【問題 4】

末梢血で芽球 73% あり急性白血病である．骨髄の芽球は N/C 比で大小不同の細胞であり peroxidase 陰性である．フローサイトメトリー（CD45 gating）において，芽球は TdT,CD10,19,34,79a が陽性で，CD20 が陰性より Common ALL である．ALL で出現する染色体異常として，b. t(5;14)(q31;q32) と d. t(9;22)(q34;q11.2) が選択される．
a. inv(16)(p13q22)，c. t(8;21)(q22;q22)，
e. t(15;17)(q22;q12) は AML で出現する染色体異常である．

●正解：b，d
（令和 3 年度形態・検査問題 2 番）

【問題 5】

血球貪食症候群はさまざまな要因で発症し，臨床所見としては持続する発熱，血球減少，高フェリチン血症，高トリグリセリド血症，低フィブリノゲン血症，高 LD 血症などを認め，組織学的には骨髄・脾臓・リンパ節などで血球貪食を伴う組織球増殖を認める症候群である．一次性（原発性）と二次性（基礎疾患に起因）に大別されるが，一次性は小児に発症し，成人発症は基本的に二次性である．

後天性血友病 A は自己免疫性後天性凝固因子欠乏症の 1 つである．凝固第Ⅷ因子に対するインヒビターの存在によって第Ⅷ因子活性が著しく低下する．先天性の血友病 A の家族歴がなく，過去の出血性疾患の既往歴がない患者に突然広範な皮下出血や筋肉内出血を発症した場合は鑑別にあげる必要がある．

●正解：c，e
（令和 1 年度形態・検査問題 16 番）

【問題 6】

ABO 血液型検査には，赤血球上の抗原の有無を検査する「オモテ試験」と血清中の抗体の有無を検査する「ウラ試験」がある．検査法には，試験管法，スライド法，マイクロプレート法，カラム凝集法などがあるが，ウラ試験ではスライド法は用いない．スライド法によるオモテ試験は，試薬に約 10%濃度の被検赤血球浮遊液を滴下し，撹拌しながら凝集の有無を 2 分以内に判定する．No.32 は抗 A 試薬で凝集し，抗 B 試薬では凝集を認めず A 型である．No.31，32 ともに抗 D 試薬で凝集しており Rh(＋) と判断されるが，Rh 血液型のオモテ試験も，臨床では ABO 型のウラ試験と同様にスライド法では実施しない．

●正解：b，d

（平成29年度形態・検査問題13番）

【問題7】

腸管のマントル細胞リンパ腫に関する問題．HE染色の所見で，中型の腫瘍性リンパ球の結節状増殖が確認される．免疫染色では腫瘍性リンパ球はcyclinD1陽性であり，マントル細胞リンパ腫であることが確定する．

マントル細胞リンパ腫は，中型の腫瘍性リンパ球の結節性増殖，CD5陽性，cyclinD1陽性，t(11;14）によって特徴づけられ，基本的にはCD23が陰性となる．CD103は腸管型のPTCLでしばしば陽性となる表面抗原であり，dが誤りであるとわかる．

●正解：d

（令和1年度文章問題21番）

小児科　形態・機能

☞解答／解説：615 ページ

1

15 歳の女性．貧血の精査目的に受診．赤血球 318 万/μL，Hb10.6 g/dL，Ht 32.1%，網赤血球 23%，白血球 4,200/μL（分画異常なし），血小板 24 万/μL，総ビリルビン 1.9 mg/dL，直接ビリルビン 0.6 mg/dL，LD（LDH）420 U/L（基準 124-226），便潜血　陰性．末梢血血液像を示す．診断のため最も重要な検査はどれか．1 つ選べ．

a. クームス試験
b. 骨髄穿刺検査
c. 消化管内視鏡検査
d. ビタミン B_{12} 値測定
e. ヘモグロビン電気泳動

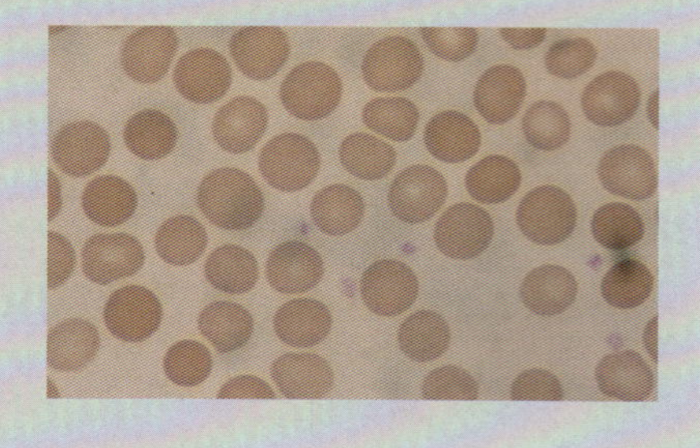

解　説

【問題 1】

血液検査所見では，軽度の大球性貧血，網赤血球増加，間接ビリルビン増加，LD 上昇と溶血性貧血の存在を示している．末梢血液像では，central pallor を有しない球状赤血球を多数認める．球状赤血球症を呈する代表的な疾患は遺伝性球状赤血球症と自己免疫性溶血性貧血であり，両者の鑑別に最も有用な基本的検査は Coombs 試験である．巨赤芽球性貧血の診断にビタミン B_{12} 値測定は有用であるが，本疾患では MCV は通常 120 fL を超える大球性を呈する．セルロースアセテート膜電気泳動は異常 Hb のスクリーニングに有用である．

●正解：a

（令和 1 年度形態・検査問題 22 番）

索　引

和文索引

そ

た

ち

て

と

な

に

ね

の

は

ひ

ふ

へ

ほ

ま

み

む

め

欧文索引

C

D

I

J

P

R

U

V

W

X

第３版の編集委員会

（五十音順）

第３版の執筆者一覧

（五十音順）

朝倉　英策	菅野　　仁	谷脇　雅史	松村　　到
麻生　範雄	菊繁　吉謙	田野崎隆二	松本　雅則
飯田　真介	木村　　宏	田村智英子	窓岩　清治
家子　正裕	清井　　仁	豊嶋　崇徳	真部　　淳
生田　克哉	桐戸　敬太	照井　康仁	三井　哲夫
石田也寸志	國﨑　祐哉	通山　　薫	宮﨑　香奈
石塚　賢治	小松　則夫	德田　桐子	宮﨑　泰司
伊豆津宏二	齋藤　章治	冨田　章裕	宮地　勇人
伊藤　悦朗	幣　光太郎	冨山　佳昭	宮本　敏浩
大賀　正一	柴田　隆夫	永井　宏和	三好　寛明
大藏　美幸	嶋　　緑倫	中沢　洋三	棟方　　理
大島　孝一	下田　和哉	中世古知昭	森　　毅彦
大森　　司	杉浦　　勇	長藤　宏司	森　　康雄
小口　正彦	鈴木　隆浩	名和由一郎	盛武　　浩
小原　　明	鈴木　律朗	南谷　泰仁	森本　　哲
片岡　圭亮	鈴宮　淳司	錦織　桃子	矢野　寛樹
片山　直之	髙田　　徹	野上　恵嗣	山内　高弘
加藤　光次	高田　英俊	波多　智子	山口　素子
金子　　誠	髙松　　泰	早川　文彦	山﨑　宏人
亀﨑　豊実	高見　昭良	張替　秀郎	山本　一仁
亀田　拓郎	瀧澤　　淳	廣川　　誠	山本　晃士
川口　辰哉	滝田　順子	藤井　康彦	吉田　奈央
川端　　浩	竹中　克斗	前田　嘉信	米山　彰子
諫田　淳也	谷　　慶彦	松田　　晃	

第２版の編集委員会

（五十音順）

薄井　紀子	鈴木　律朗	○張替　秀郎	山本　晃士
臼杵　憲祐	高見　昭良	松村　　到	
大森　　司	多和　昭雄	◎宮﨑　泰司	
塩原　正明	豊嶋　崇徳	宮本　敏浩	

（◎：教育委員会委員長，○：専門医認定委員会委員長）

第２版の執筆者一覧

（五十音順）

青木　定夫	金兼　弘和	竹内　　仁	前川　　平
朝倉　英策	川口　辰哉	谷　　慶彦	松下　　正
麻生　範雄	川端　　浩	谷脇　雅史	松田　　晃
足立　壮一	諫田　淳也	田野﨑隆二	松村　　到
飯田　真介	菅野　　仁	田村智英子	松本　雅則
家子　正裕	木下　朝博	檀　　和夫	窓岩　清治
生田　克哉	木村　　宏	鶴澤　正仁	真部　　淳
池亀　和博	清井　　仁	通山　　薫	宮﨑　泰司
石井　榮一	桐戸　敬太	冨山　佳昭	宮田　茂樹
石田也寸志	小島　勢二	中熊　秀喜	宮地　勇人
伊豆津宏二	小松　則夫	長藤　宏司	宮本　敏浩
伊藤　悦朗	柴田　隆夫	名和由一郎	森　　毅彦
今井　陽俊	嶋　　緑倫	南谷　泰仁	矢野　寛樹
岩﨑　浩己	下田　和哉	西田千夏子	山内　高弘
上田　孝典	末盛晋一郎	野上　恵嗣	山口　素子
内田　俊樹	杉浦　　勇	野元　　諭	山﨑　宏人
宇都宮　與	鈴木　隆浩	波多　智子	山本　晃士
大島　久美	鈴木　律朗	花岡　伸佳	吉野　　正
大島　孝一	鈴宮　淳司	張替　秀郎	米山　彰子
大森　　司	髙田　　徹	比留間　潔	渡辺　　新
小原　　明	髙松　　泰	廣川　　誠	
加藤　光次	高見　昭良	藤井　康彦	

初版の編集委員会

（五十音順）

◎赤司 浩一	鈴木 律朗	比留間 潔	宮﨑 泰司
石井 榮一	髙松 泰	廣川 誠	
大森 司	高見 昭良	松村 到	
○澤田 賢一	通山 薫	真部 淳	

（◎：教育委員会委員長，○：専門医認定委員会委員長）

初版の執筆者一覧

（五十音順）

青木 定夫	菅野 仁	竹内 仁	張替 秀郎
秋山 秀樹	木下 朝博	谷 慶彦	比留間 潔
朝倉 英策	木村 宏	谷脇 雅史	廣川 誠
熱田 由子	清井 仁	田野崎隆二	藤井 康彦
飯田 真介	桐戸 敬太	田村智英子	松下 正
生田 克哉	久冨木庸子	多和 昭雄	松田 晃
池亀 和博	栗山 一孝	檀 和夫	松村 到
石井 榮一	小島 勢二	鶴澤 正仁	窓岩 清治
石田也寸志	小松 則夫	寺村 正尚	真部 淳
伊豆津宏二	幣 光太郎	通山 薫	宮﨑 泰司
伊藤 悦朗	品川 克至	徳田 桐子	宮地 勇人
上田 孝典	柴田 隆夫	冨山 佳昭	宮本 敏浩
宇都宮 與	嶋 緑倫	中熊 秀喜	村田 満
大島 久美	下田 和哉	長藤 宏司	森 毅彦
大島 孝一	末盛晋一郎	名和由一郎	矢野 寛樹
大森 司	鈴木 隆浩	南谷 泰仁	山内 高弘
小椋美知則	鈴木 律朗	西田千夏子	山口 素子
小原 明	鈴宮 淳司	野元 諭	横山 健次
金兼 弘和	髙田 徹	波多 智子	吉野 正
川口 辰哉	髙松 泰	原田 浩徳	米山 彰子
川端 浩	高見 昭良	原田 結花	渡辺 新

血液専門医テキスト（改訂第４版）

2011年10月25日　第１版第１刷発行	編　集　一般社団法人日本血液学会
2015年６月５日　第２版第１刷発行	発行者　小立健太
2019年10月20日　第３版第１刷発行	発行所　株式会社　南　江　堂
2020年４月10日　第３版第２刷発行	〒113-8410　東京都文京区本郷三丁目42番6号
2023年10月20日　第４版第１刷発行	☎（出版）03-3811-7236（営業）03-3811-7239
2024年５月31日　第４版第２刷発行	ホームページ https://www.nankodo.co.jp/
	印刷・製本　大日本印刷
	装丁　野村里香

Textbook of Hematology, 4th Edition

定価はカバーに表示してあります.
落丁･乱丁の場合はお取り替えいたします.
ご意見・お問い合わせはホームページまでお寄せください.

Printed and Bound in Japan
ISBN978-4-524-20371-0